中国世界贸易组织年鉴

李岚清

主　管：中华人民共和国商务部
主　办：中国世界贸易组织研究会
合　办：对外经济贸易大学
北京市国际服务贸易事务中心
上海WTO事务咨询中心
深圳市公平贸易促进署
武汉大学WTO学院
国际贸易和可持续发展中心

2016
总第10期

图书在版编目（CIP）数据

中国世界贸易组织年鉴．2016/中国世界贸易组织研究会编．—北京：中国商务出版社，2017.7
ISBN 978-7-5103-1982-2

Ⅰ.①中… Ⅱ.①中… Ⅲ.①世界贸易组织-影响-中国经济-2016-年鉴 Ⅳ.①F743-54②F12-54

中国版本图书馆CIP数据核字（2017）第180645号

中国世界贸易组织年鉴 2016

ZHONGGUO SHIJIE MAOYI ZUZHI NIANJIAN 2016

中国世界贸易组织研究会　编

出　　版：中国商务出版社
地　　址：北京市东城区安外东后巷28号　　**邮　　编**：100710
责任部门：经管与人文社科事业部（010-64255862　cctpress@163.com）
责任编辑：孙　梅
网　　址：http://www.cctpress.com
邮　　箱：cctp@cctpress.com
排　　版：北京通润四达企业形象策划有限责任公司
印　　刷：北京墨阁印刷有限公司
开　　本：890毫米×1240毫米　1/16
印　　张：53（正文）　3.75（彩插）　　**字　　数**：1650千字
版　　次：2017年8月第1版　　**印　　次**：2017年8月第1次印刷
书　　号：ISBN 978-7-5103-1982-2
定　　价：390.00元

《中国世界贸易组织年鉴》编委会组织机构

总 顾 问

高 级 顾 问

主　编

孙振宇　第十一届全国政协委员、商务部前副部长、中国首任常驻世界贸易组织代表团常驻代表、特命全权大使、中国世界贸易组织研究会会长

副 主 编

俞晓松　中国世界贸易组织研究会高级顾问、中国国际贸易促进委员会前会长、中国世界贸易组织研究会竞争政策与法律专业委员会前主席

张志刚　中国世界贸易组织研究会高级顾问、商务部前副部长、中国商业联合会前会长

徐秉金　中国世界贸易组织研究会高级顾问、中国欧洲经济技术合作协会会长、原对外贸易经济合作部部长助理、原国家机电办主任

李恩恒　中国常驻世界贸易组织代表团前副代表、中国世界贸易组织研究会前副会长

尚　明　中国世界贸易组织研究会法律总顾问、中国世界贸易组织研究会竞争政策与法律专业委员会主任、商务部反垄断局前局长

王琴华　商务部产业司前司长、中国世界贸易组织研究会前副会长

王成安　中国世界贸易组织研究会副会长、中国—葡语国家经贸合作论坛（澳门）前秘书长

薛荣久　中国世界贸易组织研究会副会长、对外经济贸易大学教授

郑志海　原对外贸易经济合作研究院院长、中国世界贸易组织研究会前副会长

吴家煌　中国入世市场准入谈判代表、中国世界贸易组织研究会前副会长

执 行 主 编

陈　鹏　中国世界贸易组织研究会副会长兼秘书长、商务部配额许可证事务局前局长、中国国际贸易学会前副会长

霍建国　中国世界贸易组织研究会副会长、商务部国际贸易经济合作研究院前院长

施建军　中国世界贸易组织研究会副会长、对外经济贸易大学前校长、教授

屠新泉　对外经济贸易大学中国世界贸易组织研究院院长、教授、博士生导师

梁惊原　北京市国际服务贸易事务中心常务副主任

高　瞻　深圳市公平贸易促进署署长

余敏友　武汉大学 WTO 学院院长、教授

梅林德　国际贸易和可持续发展中心（ICTSD）总裁

委　员

（以下按姓氏笔画排序）

王　晖　海峡两岸经贸交流协会副会长

王世春　联合国工发组织总干事办公室主任

王利群　中国钢铁工业协会副会长

王俊文　中国国际贸易学会会长

王洛林　商务部经贸政策咨询委员会前主任

尹宗华　中国国际贸易促进委员会副会长

吕克俭　中国驻日本使馆经济商务处前公使、商务部亚洲司前司长

任鸿斌　商务部世界贸易组织司司长兼中国政府世界贸易组织通报咨询局局长

刘　佐　中国税务报社总编辑

刘有厚　驻欧盟经济商务参赞处前公使衔参赞

江　山　商务部美大司前司长、中国驻加拿大使馆经济商务参赞处前公使衔参赞

孙永福　中国世界贸易组织研究会外经贸咨询顾问委员会委员、商务部欧洲司前司长

孙淮滨　中国纺织工业联合会副会长

杜　墨　中国保险监督管理委员会国际部国际规则处处长

李　永　中国世界贸易组织研究会外经贸咨询顾问委员会委员、中国国际贸易学会中美欧经济战略研究中心共同主席

李月芬　南方中心经济和发展金融特别顾问

岑兆琦　中国世界贸易组织研究会竞争政策与法律专业委员会副秘书长

何　宁　中国驻美国使馆经济商务参赞处前公使、商务部美大司前司长

汪　敏　大益爱心基金会秘书长，北京中联智库咨询公司董事长，原中国青年企业家协会副会长、秘书长

沙开清　国家知识产权局办公室综合信息处处长

张克宁　中国驻欧盟使团经济商务参赞处前公使

张丽萍　联合国贸易和发展会议高级经济事务官员

张晓婉　农业部农业贸易促进中心研究员

陈　星　中央人民政府驻澳门特别行政区联络办公室经济部副部长、贸易处负责人

陈婧丹　中国民用航空局政策法规司政策处

林桂军　对外经济贸易大学副校长

周宏达　中国证监会国际合作部副处长

周冠山　海关总署国际合作司前司长

赵　宏　商务部国际贸易经济合作研究院副院长、商务部世界贸易组织司前世界贸易组织谈判专员

赵龙跃　广东外语外贸大学国际治理创新研究院院长教授

赵明霞　中国纺织工业联合会产业经济研究院副院长

指导单位

编辑部

序

2015年12月，世界贸易组织第十届部长级会议在内罗毕落幕。会议就多哈回合农业出口竞争、最不发达国家议题达成共识，承诺全面取消农产品出口补贴，并达成了近18年来首个关税减让协议《信息技术协定》扩围协议。然而，美欧等发达成员与发展中成员对于多哈回合的分歧也明朗化了。

2001年12月，中国成为世贸组织大家庭的一员。十五年来，我们与其他成员共商共建共享多边贸易体制，成为多边体制的受益者。中国对外贸易额增长了6.8倍，年均增幅16%；国内生产总值增长5.1倍，年均增幅14%。中国经济总量已稳居世界第二位，产业向中高端水平迈进，全球价值链地位有所提高。

十五年来，中国的开放发展惠及世界。2001—2014年，全球货物贸易额增长2.1倍，年均增幅9%。尤其在2008年国际金融危机后，中国对全球经济走出泥淖做出了巨大贡献。中国不断深化对外开放，成为全球第一货物贸易大国和主要对外投资大国，是120多个国家和地区的最大贸易伙伴，进口总额占全球比重超过10%，为贸易伙伴们创造了2000万个就业机会。

作为多边体制的积极参与者、建设者和贡献者，中国在维护多边体制、履行贸易大国义务方面任重而道远。如何坚持多哈授权与框架、坚决维护发展利益，同时又能够统筹协调投资、电子商务、中小企业等前瞻性议题，需要与各方一道继续深入探索。我们将借助G20、APEC等国际平台，加强多双边协调沟通，继续在多边这个主渠道发挥引领作用。

由中国世界贸易组织研究会编辑出版的《中国世界贸易组织年鉴（2016）》，围绕当前国际形势下多边贸易体制的新挑战、多哈回合谈判的新进展、中国在WTO中的新动态、中国学术界的最新相关研究等内容，进行了全面、客观、系统的介绍。希望这部工具书能较全面地宣传WTO的规则，并为社会各界研究世界贸易组织多边贸易体制和中国经贸发展提供有益的参考和借鉴。

中国世界贸易组织研究会名誉会长
商务部前部长

2016年12月

献　　辞

十五年前的2001年11月11日，我作为对外贸易经济合作部部长，代表中国政府在卡塔尔多哈第四届贸易部长会议上，签署了中国加入世界贸易组织议定书，标志着中国正式加入了世界贸易组织（WTO）。那是中国经济社会发展史上的重要时刻，是中国改革开放的重要里程碑。

十五年前，中国加入世贸组织是世界经济发展的必然结果，也是中国改革开放深入发展的必然一步，是党中央、国务院正确决策和国家各个部门通力合作、共同努力的结果，这与全国上下的理解和支持以及国际友好国家的大力支持是分不开的。中国入世后的事实证明："中国需要WTO，WTO也需要中国"。

十五年来，中国全面履行加入世贸组织承诺，不断创新体制机制，特别是在2008年国际金融危机爆发后中国经济继续保持快速增长，所处的地位和角色也发生了巨大变化，在不断适应国际规则的过程中中国逐渐走向成熟，完成了由新成员向重要成员的转化。

十五年来，中国通过将WTO的"非歧视"、"透明度"和公平竞争等原则，融入到我国经济制度和生活中，使规则意识、法治精神和知识产权等观念逐渐深入人心。中国的贸易和投资自由化、便利化程度显著提高，关税总水平由15.3%降至9.8%，服务贸易开放部门超过100个。加入世贸组织后，中国走出了一条"开放促改革促发展，改革、发展促开放"的全方位、多层次、宽领域的不断改革和开放的中国特色社会主义道路。

十五年来，中国取得了有目共睹的发展成就，有力地促进了世界贸易和经济的发展。中国在WTO中不仅是一个受益者，也是一个负责任的担当者。中国在制定规则、促进新一轮谈判中发挥着越来越重要的作用。

十五年来，中国的开放发展惠及全世界。金融危机前的2002—2008年间，全球资源密集型国家的增长有1/10来自于中国需求的增加。金融危机后，中国也一直是全球经济和贸易增长的积极贡献者，过去七年对全球 GDP 增长的贡献率超过 25%。

十五年来，中国成长为全球第一货物贸易大国、主要吸引外资目的地和对外投资大国，是 120 多个国家和地区的最大贸易伙伴，进口总额占全球比重超过 10%，为世界贸易伙伴创造了 2000 万个就业机会。在华外企也分享了中国经济快速发展的红利，多年来在华利润率远高于其全球平均利润率。走出去的中国企业积极承担社会责任，努力融入当地生产与生活，实现了与东道国互利共赢，为当地经济的发展、人民生活的提高做出了自己的贡献。

十五年来，中国从遵守多边规则、享用多边规则，再到积极参与制定规则，推动和维护了 WTO 多边贸易体制。中国充分参与、运用争端解决机制：共参加了 251 场对其他成员的贸易政策审议；与 16 个新加入成员进行了其加入世贸组织的市场准入谈判；在农业、工业品、服务贸易等领域单独或联合提出了 214 项提案，不断发出中国强音，主动引领谈判进程。在积极参与国际贸易规则制定的同时，随着新经济现象诸如电子商务、环境保护等的出现，中国与大多数 WTO 成员一起共同填补规则空缺，推动全球经济治理与时俱进，向更加公平合作的方向演变。

世界的发展仍然需要 WTO，仍然需要一个合理的多边贸易体制。世界经济和贸易的发展离不开一个以规则为基础的多边贸易体制，这是任何一个国家都不能颠覆的事实。尽管近年来区域经济协定和双边自贸协定发展迅猛，但哪一个都替代不了 WTO 正在发挥的作用，一切符合 WTO 规则建立的区域协定和双边协定都是对 WTO 的有益补充。这一点也恰恰表明，世界多么需要一个增强的全球的多边贸易体制！

我们现在所面临的任务就是，共同努力，早日实现新一轮多边贸易谈判的各项预定目标，进一步促进多边贸易体制不断完善、健康发展。中国愿与各成员共同努力前行，通过 WTO 多边贸易体制的完善，更好地推动全球经济治理向更加公平合理的方向发展。

原外经贸部部长　石广生

编 辑 说 明

《中国世界贸易组织年鉴》是中华人民共和国商务部主管，由中国世界贸易组织研究会组织国内外权威部门和专家、学者参与编撰出版的大型工具书。它集政策性、研究性、实用性、史料性于一体，是国内外追踪研究WTO及其相关问题，全面了解加入WTO后中国对外开放新形势和新变化的年度出版物。

2016年，中国加入世界贸易组织满15年了。15年中，中国完成了新成员向重要成员的转变，中国在享受权利的同时，认真履行了入世承诺；15年中，中国的经济、社会取得了巨大发展，并与世界共享开放成果。

15年的历程，证明了“中国需要WTO，WTO也需要中国”。WTO开启了中国融入经济全球化之路，WTO是中国参与全球经济治理的理想平台。中国一直是多边贸易体制和贸易自由化的有力推动者，仍将继续与其他WTO成员共同努力，维护和发展以规则为基础的多边贸易体制，开创全球自由贸易的新局面。

当前世界反全球化的呼声日益高涨，英国脱欧、美国总统大选特朗普获胜等事件，都加大了世界局势的不确定性，给经济全球化和WTO多边贸易体制的发展更是带来了巨大挑战。面对当前国际经贸格局的变化，中国需考虑如何继续支持贸易自由化和多边贸易体制，深度参与全球贸易体制。本年鉴的专文部分结合中国入世十五周年对此进行了阐述。

在年鉴的内容框架方面，本年鉴仍在不断完善。正文篇数从最初的五篇增至十篇，各篇框架体系逐步充实并基本定型。因应世贸组织秘书处近来对统计数据采用的有关统计方法和口径的调整、变化，编辑部对本刊的“贸易统计”数据部分做了相应调整，请读者注意。

本年鉴的编撰得到了商务部、国务院其他相关经济贸易主管部门以及我国常驻世界贸易组织代表团和广大作者、译者的积极支持和帮助，在此谨表示衷心感谢！

本年鉴所涉及的单位名称、作者姓名及职务均以截稿日期为准。我们真诚希望社会各界继续对年鉴的编辑出版工作给予关心和支持。对它的不足之处，敬请提出批评和改进意见，使之日臻完善。

通信地址：北京市朝阳区惠新东街10号，对外经济贸易大学行政楼125室

邮政编码：100029

电　　话：0086-10-8425 5121

传　　真：0086-10-8425 5121

E-mail：cwtoyearbook@163.com

《中国世界贸易组织年鉴》编辑部

2017年5月

目　　录

序 ………………………………………………………… 中国世界贸易组织研究会名誉会长、商务部前部长　陈德铭

献辞 ……………………………………………………………………… 原外经贸部部长　石广生

编辑说明 ………………………………………………………………《中国世界贸易组织年鉴》编辑部

第一篇　专　　文

中国加入世界贸易组织十五周年

- 中国：多边贸易体制和贸易自由化的有力推动者
  …………………………………………… 世界贸易组织总干事　罗伯托·阿泽维多（ 3 ）
- 继续前进，开创多边贸易体制新局面 ……………… 中国常驻世界贸易组织大使　俞建华（ 5 ）
- 中美经贸关系的失衡与调整 ………… 中国世界贸易组织研究会会长、商务部前副部长　孙振宇（ 9 ）
- 坚定维护与发展以规则为基础的多边贸易体制
  ……………………………………… 世界贸易组织上诉机构前主席、教授　张月姣（12）
- WTO是中国参与全球经济治理的理想平台
  ………………………… 中国世界贸易组织研究会副会长、对外经济贸易大学教授　薛荣久（14）
- 融入经济全球化之路：中国入世十五年的回顾与展望
  ……………………………………… 上海WTO事务咨询中心理事长兼总裁　王新奎（17）
- 替代国方法必须在2016年底终止 ………………… 武汉大学国际法研究所　余敏友　管　健（19）
- 中欧经贸关系：新机遇，新进展 ……………………… 商务部欧洲司前司长　孙永福（25）

第二篇　WTO事务

- WTO运行总体情况（2015）
  一、WTO秘书处人员与预算（2015） ……………………………………………（29）
  二、WTO主要活动（2015） ……………………………………………………（38）
- 多哈回合谈判进展（2015） ………………………………………………………（66）
- 向争端解决机构请求磋商的案件（2015）
  附录1：1995—2015年争端解决机构受理的案件 ……………………………………（120）
  附录2：1995—2015年上诉机构受理的案件 ………………………………………（228）
- 贸易政策审议（2015）
  巴巴多斯贸易政策审议 …………………………………………………………（276）
  文莱贸易政策审议 ……………………………………………………………（280）
  日本贸易政策审议 ……………………………………………………………（283）
  巴基斯坦贸易政策审议 …………………………………………………………（285）

澳大利亚贸易政策审议 …… (288)
印度贸易政策审议 …… (292)
加拿大贸易政策审议 …… (295)
智利贸易政策审议 …… (298)
新西兰贸易政策审议 …… (302)
欧盟贸易政策审议 …… (305)
马达加斯加贸易政策审议 …… (308)
多米尼加共和国贸易政策审议 …… (311)
圭亚那贸易政策审议 …… (314)
安哥拉贸易政策审议 …… (316)
佛得角共和国贸易政策审议 …… (320)
摩尔多瓦贸易政策审议 …… (323)
南部非洲关税同盟贸易政策审议 …… (327)
约旦贸易政策审议 …… (330)
泰国贸易政策审议 …… (332)
海地贸易政策审议 …… (335)

第三篇 中国与WTO

- 中国 WTO 事务综述（2015 年） …… 商务部世界贸易组织司 (339)
- 贸易争端与救济措施

中国参与世贸组织争端解决情况 …… 商务部条约法律司 (341)
中国贸易救济工作概况 …… 商务部贸易救济调查局局长 王贺军 (350)
全球及中国反倾销措施情况 …… 商务部贸易救济调查局 (352)
全球及中国反补贴措施情况 …… 商务部贸易救济调查局 (353)
全球及中国保障措施情况 …… 商务部贸易救济调查局 (354)

- 贸易政策审议

2015 年贸易政策审议工作情况 …… (355)
世贸组织对日本第十二次贸易政策审议 中国常驻世贸组织代表团俞建华大使发言 …… (356)
世贸组织对澳大利亚第七次贸易政策审议 中国常驻世贸组织代表团俞建华大使发言 …… (357)
世贸组织对印度第六次贸易政策审议 中国常驻世贸组织代表团俞建华大使发言 …… (358)
世贸组织对欧盟第十二次贸易政策审议 中国常驻世贸组织代表团俞建华大使发言 …… (359)
世贸组织对南部非洲关税同盟第四次贸易政策审议 中国常驻世贸组织代表团俞建华大使发言 …… (360)
世贸组织对泰国第七次贸易政策审议 中国常驻世贸组织代表团余本林公使发言 …… (361)

- WTO/TBT 与 SPS

2015 年 WTO/TBT、SPS 工作情况 …… 国家质量监督检验检疫总局国际合作司 (362)
2015 年世贸组织有关《TBT 协定》和《SPS 协定》的争端解决案件综述 …… 商务部条约法律司 (367)
中国参加 WTO /TBT 和 SPS 例会简况 …… 商务部世界贸易组织司 (379)

第四篇　中国大陆与港、澳、台

与香港、澳门 WTO 事务 …… 商务部台港澳司（383）
与中国台北 WTO 事务 …… 商务部台港澳司（385）
与港、澳、台经贸关系 …… 商务部台港澳司（386）

第五篇　与 WTO 主要成员经贸关系

中国与美国的经济贸易关系 …… 商务部美大司（391）
中国与加拿大的经济贸易关系 …… 商务部美大司（393）
中国与拉美国家的经济贸易关系 …… 商务部美大司（394）
中国与智利的经济贸易关系 …… 商务部美大司（396）
中国与秘鲁的经济贸易关系 …… 商务部美大司（397）
中国与欧盟的经济贸易关系 …… 商务部欧洲司（398）
中国与英国的经济贸易关系 …… 商务部欧洲司（400）
中国与德国的经济贸易关系 …… 商务部欧洲司（401）
中国与法国的经济贸易关系 …… 商务部欧洲司（403）
中国与俄罗斯的经济贸易关系 …… 商务部欧亚司（404）
中国与东盟的经济贸易关系 …… 商务部亚洲司（406）
中国与新加坡的经济贸易关系 …… 商务部亚洲司（408）
中国与日本的经济贸易关系 …… 商务部亚洲司（409）
中国与韩国的经济贸易关系 …… 商务部亚洲司（412）
中国与印度的经济贸易关系 …… 商务部亚洲司（413）
中国与巴基斯坦的经济贸易关系 …… 商务部亚洲司（415）
中国与澳大利亚的经济贸易关系 …… 商务部美大司（417）
中国与新西兰的经济贸易关系 …… 商务部美大司（418）
中国与非洲国家的经济贸易关系 …… 商务部西亚非洲司（419）

第六篇　与 WTO 有关的政策与管理措施（2015）

- 贸易政策与管理措施

依法行政和法治政府建设情况 …… 国务院法制办秘书行政司综合处（423）
中国海关管理制度 …… 海关总署（426）
中国关税政策 …… 海关总署（430）
中国关税政策 …… 财政部关税司（431）
中国海关商品归类制度 …… 海关总署（434）
中国海关估价制度 …… 海关总署（437）
中国海关原产地管理制度 …… 海关总署（439）
中国货物进出口许可证制度 …… 商务部外贸司（442）
中国关税配额制度 …… 商务部外贸司（444）
中国与进出口有关的其他税收制度 …… 中国税务报社　刘　佐（447）
中国出入境检验检疫制度 …… 国家质量监督检验检疫总局通关司综合处处长　张　东（465）
中国进出口信贷制度 …… 中国进出口银行　高小吉（468）
中国政府采购制度 …… 财政部国库司（471）
中国的自由贸易区建设 …… 商务部国际司（473）

- 投资政策与管理措施

中国利用外资情况 …… 商务部外国投资管理司（475）
中国外汇管理制度 …… 国家外汇管理局综合司（478）
国企国资改革发展基本情况 …… 国务院国资委研究局（480）
对外投资合作发展情况及相关政策措施 …… 商务部合作司（482）
中国行政管理体制 …… 中国政法大学教授　郎佩娟、中国政法大学在读硕士研究生　梁　璐（485）

- 产业开放与管理措施

中国农业对外开放情况 …… 农业部农业贸易促进中心　张晓婉（494）
中国纺织业对外开放情况 …… 中国纺织工业联合会产业经济研究院　赵明霞（502）
中国汽车业对外开放情况 …… 中国汽车工业协会（510）
中国电信业对外开放情况 …… 工业和信息化部信息通信发展司（519）
中国钢铁工业对外开放情况 …… 中国钢铁工业协会　蒋璇芳（521）
中国建筑业对外开放情况 …… 住房城乡建设部建筑市场监管司（528）
中国服务贸易发展概况 …… 商务部服务贸易和商贸服务业司（530）
中国银行业对外开放情况 …… 中国银行业监督管理委员会政策研究局　文　竹（532）
中国保险业对外开放情况 …… 中国保险监督管理委员会国际部（533）
中国资本市场对外开放情况 …… 中国证券监督管理委员会国际部　张文修（541）
中国交通运输业对外开放情况 …… 交通运输部规划研究院　刘长俭（544）
中国航空运输业对外开放情况 …… 中国民用航空局政策法规司　陈婧丹（549）
中国房地产业基本情况 …… 住房城乡建设部房地产市场监管司（552）
中国新闻出版业基本情况 …… 国家新闻出版广电总局办公厅（555）
中国文化产业及对外文化贸易发展情况
…… 北京第二外国语学院国家文化发展国际战略研究院　宋瑞雪（558）
中国旅游业对外开放情况 …… 国家旅游局政策法规司（567）

- 知识产权保护

中国知识产权发展状况 …… 国家知识产权局办公室综合信息处处长　沙开清（568）
中国专利制度 …… 国家知识产权局办公室综合信息处处长　沙开清（572）
中国商标保护工作 …… 国家工商行政管理总局商标局（577）
中国版权行政管理工作 …… 国家版权局版权管理司（580）
中国地理标志保护工作情况 …… 国家工商行政管理总局商标局（583）
中国地理标志产品保护工作 …… 国家质量监督检验检疫总局科技司　崔　婷（585）

第七篇　中国地方 WTO 事务（2015）

河北省 WTO 工作简述 …… 河北省商务厅贸易救济调查和世界贸易组织处（617）
江苏省对外贸易和 WTO 事务 …… 江苏省商务厅（619）
上海市以创新改革促外经贸新发展 …… 上海市商务委员会　卢　正　丁秀峰（622）
浙江省 WTO 事务 …… 浙江省商务厅（624）
厦门市 WTO 事务和对外开放工作 …… 厦门市商务局法规处　刘凤云（626）
内蒙古自治区外贸发展情况 …… 内蒙古自治区商务厅（630）
陕西省 WTO 工作简况 …… 陕西省商务厅世贸处（632）
甘肃省 WTO 工作情况 …… 甘肃省商务厅（633）
西藏自治区外贸发展情况 …… 西藏自治区商务厅（635）

广东省公平贸易与地方 WTO 事务
…… 广东省商务厅公平贸易局、广东省世界贸易组织事务中心（636）
深圳市 WTO 工作情况 …… 深圳市公平贸易促进署（638）

第八篇 WTO 学术成果

- 专著

1. 陈安. 国际经济法学刊—第 22 卷 第 3 期 ……（643）
2. 程保志. 欧盟与世贸组织的交互性影响析论：法律、政策与实践 ……（643）
3. 褚童. TRIPs 协定下药品试验数据保护研究 ……（643）
4. 范晓宇. WTO 版权贸易市场准入与国内监管规则研究 ……（643）
5. 冯寿波，孙琬钟（丛书主编).《WTO 协定》与条约解释：理论与实践 ……（644）
6. 傅东辉. 论贸易救济：WTO 反倾销反补贴规则研究 ……（644）
7. 高鸿钧. 清华法治论衡：全球化时代的中国与 WTO（下）——第 20 辑 ……（644）
8. 高华. 国际贸易中的知识产权滥用及我国应对研究 ……（644）
9. 黄河. 国际经济规则的政治经济学 ……（644）
10. 黄晖. 知识产权的国际保护例外研究 ……（645）
11. 姜作利. 中国决胜 WTO 官司的理论及诉讼技巧研究 ……（645）
12. 金中夏. 全球化向何处去：重建中的世界贸易投资规则与格局 ……（645）
13. 李仲周. 中国和平崛起和多边贸易体系之演进 ……（645）
14. 强永昌，权家敏. 贸易摩擦与争端解决机制研究 ……（646）
15. 师华，徐佳蓉. WTO《SPS 协定》与我国农产品应对 SPS 措施对策研究 ……（646）
16. 石士钧. 国际经济协调论：面对经济全球化的思考 ……（646）
17. 石良平. 经济大国的贸易安全与贸易监管 ……（646）
18. 孙琬钟，孔庆江. 2015—WTO 法与中国论坛年刊 ……（646）
19. 唐旗. WTO 与能源贸易——以能源安全为视角 ……（646）
20. 吴建功. 基于利益维度的 WTO 争端预防制度研究 ……（647）
21. 杨国华. WTO 中国案例评析 ……（647）
22. 杨国华，史晓丽. 我们在 WTO 打官司：参加 WTO 听证会随笔集 ……（647）
23. 杨荣珍. 国外对华反补贴案例研究 ……（648）
24. 张书林. WTO 框架下中美补贴与反补贴之实证研究 ……（648）
25. 张玉卿. 张玉卿 WTO 案例精选：WTO 热点问题荟萃 ……（648）
26. 庄惠明. 多边贸易体制的理论与实践 ……（648）

- 学术论文

➢ 中国与世界贸易组织

1. WTO 成员减让表之服务部门的解释方法
——基于中国电子支付服务案的研究 …… 李晓玲（649）
2. 生产国际化与中国就业波动：基于贸易自由化和外包视角 …… 卫 瑞，庄宗明（649）
3. 贸易自由化、企业成长和规模分布 …… 盛 斌，毛其淋（649）
4. 贸易自由化影响了研发创新效率吗? …… 韩先锋，惠 宁，宋文飞（649）
5. 贸易开放与区域收入空间效应——来自中国的证据 …… 姚 鹏，孙久文（650）
6. 贸易开放对技能溢价的影响：理论机制与中国实证 …… 张明志，刘杜若，邓 明（650）

7. 贸易开放对居民消费过度敏感性的影响机制分析 …………………………… 陈太明（650）
8. 贸易开放对发展中国家企业家精神的影响 ……………… 朱 彤，刘鹏程，王小洁（650）
9. 贸易便利化对中国经济影响分析 ……………… 杨 军，黄 洁，洪俊杰，董婉璐（650）
10. WTO《政府采购协议》视角下的我国国有企业采购规制研究
…………………………………………………………………… 白志远，王 平（651）
11. 后危机时代世界经济格局的板块化及其对中国的挑战
…………………………………………………… 李稻葵，吴舒钰，石锦建，伏 霖（651）
12. 国际经济组织运作的困境与启示——一个集体委托代理模型的视角
…………………………………………… 李 新，席艳乐，余 萍，刘 俊（651）
13. WTO 20 年：未来趋势与中国贸易战略选择 ……………………… 屠新泉，刘洪峰（652）
14. 关于 WTO“协商一致”与“一揽子协定”决策原则的实证分析
及其改革路径研究 …………………………………………………… 盛建明，钟 楹（652）
15. 多边体制 VS 区域性体制：国际贸易法治的困境与出路
——写在 WTO 成立20周年之际 ………………………………………………… 刘敬东（652）
16. 从结构性权力视角看美国霸权衰落与多哈回合困境 …… 屠新泉，苏 骁，姚 远（652）
17. 世贸组织降低贸易政策不确定性. ………………………………………… 李仲周（652）

➢ 多边贸易体制、多哈回合与新议题

1. 国际服务贸易协定（TISA）谈判与中国路径选择 ………………………… 彭德雷（653）
2. 国有企业相关国际规则的新发展及中国对策 ………………… 屠新泉，徐林鹏，杨幸幸（653）
3. 美国对《服务贸易协定》谈判的主导权分析 …………… 李伍荣，李玉文，周 艳（653）
4. 后多哈时代 WTO 农产品贸易规则的改革与完善
——基于粮食安全的视角 …………………………………………… 尚 清，刘金艳（653）
5. 双边投资协定中的劳工保护条款研究 ………………………………………… 汪玮敏（653）
6. 环境产品谈判现状与中国谈判策略 ………………………………… 屠新泉，刘 斌（653）
7. 服务贸易协定（TISA）市场开放承诺的机制创新 ……………… 李伍荣，周 艳（654）
8. 从中美 BIT 谈判看自由贸易试验区负面清单管理制度的完善
…………………………………………………………………………… 李墨丝，沈玉良（654）
9. 中日韩环境产品的贸易特点分析 …………………………………… 冯 楠，朴英爱（654）
10. 后 TRIPs 时代知识产权法律全球化的新特点及我国的对策 ……………… 徐 元（654）
11. 新一代贸易投资规则的环境标准对我国的挑战及对策
……………………………………………………………… 洪俊杰，孙乾坤，石丽静（654）
12. 国际贸易与国际劳工标准问题的历史演进及理论评析 ………………… 刘 波（655）
13.《政府采购协定》适用范围的最新修订及其影响 ………………………… 张幸临（655）
14. 环境税的国际协调与 WTO 规则的完善 …………………………………… 王 慧（655）
15. WTO 新议题：动物福利 ………………………………………………… 叶 波，梁 咏（655）

➢ 区域贸易协定

1.“一带一路”沿线 FTA 现状与中国 FTA 战略 …………………… 竺彩华，韩剑夫（655）
2. 中韩 FTA 对两岸经贸关系的影响
——基于台韩产品在中国大陆市场的贸易竞争关系分析 ……… 庄 芮，李晴晴（655）
3. 金砖国家合作机制对全球经济治理体系与机制创新的影响
……………………………………………………………… 王厚双，关 昊，黄金宇（656）

4. 跨太平洋伙伴关系协定（TPP）：美日战略的分与合 ……………………… 葛　成（656）
5. ECFA条件下大陆西部边境地区对台经济合作的产业选择与财税支撑策略 …… 苏毓敏（656）
6. 区域一体化进程中地缘经济区贸易网络的演进
——以广西与澳门为例 ……………………………………………… 李　红，聂艳明（656）
7. 自由贸易协定对我国货物贸易出口规模与出口结构变动的影响
…………………………………………………………… 徐春祥，郭宗旗，韩召龙（656）
8. 区域服务贸易安排中"GATS—"承诺的服务贸易影响
——基于发展中经济体视角的经验研究 ……………… 周念利，林　珊，周文灿（656）
9. 试析美欧日自贸区战略及对中国的启示 ……………………………………… 冯维江（657）
10. CEPA促进了香港与内地的服务贸易吗？ ……………………… 张应武，朱亭瑜（657）
11. RCEP框架下货物贸易自由化阻力及对策分析 ………………… 冯晓玲，高一鸣（657）
12. 后ECFA时代两岸关系面临的机遇与挑战 ……………………… 厉　力，刘奇超（657）
13. 亚太自由贸易区（FTAAP）问题的由来及影响 ………………… 冯　军，陈　琛（657）
14. 人本化对TPP谈判中国际投资仲裁机制设计的影响 ………………………… 强之恒（657）
15. 全球贸易治理模式之分析——以区域贸易协定为视角 ……………………… 钟　楹（658）
16. TPP与RCEP贸易自由化经济效果的可计算一般均衡分析 …… 孟　猛，郑昭阳（658）
17. 中日韩自由贸易区建立的经济影响
——基于局部均衡模型的分析 ………………………………… 杜威剑，李梦洁（658）
18. TPP的投资区位效应及非TPP亚太国家的应对措施
——基于多国自由资本模型的分析 …………………………… 许培源，魏　丹（658）
19. 中国的自由贸易并非对美国的威胁 ……………………… 西蒙·莱斯特，蔡云飞（658）
20. 全球区域经济一体化发展趋势及中国的对策 ……………………………… 全　毅（659）
21. TPP对中日韩自由贸易区的可行性及建设路径的影响研究
——基于GTAP模型的分析 ………………………… 刘朋春，辛　欢，陈　成（659）
22. TPP背景下世界高端制造业贸易格局演化研究
——基于复杂网络的社团分析 ………………………………… 许和连，孙天阳（659）
23. 中国与TPP核心国农产品国际竞争力的比较 …………………… 谢汶莉，李　强（659）
24. 我国FTA战略的路径选择与影响因素研究
——基于二元响应模型的分析 ………………………………… 赵金龙，王　斌（659）
25. 跨大西洋贸易与投资伙伴协议（TTIP）对金砖国家经济影响分析
——基于含全球价值链模块的动态GTAP模型 ………………… 蔡松锋，张亚雄（659）
26. 自由贸易协定中关税减让和非关税措施承诺水平评价
——基于哥伦比亚四个主要自贸协定的研究 ……… 柴　瑜，孔　帅，李圣刚（660）
27. 中国—欧盟自贸区经济效应的前瞻性研究 ……………………… 陈　虹，马永健（660）
28. 日本—欧盟EPA对中国、日本、欧盟的影响研究
——基于GTAP-Dyn的一般均衡分析 ……………… 黄凌云，王丽华，刘　姝（660）
29. 中韩自贸区的经济效应研究与对策分析
——基于GTAP模型的模拟 …………………………………… 刘　斌，庞超然（660）
30. 论TPP中强化著作权保护之趋向及中国应对 …………………… 张桂红，刘　宇（661）
31. 自贸区仲裁规则的冷静思考 ………………………………………………… 袁发强（661）
32. 双边FTA是否会成为中日韩自由贸易区的"垫脚石"？
——中日韩自由贸易区建设路径的GTAP模拟分析 ………………………… 刘朋春（661）

33. 亚太自由贸易区构建路径的比较分析——兼论中国的战略选择 ………… 刘阿明（661）
34. 国际经贸新规则：中国自贸区的实践与探索 ……………………………… 张　琳（661）
35. 从 TPP 和亚投行看中美战略博弈 …………………………… 张　欣，郭　辰（662）
36. “一带一路”背景下中国—海合会自贸区谈判的重启
——背景、意义及政策建议 ………………………………………… 倪月菊（662）
37. 不能轻易说自贸区“碎片化” …………………………………………… 刘昌黎（662）

➢ 争端解决
1. “超 WTO 条款”法律适用研究：基于中国“稀土案”的考察 …………… 彭德雷（662）
2. 模糊与澄清：上游补贴利益传递分析的法律依据探析
——以 GATT/WTO 裁决为样本 ………………………………………… 李仲平（663）
3. 反补贴争端解决动态博弈模型与经验分析 …………………… 孙　铭，杨仕辉（663）
4. 合作抑或惩罚：WTO 可得事实规则的本原追问
——基于反补贴调查的视角 ……………………………………………… 李仲平（663）
5. 世界贸易组织争端解决机制的经济学研究新进展 ……………………… 田　丰（663）
6. 试论贸易政策合规性审查的方法 ……………………………… 余敏友，管　健（663）
7. 反补贴中“一般基础设施”的法律判断标准探析
——基于公共物品理论的视角 …………………………………………… 李仲平（663）
8. 最惠国待遇条款适用投资争端解决程序的表象与实质
——基于条约解释的视角 ………………………………………………… 朱明新（664）
9. WTO 裁决执行与否的法律机理 ……………………………………………… 贺小勇（664）
10. 论世界贸易组织与中国的市场经济地位 ……………………………… 朱兆敏（664）
11. 论外资并购国家安全审查中的投资者保护缺失
——以三一集团诉奥巴马案为视角 ……………………………………… 赵海乐（664）
12. 论世界贸易组织争端解决中“表面事实”之证明效力 ………………… 张卫彬（664）
13. 论国际习惯法在 WTO 争端解决中的适用——以预防原则为例 ………… 曾　炜（665）
14. 论“发展的条约解释”及其在世贸组织争端解决中的适用 ……………… 孙南翔（665）
15. 欧盟投资协定中的投资者—国家争端解决机制
——兼论中欧双边投资协定中的相关问题 ………………………………… 黄世席（665）
16. WTO 争端解决机制及其对国家声誉的影响研究 …………………………… 韩逸畴（665）
17. 论 WTO“疑难案件”的裁判进路：法律原则 ……………………………… 彭德雷（665）
18. 论《中国入世议定书》与 WTO 多边贸易协定的关系
——从“中国稀土案”上诉机构报告切入 …………………… 刘　瑛，杜　蕾（665）
19. 论 GATT 与 GATS 项下义务的累加性 ……………………………………… 刘子平（666）
20. GATT 一般例外条款适用的价值导向与司法逻辑 ………………………… 马　乐（666）

➢ 贸易摩擦
1. 美国对华发起胶合板“双反”调查的合规性分析 …………………… 康　宁，缪东玲（666）
2. 技术性贸易壁垒的差异化效应：国际经验及对中国的启示
……………………………………………………………………… 鲍晓华，朱达明（666）
3. 美国对华反倾销的影响因素研究——基于负二项模型的方法 …………… 陈巧慧（667）
4. 美国反倾销立案调查对我国上市公司影响的决定因素分析
………………………………………………………… 巫　强，马野青，姚志敏（667）

5. 中国在世界反倾销中角色地位变化的社会网络分析 …………………… 周 灏（667）
6. 超越 WTO——区域自由贸易协定“下一代贸易议题”
对贸易壁垒的影响研究 …………………………………… 张胜满，张继栋（667）
7. 卫生与植物检疫措施对中国农产品出口质量的影响 ………………… 李丽玲，王 曦（667）
8. WTO 规则下的不公平贸易战——WTO 成立 20 周年之全球
反倾销案件分析及中国的策略选择 …………………………… 尹继元，李淑玲（668）
9. 试析美国反倾销法及其适用特点 …………………………………………… 侯 放（668）
10. 基于个人信息保护的国际贸易壁垒及其法律应对 ……………………… 侯富强（668）
11. 传统知识保护之争中的非政府组织 ……………………………………… 魏艳茹（668）
12. 金融危机下美国对华实施保障措施的原因及对策分析 ……………… 宏 结（668）
13. 国际贸易摩擦协调机制构建的制约因素及核心维度 ……………… 刘 伟，何均林（668）
14. 中美新能源产业贸易摩擦之经济学分析 ………………………………… 周聪慧（668）
15. 美国农产品贸易双反调查及对中国的启示 ………………………… 李万君，李艳军（669）
16. 从政府职能角度谈国际贸易摩擦问题 …………………………………… 陈昌候（669）
17. 中美汽车贸易摩擦的现状、原因及应对 …………………………… 李旗明，赵凌云（669）

➢ 其他议题
1.“丝绸之路经济带”与亚欧经济互动
——兼论泛北部湾与印度的经贸合作 …………………………………… 周忠菲（669）
2. 中国自由贸易试验区功能定位与投资规则构建 ……………………… 赵东麒，桑百川（669）
3.“一带一路”倡议中的议题区域化模式探析 ………………………… 陈松川，邓世专（670）
4. APEC 与欧盟个人数据跨境流动规则的研究 ………………………… 弓永钦，王 健（670）
5. 中国（上海）自由贸易试验区发展评价 ……………………………… 荆林波，袁平红（670）
6.“一带一路”战略与全球经贸格局重构 ……………………………… 李 丹，崔日明（670）
7.“一带一路”国家的贸易便利化水平测算与贸易潜力研究 …… 孔庆峰，董虹蔚（670）
8. 21 世纪“海上丝绸之路”贸易潜力及其影响因素
——基于随机前沿引力模型的实证研究 …………………………… 谭秀杰，周茂荣（670）
9.“一带一路”战略下贸易便利化的经济影响
——以中哈贸易为例的 GTAP 模型研究 ……………… 刘 宇，吕郢康，全水萍（671）
10. 析中国对美出口产品质量与美国对华反倾销起诉之间的关系
……………………………………………………………………………… 蒋冬英，赵曙东（671）
11. 中国自由贸易试验区金融改革问题探讨 ………………………………… 裴长洪（671）
12. 中非货物贸易与投资模式亟需改变 ……………………………………… 薛荣久（671）
13. 加快更新国际经济秩序时不我待 ………………………………………… 陈飞翔，吕 冰（671）
14. 中国参与构建合理有效全球经济治理机制的战略举措 ………… 高凌云，苏庆义（672）

第九篇 与 WTO 有关的法规及政策（2015）
商务部《自由贸易试验区外商投资备案管理办法（试行）》 ……………………………（675）
中国人民银行、海关总署《黄金及黄金制品进出口管理办法》 …………………………（675）
商务部《外商投资产业指导目录（2015 年修订）》 ……………………………………（675）
海关总署《海关总署关于修改部分规章的决定》 ……………………………………………（675）
国务院办公厅《自由贸易试验区外商投资国家安全审查试行办法》 ……………………（675）

国务院办公厅《自由贸易试验区外商投资准入特别管理措施（负面清单）》 ………………（675）
人力资源和社会保障部令《人力资源社会保障部关于修改部分规章的决定》 ………………（675）
国家发展和改革委员会、财政部、住房城乡建设部、交通运输部、水利部、
中国人民银行《基础设施和公用事业特许经营管理办法》 ………………………………（676）
国务院《中华人民共和国食品安全法》 ……………………………………………………（676）
国务院《全国人民代表大会常务委员会关于修改〈中华人民共和国港口法〉等
七部法律的决定》 ……………………………………………………………………（676）
商务部、国家原子能机构《核两用品及相关技术出口管制清单》 …………………………（676）
财政部《中小企业发展专项资金管理暂行办法》 …………………………………………（676）
主席令《全国人民代表大会常务委员会关于修改
〈中华人民共和国促进科技成果转化法〉的决定》 ……………………………………（676）
国家工商行政管理总局《企业经营范围登记管理规定》 …………………………………（676）
国家工商行政管理总局《关于废止〈外商投资广告企业管理规定〉的决定》 ……………（677）
国家新闻出版广电总局《关于修订部分规章和规范性文件的决定》 ………………………（677）
商务部《2016 年羊毛、毛条进口关税配额管理实施细则》………………………………（677）
商务部、海关总署《两用物项和技术进出口许可证管理目录》 ……………………………（677）
商务部《对外援助项目实施企业资格认定办法（试行）》 …………………………………（677）
商务部、海关总署《从加工贸易禁止类目录调整的商品目录》 ……………………………（677）
商务部、海关总署《加工贸易限制类商品目录》 …………………………………………（677）
商务部《对外援助成套项目管理办法（试行）》 …………………………………………（677）
商务部《对外援助物资项目管理办法（试行》 ……………………………………………（678）
商务部《对外技术援助项目管理办法（试行）》 …………………………………………（678）
国家质量监督检验检疫总局、国家发展和改革委员会、商务部、海关总署
《关于废止〈缺陷汽车产品召回管理规定〉的决定》 …………………………………（678）
海关总署《中华人民共和国海关〈中华人民共和国政府和大韩民国政府
自由贸易协定〉项下进出口货物原产地管理办法》 ……………………………………（678）
海关总署《中华人民共和国海关〈中华人民共和国政府和澳大利亚政府
自由贸易协定〉项下进出口货物原产地管理办法》 ……………………………………（678）
商务部《2016 年进口许可证管理货物分级发证目录》…………………………………（678）
商务部《2016 年出口许可证管理货物分级发证目录》…………………………………（678）
商务部、海关总署、国家质量监督检验检疫总局《2016 年进口许可证
管理货物目录》 ………………………………………………………………………（679）

第十篇 贸易统计数据

● 世界贸易统计
表 1 世界货物出口、产量和 GDP（1950—2015 年）…………………………………（683）
表 2 2005—2015 年区域一体化协定的货物贸易 ………………………………………（686）
表 3 2006—2015 年区域集团的服务贸易 ………………………………………………（688）
表 4 2005—2015 年世界货物出口（按地区和国家） …………………………………（690）
表 5 2005—2015 年世界货物进口（按地区和国家） …………………………………（695）
表 6 2006—2015 年世界商务服务出口（按地区和国家） ……………………………（700）
表 7 2006—2015 年世界商务服务进口（按地区和国家） ……………………………（705）

表 8　2010—2015 年世界货物出口量和产量增长 …………………………………… (710)
表 9　2010—2015 年世界主要地区和经济体货物贸易量增长 …………………………… (710)
表 10　2010—2015 年世界货物和服务贸易（按地区和国家） ……………………… (711)
表 11　2005—2015 年世界商业服务出口增长（按产品类别和地区） ……………… (712)
表 12　1948，1953，1963，1973，1983，1993，2003 和 2015 年世界货物出口（按地区和国家） ………………………………………………… (713)
表 13　1948，1953，1963，1973，1983，1993，2003 和 2015 年世界货物进口（按地区和国家） ………………………………………………… (714)
表 14　2015 年世界货物贸易的主要进出口方 …………………………………………… (715)
表 15　2015 年世界货物贸易的主要进出口方［不包括欧盟（28）内部贸易］ ………… (716)
表 16　2015 年世界商业服务贸易的主要进出口方 ……………………………………… (718)
表 17　2015 年世界商业服务贸易的主要进出口方［不包括欧盟（28）内部贸易］ …… (719)
表 18　2015 年最不发达国家货物贸易进出口 …………………………………………… (720)
表 19　2015 年最不发达国家商业服务出口（按类别） ………………………………… (721)
表 20　2015 年农产品的前十大进出口方 ………………………………………………… (723)
表 21　2015 年前十大燃料和矿产品进出口方 …………………………………………… (724)
表 22　2015 年制成品的前十大进出口方 ………………………………………………… (725)
表 23　2015 年钢铁产品的前十大进出口方 ……………………………………………… (726)
表 24　2015 年化学制品的前十大进出口方 ……………………………………………… (727)
表 25　2015 年药品的前十大进出口方 …………………………………………………… (728)
表 26　2015 年办公和电信设备的前十大进出口方 ……………………………………… (729)
表 27　2015 年汽车产品的前十大进出口方 ……………………………………………… (730)
表 28　2015 年纺织品的前十大进出口方 ………………………………………………… (731)
表 29　2015 年服装的前十大进出口方 …………………………………………………… (732)
表 30　2015 年世界商业服务贸易（按产品类别） ……………………………………… (733)
表 31　2015 年货物相关服务贸易（按地区） …………………………………………… (733)
表 32　2015 年货物相关服务的主要进出口方 …………………………………………… (734)
表 33　2014 和 2015 年维护和保养服务的主要进出口方 ……………………………… (735)
表 34　2015 年世界运输服务贸易（按地区） …………………………………………… (735)
表 35　2015 年运输服务的主要进出口方 ………………………………………………… (736)
表 36　2015 年世界旅游服务贸易（按地区） …………………………………………… (737)
表 37　2015 年旅游服务的主要进出口方 ………………………………………………… (738)
表 38　2015 年世界其他服务贸易（按地区） …………………………………………… (739)
表 39　2015 年其他商业服务的主要进出口方 …………………………………………… (739)
表 40　2014 和 2015 年世界建筑服务出口（按地区） ………………………………… (740)
表 41　2014 和 2015 年建筑服务的主要进出口方 ……………………………………… (741)
表 42　2014 和 2015 年世界建筑保险和养老服务出口（按地区） …………………… (741)
表 43　2014 和 2015 年保险和养老服务的主要进出口方 ……………………………… (742)
表 44　2014 和 2015 年世界金融服务出口（按地区） ………………………………… (742)
表 45　2014 和 2015 年金融服务的主要进出口方 ……………………………………… (743)
表 46　2014 和 2015 年世界对知识产权使用费收入 n. i. e.（按地区） ……………… (743)
表 47　2014 和 2015 年知识产权使用费的主要进出口方 ……………………………… (744)

表 48 2014 和 2015 年世界电信、计算机和信息服务出口（按地区） ……………………… (744)
表 49 2014 和 2015 年电信、计算机和信息服务的主要进出口方 …………………………… (745)
表 50 2014 和 2015 年电信服务的主要进出口方 ……………………………………………… (745)
表 51 2014 和 2015 年计算机服务的主要进出口方 …………………………………………… (746)
表 52 2014 和 2015 年世界其他商业服务出口（按地区） …………………………………… (747)
表 53 2014 和 2015 年其他专业服务的主要进出口方 ………………………………………… (748)
表 54 2014 年主要经济体的其他专业服务贸易（按类别） …………………………………… (749)
表 55 2014 和 2015 年世界个人、文化及娱乐服务出口（按地区） ………………………… (750)
表 56 2014 和 2015 年个人、文化及娱乐服务主要进出口方 ………………………………… (750)
表 57 2014 和 2015 年视听及相关服务的主要进出口方 ……………………………………… (751)
表 58 2014 年中间品的主要进出口方 …………………………………………………………… (752)
表 59 2011—2013 年外国公司分支机构的销售
——主要从事服务活动的常驻机构（FATS 内向统计） ………………………………… (753)
表 60 2011—2013 年常驻公司的外国分支机构的销售
——主要从事服务活动的国外分支机构（外向 FATS 统计） ………………………… (754)
表 61 2012 年美国海外子公司提供的货物和服务 ……………………………………………… (756)
表 62 2013 年由美国在国外建立的分支机构（外向 FATS 统计）和在美国的
外国分支机构（内向 FATS 统计）提供的服务（按经济体） ………………………… (756)
表 63 2004—2014 年世界中间产品的出口（按地区和经济体） ……………………………… (757)
表 64 2004—2014 年世界中间产品的进口（按地区和经济体） ……………………………… (761)
表 65 2005—2016 年初级产品的出口价格 ……………………………………………………… (766)
表 66 2005—2015 年德国、日本和美国的出口价格（按产品类别） ………………………… (767)
表 67 2005—2015 年德国、日本和美国的进口价格（按产品类别） ………………………… (768)

● 中国商务统计
表 1 1981—2015 年中国进出口总值 ……………………………………………………………… (770)
表 2 2015 年中国进出口简要情况 ………………………………………………………………… (771)
表 3 2015 年中国进出口主要国别/地区总值 …………………………………………………… (771)
表 4 2015 年中国进口重点商品量值 ……………………………………………………………… (772)
表 5 2015 年中国出口重点商品量值 ……………………………………………………………… (773)
表 6 2015 年中国进出口商品贸易方式总值表 …………………………………………………… (774)
表 7 2015 年中国商品出口企业性质贸易方式总值表 …………………………………………… (774)
表 8 2015 年中国商品进口企业性质贸易方式总值表 …………………………………………… (775)
表 9 2015 年中国月度出口和进口统计 …………………………………………………………… (777)
表 10 2015 年中国月度进出口总值统计 ………………………………………………………… (777)
表 11 1982—2014 年中国年度服务进出口 ……………………………………………………… (778)
表 12 1997—2014 年中国服务进出口差额 ……………………………………………………… (779)
表 13 1997—2014 年中国服务贸易出口（分项目） …………………………………………… (780)
表 14 1997—2014 年中国服务贸易进口（分项目） …………………………………………… (782)
表 15 2015 年中国对外承包工程业务完成营业额前 100 家企业 ……………………………… (784)
表 16 2015 年中国对外承包工程业务新签合同额前 100 家企业 ……………………………… (786)
表 17 2015 年中国外商投资企业进出口情况 …………………………………………………… (789)

表 18 2015 年中国非金融类对外直接投资（按省市区排序） …………………………… (789)
表 19 2000—2015 年两岸贸易统计 ……………………………………………………………… (790)
表 20 2000—2015 年台商投资大陆统计 ………………………………………………………… (791)
表 21 2000—2015 年内地与香港贸易统计 ……………………………………………………… (791)
表 22 2000—2015 年香港对内地投资统计 ……………………………………………………… (792)
表 23 2000—2015 年内地对香港承包工程统计 ………………………………………………… (792)
表 24 2000—2015 年内地与澳门贸易统计 ……………………………………………………… (793)
表 25 2000—2015 年澳门对内地投资统计 ……………………………………………………… (793)
表 26 1998—2015 年内地对澳门劳务合作统计 ………………………………………………… (794)
表 27 2015 年中国对亚洲国家（地区）贸易统计 ……………………………………………… (794)
表 28 2015 年美国对中国出口主要商品构成（章） …………………………………………… (796)
表 29 2015 年美国自中国进口主要商品构成（章） …………………………………………… (797)
表 30 2015 年美国对中国出口主要商品构成（类） …………………………………………… (798)
表 31 2015 年美国自中国进口主要商品构成（类） …………………………………………… (798)
表 32 2015 年美国自中国进口的十大类商品及其国别/地区构成 ……………………………… (799)
表 33 2015 年欧盟（27）自中国出口主要商品构成（章） …………………………………… (800)
表 34 2015 年欧盟（27）自中国进口主要商品构成（章） …………………………………… (801)
表 35 2015 年欧盟（27）对中国出口主要商品构成（类） …………………………………… (802)
表 36 2015 年欧盟（27）自中国进口主要商品构成（类） …………………………………… (802)
表 37 2015 年欧盟（27）自中国进口的十大类商品及其国别/地区构成 ……………………… (803)
表 38 2015 年日本对中国出口主要商品构成（章） …………………………………………… (804)
表 39 2015 年日本自中国进口主要商品构成（章） …………………………………………… (805)
表 40 2015 年日本对中国出口主要商品构成（类） …………………………………………… (806)
表 41 2015 年日本自中国进口主要商品构成（类） …………………………………………… (806)
表 42 2015 年日本自中国进口的十大类商品及其国别/地区构成 ……………………………… (807)

附 录

附录一：多哈回合及中国参与谈判大事记（2015） ………………………… 商务部世界贸易组织司 (811)
附录二：中国自贸区建设总体情况 ………………………………………………… 商务部国际司 (813)
附录三：WTO 年度大事记（2015） ……………………………………………………………… (814)
附录四：《世界贸易报告 2015》内容摘要 ……………………………………………………… (824)
附录五：WTO 成员一览表、WTO 观察员一览表 ………………………………………………… (830)
附录六：中国世界贸易组织研究会年度大事记（2015） ……………………………………… (836)
附录七：对外经济贸易大学年度大事记（2015） ……………………………………………… (842)
附录八：北京市国际服务贸易事务中心年度大事记（2015） ………………………………… (844)
附录九：上海 WTO 事务咨询中心年度大事记（2015） ……………………………………… (846)
附录十：深圳市公平贸易促进署年度大事记（2015） ………………………………………… (847)

CONTENTS

Preface ······ Deming Chen

Dedication ······ Guangsheng Shi

Notes of Editors ······ Editorial department

Part Ⅰ Special Articles

——The 15th Anniversary of China's WTO Accession

- Roberto Azevêdo ······ (3)
- Jianhua Yu ······ (5)
- Zhenyu Sun ······ (9)
- Yuejiao Zhang ······ (12)
- Rongjiu Xue ······ (14)
- Xinkui Wang ······ (17)
- Minyou Yu, Jian Guan ······ (19)
- Yongfu Sun ······ (25)

Part Ⅱ Activity of the WTO (2015)

- Overview ······ (29)
- Doha in 2015 ······ (38)
- The cases request for Consultations in 2015 ······ (66)

  Appendix 1: Overview of the State of Play of WTO Disputes (1995—2015) ······ (120)

  Appendix 2: Summary of the activities by the Appellate Body (1995—2015) ······ (228)
- Trade Policy Reviews in 2015 ······ (276)

Part Ⅲ China and the WTO

- Review of China as a WTO Member in 2015 ······ (339)
- Trade Disputes and Relief Measures ······ (341)
- Trade Policy Reviews ······ (355)
- WTO/TBT and SPS ······ (362)

Part Ⅳ Mainland China and Hong Kong, Macau, Chinese Taipei

Part Ⅴ Economic and Trade Relations Between China and the Selected WTO Members

Part Ⅵ Policies and Management Measures Related the WTO in 2015
- Trade Policies and Management Measures …… (423)
- Investment Policies and Management Measures …… (475)
- Industry Open and Management Measures …… (494)
- Intellectual Property Protection …… (568)

Part Ⅶ Local WTO Affairs in 2015

Part Ⅷ Academic Achievement Related the WTO
- Monographs …… (643)
- Papers …… (649)

Part Ⅸ Regulations and Policies Related the WTO in 2015

Part Ⅹ Trade Statistics
- World Trade Statistics …… (683)
- China Business Statistics …… (770)

Appendix

Appendix 1: Memorabilia of Doha Round and China's Participation (2015) …… (811)
Appendix 2: Overview of China's FTAs …… (813)
Appendix 3: WTO Annual Events (2015) …… (814)
Appendix 4: Summary of World Trade Report 2015 …… (824)
Appendix 5: WTO Members and Observers …… (830)
Appendix 6: Annual Events of China Society for World Trade Organization Studies (2015) …… (836)
Appendix 7: General Information about University of International Business and Economics (2015) …… (842)
Appendix 8: Annual Events of Beijing International Trade in Services Center (2015) …… (844)
Appendix 9: Annual Events of Shang Hai WTO Affairs Consultation Center (2015) …… (846)
Appendix 10: Annual Events of Shenzhen WTO Affairs Center (2015) …… (847)

中国中车 打造中国梦

BUILD CHINA'S DREAM

★ 中车大同电力机车有限公司隶属于中国中车股份有限公司，是中国专业化电力机车研发和生产基地之一。
CRRC Datong Co., Ltd. is a subsidiary of CRRC Corporation Limited, which is one of a professional R & D and production base for electric locomotives production in China.

★ 公司拥有上千名工程技术人员组成的专业研发团队，产品覆盖直流传动和交流传动两大技术领域。到目前为止，累计已为中国铁路提供了上千台和谐型大功率交流传动电力机车。
The company has thousands of engineering and technical personnel of the professional R & D team, product coverage DC and AC drive two major technical areas, so far, has provide thousands of HXD high-power AC drive electric locomotive to Chinese railway.

★ 近几年，公司先后通过了EN15085国际焊接体系认证、IRIS国际铁路行业管理体系认证以及俄罗斯联邦GOST质量安全体系认证。出口白俄罗斯铁路市场的机车受到客户的高度认可。
In recent years, the company has passed the EN15085 international welding system certification, IRIS international railway industry management system certification, and the Russian Federation GOST quality and safety system certification. And locomotives exported to Belarus railway are highly recognized by customers.

★ 伴随中车中电轨道装备有限公司在白俄罗斯成立的契机，公司拟充分利用在白俄罗斯区域市场的优势，推动铁路装备出口向“产品+服务”方向升级。
With the opportunity to set up CRRC CUEC Railway Equipment Co., Ltd. in Belarus, the company will make full use of its advantages in Belarus to promote the railway equipment exports upgrade to the "product + service" direction.

海外足迹 Overseas Footprint

2010年3月，公司与白俄罗斯铁路联盟签署了12台中白1型八轴9600KW交流传动电力机车供货合同，开创了中国大功率电力机车产品出口欧洲市场的先河。凭借成熟的技术、良好的性能，中白货运1型电力机车持续赢得白俄罗斯客户青睐。2013年7月，公司又与白俄罗斯铁路联盟签署了18台中白2型单节六轴7200KW交流传动电力机车销售合同。至此，由公司自主研发的中白1型和2型电力机车将联合搭配、共同承担起白俄罗斯境内的主要货运任务。

On March 25th of 2010, CRRC Datong Co., Ltd. signed a contract with Belarus Railway Union for supplying of 12 BKT-1 2(B0-B0) 9600kW high power AC driven electric locomotives. This is the first time that the Chinese railway manufacturing enterprise exports AC driven electric locomotive to European market. In order to meet the need of growth of Belarus railway market, we developed BKT-2 7200kW C0-C0 AC driven electric locomotive. And the contract for procurement of this locomotive was signed on Jul 17th of 2013 with the quantity of 18 sets. So far, the above mentioned two types of locomotive, which are researched and developed by the company of its own, will be combined together to bear the main freight transportation mission in Belarus.

2016年12月9日在白俄罗斯首都明斯克,中车中电轨道装备有限公司揭牌成立。该公司由中车大同电力机车有限公司联合中国电气进出口公司共同发起成立，涵盖了轨道交通产品的维修、保养、销售、技术咨询等多个领域。中车中电轨道装备公司不仅可以满足白俄罗斯铁路运营的实际需要，同时还将充分利用白俄罗斯区域市场优势，深化中白、中欧产品技术贸易与合作。

On Dec 9th of 2016, CRRC & CUEC Railway Equipment Co., Ltd. was founded in Minsk, Belarus, which was jointly co-sponsored by CRRC Datong Co., Ltd. and China Nationalelectric Import & Export Corp. The business of the company consists of repair, maintenance, sale, technical consultation, etc. The establishment of CRRC & CUEC Railway Equipment Co., Ltd. could not only meet the actual need of operation requirements in Belarus, but also make full use of Belarusian market advantages, and deepen the technical trade and cooperation between China- Belarus and China-Europe.

中车中电轨道装备有限公司是中车在欧洲本土建立的首个轨道交通维保基地，白俄罗斯也由此成为欧洲首个由中国企业提供机车维修保养的国家。随着“一带一路”倡议的不断推进，越来越多的中欧班列途径白俄罗斯，白俄罗斯迫切需要更加优秀的铁路装备和服务来保障本国的过境运输能力。此次在白俄罗斯成立的轨道装备公司将有力地推动轨道装备和服务出口欧洲市场，有效提升中国企业“走出去”的价值链输出水平，助力“一带一路”倡议形成更深刻的示范效应。

CRRC & CUEC Railway Equipment Co., Ltd. is the first maintenance base which is founded in Europe by CRRC. Belarus also became the first European country provided repair and maintenance by Chinese enterprise. Along with China continuously promotes the “One belt, one road” proposal, more and more trains pass through Belarus. Belarus really needs better railway equipments and service to ensure the transportation ability. Thus, the foundation of CRRC & CUEC Railway Equipment Co., Ltd. will greatly boost the railway equipments and services' export to European market. And effectively improve the value output ability for export of Chinese enterprises, assist the “one belt, one road” proposal to promote a further demonstrational effect.

未来，公司将与客户一起，继续分享轨道交通装备技术日新月异的变化，共同成为绿色环保、经济高效运输理念的倡导者，续写中国轨道交通装备的大国梦。

In the future, CRRC Datong Co., Ltd. will continually share the change with the customers on track & rolling stock transpiration equipment technology, and to be the urger together with customers on the green environment protection and economic transportation. CRRC Datong Co., Ltd. will contribute its effort to realize the dream of China 's rail transportation equipment---to be the famous manufacture for the track & rolling stock transportation equipment.

中车大同电力机车有限公司
CRRC DATONG CO., LTD.

ADD: No.1 Qianjin Street, Datong City, Shanxi Province, China
Zip Code: 037038
TEL: +86-352-7162299
FAX: +86-352-7162285
Website: www.crrcgc.cc/dt

DTW
大田物流
Logistics
DTW 大田物流
Logistics
城际快运 · 国际物流 · 综合物流
大田集团创立于1992年，是国家 5A 级物流企业，中国物流百强企业。大田物流本着“我承诺、我实现”的服务宗旨，为客户提供基于“城际快运、国际物流、综合物流”三大物流平台的一体化供应链管理服务。

城际快运 Road Transportation

以覆盖全国的公路运输网络为基础，提供快捷、安全、准时的标准化公路运输服务，同时为客户提供高附加值服务，满足客户的个性化要求。

综合物流 Warehousing Logistics

大田集团在国内主要城市均建立了现代化的仓储物流中心，拥有丰富的仓储资源、先进的仓储设备、国际化的标准操作、专业的物流管理团队，可为客户提供高效满意的服务。

国际货运 International Freight

大田物流拥有二十多年的国际货运经验，是IATA成员、全球星级代理，可为客户提供覆盖全球主要港口和机场的空海运、多式联运、包机服务等。

我承诺 我实现

Delivering Our Promise

成都chengdu

——十年建成全国服务业核心城市

随着“一带一路”、长江经济带和西部大开发的深入推进，以及工业化、城镇化的深入发展，近年来成都作为中心城市的首位度不断提高，辐射范围不断扩大，服务对象和服务水平日益国际化，城市吸引力与影响力大幅提升，正逐步从面向区域的服务中心向着面向全球的服务枢纽转变。2015年，全市实现服务业增加值5704.5亿元，对地区生产总值总量和增速贡献率分别为52.8%、77.9%。

成都市服务业发展方向：以提质增效为中心，增强“成都服务”主体功能，增强服务于生产活动的资源配置功能，增强服务于人的全面发展的消费服务功能；围绕先进制造业和现代农业发展需求，推动生产性服务业集聚化、知识化发展；围绕城镇化和产城融合发展要求，推动生活性服务业多样化、国际化发展；实现与信息化、新型工业化、新型城镇化和农业现代化融合互动，带动三次产业整体提升。

按照《成都市服务业发展2025规划》，未来10年，成都将建成高端服务功能集聚、辐射带动作用明显的全国服务业核心城市。到2025年，全市服务业增加值达到1.7万亿元左右。并拟通过5到10年的努力，实现由面向区域到面向全球、由服务中心到服务枢纽、由劳动力和资源密集型到资本和知识密集型转变。

成都世纪城新会展中心

成都银泰中心

成都创意广告基地

成都锦里

成都远洋太古里

With the deepening implementation of “One Belt, One Road”, Yangtze River Economic Zone and the Development of Western China, together with further growth of Industrialization and Urbanization, in recent years Chengdu as a center city, has become more attractive and influential greatly with its primacy improved, radiation range gradually expanded, service object and level increasingly international. It is transforming from a region oriented service center to a global oriented service pivot. In 2015, the whole city has realized the added value of RMB 57.045 billions in service industry with gross regional domestic product and growth contribution rate of 52.8% and 77.9% respectively.

The service industry in Chengdu city should develop in the direction: with the center of improving quality and efficiency, to enhance the subjectivity function of “Chengdu service”, resource allocation function serving for production activities, and consumption service function serving for people’s comprehensive development; centered on the developing demands of advanced manufacturing industry and modern agriculture to promote the centralized and knowledge-based development of producer services; centered on the developing requirement of urbanization and industry-city integration, to promote the diversified and international development of life-based service; to realize the integral interaction with informatization, new industrialization, new-type urbanization and agricultural modernization mobilizing the entire improvement of thrice Industry.

According to “Chengdu 2025 plan of development of service industry”, in the future ten years, Chengdu will construct a national core city of service industry with centralized high-end service functions and significant radiated drive effect. Up to 2025, the added value in the municipal service industry will reach about RMB 1,700 billions. It is estimated that through five to ten years’ endeavors, the transformation from region oriented to global oriented, from service center to service pivot and from labor & resource-intensive to capital & knowledge-intensive will come true.

成都经济技术开发区

Chengdu Economic and Technological Development Zone

成都经济技术开发区成立于2000年2月，规划建设面积56.34平方公里，是国家汽车产业新型工业化示范基地和国家生态工业示范园区创建单位，四川省以汽车整车和关键零部件生产为主导的先进制造基地，以及成都市汽车产业综合功能区主体区和天府新区骨干区，正在规划建设“中法成都生态园”和“中德汽车及智能制造产业园”等国际合作示范园区。

2015年，经开区实现整车（整机）产量89.8万辆，实现主营业务收入1218.8亿元，实现规模以上工业增加值393.6亿元。

一汽大众成都轿车基地

沃尔沃成都轿车基地

沃尔沃S60出口美国

一汽大众总装车间

Chengdu Economic and Technological Development Zone is founded in February 2000, with a planning construction area of 56.34 square kilometers. It is a national automobile industry of new industrialization demonstration base and founding member of national eco-industrial demonstration parks, the advanced manufacturing base which is dominated by the production of automobile and key parts in Sichuan Province, the main part of integrated functional area of automobile industry in Chengdu and backbone part of Tianfu New Area, and it is planning to build international cooperation demonstration parks such as “Sino-French Chengdu Ecological Park” and “Sino-German automobile intelligent manufacturing industrial park”.

In 2015, the Zone achieved vehicle (machine) yield of 898,000, the main business income of RMB 121.88 billion, and the above-scale industrial added value of RMB 39.36 billion.

一汽丰田有限公司成都基地

成都吉利高原汽车有限公司

神龙汽车奠基仪式

生态经开区

桃花丛中经开区

萍乡经济技术开发区

萍乡市位于江西省西部，与湖南省接壤，素有“湘赣通衢”、“吴楚咽喉”之称。市内沪昆铁路、沪昆高铁横穿，与京广、京九铁路相连，沪昆高速、萍洪高速、319和320国道贯穿全境，构成了连接长江三角洲和珠江三角洲的重要通道。中心城区距长沙黄花机场约100Km，仅1小时车程。

萍乡经济技术开发区设立于1992年，1995年成为省级开发区，2010年升为国家经济技术开发区。建成面积16平方公里，是萍乡中心城区的重要组成部分，也是萍乡市新的政治、经济、文化、商务中心；辖区57.6平方公里，人口近20万，入园企业390家。园区内基础设施和服务功能完善，综合投资环境优越。

2016年园区工业主营业务收入首次突破600亿元，达到602.31亿元，同比增长9.3%；招商引资到位资金77.35亿元，总量列全市第三，增幅12.43%。园区收入、工业增加值、税金、招商引资到位资金、安排就业人数、出口交货值这六项指标综合测评近两年连续保持全省第三的位置。外向型经济三大指标继续保持强劲增长，外贸出口56967万美元，增幅为25.69%，居全省国家开发区增幅前列；实际利用外资6536万美元，增幅为10%。

萍乡经济技术开发区坚持走“工、城、贸”有机结合、良性发展之路，以“产业兴区”为战略主线，制定了“工业产业化、城市生态化、惠民常态化”三大发展战略，先后规划建设了“三园六基地”产业平台，园区水、电、路、气、通讯“五网”设施全覆盖，初步形成“三轴三心”的城市功能分区。按照新型工业化的要求，致力于培育壮大新兴产业，形成产业配套，增强了产业集聚效应。重点培育新材料、现代装备制造、医药食品、电子信息这四个主导产业。并制定了重点产业中长期发展规划，通过培育、引进、重组等方式，建立和完善政府奖励推动机制，承接产业转移，强化招商选资、招才引智，加快引进辐射带动力强、科技含量高的一批龙头骨干企业项目，打造转型升级、创新发展的经济技术开发区。

萍乡经济技术开发区先后获得“全国中小企业信用体系试验区”、“国家新材料产业化示范基地”、“国家劳动关系和谐工业园区”、“国家知识产权试点园区”等项荣誉，连续八年荣获江西省先进工业园区和工业崛起奖，并已成为萍乡市经济发展新的增长极、赣西经济转型崛起的主战场、高新技术产业的示范区、改革创新与先行先试的试验区，目前正在努力朝全省一流国家开发区的目标迈进。

南昌小蓝经济技术开发区

南昌小蓝经济技术开发区位于南昌县境内，成立于2002年3月，2006年3月升级为省级开发区，2012年7月升级为国家经济技术开发区。建成面积27平方公里，规划面积200平方公里。

开发区实行“一区带三园”的发展模式：在核心区之外，设有向塘物流园、武阳中小企业创业园、南新滨江工业园，形成了一核多极、良性互动的发展格局。

开发区坚持以科学发展观统领全局，走新型工业化与城市化相结合的发展之路，支支撑南昌县在全省率先跻身全国百强县之列。2015年小蓝经济技术开发区实现工业总产值1014.51亿元，主营业务收入1001.2亿元，税收45.49亿元，预计2016年工业总产值将突破1100亿元。

开发区秉承“与入园企业共成长”的发展理念，树立“只为成功找方法，不为失败找理由”的工作准则，已逐步形成汽车及零部件、食品饮料、生物医药三大支柱产业和一个集成电路战略性新型产业。目前落户企业691家，包括福特汽车、李尔内饰、伟世通、法国佛吉亚、美国江森、上海宝钢、可口可乐、百事可乐、中粮集团等14家世界五百强企业，以及泰豪科技、尚荣医疗、三鑫医疗、煌上煌集团、汇仁集团、绿滋肴、达利园食品、中牧股份、天津宝迪等知名企业和上市公司。

地址：江西省南昌市小蓝经济开发区富山大道1168号
电话：（+86）0791-85738333　85988951
传真：（+86）0791-85988952
邮编：330200
网址：www.jxxl.gov.cn

沛县经济开发区创立于2001年12月，规划面积70平方公里。开发区位于汉高祖故里、微山湖之滨，人文气息浓郁，自然生态优美。经过十多年的开拓进取，开发区羽翼日益丰满。

2015年，开发区致力于创新驱动和转型升级，各项工作迈出新步伐。

目前已注册各类工商企业1100余家，具有一定规模的企业近400家，其中国内外著名企业投资项目80余家，上市公司投资项目14家。现已建成5个产业集聚区和3个特色产业园区、2个创业平台。其中新型铝材产业集聚区汇集了各类铝加工企业17家，形成了三大百亿元板块和三大产业链条，铝加工能力突破80万吨；农产品加工集聚区是首批全国农产品创业基地，集聚了80余家企业，形成了生态肉鸭、果蔬罐头、食品加工三大产业链条；光伏光电产业汇集了光伏光电企业20余家，十三五末可达到年产值200亿元、税收30亿元、就业10000人的规模，使沛县成为国内最大的光伏光电产业集中区之一，国际一流的光伏产业研发、创新、生产、制造基地；现代纺织产业集聚区汇集了30余家现代化纺织企业；机电一体化集聚区汇集了20余家机电制造企业，潜水泵和卷盘式喷灌机在全国市场占比60%。

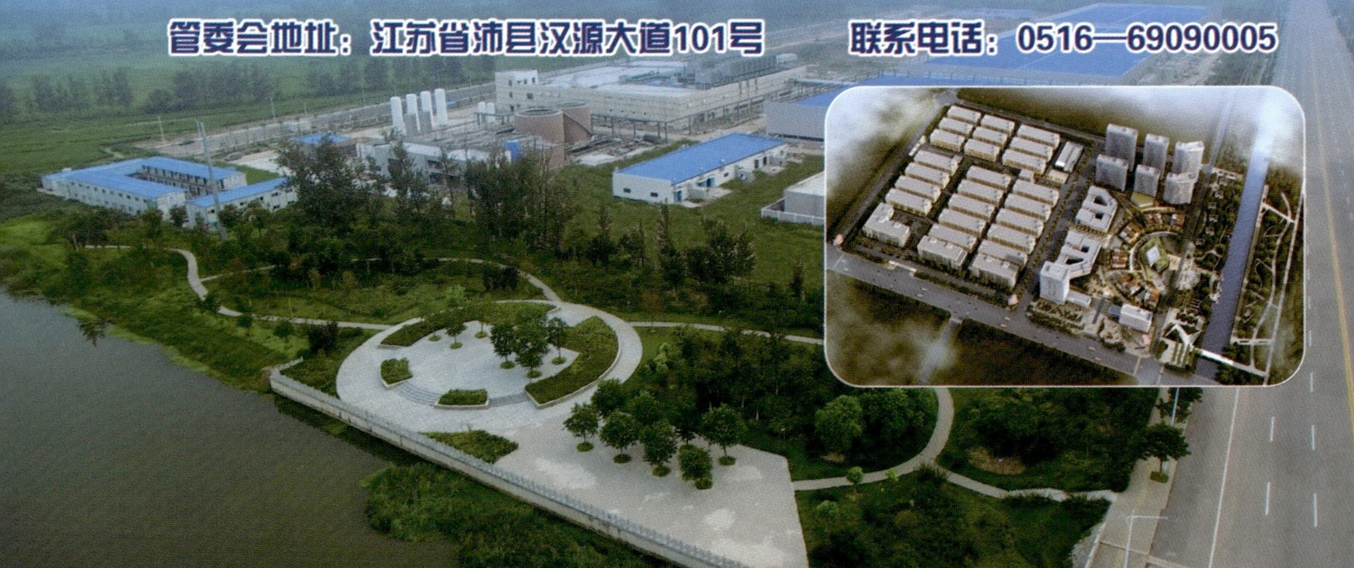

旅顺经济技术开发区

机车企业生产线

造船企业

轮渡码头

国家重点实验室

中车集团
大连电力牵引研发中心

旅顺经济技术开发区位于辽东半岛最南端，西濒渤海，东临黄海，北依森林公园，南连老铁山自然保护区，境内有深水不冻港旅顺新港、世界独一无二的鸟岛和蛇岛、4A级景区世界和平公园。规划面积88平方公里，海岸线长23.9公里，总人口约10万人。

开发区成立于1992年，2002年升为省级开发区， 2010年纳入辽宁沿海经济带重点发展区域，2013年11月升级为国家经济技术开发区。

经过二十多年的建设，旅顺开发区的城市功能日益完善，产业集聚成效明显，战略地位显著提升，现已成为大连国际航运中心和现代产业聚集区建设的重要组成部分，是辽宁沿海经济带最具活力的产业园区。

园区先后入驻了中远集团、中车集团、中船集团、大连重工起重集团等一批世界五百强和中国五百强企业，引进各类工业企业240多家、国家研发中心5个、高等院校4所，形成了船舶制造、轨道交通、重大装备制造、港航物流业等主导产业。在加速产业集聚的同时，着力提升城市功能，形成了集港口、火车轮渡、铁路、高速公路、城市轻轨“五位一体”的交通运输体系，开通了至烟台、蓬莱、东营、天津等地的客滚航线，成为大连国际航运中心建设的重要组成部分。

旅顺经济技术开发区将紧紧抓住国家新一轮支持东北振兴的重要机遇，以先进制造业和现代服务业为支撑，全力打造改革创新先行区、对外开放先导区、绿色产业集聚区、产城融合示范区，在引领辽宁沿海经济带加速发展、带动东北老工业基地全面振兴中发挥重要作用。

旅顺新港

深化合作  互利共赢

第二届中国—中东欧国家投资贸易博览会

THE 2nd CHINA-CEEC INVESTMENT AND TRADE EXPO

中国•宁波

Ningbo,China

由中国商务部和浙江省人民政府主办的第二届中国—中东欧国家投资贸易博览会于2016年6月8日至12日在中国宁波举办。本届博览会顺应"一带一路"发展战略，以《中国—中东欧国家合作苏州纲要》精神为指导，以"深化合作、互利共赢"为主题，通过举办会议论坛、投资洽谈、贸易展览、人文交流等系列活动，进一步打造中国与中东欧国家全面合作及"一带一路"建设的重要平台。详情参见：WWW.CCEECEXPO.ORG

The 2nd China-CEEC Investment and Trade Expo, co-hosted by Ministry of Commerce of the People's Republic of China and People's Government of Zhejiang Province, will be held in Ningbo from June 8th to 12th. It follows the Belt and Road Initiative and The Suzhou Guidelines for Cooperation between China and Central and Eastern European Countries and takes the theme of win-win cooperation through deepened cooperation. By staging forums, exhibitions, investment symposiums, and cultural exchanges, the Expo is expected to make an important platform for China-CEEC cooperation in all fronts. Please visit us at: www.cceecexpo.org.

第一篇　专　　文

中国加入世界贸易组织十五周年

The 15th Anniversary of China's WTO Accession

2001.12—2016.12

中国：多边贸易体制和贸易自由化的有力推动者

世界贸易组织总干事 **罗伯托·阿泽维多**

我高兴地祝贺中国世界贸易组织研究会主编的2016年版《中国世界贸易组织年鉴》的出版。

中国始终一贯地与世界贸易组织密切合作，共同推动贸易自由化的发展和多边贸易体制的完善，2016年这种合作得到了持续发展。作为2016年G20峰会的主席国，中国将贸易议题摆在了非常重要的位置，并以这种方式协助我们就贸易问题开展更为详尽和平衡的讨论，进而促进建立更为包容的贸易体制。此外，世界贸易组织与G20主席国中国合作，推出了一种新的经济指标——全球贸易预测指标，该指标用于监测全球范围内的贸易环境，将有助于发现未来趋势的早期迹象。

2016年，我们持续努力推进世界贸易组织各领域的工作。以往两届部长级会议所取得的成果激励了所有成员，中国在其中发挥了重要作用。例如，在2015年12月内罗毕举行的《信息技术产品协议》扩围谈判（ITA II）中，中国为协议达成作出了关键性贡献。现在，我们的目光投向了2017年年底将在布宜诺斯艾利斯召开的下一届部长级会议，中国也一直非常积极地致力于议题成果磋商。在2016年预先进行的广泛对话中，众多成员带来了供讨论的广泛议题和思路。

面对全球经济的不确定形势，世界贸易组织各成员应该共同努力，为世界的增长和发展提供新的动力。我毫不怀疑，中国将继续发挥关键作用。事实上，中国对于发展问题起着特别重要的作用，它是世界贸易组织在许多贫穷国家实施能力建设举措的有力支持者。作为“中国方案”的赞助方，中国在帮助强化最不发达国家对世界贸易组织事务的参与以及协助有关政府的入世工作方面都发挥了带动和引领作用。

我衷心希望，在今后的岁月里，中国在加强多边贸易体制和将未来成果惠及发展增长方面，发挥更大的作用。

（本文标题为译者所加）

附原文：

DG MESSAGE TO THE “CHINA WTO YEARBOOK 2016”

Roberto Azevêdo，Director-General of the World Trade Organization

I am pleased to congratulate the China Society for World Trade Organization Studies on the publication of the *China WTO Yearbook 2016*.

China has always worked closely with the WTO to promote trade and the multilateral trading system and it was no different in 2016. As the President of the G20 in 2016，China placed a particularly strong emphasis on trade. In this way，China was instrumental in our efforts to promote a more informed and balanced debate about trade，as well as to make the case for a more inclusive trading system. In addition，the WTO collaborated with the Chinese G20 Presidency to launch a new economic indicator which gives the outlook for world trade，and which will be helpful in providing early signs of future trends.

In 2016 our efforts continued to advance the WTO's work on all fronts. The successful outcomes of the last two WTO ministerial conferences have energized members. China had an important role in these achievements. For example，China's contribution was crucial to reaching agreement to expand the Information Technology Agreement in Nairobi in December 2015. Now，as we look ahead to our next Ministerial Conference in Buenos Aires at the end of 2017，China has also been very much engaged in discussing what could be achieved. These conversations advanced considerably in 2016，with members bringing a range of issues and ideas forward for discussion.

At a time of global economic uncertainties，WTO members should work together to deliver a new boost for growth and development around the world. I have no doubt that China will continue to play a central part in these efforts. Indeed，regarding development issues，China plays a particularly important role as it is a strong supporter of the WTO's capacity building initiatives in many poorer countries. As the patron of the “China Programme”，China has taken a lead in strengthening the participation of least-developed countries in the WTO and assisting acceding governments in joining the organization.

I look forward to China playing its full role in strengthening the multilateral trading system and helping to deliver further outcomes to support growth and development in the years to come.

继续前进，开创多边贸易体制新局面

中国常驻世界贸易组织大使 俞建华

2016年是中国正式加入世界贸易组织十五周年。十五年来，我们切实履行加入承诺，主动把握开放机遇，在更大范围和更高水平上深度参与全球治理和经济合作。展望未来，我们将继续做多边贸易体制的参与者、支持者和贡献者，推动以世贸组织为代表的多边贸易体制朝着更加公平、开放、包容的方向发展，为实现2030年可持续发展目标做出贡献。

一、十五年风雨兼程，渐趋成熟

十五年来，我国全面履行加入世贸组织承诺，不断创新体制机制，特别是在2008年国际金融危机爆发后经济继续保持快速增长，所处的地位和角色也发生了巨大变化，在不断适应国际规则的过程中逐渐走向成熟。

（一）全面履行对外承诺

我国在加入世贸组织时做出了高水平承诺，不断扩大各领域对外开放，加快推进贸易与投资自由化和便利化，2005年便已执行完绝大多数承诺，赢得了国际社会和其他世贸成员的充分信任和广泛赞誉。2004年我国修订实施《对外贸易法》，全面清理有关法律法规，以登记备案制取代外贸审批制，提前半年兑现放开外贸经营权承诺。十五年来，中央政府共清理各类法律法规和部门规章数千件，地方政府共清理地方性政策和法规近20万件，使国内涉外经济法律法规与我国加入世贸组织承诺相一致。我国还逐步取消了400多项非关税措施，开放了金融、保险、法律、电信、分销、速递等100余个服务贸易部门。2010年，我国所有产品的降税承诺提前履行完毕，关税总水平从加入时的15.3%降至9.8%。

2011年，世贸组织对我国为期十年的过渡性审议结束，我国以优异的答卷向全体世贸成员展示了中国恪守承诺、坚持开放的良好形象。2014年年底，中国宣布将给予最不发达国家输华商品提供零关税待遇的产品比例提高至97%，以切实行动展示了主动承担国际责任的风范。2015年9月，中方率先批准《贸易便利化协定》（TFA），成为接受该协定的第十六个成员。据世贸组织预测，TFA全面实施后每年可以增加全球货物出口多达1万亿美元。

（二）充分享受成员权利

十五年来，我们充分享受和积极利用作为世贸组织成员的各项权利，切实维护国家利益，实现经济快速发展。我们参加了251场对其他世贸成员的审议，代表国内企业充分表达了对相关成员的具体关注。我们与16个新加入成员进行了其加入世贸组织的市场准入谈判，并参加其加入工作组，为我国企业拓展了海外市场，提供了更好的制度保护框架。我们坚决捍卫企业利益，2009年使欧美取消了对我在纺织品服装贸易领域的配额限制，2011年如期结束了世贸组织对我国的过渡性审议，2013年顺利终结特定产品过渡性保障机制条款。我们在农业、工业品、服务贸易等领域单独或联合提出214项提案，不断发出中国强音，主动引领谈判进程。更多的中国籍职员进入世贸组织秘书处，现在有一名副总干事和10名其他级别中国籍职员。我们充分利用“新成员待遇”和“发展中成员待遇”，先后多次打消了发达国家要求我们扩大农产品关税配额、削减农产品国内支持、取消化工、制药等行业关税、取消对跨境数据流动限制等要价，切实维护了国家利益。

（三）渐入核心决策圈

2008 年国际金融危机导致全球经济持续低迷，全球贸易低速增长，中国经济贸易却“一枝独秀”，为全球经济稳定和复苏做出了重要贡献。世贸组织越来越重视中国作用。

与此同时，中国逐渐成为世贸组织重要谈判议题的核心决策方，开始由国际经贸规则制定的追随者，变为主要参与者甚至引领者。2008 年 7 月，中国受邀参加在日内瓦举行的小型部长会议，其间中国首次作为“核心七方”（G7，即中国、美国、欧盟、日本、澳大利亚、印度和巴西）之一参加贸易部长小范围磋商，首次进入多边贸易谈判的核心决策圈。虽然此次会议与成功擦肩而过，但中国作为 G7 成员在谈判中发挥的积极和建设性作用得到各方广泛认可。此后，中方一直被邀请参加历次谈判最关键时期的核心范围磋商。2015 年世贸组织内罗毕部长级会议期间，中国作为“核心五方”（G5，即中国、美国、欧盟、印度和巴西）之一参加磋商，为会议取得最终成功发挥了重要作用。

（四）引领作用持续加强

近几年来，美国和西方国家主导的特大型自贸区谈判声势浩大并逐渐取得进展，多边贸易体制遇到了前所未有的挑战。同时，随着新兴经济体群体性崛起，发达成员对世贸组织的影响力相对下降。在此背景下，我国展现负责任大国形象，积极发挥引领作用，推动多边贸易体制朝着正确方向前行。

一是发挥关键作用，推动世贸组织巴厘岛和内罗毕贸易部长会议取得成功。在 2013 年巴厘岛部长级会议期间，我国积极“促和、促谈、促成”，在谈判最紧要关头做个别成员工作，推动会议达成了“巴厘一揽子协定”，这是世贸组织成立以来首个多边贸易规则成果，大大提振了各方对多边贸易体制的信心。在 2015 年内罗毕部长级会议期间，我国作为核心五方成员之一，与各成员积极寻求共识，就农业出口竞争、特殊保障机制、粮食安全公共储备等议题达成协议。其中，25 个仍保留农产品出口补贴的成员承诺全面取消，这是多哈回合启动以来在农业领域取得的首个重大成果。

二是突出贸易投资在全球治理层面的重要作用，坚定支持多边贸易体制。2014 年，我国作为亚太经合组织（APEC）会议主办方，协调各方成功发表了《关于“支持多边贸易体制”的声明》，再次确定了多边贸易体制的核心和首要地位。2016 年，我国作为二十国集团（G20）主席国，实现了贸易和投资机制化建设，并达成多项具体成果，制定了扭转全球贸易颓势的《G20 全球贸易增长战略》和全球首个多边投资规则框架《G20 全球投资指导原则》，留下了不可磨灭的“中国印记”。

三是不断提出中国方案，推动谈判取得多项成果，为世贸组织工作注入强大动力。在农业领域，与多哈回合农业谈判三十三方协调组（G33）联合提出粮食安全公共储备和特殊保障机制提案，并在巴厘岛部长级会议上收获粮食安全公共储备临时解决机制；技术性贸易壁垒（TBT）和卫生与植物卫生措施（SPS）领域，提出关于制定私营标准最佳实践指南的倡议；服务领域，提出金融服务与发展等提案；发展领域，与部分发展中成员联合提出加强贸易与发展委员会职能和解决发展中成员间优惠贸易协定“双重通报”问题等提案；规则领域，联合部分主要发展中成员提出内罗毕部长宣言关于《与贸易有关的知识产权协定》（TRIPS）议题谈判的建议案文、非违反之诉和情景之诉内罗毕部长级会议决定建议案文等。为成功结束《信息技术协定》（ITA）扩围谈判做出了重要贡献，协定惠及 1.3 万亿美元贸易额，将为其他世贸成员提供巨大的市场准入机会，同时也将促进中国自身产业结构调整和升级。

二、十五年成绩斐然，责任重大

加入世贸组织十五年来，我国经济和对外贸易以世所罕见的速度迅猛发展，取得了巨大成就。

第一，经济贸易发展成绩闪耀。2015 年，中国国内生产总值自 2001 年的 1.3 万亿美元提高至 10.98 万亿美元，增长了 8.4 倍，2010 年以来成为世界第二大经济体；货物贸易进出口总额自 2001 年的 5098 亿美元提高至 3.95 万亿美元，增长了 7.7 倍，2013 年以来成为世界货物贸易第一大国；服务贸易进出口总额自 2001 年的 674 亿美元提高至 7130 亿美元，增长了 10.6 倍，2014 年以来成为世界服务贸易第二大国。中国还是 120 多个国家和地区的第一大贸易伙伴和全球最具吸引力的投资目的国之一。

第二，体制完善有目共睹。加入世贸组织不仅是与国际市场的全方位对接，更是与国际规则和体制的深层次衔接。十五年来，中国以加入世贸组织为契机，扎实推进经贸体制改革、法制建设和政府职能转变，为企业提供了更加开放、透明和公平的营商环境，催生出巨大的制度红利，为国家经济社会发展和综合国力提升提供了内生动力。

第三，思想解放接轨世界。加入世贸组织后，中国的眼光更加开阔，与世界的联系更加紧密，完成了一次伟大的思想解放过程。目前，非歧视、透明度、国民待遇、公平竞争等世贸原则开始运用到相关经贸体制机制中，全社会的规则意识、法治意识、市场意识明显增强，这笔财富弥足珍贵。中国参与全球竞争的开放心态和骄人成绩，更坚定了我们的道路自信、理论自信、制度自信和文化自信。

当前全球经济复苏乏力，多边贸易谈判举步维艰，反贸易、反全球化思潮蔓延。与此同时，我国经济社会发展特别是供给侧结构性改革任务繁重，对外开放向纵深发展。在参与世贸组织工作上我国面临着更大的历史责任：

一是成员对中国作用的期盼日益上升。作为最大的发展中国家和世贸组织核心成员，中国的一举一动都会给贸易伙伴乃至世界经济带来重要影响，已经无法在国际经贸规则制定中置身事外，外部效应和国际社会责任越来越成为我们政策制定中需要考虑的因素。随着我国经济的进一步发展，美欧等发达成员不再愿意让中国继续与一般发展中国家一样享受同等的差别待遇，甚至要求中国承担更多的责任。发展中成员则希望我们带头坚持多边贸易体制的发展导向，消除历史形成的有利于发达成员的“规则赤字”，也希望从我国发展中收获更多的市场利益。

二是需更好维护世贸组织多边主渠道。一方面，进入 21 世纪以来，各种区域、双边和诸边经贸安排层出不穷，目前全球已达成和正在谈判的类似安排已有 500 多个，大型自贸协定对多边贸易谈判已形成巨大冲击。相对区域、双边和诸边而言，多边体系可在最大范围维护我们的外部发展环境，团结更多发展伙伴，有效化解发达成员压力，更符合我们当前发展阶段的需求，因此急需我们发挥引领，巧妙维护。

三是继续营造公平合理的贸易环境。世贸组织是成员谈判和维护多边贸易规则、解决具体贸易关注的重要平台。受国内外政治经济影响，近期世贸组织主要成员贸易政策内顾明显，贸易保护主义和反全球化思潮抬头，所采取的贸易限制措施创历史新高。同时，个别主要成员罔顾历史承诺，公开叫嚣不愿停止对我国企业的歧视性反倾销调查替代国做法，不仅严重影响了外部市场的公平和稳定，而且对多边贸易规则的信誉和权威造成了巨大影响。为此，我们需更好地把握和利用世贸组织规则，坚决维护我国贸易利益。

四是引导多边规则更好地反映业界需求。随着第四次工业革命酝酿兴起，世界主要市场关税壁垒大幅降低，全球价值链深度融合，产业界已经将注意力更多转向电子商务、跨国投资、竞争政策、非关税壁垒等新议题的规则制定，现有多边规则已明显落后于国际经贸现实，但由于多哈回合谈判久拖不决和世贸组织特有的协商一致的决策程序，各项新议题迟迟无法得到启动谈判的授权。我们需认真研究如何推动成员就新议题谈判达成共识，早日制定相关多边规则，尽快提出既符合我国利益又兼顾各方关切的可行方案。

三、坚持多边体制不动摇，深化改革发展创新

随着我国经济发展进入新常态，经济贸易实力和国际地位快速上升，我们应抓住历史机遇，乘势而上，更加积极主动地参与多边贸易体制建设和全球经济治理。

（一）坚持多边，引领国际经贸规则重塑

第一，坚持发展核心。发展原则是多哈回合的灵魂，发展议题谈判是多哈回合谈判的核心议题之一。作为最大的发展中国家和全球贸易大国，我们应发挥切实引领作用，为发展中国家仗义执言，坚持正确义利观和发展导向，为广大发展中成员特别是最不发达国家争取更多实实在在的政策空间，推动实现 2030 年可持续发展目标。

第二，积极推动多哈剩余议题谈判。积极落实《内罗毕部长宣言》要求，建设性推进多哈剩余议题谈判。农业领域，推动弥合农产品贸易中发达国家与发展中国家之间的“规则赤字”，同时也要关注市场准入

问题，解决关税高峰、关税升级和关税简化问题，推动尽快收获粮食安全公共储备和特殊保障机制。同时，推动多边工业品贸易、服务贸易的规则谈判尽快取得进展。

第三，主动引领新议题谈判。为反映业界诉求，同时照顾发展中成员利益，我们应做好充分准备，积极推动电子商务、中小企业等新议题探索性讨论，在充分磋商并达成共识的基础上尽早取得成果。

（二）内外兼修，用好贸易政策审议机制

2016 年 7 月，世贸组织召开了第六次对华贸易政策审议会议。世贸成员高度关注本次中国贸易政策审议，向中国提交了 1964 个书面问题，涉及中国宏观经济体制和经贸领域的政策措施。成员总体对中国进一步深化改革和扩大对外开放表示充分肯定，对中国坚持多边贸易体制表示赞赏，尤其高度评价中国给予最不发达国家和发展中国家的支持。同时，一些成员还提出了对某些领域的关注和建议。

贸易政策审议是与规则谈判、争端解决并列的世贸组织三大功能之一，是成员相互了解经贸政策走向和承诺执行情况的重要透明度机制，对有力遏制贸易保护主义有重要作用，相当于对成员经贸体制的“体检”。为此，我们既应做好准备“受检”，更应当好“医生”检查别人：一是认真研究成员关注和建议，结合国内深化改革开放的总体部署，将成员合理关注化为国内发展助力，同时对无理质疑做好澄清释疑工作；二是服务国内改革，强化规则意识，加大合规工作力度，建立长效工作机制，确保政策出台与我国加入世贸组织承诺的一致性；三是加大对其他成员政策研究的力度，提出中国的关注和问题，切实解决我国企业在海外投资和贸易中遇到的障碍和困难。

（三）攻守兼备，充分运用争端解决机制

世贸组织争端解决机制在维护多边贸易体制的稳定性和可预见性方面发挥着不可替代的作用，被誉为多边贸易体制“皇冠上的明珠”。截至 2016 年 9 月 20 日，世贸成员在争端解决机制下共提起 512 起争端解决案件。其中，中国作为当事方参与了 50 起案件（中国起诉 13 起，被诉 37 起），作为第三方参与了 132 起案件。过去十五年来，中国经历了由最初的以抗辩被诉案件为主到如今的有守有攻、攻防兼备的演进，实现了从跟随、学习、认知到较好运用世贸争端解决机制、有效捍卫我国经贸利益的重大转变，完成了从旁观者到参与者和舞台主角的华丽转身。

随着中国经济规模的持续扩大，世界目光将更多投向中国，我们与其他世贸成员的摩擦和争议在所难免，参与世贸争端解决机制的挑战将越来越大。展望未来，我们要做好准备：一是继续深入研究世贸争端解决机制的规则和实践，熟练掌握和运用现有规则，更加主动地运用世贸规则维护国家利益；二是加快推进国内改革开放进程，进一步重视和加强我们政策措施的合规性审查，防范和化解潜在被诉案件；三是加强能力建设，注重世贸争端解决领域专门人才队伍的培养，打造一支高水平的法律诉讼队伍。

（四）深度参与，加强参与日常工作

作为全球经贸治理的重要平台之一，世贸组织还通过 30 多个下设机构讨论具体贸易议题和成员关注，交流政策和监管经验，每年举行各种例行会议 200 余场。这些会议不仅涉及成员具体贸易关注，而且对国际经贸规则重塑也将产生直接或间接影响，因此受到各方普遍重视。

当前，多边贸易谈判进展缓慢，世贸成员工作重心更多向日常工作倾斜。作为货物贸易第一大国和世贸组织核心成员，我们对这些新动向和新趋势要有清醒认识，并因势利导，积极作为：一是主动设题，引领经贸规则重塑；二是统筹协调，增加企业界和学术界参与；三是多方联动，合力解决贸易关注；四是勇于承担大国责任，主动加强多边合作。

中美经贸关系的失衡与调整

中国世界贸易组织研究会会长
商务部前副部长 孙振宇

自建交以来，中美关系不断深入发展。其中，中美经贸关系的表现尤为亮眼。中美双边贸易额一直持续快速增长，从1979年的25亿美元增长到2016年的5243亿美元，38年间增长了209倍。2016年中国和美国进出口贸易额占全球贸易的比重均为11%左右，分列第一大和第二大国际贸易国。可以说，中美经贸关系一直是中美关系的“稳定器”和“压舱石”。

中美经贸关系取得优异成果的同时，经贸失衡问题也一直存在。特朗普政府上台后，试图将失衡问题突出化，给中美经贸关系的发展带来不利影响。而处理好中美经贸关系失衡问题，采取有效措施推动两国经贸关系健康平稳向前发展，不仅关系到中美两国自身的经济和贸易发展，而且还关系到全球的经贸关系和经济发展，甚至影响到经济全球化进程，影响到世界各国的福祉。因此，正视中美经贸关系的失衡问题，寻找失衡原因并进行适当的调整，目前尤为迫切。

一、中美经贸关系失衡的表现

中美经贸关系在快速发展的同时，一直存在着经贸关系失衡的问题。但双边经贸关系失衡不仅限于美国所关注的货物贸易失衡，在服务贸易和投资领域都存在失衡问题。不同之处在于，货物贸易的失衡“有利于”中国，而服务贸易和投资领域的失衡则“有利于”美国。

（一）中美货物贸易失衡：中国持续顺差

多年来，中国对美国的货物贸易长期存在着贸易顺差。中国对美国的贸易顺差占中国贸易顺差总额的比重虽然呈现出较大波动，但总体保持在较高水平。据中方统计，2016年双边贸易总额5194.9亿美元，其中对美出口3850.8亿美元，从美进口1344亿美元，贸易顺差2506.8亿美元。按美方统计，2016年美中贸易总额5975.5亿美元，其对中国出口1157.8亿美元，从中国进口4817.8亿美元，对华贸易逆差3660亿美元，占其整体货物贸易逆差的46%。

（二）中美服务贸易失衡：中国持续逆差

长期以来，中国对美国的服务贸易均为逆差，且逆差总额越来越大。据统计，2006年至2016年美国对中国服务出口额由144亿美元扩大到869亿美元，增长了5倍。2016年中国对美国服务贸易逆差高达557亿美元，约是2006年的40倍，占中国服务贸易逆差总额的23.1%。美国是中国服务贸易第一大逆差来源地。

（三）中美双边投资失衡：美国累计投资是中国的四倍有余

美国非营利组织“美中关系全国委员会”与荣鼎咨询公司在2016年11月发布报告《双行道：中美双边直接投资25年全景图》，阐述了1990至2015年双边直接投资的规模、模式与行业详情。从报告中可以看出，美国在中国的投资起步较早，自改革开放开始，至今已有三十多年，累计投资数千亿美元。自1990年以来，美国在华交易的累计价值（报告统计为2280亿美元）远远超过了中国在美国相应的交易总额（报告统计为640亿美元），大概是中国的4倍。而中国企业一直以来没有大规模在美国投资，只是在最近十年投资规模开始迅速扩大。

根据上述报告可知，美国对中国的投资数量庞大，并且越来越多样化。截至2015年，已有超过1300家美国公司投资于中国业务，其中有超过430家公司投资额在5000万美元以上，有56家公司投资额在10亿美元以上。1990年至2015年期间，超过70%的美国在华投资是绿地项目，其中大多数为中小型项目。早期美国在华直接投资通常是为寻求更低的制造成本，包括劳务、环境保护、土地及建筑成本。这不仅是中美双边投资失衡的表现，更是中美货物贸易失衡的直接原因之一。

二、中美经贸关系失衡的原因

（一）经贸关系失衡根源于双边比较优势的不同

中美双边经贸关系的快速发展，得益于中美双边各自的比较优势。不同的比较优势是中美发展阶段、经济结构、资源禀赋的不同所形成的。中美两国的历史、文化和社会制度各异，且各自政治经济环境亦不相同。中国作为最大的发展中国家，人口众多，资源丰富，改革开放以来长期奉行以低劳动力成本为基础的经济战略，促进了对外贸易的发展。而美国是一个资本丰富但劳动力相对缺乏的发达国家，在高新技术开发方面走在世界前列。

同样，也正是由于中美双边高度互补的比较优势，使中美双边经贸关系的失衡问题一直存在。这是符合市场经济发展规律和国际贸易发展规律的。因此失衡问题的调整，需要在中美经贸关系的发展中逐步进行。

（二）美国对中国采取高科技产品出口管制措施

特朗普政府尤其关注中美货物贸易的失衡问题，认为中国对美国造成的贸易逆差不仅总额巨大且占其总逆差的比重也在不断上升，这影响到了美国的就业问题，而美国新增就业人数在制造业中的表现尤其低迷。但我们知道，就制造业而言，中国产品的技术含量低，而美国产品的技术含量高。仅看2015年的数字，中国进口高科技产品高达5000亿美元，美国向全世界出口的高科技产品达到3000亿美元，而美国向中国出口的高科技产品只有300多亿美元。同一年，美国对中国的贸易赤字是3000多亿美元。从这一数字可以看出，美国限制对中国出口高科技产品是造成中美货物贸易失衡的重要原因。

美国是执行出口管制最严格的国家，出口管制涵盖美国政府认为可能用于军事目的的诸多技术产品。美国靠高科技产业成功推动了本国经济的发展，然而美国却不愿同中国这个最大的贸易伙伴分享这些技术。近年来，美国对华出口限制不减反增，甚至扩大到部分民用的非美国独有的科技产品。原本以出口技术密集型产品为主的美国，不愿向中国出口高科技产品，这必然会进一步加剧美中贸易的失衡问题。

（三）美国对中国采取投资限制措施

美国整体比较开放，但在投资方面对中国的资本仍是限制的，这也是中美经贸关系失衡的另一重要原因。自1975年成立外国投资委员会以来，美国总统仅否决过三起①并购案件，均来自中国投资者。近年来，随着中国企业赴美投资热潮的涌现，接受美国外资并购安全审查的案件数量也在快速增加。美国外国投资委员会报告显示，2012年至2014年，中国连续三年位居美国外国投资委员会审查数量国别榜首，累计被审查了68个投资项目。但事实上，中国投资只占美国吸收的外资总额的不到1%，二者完全不成比例。

除安全审查外，中国国有企业在美投资过程中受到了不公平待遇。尤其是美国国内有些人士戴着有色眼镜看待中国国有企业，认为国有企业受政府控制，要求美政府限制其在美投资。如中国投资的电信运营企业在申请美国电信业务牌照过程中，美方以其中国母公司是国有企业为由，迟迟不予颁发牌照。又如，在美中资企业申请所在州的企业基金，该州政府以公司股东是中国国有企业为由取消其申请资格。

（四）中国服务业的开放相对经济发展较为滞后

自入世以来，中国逐步完成了加入承诺，服务市场的开放也已经按照承诺逐步到位。但由于多边领域新规则的确立进展缓慢，中国进一步开放尤其是服务市场的开放受到美国企业的关注。随着中国经贸实力的增

---

① 第一起案件是1989年中航技收购美国西雅图飞机零部件制造商Mamco项目；第二起案件是2012年三一集团关联公司收购美俄勒冈州风电场项目；第三起案件是2016年福建宏芯投资基金收购德国芯片设备制造商爱思强公司项目。

长，原有服务市场的开放度不仅不匹配外资的需求，也不符合中国经济发展的根本利益。这也是造成中美服务贸易失衡的原因之一。

三、中美经贸关系的调整

（一）珍惜中美经贸关系的发展成果

前文已经介绍过，中美经贸关系的失衡是常态，而对于失衡的调整是以中美经贸关系的发展为基础的，只有不断发展才能调整失衡问题。中美经贸关系的发展成果是巨大的，并且已经形成“你中有我，我中有你”的利益交融格局，因此维护和发展这一成果，对于中美双方乃至全球经济的发展都是必要的。

（二）支持经济全球化，反对贸易保护主义

经济全球化和贸易自由化对于世界经济的贡献是有目共睹的。中美两国分别为全球前两大经济体和贸易国，两国的成就受益于经济全球化的发展。为了维护世界经济的稳定和发展，中美双方应该加强合作来支持经济全球化，反对贸易保护主义。中美经贸关系失衡问题是经济全球化进程中的问题，同时其调整内嵌于经济全球化的发展中。双方应该共同努力，推动年底前召开的 WTO 阿根廷贸易部长会议取得阶段性成果。

（三）继续发挥比较优势，加强互补性

中美经贸关系发展之所以取得如此巨大的成果，是中美双方优势互补的结果。虽然这也是中美经贸关系失衡的原因，但同样地，失衡的调整需要中美双方继续发挥各自的优势。而且双方的比较优势将会随着经济贸易的发展逐步演变，反过来会继续促进双边经贸的发展，加快经贸失衡的调整。中美双方在不同领域的开放都有限制。但经济发展的内在需求决定了中美经贸关系失衡的调整，客观上都要求中美双方扩大双向开放。因此，中方应该努力改善货物贸易与服务贸易环境，进一步扩大从美方进口。美方应该进一步放宽高科技产品出口限制，提高中美科技合作的广度与深度。美方还应减少对中国赴美投资的有关限制。

（四）促进中美双边投资协定（BIT）的早日达成

根据荣鼎咨询与美中关系全国委员会对中美自 1990 年至 2015 年这 25 年间的双边投资进行的详细梳理和研究，发现中美双边投资关系实际上比想象的更深远，并且无论在经济活动上还是在给中美关系提供一个“稳定剂”方面，投资产生的积极作用此前都被大大低估了。尤其是投资保护主义抬头时期，政策制定者们更应该加倍努力维护和改善开放的投资环境。这次美国总统换届，致使中美双边 BIT 谈判暂时停滞。中美两国应该尽快缔结双边投资协定，以便朝着更高的开放性投资环境努力前进，同时促使中美双边投资关系向更加平衡的方向发展。

（五）中美合作推动 FTAAP 谈判

中美双边经贸关系已经呈现全球化的特征，两国关系的健康发展关系着世界政治局势的稳定和世界经济的健康发展。尤其是在亚太区域，经济一体化进程的制度化合作一直是多种方式并存竞争。目前 RCEP 和 FTAAP 都在推进中，尤其是既包括中国又包括美国在内的 FTAAP 一旦达成，将为亚太区域和世界经济带来巨大红利。因此中美应该加强合作，共同推动 FTAAP 进程。

坚定维护与发展以规则为基础的多边贸易体制

世界贸易组织上诉机构前主席、教授 张月姣

作为世界经济三大支柱之一的关税与贸易总协定（GATT）已经有 70 年历史，在 GATT 基础上发展建立起来的世界贸易组织（WTO）也已经有 22 年的历史。中国是 GATT 的创始缔约方，由于历史原因中断了其缔约方的地位，经过 15 年的艰苦谈判，重新于 2001 年 11 月加入了 WTO。又一个 15 年过去了，中国已经成为 WTO 的重要成员。

与此同时，中国经济高速发展，人民生活水平不断提高。中国已经成为世界第一大国际货物贸易国。中国以“其言必行、行必果”的精神践行着 WTO 的宗旨：在处理国际贸易和经济领域的关系时，应以提高生活水平、保证充分就业、保证实际收入和有效需求的大幅稳定增长以及扩大货物和服务的生产和贸易为目的；同时应依照可持续发展的目标，考虑对世界资源的最佳利用，寻求既保护和维护环境，又以与各国在不同经济发展水平的需要和关注相一致的方式，加强为此而采取的措施（WTO 协议序言）。

当然中国国际贸易的高速发展也受益于加入了 WTO。特别是作为 WTO 成员可以享受无条件的最惠国待遇和对进口产品的国民待遇。在中国加入 WTO 之前，某些发达国家对中国实行贸易歧视，例如对中国的最惠国待遇问题要每年审议，中国出口产品遇到的进口国的税率有很大的不确定性，影响了中国与该国的贸易。WTO 总则指出：“期望通过达成互惠互利安排，实质性削减关税和其他贸易壁垒，消除国际贸易关系中的歧视待遇。”GATT/WTO 的基石条款是无条件最惠国待遇。GATT 第一条规定：“一缔约国对来自或运往其他国家的产品所给予的利益、优待、特权或豁免，应当立即无条件地给予来自或运往所有其他缔约国的相同产品。”自中国加入 WTO，美国摒弃了过时的瓦尼可修正案，不再对中国的最惠国待遇进行年度审议，美中实现了正常的贸易关系。这是中国加入 WTO 的收获。美中贸易关系正常化并依据 WTO 涵盖协议进行，有利于中美两国的贸易往来，也有利于世界贸易的发展。

对中国的歧视和各种贸易壁垒仍然是影响中国国际经济贸易发展的障碍。例如美国、欧盟、日本等国还对中国实行严厉的出口管制。美国一方面指责中国出口顺差使其国内就业和产业发展呈现负面影响；另一方面又严格控制向中国出口技术和相关产品。如果美国放松对中国的技术出口管制，中国会大量进口美国的技术和相关产品，中美的贸易平衡问题则迎刃而解。另外中美、中欧各自的贸易总金额的统计也存在问题。中国在全球价值链的中下端，中国有大量的来料加工和来件组装再出口到美国、欧洲。他们把产品的总价值计算为中国出口额，而实际上中方企业只收到不到十分之一的加工费。

加入 WTO 的另一个好处是，中国受益于经过 WTO 八轮多边贸易谈判所达成的 60 多个多边贸易协定。WTO 的一揽子关于权利与义务的强制执行的协定，适用于 WTO 的 164 位成员。WTO 法是国际法。WTO 法规的协调和统一适用是对减少国际法的碎片化的贡献。这些涵盖协议是世界大多数贸易国经过半个多世纪的谈判和大量国际贸易经验的总结，是人类的共同财富。WTO 成套的法律与规则为多边贸易体制提供了法律依据，保障了多边贸易的可靠性和可预测性。

WTO 主张公平贸易。当出口国企业以低于正常价值出口（export price lower than normal value）并对进口国的同类产品造成实质性损害（material injury）时，进口国可以征收反倾销税（Anti-dumping duty）。

但是反倾销税不能高于倾销幅度。反倾销是一种贸易救济措施，而不是贸易制裁措施。反倾销调查当局在计算反倾销幅度时要做公平比较（fair comparison）、适当调整（due allowance），以便使计算的倾销幅度与事实相符。因此进口国在计算正常价值时应该使用出口商的账簿记载的价格。使用替代国的价格作为正常价值是违反反倾销协议第 2.2.1.1 条的。

中国加入 WTO 议定书第 15 条作为中国加入 WTO 的代价，同意 WTO 成员在对中国产品反倾销调查时使用替代国的价格作为正常价值。这期间如果有的中国企业可以证明其是按照市场机制运行的，进口国不应该使用替代国，而应使用该企业的账面价格。但是无论如何使用替代国作为正常价值计算倾销幅度的做法必须在 2016 年 12 月 13 日终止。按时终止使用与 WTO 反行销协议不符的替代国计算方法是 WTO 成员的国际义务。

中国政府已经将美欧未履行终止议定书 15 条的替代国做法的义务诉诸 WTO 争议解决。

根据国际法“遵守条约”的原则，WTO 成员应该在 2016 年 12 月 13 日终止使用替代国的计算反倾销幅度的错误做法。

国际经济治理就是要做到有法可依、有法必依、违法必究，才能实现开放、包容、合作、共赢。

争议解决是 WTO 四项功能（包括多边谈判、贸易机制审议、技术合作和争议解决）中最成功的。中国作为第三方参与了绝大部分案件的审理。中国被诉案件比较多，现在中国申诉案件也在增加。突出案件是中国在紧固件和鸡肉案中胜诉。

有一些案件，中国的观点得到上诉机构的支持。例如在美国对中国企业反补贴案中，美方认为国家控股就是“公共机构”。上诉机构驳回了美方的观点，基本支持中方的立场，认为企业履行国家职能或得到国家授权才被视为“公共机构”。又如，美国商务部认为中国工商银行按照商业银行法第 34 条履行政府职能。该条规定：商业银行根据国民经济和社会发展的需要，在国家产业政策指导下开展贷款业务。上诉机构认为根据美国商务部确定的证据，中国的国有商业银行构成公共机构。该工商行作为公共机构对企业的优惠贷款就可以视为财政补贴。进口国可以征收反补贴税。

有的案件，虽然中方败诉，但是修改了有关措施，促进了国内的法治建设。例如，为执行“中国知识产权案”裁决，《全国人民代表大会常务委员会关于修改〈中华人民共和国著作权法〉的决定》主要删除了“依法禁止出版、传播的作品不受本法保护”的规定，并且增加了国家依法管理出版和传播。具体如下：

修改前的《著作权法》第 4 条为：“依法禁止出版、传播的作品，不受本法保护。著作权人行使著作权，不得违反宪法和法律，不得损害公共利益。”

修改后的《著作权法》第 4 条为：“著作权人行使著作权，不得违反宪法和法律，不得损害公共利益。国家对作品的出版、传播依法进行监督管理。”

修改后的著作权法受到国际社会的好评。该法对权利人的权利与义务以及国家管理权力做了明确的规定。一方面依据国际版权公约保护著作权；另一方面对于著作权人规定行使著作权不得违反宪法和法律，不得损害公共利益。国家对作品的出版和传播依法进行监督管理。

结束语

在当前一些逆全球化和反对多边贸易体制的嘈杂声中，中国更坚定地维护和加强 WTO 多边贸易体制：积极参与 WTO 各专业委员会的谈判和规则的制定；中国的专家和律师在 WTO 争议解决中发挥更大作用；进一步宣传普及 WTO 的规则，使政府政策制定者了解如何避免与 WTO 规则冲突，以减少争议；了解和收集外国违背 WTO 涵盖协议的贸易措施，将外国的违法措施提交 WTO 争议解决，保护中国企业的合法权利；参与国际经济治理需要更多的高端国际化人才，政府、学校、行业协会、研究部门将共同协作培养高素质的复合型国际人才。中国不仅是贸易大国，还将是人才大国中国将成为真正的贸易强国。

WTO 是中国参与全球经济治理的理想平台

中国世界贸易组织研究会副会长
对外经济贸易大学教授　　薛荣久

全球经济需要全球进行整体治理。全球经济一般是指世界各国贸易、生产、投资、金融、运输和信息整体的融合所构成全球性的市场经济。它既是实物、服务市场和金融市场的全球化，也是国际生产关系的全球化。

在 2008 年的世界性金融危机冲击下，全球经济出现了严重失衡。其主要表现是：虚拟经济脱离实体经济并冲击实体经济，原有全球经济格局受到新兴国家的挑战，国际金融贸易规则滞后于全球经济的发展，最不发达国家发展目标迟迟不能实现，危机后经济复苏缓慢，出现逆经济全球化潮流。

全球经济失衡的原因主要是：世界经济政治发展的不平衡，经济金融大国金融监管的缺失，虚拟经济非理性的繁荣追求，新自由主义思想的泛滥，守成大国忽视新兴经济体的出现，急于见效的经贸治理对策，金融贸易规则的滞后和松弛，经济全球化的利益未能共享等。

出于本身和世界经济发展的需要，国际社会要求加强全球经济治理的呼声日益高涨。

全球经济治理是对全球经济运行机制的调节和管理，是超越民族国家的国民经济更高层次宏观经济的调节和管理。它是全球总体治理的一个重要的基础性的组成部分，涉及国际经济关系的调整和国际经济秩序的变革。其目标是协调国际经济关系，使全球经济在共识的秩序和规则基础上，做到可持续的良性发展，促进和提高世界人民的生活和福祉，使世界稳定与和谐。

以此而言，主权国家、国际组织、国际企业和非政府组织应是参与全球经济治理的重要角色。其中，由主权国家组建的国际经济组织是最主要的担当者。

第二次世界大战后，国际经济组织包括联合国系统内的各专业组织以及与联合国建立关系的专业组织。其中最重要的是国际货币基金组织（IMF）、世界银行（WB）和关贸总协定/世界贸易组织（GATT/WTO）。它们既是全球经济形成的促进者和推动者，也是全球经济治理的主要担当者。其中，1995 年成立的由 1948 年临时性生效的关贸总协定（GATT）演变而成的 WTO 是当前的重要角色。

国际经济组织在全球经济治理中的地位和作用取决于它们建立的基础性、参与的全面性、决策的民主性、规则的渐进性、执行的有效性、广泛的协调性、利益的共享性。

WTO 基本具备了参与全球经济治理的基质：第一，基础性。它是国际法人，具有较强的基础。第二，整体性。WTO 负责实施管理的多边与诸边贸易协定与协议将近 30 个，涵盖国际货物贸易、服务贸易和知识产权三大领域。第三，世界性。WTO 负责实施管理的贸易协定与协议都是 WTO 成员共同接受的国际规则。WTO 成员已达到 164 个，占世界贸易的 98%。第四，均衡性。WTO 负责实施的贸易协定与协议，通过最惠国待遇和差别待遇原则维护各类成员尤其是发展中国家和最不发达国家成员的经贸权益。第五，宪法性。WTO 以政策审议机制、贸易争端解决程序和国内规则与其一致的原则约束成员对已承诺规则的遵守。在 WTO 争端解决机制中，上诉机构报告的通过遵循反向协商一致规则，使上诉机构的最终裁决具有宪法性效果。第六，连续性。WTO 规则延续了 1948 年 GATT 中的精华理念和规则。WTO 运行后，对已有规则又不断深化和扩展。第七，缘起性。在20世纪60年代和70年代，多边贸易体制重点规制反倾销税、反补贴税、自愿出口限制协议等。在20世纪80和90年代，开始纳入许多“新”议题，如服务贸易、知识产权保护、成员国内投资措施。自乌拉圭回合之后，开始关注环保问题和竞争政策问题。21世纪以来，国际社会关注的国际经贸问题多数都纳入到2002年开始的多哈回合谈判议题中。第八，合规性。现在双边和地区性贸易安排协定之间达成的地区性经贸规则只有纳入WTO，才能具有国际性质。第九，难替性。WTO的上述条件使其难以由别的国际经济组织来替代。

WTO在全球经济治理中可以充分发挥以下作用：第一，扭转虚拟经济的不当发展。在金融危机后，各国加强金融管理的同时，普遍转向实体经济的发展。而实体经济的发展，需要通过交换环节（国际贸易）来实现。WTO通过各种贸易规则促进贸易自由化，形成开放、公平和无扭曲竞争的贸易环境，消除过度依赖虚拟经济特别是金融业而忽视实体经济发展带来的恶果。第二，搭建全球经济治理的合作平台。在WTO的164个成员中，涵容了不同经济发展水平、不同社会制度、不同宗教信仰和不同文化的各类国家，通过共同协商和遵守的贸易规则，使国内经济与世界经济融合，促进了成员国的改革和良性市场体系的形成与运行。对最不发达国家则给予各种特殊差别优惠待遇，促进其经济发展。第三，参与全球经济治理的民主性。WTO是“合约”性的国际经济组织，采取的决策方式首先是“协商一致”，如不能一致，则采取多数投票制进行表决，而投票是基于“一个成员一张票”的原则。其民主性高于由经贸实力获得“加权的”多数投票决策权的IMF和WB。第四，参与全球经济治理的渐进性。WTO一方面负责实行和管理乌拉圭回合谈判达成多边和诸边协议，同时组织和发动多哈回合，使货物、服务、知识产权和与贸易有关的投资措施协议向深入和广泛发展，以体现世界经济贸易发展的要求。第五，参与全球经济治理的有效性。WTO要求成员在国内政策与多边贸易规则一致性基础上，通过政策审议制度、贸易争端解决机制，保证WTO成员充分享受权利，如实履行义务，维护正当贸易权益，促进经济发展，有力地抑制了2008年金融危机导致的贸易保护主义兴起和泛滥。第六，具有广泛的国际协调功能。WTO在负责执行和制定国际贸易规则的同时，还注意与国际上相关的国际、区域、非政府组织合作。

WTO是中国有效参与并积极推动全球经济治理的理想平台。

首先，WTO成为中国积极参与全球经济治理的理想平台基质。第一，WTO宗旨与中国积极参与全球经济治理目标具有共同点。中国积极参与全球经济治理的目标是：“推动国际经济治理体系改革完善，积极引导全球经济发展，维护和加强多边贸易体制，促进国际经济秩序朝着平等公正、合作共赢的方向发展，共同应对全球性挑战。”而WTO的宗旨是：提高生活水平，保证充分就业；扩大货物、服务的生产和贸易；坚持可持续发展；保证发展中国家贸易和经济的发展；建立更加完善的多边贸易体制。二者具有交汇点。第二，WTO居于中国积极参与全球经济治理的主渠道地位。中国在积极参与全球经济治理中的途径层次是：维护多边贸易体制主渠道地位；强化区域和双边自由贸易体制建设，推动完善国际经济治理体系。WTO具备参与全球经济治理中的九大基本条件和可以发挥的六大作用，有助于中国在国际经济关系中履行“坚持互利共赢原则、促进全球贸易投资的自由化、坚定反对各种形式的贸易保护主义”理念。第三，WTO提供了中国积极参与全球经济治理的可靠机制。由于WTO居于国际法人地位，已构建起相对完善的法治规则体系，可以保证WTO成员权利与义务的平衡和维护正当权利的争端解决机制，成为国际法治的典范。中国加入WTO后，已建立起一个公正、透明且与WTO原则相符的社会主义市场经济法律体系。它为中国参与全球经济治理、承担国际责任和义务奠定了坚实基础，为中国参与其他国际经济组织治理提供了重要借鉴。

其次，中国具有通过WTO积极参与全球经济治理的能力。第一，中国从WTO的新成员成为核心成员之一，对WTO规则从接受到履行，从履行到参与新规则的制定，对WTO运行机制从生疏到熟悉。第二，中国加入WTO后，如实履行义务、充分享受权利、积极参与谈判的良好表现赢得可信的声誉，影响力日益加大。第三，中国成为贸易第一、经济总量第二的WTO成员。中国巨大的国内市场对世界经济产生较大的辐射力和贡献力，在多边贸易谈判中居于主导地位。第四，中国与发达国家成员和发展中国家成员都具有利益的交汇点，具有很大的协调力，其桥梁和枢纽地位高于其他WTO成员。第五，中国积极参与全球经济治理的目标有助于全球经济治理良性体系的确立与完善。

最后，中国努力加大在 WTO 中的责任感和使命感，积极参与 WTO 的完善和改革，使 WTO 充分发挥在全球经济治理中的作用。第一，中国充分认识到 WTO 在整个社会的巨大进步中的作用，高度重视 WTO 在中国积极参与全球经济治理中的领先地位和整体的作用。这加大了中国在 WTO 中的责任感和使命感。第二，推动多哈回合谈判尽早成功结束。多哈回合谈判成功既可以恢复和加强 WTO 在全球经济治理中的地位和作用，也关系到中国积极参与全球经济治理的进程和实效，中国将拓宽思路，提供新方案主动突破，务实地推动多哈回合谈判进程。第三，积极组织学界和产业界，认真评析对 WTO 各种改革的各种研究，与美国、欧盟、金砖国家和 G20 主动沟通，寻求合作，加大推动作用。第四，中国在推动区域和双边自由贸易体制建设中，坚持符合 WTO 负责管理和实施的多边和诸边协议的规则，抵制背离这些规则的倾向和做法。

融入经济全球化之路：中国入世十五年的回顾与展望

上海WTO事务咨询中心理事长兼总裁 **王新奎**

一、中国入世的经济全球化背景：全球价值链的展开与深化

近30年来，经济全球化发展的基本趋势表现为全球价值链的展开和深化。所谓全球价值链是指建立在跨国公司全球供应链布局基础上的、覆盖包括制造和服务在内的产品生命周期全过程的，以分层式生产和中间品贸易为基本特征的经济全球化发展阶段。

如果从全球价值链层级位置国际分工来观察，一个国家在全球价值链上的位置大致可分为五个增加值层级：第一是处于价值链最高端的引领型供应链创新层级，该层级的增加值主要来自于研发、技术服务和商业模式创新。第二是核心零部件应用技术创新层级，该层级的增加值主要来自提供必不可少和不可替代的投入要素的能力。第三是追随型技术/服务创新层级，该层级往往是在引领型供应链创新已经取得成功的基础上，采取追随的策略，在某一关键的价值链环节跟进再创新，该层级的增加值主要来自在价值链层级某一环节的独占性优势。第四是模仿型技术/服务应用创新层级，是对一项已经达到成熟阶段的技术服务或商业模式创新的模仿，该层级的增加值主要来自于供应链的规模优势。第五是承担最终制成品的加工组装或服务的离岸外包的工厂层级，主要功能是把供应链创新、追随或模仿型技术服务创新成果转化为能投放市场的具体的制造或服务产品，该层级的增加值主要来自于要素投入的成本优势。

全球价值链的展开和深化是促成过去三十年全球贸易和投资高速增长的主要动力，而中国正是抓住了经济全球化这一发展趋势的机遇，在融入全球价值链的过程中，通过一系列有远见的贸易战略和政策，发挥自身的比较优势，迅速崛起为全球最主要的贸易大国和经济体之一。种种迹象表明，在中国加入WTO十五年之际，全球价值链这一阶段的大规模展开和深化过程已告一段落。与十五年以前相比，我们今天面对的将是一个经济全球化发展的新环境。

二、WTO多边体制面临的挑战：全球贸易投资规则重构

进入新世纪以来，由于通信与信息技术的高速发展，出现了智能制造与数字服务相融合的基于物联网的创新平台。这一创新平台的最大特点是在全球范围内把制造和服务、运输和销售以及生产者和消费者以动态、细分的方式联系在一起，为全球性跨国公司的供应链创新提供了巨大的空间。贸易增加值的来源已经开始从传统的劳动力和资本转向技术和知识。进入新世纪以来，全球价值链的迅猛变化必然要求全球贸易和投资规则做出相应的调整，从而使全球贸易和投资规则体系进入了自GATT-WTO全球多边贸易体系建立以来最重要的重构过程。

首先，全球贸易投资规则谈判的平台从WTO多边贸易体系转向区域性的超级FTA。其中最有代表性的是以美国为首的发达国家主导的连接北美区域和东亚区域的PPT谈判，以及连接北美区域与欧洲区域的P－PIT谈判。

其次，全球贸易投资规则重构的方向出现了所谓的21世纪高标准，包括投资的国民待遇要求从传统的市场准入阶段延伸到准入前和准入后企业的生命周期全过程；贸易便利化的要求从传统的边境措施延伸到边境后措施；规则约束的范围从贸易和投资领域扩展到环境、劳工、反腐败等社会领域等。特别是，全球贸易

和投资规则重构的领域也开始从实体生产和贸易领域拓展到虚拟生产和数字贸易领域。对与商业数据跨境流动有关的海关关税、非歧视性待遇、个人信息保护、计算机设施的位置、非应邀电子商业信息等确定了相应的规则制定方向。

三、中国入世十五年：开启参与经济全球化的新征程

当前，全球价值链的各主要参与国家之间已开始从以提高各自按海关总量统计的在国际市场占有率为主要目标的竞争，转向以提升各自按价值贸易统计的在全球价值链的位置为主要目标的竞争。在这一轮竞争中，知识资本已经成为很多发达经济体的产业竞争力的核心。20 世纪 80 年代以来，全球对知识资本的投资一直在增长。美国和英国对知识资本的投资已经超过对实体资本的投资。①

如果从全球价值链竞争的背景来思考我国加入 WTO 十五年以后所面对的经济全球化发展环境，就可以发现下列带有根本性的对经济政策含义理解的变化：

（1）如果认识到像数据、品牌、基础研发、设计以及软件与组织结构的复杂整合等方面的隐性知识是在全球价值链竞争中起重要作用的知识资产，我们就会发现，知识资产预示了更为广泛的创新概念。通常仅仅关注与科学、技术、工程和数学（STEM）等学科之间的联系来制定创新政策显得过于狭窄，现在需要对一些长期存在的创新计划进行重新设计。

（2）知识资本与创新活动密切相关的特征，决定了能否有良好的把资源成功地引向最有效率的公司和国家的制度环境变得至关重要，其中主要包括政府监管的一致性、金融效率与自由、教育质量与普及，以及知识产权保护的有效性等方面。

（3）贸易和投资的开放是一国公司参与全球价值链竞争的必要条件。在当前经济全球化的条件下，公司无论是实施流程升级、产品升级、功能升级还是供应链升级，都必须在其所处的全球供应链上才能完成。公司唯有在开放的贸易和投资环境下，方能在全面利用全球供应链，并把自己的知识资本成功地引向最有效率的公司和国家，从而实现价值链的升级。

迄今为止，中国仍是一个具有显著“赶超经济”特征的大型新兴经济体。在过去三十年中，中国经济取得了引人注目的成功，从开放角度来考察，成功的经验无非三条：一是在开放道路的选择上，全面接受以 WTO 为代表的全球多边贸易体系；二是在开放的模式选择上，坚决融入经济全球化进程；三是在开放路径的选择上，充分发挥自身的比较优势，把按海关总量统计计算的进出口贸易规模做到极致。

但应注意，2008 年全球金融危机以后，经济全球化的总体发展趋势已经发生了重大的转折。在开放战略的选择上，以 WTO 为代表的全球多边贸易体系正面临重大的挑战，新兴的区域超级 FTA 安排又因反经济全球化浪潮的兴起而阻碍重重，中国已经不可能取得类似 20 世纪 90 年代那样的对外开放制度红利。在开放模式的选择上，由于中国自身的经济体制改革已进入深水区，已经不可能像 20 世纪 90 年代以来那样依靠特殊政策来大规模地吸引外资；在开放的路径的选择上，长期以来依托的低成本竞争优势正在逐步消失，瞄准全球价值链增加值层级的低端，充分发挥自身的比较优势，把进出口贸易规模做到极致的路已经越走越窄。因此，在今后相当长的一段时期内，实施以加快知识资本投入为主要手段的全球价值链提升战略，将不可避免地成为我国对外开放总体战略的基调。这大概是在回顾和展望中国加入 WTO 十五周年的时候最应该引起我们思考的课题。

① 《全球价值链与发展：全球经济中的投资和增值贸易》，联合国贸易和发展会议 2013 年 2 月。

替代国方法必须在 2016 年底终止

武汉大学国际法研究所　**余敏友 管健**

摘要：中国入世议定书第 15（a）（ii）段到期后的法律效果和影响目前仍存在争议。本文认为：首先，市场经济地位、倾销、价格可比性和替代国方法之间的关系，证明市场经济地位和替代国方法是两个不同层面的法律问题；其次，议定书第 15（a）（ii）段是议定书中唯一授权使用替代国方法的条款，该条款的到期将绝对和无条件地终止替代国方法的使用，并且免除中国被调查生产者的取证责任；第三，议定书第 15 条的存续条款不构成在 2016 年后继续使用替代国方法的法律依据；最后结论是：替代国方法将在而且必须在 2016 年底终止。

关键词：替代国方法；价格可比性；市场经济地位；反倾销；WTO

中国入世议定书第 15 条允许进口 WTO 成员在反倾销调查中使用非市场经济方法，即替代国方法，计算中国企业出口产品的正常价值。根据议定书第 15（d）段第二句的规定，第 15（a）（ii）段将于中国入世 15 年后到期，即 2016 年 12 月 11 日。对于该段到期后的法律效果和影响仍然存在争议。

一、市场经济地位和替代国方法是两个不同的法律问题

有观点认为，议定书第 15 条的相关条款包含了中国是非市场经济的假设，中国在 2016 年后仍是一个非市场经济国家，中国的行业或产业在 2016 年后仍将在非市场经济条件下运作，因此在对来自中国的产品进行反倾销调查时就必须使用替代国方法确定正常价值。这一观点未能厘清市场经济地位和替代国方法之间的关系。

（一）议定书第 15 条既没有认定中国是非市场经济国家，也没有假设中国是非市场经济国家

WTO 协定中并没有关于非市场经济国家的定义。根据 GATT 1994、议定书和工作组报告以及 WTO 反倾销协定（下称 ADA）的相关规定，在反倾销领域可能存在三种经济形态，即市场经济、非市场经济和转型经济，但是 WTO 协定并没有对这些术语进行定义。通常，WTO 成员在反倾销调查中被默认为市场经济，除非 WTO 协定中另有规定或说明。比如，GATT 1994 第 V：1 条的注释和补充规定第 2 段所描述的一种非市场经济的形态。

没有任何 WTO 协定的条文认定中国是非市场经济国家，中国在入世议定书第 15 条中也没有承认其是非市场经济国家。事实上，在加入 WTO 之时，中国可能被一些 WTO 成员认定为一个转型经济国家。比如，议定书工作组报告第 150 段提到“中国仍在继续向完全市场经济转型”。

另外，值得注意的是，入世议定书第 15（d）段的第一句和第三句仅规定了在何种条件下进口成员可以依据其国内法认定中国是一个市场经济国家，该条文并没有授权进口成员认定中国是一个非市场经济国家。换句话说，中国在议定书第 15（d）段下有权利被认定为市场经济国家，但是进口成员为了反倾销的目的通过立法或其他方式将中国认定为非市场经济国家则没有 WTO 法律依据。

因此，进口 WTO 成员依据其国内法将中国认定为非市场经济国家，或认为议定书的相关条款，比如第 15（a）（i）和（ii）段以及第 15（d）段的第一句和第三句，包含一个关于中国是非市场经济的假设，没有

WTO 法律依据。

（二）第 15 条是为了解决价格的可比性问题，不是为了解决市场经济地位问题

在认定是否存在倾销时，需要将出口价格与正常价值进行比较。正常价值是指用于出口国国内消费的同类产品在正常贸易过程中的可比价格。国内交易价格是否可比是确定正常价值的重要因素之一。

ADA 第 2.2 条规定了三种情况下出口国同类产品的国内价格的可比性可能有问题，包括出口国市场没有同类产品的销售或销售量较低，或存在特殊市场状况。在 GATT 1994 第 VI：1 的注释和补充规定第 2 段中，对于进口产品来自贸易被完全或实质上完全垄断的国家，且所有国内价格均由国家确定的情况下，同类产品的国内价格可能也不适于进行比较。另外，中国入世工作组报告第 150 段也提到了某些 WTO 成员的关注，即中国的国内成本和价格可能并不总是可比，因为中国经济仍然在向完全市场经济转型，所以在反倾销和反补贴调查中确定成本和价格的可比性可能存在特殊困难。

为了解决这一困难，议定书第 15 条以“确定补贴和倾销中的价格可比性”为标题规定了一些确定正常价值的特殊规则。特别是，第 15（a）（i）段规定被调查的生产者可以证明被调查的行业具备市场经济条件；第 15（d）段的第一句和第三句规定中国可以依据进口成员的国内法证明国别或行业或产业的市场经济地位。如果成功了，那么关于中国价格可比性的困难就不存在，正常价值应当使用市场经济方法来确定。如果失败，那么替代国方法就可以被使用。

因此，议定书第 15 条的根本目的是为了解决价格与成本的可比性问题，虽然解决这一问题可以通过证明市场经济地位来实现，但是第 15 条的根本目的不是为了解决中国、特定行业或产业、单个出口商或生产者的市场经济地位问题。也就是说，证明市场经济地位只是一种手段，它是以解决价格可比性困难为目的。

（三）证明市场经济地位是获得使用市场经济方法的充分条件，不是必要条件

从逻辑上来说，认为中国必须证明其是市场经济，或中国的行业或产业、中国的出口商或生产者必须证明具备市场经济条件，以便在反倾销调查中获得使用市场经济方法的观点是错误的。

议定书第 15（a）（i）段规定，如果中国的个体出口商或生产商证明了它的市场经济地位（条件），那么市场经济方法必须被使用（结论）。这是一种典型的充分条件的表达方式，它意味着只要条件成立，结论必然成立，这与必要条件的表达方式是不同的。在必要条件中，为了让结论成立，条件必须存在。如果议定书的起草者有意为中国出口商或生产商设定一个必要条件以获得使用市场经济方法，那么他们应该使用不同的表达方式。比如，只有个体出口商或生产商证明了它的市场经济地位（条件），市场经济方法才能被使用（结论）。同理，议定书第 15（d）段第一句和第三句也是充分条件的表达方式，即第 15（a）段的整体终止并不以市场经济地位为必要条件。

这种逻辑结构也得到议定书第 15（a）（ii）段的支持，该段规定如果中国个体出口商或生产商未能证明它的市场经济地位（条件），那么替代国方法可以被使用（结论）。这说明议定书并不强制要求调查当局在所有中国个体出口商或生产商未能证明其具备市场经济条件的情况下使用替代国方法。因此，议定书第 15 条的这种逻辑结构可以推论，放弃替代国做法并不必然以是否具备市场经济地位为前提。

（四）中国同类产品的价格可比性的困难可能已经并不存在

正如美国商务部所指出的，几乎没有市场经济价格是不受任何扭曲的。因此，即使基于欧美的市场经济标准，中国的经济并不是在所有方面都很完美，但这也并不意味着中国的成本和价格在反倾销调查中不可比。

事实上，与中国入世时相比，市场力量在中国产品的价格确定过程中已经发挥了非常重要的作用，价格可比性的困难可能已经不复存在。比如在 2007 年，为了改变不对中国适用反补贴法的政策，美国考虑了中国经济的重大变化因素，特别是美国商务部承认 90%在中国交易的商品的价格都已经由市场力量决定。

中国发改委于 2015 年 10 月 26 日发布并于 2016 年 1 月 1 日生效的中央政府价格目录也从另一个角度证明了中国政府对价格的干预已成例外。在这一目录中，只有七类产品和服务的价格是由中央政府制定的，包括天然气、水利工程供水、电、特殊药品和血液、重要交通运输服务、重要邮政服务、重要专业服务。这些产品和服务主要限于公用设施和公共福利，并且在许多市场经济国家也很常见。因此，即使中国在 2016 年后不是一个完全的市场经济国家，这也并不意味着替代国方法必须继续适用，因为价格可比性的困难可能已经并不存在。

（五）美欧国内法关于市场经济地位的标准和实践已经远超出了解决价格可比性困难的必要程度，造成了替代国方法的滥用

欧盟法律没有关于非市场经济国家的定义，但是欧盟委员会的一个工作文件设定了有关被调查国市场经济的五条标准。美国关税法 1930 第 771（18）（A）节将非市场经济国家定义为“行政当局认定的成本或价格不依市场原则运行的任何国家，该国市场上的商品销售不反映商品的公平价值。”第 771（18）（B）节要求美国商务部在认定一个非市场经济国家时考虑六个因素。除此以外，欧盟理事会第 1225/2009 条例第 2.7（c）条给个体出口商或生产商设定了市场经济地位的另外五条标准。美国商务部在实践中也确立了行业市场经济地位标准，即行业市场导向测试。

从美国关于非市场经济国家的定义本身来看，是否是市场经济国家的核心问题是商品的价格，或成本和价格的可比性。但是，如果对欧盟和美国的市场经济标准进行详细分析，可以发现很多标准可能已经偏离了价格可比性这一核心要求。比如，即使 WTO 协定也没有一个完整的投资协定，美国的第三条标准却要求一个市场经济国家开放外国投资。另外，虽然 ADA 第 2.2.1.1 条只要求出口商或生产商的会计记录与出口国的一般公认会计准则一致，欧盟的第三条市场经济地位标准却要求使用国际会计准则。不论这些标准是否与 WTO 规定一致，也不论这些标准是否真的与市场经济地位相关，至少从标准本身很难看出它们与反倾销中的价格可比性有什么直接的联系。

欧盟最后一次对中国的市场经济地位进行评估是在 2008 年 9 月，欧盟在此次评估中认为中国只满足第二条标准。另外，自 2012 年以来，没有个体中国出口商或生产商在欧盟的反倾销调查中获得市场经济地位。就美国而言，最近一次为了美国反倾销法目的认定中国仍然是非市场经济国家的决定是美国商务部于 2006 年 5 月 15 日在对来自中国的横格纸反倾销调查备忘中做出的。另外，还没有任何中国产业通过了美国商务部的行业市场导向测试。

如果分别对欧盟和美国基于各自的市场经济标准所做出的关于中国市场经济地位的报告进行详细分析，可以得出这样的结论，即报告里讨论的几乎所有问题都可以被 ADA 或其他协定所涵盖，或与价格可比性没有关系。比如，在对来自中国的横格纸反倾销调查中，美国商务部关于中国是非市场经济国家的备忘中考虑了中国的法治因素，包括司法的独立性和腐败等。这些因素根本不是一个非市场经济国家独有的问题，也与价格可比性没有任何联系。这一情况同样适用于美国商务部在备忘中对货币兑换、外国投资、公司治理、知识产权等问题的审查。

再比如，在欧盟针对第一条市场经济标准关于资源分配和企业决策的审查中，欧盟认为由于出口税和出口管制或增值税退税政策，以及其他各种补贴，中国出口商或生产者可以降低其生产成本。不论这些政府措施是否符合 WTO 规定，它们肯定不属于倾销的范畴，即个体出口商或生产商的价格歧视行为。正如专家组在欧盟—生物柴油案中强调，倾销的概念并不包含政府行为所导致的任何扭曲或生产投入的价格受政府措施影响的情形。

因此，欧美国内法中的市场经济标准和实践做法已经与解决反倾销中的价格可比性困难严重脱节，并进一步导致了替代国方法的滥用。

二、议定书第 15（a）（ii）段到期将绝对和无条件地终止替代国方法的使用

议定书第 15 条可以分为两类条款：一是将到期的条款，即第 15（a）（ii）段和第 15（d）段的第二句；二是 2016 年 12 月 11 日后将存续的条款，特别是第 15（a）段的起首条款，第 15（a）（i）段，以及第 15（d）段的第一句和第三句。在判断 2016 年 12 月 11 日后将发生什么时，第 15 条的这两类条款都应该赋予含义和法律效果，任何一部分都不得被解释成多余或无效的内容。

一些主张非市场经济方法可以在2016年后继续使用的观点，选择性地忽略第一类条款的含义和影响，只专注于分析存续条款。有些观点甚至直接将第一类条款从议定书中删除，好像这些条文从来没有存在过一样。这种条约解释方法违背了条约解释的基本原则，特别是既不对条约的所有内容作为一个整体来解释，又不使条约的所有用语具有意义和法律效果。

（一）第15（a）（ii）段是唯一授予进口成员使用替代国方法的条款

为了确定第15（a）（ii）段到期的含义和效果，必须首先基于条文用语的通常含义、上下文以及目的和宗旨解释清楚第15（a）（ii）段本身的含义，对条文所涉及的特定用语的解释是这种解释方法的第一步。

议定书第15（a）（ii）段规定：

“（ii）如受调查的生产商不能明确证明生产该同类产品的产业在制造、生产和销售该产品方面具备市场经济条件，则该进口WTO成员可使用不依据与中国国内价格或成本进行严格比较的方法。”

上诉机构在欧盟—紧固件案中认为第15（a）（ii）段是一个在涉及中国的反倾销调查中确定正常价值的特殊规则，这一规则是对市场经济方法的背离。这一规则包含两个方面的内容：一是中国生产商需要承担举证责任，二是授予进口WTO成员使用替代国方法的权利。即，如果中国生产商未能清楚证明其具备市场经济条件，那么进口WTO成员可以使用替代国方法。

虽然从议定书第15条的相关条款用语来分析，可能构成授权使用替代国方法的条款有两个，一是第15（a）（ii）段，二是第15（a）段的起首条款，但是第15（a）（ii）段是议定书第15条中唯一授权使用替代国方法的条款。

就第15（a）段的起首条款而言，伯纳德·奥康纳（Bernard O'Connor）认为第15（a）段的起首条款部分包含了一个基于第（i）和（ii）段的“二者择一”的测试。即使第15（a）（ii）段到期了，起首条款部分仍然存在并且要求使用一种非基于严格比较的方法。另外，“第15（a）段的起首条款部分只是‘基于’（i）或（ii）段的内容来适用，由于‘基于’与严格按照（i）或（ii）段的内容来适用是不同的，所以，进口WTO成员可以与（i）或（ii）段规定不同的方法来适用。”有些人支持这一观点。

首先，第15（a）段的起首条款本身的结构揭示了该起首条款并未授予进口成员一项独立的权利，因为该起首条款并不能独立适用。该起首条款规定，进口成员可以基于条件X或Y选择使用方法A或B。这种结构与那些自成体系不用诉诸其他附属条文的条款不同。以ADA第2.2.2条为例，该条的起首条款本身非常明确地规定了行政、管理及一般费用和利润应当如何确定。只有在ADA第2.2.2条起首条款中规定的方法不可用时，WTO成员才可以选择ADA第2.2.2条的第（i）、（ii）或（iii）段的方法。因此该起首条款与第2.2.2条的每一个子段都是可以独立适用的，特别是该条的起首条款部分可以在没有三个子段的情况下独立适用。另一个例子是GATT 1994第20条，上诉机构提出了双重测试：一个测试是第（a）～（j）段，另一个测试是起首条款部分的要求。每一个测试都必须单独进行，并且起首条款包含了成员为了捍卫自己的立场所必须满足的独立的法律要求。因此，第15（a）段的结构和逻辑证明了第15（a）段的起首条款必须与（i）和（ii）段一起适用，起首条款本身并未给进口成员设立独立的权利和义务。

其次，替代国方法在2016年后不可能“基于”将已经到期的第15（a）（ii）段继续适用。上诉机构在欧共体—沙丁鱼案中指出，如果要说一事物是另一事物的基础，那么两者之间必须存在一种非常强而紧密的联系。另外，上诉机构注意到，“至少……一事物不可能被认为是基于其他事物，如果两者是相互矛盾的”，鉴此，很难理解2016年后继续使用替代国方法可能与已经到期的第15（a）（ii）段之间存在一个非常强而紧密的联系。此外，第15（a）（ii）段的到期将明确禁止使用替代国方法，而在2016年后依据第15（a）的起首条款继续使用替代国方法将与第15（a）（ii）段到期的法律效果相矛盾。因此，在2016年后依据第15（a）的起首条款继续使用替代国方法将违背该起首条款中关于“基于”的要求。

再次，如果第15（a）段的起首条款可以独立适用并且授予进口成员使用替代国方法的背离权利，那么它一开始就具有这样的法律效果，而不是在第15（a）（ii）段于2016年12月11日到期后突然变得可以独立适用。如果该观点成立的话，它意味着第15（a）段的起首条款和第15（a）（ii）段都自中国加入WTO之日起授予进口成员使用替代国方法的权利。这将导致整个第 15（a）（ii）段在一开始就变得多余，这一结果不符合解释国际公法的习惯规则。

最后，第 15（a）（ii）段的上下文也支持第 15（a）（ii）段是唯一授权使用替代国方法的结论。正如福尔克特·罗夫斯姆（Folkert Graafsma）和埃琳娜·库玛舒娃（Elena Kumashova）论证的那样，作为第 15（a）（ii）段的上下文，中国入世工作组报告第 151 段给进口成员适用议定书第 15（a）（ii）段（即使用替代国方法），提出了明确的程序性要求。如果第 15（a）（ii）段不是唯一授予进口成员背离市场经济方法的条款，而是其他条款，比如第 15（a）段的起首条款，那么在 2016 年后进口成员在使用替代国方法时甚至都不需要再遵守工作组报告第 151 段的规定。也就是说，第 15（a）（ii）段的到期将使中国生产商处于更困难的境地。另外，李政浩指出，虽然工作组报告第 151 段不是 WTO 协定的一部分，也不构成对 WTO 成员的约束，但是依据维也纳条约法公约第 31.2 条（b）段的规定，它可以构成解释第 15（a）（ii）段的上下文。因为工作组报告是诸多 WTO 成员为了达成中国入世议定书所产生的并且为各方所接受的文件。

（二）第 15（a）（ii）段的到期绝对和无条件地终止替代国方法的使用和中国生产商的举证责任

议定书第 15（d）段第二句规定“无论如何，第（a）（ii）段应当自加入之日 15 年后到期”。特别值得注意的是第 15（d）段第二句开头所使用的“无论如何”这个用语。牛津英语词典将“无论如何”等同于“for anything that might happen”。因此，这一用语是指明特定行为的最强烈的用语之一，并且没有例外。

虽然不可能完全列出 2016 年 12 月 11 日之后会发生什么，以下三种情况应该是议定书第 15（a）段和（d）段所能够预设的：

第一，中国没有能够证明它是市场经济国家；

第二，中国没有能够证明某一特定行业或产业具备市场经济条件；

第三，中国的出口商或生产商不能清楚地证明具备市场经济条件。

因此，无论 2016 年 12 月 11 日之后发生什么，议定书第 15（d）段均无条件和绝对地终止授予进口 WTO 成员使用替代国方法的权利。“无论如何”这一用语没有给进口成员留下任何空间和可能性来操纵对第 15（a）（ii）段到期法律效果的解释。换句话说，终止替代国的做法不取决于任何 WTO 成员方国内法中的市场经济标准。

这一结论与上诉机构在欧盟—紧固件案中的法律解释一致。上诉机构认为“……第 15（a）段包含了涉及中国的反倾销调查中确定正常价值的特殊规则。第 15（d）段反过来又规定这些特殊规则将于 2016 年到期，并且设定了这些特殊规则在 2016 年之前提前终止的特定条件”。在上诉机构看来，中国加入 WTO15 年是整个特殊规则的截止期，并且该规则在满足特定条件的情况下可能早于 2016 年 12 月 11 日终止。换句话说，如果中国能够证明它是市场经济国家或具备市场经济条件，那么这些特殊规则应于 2016 年 12 月 11 日之前终止。即使中国没有能够满足这些条件，这些特殊规则无论如何也应当在 2016 年后终止。

有观点认为上诉机构在欧盟—紧固件案中的说法是一个附带意见，因此没有必要遵从该意见。虽然上诉机构在欧盟—紧固件案中所解决的争议问题确实不是中国入世议定书第 15（a）（ii）段的含义和法律效果，并且上诉机构所陈述的内容可能也不构成一个裁决理由，但是上诉机构在该案中所陈述的内容足以构成第 15（a）和（d）段之间关系的法律解释。在缺乏“令人信服的理由”的情况下，争端解决机构已经通过的在此前上诉机构报告中的法律解释也不应该被忽视。

最后，值得注意是，如前文所述，第 15（a）（ii）段包含两个方面的内容：一是中国生产商的举证责任，二是进口 WTO 成员使用替代国方法的权利。因此，从赋予条约的所有用语含义和法律效果的角度来说，第 15（a）（ii）段的到期也将绝对和无条件地终止中国生产商的举证责任。虽然乔治·米兰达（Jorge Miranda）的举证责任转移说没有任何法律依据，但是其观点从另一个角度也间接证明了 2016 年后中国生产商的举证责任将终止，否则举证责任为什么要转移呢！

（三）替代国方法在2016年后不可能基于第15（a）（i）段继续适用

有一些观点认为，2016年后中国出口商或生产者在第15（a）（i）段下仍然负有举证责任，如果第15（a）（ii）段到期后将要求在任何情况下都使用中国的价格或成本，那么第15（a）（i）段将变得没有意义。

一个条款是否有意义，关键要看该条文本身的通常含义是什么。与第15（a）（ii）段相似，第15（a）（i）段也包含两个方面的内容：一是中国生产商需要承担举证责任，二是进口WTO成员必须使用市场经济方法。显然第15（a）（i）段项下的举证责任与第15（a）（ii）段下的举证责任是同一举证责任，两个条款的唯一不同在于举证成功和失败的法律后果不一样。既然如前文所述，第15（a）（ii）段的到期将绝对和无条件地终止中国生产商的举证责任，那么2016年后中国出口商或生产商在第15（a）（i）段下的举证责任也将一并终止。因此2016年后第15（a）（i）段只剩下了进口WTO成员使用市场经济方法的义务。也就是说，2016年后第15（a）（i）段的法律含义在于要求进口WTO成员在反倾销调查中使用市场经济方法。从这个角度来说，2016年后存续的第15（a）（i）段与第15（a）（ii）段到期后的法律效果是一致的，不会变得没有意义或无效。这一解释也符合上诉机构关于条约必须进行整体解释的要求，解释的结果也是“协调一致，并且与条约整体相融洽”。

无论如何，在2016年后，进口成员不可能因为中国出口商或生产商在第15（a）（i）段下仍然负有举证责任，就基于第15（a）（i）段继续使用替代国方法。第15（a）（i）段的目的是规定何时进口成员应当使用市场经济方法，第15（a）（ii）段的目的是规定何时进口成员被允许使用替代国方法。后者于2016年到期并不能将前者转变为一个使用替代国方法的隐含权利。解释国际公法的习惯规则不允许将进口成员使用替代国方法的权利解释一并转入第15（a）（i）段。否则，与前文关于第15（a）段起首条款的论述相似，第15（a）（ii）段将变得自始多余。

（四）补充解释方法可以确认替代国方法应当于2016年后终止

通过补充解释方法，特别是条约缔结时的情况，可以确认替代国方法应当于2016年12月11日后终止。特别是《中美双边WTO协定摘要》中的一个声明值得关注。该声明指出“已经同意的议定书条款确保了美国公司和工人在面对包括倾销和补贴在内的不公平贸易行为是将拥有很强的保护……这个条款在中国入世后15年内有效……”另外，美国的贸易代表查伦·巴尔舍夫斯基（Charlene Barshefsky）在美国众议院的听证会上解释时提到双边协定“允许我们的非市场经济倾销计算方法持续使用15年”。就欧盟而言，在欧盟委员会关于中国入世的提案中也提到了欧盟的特殊程序和方法将在中国入世后继续使用15年。

条约解释的目的是为了查明缔约方的共同意图。虽然上述美国和欧盟的单方声明不构成维也纳条约法公约第31.2条（b）段的上下文，它们肯定可以作为维也纳条约法公约第32条所提及的条约缔结时的情况，以便查明成员的共同意图。这些声明很明确地针对中国入世议定第15条关于替代国方法的使用。另外，这些声明是正式公布的，并且已经公开可获得以便利害关系方获得相关信息。因此，WTO成员的共同意图就是在中国入世15年后终止替代国方法。

三、结论

议定书第15条是谈判妥协的结果，中国在议定书中认可的是，在反倾销调查中为来自中国的进口产品确定正常价值时，可能存在价格与成本可比性的困难，为了解决这一困难，第15（a）（ii）段授权进口成员诉诸替代国方法。中国从来没有承认它是一个非市场经济国家，WTO协定也没有任何条文将中国归入非市场经济国家。获得市场经济地位只是解决价格可比性困难的手段之一，它不是使用市场经济方法的必要条件。也就是说，市场经济地位与替代国方法是两个层面的法律问题。

在恰当地运用解释国际公法的惯例规则对议定书第15条进行解释后，可以看出议定书第15（a）（ii）段是唯一授权使用替代国方法的条款，它到期的法律效果是非常清楚的，即替代国方法不仅将绝对和无条件地终止，中国生产者的举证责任也将终止。此外，仍将存续的条款，例如第15（a）段的序言和第15（a）（i）段都不能作为在2016年后使用替代国方法的法律依据。

中欧经贸关系：新机遇，新进展

商务部欧洲司前司长 孙永福

2015年是中欧建交40周年。过去四十年来，在中欧双方领导人的大力推动下，中欧经贸关系不断升温，经贸合作日益深化，取得了丰硕成果。贸易、投资、技术合作、工程承包等各类型合作齐头并进，制造业、金融、房地产、商贸等各领域全面开花。在贸易领域，中欧互为彼此第一大进口来源地和第二大出口市场，欧盟连续12年保持中国第一大贸易伙伴，中国则是欧盟第二大贸易伙伴。在投资领域，欧盟跃居中国累计第三大外资来源地；中国对欧盟投资增长迅速，累计存量已有600多亿美元。在技术合作领域，欧盟多年来一直保持中国累计最大技术引进来源地，双方技术合作日臻成熟。

中欧不断创新合作方式，开拓合作新领域，金融、第三方和国际产能合作、基础设施、绿色经济、数字经济等成为中欧务实合作新亮点，进一步充实了中欧全面战略伙伴关系的内涵。

一、中欧贸易额下降但双方所占市场份额保持稳定

受全球大宗商品价格大幅下降等多种因素影响，2015年中欧双边货物贸易额5648.5亿美元，下跌8.2%，与中国对外贸易整体发展势头基本一致。其中，中国对欧盟出口3559.7亿美元，下降4%；自欧盟进口2088.8亿美元，下降14.5%。中国顺差1470.9亿美元，扩大16.2%。但中欧贸易占各自市场份额保持稳定，中欧贸易占中国对外贸易的14.3%，其中自欧盟进口占中国进口额的12.4%，对欧盟出口占中国出口额的15.6%。中欧贸易互补性高，抗压能力强。

二、中欧双向投资流动基本持平，发展更具可持续性

2015年，中欧双向投资呈现出新特点，双向流动更趋平衡，活跃程度不断提高，为未来投资可持续良性增长奠定了基础。近年来，中国企业对欧盟投资日渐活跃，虽然每年投资流量有一定波动，但基本保持在60亿美元以上水平，进入投资快速发展期。截至2015年底，中国对欧盟累计直接投资614.2亿美元。2015年，中国对欧盟非金融类直接投资72.2亿美元，下降26.3%。中国对欧盟投资主要分布在荷兰、卢森堡、德国、英国、瑞典等国。

欧盟对中国投资一直保持稳定增长。截至2015年底，欧盟对中国实际投资已达966.3亿美元，跃居中国累计第三大实际投资来源地。2015年，欧盟对中国投资项目1704个，同比增长13.7%；实际投资65.1亿美元，增长4.6%。德国、英国、荷兰、法国、意大利为欧盟在中国投资的主要国家。

三、中欧发展战略对接培育合作新机遇

在双方领导人的大力推动下，中国“一带一路”战略与欧洲发展战略实现对接，中欧投资基金、互联互通、数字化、法律事务对话和便利人员往来五大合作平台建设取得新进展。双方决定成立中欧共同投资基金，参与欧洲投资计划建设。中欧互联互通平台建设进展顺利，为双方在基础设施领域进一步开展合作奠定了基础。双方不断开拓在网络安全和数字经济领域的合作，尤其是在5G领域的战略合作迈出实质性步伐。这些新领域的合作大大拓宽了中欧合作面，加深了中欧经济交融，为打造中欧利益共同体奠定了基础。

四、中国—中东欧合作不断取得新突破

在中国—中东欧领导人会晤的指导下，中国—中东欧合作不断呈现新亮点。其中捷克成为中国在欧盟投资增速最快的国家，华信能源收购捷克 J&T 金融集团股份并签约收购捷克航空、媒体、体育等多个项目。匈牙利设立中欧商贸物流合作园区。中匈双方签署关于匈塞铁路匈牙利段开发、建设和融资合作的协议。中塞双方签署关于匈塞铁路塞尔维亚段现代化改造及重建项目总合同。中国—中东欧合作成为中国推进“一带一路”战略实施的新抓手。交通基础设施建设、国际产能合作和装备制造业合作成为“16＋1 合作”的新增长点。

五、中欧不断开拓合作新领域，金融领域、第三方和国际产能合作取得新进展

中欧在金融领域相互支持、相互交融，17 个欧洲国家踊跃加入中国倡导发起的亚洲基础设施投资银行，开创了中欧合作建设国际多边金融机构的先河。中国积极参与欧洲金融机构，欧洲复兴开发银行接纳中国为正式成员。中欧不断创新合作方式，第三方和国际产能合作成为新的突破点并已取得积极进展。中法发表第三方市场合作联合声明，中广核与法国电力合作开发英国欣克利角核电项目，三峡集团、葡萄牙电力和德国福伊特在巴西共建水电项目。

第二篇　WTO 事务

● WTO 运行总体情况（2015）

一、WTO 秘书处人员与预算（2015）

（一）WTO 秘书处人员

WTO 秘书处总部设在日内瓦，2015 年拥有 647 名日常工作人员，较 2014 年的 634 名有所上升。秘书处统一受总干事巴西人罗伯托·卡瓦略·阿泽维多（Roberto Carvalho de Azevêdo）的领导。总干事阿泽维多的任期开始于 2013 年 9 月 1 日。他的领导班子包括其他四位副总干事——尼日利亚人尤诺夫·阿加（Yonov Frederick Agah），德国人卡尔·布劳纳（Karl Brauner），美国人戴维·沙克（David Shark）和中国人易小准——任期开始于 2013 年 10 月 1 日。WTO 一切决策权归属其全体成员，秘书处没有任何决策权。

WTO 秘书处的主要职责是为各理事会和委员会提供技术和专业支持，为发展中国家成员提供技术援助，监督和分析全球贸易发展动态，为公众和媒体提供信息，以及组织召开部长级会议。此外，秘书处提供争端解决程序中的一定形式的法律支持服务，并为申请加入 WTO 的政府提供咨询服务。

WTO 秘书处致力于吸收优秀的工作人员，并力争其来源更为多样化。2015 年秘书处人员共来自于 80 个 WTO 成员，较 2014 年的 78 个有所上升。秘书处工作人员大多由经济学家、法学家和其他国际贸易政策方面的专家组成。此外，还有大量为秘书处日常运行提供支持性服务的员工，包括信息技术人员、统计人员、财务人员、人力资源及语言服务人员。

WTO 秘书处的工作人员按照专业人员和支持性服务人员分类，2015 年专业人员比重为 60%，支持性服务人员比重为 40%。女职员人数超过男职员，其中女职员为 347 人，男职员为 300 人。专业人员中，女性职员占 44%，男性职员占 56%。WTO 工作语言是英语、法语和西班牙语。

人力资源部门继续应对秘书处的不断变化的需求，在新的或者更急需的领域分配资源。由于 WTO 成员间争端案件的增加，2015 年法律部门的人员数量继续增加。除了 2014 年法律部门已经增加的 15 个职位，总干事同意再增加 14 个新职位。

为满足新职位需求的招聘程序已经启动。目前，法律部门的职员分配为上诉机构 20 名，法律事务部 27 名，规则部 26 名，而 2014 年的相应人数分别为 17、23 和 20。考虑到 WTO 成员的限制，包括对预算的全面封顶，该措施是通过使用秘书处其他空出的高级职位来实现的。

人力资源部门的另一项重要职责是提高员工的工作绩效、最终实现最佳产出，并培育有助于激励员工的工作环境。2015 年，人力资源部引入了向上反馈（upward feedback）机制，使员工得以向其上级主管提供反馈。该做法旨在通过合适的指导和培训来帮助管理者和管理团队反思其管理绩效并提高管理技能。

WTO 员工委员会由所有员工通过选举产生，职责是促进所有员工的利益，为员工提供解决其关注的平台，加深员工对其权益的理解，代表员工利益并向高级管理层传达员工观点。

2015 年 11 月内部监察办公室设立，其职责是为管理实践、开支、预算控制和任何不当行为的指控进行独立客观的评估。该办公室承担了内部审计办公室的一部分职责。

根据《关于争端解决规则与程序的谅解》，WTO 秘书处专门设立上诉机构，负责处理争端解决专家组裁决的上诉事宜。上诉机构设有独立秘书处，由 7 名在法律和国际贸易领域拥有特别威望的专家组成，每位专家的每届任期为 4 年，且可以连任一届。

表 1 WTO 秘书处组织机构

总干事 罗伯托·卡瓦略·阿泽维多（Roberto Carvalho de Azevêdo）	总干事办公室（Tim Yeend） 信息与媒体联系部（Keith Rockwell） 内部审计办公室（Maria Ramona，David ） 理事会与贸易谈判委员会部（Victor Do Prado） 上诉机构秘书处（Werner Zdouc）
副总干事 尤诺夫·阿加（Yonov Frederick Agah）	贸易政策审议部（Willy Alfaro） 发展部（Shishir Priyadarshi） 培训与技术合作研究所（Bridget Chilala）
副总干事 卡尔·布劳纳（Karl Brauner）	法律事务部（Valerie Hughes） 规则部（Johannes Human） 行政与综合服务部（Nthisana Philips） 人力资源部（Christian Dahoui）
副总干事 戴维·沙克（David Shark）	农业与货物贸易部（Evan Rogerson） 贸易与环境部（Aik Hoe Lim） 加入部（Chiedu Osakwe） 信息技术解决方案部（Fabrice Boudou） 语言、文件与信息管理部（Juan Mesa）
副总干事 易小准（Xiaozhun Yi）	市场准入部（Suja Rishikesh） 服务贸易部（Hamid Mamdouh） 知识产权、政府采购和竞争部（Antony Taubman） 经济研究与统计部（Robert Koopman）

资料来源：WTO Annual Report 2016，Figure 1：WTO Secretariat organization chart，截至 2015 年 12 月 31 日。

表 2 WTO 秘书处日常工作人数统计（按性别、地区和成员）

地　区	成　员	女　性	男　性	小　计
北美洲	加拿大	6	16	22
	墨西哥	3	5	8
	美国	21	12	33
合计		30	33	63
南/中美洲	阿根廷	4	6	10
	巴巴多斯	0	1	1
	玻利维亚	1	1	2
	巴西	4	8	12
	智利	2	0	2
	哥伦比亚	4	6	10
	哥斯达黎加	1	1	2
	古巴	1	0	1
	厄瓜多尔	1	1	2
	危地马拉	2	0	2
	洪都拉斯	2	0	2
	巴拉圭	1	0	1
	秘鲁	5	4	9
	圣卢西亚	0	1	1
	特立尼达和多巴哥	1	0	1
	乌拉圭	0	5	5
	委内瑞拉	1	4	5
合　计		30	38	68

续 表

地 区	成 员	女 性	男 性	小 计
欧 洲	阿尔巴尼亚	1	0	1
	奥地利	2	3	5
	比利时	3	2	5
	保加利亚	1	4	5
	克罗地亚	2	0	2
	丹麦	1	1	2
	爱沙尼亚	1	0	1
	芬兰	3	3	6
	法国	99	72	171
	德国	7	12	19
	希腊	3	2	5
	匈牙利	0	2	2
	爱尔兰	11	1	12
	意大利	10	10	20
	荷兰	1	4	5
	挪威	0	2	2
	波兰	2	1	3
	葡萄牙	1	3	4
	罗马尼亚	2	0	2
	俄罗斯	2	0	2
	西班牙	30	11	41
	瑞典	1	2	3
	瑞士	19	12	31
	土耳其	2	2	4
	乌克兰	1	0	1
	英国	41	13	54
合 计		246	162	408
非 洲	贝宁	0	2	2
	博茨瓦纳	1	0	1
	乍得	0	1	1
	刚果（金）	1	1	2
	埃及	3	2	5
	加纳	0	1	1
	几内亚	0	1	1
	肯尼亚	1	0	1
	马拉维	0	1	1
	毛里求斯	0	2	2
	摩洛哥	1	3	4
	尼日利亚	0	2	2
	卢旺达	0	1	1
	塞内加尔	0	1	1
	南非	0	1	1
	坦桑尼亚	1	0	1
	冈比亚	1	0	1
	突尼斯	2	3	5
	乌干达	2	0	2
	赞比亚	1	0	1
	津巴布韦	2	0	2
合 计		16	22	38

续 表

地 区	成 员	女 性	男 性	小 计
亚 洲	孟加拉国	0	1	1
	中国	7	7	14
	印度	2	10	12
	日本	2	2	4
	约旦	1	0	1
	韩国	4	0	4
	马来西亚	0	2	2
	尼泊尔	0	1	1
	巴基斯坦	0	3	3
	菲律宾	6	8	14
	斯里兰卡	0	1	1
合计		22	35	57
大洋洲	澳大利亚	3	9	12
	新西兰	0	1	1
合 计		3	10	13

资料来源：WTO Annual Report 2016，Figure 5：WTO staff on regular budget by gender and nationality，截至 2015 年 12 月 31 日。

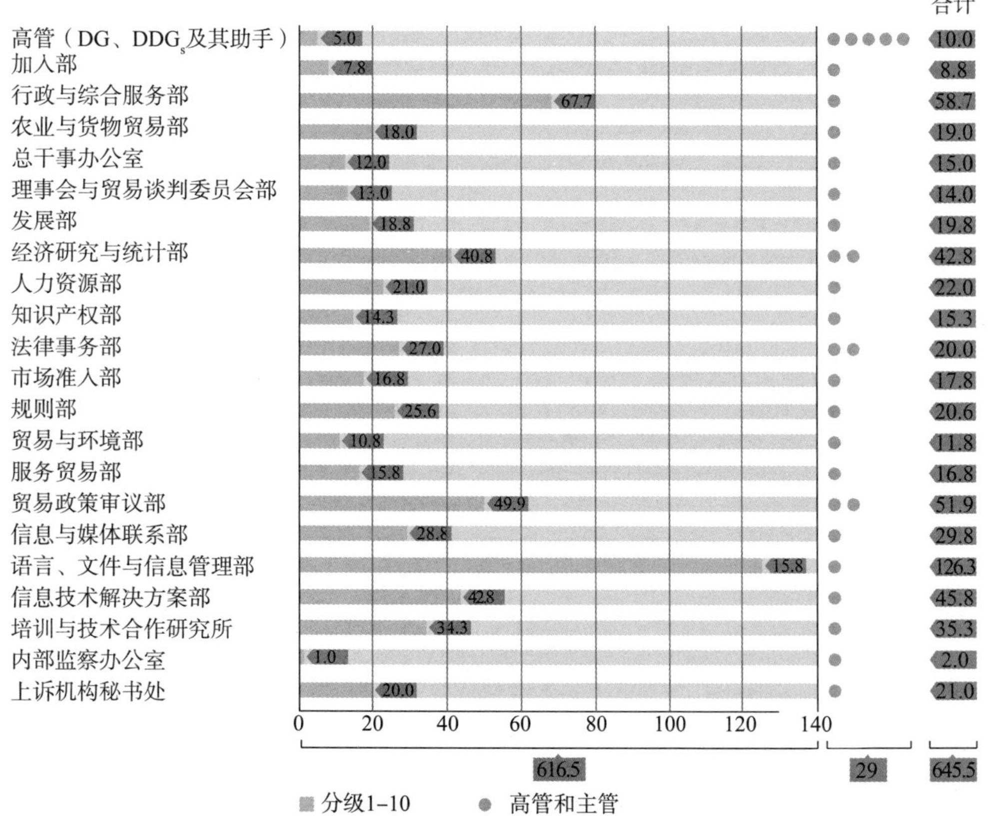

图 1 WTO 秘书处各部门职位分布

资料来源：WTO Annual Report 2016，Figure 2：Allocation of staff by division（number of posts*），截至 2015 年 12 月 31 日。

* 包括空缺职位。小数位表明职员每周工作时间的百分比。

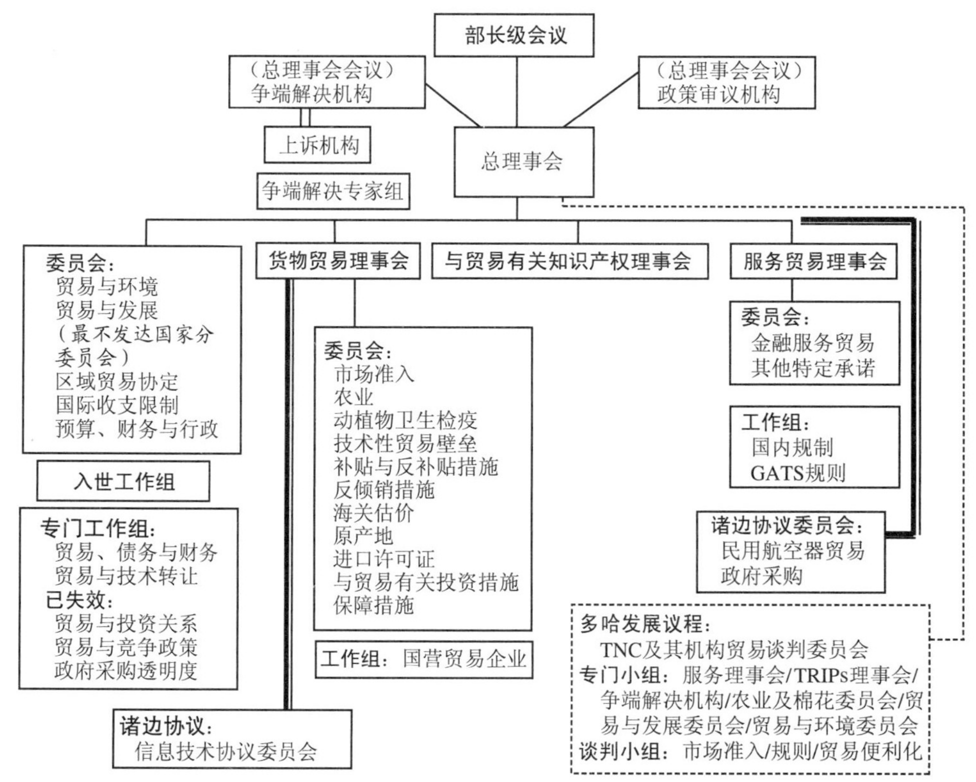

图2 WTO组织结构

注：——向总理事会（或其下属机构）报告 ▭ 向争端解决机构报告
----- 诸边贸易协议委员会将其活动通知总理事会或货物理事会（虽然只有部分WTO成员签署这些协议）
▬ 贸易谈判委员会向总理事会报告

资料来源：http://www.wto.org/english/thewto_e/whatis_e/tif_e/org2_e.htm，访问日期为 2016 年 8 月 31 日。

（二）WTO 秘书处经费

WTO 秘书处年度经费绝大部分来自于所有成员所承担的会费。依据过去 5 年货物、服务和知识产权贸易的可用数据，每个成员缴纳的会费取决于其在国际贸易中所占的份额。此外，WTO 秘书处年度经费还来源于其他收入，主要包括租金及纸质和电子出版物的销售收入。WTO 还管理大量的由成员出资的信托基金。这些资金主要用于特定的活动，如旨在使最不发达国家成员和发展中国家成员更好地利用 WTO 及自多边贸易体制中获取更大利益的技术合作与培训项目。

表 3 **2015 年 WTO 秘书处的合并开支** 单位：瑞士法郎

项　目	预算	开支	结余
人员支出（包括员工薪酬、退休金和就业后福利、健康和伤残保险、家庭和国际利益）	131 415 300	127 431 563	3 983 737
临时补助（包括短期工作人员、专家人员和上诉机构成员费用）	17 167 050	18 700 855	－1 533 805
一般服务（包括电信和邮政、合约服务和维护、能源和供应、文献出版）	15 600 700	14 771 105	829 595
旅行和招待	7 480 800	6 803 042	677 758
执行伙伴（包括任何由 WTO 部分/联合/全部资助的活动或事件，但由第三方组织）	273 000	231 309	41 691
资本支出（包括固定资产的采购和设备租赁）	2 966 650	2 369 564	597 086
财务支出（包括银行和利息费用，房屋贷款偿还）	1 230 000	1 268 557	－38 557
国际贸易中心的捐款和专项储备（包括上诉机构运作基金和部长级会议运作基金）	21 070 400	21 070 400	0
合计	197 203 900	192 646 394	4 557 506

资料来源：WTO Annual Report 2016，Table1 Consolidated expenditure 2015。截至 2015 年 12 月 31 日。

预算、财务和行政委员会监管 WTO 的财力和预算状况，包括捐助相关事宜以及 WTO 成员所应承担的份额和功能。该委员会还考虑与人力资源管理的相关问题，听取 WTO 养老金计划的报告，处理 WTO 秘书处相关的财务和行政事宜。该委员会直接向总理事会报告。2015 年，预算、财务和行政委员会继续推动 2013 年时启动的战略审查，于 11 月设立内部监察办公室。

表 4　2015 年度 WTO 成员承担的会费

成　员	瑞士法郎	占比（%）
阿尔巴尼亚	52 785	0.03
安哥拉	512 210	0.26
安提瓜和巴布达	29 325	0.02
阿根廷	801 550	0.41
亚美尼亚	33 235	0.02
澳大利亚	2 725 270	1.39
奥地利	2 148 545	1.10
巴林	173 995	0.09
孟加拉国	263 925	0.14
巴巴多斯	29 325	0.02
比利时	4 013 615	2.05
伯利兹	29 325	0.02
贝宁	29 325	0.02
玻利维亚	78 200	0.04
博茨瓦纳	60 605	0.03
巴西	2 504 355	1.28
文莱	72 335	0.04
保加利亚	326 485	0.17
布基纳法索	29 325	0.02
布隆迪	29 325	0.02
佛得角	29 325	0.02
柬埔寨	76 245	0.04
喀麦隆	72 335	0.04
加拿大	5 145 560	2.63
中非	29 325	0.02
乍得	44 965	0.02
智利	787 865	0.40
中国	16 850 145	8.62
哥伦比亚	525 895	0.27
刚果（布）	58 650	0.03

续 表

成 员	瑞士法郎	占比（%）
哥斯达黎加	138 805	0.07
科特迪瓦	101 660	0.05
克罗地亚	265 880	0.14
古巴	148 580	0.08
塞浦路斯	109 480	0.06
捷克	1 401 735	0.72
刚果（金）	89 930	0.05
丹麦	1 648 065	0.84
吉布提	29 325	0.02
多米尼克	29 325	0.02
多米尼加	142 715	0.07
厄瓜多尔	226 780	0.12
埃及	561 085	0.29
萨尔瓦多	78 200	0.04
爱沙尼亚	175 950	0.09
欧盟	0	0.00
斐济	29 325	0.02
芬兰	1 061 565	0.54
法国	7 741 800	3.96
加蓬	66 470	0.03
冈比亚	29 325	0.02
格鲁吉亚	58 650	0.03
德国	15 941 070	8.15
加纳	134 895	0.07
希腊	785 910	0.40
格林纳达	29 325	0.02
危地马拉	136 850	0.07
几内亚	29 325	0.02
几内亚比绍	29 325	0.02
圭亚那	29 325	0.02
海地	29 325	0.02
洪都拉斯	84 065	0.04
中国香港	4 985 250	2.55
匈牙利	1 129 990	0.58

续 表

成　员	瑞士法郎	占比（%）
冰岛	72 335	0.04
印度	4 187 610	2.14
印度尼西亚	1 737 995	0.89
爱尔兰	2 025 380	1.04
以色列	842 605	0.43
意大利	6 007 715	3.07
牙买加	62 560	0.03
日本	8 785 770	4.49
约旦	162 265	0.08
肯尼亚	115 345	0.06
韩国	5 632 355	2.88
科威特	678 385	0.35
吉尔吉斯斯坦	37 145	0.02
老挝	29 325	0.02
拉脱维亚	154 445	0.08
莱索托	29 325	0.02
列支敦士登	52 785	0.03
立陶宛	295 205	0.15
卢森堡	762 450	0.39
中国澳门	242 420	0.12
马达加斯加	31 280	0.02
马拉维	29 325	0.02
马来西亚	2 191 555	1.12
马尔代夫	29 325	0.02
马里	29 325	0.02
马耳他	80 155	0.04
毛里塔尼亚	29 325	0.02
毛里求斯	58 650	0.03
墨西哥	3 393 880	1.74
摩尔多瓦	39 100	0.02
蒙古	46 920	0.02
黑山	29 325	0.02
摩洛哥	371 450	0.19
莫桑比克	52 785	0.03

续 表

成 员	瑞士法郎	占比（%）
缅甸	66 470	0.03
纳米比亚	46 920	0.02
尼泊尔	37 145	0.02
荷兰	5 833 720	2.98
新西兰	439 875	0.23
尼加拉瓜	48 875	0.03
尼日尔	29 325	0.02
尼日利亚	782 000	0.40
挪威	1 624 605	0.83
阿曼	355 810	0.18
巴基斯坦	351 900	0.18
巴拿马	220 915	0.11
巴布亚新几内亚	58 650	0.03
巴拉圭	105 570	0.05
秘鲁	398 820	0.20
菲律宾	658 835	0.34
波兰	2 189 600	1.12
葡萄牙	869 975	0.45
卡塔尔	647 105	0.33
罗马尼亚	688 160	0.35
俄罗斯	4 371 380	2.24
卢旺达	29 325	0.02
圣基茨和尼维斯	29 325	0.02
圣卢西亚	29 325	0.02
圣文森特和格林纳丁斯	29 325	0.02
萨摩亚	29 325	0.02
沙特阿拉伯	2 422 245	1.24
塞内加尔	46 920	0.02
塞拉利昂	29 325	0.02
新加坡	4 609 890	2.36
斯洛伐克	785 910	0.40
斯洛文尼亚	338 215	0.17
所罗门群岛	29 325	0.02
南非	1 069 385	0.55
西班牙	4 306 865	2.20

续 表

成 员	瑞士法郎	占比（%）
斯里兰卡	146 625	0.08
苏里南	29 325	0.02
斯威士兰	29 325	0.02
瑞典	2 271 710	1.16
瑞士	3 049 800	1.56
中国台北	3 006 790	1.54
塔吉克斯坦	29 325	0.02
坦桑尼亚	84 065	0.04
泰国	2 301 035	1.18
马其顿	56 695	0.03
多哥	29 325	0.02
汤加	29 325	0.02
特立尼达和多巴哥	127 075	0.07
突尼斯	240 465	0.12
土耳其	1 949 135	1.00
乌干达	50 830	0.03
乌克兰	819 145	0.42
阿联酋	2 559 095	1.31
英国	7 579 535	3.88
美国	22 114 960	11.31
乌拉圭	111 435	0.06
瓦努阿图	29 325	0.02
委内瑞拉	735 080	0.38
越南	936 445	0.48
也门	97 750	0.05
赞比亚	70 380	0.04
津巴布韦	37 145	0.02
合计	195 500 000	100.00

资料来源：https：//www.wto.org/english/thewto_e/secre_e/contrib_e.htm，访问日期为 2016 年 8 月 31 日。

二、WTO 主要活动（2015）

（一）技术援助和培训

WTO 与贸易有关的技术援助计划旨在提高成员方对 WTO 活动的了解程度，各项培训都尽可能地满足成员方的实际要求。WTO 成员任何时候都可以向秘书处提出技术援助的相关请求，这确保技术援助能及时集中反映成员方的要求，特别是发展中成员和最不发达成员的诉求。技术援助和培训计划由贸易和发展委员会批准实施。

2015 年，WTO 在日内瓦以及全球其他地区共计举行了 321 次技术援助和培训活动。虽然过去两年的活动次数有所减少，但由于电子课程等形式

(WTO online https：//ecampus. wto. org）的引入（近半数的培训是通过电子课程参与的），对于最不发达国家和非洲国家的持续关注，使得受益人数反而增加。2015年受益人数为14 900，比2014年的14 700略多一些。

这些活动的52%使最不发达国家受益，包括在最不发达国家举行的包括最不发达国家成员参与的活动，既有国家层面的也有区域的和全球性的。甚至一些活动是针对最不发达国家成员设计或优先让最不发达国家成员参与。如2015年为最不发达国家成员开设的中级培训课程。

2014—2015年的技术援助和培训采用了“结果导向型管理方式”（results-based management approach），以确保培训以最有效的方式实施。相关的课程作为“渐进学习战略”（progressive learning strategy），使参与者以循序渐进的方式逐步提高对贸易议题的认识。WTO设定指导原则和基本准则以确保培训内容的高标准，并制定培训方法和进行定期评估。

培训的受众既有普通工作人员又有专家。普通工作人员包括受雇于驻WTO使团的政府工作人员，他们需要对WTO有广泛了解。专家是指需要深入了解某一领域相关知识的政府工作人员。

高级培训课程主要涉及争端解决、与贸易有关的知识产权、区域贸易协定、卫生和植物检疫议题、服务贸易和贸易政策分析等领域。2015年在日内瓦为普通工作人员开设了三次高级贸易课程，每次持续8周。

2015年还组织了区域层面的培训。为期8周的区域贸易政策课程在下列地区召开：非洲英语区、非洲法语区、亚洲和太平洋地区、加勒比地区、拉丁美洲地区、阿拉伯和中东地区、中东欧和中亚地区。专业课程包括在肯尼亚召开的有关卫生与植物卫生措施和针对非洲英语区国家的技术壁垒的专题研讨会，在科特迪瓦为非洲法语区国家召开的知识产权和公共健康的区域研讨会。

其他专业课程包括：在多米尼加开设的针对拉丁美洲如何管理贸易连续性措施的课程，为中东欧、中亚和高加索地区在维也纳联合学院（Joint Vienna Institute）召开的有关《政府采购协议》的研讨会，为阿拉伯和中东国家在阿联酋召开的有关农业的研讨会，以及就世界贸易体制召开的第三次新加坡—WTO政策对话。

WTO致力于促使更多的国际组织和区域组织参与到技术援助活动的提供中，以确保培训项目设计时的区域视角。这一方针还体现在学术支持项目中。

为了方便与区域合作伙伴和利益相关者的沟通，WTO还持续推动具体议题的区域性论坛。其中21%针对非洲国家，14%为亚洲和太平洋地区，11%为拉丁美洲，8%为中东欧和中亚，6%为阿拉伯和中东地区（具体见表5）。其余36%为“全球”性活动，主要在日内瓦举行，所有区域均可以参加。遵从于需求导向的方针，为了满足WTO成员的不同需求，所有活动的36%都是在国家层面开展的。

表5　　2015年与贸易有关的技术援助活动分布（按地区统计）

地　区	国　别		区　域		全　球		其他（会议等）		合　计	
非洲	37	32%	19	30%	0	0	12	27%	68	21%
中东地区	9	8%	9	14%	0	0	1	2%	19	6%
亚太地区	21	18%	13	20%	0	0	12	27%	46	14%
中东欧和中亚	16	14%	7	11%	0	0	3	7%	26	8%
加勒比地区	6	5%	4	6%	0	0	1	2%	11	3%
拉丁美洲	26	23%	9	14%	0	0	1	2%	36	11%
次区域合计	115	100%	61	95%	0	0	30	68%	206	64%
全球	0	0	3	5%	98	100%	14	32%	115	36%
总计	115	100%	64	100%	98	100%	44	100%	321	100%

资料来源：WTO Annual Report 2016，CH7 Table 1：Trade-related technical assistance by region in 2015。

2015年，面对面的培训活动持续微弱减少，这主要是由于电子课程的增加能更好地满足成员个性需求的目标。

WTO的电子培训课程包括24种认证课程，涉及各种一般的或专业的主题，以WTO三种工作语言为主（英语、法语和西班牙语）。2015年共有来自145个国家和地区的7523个学员注册电子课程，其中来自非洲的学员占38%，来自拉丁美洲的占20%，来自亚太地区的占19%，来自中东欧和中亚的占10%，来自阿拉伯和中东地区的占9%，来自加勒比和其他地区的占5%。

2015年参加WTO培训课程的人员中女性占45%。若按照语言划分，其中60%课程是英语，22%是法语，18%是西班牙语。

为寻求加入WTO的国家提供技术援助，这些国家的公职人员受邀参加超过140场技术援助活动。

WTO实习项目旨在为公职人员提供WTO相关议题的实习体验，以使他们可以为其所在国家的经济和社会发展做出更全面的贡献。2015年，参与并完成WTO实习项目的公职人员主要来自非洲、亚洲和太平洋地区。

WTO信息咨询中心项目使政府官员、私人部门和学术团体通过WTO网站了解与贸易相关的信息和资源，通过贸易相关的出版物提高了对WTO相关议题的理解。信息咨询中心也组织与贸易相关的活动，如培训活动和技术会议。目前在全球共有63个信息咨询中心。

2015年设立了9个WTO信息咨询中心，以便能依据受益人的需求，更好地调整项目活动。其中，7个在非洲地区（乍得、莱索托、刚果民主共和国、喀麦隆、赤道几内亚），1个在中东地区（黎巴嫩），1个在中亚地区（吉尔吉斯斯坦）。这些信息咨询中心配有信息设备、书籍、CD、DVD和其他与WTO相关的文件。

技术援助和培训最为重要的是确保有及时和充分的资金。金融援助项目主要来自多哈发展议程全球信托基金（Doha Development Agenda Global Trust Fund，DDAGTF）。这是一个由WTO成员发起的自愿的基金窗口。由于2014年有较多的余额结转，2015年基金的财务状况依然雄厚。较高水平的余额结转是由于2014年前几个月收到了大量捐款。2015年共收到来自13个成员的捐助额高达910万瑞士法郎，而2014年收到来自13个成员的捐助额为780万瑞士法郎。

（二）WTO各理事会活动

1. 总理事会

自前次年度报告起，总理事会一共举行了4次会议，分别为2015年2月20日，5月2日，7月27—28日，10月8日。这些会议的纪要都包括在文件WT/GC/M/156，WT/GC/M/157，WT/GC/M/158和WT/GC/M/159中。

自2014年7月，应会议主席的请求，总理事会负责巴厘部长级会议成果的落实工作，并定期提供常规机构对于巴厘决议直接相关工作的更新。

2015年7月会议，总理事会通过了哈萨克斯坦的入世一揽子协议。2015年5月会议，总理事会选举了肯尼亚外交事务的内阁部长Amina Mohamed阁下担任2015年12月15—18日召开的第10届部长级会议主席。

表6 **正在申请加入WTO经济体的谈判进展情况**

申请经济体	申请日期	工作组成立日期	散发对外贸易制度备忘录日期	首次工作组会议	货物贸易承诺出价散发日期	服务贸易承诺出价散发日期	所提要点的事实总结的散发	基于工作组报告书草案的对外贸易制度审议
阿尔及利亚	01/1995	06/1987	07/1996	04/1998	03/2002	03/2002	—	√
安道尔	07/1997	10/1997	03/1999	10/1999	09/1999	09/1999	—	—
阿塞拜疆	06/1997	07/1997	04/1999	06/2002	05/2005	05/2005	√	√
巴哈马	05/2001	07/2001	04/2009	09/2010	03/2012	03/2012	—	—
白俄罗斯	01/1995	10/1993	01/1996	12/1997	03/1998	02/2000	√	—
不丹	09/1999	10/1999	02/2003	11/2004	08/2005	08/2005	√	√
波黑	05/1999	07/1999	10/2002	11/2003	10/2004	10/2004	—	√

续 表

申请经济体	申请日期	工作组成立日期	散发对外贸易制度备忘录日期	首次工作组会议	货物贸易承诺出价散发日期	服务贸易承诺出价散发日期	所提要点的事实总结的散发	基于工作组报告书草案的对外贸易制度审议
科摩罗	02/2007	10/2007	10/2013	—	—	—	—	—
赤道几内亚	02/2007	02/2008	—	—	—	—	—	—
埃塞俄比亚	01/2003	02/2002	01/2007	05/2008	02/2012	—	√	—
伊朗	09/1996	05/2005	11/2009	—	—	—	—	—
伊拉克	09/2004	12/2004	09/2005	04/2007	—	—	—	—
黎巴嫩	02/1999	04/1999	06/2001	10/2002	11/2003	12/2003	√	√
利比亚	12/2001	07/2004	—	—	—	—	—	—
圣多美和普林西比	02/2005	05/2005	—	—	—	—	—	—
塞尔维亚	12/2004	02/2005	03/2005	10/2005	04/2006	10/2006	—	√
苏丹	11/1994	10/1994	01/1999	07/2003	07/2004	06/2004	√	—
叙利亚	10/2001	05/2010	—	—	—	—	—	—
乌兹别克斯坦	12/1994	12/1994	10/1998	07/2002	09/2005	09/2005	—	—

资料来源：http：//www.wto.org/english/thewto_e/acc_e/status_e.htm，截至2016年7月1日。

2. 货物贸易理事会

（1）进口许可程序委员会

进口许可程序委员会2015年年度报告考察期为2014年10月21日至2015年10月20日。报告考察期间，进口许可程序委员会分别于2015年4月21日和10月20日举行了两次会议。在4月21日的会议上，委员会任命来自中国台北的Carrie I.J. WU女士为当年的委员会主席，同时选举来自芬兰的Tapio Pyysalo先生为委员会副主席。

根据《进口许可程序协议》第1.4（a）条和（或）第8.2（b）条，报告考察期内进口许可程序委员会共从13个成员收到16次通报：澳大利亚，巴西，喀麦隆，欧盟，中国香港，墨西哥，黑山，俄罗斯，中国澳门，巴拉圭，秘鲁，菲律宾以及中国台湾、澎湖、金门、马祖单独关税区。

根据《进口许可程序协议》第5条第5.1～5.4段，进口许可程序委员会共从10个成员收到16次通报：澳大利亚，巴西，欧盟，中国香港，印度尼西亚，马拉维，墨西哥，巴拉圭，斯里兰卡和越南。

根据《进口许可程序协议》第7.3条，进口许可程序委员会共从35个成员收到36次通报：澳大利亚，巴西，喀麦隆，加拿大，智利，中国，古巴，欧盟，海地，中国香港，日本，约旦，列支敦士登，中国澳门，马拉维，马来西亚，毛里求斯，摩尔多瓦，黑山，尼泊尔，尼加拉瓜，巴拿马，巴拉圭，秘鲁，菲律宾，卡塔尔，俄罗斯，中国台湾、澎湖、金门和马祖单独关税区，圣文森特和格林纳丁斯，新加坡，特立尼达和多巴哥，土耳其，乌克兰，美国以及津巴布韦。

此次报告期间，有3位成员属于首次提交通报：《进口许可程序协议》第1.4（a）条和（或）第8.2（b）条下的黑山；第5条下的斯里兰卡；第7.3条下的黑山、圣文森特和格林纳丁斯。

（2）补贴与反补贴措施委员会

补贴与反补贴措施委员会2015年度报告考察期为2014年10月29日至2015年10月27日。在报告考察期内，补贴与反补贴措施委员会分别于2015年4月28日和10月27日举行了两次常规会议和两次特别会议。

报告考察初期，来自巴西的Eduardo Minoru Chikusa先生为委员会主席，来自挪威的Vegard Emaus先生为副主席。在2015年4月28日常规会议上，委员会选举了来自日本的Mitsuhiro Fukuyama先生为委员会主席，同时选举了秘鲁的Katia Angeles Vargas女士为副主席。

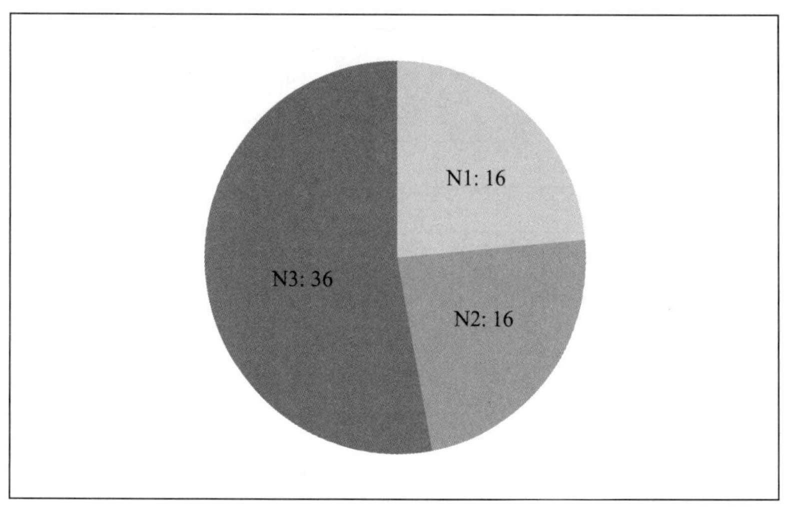

图 3 审查期间通报的成员数和通报次数（2014.10.21—2015.10.20）

注：No of members having notified：通报成员数

No of notifications：通报数量

N1：根据第 1.4（a）条和第 8.2（b）条，相关的法律、法规和行政程序及其变更的通报。

N2：根据第 5.1～5.4 条，相关实施程序及其变更的通报。

N3：根据第 7.3 条，相关调查问卷回复的通报。

资料来源：根据上文内容制作。

截至 2015 年 10 月 27 日，共有 21[①] 个 WTO 成员向委员会通报了其所发起的反补贴调查措施，有 6 个成员做了无反补贴调查措施通报。在半年度报告中，2014 年 7 月 1 日至 2014 年 12 月 31 日期间，有 12 个成员通报其所发起的反补贴调查措施，75 个成员做了无反补贴调查措施通报，共有 45 个成员未履行通报义务；2015 年 1 月 1 日至 2015 年 6 月 30 日期间，有 12 个成员通报其所发起的反补贴调查措施，68 个成员做了无反补贴调查措施通报，另有 53 个成员未履行通报义务。

表 7　　全球发起反补贴调查案件数（按被调查国/地区）

被调查国/地区	1995	1996	1997	1998	1999	2000	2001	2002	2003	2004	2005	2006	2007	2008	2009	2010	2011	2012	2013	2014	2015	2016	合计
阿根廷						3	1					1	1		1			1		1			9
澳大利亚					1																		1
奥地利								1															1
比利时				1																			1
巴西			1	1	1	1	2					1									2	1	10
加拿大		1	1	1			2	2		1											1		9
智利			1		1		1																3
中国										3		2	8	11	13	6	9	10	14	14	9	13	112
哥伦比亚									1														1
捷克					1																		1
丹麦				1																			1
厄瓜多尔																			1				1

① 欧盟作为一个成员计数。

续 表

被调查国/地区	1995	1996	1997	1998	1999	2000	2001	2002	2003	2004	2005	2006	2007	2008	2009	2010	2011	2012	2013	2014	2015	2016	合计
欧盟	3	1	1	1	1			1	2						1	1		1	1				14
马其顿					1																		1
法国				2	2		2					1											7
德国			1				2																3
希腊			1						1														2
匈牙利							1																1
印度	1		3	6	5	7	8	2	8	1	1	1	1	2	1	1	5	2	6	4	6	2	73
印度尼西亚				1	5	1	2				1	1			1		2	2	2	1	1	1	21
伊朗															1								1
以色列						1																	1
意大利	3	2	1	3	1		1	1	1												1		14
韩国				5	4	1	1	2		1	1	1			1		1	1	1	4	3	1	28
马来西亚					2						1			1	1				1	2			8
墨西哥																				1			1
荷兰							1													1			2
挪威		1																					1
阿曼																	2	1		2	1		6
巴基斯坦						1									1			1		1	1		5
秘鲁			1																				1
菲律宾					1															1			2
波兰					1				1														2
俄罗斯																				1	2		3
沙特阿拉伯				1													1						2
新加坡					1																		1
南非		2	1	1	1	1													1				7
西班牙			1	1					1														3
斯里兰卡																						1	1
中国台北			1		5					1									1	1	1		10
泰国	1				5	1				1	1				1		2		1	1			14
特立尼达和多巴哥			1				1													1			3
土耳其	1						1												2	5	3		12
乌克兰																				2			2
阿联酋															1		1	1					3
英国							1																1
美国	1				1	1					1		1	2	4	1	1	2				1	16
委内瑞拉			1		1																		2
越南															1		1	1	2	2			7
合计	10	7	16	25	41	18	27	9	15	8	6	8	11	16	28	9	25	23	33	45	31	20	431

注：调查类型：最初；自 1995 年 1 月 1 日至 2016 年 6 月 30 日。

资料来源：http：//www. wto. org/english/tratop _ e/scm _ e/scm _ e. htm，访问日期为 2017 年 1 月 1 日。

表 8　　全球发起反补贴调查案件数（按发起调查的成员）

发起调查的成员	1995	1996	1997	1998	1999	2000	2001	2002	2003	2004	2005	2006	2007	2008	2009	2010	2011	2012	2013	2014	2015	2016	合计
阿根廷	1	1	1																				3
澳大利亚			1		1			1	3			1		2	1	1	2	2	1	2	2	3	23
博茨瓦纳			1*	1*	2*	6*	1*							2*									*
巴西							1		1				1				3	1	2	1			10
加拿大	3				3	4	1		1	4	1	2	1	3	1	1	2	6	4	12	3	1	53
智利					4							1	1										6
中国															3	1		2	1			1	8
哥斯达黎加									1														1
埃及				4																6			10
欧盟		1	4	8	19		6	3	1		3	1		2	6	3	4	6	5	2	2	1	77
印度															1					1		1	3
以色列	2																						2
日本										1													1
哈萨克斯坦																				1*			*
拉脱维亚									1														1
莱索托			1*	1*	2*	6*	1*							2*									*
墨西哥			1						1								3		1				6
纳米比亚			1*	1*	2*	6*	1*							2*									*
新西兰	1	4	1																				6
巴基斯坦																	2					1	3
秘鲁			1			1		1					1		2			1		1			8
俄罗斯																				1			1
南非			1	1	2	6	1							2									13
斯威士兰			1*	1*	2*	6*	1*							2*									*
土耳其														1							1		2
乌克兰																				1			1
美国	3	1	6	12	11	7	18	4	5	3	2	3	7	6	14	3	9	5	19	18	23	12	191
委内瑞拉					1				1														2
合计	10	7	16	25	41	18	27	9	15	8	6	8	11	16	28	9	25	23	33	45	31	20	431

注：调查类型：最初；自 1995 年 1 月 1 日至 2016 年 6 月 30 日。

资料来源：http：//www. wto. org/english/tratop _ e/scm _ e/scm _ e. htm，访问日期为 2017 年 1 月 1 日。

表 9 全球发起反补贴调查案件数（按产品类别）

HS编码	1995	1996	1997	1998	1999	2000	2001	2002	2003	2004	2005	2006	2007	2008	2009	2010	2011	2012	2013	2014	2015	2016	合计
Ⅰ. 活动物，动物产品	1	1	1	1	4	1			1	1			1		1					2	1		16
Ⅱ. 植物产品		1				2	1	2			1	1				1							9
Ⅲ. 动、植物油、脂、蜡			1					1	5						1								8
Ⅳ. 食品；饮料，酒，醋；烟草	8	4	2	5	2			1	1			1							8	1		1	34
Ⅴ. 矿产品							4							1		1	1	2					9
Ⅵ. 化学工业及其相关工业的产品	1		2		1		2		4			1	1	3	4		3	3	6	5		2	38
Ⅶ. 树脂、塑料及其制品；橡胶及其制品				4	7	2	2			2	2		2	1	4		2		2	7	3	5	45
Ⅸ. 木材，软木制品；篮筐		1					1			1						1		1					5
Ⅹ. 纸、纸板及其制品											2	3	1	1	2	1	2				3	2	17
Ⅺ. 纺织原料及纺织制品				2	5	1	2	1					2		1		3	2	3			1	23
Ⅻ. 鞋、帽；羽毛，人造花，风扇						1																	1
XIII. 石料、石膏的制品；陶瓷产品；玻璃			1		1										1				2				5
XV. 贱金属及其制品			7	12	20	11	14	1	3	3		2	3	7	11	4	10	11	12	24	23	9	187
XVI. 机器和电气设备			1	1	1		1	3	1	1	1		1	3	2	1	2	3		3	1		26
XVII. 车辆、航空器和船舶			1												1		2	1		2			7
XX. 杂项制品																				1			1
总计	10	7	16	25	41	18	27	9	15	8	6	8	11	16	28	9	25	23	33	45	31	20	431

注：调查类型：最初；自 1995 年 1 月 1 日至 2016 年 6 月 30 日。

资料来源：http：//www. wto. org/english/tratop _ e/scm _ e/scm _ e. htm，访问日期为 2017 年 1 月 1 日。

表 10 全球实施反补贴措施案件数（按被调查国/地区）

被调查国/地区	1995	1996	1997	1998	1999	2000	2001	2002	2003	2004	2005	2006	2007	2008	2009	2010	2011	2012	2013	2014	2015	2016	合计
阿根廷	1						3															1	5
澳大利亚						1																	1
奥地利	1																						1
比利时					1																		1
巴西	4					2		2															8

续 表

被调查国/地区	1995	1996	1997	1998	1999	2000	2001	2002	2003	2004	2005	2006	2007	2008	2009	2010	2011	2012	2013	2014	2015	2016	合计
加拿大								2	1												1		4
中国											2		1	10	6	10	5	8	10	4	10	3	69
哥伦比亚										1													1
科特迪瓦	1																						1
欧盟	1	2		2		1			1	1	1					1	1			1			12
法国					2	1	1	1					1										6
德国							1	1															2
匈牙利								1															1
印度	1			2	4	4	3	5	1	6		1		1	2		1	2	1	2		3	39
印度尼西亚	1				1	2	1		1			1				1						1	9
伊朗																1							1
以色列	1																						1
意大利	2	2		1	3			1															9
韩国					2	1		1	2		1	1							1				9
马来西亚	1					2																	3
墨西哥																					1		1
荷兰							1																1
挪威			1																				1
巴基斯坦							1									1							2
菲律宾	1					1																	2
俄罗斯																						1	1
南非			2		1		1																4
西班牙				1																			1
斯里兰卡	1																						1
中国台北						3														1			4
泰国						2	1																3
土耳其		1																		2	2		5
阿联酋																1							1
英国							1																1
美国						1									1	3	2			1			8
委内瑞拉	3																						3
越南																1			1		1		3
合计	19	5	3	6	14	21	14	14	6	8	4	3	2	11	9	19	9	10	13	11	15	9	225

注：自 1995 年 1 月 1 日至 2016 年 6 月 30 日。

资料来源：http：//www. wto. org/english/tratop _ e/scm _ e/scm _ e. htm，访问日期为 2017 年 1 月 1 日。

表 11 全球实施反补贴措施案件数（按发起调查的成员）

发起调查的成员	1995	1996	1997	1998	1999	2000	2001	2002	2003	2004	2005	2006	2007	2008	2009	2010	2011	2012	2013	2014	2015	2016	合计
阿根廷		2		2																			4
澳大利亚						1							1			1	1	2	3		2		11
博茨瓦纳						1*	2*	2															*
巴西	5									1				1								1	8
加拿大	1					5	1			1	2		1	3	1	1	1	4	3		2	1	27
智利						2																	2
中国																2	2			2			6
哥斯达黎加										1													1
欧盟			1	2	3	10		2	3	2	1				1	3	2		3	2	1	1	37
印度																						1	1
日本												1											1
莱索托						1	2	2															
墨西哥	7										1							2		1			11
纳米比亚						1	2	2															
新西兰		1	2	1																			4
秘鲁	1						1		1							2						1	6
南非						1	2	2															5
斯威士兰						1	2	2															
土耳其															1								1
乌克兰																						1	1
美国	5	2		1	11	2	10	10	2	2		2		7	6	10	3	2	4	6	10	3	98
委内瑞拉										1													1
合计	19	5	3	6	14	21	14	14	6	8	4	3	2	11	9	19	9	10	13	11	15	9	225

注：自 1995 年 1 月 1 日至 2016 年 6 月 30 日。

资料来源：http：//www.wto.org/english/tratop_e/scm_e/scm_e.htm，访问日期为 2017 年 1 月 1 日。

表 12 全球实施反补贴措施案件数（按产品类别）

HS 编码	1995	1996	1997	1998	1999	2000	2001	2002	2003	2004	2005	2006	2007	2008	2009	2010	2011	2012	2013	2014	2015	2016	合计
Ⅰ. 活动物，动物产品			1			2	1									1					1		6
Ⅱ. 植物产品	5			1			1		1								1						9
Ⅲ. 动、植物油、脂、蜡				1					1	1	1					1							5
Ⅳ. 食品；饮料、酒、醋；烟草	2	5	2	1		1				1			1								1		14
Ⅴ. 矿产品							4								1		1						6

续 表

HS编码	1995	1996	1997	1998	1999	2000	2001	2002	2003	2004	2005	2006	2007	2008	2009	2010	2011	2012	2013	2014	2015	2016	合计
Ⅵ．化学工业及其相关工业的产品				1		1		2		1				1	2	2		2	1	4	3	1	21
Ⅶ．树脂、塑料及其制品；橡胶及其制品					1	4	1	1						2	1	4					1	3	18
Ⅸ．木材、软木制品；篮筐								1			1						1						3
Ⅹ．纸、纸板及其制品												2		1		2	1				1	1	8
Ⅺ．纺织原料及纺织制品						3	1	1		1				1		1							8
ⅩⅢ．石料、石膏的制品；陶瓷产品；玻璃																1				2			3
ⅩⅤ．贱金属及其制品	12			2	13	10	6	9	1	3	1		1	4	3	7	4	6	9	5	5	2	103
ⅩⅥ．机器和电气设备									3	1	1	1		2	2			1	3		2	1	17
ⅩⅦ．车辆、航空器和船舶																	1	1				1	3
ⅩⅩ．杂项制品																					1		1
合计	19	5	3	6	14	21	14	14	6	8	4	3	2	11	9	19	9	10	13	11	15	9	225

注：自1995年1月1日至2016年6月30日。

资料来源：http://www.wto.org/english/tratop_e/scm_e/scm_e.htm，访问日期为2017年1月1日。

（3）反倾销措施委员会

反倾销措施委员会2015年度报告考察期为2014年10月29日至2015年10月28日。报告期间，反倾销措施委员会分别于2015年4月29日和10月28日举行了两次常规会议。

报告初期，来自英国的Andrew Staines先生为委员会主席，来自埃及的Hamed El-Etreby先生为委员会副主席。在2015年4月29日会议上，委员会选举了来自埃及的Hamed El-Etreby先生为委员会主席，来自澳大利亚的Peira Shannon先生为委员会副主席。

截至2015年10月28日，共有78个WTO成员对其国内的反倾销立法做了通报，其中有35个成员做了无反倾销立法的通报。此外，还有20个成员未尽到通报义务。在半年度报告中，2014年7月1日至2014年12月31日期间，有34个成员通报了其反倾销的行动，21个成员通报其无反倾销行动，共有14个成员未履行通报义务。2015年1月1日至2015年6月30日期间，有33个成员通报了其反倾销的行动，15个成员通报其无反倾销行动，共有15个成员未履行通报义务。

表13　　全球发起反倾销调查案件数（按被调查国/地区）

被调查国/地区	1995	1996	1997	1998	1999	2000	2001	2002	2003	2004	2005	2006	2007	2008	2009	2010	2011	2012	2013	2014	2015	2016	合计
阿尔及利亚					1			1															2
阿根廷	1			1	4	2	5	3	1	3	4	3	1	2	2	2	1	2	5	2	2		46
亚美尼亚														1									1
澳大利亚	1		2	2	3	4	1	3	2			1	2	2			1	1	1		5		31

续 表

被调查国/地区	1995	1996	1997	1998	1999	2000	2001	2002	2003	2004	2005	2006	2007	2008	2009	2010	2011	2012	2013	2014	2015	2016	合计
奥地利		2	3		3	3		1		1		1		2		2	1	1				1	21
巴林					1																1		2
孟加拉							1						1								2	1	5
白俄罗斯					3	4	3	2	1	2			1	2		1	3					1	23
比利时	1	2	3	3	1		5	1	3	2					3	1	1		2	1	1	1	31
波黑	1												1			1							3
巴西	8	10	5	6	13	9	13	3	3	10	4	7	2	3	12	3	3	2	6		7	7	136
保加利亚		3	2	1	1	1	2		1		1	1		1			1						15
加拿大	2	1	3	4		1	7	5	4	2	1	1	2	2	1	2	1		2		2	1	44
智利	2	2	2	2	1	6	4	4			1	1		1	1	2		2	2			1	34
中国	20	43	33	27	43	43	55	50	53	49	53	73	61	78	78	44	51	60	76	63	71	46	1170
哥伦比亚		1		2			1	1											2				7
哥斯达黎加				2																			2
克罗地亚	1			1	1	1					1												5
古巴		1			1																		2
捷克	1	1		2	7	3	2	1	1				1				1		1				21
丹麦	1	1		2	2							1						1	1				9
多米尼加							1						1			1							3
厄瓜多尔								1		1				1									3
埃及	1	2	1	2		1	3					2						1	1	5			19
萨尔瓦多															2	1							3
爱沙尼亚			1			1	1	1									1						5
欧盟		1	2	4	7	9	9	10	10	3	5	3	2	4	6	9	3	5	8	8	3	5	116
法罗群岛								2															2
芬兰			1	1	2		1	2	2	2	1		1			2		2		1	1		19
马其顿	1		1	1	1		2	1				1						1					9
法国		4	4	10	7	2	3	2	3	1	1	1	1	1	1	2			1	3	4	1	52
格鲁吉亚								1													1		2
德国	7	9	13	8	11	6	9	7	3	2	2	2	4	1	3	3	2	3	7	4	4	1	111
希腊			3			1	1		1					1	1				1				9
危地马拉		1					1				1				1	1							5
洪都拉斯				1																			1
中国香港	1	4	2	3	2	1	3	3			2	2	3	3	2		1		1	1	1		35
匈牙利	2		2	2	4		4	1								1				1			17

续 表

被调查国/地区	1995	1996	1997	1998	1999	2000	2001	2002	2003	2004	2005	2006	2007	2008	2009	2010	2011	2012	2013	2014	2015	2016	合计
印度	3	11	8	13	13	10	12	16	14	8	14	6	4	6	7	4	7	10	11	15	13	3	208
印度尼西亚	7	7	9	5	20	13	18	12	8	8	14	9	5	11	10	4	5	6	7	5	6	7	196
伊朗		1	2		2	3	2	2	1	2			1	3	1	2		1	1		3	2	29
爱尔兰			2	1					1	2													6
以色列		1	2	1		1	2						1	1	1		2		1	3			16
意大利	6	5	5	5	2	5	8	3	4	1	1			2	2	1	2	3	3	1	3	1	63
日本	5	6	14	14	22	12	14	13	16	9	7	9	4	3	5	5	5	6	11	7	8	7	202
约旦							1																1
哈萨克斯坦	3	1	2	4		3	3	6				2		1			1						26
肯尼亚																1	1						2
朝鲜							1									1							2
韩国	14	11	15	27	35	23	23	23	17	24	12	10	13	9	8	9	11	22	25	18	17	18	384
科威特														1		1							2
吉尔吉斯斯坦																				1			1
拉脱维亚			2	1	1	3																	7
利比亚						1	1																2
列支敦士登			1																				1
立陶宛			1		4	1	1	3									1						11
卢森堡							2			1													3
中国澳门	1							1				1		1	1		1						6
马拉维					1																		1
马来西亚	2	3	5	4	7	9	6	4	8	6	14	5	7	10	7	4	2	3	9	10	3	4	132
墨西哥	3	5	2	9	4	1	4	1	4	3	1	2	2		5	5	3	3	6	3	6		72
摩尔多瓦						2	1							1									4
莫桑比克			1																				1
尼泊尔							2														1		3
荷兰	6	1	5	3	2	3	4	1		2					1	1			2	1	3		35
新西兰	1	1			2		3	1					1	1	1								11
尼加拉瓜		1																					1
尼日利亚									1														1
挪威		1				1	1	1		1				1		1				1			8
阿曼							1								1	2	2	1		2	2		11
巴基斯坦		2	1		1		1	2	2		1				1	1	1	2	1	4	1	2	23
巴拉圭			1												1								2
秘鲁	1					1								2					2		1	2	9

续 表

被调查国/地区	1995	1996	1997	1998	1999	2000	2001	2002	2003	2004	2005	2006	2007	2008	2009	2010	2011	2012	2013	2014	2015	2016	合计
菲律宾	2					1	1	1	1	2		3		1					2	2	1	1	18
波兰	2	3	3	5	3	5	1	4	1	2						1	2		1				33
葡萄牙		2		2		1	1									1			2	1	2		12
卡塔尔							1														1		2
罗马尼亚	1	2	1	5	4	4	5	8	2		2			2		1	1	1			2		41
俄罗斯	2	7	7	13	18	12	9	20	2	8	4	5	6	2	4	2	3	3	5	4	7	5	148
沙特阿拉伯		1		3	2	3	1	1	2		1	1		4	2	2	1	2	5	2		1	34
塞尔维亚																		1					1
塞尔维亚和黑山					1		1				1												3
新加坡	2		4		5		12	9	1	1	1	6	2		1	1		2	1	5		1	54
斯洛伐克		1	1	1	3	1	2	1		1											1		12
斯洛文尼亚	1			1																			2
南非	2	6	4	5	4	6	9	10	4		2	2	1	3	1	1	1	2	3	2		2	70
西班牙	2	4	7	7	5	6	4	2	4	1			1	1		2	1		4	3	1	1	56
斯里兰卡										1			1	2			1			1			6
瑞典	1	2	5		1		2	1		1	1	1		1		1	1		3	1			22
瑞士		2	1		1				1			1			1	1		1		1			10
中国台北	4	9	16	10	22	14	19	16	13	21	13	13	6	11	12	5	9	22	17	13	10	4	279
泰国	8	9	5	2	19	12	17	12	7	9	13	8	9	13	8	5	8	10	14	9	3	8	208
特立尼达和多巴哥			2				1													1			4
土耳其	2	3	1	2	6	7	5	4	4	1		2	3	4	2	4	4	5	5	8	6	4	82
乌克兰	2	3	4	9	9	7	6	8	3	2	4	4	1	2	3	2		3	3	4	3	2	84
阿联酋			1			2	2		3	2			3		1	4	3	1	3	3	2		30
英国	6	4	6	4	2	9	6	2		1	1			3					3		2		49
美国	12	21	15	16	14	13	15	11	21	14	12	11	7	8	14	19	10	9	13	11	5	2	273
乌拉圭	1				1					1			1						2				6
乌兹别克斯坦	2									1													3
委内瑞拉		1	1	4	2	2	4	3	1								2		2				22
越南			1		1	1		3		7	3	2	2	3	3	1	3	8	3	5	12	2	60
南斯拉夫	1	1			1																		3
津巴布韦	1			1																			2
合计	157	226	246	264	359	296	372	311	234	221	199	203	165	218	217	173	165	208	287	236	230	145	5 132

注：调查类型：最初；自1995年1月1日至2016年6月30日。

资料来源：http：//www.wto.org/english/tratop_e/adp_e/adp_e.htm，访问日期为2017年1月1日。

表 14　　全球发起反倾销调查案件数（按发起调查的成员）

发起调查的成员	1995	1996	1997	1998	1999	2000	2001	2002	2003	2004	2005	2006	2007	2008	2009	2010	2011	2012	2013	2014	2015	2016	合计
阿根廷	27	22	14	6	24	41	28	10	1	12	9	10	7	19	28	14	7	12	19	6	6	6	328
亚美尼亚																					1*		*
澳大利亚	5	17	44	13	24	15	24	16	8	9	7	11	2	6	9	7	18	12	20	22	10	11	310
巴林																					1*		*
博茨瓦纳	16*	34*	23*	41*	16*	21*	6*	4*	8*	6*	23*	3*	5*	3*	3*		4*	1*	10*	2*			*
巴西	5	18	11	18	16	11	17	8	4	8	6	12	13	24	9	37	16	47	54	35	23	4	396
保加利亚								1															1
加拿大	11	5	14	8	18	21	25	5	15	11	1	7	1	3	6	2	2	11	17	13	3	3	202
智利	4	3		2		5						1	1	1	1	1	1	1	4		2		27
中国				3	2	11	14	30	22	27	24	10	4	14	17	8	5	9	11	7	11	2	231
哥伦比亚	4	1	1	6	2	3	6			2	2	9	1	6	5	2	4	2	11	6	7		80
哥斯达黎加		4	1	1							1	1			2						1	1	12
捷克				2	1																		3
多米尼加																1			2			1	4
厄瓜多尔				1												2							3
埃及			7	14	7	3	7	3	1		12	9	2		2	1	2	1	2	9	4	1	87
欧盟	33	25	41	22	65	32	28	20	7	30	24	35	9	19	15	15	17	13	4	14	12	5	485
危地马拉		1																		1			2
洪都拉斯																3							3
印度	6	21	13	28	64	41	79	81	46	21	28	31	47	55	31	41	19	21	29	38	30	48	818
印度尼西亚		11	5	8	8	3	4	4	12	5		5	1	7	7	3	6	7	14	12	6		128
以色列	5	6	3	7		1	4			1	4			1	6	6	1	2	1		1		49
牙买加						1	1	1	1						1	1							6
日本							2						4					1		1	2		10
约旦												1											1
哈萨克斯坦																	10*	1*	1*	7*	1*		*
韩国	4	13	15	3	6	2	4	9	18	3	4	7	15	5		3		2	8	6	4		131
科威特																					1*		*
吉尔吉斯斯坦																					1*		*
拉脱维亚							1	6															7
莱索托	16*	34*	23*	41*	16*	21*	6*	4*	8*	6*	23*	3*	5*	3*	3*		4*	1*	10*	2*			*
立陶宛					1	6																	7
马来西亚	3	2	8	1	2		1	5	6	3	4	8						11	8	8	14		84
墨西哥	4	4	6	12	11	6	6	10	14	6	6	6	3	1	2	2	6	4	6	14	9	1	139
摩洛哥																	1	2	3	1	2	4	13

续 表

发起调查的成员	1995	1996	1997	1998	1999	2000	2001	2002	2003	2004	2005	2006	2007	2008	2009	2010	2011	2012	2013	2014	2015	2016	合计
纳米比亚	16*	34*	23*	41*	16*	21*	6*	4*	8*	6*	23*	3*	5*	3*	3*		4*	1*	10*	2*			*
新西兰	10	4	5	1	4	9	1	2	5	5		1	6			1	2		1				57
尼加拉瓜				2																			2
阿曼																					1*		*
巴基斯坦								1	3	3	13	4		3	26	11	7	5	6		12	12	106
巴拿马				2											4								6
巴拉圭					1					1													2
秘鲁	2	8	2	3	8	1	8	13	4	7	4	3	2		4		1	1	1		1		73
菲律宾	1	1	2	3	6	2		1	1						1				1				19
波兰			1		7			3	1														12
卡塔尔																					1*		*
俄罗斯										1	1	4	1	4	8		10	1	1	7	1		39
沙特阿拉伯																					1		1
斯洛文尼亚					1																		1
南非	16	34	23	41	16	21	6	4	8	6	23	3	5	3	3		4	1	10	2			229
斯威士兰	16*	34*	23*	41*	16*	21*	6*	4*	8*	6*	23*	3*	5*	3*	3*		4*	1*	10*	2*			*
中国台北			1	6		4	3		2			5			1	2		9	3			8	44
泰国		1	3				3	21	3	3		3	2	1	1	2	13	5			7	7	75
特立尼达和多巴哥		1		4	3	1	1		2											1			13
土耳其			4	1	8	7	15	18	11	25	12	8	6	23	6	2	2	14	6	12	16	4	200
乌克兰							2	3	2	6	2	1	5	7	2	2	6	3	2	2	2	1	48
阿联酋																					1*		*
美国	14	22	15	36	47	47	77	35	37	26	12	8	28	16	20	3	15	11	39	19	42	24	593
乌拉圭			1			1	4									1					1		8
委内瑞拉	3	2	6	10	7	1	1	1															31
越南																			4			2	6
合计	157	226	246	264	359	296	372	311	234	221	199	203	165	218	217	173	165	208	287	236	230	145	5 132

注：调查类型：最初；自 1995 年 1 月 1 日至 2016 年 6 月 30 日。

资料来源：http：//www. wto. org/english/tratop _ e/adp _ e/adp _ e. htm，访问日期为 2017 年 1 月 1 日。

表 15　　全球发起反倾销调查案件数（按产品类别）

HS 编码	1995	1996	1997	1998	1999	2000	2001	2002	2003	2004	2005	2006	2007	2008	2009	2010	2011	2012	2013	2014	2015	2016	合计
Ⅰ. 活动物，动物产品	1	2	2	6	8	3	2	10	2	10			1	1	3		2		4	1			58
Ⅱ. 植物产品		5	2	4	1	7	8	3	1	6	3	3	1	5	1	1	1	1	2	4	2		61
Ⅲ. 动、植物油、脂、蜡							4	2	2	1	2	3								1			15

续 表

HS 编码	1995	1996	1997	1998	1999	2000	2001	2002	2003	2004	2005	2006	2007	2008	2009	2010	2011	2012	2013	2014	2015	2016	合计
Ⅳ. 食品；饮料、酒及醋；烟草	13	6	4	8	2	3	2	3		1	2	7			2	1	5		6	1	6	2	74
Ⅴ. 矿产品	1	4	3	4	9	9	15	8	5	1		2	2	2	1	4	2	2		1	2	8	85
Ⅵ. 化学工业及其相关产品	31	42	21	24	74	63	67	96	73	49	37	39	56	34	47	44	29	34	48	53	39	20	1 020
Ⅶ. 树脂、塑料及其制品；橡胶及其制品	20	26	36	33	40	24	56	40	25	44	37	24	16	21	31	24	13	40	41	45	23	11	670
Ⅷ. 生皮、毛皮及制品；马具和旅行用品		3									2												5
Ⅸ. 木材、软木制品；篮筐	1	4	11	3	1	5	4		11	11	3	2	1	9	7	5	13	1	5	1	3		101
Ⅹ. 纸、纸板及其制品	3	14	36	7	18	5	7	7	20	8	6	17	19	2	8	20	11	6	12	3	8	14	251
Ⅺ. 纺织原料及纺织制品	1	23	8	28	36	17	27	7	13	21	27	17	12	39	20	7	2	12	21	7	9	14	368
Ⅻ. 鞋、帽；羽毛，人造花，风扇	6	1		4	2	3	2	3			4	3		1	3						3		35
XIII. 石料、石膏的制品；陶瓷产品；玻璃	3	11	11	12	8	6	6	11	11	8	10	12	3	4	11	12	14	13	23	5	12	7	213
XIV. 珠宝、贵金属和金属，硬币							1																1
XV. 贱金属及其制品	43	39	64	111	111	109	138	96	53	39	38	31	23	70	52	43	58	76	97	89	105	60	1545
XVI. 机器和电气设备	24	33	34	10	30	30	24	9	12	16	16	30	28	16	22	10	8	18	22	17	7	7	423
XVII. 车辆、航空器和船舶	3	3	1		4	5		2	2	2	4	2	1	3	3	1	6	4		5	2	1	54
XVIII. 仪器、钟表、录音机和复读机	1	5	9	5	2		3	3	2	1	1	5		6	3	1	1		1	2	7		58
XX. 杂项制品	6	5	4	5	13	7	6	11	2	3	7	6	2	5	3			1	5	1	2	1	95
总计	157	226	246	264	359	296	372	311	234	221	199	203	165	218	217	173	165	208	287	236	230	145	5 132

注：调查类型：最初；自 1995 年 1 月 1 日至 2016 年 6 月 30 日。

资料来源：http：//www.wto.org/english/tratop_e/adp_e/adp_e.htm，访问日期为 2017 年 1 月 1 日。

表 16　　全球实施反倾销措施案件数（按被调查国/地区）

被调查国/地区	1995	1996	1997	1998	1999	2000	2001	2002	2003	2004	2005	2006	2007	2008	2009	2010	2011	2012	2013	2014	2015	2016	合计
阿尔及利亚						1			1														2
阿根廷	3				1	1	3	1	1		2	1	2		1	1	2	1	1			1	22
亚美尼亚															1								1
澳大利亚			1	1	2	2			1	2				2		1					1	1	14
奥地利	1			3		2							1		2			1					10
孟加拉国							1							1								1	3
白俄罗斯		1				3	4	3	1	1	1			1	1			2					18
比利时		1		4	5			2	2		1				1		1	1					18
波黑		1															1						2
巴西	9	10	7	6	5	8	2	6	4	3	5	5	2	2	3	4	2		3	3	1	1	91
保加利亚	2		1		2	1	1	2		1		1	1			1		1					14
加拿大	1			3	1			4	4	1			1	2	1			1		2		1	22
智利		1	1	3			4	4	1	1		1	1				1		2	1			21
中国	27	16	33	24	21	31	31	36	40	44	42	37	46	54	57	56	37	35	52	40	61	20	840
哥伦比亚	1				1																1		3
克罗地亚		2				1		1			1												5
古巴						1																	1
捷克	1	1	1		1	4	1	3	1	1					1								15
丹麦	1			1		1	1													2			6
多米尼加								1															1
厄瓜多尔	1								1		1												3
埃及			2		2									1						1	2	1	9
爱沙尼亚					1			1	1														3
欧盟			1	1	4	4	8	6	7	6	3	3	1	3	1	4	4	8	4	6	4	4	82
法罗群岛										1													1
芬兰				1	1	2			1	2	2	1		1				2	1	1			15
马其顿		1			1		1		1					1									5
法国	1	1	2	5	7	3	4	1	1		2				2		1				3		33
格鲁吉亚									1														1
德国	4	2	2	7	5	7	1	6	4			2		3	4			1	3	2	7	1	61
希腊				2				1	1						1				1				6
危地马拉									1														1
洪都拉斯					1																		1
中国香港		3	1	1	1	1	1	2	2				1	1	2	3		1			1		21
匈牙利		1			2	2		2	1								1						9

续 表

被调查国/地区	1995	1996	1997	1998	1999	2000	2001	2002	2003	2004	2005	2006	2007	2008	2009	2010	2011	2012	2013	2014	2015	2016	合计
印度	4	1	5	7	9	7	6	6	7	10	2	12	3	6	4	2	3	3	6	6	7	3	119
印度尼西亚		2	4	7	4	11	5	9	12	2	7	10	3	6	7	8	4	2	7	4	5	2	121
伊朗						1	2		1	2	1				1			2	1				11
爱尔兰					2							1											3
以色列	1				1		1	1	1							1		2			3		11
意大利	2	2	1	7	5	1	2	4	2		1				1		2		3	2	2	1	38
日本	5	6	5	9	11	22	9	5	11	6	7	8	4	3		2	3	5	5	8	5	1	140
约旦								1															1
哈萨克斯坦			2	2	4		1	2	7				1	1									20
肯尼亚																		1					1
韩国	4	6	3	15	15	23	12	13	22	13	8	10	6	8	7	4	4	10	18	12	12	4	229
科威特																1							1
吉尔吉斯斯坦																					1		1
拉脱维亚				1	1		4		1														7
利比亚								1															1
列支敦士登			1																				1
立陶宛					1	1		1															3
中国澳门														1		2		1					4
马拉维							1																1
马来西亚	3	3	3	4	3	4	1	4	3	6	3	6	5	2	7	3	5	2	1	5	5	4	82
墨西哥		3	4	1	3	4	1	4		3	2	1	2	1	1	2		2	3	6	2	1	46
摩尔多瓦	1						2	1															4
尼泊尔								2															2
荷兰	2		1	2	1	3	1	2	2		1				1	1					1		18
新西兰				1			1		1							1							4
尼日利亚										1													1
挪威			1							1		1					1				1		5
阿曼								1								1		1	1		1	1	6
巴基斯坦	1		1				1		1	2								1		2	1		10
巴拉圭	1				1											1							3
秘鲁															1								1
菲律宾			1			1		1	1			3									2	1	10
波兰	1	1	3	2	4	2	4	1	1	1	1							1					22
葡萄牙			1	1	1			1												1		2	7
卡塔尔								1															1

续 表

被调查国/地区	1995	1996	1997	1998	1999	2000	2001	2002	2003	2004	2005	2006	2007	2008	2009	2010	2011	2012	2013	2014	2015	2016	合计
罗马尼亚	2	1	1	2	2	4	1	4	5	2	1	1			1		1		1				29
俄罗斯	8	3	9	5	16	8	8	4	13	5	6	3	1	6		3	1	3	3	1	4	2	112
沙特阿拉伯				1	1	1	1	1			1		1		1	2			1	2	1		14
塞尔维亚																			1				1
塞尔维亚和黑山						1	1					1											3
新加坡				3		3		7	7	1		2	4	3		1		1	1		3	2	38
斯洛伐克			1		2	1		2	1		1												8
斯洛文尼亚		1																					1
南非	2	3	2	2	3	4	3	7	8					4		2	1		2	2	1	1	47
西班牙	3			4	4	3	3	3		1	1			1	1		1			2	1	2	30
斯里兰卡										1					1				1				3
瑞典				4	1	1			1		1	1		1	1			1		2	1		15
瑞士				1						1			1								1		4
中国台北	2	2	7	12	8	17	8	13	11	10	8	7	7	9	7	8	5	9	12	11	11	3	187
泰国	5	8	2	5	1	12	8	8	8	6	6	8	4	4	10	7	7	3	9	8	9	1	139
特立尼达和多巴哥			1	1				1															3
土耳其	1	1	1	2	4	3	3	3	2	2				3		1	2	2	3	2	4	1	40
乌克兰	5	1	3	5	7	8	7	5	6		1	3	2	1	1	1	1	2	1	3	2	3	68
阿联酋							1	1		1	1	1		1	1		1	3	2	2	2		17
英国	3	1	2	3	3	1	2	5	1			1			2	1					2		27
美国	8	4	9	12	8	13	4	10	6	10	13	9	4	7	5	7	7	9	5	12	7	6	175
乌拉圭							1				1			1									3
乌兹别克斯坦										1													1
委内瑞拉	4	1		1		2		1	2	1									1				13
越南				1		1	1		1	2	4	2	2	2	4	2			6	6	3	4	41
南斯拉夫		1																					1
津巴布韦			1																				1
合计	120	92	127	185	190	238	169	218	223	154	138	142	106	143	143	134	99	120	161	157	181	76	3 316

注：自 1995 年 1 月 1 日至 2016 年 6 月 30 日。

资料来源：http://www.wto.org/english/tratop_e/adp_e/adp_e.htm，访问日期为 2017 年 1 月 1 日。

表 17　　全球实施反倾销措施案件数（按发起调查成员）

发起调查的成员	1995	1996	1997	1998	1999	2000	2001	2002	2003	2004	2005	2006	2007	2008	2009	2010	2011	2012	2013	2014	2015	2016	合计
阿根廷	13	20	11	12	9	16	14	22	19	1	8	4	8	5	16	15	8	9	9	9	11		239
亚美尼亚																					5*	3*	*
澳大利亚	1	1	1	20	6	5	11	9	10	4	3	5	1	3	2	2	5	10	9	14	10	3	135
博茨瓦纳		8*	18*	13*	36*	13*	5*	15*	1*	4*		7*	1*	3*	3*	1*		1*	2*	1*	5*		*

续 表

发起调查的成员	1995	1996	1997	1998	1999	2000	2001	2002	2003	2004	2005	2006	2007	2008	2009	2010	2011	2012	2013	2014	2015	2016	合计
巴西	3	6	2	14	5	9	13	5	2	5	3		9	11	16	5	13	14	30	32	31	5	233
加拿大	7		7	10	10	14	19		5	8	4		3	3	2	3	1	10	7	6	13	1	133
智利	2		2	2									1		1	1		1					10
中国				3	2	5		5	33	14	16	24	12	4	12	15	6	5	8	12	5	3	184
哥伦比亚	1	1	1		6	2				1	1	1	7		3				6	4	2	1	37
哥斯达黎加									1				2										3
捷克						1																	1
多米尼加																	1			1			2
埃及				5	14	1	2	7	4	1		12	2	3		1	1		1		1	1	56
欧盟	15	23	23	28	18	41	13	25	2	10	20	12	12	16	9	5	11	3	12	1	10	1	310
危地马拉			1																				1
印度	7	2	8	22	23	55	38	64	52	29	18	16	24	31	30	32	26	30	12	15	38	27	599
印度尼西亚			4	2	7		1		1	8	4	2		5	1	5	2	4	5	3	6		60
以色列	1			6	4		1	2		1		3	1			2	1		1				23
牙买加							1	2		1													4
日本	1							2						4							1		8
哈萨克斯坦																	1*	4*	6*		5*	3*	*
韩国		5	10	8		5		1	4	10	3	8		12	4		2		5	5	3	1	86
吉尔吉斯斯坦																					5*	3*	*
拉脱维亚								1	1														2
莱索托		8*	18*	13*	36*	13*	5*	15*	1*	4*		7*	1*	3*	3*	1*		1*	2*	1*	5*		*
立陶宛							7																7
马来西亚		2	2	4	1	1		1	7		7								11	2	5	5	48
墨西哥	16	4	7	7	7	6	3	4	7	7	8	5			1	2	1	4	2	8	9	7	115
摩洛哥																		1	1	4	1		7
纳米比亚		8*	18*	13*	36*	13*	5*	15*	1*	4*		7*	1*	3*	3*	1*		1*	2*	1*	5*		*
新西兰	3	4		1			2	1		2	4	2	3				2						24
尼加拉瓜					1																		1
巴基斯坦								1	2	4	1	7	4		6	5	7	6	7		1	2	53
巴拉圭					1					1													2
秘鲁	2	2	3		3	4	1	7	7	8	3	4	1		2	1	1		1		1		51
菲律宾		2	1	1	3	4															1		12
波兰				1		6			2														9
俄罗斯												1	1	4	1	10	1	4	6		5	3	36
新加坡	2																						2
南非		8	18	13	36	13	5	15	1	4		7	1	3	3	1		1	2	1	5		137

续 表

发起调查的成员	1995	1996	1997	1998	1999	2000	2001	2002	2003	2004	2005	2006	2007	2008	2009	2010	2011	2012	2013	2014	2015	2016	合计
斯威士兰		8*	18*	13*	36*	13*	5*	15*	1*	4*		7*	1*	3*	3*	1*		1*	2*	1*	5*		*
中国台北			1	5	1	1		2				1	1			2	1		2				17
泰国			1	2				1	20	1	2		1		3		3	2	7	4		1	48
特立尼达和多巴哥				2		1	2		1	1												1	8
土耳其	11				1	8	2	11	28	16	9	21	6	11	9	10	2	1	8	9	7	4	174
乌克兰							1	2	2	2	6	2	1	5	7			7	2	1	1	1	40
美国	33	12	20	16	24	31	33	27	12	14	18	5	5	23	15	17	4	7	7	22	14	9	368
乌拉圭				1														1					2
委内瑞拉	2		4		8	9		1		1													25
越南																				4			4
合计	120	92	127	185	190	238	169	218	223	154	138	142	106	143	143	134	99	120	161	157	181	76	3 316

注：自1995年1月1日至2016年6月30日。

资料来源：http：//www. wto. org/english/tratop _ e/adp _ e/adp _ e. htm，访问日期为2017年1月1日。

表18 **全球实施反倾销措施案件数（按产品类别）**

HS编码	1995	1996	1997	1998	1999	2000	2001	2002	2003	2004	2005	2006	2007	2008	2009	2010	2011	2012	2013	2014	2015	2016	合计
Ⅰ. 活动物，动物产品	2		1	2	1	3	7		1	2	6	1				1		1			3		31
Ⅱ. 植物产品	4	1	1	4	3	1	3	3	1		2	4	3	1	2	2		1			1	1	38
Ⅲ. 动、植物油、脂、蜡								1			1											1	3
Ⅳ. 食品；饮料、酒及醋，烟草	6	6	1	3	1	1	4	1	1			6	3				2			2			37
Ⅴ. 矿产品		1	2	3	1	5	10	8	2	7			1	1	2		3		3		1		50
Ⅵ. 化学工业及其相关工业的产品	19	12	22	15	15	49	39	56	68	46	31	27	28	46	18	32	28	36	22	31	50	23	713
Ⅶ. 树脂、塑料及其制品；橡胶及其制品	10	11	13	14	27	26	11	25	48	23	23	28	7	25	13	15	12	8	30	21	26	8	424
Ⅷ. 生皮、毛皮及其制品；马具和旅行用品			1									1											2
Ⅸ. 木材、软木制品；篮筐	1		1	6	7	1		3		4	5	5		3	6		2	1	5	1	2	1	54
Ⅹ. 纸、纸板及其制品	2		2	29	5	10	2	6	10	4	10	7	4	11		2	4	13	1	4	2	8	136
Ⅺ. 纺织原料及纺织制品	4	8	9	2	21	26	9	30	2	13	13	23	17	10	30	17	2	3	5	8	4	3	259

续 表

HS 编码	1995	1996	1997	1998	1999	2000	2001	2002	2003	2004	2005	2006	2007	2008	2009	2010	2011	2012	2013	2014	2015	2016	合计
Ⅻ. 鞋、帽；羽毛，人造花，风扇	1		3	3		7	2	1				2	1		1	2							23
ⅩⅢ. 石料、石膏的制品；陶瓷产品；玻璃	3	3	1	6	5	7	1	2	10	4	5	7	5	4	4	5	13	8	11	19	6	1	130
ⅩⅤ. 贱金属及其制品	49	24	46	64	85	83	65	60	65	39	24	16	11	29	29	40	21	40	69	61	57	20	997
ⅩⅥ. 机器和电气设备	9	17	16	30	4	14	11	15	8	6	12	9	15	12	27	14	7	7	11	8	19	5	276
ⅩⅦ. 车辆、航空器和船舶	1	5	1	1	1		1		2	2	1		5		1	2	2	1	3		6	1	36
ⅩⅧ. 仪器、钟表、录音机和复读机	2	1			11		1		1	1	3		4		5	1	3	1		1		4	39
ⅩⅩ. 杂项制品	7	3	7	3	3	5	3	7	4	3	2	6	2	1	5	1			1	1	4		68
合计	120	92	127	185	190	238	169	218	223	154	138	142	106	143	143	134	99	120	161	157	181	76	3 316

注：自 1995 年 1 月 1 日至 2016 年 6 月 30 日。

资料来源：http：//www. wto. org/english/tratop _ e/adp _ e/adp _ e. htm，访问日期为 2017 年 1 月 1 日。

（4）保障措施委员会

保障措施委员会 2015 年年度报告考察期为 2014 年 10 月 28 日至 2015 年 10 月 26 日。在报告调查期内，保障措施委员会分别于 2015 年 4 月 27 日和 2013 年 10 月 26 日举行了两次常规会议。

在 2015 年 4 月 27 日的会议上，委员会选举 Víctor Echevarría Ugarte 先生为委员会主席，选举 Navamin Chatarayamontri 先生为副主席。

截至 2015 年 10 月 25 日，共有 111 个 WTO 成员对其国内的保障措施的立法和规章做了通报。此外，还有 23 个成员未尽到通报义务。

表 19　　全球发起保障措施调查案件数

发起调查的成员	1995	1996	1997	1998	1999	2000	2001	2002	2003	2004	2005	2006	2007	2008	2009	2010	2011	2012	2013	2014	2015	2016	合计
阿根廷	0	0	1	1	0	1	1	0	0	1	0	1	0	0	0	0	0	0	0	0	0	0	6
澳大利亚	0	0	0	1	0	0	0	0	0	0	0	0	1	0	0	0	0	0	2	0	0	0	4
巴西	0	1	0	0	0	0	1	0	0	0	0	0	0	1	0	0	0	1	0	0	0	0	4
保加利亚*	0	0	0	0	0	1	1	3	1	0	0	0	0	0	0	0	0	0	0	0	0	0	6
加拿大	0	0	0	0	0	0	0	1	0	0	2	0	0	0	0	0	0	0	0	0	0	0	3
智利	0	0	0	0	2	3	2	2	0	1	0	1	0	0	1	0	0	1	2	0	4	0	19
中国	0	0	0	0	0	0	0	1	0	0	0	0	0	0	0	0	0	0	0	0	0	0	1
哥伦比亚	0	0	0	0	1	0	0	0	0	2	0	0	0	0	0	0	0	0	4	0	0	0	7
哥斯达黎加	0	0	0	0	0	0	0	1	0	0	0	0	0	0	0	0	0	1	0	1	0	0	3
克罗地亚	0	0	0	0	0	0	0	0	0	0	0	0	0	0	1	0	0	0	0	0	0	0	1

续 表

发起调查的成员	1995	1996	1997	1998	1999	2000	2001	2002	2003	2004	2005	2006	2007	2008	2009	2010	2011	2012	2013	2014	2015	2016	合计
捷克*	0	0	0	0	1	2	1	5	0	0	0	0	0	0	0	0	0	0	0	0	0	0	9
多米尼加	0	0	0	0	0	0	0	0	0	0	0	0	0	0	3	2	0	0	0	0	0	0	5
厄瓜多尔	0	0	0	0	2	0	0	1	4	0	0	0	0	0	0	1	0	0	0	1	0	0	9
埃及	0	0	0	1	1	1	0	0	0	0	0	0	0	1	0	0	1	4	0	2	2	0	13
萨尔瓦多	0	0	0	0	0	3	0	0	0	0	0	0	0	0	0	0	0	0	0	0	0	0	3
爱沙尼亚*	0	0	0	0	0	0	0	0	1	0	0	0	0	0	0	0	0	0	0	0	0	0	1
欧盟*	0	0	0	0	0	0	0	1	1	1	1	0	0	0	0	1	0	0	0	0	0	0	5
匈牙利	0	0	0	0	0	0	0	1	2	0	0	0	0	0	0	0	0	0	0	0	0	0	3
印度	0	0	1	5	3	2	0	2	1	1	0	0	0	1	10	1	1	1	3	7	2	1	42
印度尼西亚	0	0	0	0	0	0	0	0	0	1	1	1	0	2	0	7	4	7	0	3	1	0	27
以色列	0	0	0	0	0	0	0	0	0	0	0	0	0	0	1	0	1	0	0	0	0	0	2
牙买加	0	0	0	0	0	0	0	0	1	0	0	0	0	0	0	0	0	0	0	0	0	0	1
日本	0	0	0	0	0	1	0	0	0	0	0	0	0	0	0	0	0	0	0	0	0	0	1
约旦	0	0	0	0	0	1	0	8	0	0	1	1	1	2	0	1	0	1	0	1	0	0	17
韩国	1	2	0	0	1	0	0	0	0	0	0	0	0	0	0	0	0	0	0	0	0	0	4
吉尔吉斯斯坦	0	0	0	0	0	0	0	0	0	0	0	0	0	0	2	1	0	0	1	0	0	0	4
拉脱维亚*	0	0	0	0	1	0	0	1	0	0	0	0	0	0	0	0	0	0	0	0	0	0	2
立陶宛*	0	0	0	0	0	0	1	0	0	0	0	0	0	0	0	0	0	0	0	0	0	0	1
马来西亚	0	0	0	0	0	0	0	0	0	0	0	0	0	0	0	0	1	0	0	1	1	2	5
墨西哥	0	0	0	0	0	0	0	1	0	0	0	0	0	0	0	1	0	0	0	0	0	0	2
摩尔多瓦	0	0	0	0	0	0	0	0	1	1	0	0	0	0	0	0	0	0	0	0	0	0	2
摩洛哥	0	0	0	0	0	2	0	0	0	0	1	0	0	0	1	1	0	1	0	1	1	0	8
巴基斯坦	0	0	0	0	0	0	0	0	0	0	1	0	0	0	0	0	0	0	0	0	0	0	1
巴拿马	0	0	0	0	0	0	0	0	0	0	0	1	0	0	0	0	0	0	0	0	0	0	1
秘鲁	0	0	0	0	0	0	0	0	0	1	0	0	0	0	1	0	0	0	0	0	0	0	2
菲律宾	0	0	0	0	0	0	3	0	3	0	0	1	0	1	1	0	0	0	2	0	0	0	11
波兰*	0	0	0	0	0	1	0	4	0	0	0	0	0	0	0	0	0	0	0	0	0	0	5
俄罗斯	0	0	0	0	0	0	0	0	0	0	0	0	0	0	0	0	1	3	0	0	0	0	4
沙特阿拉伯	0	0	0	0	0	0	0	0	0	0	0	0	0	0	0	0	0	0	0	0	0	1	1
斯洛伐克*	0	0	0	0	1	1	0	1	0	0	0	0	0	0	0	0	0	0	0	0	0	0	3
斯洛文尼亚*	0	0	0	1	0	0	0	0	0	0	0	0	0	0	0	0	0	0	0	0	0	0	1
南非	0	0	0	0	0	0	0	0	0	0	0	0	1	0	0	0	0	1	1	0	0	1	4
中国台北	0	0	0	0	0	0	0	0	0	0	0	0	0	0	0	0	0	0	1	0	0	0	1
泰国	0	0	0	0	0	0	0	0	0	0	0	0	0	0	0	1	0	2	0	1	0	1	5
突尼斯	0	0	0	0	0	0	0	0	0	0	0	2	0	0	0	0	0	0	0	2	1	0	5

续 表

发起调查的成员	1995	1996	1997	1998	1999	2000	2001	2002	2003	2004	2005	2006	2007	2008	2009	2010	2011	2012	2013	2014	2015	2016	合计
土耳其	0	0	0	0	0	0	0	0	0	5	0	5	3	1	1	0	1	0	1	3	1	0	21
乌克兰	0	0	0	0	0	0	0	0	0	0	0	0	2	1	2	3	2	0	1	0	1	0	12
美国	1	2	1	1	2	2	1	0	0	0	0	0	0	0	0	0	0	0	0	0	0	0	10
委内瑞拉	0	0	0	0	0	4	1	1	0	0	0	0	0	0	0	0	0	0	0	0	0	0	6
越南	0	0	0	0	0	0	0	0	0	0	0	0	0	0	1	0	0	1	0	0	2	0	4
赞比亚	0	0	0	0	0	0	0	0	0	0	0	0	0	0	0	0	0	0	0	0	1	0	1
合计	2	5	3	10	15	25	12	34	15	14	7	13	8	10	25	20	12	24	18	23	17	6	318

注：自 1995 年 1 月 1 日至 2016 年 6 月 30 日。

* 欧共体 2004 年 5 月 1 日，2007 年 1 月 1 日和 2013 年 7 月 1 日东扩。所有新加入的国家加入前作为 WTO 成员统计数字仍有效。欧盟整体的数字：(a) 1995 年 1 月 1 日至 2004 年 4 月 30 日以 15 国为准；(b) 2004 年 5 月 1 日至 2006 年 12 月 31 日以 25 国为准；(c) 2007 年 1 月 1 日至 2013 年 6 月 30 日以 27 国为准；(d) 2013 年 7 月 1 日后以 28 国为准。

资料来源：http：//www. wto. org/english/tratop _ e/safeg _ e/safeg _ e. htm，访问日期为 2017 年 1 月 1 日。

表 20　　全球发起保障措施调查案件数（按产品类别）

产品类别	1995	1996	1997	1998	1999	2000	2001	2002	2003	2004	2005	2006	2007	2008	2009	2010	2011	2012	2013	2014	2015	2016	合计
I	0	1	0	3	2	3	0	1	1	1	0	1	1	0	2	1	0	1	1	0	0	0	19
II	1	1	1	0	2	3	2	1	0	2	1	0	0	0	1	0	0	3	2	1	0	0	21
III	1	0	0	0	0	1	0	1	0	0	0	0	0	0	0	0	0	1	0	0	0	0	4
IV	0	0	0	0	1	4	3	3	3	0	1	0	0	1	1	0	0	3	3	0	2	0	25
V	0	0	0	0	0	0	1	0	1	0	0	1	0	1	0	1	1	0	0	0	0	0	6
VI	0	0	1	3	4	5	0	8	2	2	1	1	1	2	6	2	1	3	3	3	1	0	49
VII	0	0	0	2	1	3	0	0	1	0	0	1	1	0	1	0	3	1	1	1	2	0	18
VIII	0	0	0	0	0	0	0	0	0	0	0	0	1	0	0	0	0	0	0	0	0	0	1
IX	0	0	0	1	0	0	0	2	0	0	0	0	0	0	1	0	0	0	0	2	0	0	6
X	0	0	0	0	0	1	0	0	1	0	0	0	0	0	4	1	0	0	1	4	1	0	13
XI	0	0	0	0	0	1	0	0	0	1	0	0	0	2	3	4	2	3	0	1	0	0	17
XII	0	0	1	0	1	1	0	1	0	0	1	2	0	0	0	0	0	0	0	0	0	0	7
XIII	0	0	0	0	0	0	1	2	5	3	1	2	1	1	3	2	1	1	1	1	2	0	27
XV	0	0	0	0	2	2	4	12	1	0	0	0	1	2	3	7	3	6	6	8	9	6	72
XVI	0	0	0	0	1	0	0	3	0	3	0	4	1	1	0	1	0	1	0	2	0	0	17
XVII	0	1	0	0	1	1	0	0	0	0	1	1	0	0	0	1	1	0	0	0	0	0	7
XVIII	0	0	0	0	0	0	0	0	0	2	0	0	1	0	0	0	0	1	0	0	0	0	4
XX	0	2	0	1	0	0	1	0	0	0	1	0	0	0	0	0	0	0	0	0	0	0	5
合计	2	5	3	10	15	25	12	34	15	14	7	13	8	10	25	20	12	24	18	23	17	6	318

注：自 1995 年 1 月 1 日至 2016 年 6 月 30 日。

资料来源：http：//www. wto. org/english/tratop _ e/safeg _ e/safeg _ e. htm，访问日期为 2017 年 1 月 1 日。

表21 全球实施保障措施案件数

发起调查的成员	1996	1997	1998	1999	2000	2001	2002	2003	2004	2005	2006	2007	2008	2009	2010	2011	2012	2013	2014	2015	2016	合计
阿根廷	0	1	0	0	0	2	0	0	0	0	0	1	0	0	0	0	0	0	0	0	0	4
巴西	0	1	0	0	0	0	1	0	0	0	0	0	0	0	0	0	0	0	0	0	0	2
保加利亚*	0	0	0	0	0	0	2	0	0	0	0	0	0	0	0	0	0	0	0	0	0	2
智利	0	0	0	0	2	1	2	0	0	1	1	0	0	0	0	0	1	0	0	0	1	9
哥伦比亚	0	0	0	0	0	0	0	0	0	0	0	0	0	0	0	0	0	0	1	0	0	1
哥斯达黎加	0	0	0	0	0	0	0	0	0	0	0	0	0	0	0	0	0	0	0	1	0	1
克罗地亚*	0	0	0	0	0	0	0	0	0	0	0	0	0	1	0	0	0	0	0	0	0	1
捷克*	0	0	0	1	0	1	1	2	0	0	0	0	0	0	0	0	0	0	0	0	0	5
多米尼加	0	0	0	0	0	0	0	0	0	0	0	0	0	0	2	0	0	0	0	0	0	2
厄瓜多尔	0	0	0	0	0	1	0	1	1	0	0	0	0	0	1	0	0	0	0	1	0	5
埃及	0	0	0	1	1	1	0	0	0	0	0	0	1	0	0	0	1	0	0	2	0	7
欧盟*	0	0	0	0	0	0	1	0	1	1	0	0	0	0	0	0	0	0	0	0	0	3
匈牙利*	0	0	0	0	0	0	0	3	0	0	0	0	0	0	0	0	0	0	0	0	0	3
印度	0	0	4	1	1	0	2	0	0	1	0	0	0	3	0	1	2	0	4	0	1	20
印度尼西亚	0	0	0	0	0	0	0	0	0	0	1	0	0	2	0	7	1	1	2	3	0	17
约旦	0	0	0	0	0	1	1	2	0	1	0	1	0	0	1	0	0	1	0	1	0	9
韩国	0	1	0	0	1	0	0	0	0	0	0	0	0	0	0	0	0	0	0	0	0	2
吉尔吉斯斯坦	0	0	0	0	0	0	0	0	0	0	0	0	0	1	0	0	0	1	0	0	0	2
拉脱维亚*	0	0	0	1	0	0	0	1	0	0	0	0	0	0	0	0	0	0	0	0	0	2
立陶宛*	0	0	0	0	0	0	1	0	0	0	0	0	0	0	0	0	0	0	0	0	0	1
马来西亚	0	0	0	0	0	0	0	0	0	0	0	0	0	0	0	0	0	0	0	1	0	1
摩尔多瓦	0	0	0	0	0	0	0	0	1	0	0	0	0	0	0	0	0	0	0	0	0	1
摩洛哥	0	0	0	0	0	1	0	0	0	0	1	0	0	0	0	0	0	1	0	1	1	5
巴拿马	0	0	0	0	0	0	0	0	0	0	0	1	0	0	0	0	0	0	0	0	0	1
菲律宾	0	0	0	0	0	0	1	1	3	0	0	0	0	1	0	1	0	0	0	1	0	8
波兰*	0	0	0	0	0	0	0	4	0	0	0	0	0	0	0	0	0	0	0	0	0	4
俄罗斯	0	0	0	0	0	0	0	0	0	0	0	0	0	0	0	0	1	1	1	0	0	3
斯洛伐克*	0	0	0	0	0	1	0	1	0	0	0	0	0	0	0	0	0	0	0	0	0	2
南非	0	0	0	0	0	0	0	0	0	0	0	1	0	0	0	0	0	0	1	0	0	2
泰国	0	0	0	0	0	0	0	0	0	0	0	0	0	0	0	1	0	1	0	1	0	3
土耳其	0	0	0	0	0	0	0	0	0	2	4	1	4	1	0	1	0	0	1	1	0	15
乌克兰	0	0	0	0	0	0	0	0	0	0	0	0	1	1	0	0	0	1	1	0	0	4
美国	1	0	1	1	2	0	1	0	0	0	0	0	0	0	0	0	0	0	0	0	0	6
越南	0	0	0	0	0	0	0	0	0	0	0	0	0	0	0	0	0	1	0	0	0	1
合计	1	3	5	5	7	9	13	15	6	6	7	5	6	10	4	11	6	8	11	13	3	154

注：自1995年1月1日至2016年6月30日。

*欧共体2004年5月1日，2007年1月1日和2013年7月1日东扩。所有新加入的国家加入前作为WTO成员统计数字仍有效。欧盟整体的数字：(a) 1995年1月1日至2004年4月30日以15国为准；(b) 2004年5月1日至2006年12月31日以25国为准；(c) 2007年1月1日至2013年6月30日以27国为准；(d) 2013年7月1日后以28国为准。

资料来源：http：//www.wto.org/english/tratop_e/safeg_e/safeg_e.htm，访问日期为2017年1月1日。

表 22　全球实施保障措施案件数（按产品类别）

产品类别	1996	1997	1998	1999	2000	2001	2002	2003	2004	2005	2006	2007	2008	2009	2010	2011	2012	2013	2014	2015	2016	合计
I	0	1	0	2	0	2	0	1	0	1	1	0	0	1	0	0	0	0	0	0	0	9
II	0	0	1	0	2	2	1	0	0	2	0	0	0	1	0	0	1	1	1	1	0	13
III	0	0	0	0	0	0	0	0	0	0	0	0	0	0	0	0	0	1	0	0	0	1
IV	0	0	0	1	0	3	3	2	2	0	0	0	0	1	0	0	0	0	1	0	0	13
V	0	0	0	0	0	0	0	1	0	0	1	0	0	0	0	0	0	0	0	0	0	2
VI	0	0	3	2	1	1	3	5	0	2	0	1	0	5	0	1	2	0	4	0	0	30
VII	0	0	1	0	0	0	0	0	0	0	0	1	0	0	0	1	0	0	0	0	0	3
VIII	0	0	0	0	0	0	0	0	0	0	0	0	1	0	0	0	0	0	0	0	0	1
IX	0	0	0	0	0	0	0	1	0	0	0	0	0	0	0	0	0	0	0	1	0	2
X	0	0	0	0	0	0	0	0	0	0	0	0	0	0	0	1	0	0	0	4	1	6
XI	0	0	0	0	1	0	0	0	0	0	0	0	2	0	2	3	1	0	0	0	0	9
XII	0	1	0	0	0	0	0	0	0	0	1	1	0	0	0	0	0	0	0	0	0	3
XIII	0	0	0	0	0	0	1	1	4	0	2	0	0	0	2	1	0	1	1	0	0	13
XV	0	0	0	0	2	0	4	3	0	0	0	0	1	2	0	4	2	4	3	6	2	33
XVI	0	0	0	0	1	0	1	1	0	0	2	1	1	0	0	0	0	0	1	1	0	9
XVII	0	0	0	0	0	1	0	0	0	0	0	1	0	0	0	0	0	1	0	0	0	3
XVIII	0	0	0	0	0	0	0	0	0	1	0	0	1	0	0	0	0	0	0	0	0	2
XX	1	1	0	0	0	0	0	0	0	0	0	0	0	0	0	0	0	0	0	0	0	2
合计	1	3	5	5	7	9	13	15	6	6	7	5	6	10	4	11	6	8	11	13	3	154

注：自 1995 年 1 月 1 日至 2016 年 6 月 30 日。

资料来源：http: //www. wto. org/english/tratop _ e/safeg _ e/safeg _ e. htm，访问日期为 2017 年 1 月 1 日。

3. 服务贸易理事会

服务贸易理事会于 2014 年 11 月 28 日，2015 年 2 月 5 日、3 月 18 日、6 月 3 日，共举行了四次正式会议。重点审议和解决了下列问题：第一，审议成员方根据《服务贸易总协定》第 3 条第 3 款、第 5 条第 7 款所通报的服务贸易措施；第二，最不发达国家服务豁免；第三，有关电子商务的工作计划；第四，服务贸易的最新发展；第五，附属机构的工作。

服务贸易理事会下属委员会和工作组活动如下：

（1）金融服务贸易委员会

年度报告期内，金融服务贸易委员会举行了两次正式会议，分别在 2015 年 3 月 17 日和 6 月 2 日。委员会讨论了下列议题：对加入 GATS 第 5 议定书的监管、金融服务贸易和发展、金融服务监管、金融服务分类的技术问题等。

（2）特定承诺委员会

自 2014 年度报告以来，特定承诺委员会举行了两次正式会议，分别为 2015 年 3 月 18 日和 6 月 2 日。工作组会议重点讨论了两个常设问题：分类问题和减让表问题。

（3）国内规制工作组

自 2014 年度报告以来，国内规制工作组举行了两次正式会议，分别在 2015 年 3 月 17 日和 6 月 3 日。工作组会议重点讨论了区域贸易协定中的国内规制问题、GATS 第 VI 条第 4 款下规制的发展、服务贸易的技术标准问题等。

（4）GATS 规则工作组

自 2014 年度报告以来，GATS 规则工作组举行了两次正式会议，分别在 2015 年 3 月 18 日和 6 月 6 日。GATS 规则工作组的工作重点仍然是紧急保障措施、政府采购和补贴三个问题。

4. 知识产权理事会

自2014年度报告以来，知识产权理事会共举行了三次正式会议，分别为2015年2月24—25日、6月9—10日和10月15—16日。这三次会议内容可见文件IP/C/M/78和IP/C/M/78/Add.1，IP/C/M/79和IP/C/M/79/Add.1，IP/C/M/80和IP/C/M/80/Add.1。2月的会议由博茨瓦纳大使Mothusi Palai主持。6月的会议由沙特阿拉伯大使Abdolazeez Al-Otaibi主持。因10月会议主席缺席，理事会选举了巴拿马大使Alfredo Suescum暂代主持。

这些会议向所有的WTO成员、其他政府和观察员以及具有该理事会观察员地位的某些国际政府间组织开放。理事会继续讨论了《与贸易有关的知识产权协定》要求的通报；成员国内相关法律框架的审议；《与贸易有关的知识产权协定》与《生物多样性公约》的关系以及对传统知识和历史传说的保护；非违反之诉和情势之诉；技术合作和能力建设问题；知识产权和创新，等等。

● 多哈回合谈判进展（2015）

2015 多哈谈判的整体概况

2015 年，贸易谈判委员会及其附属机构专注于 12 月在内罗毕召开的第十届部长级会议，力争达成有意义的成果。上半年，WTO 成员集中精力准备“后巴厘工作方案”。虽然最终未能成功建立方案，但在下半年 WTO 成员加倍努力力争在内罗毕会议上提交实质性成果。第十届部长级会议就农业、棉花和最不发达国家相关议题达成了 6 个部长决议，统称为“内罗毕一揽子”。会议还通过了《内罗毕部长宣言》，其内容涉及 WTO 的未来以及 WTO 成员对于多哈回合的不同意见。

• 2015 年 12 月 15—19 日，WTO 第十届部长级会议在内罗毕召开，会议通过了“内罗毕一揽子”，以及就农业、棉花和最不发达国家相关议题等领域达成了 6 个部长决议。

• “内罗毕一揽子”包括一个具有历史意义的决议，即消除农产品出口补贴。这是自 WTO 成立以来农产品国际规则领域最重要的改革。

• 《内罗毕部长宣言》承认 WTO 成员对于多哈回合谈判有“不同观点”，同时指出“所有成员均坚定承诺继续推进关于多哈剩余议题的谈判”。

• 超过 50 个 WTO 成员达成了一个具有里程碑意义的协议以扩大 WTO《信息技术产品协议》，消除 201 项 IT 产品的关税，这些产品每年的贸易额超过 1.3 万亿美元。

“后巴厘”工作方案

巴厘岛第九届部长级会议指示贸易谈判委员会准备了一份解决多哈发展回合谈判剩余议题的清晰明确的工作方案。具体工作在三个轨道上开展：各谈判集团之间；由贸易谈判委员会主席 WTO 总干事阿泽维多就不同方案进行的磋商；驻 WTO 使团大使级别的全体成员会议。

尽管 WTO 成员付出了很多努力和投入，谈判并没有取得实质性进展，在许多关键领域仍然存在显著的分歧。探讨所有可能途径的磋商一直持续到 7 月 31 日。7 月 31 日的多边谈判委员会会议上，委员会主席遗憾地表示没有看到足以完成部长们指示的必要进展。主席要求世贸组织成员利用暑休时间进行反思，在 9 月回归时全面致力于即将召开的部长级会议取得成功。

内罗毕会议的可交付成果

自 9 月份开始，WTO 成员开始了一系列的密集工作，争取内罗毕部长级会议所达成的潜在成果。多边谈判委员会主席在 9 月份的会议上报告了磋商成果，他指出是时候将密集性的工作集中在看起来更为一致的议题上了。他报告了农业的出口竞争、发展议题，尤其是最不发达国家以及一些领域的透明度条款等，是最有可能达成共识的。他鼓励各谈判小组主席加强各自的工作，同时也表示自己会加强在这些领域的磋商工作。

在讨论中，就第十届部长级会议后多哈回合未来的看法开始出现分歧。启动了一个平行的谈判进程，以探讨第十届部长级会议上可能的成果文件，即可能达成的会议决议，其内容将包括多哈发展回合以及对未来工作的指导意见。

各谈判小组就不同的方案继续推进。WTO 成员提交了一些文本提案，在一些领域中基于文本的谈判正在进行。然而，在 12 月 7 日召开的总理事会上，这是部长级会议前的最后一次会议，贸易谈判委员会主席报告指出，在一些关键领域的进展是艰难的，甚至在已经进行文本谈判的出口竞争领域。延长最不发达国家的服务豁免议题，WTO 成员已经就文本草案达成一致，为将来的工作奠定了基础。WTO 成员就最不发达国家的优惠原产地规则几乎达成部长决议草案。

谈判委员会主席认为，截至 12 月 7 日，唯一确定可向内罗毕会议交付的成果是常规工作领域的3个决议草案。不过，他指出仍然有机会为内罗毕会议提供几个重要的成果，他督促WTO成员继续加大努力。

部长宣言的筹备过程

在10月份的总理事会上，WTO成员讨论了可能的内罗毕部长宣言的内容。在一次大使非正式会议上，贸易谈判委员会主席任命了三位协调人，以协助他和总理事会主席为达成内罗毕成果文件进行的相关工作：哥伦比亚大使Gabriel Duque，挪威大使Harald Neple和肯尼亚大使Stephen Karau。

三位协调人就以下3个关键性问题与WTO成员进行密集磋商，即可能达成的内罗毕成果文件的结构；成果文件应当涵盖的元素（其中可能包括对内罗毕会议后的工作安排等）；以及在起草成果文件草案中可以采取何种后续程序。关于宣言应如何分为三个部分迅速达成一致：介绍多边贸易体制的重要性，内罗毕部长级会议成果的可交付性，以及内罗毕后WTO的未来工作。WTO各成员对多哈回合的未来以及延长未包括在多哈发展回合（DDA）中的其他领域的谈判有明显的分歧。这些问题尚未被协调人解决。

WTO成员提交了他们期待的部长宣言的文本草案，协调人被要求汇总这些草案。进而协调人被要求提交一份综合文本草案。WTO成员基于协调人提交的文本草案继续谈判。

在12月7日召开的总理事会上，这是部长级会议前的最后一次会议，WTO成员取得了实质性进展。然而，在一些领域仍然存在括号内的文本，这说明这些领域尚无法达成一致。有争议的问题，如DDA的重申、新议题的处理等在协调人的磋商中并没有得到解决。这些问题将交由贸易部长们在内罗毕会议上解决。

在内罗毕继续磋商

第十届部长级会议主席肯尼亚外交与国际贸易部长阿明娜·穆罕默德（Amina Mohamed）和WTO总干事阿泽维多宣布大使级别的非正式会议向全体WTO成员开放，这些会议将在整个会议期间与大会同时召开。这些非正式会议将组成核心论坛，以促进各种文本包括部长宣言的草案文本的讨论并达成共识，并将成果提交给部长们正式审议和考虑。一些部长被要求作为协调人以帮助和促进这些谈判。

这些协调人包括挪威的外交部部长Børge Brende，墨西哥的经济部长Ildefonso Guajardo Villarreal，莱索托的贸易部长Joshua Setipa，卢旺达的贸易部长François Kanimba，牙买加外交部部长Arnold Nicholson以及WTO副总干事Yonov Frederick Agah。

虽然不是所有的问题都可以达成一致，一些草案文本，包括农业、棉花和最不发达国家问题，以及部长宣言的最后草案文本，是在12月19日会议的最后一天在大使级的非正式会议上被提交的。当天下午晚些时候，各代表团大使达成协议，将文本发送至随后立即召开的部长级会议正式的全体会议，交由部长们考虑。结果即是最后的部长宣言，其中包括农业领域的6个决议，如：农业出口补贴的取消、棉花和最不发达国家问题等。宣言还包括一个关于世界贸易组织未来的部分。

未来的工作

在部长宣言中，部长们承认WTO成员对于多哈回合谈判的未来有“不同的看法”，但又指出“所有成员坚定承诺继续推进多哈剩余议题的谈判”。部长们在宣言中指出，一些成员“希望确定和讨论谈判其他问题；其他成员则不同意。任何决定启动这些议题的多边谈判将需要所有成员的同意。”

农业谈判情况

- 第十届部长级会议达成了4项有关农业的决议，包括取消农业出口补贴的历史性决议。其他决议是关于棉花、发展中国家的特殊保障机制以及食品安全的公共储备等领域。内罗毕部长宣言包括坚定承诺继续推进农业谈判各领域的工作。

农业领域在各层级进行了一整年的密集谈判，以确定哪些可能构成内罗毕第十届部长级会议的农业成果。这些谈判是由总干事阿泽维多与农业委员会特别会议主席就各个关键问题密切合作展开的一系列磋商构成，农业委员会特别会议主席开始是新西兰大使John Adank，自9月起为新西兰大使Vangelis Vitalis。

最初农业谈判的焦点集中在三大支柱——国内支持（补贴）、市场准入和出口竞争——连同棉花议题和达成永久性解决以食品安全为目的的公共储备议题的协议。后一个议题在独立且平行于农业谈判的多哈回合的谈判轨道上进行的。至于多哈回合的其他方面，应总理事会的要求，农业谈判的目标是在 2015 年 7 月 31 日前达成一致。但事实证明这一目标是不可能的，国内支持和市场准入方面的分歧并没有缩小。

下半年，很明显出口竞争（出口补贴和同等效果的出口措施）提供了在内罗毕达成协议的最佳机会。内罗毕会议的另一个可能的成果是特殊保障机制（SSM），该机制使发展中国家针对进口激增或价格下跌可暂时提高进口关税。

很明显从一开始，正如 Vitalis 大使 11 月时所重申的一样，“棉花必须是第十届部长级会议成果的一部分。”

此外，受总理事会指示，世贸组织成员正争取在公共储备议题上达成一致。桌面上的唯一建议是由发展中国家组成的 G33 集团自 2014 年 7 月提供的。这项提议支持政府因公共储备以非市场价格购买食品不应该被认为是贸易扭曲，而且不应受到限制。

作为这一过程的结果，主席在 12 月 9 日散发了 4 份草案汇编，这些汇编基于 WTO 成员关于特殊保障机制、公共储备、出口竞争以及部长文本中的棉花草案所有相关提案。棉花提案是由棉花的主要贸易方单独谈判的成果，包括“有利于棉花的部门倡议”的共同发起者贝宁、布基纳法索、乍得和马里（棉花四国）。

受益于在 12 月 15—19 日的内罗毕部长级会议期间的密集谈判，这 4 个领域的决议最终被大会采纳。

特殊保障机制

一年内，世贸组织成员以各种形式讨论了特别保障机制问题。尽管付出了密集的努力，包括 G33 提交的新提案，但在部长级会议召开前，有关该机制的细节仍然没有达成一致。

G33 在以前的提案基础上引入了新的变化，考虑到了产品的关税增加、增加的幅度和期限、对于贫穷国家的灵活性等。正如 2005 香港部长宣言所提到的原则，许多发展中国家坚信该机制将有助于保护农民免受大企业补贴带来的损害。然而，反对者提出，农业贸易的扭曲不应该通过引入更多的扭曲来解决。

在内罗毕，部长们重申：发展中国家有权诉诸特别保障机制，并规定世贸组织成员应在农业委员会特别会议的专门会议上继续谈判。内罗毕宣言进一步规定总理事会将定期审议该领域的谈判进展情况。

公共储备、食品安全

这一年内，世贸组织成员以各种形式讨论了为维持食品安全的公共储备问题，包括总理事会的特别会议。

尽管努力，因为分歧依然很大，2 个新的提案（一个是由 G33 集团提出，另一个是由澳大利亚、加拿大和巴拉圭提出）并没有就永久性解决方案达成一致。支持者认为储备需要确保食品安全；但也有人担心，如果没有合适的规则，以政府设定的价格采购食品可能导致产量增加，增加的产量一旦释放则可能压低价格，从而影响农民收入和食品安全。部长级会议重申成员承诺“全体一致努力”，就永久解决方案达成一致，并继续在“加快的时间框架”下推进谈判。

2013 年巴厘部长宣言把解决这件事的最后期限设定为 2017 年的第十一届部长级会议，但 2014 年总理事会决定，该协议应该在 2015 年底前达成。直到一个永久性的解决方案被批准，只要满足一定的条件，在《农业协议》的国内支持条款下，管理价格的食品储备将继续免受法律诉讼。

出口补贴和相关政策

下半年，WTO 成员对于所谓出口竞争支柱进行了深度谈判，包括出口补贴、出口金融支持、农业出口国营贸易公司（STEs）和国际粮食援助。

在内罗毕，自工业品出口补贴取消 50 多年后，部长们通过了取消农产品出口补贴的历史性决议。这将对发展中国家尤其有益，那里的农民曾不得不面对来自受益于这种高度扭曲贸易的补贴产品的不公平竞争。

世贸组织成员将根据不同的时间表取消出口补贴。发达国家将立即取消出口补贴作为一般规则，在一定条件下对有限数量的产品实施延迟执行。发展中国家实施周期较长。

该决议还包括最长还款期和出口信贷、出口信用担保、保险和再保险以及其他风险覆盖项目的自我融资。WTO 成员也同意确保农产品出口国营贸易企业不以规避其他纪律的方式进行经营。最后，决议包括对国际粮食援助的纪律，旨在最大限度地减少贸易扭曲的风险。更具体地说，确保粮食援助对国内生产商和本地或区域市场不产生负面影响。

决议还为最不发达国家（最不发达国家）和粮食净进口国的特殊关切提供了各种灵活性。

棉花

内罗毕达成的棉花决议包括市场准入、国内支持、出口竞争和与发展相关的内容。发达国家成员和发展中国家成员在各自惠及最不发达国家成员的优惠贸易安排所规定的范围内，对最不发达国家成员生产和出口的棉花或棉花农产品的生产和出口提供免关税、免配额（DFQF）市场准入。

WTO成员一致同意发达国家成员应该立即取消棉花的出口补贴，而发展中国家成员应不迟于2017年1月1日实施。最后，就国内支持，部长们承认一些成员为改革其国内棉花政策所做出的努力，同时仍然强调需要做出更多的努力。

自巴厘部长级会议后，棉花透明度及其审议程序已经到位，2015年仍在继续推进这一工作，6月和11月就与贸易相关的棉花发展议题进行了专门的讨论。

正如2014年，由世贸组织秘书处协助的专门讨论有关WTO成员通报的事实和数据的背景文件，以及成员提交的有关出口补贴、国内支持和市场准入等信息。

成员也受益于国际棉花咨询委员会（ICAC）对全球棉花市场和贸易的发展趋势以及有利于棉花的政府支持措施的最新进展等所做的报告。WTO成员在内罗毕一致同意扩大这种透明度和监测过程。

部长宣言

在内罗毕，部长们宣布“所有成员均承诺继续推进关于多哈剩余议题的谈判，包括推进农业三大支柱，即国内支持、市场准入和出口竞争的工作”。

非农产品市场准入的谈判情况

• 非农产品市场准入（NAMA）谈判小组2015年举行定期会晤，目的是拟订一项工作计划，并在内罗毕举行的第十次部长级会议的谈判中取得一些进展。然而，仅取得了“非常有限的进展”。在内罗毕部长们承认，WTO成员之间就如何更好地推进多哈回合有不同看法，但宣称WTO成员仍然“坚定承诺”继续推进关于多哈剩余议题的谈判，包括非农产品市场准入。

按照第九届部长级会议的授权及其随后总理事会的重申，市场准入谈判小组2015年上半年的谈判目标是在2015年7月底前达成一个工作计划。在上半年的时间里，谈判小组讨论如何推进NAMA谈判并打破谈判的僵局。这种僵局源于WTO成员是否以2008年NAMA草案模式（通常称为Rev. 3）为谈判基础，尤其是被视为削减关税主要手段的“瑞士公式”。“瑞士公式”是一个“非线性”公式，其中初始关税越高，削减得越多。

讨论以各种形式进行，包括向全体成员开放的会议、小组协商和双边会谈。世贸组织成员探讨替代瑞士公式的关税削减模式，如平均削减。就具体建议而言，仅阿根廷提交了一项要价/出价的模式。对于非公式应用的成员，达成了一定共识（包括小经济体、脆弱经济体和最不发达国家）——无须承担文本草案中过多的义务。尽管有这么多的交流，成员之间的分歧依然不能弥合。

NAMA谈判小组主席瑞士大使Remigi Winzap在7月31日的总理事会上报告说，“WTO成员在NAMA的谈判上仅仅取得了非常有限的进步”，“截至今天不可能有更多的一致性”。

下半年早些时候，由WTO总干事阿泽维多、NAMA谈判小组主席和个别的WTO成员召集了一些小规模的会议，目标是为12月在内罗毕举行的第十届部长级会议上取得一些进展。但到2015年9月时，明显可看出，农业相关成果，包括国内支持（补贴）和市场准入，将很难及时达成。在这种情况下，许多成员对推进NAMA谈判的兴趣和努力已经急剧减少，因为大家早已明白NAMA的谈判进展取决于农业谈判的推进。

在内罗毕，部长们承认WTO成员对于多哈回合谈判的未来有“不同的看法”，但仍在部长宣言中指出“所有成员坚定承诺继续推进多哈剩余议题的谈判，这包括……非农产品市场准入……”。

在非关税壁垒领域，一些WTO成员认为开始这一领域的对话非常有意义，其他成员认为开始讨论非关税壁垒议题之前需要关税减让的成果。因此，没有就非关税壁垒问题进行讨论。

服务谈判的情况

• 第十届部长级会议（MC10）筹备过程中，WTO 成员在服务贸易理事会特别会议上就将服务贸易透明度作为 MC10 可交付成果提出了大量的议案。但事实证明，没有足够的时间就建议文本达成共识。不过，部长们决定在 MC10 上通过一个服务贸易的决议，即延长 WTO 成员给予最不发达国家服务和服务提供者优惠待遇的豁免期。

在上半年，服务贸易理事会的特别会议继续讨论了后巴厘工作方案中服务贸易领域的可能成果，希望能在为多哈回合各方面谈判而设定的 2015 年 7 月的最后期限内有所收获。WTO 成员认识到服务贸易必须作为多哈回合可能成果的重要组成部分，强调服务贸易对于成员国内经济增长和发展及其对世界贸易的关键重要性。

不言而喻，服务贸易谈判需要以某种方式“校准”农业和非农产品市场准入（NAMA）谈判。然而，对于这种校准的性质仍然有广泛的看法。

一些 WTO 成员建议应该讨论一下成员们需要从谈判中获得什么，同时他们又愿意贡献什么。

作为第一步，这可能意味着进入“要价和出价”谈判前，WTO 成员将提供一个他们愿意谈判和改善的部门并提供模式清单。他们认为，这将有助于确定服务谈判的雄心水平。

大量的 WTO 成员给出了他们希望其他成员可以提供新的或更大的服务领域开放的服务部门及提供模式。包括快递、运输和物流、电信、计算机服务、分销、金融服务、建筑和能源相关的服务，以及合同服务提供者和独立专业人士的临时流动（模式 4，即自然人的流动）。《服务贸易总协定》（GATS）规定了 4 种服务贸易的提供方式：跨境交付、境外消费、商业存在、自然人流动。

此外，非加太集团 ACP（非洲、加勒比和太平洋）的发展中国家呼吁重视向贸易谈判委员会提供的文件，该文件回顾了 GATS 条款允许发展中国家依据其各自的发展水平，可以比发达国家在较少的服务部门提供市场准入；强调在发展中国家感兴趣的部门和服务提供模式上实现自由化的重要性。

成员普遍认为市场准入的成果对于任何服务贸易领域的成果而言都是必不可少的，但对于市场准入的覆盖范围或承诺程度有着不同的看法。大多数成员议及，服务贸易的市场准入谈判需要充分考虑最不发达国家利益的重要性及促进其发展的需要。

尽管提出了不同的观点，WTO 成员未能就后巴厘工作方案中的服务贸易谈判制订出清晰的文本草案。

内罗毕的潜在交付成果

自 2015 年 7 月，服务贸易理事会的特别会议举行了两次非正式会议，集中讨论为 12 月在内罗毕召开的第十届部长级会议提供可交付成果的可能性。一种潜在的可交付成果是基于欧盟、加拿大、澳大利亚和俄罗斯所提交的方案——关于服务贸易国内规制的透明度问题。

对于是否开始讨论将透明度作为潜在的服务贸易成果出现了两种不同的态度，诸如监管措施发布的规则、建立服务提供者的信息反馈机制、便于服务提供者评议的法规草案的发布。支持者表示愿意探索其中适当的发展成分。然而一些发展中国家表示，他们不会就国内法制承担新的义务。

其他提案由印度提出，关于自然人流动的透明度问题；ACP 集团关注所有 WTO 谈判中给予发展中国家灵活性的问题，包括服务贸易领域。最终在内罗毕部长级会议前，没有充分的时间使 WTO 成员在这些提案上达成一致。

因此，内罗毕会议上最终部长们仅仅通过了一项与服务贸易有关的决议，该决议是在服务贸易总理事会的常规会议上讨论并提出的。该决议延长了 WTO 成员给予最不发达国家服务和服务提供者优惠待遇的豁免期。这一豁免期自 2011 年 12 月通过，期限为 15 年。部长宣言中又将这一豁免期延长了 4 年，至 2030 年 12 月 31 日。

国内规制

国内规制谈判小组讨论了近年来的技术议题，包括国内监管和术语的分类，此外还涉及监管框架和实践，以及区域贸易协定中的监管条款的经验分享。后一个议题取得了一定的贡献，但仍有些技术性工作未完成。

2015 年上半年，国内规制谈判小组探讨了国内规制工作方案和后巴厘工作方案的关系。这一工作对于服务贸易理事会特别会议对可能的服务领域成果中的市场准入议题的讨论是有益的补充。一些驻华使团对后巴厘工作方案中的国内规制议题的优先度提出了实质性的观点，包括许可证、资格要求和程序等方面的规则。另一些使团则重申在同样背景下，应该在其他几个议题取得进展的前提下讨论国内规制议题。

2015年下半年，在特别会议上讨论了国内规制的透明度问题是否应该包含在“内罗毕一揽子”中。这一提案受到一些使团的支持，同时不同的发展中国家也表示，“透明度”作为服务贸易谈判的优先选择会淡化对发展问题的关注，尤其是在不确定发展议题是否包括进内罗毕一揽子时。

《服务贸易总协定》规则

鉴于多哈回合谈判的整体背景，及其谈判汇集的内罗毕部长级会议的可交付成果，2015年《服务贸易总协定》规则工作组在紧急保障措施、政府采购和补贴（《服务贸易总协定》第10条、第13条和第15条）上的技术性讨论的进展不大。

就紧急保障措施（ESM）而言，工作组专门讨论了区域贸易协定中的紧急保障措施条款，该议案由“ESM之友”（由文莱、柬埔寨、印度尼西亚、老挝、马来西亚、缅甸、菲律宾、泰国和越南组成）于2013年10月提交。然而实质上，WTO成员并没有给谈判引入新的元素。

就政府采购而言，工作组讨论了WTO工作人员的工作文件草案“服务贸易和政府采购承诺的关系：相关的WTO协定和最近的RTAs视角”。该文件讨论了服务贸易承诺和服务贸易中政府采购的关系，并以WTO有关协定和近期的一些区域贸易协定为研究基础。

就服务补贴而言，WTO秘书处发布了修订的背景说明“服务部门的补贴——WTO政府审议中的信息”。为了更好地了解补贴是如何提供的，以及这些补贴可能带来的贸易影响，还需要更多的观念性的工作。

原产地规则的谈判情况

• 内罗毕第十届部长级会议上，基于2013年的相关决议，部长们通过了一项有关最不发达国家优惠原产地规则的新决议，以确保自最不发达国家的进口产品更便于市场准入。内罗毕部长宣言对于具体问题给出了更明确的详细的说明，如判断一产品是否是“LDC制造”的具体方法。

2015年部长宣言中有关最不发达国家优惠原产地规则的决议，确保了来自最不发达国家的进口产品的原产地规则透明和简单。这一决议基于2013年巴厘部长级会议通过的《最不发达国家优惠原产地规则》。新的决议对具体问题给出了更详细的说明，如判断一产品是否是“LDC制造”的具体方法，考虑到了制定各种“累积”的可能性。允许非原产材料价值在产品最终价值中的占比最高达75%。该决议主要是撒哈拉以南的非洲国家受益，这些国家多为最不发达国家。

过去对于充分或实质性改变的判定要求非常复杂且过于严格，最不发达国家生产商很难满足条件，不太可能使用这些优惠。巴厘部长级会议确定的相关指南已经改善了这一问题。

内罗毕第十届部长级会议通过的决议主要源于LDC集团在原产地规则委员会上的提案。LDC集团希望能够超越巴厘部长宣言，因为指南大部分是不“不可操作”的。

作为LDC集团的代言人，孟加拉国在10月的会议上提交了一个草案，该草案“基于现存的最好的做法，反映了最不发达国家在受益于这样的机制下所面临的现实问题”。该提案包括允许非原产材料价值在产品最终价值中的占比“至少”达75%的提议。贸易谈判委员会主席总干事阿泽维多在10月的总理事会上提名丹麦的Steffen Smidt大使为LDC协调人，以“主席之友”的身份推进LDC提案。

部长们指示原产地委员会对优惠原产地规则的发展情况定期进行年度审议，并向总理事会汇报。WTO秘书处向最不发达国家小组委员会提供了年度审议报告。

与贸易有关的知识产权问题的谈判情况

• 与贸易有关的知识产权理事会特别会议就地理标志注册（GIs）展开了全面审议，但2015年在这一突出问题上没有取得重大进展。WTO成员并没有将地理标志注册问题视为12月份召开的第十届部长级会议的优先问题。与贸易有关的知识产权理事会常规会议，对发达国家成员向最不发达国家成员技术转移的激励措施进行了第十三次年度审议。对于所谓的《与贸易有关的知识产权协定》（TRIPs）非违反之诉和情势之诉进行具体讨论后，理事会建议延长其暂停期，随后的部长级会议对此予以确认。

地理标志注册的谈判

地理标志注册问题并不是第十届部长级会议的优先问题，因此与贸易有关的知识产权理事会特别会议对该议题并未取得实质性进展。整个 2015 年，TRIPs 理事会主席洪都拉斯大使 Dacio Castillo 寻求在特别会议上恢复这一工作。一系列磋商后，2 月份的特别会议召开了一个信息发布会，包括全面地回顾过去的地理标志注册工作。但是成员们在短期内对这项任务的兴趣不大。

地理标志注册的法律效果，以及是否要向所有 WTO 成员适用或仅仅向签字方适用，这两个问题至今仍有分歧。分歧仍然在产品的覆盖范围，以及如谈判任务所显示的注册应该限于葡萄酒和烈酒或者是否应适用于其他产品，如食品和农产品。葡萄酒和烈酒地理标志注册旨在便利地理标志的保护。这些标识（包括地名或有时与地方相关的其他条件或体征）用于识别产品的位置，以确认或区分其特定品质、声誉或其他特性。

突出的实施问题的磋商

对适用于葡萄酒和烈酒上的加强保护是否外延至其他产品的地理标志注册保护，在 2015 年没有对这一问题进行讨论。WTO 成员在将地理标志注册保护外延至其他产品是否可以促进此类产品的贸易，以及是否产生不必要的法律和商业负担方面还存在分歧。“地理标志注册外延”就是与贸易相关的知识产权的“突出的实施问题”中的第一个问题。2005 年香港部长宣言号召总干事就与贸易相关的知识产权的“突出的实施问题”进行磋商，其中首要的就是外延的可能性。

第二个问题是，《与贸易有关的知识产权协定》和生物多样性公约的关系，《与贸易有关的知识产权协定》是否应采取措施促进生物多样性目标的实现，同时享受遗产资源被用于研究和产业所带来的好处。现在焦点集中在已有成员提案要求修订《与贸易有关的知识产权协定》，要求专利权人披露提供遗传资源和相关传统知识的来源和国家。自总干事 2011 年提交了书面报告后没有进一步的磋商。这一问题在 2015 与贸易有关的知识产权总理事会常规会议上由几个成员提出，但并没有取得任何进展。

技术转移的激励措施

2015 年 10 月与贸易有关的知识产权理事会常规会议上，关于发达国家成员向最不发达国家成员技术转移的激励措施进行了第十三次年度审议。《与贸易有关的知识产权协定》要求发达国家向最不发达国家转让技术的激励措施。为完成 2001 年多哈部长级会议的指示，2003 年理事会决定建立这样一个审查机制，要求发达国家提供关于激励措施实施的详细信息。

WTO 秘书处组织了第八次年度专题讨论会，发达国家成员和最不发达国家成员之间深入讨论这些激励措施实施的程度。这些讨论包括基于最不发达国家提议的协调报告模式，秘书处努力改善大量有用可得信息的准入。联合国贸易与发展会议的一位代表提出了联合国科技银行计划，该计划旨在解决最不发达国家的科学、技术和创新差距。

《与贸易有关的知识产权保护协定》的非违反之诉和情势之诉争端

WTO 成员提交了新的议案，并详细交流了有关知识产权的贸易争端适用所谓非违反之诉和情势之诉的优点。一般而言，提交到 WTO 争端解决机制的争端不仅是违反了协议，还包括并未违反协议但根据协议的可预期利益可能被破坏。然而，就知识产权保护方面的争端来说，就启动此类“非违反之诉和情势之诉”，《与贸易有关的知识产权协定》规定了知识产权加强保护的五年过渡期。这个过渡期条款规定还被一系列的部长级会议延长。

2015 年集中讨论了《与贸易有关的知识产权协定》下适用“非违反之诉和情势之诉”的后果，以及是否现有的 WTO 规则框架提供了充分指导，以减轻对该领域缺乏清晰法律基础的担忧。成员在是否接受这类投诉、是否把这类投诉作为争端的法律基础方面还存在争议。因此，总理事会建议继续延长暂停期，随后的第十届部长级会议确认继续延长，同时指示 TRIPs 理事会继续审查此类争端的范畴和模式，并为下一届部长级会议提出建议。

贸易与发展的谈判情况

• 2015 年 WTO 成员在贸易与发展委员会特别会议上进行了艰苦卓绝的努力，希望缩小就发展中国家成员特殊与差别待遇（S&D）所提交的一系列提案，以便向内罗毕第十届部长级会议提交成果。但是分歧依然很大而无法达成一致，最终无法向部长们提交。幸而在内罗毕贸易部长们就原产地规则和服务贸易豁免发布了决议，从而使最不发达国家受惠。

2015年2月的贸易与发展委员会的特别会议收到了由非洲集团和非加太集团提交的14个具体的S&D条款，以及最不发达国家提交的25个S&D条款。S&D条款是指WTO协定赋予发展中国家成员的特殊待遇或灵活性，如更长的实施期和较轻的义务。作为多哈回合的一部分，贸易与发展委员会力争这些条款更加明确、有效和可操作。

经过大量的协调工作后，发展中国家集团G90于7月提交了包括25个条款的综合提案。其支持者说，这一提案是基于对WTO协定中有关科技的S&D条款的全面审查，涵盖了诸如幼稚产业保护、卫生和植物卫生措施、技术性贸易壁垒、与贸易有关的知识产权等领域。

谈判小组主席新加坡大使Tan Yee Woan举行了一系列不同形式的会议，包括基于文本的协商小组。密集的工作使支持者优先考虑将其中的19个提案作为内罗毕会议的潜在成果。对于这些提案的考察一直持续到11月底，在部长级会议的筹备阶段，特别会议几乎每天召开。

但各方立场仍然大相径庭。阻碍进展的棘手问题包括如何精确确定谁应该从灵活性安排中获益，还有一些系统性的考虑。就在前往内罗毕之前，谈判小组主席散发了9项文本提案，这些提案极有可能在成员之间达成一致。但这些提案同样未能落实。在内罗毕的最后一次努力依然不能弥合分歧，该领域的工作没有明显的成果。

不过在内罗毕，部长们通过了两项惠及最不发达国家的重要决议。他们决定WTO成员给予最不发达国家服务和服务提供者优惠待遇的豁免期延长至2030年12月31日。就原产地规则而言，部长们给出了明确的规则，以确保自最不发达国家的进口产品更便于享受优惠的市场准入。

贸易和环境的谈判情况

• 贸易和环境委员会于3月份召开了信息说明会，探讨了该领域的谈判现状，讨论了多哈回合谈判中环境章节谈判的推进方式及其在第十届内罗毕部长级会议中的优先性。磋商持续了一整年。然而在11月的会议上，WTO成员一致认为就贸易与环境议题而言，已经无法在第十届部长级会议上取得成果。

贸易和环境委员会在3月的信息说明会上总结回顾了多哈回合谈判的环境章节中三个方面的谈判情况。这些谈判包括现有WTO规则与《多边环境协定》(MEAs)的关系、WTO与多边环境机构秘书处之间的日常信息交流，以及消除环境产品和服务中的关税和非关税壁垒。

就环境产品和服务中的壁垒而言，贸易和环境委员会主席泰国大使Wiboonlasana Ruamraksa指出，显然一些WTO成员对环境产品的贸易开放的努力已经影响了使团们给委员会提出的议题的优先级别。

在9月的会议上，巴基斯坦大使Syed Tauqir Shah成为贸易和环境委员会主席。其后的时间继续就如何推进谈判进行磋商。

贸易和环境委员会11月非正式会议上，一些WTO成员强调基于2015年其他国际发展，尤其是联合国通过了《2030年可持续发展议程》和巴黎联合国气候变化大会，一定要在贸易与发展问题上释放适当的信号。另一些成员，虽然认识到多哈贸易与环境议题在后巴厘工作方案中的重要性，但强调应先解决多哈议程中的其他关键议题——农业、非农市场准入和服务贸易。

虽然WTO成员有兴趣继续推进该领域的谈判，但大家普遍认为无法在第十届部长级会议上取得成果。

部长宣言

部长宣言提到了可持续发展议程和世贸组织关于贸易和环境的未来工作。“我们认识到WTO能够为实现2030年可持续发展目标做出贡献，只要此类目标与WTO授权相关，同时牢记WTO部长级会议的权威。”

部长宣言承认“国际贸易在推动所有成员实现可持续、强劲和平衡增长方面能够有所作为。”此外，宣言指出所有WTO成员坚定地承诺将继续推进多哈回合剩余议题的谈判。同时宣言也承认WTO成员就如何结束谈判存在分歧。

贸易和技术转移的谈判情况

• 贸易及技术转让工作组由各世贸组织成员就2015年度进行的技术转让专题讨论倡议和项目进行了简要介绍。这是正在进行的探讨贸易和技术转让的关系工作的一部分，也是可以采取的步骤，以增加向发展中国家转移技术。

贸易和技术转移工作组在 2015 年共举行了三次会议。厄瓜多尔在 5 月的会议上做了题为“知识产权对促进环境合理技术转让的贡献”的简要介绍。厄瓜多尔驻 WTO 使团联合德国驻 WTO 代表团共同举办了专题讨论以讨论厄瓜多尔此前提交的有关技术转让和气候变化的提案。

菲律宾向 WTO 成员汇报了其旨在鼓励和刺激技术转让的几个倡议，并分享了具体的法律措施。中国台北则向 WTO 成员汇报了其关于促进中美洲国家贸易便利化的电子通关信息和通信技术项目。

贸易和技术转移工作组的讨论强调了在创新技术方面分享经验和教训的重要性，特别是那些已经经历了快速的技术进步的国家。印度、巴基斯坦和菲律宾向贸易和技术转移工作组汇报，他们正在改进之前的提案，“促进适当的技术采购信息获取——增加向发展中国家转移技术的步骤”。他们将于近期提交改进版本。在讨论中，支持者建议 WTO 秘书处为发展中国家的生产者提供技术转让的网页。其他成员表示对此感兴趣，且要求获知关于此网页的详细内容。

WTO 规则的谈判情况

• 规则谈判组继续推进其在反倾销、补贴与反补贴措施、区域贸易协定领域的相关工作。谈判组检视了其将于内罗毕部长级会议上可能达成的成果，但在所有与规则相关的领域都存在分歧。因此在第十届部长级会议上，除区域贸易协定外，在 WTO 规则领域并没有取得进展。内罗毕部长宣言中，部长们指示区域贸易协定委员会讨论区域贸易协定对于多边贸易体制的系统性影响及其与 WTO 规则的关系。同时，为提高透明度并加强对区域贸易协定及其影响的理解，部长们决定将目前区域贸易协定的临时透明度机制转变为永久机制。

按照 2013 年巴厘部长们的指示，规则谈判组举行了一系列非正式会议以考虑，如果存在一些领域（如反倾销、补贴、反补贴措施和区域贸易协定领域）的 WTO 规则，这些规则在后巴厘工作方案起到什么作用。

成员之间依然存在分歧，一些成员认为可以在具体领域取得进展，如反倾销或渔业补贴领域，另一些成员则认为除非多哈发展回合的核心支柱——农产品、工业品和服务领域取得进展，否则 WTO 规则领域是不可能取得进展的。

5 月期间，WTO 秘书处曾就规则谈判召开了信息说明会。此后在暑假期间，多个使团或使团群体提交了与后巴厘工作方案有关的提案，包括反倾销、渔业补贴规则和规则谈判中的透明度问题。一些使团对这些提案表示欢迎，另一些使团则认为这些提案仍然不够有雄心，和（或）没有适当地与多哈回合谈判的现状相匹配。

自 9 月开始，谈判的焦点转向即将到来的第十届部长级会议。许多使团提交了规则谈判领域中可能在部长级会议上达成成果的提案，并考虑了多种谈判形式。

谈判小组考虑了将渔业补贴提案纳入最终的“内罗毕一揽子”，或仅考虑透明度，或考虑透明度加上特定规则和对于最不发达国家的特殊与差别待遇。谈判小组还考虑了关于反倾销和规则谈判各领域的透明度议题的多个提案。

尽管直至第十届部长级会议结束前密集的谈判工作都在进行，但是除了区域贸易协定领域取得了一定的进展，几乎谈判的所有领域都存在分歧。部长宣言重申有必要保证区域贸易协定继续成为多边贸易体制的补充而非替代。同时，部长们指示区域贸易协定委员会讨论区域贸易协定对于多边贸易体制的系统性影响及其与 WTO 规则的关系。部长们还同意依照总理事会 2006 年 12 月 14 日的决定，将目前的临时透明度机制转变为永久机制，同时不影响与通报相关的问题。

技术谈判小组在 2015 年继续开展工作。技术谈判小组隶属于谈判组，但并不是一个谈判场所，而是 WTO 成员反倾销实践领域交换信息的平台。技术谈判小组于 2015 年 4 月和 10 月召开了会议，WTO 成员在如所谓“较小”的义务规则上交换了信息，这一规则下政府可在低于倾销幅度的水平征收关税。他们还讨论了公共利益条款（保障措施的证据必须包括有关措施是否符合公众利益）以及反倾销调查中机密信息的处理等。

《关于争端解决规则与程序的谅解》（DSU）谈判情况

• 2015 年，WTO 成员完善《关于争端解决规则与程序的谅解》(DSU)的谈判在许多领域取得了进一步的一致性，但在另外一些领域仍然需要更多概念性的工作。虽然取得了一些进展，但依然无法在内罗毕第十届部长级会议上达成任何成果。

2015年12月，DSU谈判主席哥斯达黎加大使Ronald Saborio Soto报告了WTO成员在某些领域日益趋同，在另一些领域取得了重大进展。然而，还有一些领域仍然需要厘清大量的概念性的工作，如此才有可能取得一致。

虽然已经不可能在12月的部长级会议期间达成具体协议，参与者仍然坚定地致力于继续努力对DSU进行改进和澄清。“他们认识到这一谈判对满足所有成员利益的切实和有意义的成果的系统重要性和潜力”，主席补充说。

2015年的谈判探讨所讨论的所有12个议题都取得了一致的可能性，这一探讨是基于涵盖所有领域的“水平程序”上推进的，而这一程序是2014年完成的。

所讨论的12个议题包括：第三方权利，专家组构成，发回重审（即上诉机构希望专家组采取进一步行动的案例），双方同意的解决方案（包括当事方共同请求中止上诉程序），严格机密信息，先后顺序和后报复（即当事方就是否符合已经达成的争端解决裁决时，所应该遵循的程序，要么报复前已经被授权是顺序进行，要么是事后的后报复）。其他讨论的议题包括：透明度（即向公众开放听证会），法庭之友陈述（当一方而非诉讼当事方主动提供相关陈述），磋商的时间规定，具体的发展中国家关切（包括最不发达国家的特殊与差别待遇），灵活性和成员控制（涉及的问题如是否允许双方共同寻求删除部分专家组或上诉机构的报告），一旦发现有成员违反规则的情况下如何确保使成员快速有效地遵守WTO规则。

DSU谈判小组主席进一步强调由于争端解决活动的增加使DSU的谈判工作变得更加紧迫和重要。迄今为止进行的谈判及工作为WTO成员解决当前的挑战和提高争端解决机制的整体效率和有效性提供了重要途径。

在内罗毕，部长们注意到《有关争端解决规则和程序的谅解》(DSU)继续为成员间解决争端提供了一种途径，“这在国际协定中是独一无二的”。数量仍然在持续增长的大量的争端案件，显示了WTO成员们对该机制抱有信心。部长宣言中写道，“我们认识到争端数量在不断增加，复杂性也在不断提高，这对DSU机制提出了挑战。我们因此承诺继续做出新的努力，以解决现有挑战并进一步增强这一机制，包括通过有效执行争端解决机构(DSB)的裁决和建议。”

《信息技术产品协定》的谈判情况

• 2015年12月16日，在内罗毕召开的WTO第十届部长级会议上，《信息技术产品协定》(ITA)扩围谈判的参加方缔结了一个具有里程碑意义的协议。该协议涵盖了201项高新技术产品，这些产品的全球年贸易额约为1.3万亿美元，占目前全球贸易总额的大约10%。这些产品关税的取消将极大地促进世界贸易的增长。这是自1996年以来，WTO达成的首个重要关税减让协议。

ITA扩围谈判在53个WTO成员间进行，既包括发达国家也包括发展中国家，这些成员占信息技术产品全球贸易的90%。新的关税减让承诺将体现在谈判参加方的WTO关税减让表中，并适用最惠国待遇(MFN)，这意味着所有162个WTO成员均将受益于这些市场的免税准入。

ITA扩围谈判的参加方2015年7月就201项产品清单达成一致，这些产品均将享受免税待遇。然后他们进行“分期”谈判，考虑在哪个时间段如何对这些产品实施零关税。2015年11月和12月，在WTO秘书处的协助下，谈判方审议并通过了24个草案，为内罗毕谈判的达成铺平了道路。

其中大约65%的税目将于2016年7月1日前实施零关税。其余绝大部分税目将适用三年标准降税期，即自2016年起至2019年止，分四次每年均等削减关税。这意味着2019年时几乎所有相关产品的进口关税都将降为零。

ITA扩围的部长宣言还包括各参加方同意加强关于信息技术领域非关税壁垒的磋商。同时审议附表中所列产品范围，并参照技术发展、实施关税减让的经验或HS目录的变化情况，考虑是否应对附表进行更新以纳入更多的产品。

据WTO秘书处初步估算，ITA扩围谈判参加方对这些产品所征收的进口关税中有95%将在2019年以前降为零。ITA扩围谈判涉及的产品包括新一代多元件集成电路、触摸屏、GPS导航设备、便携交换式教学设备、视频游戏机、医疗设备如核磁共振成像产品和超声波扫描装置等。

WTO 总干事阿泽维多说，ITA 扩围协定所覆盖的产品贸易额要超过汽车产品的全球贸易额，也超过纺织品、服装、钢铁产品加总后的全球贸易额。他在协定通过时说，“事实上，该协定将消除10%的全球贸易的关税。”他注意到目前仍然有一些信息技术产品面临着较高的关税。比如在一些市场上，摄像机的进口关税高达 35%。他说，“ITA 扩围协定的签署，使这些关税降为零，而且是在法律上锁定为零。因此，这是一个非常重大的成就。消除这样大规模贸易的关税将会产生巨大的影响。”

较低的价格将有助于其他许多以信息技术产品为中间投入品的部门。ITA 扩围协定将创造就业机会，促进世界各地的增长。总干事断言，ITA 扩围协定将提高生产率和市场准入，增强贸易商和投资者的可预测性。

● 向争端解决机构请求磋商的案件（2015）

一、中国——与示范基地和公众服务平台方案有关的措施：美国请求磋商

此文件自2015年2月11日，在美国代表团、中国代表团及争端解决机构主席间进行沟通，现根据DSU第4条第4款予以散发。

受我方政府授权，根据《关于争端解决规则与程序的谅解》（简称DSU）第1条和第4条、GATT 1994第22条第1款、《补贴与反补贴协议》第4条和第30条，就中国在若干行业中为企业出口绩效提供补贴的某些措施，美国代表团请求与中华人民共和国（简称“中国”）进行磋商。

中国通过建立对外贸易转型升级示范基地（简称“示范基地”）和公共服务平台这个项目来为出口企业提供补贴。示范基地是中国几家企业的工业产业集聚区，包括：纺织业、农业、医药产品、轻工业、专业化工、新型材料和五金建材。公共服务平台则是由中国指定的服务供应商对示范基地的企业提供服务。中国将某一特定行业的产业集聚区作为示范基地，然后为示范基地内的企业提供出口补贴。这些补贴措施包括折扣、通过公共服务平台提供免费服务以及现金补助金。此外，中国政府还对中国制造商、厂商和农民提供了其他出口补贴。

中国实施示范基地和公共服务平台以及出口补贴的行为反映在但不仅限于下列法律文件，以及任何关于上述法律文件的修正案、取代上述法律法规的法律文件、相关措施或实施措施：

示范基地的法律文件

中央级

1. 第三批国家外贸转型升级专业型示范基地名单公示；商务部（2013年12月23日）

2. 商务部关于组织申报第三批国际外贸转型升级专业型示范基地有关材料的通知；商务部（商贸函［2013］467号，2013年7月17日）

3. 第二批国家外贸转型升级专业型示范基地名单公示；商务部（2012年12月12日）

4. 对外贸易发展“十二五”规划；商务部（2012年4月26日）

5. 商务部关于开展第二批国家外贸转型升级专业型示范基地认定工作的通知；商务部（商贸函［2012］208号，2012年4月10日）

6. 商务部办公厅关于调查外贸转型升级专业型示范基地发展现状的通知；商务部（商贸函［2012］185号，2012年3月15日）

7. 商务部关于认定第一批国家外贸转型升级专业型示范基地的通知；商务部（商贸函［2011］1084号，2011年12月12日）

8. 商务部关于开展外贸转型升级示范基地培育工作的函；商务部（商贸函［2011］62号，2011年2月14日）

省市级

9. 广西壮族自治区商务厅关于对外贸转型升级专业型示范基地管理基地的措施；广西壮族自治区商务厅（2014年12月1日）

10. 西秀区工贸局帮助企业申报省级外贸转型升级专业型示范基地工作；贵州省商务厅（2014年12月20日）

11. 关于组织开展第四批省级外贸转型升级专业型示范基地认定和第一批基地复核工作的通知；山东省商务厅（鲁商办字［2014］206号，2014年12月3日）

12. 关于认定第一批安徽省外贸转型升级专业型示范基地企业和安徽省机电、高新技术产品出口基地企业的通知；安徽省商务厅（2014年8月22日）

13. 河北省人民政府关于发布第二批省级外贸转型升级示范基地和示范企业的通知；河北省商务

厅（2014 年 6 月 26 日）

14. 第二批广东省外贸转型升级专业型示范基地名单公示；广东省商务厅（2014 年 2 月 2 日）

15. 广东省外经贸厅广东省财政厅关于做好 2013 年扶持企业收购国家著名品牌及促进外经贸转型升级专项资金申报管理工作的通知；广东省商务厅、财政厅（粤外经贸财字［2013］14 号，2013 年 12 月 12 日）

16. 关于做好顺德区 2013 年外贸转型升级专业型示范基地建设资金使用管理工作的通知；佛山市顺德区经济和科技促进局（顺经发［2013］62 号，2013 年 4 月 2 日）

17. ［甘肃］省商务厅公示首批科技兴贸创新基地及机电产品外贸转型升级专业型示范基地；甘肃省商务厅（2013 年 9 月 13 日）

18. 甘肃省机电产品外贸转型升级示范基地认定办法；甘肃省商务厅（甘商务产业发［2013］244 号，2013 年 6 月 6 日）

19. 关于 2013 年度外经贸发展专项资金申报工作的通知；山东省商务厅、财政厅（鲁财企［2013］20 号，2013 年 5 月 15 日）

20. 第二批山东省外贸转型升级专业型示范基地名单公示；山东省商务厅（2013 年 1 月 11 日）

21. 山西省商务厅关于组织申报第三批国家外贸转型升级专业型示范基地工作的通知；山西省商务厅（晋商贸函［2013］494 号，2013 年 8 月 2 日）

22. 山西省第二批省级外贸转型升级专业型示范基地认定工作方案；山西省商务厅（2013 年）

23. 关于进一步推进全市出口基地建设工作的通知；晋中市（山西省）商务局（2013 年 3 月 15 日）

24. 关于开展第二批省级外贸转型升级专业型示范基地认定工作的通知；晋中市（山西省）商务局（2013 年 3 月 15 日）

25. 关于加快内蒙古自治区外贸转型升级示范基地建设工作的指导意见；内蒙古自治区商务厅、内蒙古自治区财政厅、中华人民共和国呼和浩特市海关、中华人民共和国满洲里市海关、中华人民共和国内蒙古自治区出入境检验检疫局（内商贸字［2013］870 号，2013 年 10 月 10 日）

26. 关于组织申报第三批国家外贸转型升级专业型示范基地的通知；新疆维吾尔自治区商务厅（新商贸函［2013］15 号，2013 年 7 月 30 日）

27. 关于开展第二批山东省外贸转型升级专业型示范基地认定工作的通知；山东省商务厅（2012 年 10 月 31 日）

28. 关于加快外贸转型升级 促进对外贸易又好又快发展的意见；莱芜市（山东省）商务局（莱政发［2012］43 号，2012 年 12 月 12 日）

29. 关于实施潍坊市对外经济贸易发展扶持政策的规定；潍坊市（山东省）财政局、商务局（潍财企［2012］143 号，2012 年 10 月 9 日）

30. 关于加快推进陕西省对外贸易转型升级示范基地建设的意见；陕西省商务厅（2012 年 10 月 26 日）

31. 陕西省外贸转型升级示范基地管理办法（试行）；陕西省商务厅（2012 年 10 月 25 日）

32. 关于第一批省级外贸转型升级专业型示范基地认定的通知；陕西省商务厅（2012 年 8 月 14 日）

33. 关于开展第二批广东省外贸转型升级专业型示范基地的申报、审查、认定工作的通知；广东省对外贸易经济合作厅（粤外经贸管字［2012］21 号，2012 年 8 月 6 日）

34. 关于做好 2012 年广东省外贸转型升级示范基地建设资金使用管理工作的通知；广东省对外贸易经济合作厅（粤外经贸管字［2012］10 号，2012 年 5 月 29 日）

35. 2012 广东省外贸转型升级示范基地培育工作领导小组工作规则；广东省外贸转型升级示范基地培育工作领导小组（粤外经贸管字［2012］5 号，2012 年 2 月 21 日）

36. 关于加强外贸转型升级示范基地宣传工作的通知；广东省外贸转型升级示范基地培育工作领导小组（粤外经贸管字［2012］3 号，2012 年 1 月 31 日）

37. 潮州市人民政府关于加快外经贸转型升级实现外向型经济稳步发展的若干意见；潮州市（广东省）人民政府（潮府［2012］34 号，2012 年 9 月 4 日）

38. 东莞市优化加工贸易转型升级服务环境实施办法；东莞市（广东省）人民政府（东府办［2012］125 号，2012 年 8 月 3 日）

39. 深圳市外贸转型升级示范基地认定管理办法；深圳市（广东省）经济贸易和信息化委员会（深经贸信息秘书字［2012］1356，2012年5月31日）

40. 宝安区关于促进产业转型升级加快转变经济发展方式的实施意见；宝安区（广东省深圳市）科技创新局（2012年8月10日）

41. 大埔县陶瓷外贸转型升级专业型示范基地培育工作规划；梅州市（广东省）对外贸易经济合作局（2012年1月9日）

42. 关于申报第二批国家外贸转型升级专业型示范基地的通知；河南省商务厅（豫商贸函字［2012］53号，2012年4月29日）

43. 鹤壁市人民政府办公室关于印发鹤壁市促进对外贸易稳定健康发展实施意见的通知；鹤壁市（河南省）人民政府（鹤政办［2012］60号，2012年10月16日）

44. 江西省人民政府办公厅关于进一步推进茶产业发展的意见；江西省人民政府（赣府发［2012］51号，2012年7月17日）

45. 关于做好第二批外贸转型升级专业示范基地认定工作的通知；青原区（江西省吉安市）商务局（赣商外贸字［2012］60号，2012年4月28日）

46. 四川省商务厅关于开展第二批国家外贸转型升级专业型示范基地申报工作的通知；四川省商务厅（川商贸［2012］7号，2012年4月25日）

47. 北京市关于加快外贸结构调整转变外贸发展方式的意见；北京市商务委员会、北京市财政局（京商务外运字［2012］7号，2012年4月25日）

48. 浙江省商务厅关于开展第二批国家外贸转型升级专业型示范基地认定工作的通知；浙江省商务厅（浙商务贸发［2012］134号，2012年4月23日）

49. 河北省对外经济合作第十二个五年规划；河北省商务部（2012年4月23日）

50. 关于开展2011年黑龙江省外贸转型升级示范基地培育工作的通知；黑龙江省商务厅（黑商贸函［2012］233，2012年3月13日）

51. 关于加快推进水果出口转型升级示范基地建设的通知；渭南市（陕西省）人民政府（渭政办发［2012］81号，2012年4月27日）

52. 第一批广东省外贸转型升级专业型示范基地名单公示；广东省外贸转型升级示范基地培育工作领导小组（2011年12月22日）

53. 关于做好2011年广东省外贸转型升级示范基地建设资金使用管理工作的通知；广东省对外贸易经济合作厅、财政厅（粤外经贸管字［2011］10，2011年10月31日）

54. 关于印发开展外贸转型升级示范基地培育工作指导意见的通知；广东省外贸转型升级示范基地培育工作领导小组（粤外经贸厅字［2011］10号，2011年8月22日）

55. 关于印发广东省外贸转型升级专业型示范基地管理暂行办法的通知；广东省外贸转型升级示范基地培育工作领导小组（粤外经贸管字［2011］31号，2011年8月22日）

56. 第一批山东省外贸转型升级专业型示范基地名单公示；山东省商务厅（2011年12月20日）

57. 关于开展第一批山东省外贸转型升级专业型示范基地认定工作的通知；山东省商务厅（2011年9月13日）

58. 关于加快推进外贸转型升级示范基地建设的意见；山东省商务厅、财政厅（鲁商务外贸字［2011］609号，2011年8月29日）

59. 加快推进外贸转型升级示范基地建设的实施意见；潍坊市（山东省）人民政府（潍政办字［2011］44号，2011年3月22日）

公共服务平台工具

中央级

60. 关于2014年度外经贸发展专项资金申报工作的通知；商务部、财政部（财企［2014］58号，2014年4月17日）

61. 关于印发《外经贸发展专项资金管理办法》的通知；财政部、商务部（财企［2014］36号，2014年4月9日）

62. 关于做好2013年外贸公共服务平台建设资金管理工作的通知；财政部、商务部（财企［2013］101号，2013年5月28日）

63. 关于废止外贸公共服务平台建设资金管理有关文件的通知；财政部、商务部（财企［2013］293号，2013年9月16日）

64. 关于促进外贸稳定增长的若干意见；国务院（国办发［2012］49号，2012年9月16日）

65. 关于做好2012年外贸公共服务平台建设资金管理工作的通知；财政部、商务部（财企［2012］147号，2012年6月20日）

66. 关于做好外贸公共服务平台建设资金管理工作的通知；财政部、商务部（财企［2011］88号，2011年4月）

67. 关于安排2011年外贸公共服务平台建设资金的通知；财务部（财企［2010］245号，日期不明）

省市级

68. 上海市外经贸发展专项资金实施细则；上海市商务委员会、市财政局（沪商财［2015］26号，2015年1月19日）

69. 关于印发《北京市外经贸发展专项资金管理实施细则》的通知；北京市财政局、北京市商务委员会（京财企［2014］2494号，2014年12月5日）

70. 关于印发《天津市〈外经贸发展专项资金管理办法〉实施细则》的通知；天津市财政局、天津市商务委员会（津财企［2014］29号，2014年8月28日）

71. 福建省中央外经贸发展专项资金管理实施办法；福建省商务厅、财政厅（闽财外［2014］36号，2014年8月29日）

72. 关于印发厦门市外经贸发展专项资金管理办法实施细则的通知；厦门市（福建省）商务局、财政局（厦财企［2014］36号，2014年9月22日）

73. 关于做好2014年度外经贸发展专项资金外贸基地和企业提升国际化经营能力项目申报工作的通知；广东省商务厅、财政厅（粤商务财函［2014］113号，2014年9月24日）

74. 关于做好2014年外贸发展专项基金外贸公共服务平台项目申报的通知；南海区（佛山市，广东省）经济、科学和技术促进局对外贸易发展司（2014年9月23日）

75. 关于2014年第二批外贸转型升级项目的公示；河北省财政厅、商务厅（2014年9月13日）

76. 关于2014年第一批外贸转型升级项目的公示；河北省财政厅、商务厅（2014年9月21日）

77. 关于印发《外经贸发展专项资金管理办法实施细则》的通知；河南省商务厅（豫财企［2014］92号，2014年10月14日）

78. 关于湖南省省级财政专项资金分配审批管理办法的通知；湖南省商务厅（2014年8月28日）

79. 关于印发《中央外经贸发展专项资金管理实施细则》的通知；四川省财政厅、商务厅（川财建［2014］163号，2014年9月10日）

80. 关于2014年度中央外经贸发展专项资金申报工作的通知；四川省财政厅、商务厅（川财建［2014］174号，2014年9月24日）

81. 关于报送2014年度外经贸发展专项资金申报工作的通知；新疆维吾尔自治区商务厅（新商发［2014］171号，2014年9月1日）

82. 关于印发浙江省外经贸发展专项资金管理实施细则的通知；浙江省财政厅、商务厅、经济和信息化委员会（浙财企［2014］145号，2014年8月7日）

83. 关于做好2014年中央外经贸发展专项资金申报工作的通知；浙江省财政厅、商务厅（浙商务联发［2014］116号，2014年9月2日）

84. 关于印发《大连市〈外经贸发展专项资金管理办法〉实施细则》的通知；大连市财政局、市对外贸易经济合作局（大财企［2014］677号，2014年8月27日）

85. 关于申请2014对外贸易发展专项资金（促进对外贸易转型升级）的通知；荣成市（山东省）财政局、商务局（2014年9月5日）

86. 2013年度外贸公共服务平台建设专项资金拟支持项目公示；上海市商务委员会（2014年12月1日）

87. 《关于印发的通知》；重庆市对外经济贸易委员会、市商务局（渝外经贸发［2014］79号，2014年9月22日）

88. 关于广西贸易公共服务平台项目建设项目近年来盈余申报的通知；广西壮族自治区财政厅、商务厅（桂商财发［2014］3号，2014年3月5日）

89. 关于做好2014年外贸公共服务平台建设资金申报工作的通知；山西省商务厅、财政厅（2014年4月4日）

90. 关于2013年河南省外贸公共服务平台建设资金拟支持项目的公示；濮阳市（河南省）商务

局、财政局（2014年12月25日）

91. 关于做好2013年许昌市外贸出口基地公共服务平台资金项目申报工作的通知；许昌市（河南省）商务局、财政局（2014年11月11日）

92. 关于2013年河南省外贸公共服务平台建设资金拟支持项目的公示；南阳市（河南省）商务局、财政局（2014年12月2日）

93. 关于拨付2014年度外贸公共服务平台建设资金的通知；南阳市（河南省）商务局（宛财预［2014］791号，2014年）

94. 关于做好2014年外贸公共服务平台建设资金申报管理工作的通知；宝应县（江苏省扬州市）商务局、财政局（宝商［2014］51号、宝财工贸［2014］16号，2014年8月28日）

95. 关于促进2014年外贸专项资金项目申报的通知；东莞市（广东省）商务局（2014年9月22日）

96. 关于开展2014年度杭州市外贸公共服务平台项目申报的通知；萧山区（浙江省杭州市）商务局、财政局（2014年12月10日）

97. 关于第二、三批外贸公共服务平台建设资金项目验收工作的通知；厦门市商务局、厦门市财政局（厦商务［2014］230号，2014年9月3日）

98. 关于申报第六批外贸公共服务平台建设项目的通知；厦门市商务局、厦门市财政局（厦商务［2014］206号，2014年7月30日）

99. 关于拨付2013年度外贸公共服务平台建设资金的通知；新疆维吾尔自治区第二兵团财务局（市财发［2014］75号，日期不明）

100. 关于组织申报2013年吉林省外贸公共服务平台建设资金项目的通知；吉林省商务厅、财政厅（2013年9月29日）

101. 关于做好2012—2013年外贸公共服务平台建设资金项目申报工作的通知；海南省商务厅、海南省财政厅（琼商务贸［2013］167号，2013年5月15日）

102. 海南省2012—2013年外贸公共服务平台名单公示；海南省商务厅（2013年9月12日）

103. 关于做好2013年外贸公共服务平台建设资金管理工作的通知；浙江省商务厅、浙江省财政厅（浙商务联发［2013］84，2013年7月26日）

104. 关于2013年外贸公共服务平台建设资金申报工作的通知；福建省对外经济贸易合作厅、财政厅（闽外经贸计财［2013］44号，2013年7月16日）

105. 关于组织申报2013年外贸公共服务平台建设资金项目的通知；湖南省商务厅、财政厅（湘商贸发［2013］29号，2013年7月16日）

106. 关于2013年度“外贸公共服务平台”认定结果的公示；湖南省商务厅（2013年7月9日）

107. 关于2013年外贸公共服务平台建设资金项目申报的补充通知；安徽省商务厅（皖商产函［2013］11号，2013年4月24日）

108. 关于做好2013年外贸公共服务平台建设资金管理工作的通知；河北省财政厅、河北省商务厅（冀财企［2013］9号，2013年4月10日）

109. 关于印发《青海省外贸公共服务平台建设资金管理实施意见》的通知；青海省商务厅、财政厅（青商机电字［2013］155号，2013年5月14日）

110. 关于组织申报2013年外贸公共服务平台建设项目的通知；青海省商务厅（2013年4月14日）

111. 关于做好2013年外贸公共服务平台建设资金管理工作的通知；山东省商务厅、财政厅（鲁财企［2013］38号，2013年7月31日）

112. 关于做好我区2013年外贸公共服务平台建设资金管理工作的通知；新疆维吾尔自治区商务厅、财政厅（新商发［2013］163号，2013年8月21日）

113. 关于做好2013年度外贸公共服务平台建设资金管理工作的通知；天津市商务委员会、财政局（津财企二［2013］9号，日期不明）

114. 关于做好2013年贵州省外贸公共服务平台建设资金项目申报工作的通知；贵州省商务厅（黔商发［2013］69号，2013年）

115. 关于做好2013年辽宁省外贸公共服务平台建设资金项目申报工作的通知；辽宁省财政厅（辽财流［2013］515号，2013年）

116. 关于印发《广西外贸公共服务平台建设资金管理办法》的通知；广西壮族自治区商务厅、财政厅（桂财商［2013］62号，2013年9月11日）

117. 关于做好 2013 年外贸公共服务平台建设资金管理工作的通知；江苏省商务厅、财政厅（苏财工贸［2013］154 号，2013 年 9 月 8 日）

118. 关于做好 2013 年广东省外贸公共服务平台建设资金管理工作的通知；广东省对外经济贸易合作厅、财政厅（粤外经贸财字［2013］12 号，2013 年 9 月 17 日）

119. 关于做好 2013 年外贸公共服务平台建设资金项目申报工作的通知；龙泉市（浙江省）商务局、财政局（2013 年 9 月 5 日）

120. 关于做好 2013 年外贸公共服务平台建设资金管理工作的通知；萧山区（浙江省杭州市）商务局（2013 年 8 月 27 日）

121. 关于做好 2013 年外贸公共服务平台建设资金项目申报工作的通知；郑州市（河南省）商务局（2013 年 7 月 9 日）

122. 关于做好 2013 年许昌市外贸出口基地公共服务平台资金项目申报工作的通知；许昌市（河南省）商务局（许商务字［2013］7 号，2013 年 1 月 15 日）

123. 关于拨付 2013 年度外贸公共服务平台建设资金的通知；南阳市（河南省）商务局（宛财余［2013］865 号，2013 年）

124. 2013 年陕西省对外贸易公共服务平台建设基金项目报送报告；延安市（陕西省）商务局、财政局（延市商字［2013］83 号）

125. 无锡市公共服务平台项目公示；无锡市（江苏省）商务局、财政局（2013 年 7 月 16 日）

126. 关于 2013 年外贸公共服务平台建设资金项目申报工作的通知；南通市（江苏省）商务局、财政局（通商发［2013］226 号，2013 年 11 月 15 日）

127. 昆明市外贸公共服务平台建设专项资金管理办法（暂行）；昆明市（云南省）商务局、财政局（昆财企二［2013］103 号，2013 年 9 月 29 日）

128. 厦门市对外贸易公共服务平台建设资金使用管理办法；厦门市（福建省）商务局、财政局（厦商务［2013］339 号，2013 年 10 月 22 日）

129. 关于做好 2013 年外贸公共服务平台建设资金管理工作的通知；青岛市（山东省）商务局、财政局（青财企［2013］34 号，2013 年 8 月 7 日）

130. 关于做好 2012 年广东省外贸公共服务平台建设资金管理工作的通知；广东省对外贸易经济合作厅、财务局（粤外经贸规财字［2012］18 号，2012 年 9 月 17 日）

131. 关于做好 2012 年外贸公共服务平台建设资金管理工作的通知；江苏省财政厅、商务厅（苏财工贸［2012］107 号，2012 年 8 月 29 日）

132. 关于做好 2012 年外贸公共服务平台建设资金项目申报工作的通知；贵州省商务厅（黔商发［2012］199 号，2012 年 8 月 14 日）

133. 关于做好 2012 年外贸公共服务平台建设资金管理工作的通知；河北省商务厅（冀财企［2012］36 号，2012 年 5 月 17 日）

134. 关于拨付 2012 年度外贸公共服务平台建设资金的通知；河北省财政厅（冀财企［2012］111 号，日期不明）

135. 关于 2012 年外贸公共服务平台建设项目申报的通知；浙江省商务厅、财政厅（浙商务联发［2012］46 号，2012 年 4 月 23 日）

136. 关于加强外贸公共服务平台建设工作的通知；浙江省商务厅、财政厅（浙商务联发［2012］27 号，2012 年 3 月 2 日）

137. 关于招募 2012 外贸公共服务平台项目的通知；青海省商务厅、财政厅（2012 年 3 月 16 日）

138. 北京市商务委员会关于拨付 2011 年度北京市外贸公共服务平台建设资金的批复；北京市商务委员会（京商务财务字［2012］54 号，2012 年）

139. 关于拨付外贸公共服务平台建设资金的通知；辽宁市财政厅（辽财［2012］1231 号，2012 年）

140. 安徽省财政厅关于拨付 2012 年第一批外贸公共服务平台建设资金（指标）的通知；安徽省财政厅（财企［2012］1592 号，2012 年）

141. 关于拨付 2012 年度外贸公共服务平台建设资金的通知；新疆生产与建设兵团（新疆维吾尔自治区）财政局（市财发［2012］665 号，日期不明）

142. 关于 2012 年外贸公共服务平台建设资金申报工作的通知；烟台市（山东省）商务厅（2012 年 7 月 2 日）

143. 关于拨付 2012 年度内蒙古自治区外贸公共服务平台建设资金的通知；呼和浩特市（内蒙古

自治区）财政厅（呼财公［2012］69号，2012年）

144. 关于拨付2012年度外贸公共服务平台建设资金的通知；邢台市（河北省）财政厅（邢市财商［2012］37号，2012年）

145. 厦门市外贸公共服务平台建设资金管理使用办法；厦门市（福建省）商务委员会、财政局（厦商务［2013］160号，2013年5月8日）

146. 关于开展2011年重庆市对外贸易公共服务平台建设资金支持项目申报工作的通知；重庆市对外贸易经济委员会、财政局（渝外经贸发［2011］325号，2011年8月31日）

147. 关于做好2011年外贸公共服务平台建设资金管理工作的通知；河北省商务厅（冀财企［2011］62号，2011年7月4日）

148. 关于做好2011年外贸公共服务平台建设资金申报工作的通知；陕西省商务厅、财政厅（2011年6月10日）

149. 关于申请2011青海省对外贸易公共服务平台建设基金项目的通知；青海省商务厅（青商贸字［2011］105号，2011年3月15日）

150. 关于做好2011年外贸公共服务平台建设资金管理工作的通知；山东省财政厅、商务厅（鲁财企［2011］36号，2011年7月26日）

151. 关于做好2011年广东省外贸公共服务平台建设资金管理工作的通知；广东省对外贸易经济合作厅、财政厅（粤外经贸规财字［2011］20号，2011年8月25日）

152. 关于做好2011年广东省外贸公共服务平台建设专项资金管理工作的通知；浙江省财政厅、商务厅（浙财企［2011］206号，2011年7月18日）

153. 关于组织申报2011年吉林省外贸公共服务平台建设资金项目的通知；吉林省财政厅（吉财企［2011］503号，2011年8月12日）

154. 关于组织申报2011年上海市外贸公共服务平台建设资金项目的通知；上海市商务委员会、市财政局（2012年4月19日）

155. 关于组织申报2011年外贸公共服务平台建设资金项目的通知；杭州市（浙江省）对外贸易经济合作厅、财政局（2011年9月19日）

156. 关于做好2011年外贸公共服务平台建设资金管理工作的通知；宁波市（浙江省）对外贸易经济合作厅、财政局（甬财政外［2011］635号、甬外经贸管［2011］60号，2011年7月1日）

157. 厦门市第一批外贸公共服务平台项目公示；厦门市（福建省）贸易局（2011年1月31日）

158. 厦门市外贸公共服务平台建设资金管理使用办法；厦门市（福建省）贸易局（厦商务规财［2011］275号，2011年6月24日）

159. 关于做好2011年深圳市外贸公共服务平台建设资金管理工作的通知；深圳市（广东省）经济贸易和信息化委员会（深科工贸新计财字［2011］184号，2011年9月9日）

160. 关于我省2014年外贸促进政策资金项目申报的通知；安徽省商务厅、财政厅（2014年4月4日）

161. 关于申报2014年省级外贸促进政策资金的通知；芜湖市（安徽省）商务厅（2014年4月10日）

162. 福建省级外贸发展专项资金管理暂行办法；福建省商务厅、财政厅（闽财外［2014］38，2012年9月19日）

163. 关于补报2014年外贸促进资金项目的通知；洛阳市（河南省）商务局（2014年3月14日）

164. 关于印发《北京市深化市级财政科技计划（专项、基金等）管理改革实施方案》的通知；北京市人民政府办公厅（京政办发［2016］55号）

165. 江西省人民政府办公厅关于支持全省外贸稳定增长的实施意见；江西省人民政府（赣府厅发［2014］37号，2014年8月27日）

166. 关于支持外贸稳定增长的若干意见；北京市人民政府办公室（京政办发［2014］55号，2014年10月14日）

其他示范基地出口补贴

167. 宝安区关于进一步促进台资企业转型升级的若干措施；中国共产党深圳市委员会宝安区统战部（深圳市，广东省）（2013年3月1日）

168. 珠海市扩大进口专项配套资金管理办法；珠海市科学技术局、珠海市财政局（珠科工贸信［2012］114号，2012年10月9号）

169. 关于印发大埔县加快陶瓷产业发展优惠办法的通知；大埔县（梅州市，广东省）人民政府（埔府办［2012］84号，2012年9月5日）

170. 佛山市南海区推进品牌战略与自主创新

扶持奖励办法；南海区（佛山市，广东省）人民政府（南府［2012］85 号，2012 年 2 月 24 日）

171. 龙华新区关于加快高新技术和战略性新兴产业发展的若干措施；龙华新区（深圳市，广东省）经济服务局（2012 年 8 月 28 日）

172. 健全制度体系，加快推进和落实创建禽肉产品外贸转型升级示范基地；诸城市（山东省）商务局（2013 年 1 月 14 日）

173. 潍坊市 2012 年对外经济贸易发展的扶持政策；潍坊市（山东省）财政局、商务局（潍财企［2012］73 号，2012 年 5 月 5 日）

174. 泰安市“十二五”规划建设政策指南；泰安市（山东省）金融资源建设领导小组办公室（泰财源办［2012］4 号，2012 年 4 月 16 日）

175. 温州市人民政府关于促进开放型经济发展的若干意见；温州市（浙江省）人民政府（温政发［2012］63 号，2012 年 7 月 11 日）

其他出口补贴工具

176. 关于做好 2012 年度外贸企业投保短期出口信用险支持项目申报工作的通知；青岛市（山东省）商务局、财政局（2014 年 5 月 12 日）

177. 关于做好扶持企业投保短期出口信用保险政策工作的通知；青岛市（山东省）商务局、财政局（2012 年 9 月 13 日）

178. 关于做好 2012 年度外贸企业投保短期出口信用险支持项目申报工作的通知；青岛市（山东省）商务局、财政局（2012 年 5 月 28 日）

179. 新疆阿克苏纺织工业城（开发区）招商引资优惠政策（试行）；阿瓦提县（阿克苏地区，新疆维吾尔自治区）人民政府（2012 年 2 月 9 日）

180. 阿克苏地区招商引资优惠办法（试行）；阿克苏地区（新疆维吾尔自治区）地委办公室（2011 年 5 月 17 日）

181. 新疆阿克苏纺织工业城（开发区）招商引资优惠政策（试行）；阿克苏地区（新疆维吾尔自治区）纺织工业城（2009 年 10 月 28 日）

182. 关于做好 2014 年省级农业产业化引导项目申报工作的通知；江苏省市农业委员会、财政部（苏农计［2014］33 号，2014 年 5 月 4 日）

中国政府通过示范基地、公共服务平台项目和出口补贴政策，正如以上列举的文件所显示的那样，并根据处于中国境内的企业的业绩为其提供补贴，这些举措与中国在 SCM 协定第 3.1（a）和 3.2 项下的义务不符。

根据 SCM 协定第 4.2 条之规定，本请求将附上一份可获得的证据清单。

美国期待中国对该请求做出回复，并确定一个彼此可以接受的日期进行磋商。

可获得证据声明

1. 上述第 1～182 条所列举的法律文件和举措

2. 我市（巴彦淖尔市）16 种经济和贸易类型的项目争取到专项资金超过 3.6 亿元；巴彦淖尔新闻（2013 年 10 月 26 日）

3. 国家 200 万元支持我市（厦门市）公共服务平台中小企业：首批拨付资金已到位；厦门中小企业在线（2013 年 10 月 11 日）

4. 嘉兴：开拓大市场 发展大商贸 推进大开放；嘉兴在线（2013 年 9 月 24 日）

5. 江干区外贸公共服务平台公告表；江干区（浙江省杭州市）商务局（2013 年 9 月 23 日）

6. 贵州省商务厅召开 2013 年度外经贸促进政策培训会；贵州省商务厅网（2013 年 5 月 2 日）

7. 外贸公共服务平台建设运营情况；商务部网站（2013 年 4 月）

8. 2012 年晋城市商务工作综合排名全省第一；晋城在线（2013 年 1 月 31 日）

9. 湖南省对外贸易公共服务平台建设相关研究报告；湖南省商务厅（2012 年 12 月 26 日）

10. 海南 12 个外贸公共服务平台建设获得支持；海南日报（2012 年 10 月 16 日）

11. 第四批外贸公共服务建设项目申报：支持资金 1280 万元；黑苹果联盟网（2012 年 9 月 28 日）

12. 海兰信获得 444 万元政府补助资金已到账；中国商业新闻网（2012 年 9 月 21 日）

13. 我市（宁波市）收到国家支持外贸公共服务平台建设专项基金；中国国际贸易促进委员会、宁波市（浙江省）政府门户网站（2012 年 7 月 29 日）

14. 沈阳机床股份有限公司及控股子公司收到政府补助的公告；证券时报（2012 年 7 月 5 日）

15. 厦门 2011 年对外贸易成绩单 进出口额破 700 亿美元；厦门日报（2012 年 2 月 15 日）

16. 我市（攀枝花）外贸公共服务平台建设获金融支持；攀枝花网（2012 年 1 月 29 日）

17. 阳江市2011年商业工作总结及2012年工作计划；阳江市（广东省）商务局网（2012年1月20日）

18. 荆门市商务局再次争取到845万元企业扶持资金；荆门市商业新闻第97卷（2011年12月25日）

19. 搭公共服务平台 促外贸转型发展；厦门市商务局网（2011年10月20日）

20. 椒江区支持外贸公共服务平台建设，获第一批专项建设资金632万元；台州日报（2011年9月8日）

21. 5家企业获国家外贸公共服务平台建设专项资金；胶南市（山东省）商务局网（2011年5月26日）

22. 厦门市投入巨资支持外贸公共服务平台建设；厦门日报（2011年2月28日）

23. 吉林白山市国家级“长白山人参”外贸转型升级示范基地通过评审；吉林日报（2014年1月3日）

24. 湖南省长沙市建四大外贸平台；湖南长沙市商务局网（2013年8月27日）

25. 胶南海藻制品基地成全国示范；青岛新闻（2012年1月5日）

26. 浙江聚珍园食品有限公司作为丽水市食用菌对外贸易总物流平台的公共服务平台的公告；龙泉市（浙江省）商务局（2013年7月22日）

27. 浙江天诚汽车座椅公共检测服务平台公告；天台区（浙江省）对外贸易经济合作局（2012年8月1日）

28. 关于瑞安市公共服务平台优惠服务项目的公示；瑞安市（浙江省）对外贸易经济合作局（2011年9月22日）

29. 外贸公共服务平台公告：浙江省桐乡市玻璃纤维出口基地成为玻璃纤维公共技术研发平台；桐乡玻璃纤维出口基地网

30. 对外进行公共服务等相关管理制度和优惠服务承诺书（贵州詹阳动力重工有限公司）；贵州外贸工程机械公共服务平台网站（2013年3月18日）

31. 纺织共性技术研发及敏捷制造服务平台项目对外提供优惠服务承诺书；浙江省现代纺织技术装备创新服务平台网站（2011年7月1日）

32. 舟山市质量技术监督检测研究院（国家水产品质量监督检验中心）优惠服务协议［舟山市商务局、舟山市质量技术监督检测研究院（国家水产品质量监督检验中心）］；舟山市商务局网站（2013年9月22日）

33. 网上轻纺城纺织品质量与交易控制系统公共服务平台项目对外提供优惠服务承诺书；网上轻纺城（2012年5月28日）

34. 市级企业大东南绿色能源高效LED和照明研究与发展中心提供优惠服务协议（上虞市商务局和上虞大东南照明公司）；绍兴市上虞区商务局（2011年8月31日）

35. 舟山市出入境检验检疫局综合技术服务中心优惠服务协议（舟山市商务局舟山市出入境检验和检疫局综合技术服务中心）；舟山市商务局网站（2013年9月22日）

36. 浙江久灵笔刷有限公司和庆元铅笔出口基地公共展示平台［庆元县经济商务局（对外贸易局）和浙江久灵笔刷有限公司］；丽水市政府网站（2012年5月22日）

37. 浙江省诸暨市梨产业公共服务平台建设项目平台项目对外提供优惠服务承诺书（诸暨市商务局和诸暨市富士梨业生产促进中心有限公司）；诸暨市人民政府政府网站（2012年5月15日）

38. 诸暨市环保设备公共技术研究和开发平台项目对外提供优惠服务承诺书（诸暨市科技局的商务和浙江飞达环保技术股份有限公司）；诸暨商业经济信息网络网站（无日期）

39. 公共物流平台项目提供优惠服务协议（嵊州市商务局和浙江华发茶业有限公司）；嵊州市人民政府政府网站（2011年8月10日）

40. 舟山航运科学和技术有限公司优惠服务协议［舟山市商务局（对外贸易局）和舟山航运科技有限公司］；舟山市商务局网站（2013年9月22日）

41.“医用纺织品技术的研究和发展公共服务平台”项目对外提供优惠服务承诺书（绍兴市越城区工商局和绍兴振德医用敷料有限公司）；越城区商务局（2012年6月8日）

42. 国际面料展交易服务平台项目对外提供优惠服务承诺书［绍兴县商务局（对外贸易局）和绍兴牵手纺织制品有限公司］；柯桥区商务局商务网

站（2012 年 12 月 18 日）

43. 国家摩托车及零配件外贸转型升级基地公共平台项目对外提供优惠服务承诺书（金华市工商局和金华市高级技校）；金华技师学院网站（2012 年 8 月 1 日）

44. 成型技术公共研究和发展平台项目对外提供优惠服务承诺书（黄岩区工商局外贸和浙江荣鑫贸易股份有限公司）；黄岩区人民政府政府网站（2012 年 7 月 3 日）

45. 外国纺织贸易企业公共关系技术研究和开发平台项目对外提供优惠服务承诺书（示例）；绍兴县商务局（对外贸易局），柯桥区商务局商务网站（无日期）

46. 中国轻工纺织原料信息服务平台项目对外提供优惠服务承诺书（绍兴益气信息技术股份有限公司）；柯桥区商务局商务网站（无日期）

47. 中国柯桥国际纺织品博览会公共交易和展览平台项目对外提供优惠服务承诺书（绍兴县商务局、绍兴县中国轻纺城展会有限公司）；绍兴市柯桥区中国轻纺城建设管理委员会网站（2012 年 12 月 10 日）

48. 上虞照明电器标准信息服务平台建设项目对外提供优惠服务承诺书（上虞市商务局和上虞市质量科技服务中心）；绍兴市政府网站（2012 年 5 月 18 日）

49. 临海户外家具和庭院休闲产品出口基地公共信息服务平台项目对外提供优惠服务承诺书（临海市工商局和临海市科信休闲产品产业输出促进中心）；（浙江省临海市中小企业公共服务平台）休闲产品行业创新服务平台网站（2013 年 1 月 3 日）

50. 出口精密塑料模具设计和制造技术公共研究和开发平台项目对外提供优惠服务承诺书（黄岩区商务局和台州市黄岩诺西成型有限公司）；黄岩区人民政府政府网站（2012 年 7 月 3 日）

51. 花型设计和纺织印花定制产品公共服务平台项目对外提供优惠服务承诺书（样本）（绍兴商务局和浙江瓦栏文化创意有限公司），瓦栏文化创意有限公司有限公司公司网站（2013 年 1 月 15 日）

52. 汽车注塑成型设计和制造技术公共研究和发展平台项目对外提供优惠服务承诺书（台州市国家汽车及零部件基地建设行政委员会和滨海塑料成型集团有限公司）；黄岩区人民政府政府网站（2012 年 5 月 19 日）

53. 黄岩注塑行业国际销售服务和展览平台项目对外提供优惠服务承诺书（黄岩区商务局和台州市天网网络有限公司）；黄岩区人民政府政府网站（2012 年 7 月 3 日）

54. 关于做好保持外贸稳定增长有关资金管理工作的通知；财政部、商务部（财企［2009］126 号，2009 年）

55. 关于印发《北京市保持外贸稳定增长专项资金管理实施办法》的通知；北京市财政局、北京市商务委员会（京财企［2009］2335 号，2009 年 10 月 23 日）

56. 吉林省保持外贸稳定增长专项资金管理实施办法；吉林省财政厅、商务厅（2009 年 10 月 20 日）

57. 大连市保持外贸稳定增长专项资金管理实施办法（试行）；大连市（辽宁省）财政局（大财企［2009］971 号，2010 年 1 月 29 日）

58. 山西省保持外贸稳定增长专项资金管理实施办法；山西省财政厅、商务厅（晋财企［2009］181 号，2009 年 12 月 15 日）

59. 四川省保持外贸稳定增长专项资金管理实施办法（临时）；四川省财政厅、商务厅（川财外［2009］205 号，2009 年 9 月 4 日）

60. 江苏省保持外贸稳定增长专项资金管理实施办法（临时），江苏省财政厅、商务厅（苏财规［2009］5 号，2010 年 3 月 4 日）

61. 安徽省亳州市现代中药产业基地；中国商务部外贸转型升级示范基地网站（2012 年 11 月 1 日）

62. 安徽省霍邱县柳编基地；中国商务部外贸转型升级示范基地网站（2013 年 8 月 1 日）

63. 北京市朝阳区服装基地；中国商务部外贸转型升级示范基地网站（2013 年 8 月 1 日）

64. 北京经济技术开发区生物医药基地；中国商务部外贸转型升级示范基地网站（2013 年 8 月 1 日）

65. 重庆市大渡口玻纤基地；中国商务部外贸转型升级示范基地网站（2013 年 8 月 2 日）

66. 重庆市荣昌县苎麻基地；中国商务部外贸转型升级示范基地网站（2012 年 11 月 1 日）

67.（福建省）厦门市思明区卫生和康复设备基地；中国商务部外贸转型升级示范基地网站（2013 年 8 月 2 日）

68.（福建省）厦门市翔安区食用菌基地；中国商务部外贸转型升级示范基地网站（2012 年 11 月 1 日）

69.（福建省）厦门市集美区水加热装置和卫生间用产品基地；中国商务部外贸转型升级示范基地网站（2013 年 8 月 2 日）

70. 福建省南安市石材料基地；中国商务部外贸转型升级示范基地网站（2013 年 8 月 2 日）

71. 福建省建瓯市竹产品基地；中国商务部外贸转型升级示范基地网站（2013 年 8 月 2 日）

72. 福建省德化县陶瓷基地；中国商务部外贸转型升级示范基地网站（2012 年 11 月 1 日）

73. 福建省漳州市龙文区蓝田开发区钟表基地；中国商务部外贸转型升级示范基地网站（2013 年 8 月 2 日）

74. 福建省福州市仓山区钟表基地；中国商务部外贸转型升级示范基地网站（2013 年 8 月 2 日）

75. 福建省莆田市鞋类基地；中国商务部外贸转型升级示范基地网站（2013 年 11 月 1 日）

76. 甘肃省天水市苹果产业基地；中国商务部外贸转型升级示范基地网站（2013 年 8 月 2 日）

77. 广东省东莞市大朗镇乡镇毛衣基地；中国商务部外贸转型升级示范基地网站（2013 年 8 月 2 日）

78. 广东省佛山市建筑陶瓷基地；中国商务部外贸转型升级示范基地网站（2012 年 11 月 1 日）

79. 广东省广州市花都区狮岭箱包基地；中国商务部外贸转型升级示范基地网站（2013 年 8 月 2 日）

80. 广东省湛江市水产和海洋产品基地；中国商务部外贸转型升级示范基地网站（2012 年 11 月 1 日）

81. 广东省潮州市陶瓷基地；中国商务部外贸转型升级示范基地网站（2012 年 11 月 1 日）

82. 广东省阳江市厨具基地；中国商务部外贸转型升级示范基地网站（2013 年 8 月 2 日）

83.（广东省）深圳市光明新区钟表基地；中国商务部外贸转型升级示范基地网站（2012 年 11 月 1 日）

84.（广东省）深圳市南山区医疗设备基地；中国商务部外贸转型升级示范基地网站（2012 年 11 月 1 日）

85.（广东省）深圳市罗湖区珍珠和珠宝基地；中国商务部外贸转型升级示范基地网站（2013 年 8 月 2 日）

86. 广西壮族自治区北流市日用陶瓷基地；中国商务部外贸转型升级示范基地网站（2013 年 8 月 2 日）

87. 广西壮族自治区北海市水产和海洋产品基地；中国商务部外贸转型升级示范基地网站（2012 年 11 月 1 日）

88. 广西壮族自治区蒲县晾衣架基地；中国商务部外贸转型升级示范基地网站（2013 年 8 月 2 日）

89. 贵州省福泉市磷化工产业基地；中国商务部外贸转型升级示范基地网站（2012 年 11 月 1 日）

90. 贵州省贵阳市非金属材料基地；中国商务部外贸转型升级示范基地网站（2013 年 8 月 2 日）

91. 海南省海口市水产和海洋产品基地；中国商务部外贸转型升级示范基地网站（2012 年 11 月 1 日）

92. 海南省琼海市调味品产品基地；中国商务部外贸转型升级示范基地网站（2013 年 8 月 2 日）

93. 河北省唐山市卫生陶瓷基地；中国商务部外贸转型升级示范基地网站（2013 年 7 月 26 日）

94. 河北省安国市传统中医药及保健产品基地；中国商务部外贸转型升级示范基地网站（2013 年 7 月 26 日）

95. 河北省安平县五金产品基地；中国商务部外贸转型升级示范基地网站（2013 年 7 月 26 日）

96. 河北省清河县羊绒基地；中国商务部外贸转型升级示范基地网站（2013 年 7 月 26 日）

97. 河北省辛集市皮革和皮革制品基地；中国商务部外贸转型升级示范基地网站（2013 年 7 月 26 日）

98. 河北省高阳县毛巾产品基地；中国商务部外贸转型升级示范基地网站（2013 年 7 月 26 日）

99. 黑龙江省北大荒绿色食品基地；中国商务部外贸转型升级示范基地网站（2013 年 8 月 1 日）

100. 黑龙江省牡丹江市木材产品基地；中国商务部外贸转型升级示范基地网站（2013 年 8 月 1 日）

101. 河南省濮阳市特殊化学工程产品基地；中国商务部外贸转型升级示范基地网站（2013 年 8 月 2 日）

102. 河南省许昌市头发产品基地；中国商务部外贸转型升级示范基地网站（2012 年 11 月 1 日）

103. 湖北省潜江市水产和海洋产品基地；中国商务部外贸转型升级示范基地网站（2012 年 11 月 1 日）

104. 湖北省随州市食用菌基地；中国商务部外贸转型升级示范基地网站（2012 年 11 月 1 日）

105. 湖北省黄石市服装基地；中国商务部外贸转型升级示范基地网站（2013 年 8 月 2 日）

106. 湖南省湘潭市活猪和猪肉产品基地；中国商务部外贸转型升级示范基地网站（2013 年 8 月 2 日）

107. 湖南省邵阳市头发产品基地；中国商务部外贸转型升级示范基地网站（2013 年 8 月 2 日）

108. 湖南省醴陵市陶瓷基地；中国商务部外贸转型升级示范基地网站（2012 年 11 月 1 日）

109. 湖南省长沙市茶叶基地；中国商务部外贸转型升级示范基地网站（2012 年 11 月 1 日）

110. 内蒙古自治区巴彦淖尔市西红柿基地；中国商务部外贸转型升级示范基地网站（2013 年 8 月 1 日）

111. 内蒙古自治地区通辽市牛肉基地；中国商务部外贸转型升级示范基地网站（2013 年 7 月 31 日）

112. 内蒙古自治区鄂尔多斯市羊绒产品基地；中国商务部外贸转型升级示范基地网站（2013 年 8 月 1 日）

113. 江苏省南通市通州区床上用品基地；中国商务部外贸转型升级示范基地网站（2013 年 8 月 1 日）

114. 江苏省吴江面料基地；中国商务部外贸转型升级示范基地网站（2012 年 11 月 1 日）

115. 江苏省常州市武进区耐用木制地板基地；中国商务部外贸转型升级示范基地网站（2012 年 11 月 1 日）

116. 江苏省扬州市广陵区个人护理产品基地；中国商务部外贸转型升级示范基地网站（2013 年 8 月 1 日）

117. 江苏省江阴市服装出口基地；中国商务部外贸转型升级示范基地网站（2013 年 8 月 1 日）

118. 江苏省邳州市大蒜基地；中国商务部外贸转型升级示范基地网站（2013 年 8 月 1 日）

119. 江西省上饶市茶叶基地；中国商务部外贸转型升级示范基地网站（2012 年 11 月 1 日）

120. 江西省鹰潭市眼镜基地；中国商务部外贸转型升级示范基地网站（2013 年 8 月 2 日）

121. 吉林省敦化市木材产品基地；中国商务部外贸转型升级示范基地网站（2013 年 8 月 1 日）

122. 吉林省长春市经济技术开发区氨基酸基地；中国商务部外贸转型升级示范基地网站（2013 年 8 月 1 日）

123. 大连市普兰店市男式服装基地；中国商务部外贸转型升级示范基地网站（2013 年 8 月 1 日）

124. 大连市瓦房店市肉鸡生产基地；中国商务部外贸转型升级示范基地网站（2013 年 7 月 30 日）

125. 辽宁省沈阳市辉山农业科学和技术园家禽基地；中国商务部外贸转型升级示范基地网站（2013 年 7 月 30 日）

126. 辽宁省鞍山市精钢产品基地；中国商务部外贸转型升级示范基地网站（2013 年 8 月 1 日）

127. 宁夏回族自治区地区银川市羊绒产品基地；中国商务部外贸转型升级示范基地网站（2013 年 8 月 2 日）

128. 宁夏回族自治区中宁县枸杞浆果基地；中国商务部外贸转型升级示范基地网站（2012 年 11 月 1 日）

129. 青海省南川工业园区西藏地毯基地；中国商务部外贸转型升级示范基地网站（2012 年 11 月 1 日）

130. 青海省海西蒙古族藏族自治州柴达木盆地绿色食品产品和保健产品基地；中国商务部外贸

转型升级示范基地网站（2013年8月2日）

131. 陕西省咸阳市棉纺织品和面料基地；中国商务部外贸转型升级示范基地网站（2014年1月24日）

132. 陕西省渭南市有色金属和钼产业基地；中国商务部外贸转型升级示范基地网站（2013年8月2日）

133. 陕西省渭南市苹果基地；中国商务部外贸转型升级示范基地网站（2012年11月1日）

134. 山东省威海市水产和海洋产品基地；中国商务部外贸转型升级示范基地网站（2013年8月2日）

135. 山东省文登市床上用品基地；中国商务部外贸转型升级示范基地网站（2013年8月2日）

136. 山东省淄博市高新技术产业开发区玻璃制品基地；中国商务部外贸转型升级示范基地网站（2013年8月2日）

137. 山东省滨州市家用纺织品、面料基地；中国商务部外贸转型升级示范基地网站（2012年11月1日）

138. 山东省菏泽市木材、草和柳产品基地；中国商务部外贸转型升级示范基地网站（2013年8月2日）

139. 山东省诸城市家禽产品基地；中国商务部外贸转型升级示范基地网站（2013年8月2日）

140.（山东省）青岛市即墨县服装基地；中国商务部外贸转型升级示范基地网站（2012年11月1日）

141.（山东省）青岛市胶南县海藻产品基地；中国商务部外贸转型升级示范基地网站（2012年11月1日）

142.（山东省）青岛市莱西市家禽产品基地；中国商务部外贸转型升级示范基地网站（2013年8月2日）

143. 上海市大虹桥服装服饰基地；中国商务部外贸转型升级示范基地网站（2013年8月1日）

144. 山西省太原市不锈钢基地；中国商务部外贸转型升级示范基地网站（2013年7月31日）

145. 山西省太原经济技术开发区铝基地；中国商务部外贸转型升级示范基地网站（2013年7月31日）

146. 山西省七县玻璃器皿和家用器皿基地；中国商务部外贸转型升级示范基地网站（2013年7月31日）

147. 四川省什邡市饲料和食品添加剂基地；中国商务部外贸转型升级示范基地网站（2013年8月2日）

148. 四川省成都市武侯区女鞋基地；中国商务部外贸转型升级示范基地网站（2013年8月2日）

149. 四川省攀枝花市钛产业基地；中国商务部外贸转型升级示范基地网站（2012年11月1日）

150. 天津市宝坻区乐器基地；中国商务部外贸转型升级示范基地网站（2013年7月25日）

151. 天津市武清区地毯基地；中国商务部外贸转型升级示范基地网站（2013年7月25日）

152. 天津市经济技术开发区传统中西医结合基地；中国商务部外贸转型升级示范基地网站（2013年7月25日）

153. 天津市静海县五金产品基地；中国商务部外贸转型升级示范基地网站（2013年7月25日）

154. 西藏自治区日喀则市藏族高原特色农产品基地；中国商务部外贸转型升级示范基地网站（2013年8月2日）

155.（新疆维吾尔自治区）新疆生产建设兵团第六兵团番茄产品基地；中国商务部外贸转型升级示范基地网站（2012年11月1日）

156.（新疆维吾尔自治区）新疆生产建设兵团第五兵团水果和蔬菜基地；中国商务部外贸转型升级示范基地网站（2013年8月2日）

157.（新疆维吾尔自治区）巴音郭楞蒙古自治州林业和水果产业基地；中国商务部外贸转型升级示范基地网站（2013年8月2日）

158.（新疆维吾尔自治区）昌吉回族自治州西红柿基地；中国商务部外贸转型升级示范基地网站（2012年11月1日）

159. 云南省昆明市花卉产业基地；中国商务部外贸转型升级示范基地网站（2013年8月2日）

160. 云南省玉溪市蔬菜基地；中国商务部外贸转型升级示范基地网站（2012年11月1日）

161. 云南省红河州锡产品基地；中国商务部外贸转型升级示范基地网站（2012年11月1日）

162.（浙江省）宁波市奉化市男士服装基地；

中国商务部外贸转型升级示范基地网站（2013 年 8 月 1 日）

163.（浙江省）宁波市宁海县文具基地；中国商务部外贸转型升级示范基地网站（2013 年 8 月 1 日）

164.（浙江省）宁波市象山县休闲服装基地；中国商务部外贸转型升级示范基地网站（2013 年 8 月 1 日）

165.（浙江省）宁波市鄞州区硬件基地；中国商务部外贸转型升级示范基地网站（2013 年 8 月 1 日）

166.（浙江省）宁波市鄞州区服装基地；中国商务部外贸转型升级示范基地网站（2012 年 11 月 1 日）

167. 浙江省安吉县家具基地；中国商务部外贸转型升级示范基地网站（2013 年 8 月 1 日）

168. 浙江省嵊州市领带产品基地；中国商务部外贸转型升级示范基地网站（2013 年 8 月 1 日）

169. 浙江省杭州市萧山区化纤纺织基地；中国商务部外贸转型升级示范基地网站（2012 年 11 月 1 日）

170. 浙江省桐乡市玻纤基地；中国商务部外贸转型升级示范基地网站（2013 年 8 月 1 日）

171. 浙江省永康市厨具基地；中国商务部外贸转型升级示范基地网站（2013 年 8 月 1 日）

172. 浙江省温州市鞋类基地；中国商务部外贸转型升级示范基地网站（2012 年 11 月 1 日）

173. 浙江省舟山市水产和海洋产品基地；中国商务部外贸转型升级示范基地网站（2012 年 11 月 1 日）

174. 浙江省常熟市休闲装基地；中国商务部外贸转型升级示范基地网站（2013 年 8 月 1 日）

（张影译，杨凤鸣校）

二、印度尼西亚——特定铁或钢产品保障措施：台湾、澎湖、金门、马祖单独关税区请求磋商

此文件自 2015 年 2 月 12 日，在台湾、澎湖、金门、马祖单独关税区代表团和印度尼西亚代表团及争端解决机构主席间进行沟通，现根据 DSU 第 4 条第 4 款的规定予以散发。

受我方政府授权，根据《关于争端解决规则与程序的谅解》（简称“DSU”）第 1 条和第 4 条，GATT 1994 第 22 条以及《保障措施协议》第 14 条，就施加于特定平轧铁或非合金钢产品的保障措施、引发保障措施的调查决定以及根据 GATT 1994 第 14 条和《保障措施协议》第 12 条的规定与通知要求、必要磋商有关的其他方面（统称为涉案措施），我代表团请求与印度尼西亚进行磋商。

根据 DSU 第 4 条第 4 款，现将提交磋商的理由，包括涉案措施和申诉的法律依据，提交如下。

背景

2012 年 12 月 19 日，印度尼西亚保障措施调查机关保障措施委员会（以下简称调查机关）针对平轧铁或非合金钢产品的进口发起了一项保障措施调查，涉案产品宽度不低于 600 毫米，全部覆盖、镀有或者涂有锌铝合金，以重量计碳含量少于 0.6%，厚度薄于 1.2 毫米，海关 HS 代码为 7210.61.11.00。①

2014 年 5 月 27 日，调查机关正式将进口的持续增长而导致严重损害威胁的调查结果通知了 WTO 各成员。② 但是，印度尼西亚“建议采取措施的通知”不包括对于建议措施以及建议实施时间的提前描述。

2014 年 7 月 28 日，根据印度尼西亚财政大臣在 2014 年 7 月 7 日发布的规定（编号为 137.1/PML.011/2014）以及 2015 年 7 月 15 日发布的 2014 年度印度尼西亚中央社第 978 号决议（即保障措施），WTO 成员被正式告知了保障措施的实

---

① 印度尼西亚保障措施委员会根据《保障措施协议》第 12 条第 1 款 a 项就发起一项调查及其原因的通知规定，涉及平轧铁或非合金钢产品，2013 年 1 月 8 日发布编号为 G/SG/N/6/IDN/22 的通知及其补充版，见其 2013 年 4 月 24 日发布的编号为 G/SG/N/6/IDN/22/Suppl. 1 的通知。

② 印度尼西亚保障措施委员会根据《保障措施协议》第 12 条第 1 款 b 项（对于一项由进口增加而导致的严重损害或者严重损害威胁的决定的规定以及通知建议采取的措施）而发出的通知，于 2014 年 5 月 27 日发布，编号分别为 G/SG/N/8/IDN/16、G/SG/N/10/IDN/16。

际实施。通知同时也包含一份不适用保障措施的涵盖120个国家的列表。[①] 相关决定包含在调查机关的最终披露报告中。

保障措施包含将在2014年7月22日适用的从量税以及根据如下时间表的递减：

保障措施税征收时间表

时间区段	保障措施税
2014年7月22日～2015年7月21日	每吨4 998 784印度尼西亚卢比
2015年7月22日～2016年7月21日	每吨4 314 161印度尼西亚卢比
2016年7月22日～2017年7月21日	每吨3 629 538印度尼西亚卢比

涉案措施

本案中涉案措施如下：

A. 作为保障措施而向平轧铁或者非合金钢产品（涉案产品宽度不低于600毫米，全部覆盖、镀有或涂有锌铝合金，以重量计碳含量少于0.6%，薄于1.2毫米，HS代码为7210.61.11.00）征收的从量税。

B. 如上述第二段所述，对于因进口增加而受到严重损害威胁以及建议实施保障措施的调查结果的通知。

C. 印度尼西亚没有在实际实施该措施之前提供就有关保障措施的相关信息进行磋商的机会，包括有关建议措施本身以及开始实施的日期等相关信息。

法律依据

台湾、澎湖、金门、马祖单独关税区提出，根据《保障措施协议》第11条第1款a项，成员国不能实施或者寻求实施一项保障措施，除非这项措施符合根据《保障措施协议》而适用的GATT 1994第14条的规定。在此方面，申诉方是基于如下法律依据：

A. 有关作为保障措施的从量税：

Ⅰ. GATT 1994第14条第1款a项以及《保障措施协议》第3条第1款最后一句。

因为保障措施没有基于适当的决定或者一个合乎逻辑且充分的对于GATT项下义务任何不可预见的发展以及影响的说明，从而引发了导致国内产业实质性损害或者有实质性损害威胁的进口的增加。

Ⅱ. GATT 1994第14条第1款a项以及《保障措施协议》第2条第1款、第3条第1款最后一句、第4条第1款a项、第4条第2款a项、第4条第2款b项、第4条第2款c项。

因为保障措施没有基于一个适当的决定或者一个合乎逻辑的充分的有关任何进口增长的说明。

Ⅲ. GATT 1994第14条第1款a项以及《保障措施协议》第2条第1款、第3条第1款最后一句、第4条第1款a项、第4条第1款b项、第4条第一款c项、第4条第2款a项、第4条第2款b项、第4条第2款c项。

因为保障措施基于的严重损害或者严重损害威胁的决定，没有在国内产业的立场上反映出重大的总体上的损害情况，例如严重损害即将发生。此外，也没有合乎逻辑的充分的有关针对特定产品（优耐板产品）严重损害（或者严重损害威胁）的说明，尽管保障措施也适用于这些产品。

Ⅳ. GATT 1994第14条第1款以及《保障措施协议》第2条第1款、第3条第1款最后一句以及第4条第2款c项。

因为保障措施没有合乎逻辑且充分的依据来解释受调查的进口在多大范围内导致或者威胁导致对于国内产业的严重损害。此外，尽管存在与国内产业有关的“其他因素”，也没有合乎逻辑且充分的理由解释不可归因性的分析是如何进行的。

Ⅴ. 根据GATT 1994第1条第1款，在任何

① 印度尼西亚保障措施委员会根据《保障措施协议》第12条第1款b项（对于一项由进口增加而导致的严重损害或者严重损害威胁的决定的规定）而发出通知，根据《保障措施协议》第12条第1条c项（有关决定实施一项保障措施的规定）而发出的通知，根据《保障措施协议》第9条脚注2的规定而发出的通知，涉案产品是HS编码为7210.61.11.00的平轧铁或非合金钢产品，文件代码分别是G/SG/N/8/IDN/16/Suppl.1、G/SG/N/10/IDN/16/Suppl.1、G/SG/N/11/IDN/14，2014年7月28日。

情况下，从量税都不能够适用于原产地在特定地区或者从特定地区被提交托运的产品，这就造成了一项没有及时且无条件地给予其他成员国的优势。

B. 关于对严重损害威胁以及建议采取保障措施的决定的通知，根据《保障措施协议》第 12 条第 2 款，涉案通知没有包含所有有关的信息，包括建议采取的措施、采取时间或者该项措施渐进自由化时间表。

C. 有关没有在实施保障措施之前提供磋商机会，依据是 GATT 第 14 条第 2 款以及《保障措施协议》第 12 条第 3 款。

因为印度尼西亚没有提供就相关因素举行磋商的机会（例如，建议采取的保障措施以及实施时间），并且与这些因素有关的信息仅仅在实际实施之后才予以发布。

台湾、澎湖、金门、马祖单独关税区建议这些磋商能够导致其他具有法律含义的事件（没有在这项请求中明确陈述但是与 GATT 1994 以及《保障措施协议》中印度尼西亚的其他义务有关）。为了简化广泛的意见交流，需要强调的是，如果情况真是如此，那么这些法律事件同样也会被磋商请求所涵盖。

同样地，台湾、澎湖、金门、马祖单独关税区提出，尽管它正在提出有关保障措施（实施于前述提到的印度尼西亚的法律文件和最终披露函件中）的磋商请求，这项请求也涵盖了任何其他的包含有任何决定、决定方式或计算方法，或补遗文件、补充文件、发展中的文件，或在任何情况下与在这项磋商请求中明确提及的标准文件有关的法律文件和（或）相关文件。

台湾、澎湖、金门、马祖单独关税区单独关税区希望能够得到马来西亚方面关于此项请求的回应。同时建议磋商于双方同意的日期在日内瓦召开。

（路少华译，宋懿达校）

三、美国——对某些铜版纸的反倾销和反补贴措施：印度尼西亚请求磋商

此文件自 2015 年 3 月 13 日，在印度尼西亚代表团、美利坚合众国代表团和争端解决机构主席之间沟通，现根据 DSU 第 4.4 条的规定予以发布。

受我方政府授权，根据 DSU 第 4 条、GATT 1994 第 22.1 条、《关于执行 GATT 1994 第 6 条的协议》（即反倾销协议，下称“ADA”）第 17 条、《补贴与反补贴措施协议》（下称“SCM”）第 30 条，我方代表请求就下列涉案措施与美方磋商。

以下决定出自美国商务部（USDOC）和美国国际贸易委员会（USITC），包括调查的实施，任何的附件、通知、规则、修正和决策备忘录，或由美国发布的与反倾销和反补贴措施相关的其他法律文件：

对输自印度尼西亚共和国（下称“印尼”）的某些铜版纸：启动反补贴调查，美国联邦公报第 74 卷第 53707 号（74 Fed. Reg. 53707）（2009 年 10 月 20 日）（美国商务部启动反补贴调查）；

对输自印尼和中国的某些适用于（单纸式印刷机）打印高质量图片的铜版纸：启动反倾销调查，美国联邦公报第 74 卷第 53710 号（74 Fed. Reg. 53710 ）（2009 年 10 月 20 日）（美国商务部启动反倾销调查）；

对输自印尼和中国的某些适用于（单纸式印刷机）打印高质量图片的铜版纸，美国联邦公报第 74 卷第 50243 号（74 Fed. Reg. 50243）（2009 年 9 月 30 日）（美国国际贸易委员会调查机构）；

对输自印尼和中国的某些适用于（单纸式印刷机）打印高质量图片的铜版纸，美国联邦公报第 74 卷第 61174 号（74 Fed. Reg. 61174）（2009 年 11 月 23 日）（美国国际贸易委员会对损害的初步裁定）；

对输自印尼的某些适用于（单纸式印刷机）打印高质量图片的铜版纸：反补贴初步裁定、反补贴税最终裁定与反倾销最终裁定；美国联邦公报第 75 卷第 10761 号（75 Fed. Reg. 10761）（2010 年 3 月 9 日）（美国商务对反补贴的初步裁定）；

对输自印尼的某些适用于（单纸式印刷机）打印高质量图片的铜版纸：初步裁定销售价格低于公平价值，并推迟最终裁定，美国联邦公报第 75 卷第 24885 号（75 Fed. Reg. 24885）（2010 年 5 月 6 日）（美国商务部对反倾销的初步裁定）；

对输自印尼的某些适用于（单纸式印刷机）打印高质量图片的铜版纸：最终确定反补贴裁定，美国联邦公报 第 72 卷第 59209 号（75 Fed. Reg. 59209）（2010 年 9 月 27 日）（美国商务部对反补贴的最终裁定）；

对输自印尼的某些适用于（单纸式印刷机）打

印高质量图片的铜版纸，最终裁定以低于公平价值进行销售，美国联邦公报第75卷第59223号（75 Fed. Reg. 59223）（2010年9月27日）（美国商务部对反补贴的最终裁定）；

对输自印尼和中国的某些适用于（单纸式印刷机）打印高质量图片的铜版纸，美国联邦公报第75卷第70289号（75 Fed. Reg. 70289）（2010年11月17日）（美国国际贸易委员会对损害威胁的最终裁定）；

对输自印尼的某些适用于（单纸式印刷机）打印高质量图片的铜版纸，征收反补贴税令，美国联邦公报第75卷第70206号（75 Fed. Reg. 70206）（2010年11月17日）（征收反补贴税令）；

对输自印尼的某些适用于（单纸式印刷机）打印高质量图片的铜版纸，征收反倾销税令，美国联邦公报第75卷第70205号（75 Fed. Reg. 70205）（2010年11月17日）（征收反倾销税令）。

其根据是以下美国法律：

《1930年关税法》第771节第（11）款（B）项，以及在《美国法典》中做出修正和整理的第19编第1677条第（11）款（b）项。

美国征收反倾销税令和反补贴税令可能至少与以下WTO的法律条款不符：

美国商务部裁定：印尼称提供采伐原木得不到足够的报酬，政府禁止了原木出口。这违反了SCM第14条（d）中特别规定，因为美国商务部对所谓政府干预导致的价格扭曲做出裁定时，并未“联系到该供给国当时的市场条件”明确裁定报酬是否充足。

美国商务部的裁定：印尼称提供采伐原木得不到足够的报酬，政府禁止了原木出口，并免除了债务。这违反了SCM第2.1条（c）中特别规定，因为美国商务部并未查明印尼是否已确立一个足以构成“补贴项目”的计划或方案。

美国商务部的裁定：印尼称提供采伐原木得不到足够的报酬，政府禁止了原木出口，并免除了债务。这违反了SCM第2.1条，因为美国商务部未明确该贸易公司提供所谓补贴究竟是国家补贴、区域补贴还是地方政府补贴。因此，美国商务部未能明确判断该补贴是否“针对一个在授权机构权限内的企业”。

美国商务部裁定：印尼称免除了政府债务，这违反了SCM第12.7条特别规定，因为美国商务部采用不利事实而未能审查印尼政府提供的信息，也没有查明印尼政府是否“拒绝提供或未提供信息”。

美国国际贸易委员会对损害威胁的裁定，违反了SCM第3.7条和ADA第15.7条特别规定，因为美国国际贸易委员会所依据的不是事实，而是“主张、推测和极小的可能性”。

美国国际贸易委员会对损害威胁的裁定，违反了ADA第3.7条和SCM第15.7条特别规定，因为美国国际贸易委员没有对“可预见的、即将发生的”情况下的变化进行裁定。

美国国际贸易委员会对损害威胁的裁定，违反了ADA第3.5条和SCM第15.5条特别规定，因为美国没有证明进口产品与对国内产业构成损害威胁之间存在因果关系。

美国国际贸易委员会对损害威胁的裁定，违反了ADA第3.8条和SCM第15.8条特别规定，因为国际贸易委员会没有考虑或实施“特殊关照”。

据《美国法典》第19编第1677条第（11）款（b）项中的规定，在损害威胁裁定的投票中出现平局须视作美国国际贸易委员会的肯定性裁定，违反了ADA第3.8条和SCM第15.8条特别规定，因为法律并未考虑或执行“特殊关照”。

由于明显违反了ADA与SCM，美国的上述措施与ADA第1条、SCM第10条，以及GATT 1994第6条也是不一致的。

印度尼西亚保留对协商过程中的事实提出额外问题或法律诉讼的权利，以及提出与上述事项相关的其他措施和诉求的权利，包括成立专家组的要求。

印度尼西亚期待美方对此请求的回应，并希望确定一个双方都方便的时间和地点进行磋商。

（宋懿达译，戴臻校）

四、欧盟——影响禽肉产品关税减让的措施：中国请求磋商

此文件自2015年4月8日，在中国代表团和欧盟代表团及争端解决机构主席间进行沟通，现根据DSU第4条第4款的规定予以散发。

受我方政府指示，根据DSU第1条和第4条，GATT 1994第23条第1款的规定，就欧盟下列影响从中国进口的特定禽肉产品关税减让的措施，中

国代表团请求与欧盟进行磋商。中华人民共和国政府认为这些措施不符合欧盟在 WTO 涵盖协定项下相关条款所承担的义务。

这些措施是欧盟两次请求（分别于 2006 年和 2009 年）修改欧盟关于 GATT 1994 第 28 条项下的特定禽肉产品的欧盟关税减让的结果，即：

（1）第一次谈判请求由欧盟于 2006 年 6 月 7 日发起，欧盟向 WTO 成员通告拟修改其关税减让的 3 个关税税目的意向，即税目 0210 99 39、1602 31 和 1602 32 19（以下简称“2007 修改一揽子”或“2007 一揽子修正案”）。欧盟根据 GATT 1994 第 28 条与泰国和巴西进行了（关税减让）修改谈判，欧盟认为这些国家具有主要的或者实质性的利益去供应这些税目涵盖的产品。在（低）关税率配额几乎全部保留给巴西和（或）泰国并且配额外的约束税率显著超出了修改前的约束税率的基础上，欧盟随后与巴西和泰国分别于 2006 年 11 月 23 日和 2006 年 12 月 6 日达成协定。

（2）第二次谈判请求由欧盟于 2009 年 6 月 11 日发起，欧盟向 WTO 成员通告拟修改其关税减让的 8 个关税税目的意向，即税目 1602 20 10、1602 32 11、1602 32 30、1602 32 90、1602 39 21、1602 39 29、1602 39 40 和 1602 39 80（以下简称“2012 修改一揽子”或“2012 一揽子修正案”）。[①] 欧盟根据 GATT 1994 第 28 条与泰国和巴西进行了（关税减让）修改谈判，欧盟认为这些国家具有主要的或者实质性的利益去供应这些税目涵盖的产品。并再次在（低）关税率配额几乎全部保留给巴西和（或）泰国并且配额外的约束税率显著超出了修改前的约束税率的基础上，随后与泰国和巴西分别于 2012 年 6 月 18 日和 2012 年 6 月 26 日达成协定。[②]

2012 年 12 月 17 日，欧盟向 WTO 成员通告其已结束 GATT 1994 第 28 条项下关于涉案产品的谈判，并且附上其带有沟通文件（G/SECRET/32/ADD 1）的谈判结果。

其中的附件 1 是根据 2007 和 2012 修改一揽子做出的一个概括关税税率变化的图表。

确定关税率配额的参考期是一段时期（例如，“2007 修改一揽子”的参考期是 2003—2005 年，“2012 修改一揽子”的参考期是 2006—2008 年），在这些参考期内来自中国的禽肉进口在欧盟是受到限制的。欧盟（据此）推断中国在所涉任何税目项下并不具有主要的或者实质性的供应利益，也并没有与中国谈判或者磋商。

以上所引的欧盟关税减让的修正案以及关税率配额机制是修改一揽子的一部分，它们通过以下文件得以实施：

A.“2007 修改一揽子”的实施文件

（1）《2007 年 5 月 29 日关于根据 GATT 1994 第 28 条达成的、在欧共体与巴西之间以及欧共体与泰国之间以商定记录（agreed minutes）为表现形式的协定的实施、修改和补充〈（欧洲经济共同体）第 2658/87 号关于关税、统计术语和共同关税的理事会条例〉附件一的第 580/2007 号（欧共体）理事会条例》。

（2）《2007 年 6 月 4 日在源自巴西、泰国和其他第三国的禽肉部门开放和提供共同体关税配额管理的第 616/2007 号（欧共体）委员会条例》。

（3）《2007 年 12 月 20 日修改〈在源自巴西、泰国和其他第三国的禽肉部门开放和提供共同体关税配额管理的第 616/2007 号（欧共体）委员会条例〉的第 1549/2007 号委员会条例》。

B.“2012 修改一揽子”的实施文件

（1）《2012 年 12 月 12 日修改和补充〈2012 年 12 月 6 日关于批准根据 GATT 1994 第 28 条关于在 GATT 1994 的附件——欧盟（减让）安排中所规定的加工禽肉减让修改，在欧盟与巴西之间以及在欧盟与泰国之间达成的以互换函件为形式的协定所缔结的第 2012/792/欧盟号理事会决定〉被通过之后得以通过的〈（欧洲经济共同体）第 2658/87 号关于关税、统计术语和共同关税的理事会条例附件一〉、第 1218/2012 号欧盟议会和理事会条例》。

（2）《2012 年 12 月 19 日修改〈在源自巴西、泰国和其他第三国的禽肉部门开放和提供共同体关税配额管理的第 616/2007 号（欧共体）委员会条例〉并在 2012—2013 年违反该条例的（欧盟）委员会第 1246/2012 号条例》。

（3）《2013 年 3 月 27 日修改〈在源自巴西、

---

① 关税税目 1602 39 40 与 1602 39 80 被合并成一个新的关税税目，即 1602 39 85。

② 关税税目 1602 20 10 的现有关税税率并无改变。

泰国和其他第三国的禽肉部门开放和提供共同体关税配额管理的第 616/2007 号（欧共体）委员会条例〉的第 302/2013 号（E8）委员会实施条例》。

当该委员会条例于 2013 年 3 月 31 日生效时，一个于 2013 年 2 月 28 日发布的公告表明，欧盟与巴西之间的协定以及欧盟与泰国之间的协定于 2013 年 3 月 1 日生效。

除了上述所引措施，本磋商请求还涵盖（对上述措施的）任何修正案、补充、扩展、替代措施、更新措施、相关措施或者实施措施。

上述措施显然与欧盟在 GATT 1994 第 1、2、8 条和 28 条项下的义务不相符：

A. 关于“2007 修改一揽子”的主张

(1) 配合 GATT 1994 第 28 条之二、第 4 段以及《关于解释 GATT 1994 第 28 条的谅解》，欧盟于 2006 年发起的修改谈判与 GATT 1994 第 28 条第 1 款不符，因为欧盟并未与拥有主要或实质供应利益的 WTO 成员或在没有歧视性数量限制时本来可以有这样的利益的 WTO 成员进行谈判或磋商。

(2) 欧盟在上述措施中谈判达成的以及随后实施的关税税率和关税税率配额与第 28 条第 2 款不符，因为它们未能保持互惠互利减让的总体水平不低于修改前所存在的总体水平。

(3) 欧盟对两个 WTO 成员分配的国别关税税率配额违反了 GATT 1994 第 13 条，因为其减少了对其他 WTO 的市场准入承诺——欧盟保证维持一个建立在非歧视基础上的市场准入制度。

(4) 把全部或者绝大多数关税税率配额给两位 WTO 成员的做法与 GATT 1994 第 13 条第 1 款不符，因为来自 WTO 成员同类产品的进口并未因此受到同样禁止或限制。

(5) 把全部或者绝大多数关税税率配额给予两位 WTO 成员的做法与 GATT 1994 第 13 条第 2 款的导言不符，因为该条款的导言要求关税税率配额的分配尽可能接近 WTO 成员可预期获得的份额。

(6) 把全部或者绝大多数关税税率配额给予两位 WTO 成员的做法与 GATT 1994 第 13 条第 2 款（包括其导言）和第 4 款不符，因为这两个条款要求向“其他”类别分配大量配额。

(7) 把全部或者绝大多数关税税率配额给两位 WTO 成员的做法与 GATT 1994 第 13 条第 2 款第 4 项的规定不符，因为该项要求一个制定国别关税税率配额措施的成员要么寻求与在供应有关产品方面有实质利害关系的 WTO 成员达成协议，要么根据前一代表期内这种成员的供应量（在该产品进口总量或总值中）所占比重，将份额分配给此类成员，同时应适当考虑可能已经影响或正在影响该产品贸易的特殊因素。

(8) 欧盟根据 GATT 1994 第 28 条和《第 28 条的谈判程序》的第 7 段所谈判以及随后实施的关税和关税税率配额不能有效取代在未修改的（关税减让）计划项下欧盟的义务，因为它们与 GATT 1994 第 8 条和第 28 条第 2 款不符。

(9) 欧盟在上述措施中谈判达成的以及随后实施的关税税率和关税税率配额与 GATT 1994 第 1 条第 1 款不符，因为欧盟的这些措施不能满足该条款的要求——任何 WTO 成员给予来自任何其他国家的产品的任何利益、优惠、特权或豁免应立即无条件地给予来自所有其他 WTO 成员领土的同类产品。

B. 关于“2012 修改一揽子”的主张

(1) 配合 GATT 1994 第 28 条之二、第 4 段以及《关于解释 GATT 1994 第 28 条的谅解》，欧盟于 2009 年发起的修改谈判与 GATT 1994 第 28 条第 1 款不符，因为欧盟并未与拥有主要或实质供应利益的 WTO 成员或在没有歧视性数量限制时本来可以拥有如此利益的 WTO 成员进行谈判或磋商。

(2) 欧盟在上述措施中谈判达成的以及随后实施的关税税率和关税税率配额与第 28 条第 2 款不符，因为它们未能保持互惠互利减让的总体水平不低于修改前所存在的总体水平。

(3) 欧盟对两个 WTO 成员分配的国别关税税率配额违反了 GATT 1994 第 13 条，因为其减少了对其他 WTO 成员的市场准入承诺——欧盟保证维持一个建立在非歧视基础上的市场准入制度。

(4) 把全部或者绝大多数关税税率配额给予两位 WTO 成员的做法与 GATT 1994 第 13 条第 1 款不符，因为来自 WTO 成员同类产品的进口并未因此同样受到禁止或限制。

(5) 把全部或者绝大多数关税税率配额给予两位 WTO 成员的做法与 GATT 1994 第 13 条第 2 款的导言不符，因为该条款的导言要求关税税率配额的分配尽可能接近 WTO 成员可能预期获得的份额。

（6）把全部或者绝大多数关税税率配额给予两位 WTO 成员的做法与 GATT 1994 第 13 条第 2 款（包括其导言）和第 4 款不符，因为这两个条款要求向“其他”类别分配大量配额。

（7）把全部或者绝大多数关税税率配额给予两位 WTO 成员的做法与 GATT 1994 第 13 条第 2 款第 4 项的规定不符，因为该项要求一个制定国别关税税率配额措施的成员要么寻求与在供应有关产品方面有实质利害关系的 WTO 成员达成协议，要么根据前一代表期内这种成员的供应量（在该产品进口总量或总值中）所占比例，将份额分配给此类成员，同时应适当考虑可能已经影响或正在影响该产品贸易的特殊因素。

（8）欧盟拒绝与中国进行磋商与 GATT 1994 第 13 条第 4 款不符，因为该条款要求应对供应相关产品具有实质利害关系的任何其他成员的请求，一个制定国别关税税率配额的成员立即进行磋商，磋商的内容包括：调整分配关税税率配额和选择的基期的必要性，或对所涉及的特殊因素进行重新评估的必要性。

（9）欧盟根据 GATT 1994 第 28 条和《第 28 条的谈判程序》的第 7 段所谈判以及随后实施的关税和关税税率配额不能有效取代在未修改的（关税减让）计划项下欧盟的义务，因为它们与 GATT 1994 第 8 条和第 28 条第 2 款不符。

（10）在没有向 WTO 秘书处通知认证、通知货物计划变更生效日期以及通知货物计划修改草案的情况下，欧盟的做法与《第 28 条的谈判程序》的第 7 段所陈述的程序和《修改和改正关税减让计划和时间表的程序》的第 1 段不符。

（11）没有适当通知修改计划表的认证、接着通知的认证以及上述在这方面的其他违法措施的做法导致欧盟违反了 GATT 1994 第 2 条第 1 款和第 2 款，因为其对来自中国的禽肉进口所给予的待遇低于其在货物减让表中所规定的待遇。

（12）欧盟的做法与 GATT 1994 第 1 条第 1 款不符，因为欧盟的这些措施不能满足该条款的要求——任何 WTO 成员给予来自任何其他国家的产品的任何利益、优惠、特权或豁免应立即无条件地给予来自所有其他 WTO 成员领土的同类产品。

欧盟的措施也使得中国在所引用的协定项下直接或间接获得的利益受到丧失或减损。

中国保留在磋商期间进一步举证事实以及提起法律申诉的权利，以及提请设立专家组的权利。

中国期待收到欧盟对此请求的回复，以便确定双方均可接受的磋商时间。

（梁意译，黄满盈校）

五、乌克兰——对硝酸铵的反倾销措施：俄罗斯请求磋商

此文件自 2015 年 3 月 7 日，在俄罗斯联邦代表团和乌克兰代表团及争端解决机构主席间沟通，现根据 DSU 第 4.4 条的规定予以散发。

我方谨代表俄罗斯联邦政府（下称“俄罗斯”），根据 DSU 第 1 条和 4 条，请求与乌克兰政府（下称“乌克兰”）协商。

本磋商涉及乌克兰根据下述协议条款对原产于俄罗斯的进口硝酸铵征收反倾销税的措施，以及相应的中期审查和复审裁决：GATT 1994 第 23.1 条、《关于执行 GATT（1994）第 6 条（即反倾销协议，下称“ADA”）的协议》第 17.2 条和 17.3 条的规定所做出。

国际政府间贸易委员会根据 2013 年 5 月 24 日第 AD-294/2013/4423-06 号决定和 2014 年 7 月 1 日第 AD-315/214/4421-06 号决定的内容（如上述决定所载，包括乌克兰经济发展和贸易部的所有附件、通知和报告[①]，以及由此做出的任何修正），做出了有关征收最终反倾销税措施的决定。

这里所探讨的措施可能与乌克兰在 WTO 中承诺的义务不一致，尤其是与以下 ADA 及 GATT 中的规定矛盾：

1. 违反 ADA 第 2.1 条和 2.2 条规定，乌克兰没有对输自俄罗斯的硝酸铵价格和在俄罗斯境内消费的类似产品的正常价值进行比较，裁定存在倾销。

2. 违反 ADA 的第 2.2 条和 2.2.1 条规定，乌克兰在裁定时未能公正、客观地评估事实，包括判定硝酸铵在俄罗斯境内的销售不属于正常贸易过程，并拒绝采用类似产品在原产地和正常贸易过程中的出口售价格作为确定硝酸铵正常价值的基础。

① 特别地，乌克兰号经济发展和贸易部 2014 年 6 月 25 日第 442110/21367-07 号通告（Communication），以及乌克兰经济发展与贸易部在对输自俄罗斯的硝酸铵的反倾销措施进行中期审查和期满复审期间得到的主要调查结果。

3. 违反ADA第2.2条和2.2.1条规定，乌克兰由于价格原因将硝酸铵在俄罗斯境内的销售视为非正常贸易过程，并且在确定正常价值时忽视了此批销售，没有事先认定这些产品已经售出，并且：(1) 在延长调查期内；(2) 数量巨大；(3) 在合理期限内未能以该售价收回成本。

4. 违反ADA第2.2，第2.2.1和第2.2.1.1条规定，乌克兰没有按照接受调查的生产商和出口商所记录的价格计算成本，而该记录是根据出口国的公认会计准则所得，并合理体现了硝酸铵的相关生产和销售费用。乌克兰拒不接受俄罗斯硝酸铵生产商实际支付的天然气价格，而代之以调整后的、在德国边境交付的天然气出口价格，但此调整后的价格与所涉产品的生产和销售并无关联。乌克兰采用这样的价格来“调整”硝酸铵的生产成本，以此推定正常价格，从而裁定硝酸铵在俄罗斯境内的销售不属于正常贸易过程。

5. 违反ADA第2.2条规定，因为乌克兰未能成功地利用其他基础计算出“正常价值”，从而得到倾销利润率，例如类似产品对第三方国家出口价格，或者结构（/推定）正常价值（constructed normal value）。

6. 违反ADA第2.4条，俄罗斯未能在出口价格和正常价值间做出公正比较。例如，乌克兰错误地计算了产自俄罗斯的硝酸铵的结构（/推定）正常价值。

7. 违反ADA第5.8、11.1、11.2、2.2、2.4、11.3、9.2和9.3条规定，乌克兰未能完全排除俄罗斯出口商，而俄罗斯的最低倾销幅度是以中期审查、期满复审、有关最初的反倾销税的决定，以及新实施的反倾销税为基础，在司法审查①的过程中裁定的。

8. 违反ADA第6.1、6.2、6.4和6.5.1条规定，因为乌克兰未能给予当事人充分的机会以捍卫自己的利益，且未能及时给所有利益相关方提供看到全部非机密信息的机会以捍卫其权利。特别是，乌克兰没有要求申请人为机密信息提供非机密摘要，也没有要求申请人为这些摘要信息做足细节上的准备，使利害关系方能够充分理解申请方提供的机密信息。

9. 违反ADA第6.8条及其附件二规定，乌克兰无视俄罗斯出口商和生产商以合适的时间和方式提交的、经过查实的硝酸铵生产和销售的成本，代之以自其他来源（包括第三方组织）的信息。即便生产商和出口商在调查期间没有拒绝访问或以其他方式未能提供必要的信息，也不会严重阻碍调查。

10. 违反ADA第6.9条规定，乌克兰未能充分披露促成其决定采取反倾销措施所依据的基本事实，包括确定倾销及计算倾销幅度和对损害以及确定因果关系时所依赖的基本事实。乌克兰未能为所有利益相关方提供足够的时间来审查、回应所探讨的基本事实，以捍卫其利益。

11. 违反ADA第9.2条和第9.3条规定，由于倾销幅度是乌克兰比较了硝酸铵的结构（推定）正常价值后得到的，但该结构（推定）正常价值并不能反映类似产品在原产地和出口国的成本和价格信息，导致乌克兰征收的反倾销税超出了实际倾销幅度。

12. 违反ADA第11.2条和第11.3条规定，乌克兰在发起期中审查和期满复审时没有足够的证据证明这些审查的必要性。

13. 违反ADA第6.6条和第11.2条规定，由于乌克兰未能正确依据事实做出公正客观的裁定——即为抵消倾销损害，继续征反倾销税是必要的；以及一旦反倾销税被取消或改变，损害可能继续或复发。

14. 违反ADA第6.6条和11.3条规定，由于乌克兰未能正确依据事实做出公正客观的评定——即反倾销税的终止是否有可能导致倾销和损害的继续或复发，并且乌克兰也没有足够的事实根据，得出合理的充足的结论裁定这种继续或复发的可能性。

15. ADA第1条，第18.1条内容便是违反ADA上述条款的后果。

因此，乌克兰的措施可能直接或间接地抵消了上述协议给俄罗斯带来的利益。俄罗斯保留在磋商过程中采取额外措施、提出诉讼和其他事项的权利。

---

① 根据基辅市行政区法院于2009年2月6日第5 / 411号的判决结果，基辅上诉行政法院于2009年2月6日第2—a—8850/08号的判决结果，以及乌克兰高等行政法院于2010年5月20日第K—42562/09号和第K—42568/09号的判决结果。

俄罗斯期待收到乌克兰对此请求的答复，并建议确定一个彼此方便的日期进行磋商。

（宋懿达译，戴臻校）

六、欧盟——影响欧盟对自俄罗斯进口的部分产品的成本调整方法和对应的反倾销措施：俄罗斯请求磋商

此文件自 2015 年 5 月 7 日，在俄罗斯代表团和欧盟代表团及争端解决机构主席间进行沟通，现根据 DSU 第 4 条第 4 款的规定予以散发。

1. 受我方（俄罗斯）政府授权，根据《关于争端解决规则与程序的谅解》（简称“DSU”）第 1 条和第 4 条，GATT 1994 第 22 条第 1 款，《关于实施 1994 年关税与贸易总协定第 6 条的协定》（简称《反倾销协议》）第 17 条第 2 款和第 3 款，以及 SCM 协议第 30 条，我代表团请求与欧盟进行磋商。

2. 请求包括但不限于下列法律、条例、行政程序、方法和具体措施：

（1）关于防止非欧共体成员国倾销进口的 2009 年 11 月 30 日第 1225/2009 号理事会条例（EC）（即“基本反倾销法规”）第 2 条第 3 款和第 2 条第 5 款，包括任何后续修改、替代、执行措施及相关文件或惯例。

（2）欧盟在反倾销调查和审查中计算倾销幅度的“成本调整”的行政程序、方法和措施：

拒绝使用外国生产商和出口商记载在其记录中的实际成本数据，这些数据采用的是出口国一般所公认的会计原则，它合理地反映了产品的生产与销售成本。

以所谓的“市场”成本数据替代外国生产商和出口商的实际成本数据，包括使用原产地和出口国以外国家的进口价格来决定是否在普通贸易过程中进行销售并构建正常参考值。

（3）欧盟关于“成本调整”的行政程序、方法或做法否认了将原产地或出口国的同类产品的价格作为正常值来确定销售价格的基础，因为“特殊市场情况”下，产品的价格或者生产主体商品时的某种投入都被“人为地低估了”，“不符合世界市场价格或者其他代表市场的价格”，否则所谓的“市场障碍”如政府的价格管制或出口税就被扭曲。

（4）继续和（或）重复使用这种行政程序、方法或者做法来认定倾销和损害，既不基于外国生产商和出口商的记录和实际数据，也缺乏法律上的正当性和经济上的基础。

3. 该请求还涉及欧盟使用上述行政程序、方法或措施，在连续反倾销中对于反倾销幅度的计算，其中包括：

（1）进口原产于俄罗斯联邦的硝酸铵；

（2）进口原产于俄罗斯联邦的非铁或非合金钢焊接管和管道；

（3）进口原产于俄罗斯联邦的某些无缝管和铁制或钢制管。

4. 该请求进一步涉及下列措施的适用：

（1）明确对原产于俄罗斯联邦的硝酸铵进口的反倾销措施；

（2）明确自 2013 年 7 月 12 日起，对原产于俄罗斯的硝酸铵进口的反倾销措施（2013/C 200/09）的到期复审开始后，在超过五年的时间内，对从俄罗斯联邦进口的硝酸铵征收反倾销税；

（3）明确根据理事会条例（EC）第 1225/2009 号第 11（2）条，对进口原产于俄罗斯联邦的硝酸铵的反倾销措施到期复审；

（4）明确对原产于俄罗斯联邦的某些非铁或非合金钢焊接管和管道的进口反倾销措施；

（5）明确自 2013 年 12 月 19 日起，对原产于俄罗斯联邦的某些非铁或非合金钢焊接管和管道的进口的反倾销措施（2013/C 372/10）的到期复审开始后，在超过五年的时间内，对从俄罗斯进口的某些非铁或非合金钢焊接管和管道征收反倾销税；

（6）明确根据理事会条例（EC）第 1225/2009 号第 11（2）条，对进口原产于俄罗斯联邦的某些非铁或非合金钢焊接管和管道的反倾销措施到期复审。

5. 俄罗斯联邦在磋商过程中期待提出的事项包括但不限于下列内容：

（1）考虑产品生产成本的互斥。实际上，外国生产商和出口商已经将包括能源如石油和电力在内的投入成本记录到生产商或出口商的记录中，这些记录以原产国和出口国的一般通用的会计准则为基础，合理地反映了产品的生产和销售成本；

（2）考虑替代或者“调整”产品生产成本的办法。实际上，由外国生产商和出口商所承担的包括能源如石油和电力在内的投入成本是可以考虑的，

通过使用除原产国和出口国之外的国家的价格，并不能反映出原产国和出口国实际所承担的成本；

(3) 考虑使用与外国生产商或出口国（包括原产国和出口国以外）实际承担的成本不相关的进口价格作为构建产品正常价值的基础；

(4) 拒绝对同类产品在原产国和出口国的正常贸易过程中的销售价格作为确定正常价值的基础，因为“特殊市场情况”如出口关税、价格管制或任何其他存在于原产国和出口国的所谓“市场障碍”，对于正在进行的某种要素或产品来说，它们的价格是“不符合世界市场价格”或“其他有代表性的市场的价格”，因此建立的正常价值的价格不是由外国生产商和出口商实际所承担的，包括那些在产地和出口国；

(5) 拒绝采用正式记录的基于外国生产商和出口上的成本和价格数据，继续使用了此类生产商和出口上的未经调整的盈利数据。用以确定一般交易过程中的销售与否和构建正常价值的问题；

(6) 倾销幅度的影响基于欧洲联盟拒绝准确、可靠的成本和价格数据，并且欧盟替代了的成本和价格信息并不反映原产国和出口国的价格和成本，该成本和价格用以确定进口倾销所致的损害；

(7) 如果欧盟采用在本请求第5.1到5.6段中的行政程序、方法或做法，那么其征收、继续或征集的反倾销税超过了倾销的利润，因此产生了莫须有的税收；

(8) 未能审查俄罗斯联邦加入WTO后继续征收反倾销税的必要性；

(9) 到期复审开始时，没有足够证据证明倾销发生或持续的可能性，没有妥善证明属实的请求；

(10) 未能在审查程序届满前对倾销和伤害的延续或复发的可能性进行适当和客观的分析；

(11) 未能采取一切必要的措施，以确保其法律、规章和行政程序、方法和做法符合WTO协定、1994年关贸总协定、反倾销协定和SCM协定的规定；

(12) 未能正确地建立事实并以公正客观的态度进行评价；

(13) WTO前后矛盾的、开放的和宽松的解释和后续对“正常贸易过程”和“特殊市场情况”概念的应用导致外国生产商的比较优势丧失，因此对实现WTO协定和关贸总协定规定的目标产生了障碍；

(14) 使用反倾销税作为打击政府补贴的实际行动；

(15) 根据理事会条例（EU）第1225/2009号第11（2）条，结论如下：到期复审后，原产于乌克兰的某些铁或非合金的焊接管和管道的倾销风险复发的可能性是有限的。

6. 俄罗斯注意到，上述措施似乎在许多方面，与《反倾销协议》、SCM协定，GATT 1994和建立世界贸易组织的马拉喀什协定（“WTO协定”）下所规定的欧盟的义务不符，特别体现在：

《反倾销协议》第1条；

《反倾销协议》第2.1、2.2、2.2.1、2.2.1.1、2.2.2、2.3和2.4条；

《反倾销协议》第3.1、3.2、3.4和3.5条；

《反倾销协议》第5.8条；

《反倾销协议》第6.8条和附件2；

《反倾销协议》第9.2和9.3条；

《反倾销协议》第11.1、11.2和11.3 11.4条；

《反倾销协议》第17.6条；

《反倾销协议》第18.1和18.4条；

SCM协定第10条和32.1条；

GATT 1994第VI：1、VI：2、VI：6和X：3（a）条；

WTO协定第XVI：4。

欧盟的措施显然剥夺或减损了俄罗斯依据引述的协议所能直接或间接获得的利益。

7. 俄罗斯保留在磋商过程中提出更多措施，以及依据涵盖协议的其他条款增加主张的权利。

8. 俄方期待欧盟及其成员国对该请求做出回复，并商定一个彼此可以接受的日期进行磋商。

（张影译，邓兴华校）

七、韩国——对放射性核素的进口禁令和测试及认证要求：日本请求磋商

此文件自2015年5月21日，在日本代表团和大韩民国代表团及争端解决机构主席间进行沟通，现根据DSU第4条第4款的规定予以散发。

受我方（日本）政府指示，根据DSU第4条、GATT 1994第22条第1款和《卫生与植物卫生措施协议》（SPS协议）第11条第1款的规定，（日本代表团）请求与大韩民国（韩国）政府就韩国影

响来自日本的进口食品的、对放射性核素（采取）的进口禁令以及额外的测试和认证要求进行磋商。

（一）背景

1. 在继 2011 年 3 月 11 日东日本大地震之后福岛第一核电站事故发生后，日本政府（日本）获悉韩国采取了一系列措施（1）禁止进口来自 13 个日本县的某些食品，和（2）若在某些源自日本的食品中检测到包括铯 134 或 137（统称为“铯”）或碘 131 在内的放射性核素，则对某些源自日本的食品采取关于放射性核素存在的额外测试和认证要求。此外，日本了解到韩国于 2013 年 9 月采取措施：（1）把其进口禁令的范围扩展到（适用于）在 8 个日本县捕获或着陆的所有水产品；并且（2）把关于存在除了铯和碘 131 之外的放射性核素的额外测试和认证要求扩展适用于来自日本的、不受进口禁令约束且被检测出存在铯和碘 131 的所有食品。到目前为止，韩国没有公布这些措施，以至于日本可以使用的证据和信息在很大程度上仅限于从韩国相关机构和部门发布的新闻稿中收集的证据和信息。

2. 几个月来，日本一直致力于识别和理解韩国的措施，并满足韩国的关切。日本已参与多次双边会议并与韩国商讨该事宜，而这也与 SPS 协定的精神相符。本着这种精神，日本一再向韩国提供大量详细信息：（1）作为定期向日本各国驻外使团提供的信息的一部分；以及（2）响应韩国提出的具体要求。日本还一再提议在我们各自的技术专家之间举行额外的会议，以进一步了解和解决韩国的关切。

3. 此外，为了使日本能够向韩国展示日本自己的 SPS 措施与韩国 SPS 措施的等同性，并且因为日本有理由相信韩国的 SPS 措施有潜力并且限制从日本出口，而不是基于相关国际标准、准则或建议，日本于 2014 年 3 月 18 日根据 SPS 协定第 4 条和第 5 条第 8 款要求韩国提供：（1）对韩国 SPS 措施的目标和原因的解释；（2）确定其措施打算解决的风险；（3）其 SPS 措施旨在实现的保护水平的指示；以及（4）韩国进行的任何风险评估的副本。2014 年 6 月 9 日和 2014 年 8 月 12 日，日本再次致函重申其要求。虽然韩国有义务根据 SPS 协议第 4 条和第 5 条第 8 款提供所有要求的信息，但其未能对日本的请求给予有意义的回应。

4. 鉴于韩国未能公布其措施，以及其未能切实响应日本根据 SPS 协议第 4 条和第 5 条第 8 款提出的要求，日本深感担忧的是，韩国的涉案 SPS 措施根本缺乏透明度。因此，2014 年 6 月 24 日，日本要求韩国的 SPS 咨询点提供其措施的副本，并回答关于这些措施的范围和含义的基本问题。根据 SPS 协议第 7 条和附件 B，韩国有义务对实质性问题和要求提供答复。然而，2014 年 8 月 26 日的一份来自韩国 SPS 咨询点的答复未能对日本的许多问题提供有意义的实质性答复，并且未能完全回答其他问题。

5. 由于韩国未能做到上述要求，2014 年 11 月 13 日，日本向韩国 SPS 咨询点发出进一步通信，重申其在 2014 年 6 月 24 日请求中尚未答复的那些问题，并提出了后续问题和要求澄清韩国咨询点在 2014 年 8 月 26 日回复中模棱两可之事宜。迄今为止，日本甚至没有收到对其 2014 年 11 月 13 日咨询（通信）的收到确认，更不用说收到答复。

6. 虽然对于日本多次提议的在双方技术专家层面上举行会议的建议，韩国多月来并未予以回应，但韩国最后同意派遣一组技术专家和消费者协会代表（“小组”）到日本，据称是作为审查韩国措施的一部分努力。在 2014 年 12 月和 2015 年 1 月的整个小组访日期间，日本向该小组提供了进一步的信息和参观多个现场的机会，以便他们能够形成对当前形势的第一手了解。此外，在小组访问期间及之后，应韩国的要求，日本和韩国对水产品和海水进行联合取样，以便比较测试结果。这些联合检查的结果表明，水产品中放射性核素的水平显著低于可适用的日本和韩国门槛，而且海水中的放射性核素不超过微量。此外应韩国的要求，日本技术专家于 2015 年 4 月 2 日访问了韩国，以解决韩国技术专家提出的关于测试结果的问题。

7. 尽管有这些进展，韩国没有任何迹象表明在审查和解除其措施方面取得明显进展。此外，韩国继续未能向日本提供有意义的信息以使日本能够了解韩国措施背后的运作和关注并解决这些问题。

（二）争议措施

8. 本磋商请求涉及两组韩国措施：第一组，本请求所涵盖的韩国措施包括但不限于以下与 SPS 协议规定的韩国透明度义务有关的疏漏：

（1）韩国未能在它们被采纳时及时公布以下第

10段和第11段所列的SPS措施以使日本能够熟悉这些措施；

（2）日本于2014年3月18日、2014年6月9日和2014年8月12日根据SPS协议第5条第8款提出请求之后，韩国未能向日本提供对于以下第10段和第11段所列的SPS措施的原因说明；

（3）日本于2014年3月18日、2014年6月9日和2014年8月12日根据SPS协定第4条和《SPS委员会关于实施SPS协定第4条的决定》提出请求之后，韩国未能向日本提供（特别是）关于以下第10段和第11段所指的SPS措施的目标和原理的解释；明确确定这些相同SPS措施打算应对的风险；以及（实施）这些相同SPS措施所依据的风险评估的副本，或基于相关国际标准、指南或建议的技术理由，以使日本能够向韩国证明日本自身SPS措施的等效性。

（4）韩国（特别是其SPS咨询点）未能对日本2014年6月24日所提的问题以及日本关于（韩国）提供以下第10段和第11段所列措施的文件的请求予以回应，以及未能对日本2014年11月13日关于未解答的问题以及后续问题和关于下文第10段和第11段所述措施的请求予以回应。

9. 第二组，本（磋商）请求所涵盖的韩国措施还包括以下形式的SPS措施：（1）进口禁令；（2）韩国采取的额外测试和认证要求。如上所述，韩国没有按照SPS协议鼓励的精神参与双边磋商，也未能履行SPS协议明确规定的义务，即未能提供日本要求的包括韩国争议措施的副本在内的信息和文件。因此，考虑到韩国提供有关其措施的相关信息的程度，日本在下文第10段和第11段中提到韩国的措施，可印证和（或）反映于相关韩国机构和部门发布的新闻稿。

10. 如第9段第（1）点所述，本（磋商）请求所涵盖的韩国SPS措施包括对福岛第一核电站事故发生后于2011年3月或之后对从日本特定地区进口的某些食品实施的进口禁令。日本理解这一进口禁令是特别通过以下公开可得文件证明和（或）反映：

（1）由总理秘书处于2011年3月23日发布的新闻稿《金滉植总理要求严格检查进口食品》；

（2）韩国食品和药品管理局（KFDA）于2011年3月23日发布的新闻稿《KFDA应对与管理关于日本核危机措施的现状（1）》；

（3）KFDA于2011年3月23日发布的新闻稿《KFDA应对与管理关于日本核危机措施的现状（2）》；

（4）由总理秘书处于2011年3月25日发布的新闻稿《临时中止进口来自受放射性污染的日本地区的食品》；

（5）由韩国食品、农业、林业和渔业部（MIFAFF）于2011年4月21日发布的新闻稿《临时禁止从福岛进口玉筋鱼》；

（6）由KFDA于2011年10月5日发布的新闻稿《KFDA应对与管理关于日本核危机的现状》；

（7）MIFAFF于2012年4月16日发布的新闻稿《临时禁止从福岛进口红点鲑》；

（8）MIFAFF于2012年4月20日发布的新闻稿《临时禁止从茨城县进口鲈鱼、蓝鼓鱼、鳊鱼、鲶鱼和鲫鱼》；

（9）MIFAFF于2012年4月23日发布的新闻稿《临时禁止从宫城县进口白鲻鱼和马苏鲑鱼》；

（10）MIFAFF于2012年4月30日发布的新闻稿《暂时禁止从福岛县进口鲤鱼和鲫鱼》；

（11）MIFAFF于2012年5月3日发布的新闻稿《临时禁止从宫城县和岩手县进口鳕鱼》；

（12）MIFAFF于2012年5月8日发布的新闻稿《临时禁止从茨城县进口日本鳗鱼等》；

（13）MIFAFF于2012年5月9日发布的新闻稿《临时禁止从宫城县进口豹河豚（panther puffer）》；

（14）MIFAFF于2012年5月15日发布的新闻稿《临时禁止从岩手县进口白鲻鱼》；

（15）MIFAFF于2012年5月16日发布的新闻稿《临时禁止从宫城县进口红点鲑》；

（16）MIFAFF于2012年5月31日发布的新闻稿《临时禁止从宫城县进口鳊鱼》；

（17）MIFAFF于2012年6月4日发布的新闻稿《临时禁止从茨城县进口团扇鳐》；

（18）MIFAFF于2012年6月21日发布的新闻稿《临时禁止从枥木县进口红点鲑》；

（19）MIFAFF于2012年6月26日发布的新闻稿《临时禁止从福岛县进口包括黄鱼在内的35种水产品》；

（20）MIFAFF于2012年6月29日发布的新闻稿《临时禁止从宫城县进口黑鲷》；

（21）MIFAFF于2012年7月9日发布的新闻稿《临时禁止从茨城县进口石鲽》；

（22）MIFAFF于2012年7月17日发布的新闻稿《临时禁止从福岛县进口条斑星鲽等》；

（23）MIFAFF于2012年7月24日发布的新闻稿《临时禁止从千叶县进口鲫鱼》；

（24）MIFAFF于2012年7月27日发布的新闻稿《临时禁止从福岛县进口星斑狗鱼（stars potted dog fish）》；

（25）MIFAFF于2012年8月6日发布的新闻稿《临时禁止从福岛县进口日本鳗鱼》；

（26）MIFAFF于2012年8月13日发布的新闻稿《临时禁止从枥木县进口马苏鲑鱼》；

（27）MIFAFF于2012年8月28日发布的新闻稿《临时禁止从福岛县进口紫色河豚》；

（28）MIFAFF于2012年8月29日发布的新闻稿《临时禁止从青森县进口鳕鱼》；

（29）MIFAFF于2012年10月26日发布的新闻稿《临时禁止从岩手县进口鲈鱼》；

（30）MIFAFF于2012年11月7日发布的新闻稿《临时禁止从岩手县进口黑鲷》；

（31）MIFAFF于2012年11月13日发布的新闻稿《临时禁止从茨城县进口鳕鱼》；

（32）首相办公室于2013年9月6日发布的新闻稿《政府禁止从福岛附近的8个县进口所有水产品》；

（33）韩国食品和药品安全部（MFDS）于2013年9月27日发布的新闻稿《对日本进口的辐射检查结果（2013年9月13—26日）》；以及

（34）韩国在其2013年10月28日向SPS委员会发布的紧急措施通告（作为WTO文件G/SPS/N/KOR/454/Add.1分发，以下简称“G/SPS/N/KOR/454/Add.1”）中所援引的、2013年9月6日发布的《关于从日本进口的食品安全临时特别措施的MFDS公告》。MFDS于2013年9月27日发布的新闻稿《对日本进口的辐射检查结果（2013年9月13—26日）》

日本进一步理解到作为本磋商请求的主题的进口禁令，尤其是用以实施如下规定，和（或）在如下基础上予以采纳：

（35）《韩国食品卫生法》，因为其涉及放射性核素的潜在污染，包括该法的第4、7、7.2、14、15、15.2、17、21、22、57和58条；

（36）《韩国食品标准和规范》（《食品法典》），因为其涉及放射性核素的潜在污染，包括该法的第1.1条（第33和34段）、第2条和第5条；

（37）《韩国食品卫生法实施法令》，因为其涉及放射性核素的潜在污染，包括该法的第4、5、7和11条；

（38）《韩国食品卫生法实施法令》，因为其涉及放射性核素的潜在污染，包括该法的第10和12条以及附件4；

（39）《韩国家畜产品卫生控制法》，因为其涉及放射性核素的潜在污染，包括该法的第4、15、15.2、26.3、26.4、33和33.2条；

（40）《韩国家畜产品卫生控制法实施法令》，因为其涉及放射性核素的潜在污染，包括该法的第18.5、26.3和26.4条；

（41）《韩国家畜产品卫生控制法实施条例》，因为其涉及放射性核素的潜在污染，包括该法的第21条；

（42）《韩国关于家畜产品的加工标准和组成规格》，因为其涉及放射性核素的潜在污染；

（43）《韩国农产品和水产品质量控制法》，因为其涉及放射性核素的潜在污染；

（44）《韩国农产品和水产品质量控制法实施法令》，因为其涉及放射性核素的潜在污染；以及

（45）《韩国农产品和水产品质量控制法实施条例》，因为其涉及放射性核素的潜在污染。

11. 此外，如第9段第（2）点所述，本（磋商）请求所涵盖的韩国SPS措施包括关于日本食品中存在其他放射性核素的额外测试要求和额外认证要求，如果在这些食品中检测出放射性核素（包括铯或碘131）。这些措施是在福岛第一核电站事故发生后于2011年3月或之后实施的。日本理解这些措施特别是由以下公开可得文件印证，和（或）特别反映于以下公开可得文件中：

（1）由KFDA于2011年4月14日发布的新闻稿《KFDA关于日本核危机的应对和管理措施的现状》；

（2）韩国首相办公室于2013年9月6日发布的新闻稿《政府禁止从福岛附近的8个县进口所有

水产品》；

（3）由 MFDS 于 2013 年 9 月 27 日发布的新闻稿《对日本进口的辐射检查结果（2013 年 9 月 13—26 日）》；

（4）韩国海洋和渔业部于 2014 年 8 月 21 日发布的新闻稿《关于媒体报道“鱼，不可信”（解释材料）》；

（5）韩国在 G/SPS/N/KOR/454/Add.1 文件中援引的 2013 年 9 月 6 日发布的《关于从日本进口的食品安全临时特别措施的 MFDS 公告》；

（6）韩国 MFDS 于 2011 年 4 月 14 日发布的新闻稿，该新闻稿公布了来自日本和其他出口国的食品中铯和碘 131 的测试结果，并指出检测出铯和碘 131 的日本食品需要进行额外测试和认证；以及

（7）自 2011 年 4 月 14 日以后韩国向进口日本食品到韩国的独立进口商或出口日本食品到韩国的日本出口商发布通知，要求他们进行额外的测试和认证，如若在这种食品中检测出铯或碘 131 的话。

日本还理解，作为本磋商请求主题的额外测试和认证要求特别是在如下基础上被实施或通过的：

（8）《韩国食品卫生法》，因为其涉及放射性核素的潜在污染，包括该法的第 4、7、7.2、14、15、15.2、17、19、19.4、21、22、24、57 和 58 条；

（9）《食品法典》，因为其涉及放射性核素的潜在污染，包括该法的第 1.1 条（第 33 和 34 段）、第 2 条和第 5 条；

（10）《韩国食品卫生法实施法令》，因为其涉及放射性核素的潜在污染，包括该法的第 4、5、7 和 11 条；

（11）《韩国食品卫生法实施法令》，因为其涉及放射性核素的潜在污染，包括该法的第 10 和 12 条以及附件 4；

（12）《韩国家畜产品卫生控制法》，因为其涉及放射性核素的潜在污染，包括该法的第 4、15、15.2、26.4、33 和 33.2 条；

（13）《韩国家畜产品卫生控制法实施法令》，因为其涉及放射性核素的潜在污染，包括该法的第 18.5、26.3、26.4 和 65 条；

（14）《韩国家畜产品卫生控制法实施条例》，因为其涉及放射性核素的潜在污染，包括该法的第 21 条；

（15）《韩国关于家畜产品的加工标准和组成规格》，因为其涉及放射性核素的潜在污染；

（16）《韩国农产品和水产品质量控制法》，因为其涉及放射性核素的潜在污染；

（17）《韩国农产品和水产品质量控制法实施法令》，因为其涉及放射性核素的潜在污染；

（18）《韩国农产品和水产品质量控制法实施条例》，因为其涉及放射性核素的潜在污染。

12. 如果上文所引的新闻稿是作为争议措施的反映和（或）证据，则是由于韩国未能遵守 SPS 协定的透明度和公布义务，如上文（例如第一节）所述。因此在引用新闻稿的地方，本磋商请求还包括（以下措施）：引起发布新闻和（或）在新闻稿中描述的韩国法律文件或任何其他形式的措施，无论是立法性质的、规章性质的、管理性质的、行政性质的或是司法性质的；以及向韩国机构、韩国进口商或外国出口商发出的、以帮助实施和（或）适用所有引起发布新闻和（或）在新闻稿中描述的韩国法律文件或任何其他形式的措施的通知或指导。

13. 此外，本磋商请求还包括（如下）任何形式的（文件）：上文第 8 至 11 段所述措施的任何修正、补充或延长（实施）；任何取代、更新或实施上文第 8 至 11 段所述措施的措施；以及与上文第 8 至 11 段所述措施有关的任何措施。日本保留在磋商过程中提出更多事实和提出其他措施的权利。

（三）申诉的法律基础

14. 日本认为，上文第二节中确定的韩国措施与 SPS 协议不符。日本特别认为：

（1）正如上文第 8 段下的第（1）点所指，韩国未能在上文第 10 和 11 段所列的 SPS 措施通过之后立即公布它们以使日本能够熟悉这些措施，这与 SPS 协议第 7 条及其附件 B 的第 1 段不符；

（2）正如上文第 8 段下的第（2）点所指，在日本根据 SPS 协议第 5.8 条分别于 2014 年 3 月 18 日、2014 年 6 月 9 日和 2014 年 8 月 12 日提出请求之后，韩国未能向日本提供采取上文第 10 段和第 11 段所列措施的理由来说明，这与 SPS 协定第 5.8 条不符；

（3）正如上文第 8 段下的第（3）点所指，在日本根据 SPS 协议第 4 条以及《关于实施 SPS 协议第 4 条的 SPS 委员会决定》分别于 2014 年 3 月 18 日、2014 年 6 月 9 日和 2014 年 8 月 12 日提出

请求之后，韩国未能向日本提供关于（上文）第10段和第11段特别所指的SPS措施的目的和原理的解释；未能明确确定这些相同SPS措施打算解决的风险；并且未能提供（采取）这些相同SPS措施所根据的风险评估的副本，或（提供）基于相关国际标准、指南或建议的技术理由，以使日本能够向韩国证明日本自己的SPS措施的等效性，这不符合SPS协议第4条；

（4）正如上文第8段下第（4）点所指，对于日本于2014年6月24日和2014年11月13日所提出的问题和关于提供上文第10段和第11段所指措施的文件的请求，韩国未能予以充分回应，这不符合SPS协议第7条和附件B第3段的规定。

15. 此外，日本相信上文第10段和第11段所指措施不符合SPS协议的相关条款。具体而言，日本认为：

（1）上文第10段和第11段所指措施不符合SPS协议的第2.2、5.1和5.2条，因为它们并非基于风险评估；

（2）上文第10段和第11段所指措施不符合SPS协议的第5.7条，因为与韩国所假定的好像相反，这些措施并非在相关科学证据不充足的情况下通过或维持的、并非临时通过的、并非基于可得的相关信息以及并非在合理的时间段内进行审议；

（3）上文第10段和第11段所指措施不符合SPS协议的第2.3条，因为它们任意或不合理地歧视存在相同或相似条件的成员，或因为它们构成对国际贸易的变相限制；

（4）上文第10段和第11段所指措施不符合SPS协议的第5.5条，因为它们在不同情况下的保护水平方面造成任意或不合理的区别，这导致了对来自日本的进口食品造成了歧视或变相限制；

（5）上文第10段和第11段所指措施不符合SPS协议的第5.6条，因为在考虑到技术和经济可行性的情况下，它们比以实现韩国适当保护水平所要求的措施具有更大的贸易限制效果；

（6）上文第11段指述措施在其构成控制、检查或核准程序的范围内，不符合SPS协议第8条和附件C第1段第（a）、（c）、（e）和（g）项的规定，因为相关程序不是以不低于同类国内产品的待遇来对待进口产品的方式来进行和完成的；因为控制、检查或核准程序的信息要求并非限于“必要的”；因为单个样本的控制、检查和批准的要求并非限于合理和必要的；而且因为在设施选址方面所采用的准则并不相同，对申请人、进口商、出口商或其代理人的不便亦不会降到最低。

16. 日本认为，争议措施还使得日本根据SPS协议直接或间接获得的利益受到GATT 1994第23条第1款项下意义的剥夺或减损。

17. 日本保留要求韩国就争议措施提供进一步信息和文件的权利。日本还保留根据涵盖协定的其他条款提出进一步事实和主张并在磋商过程中解决其他措施的权利。

18. 预计日本还将在磋商中提出已根据SPS协议第4条和第5.8条提出却尚未得到答复的问题，以及提出已经向韩国SPS咨询点提出但尚未得到答复的问题。

19. 日本期待收到韩国对本请求的回复并确定一个双方均方便的日期以举行磋商。

（梁意译，邓晓虹校）

八、印度尼西亚——钢铁产品保障措施：越南提出磋商请求

此文件自2015年6月1日，在越南代表团和印度尼西亚代表团及争端解决机构主席间进行沟通，现根据DSU第4条第4款的规定予以散发。

受我方（越南）政府授权，根据DSU第1条和第4条，GATT 1994第22条以及《保障措施协议》第14条，就施加于特定平轧铁或非合金钢产品的保障措施、引发保障措施的调查决定以及根据GATT 1994第14条和《保障措施协议》第12条的规定与通知要求、必要磋商有关的其他方面（统称为涉案措施），我代表团请求与印度尼西亚进行磋商。

根据DSU第4条第4款，现将提交磋商的理由，包括涉案措施和申诉法律依据的示明，提交如下。

背景

2012年12月19日，印度尼西亚保障措施调查机关保障措施委员会（以下简称调查机关）针对平轧铁或非合金钢产品的进口发起了一项保障措施调查，涉案产品宽度不低于600毫米，全部覆盖、镀有或者涂有锌铝合金，以重量计碳含量少于

0.6%，厚度薄于1.2毫米，海关HS代码为7210.61.11.00。[①]

2014年5月27日，调查机关正式将进口持续增长而导致严重损害威胁的调查结果通知给了各WTO成员方。[②] 但是，印度尼西亚的“建议采取措施的通知”不包括对于建议措施以及建议实施时间的提前描述。

2014年7月28日，根据印度尼西亚财政大臣在2014年7月7日发布的规定（编号为137.1/PML.011/2014）以及2015年7月15日发布的2014年度印度尼西亚中央社第978号决议（即保障措施），WTO成员被正式告知了保障措施的实际实施。通知同时也包含一份不适用保障措施的涵盖120个国家的列表。[③] 相关决定包含在调查机关的最终披露报告中。

保障措施包含将在2014年7月22日实施的从量税以及根据如下时间表的递减：

保障措施税征收时间表

时间区段	保障措施税
2014年7月22日～2015年7月21日	每吨4 998 784印度尼西亚卢比
2015年7月22日～2016年7月21日	每吨4 314 161印度尼西亚卢比
2016年7月22日～2017年7月21日	每吨3 629 538印度尼西亚卢比

涉案措施

本案中涉案措施如下：

A. 作为保障措施而向平轧铁或者非合金钢产品（涉案产品宽度不低于600毫米，全部覆盖、镀有或涂有锌铝合金，以重量计碳含量少于0.6%，薄于1.2毫米，HS代码为7210.61.11.00）征收的从量税。

B. 如上述第二段所述，对于因进口增加而受到严重损害威胁以及建议实施保障措施的调查结果的通知。

C. 印度尼西亚没有在实际实施该措施之前提供就有关保障措施的相关信息进行磋商的机会，包括有关建议措施本身以及开始实施的日期等相关信息。

法律依据

越南提出，根据《保障措施协议》第11条第1款a项，成员国不能实施或者寻求实施一项保障措施，除非这项措施符合根据《保障措施协议》而适用的GATT 1994第14条的规定。在此方面，申诉方基于如下法律依据：

A. 有关作为保障措施的从量税：

Ⅰ. GATT 1994第14条第1款a项以及《保障措施协议》第3条第1款最后一句。因为保障措施没有基于适当的决定或者一个合乎逻辑且充分的对于GATT项下义务任何不可预见的发展以及影响的说明，从而引发了导致国内产业实质性损害或者有实质性损害威胁的进口的增加。

Ⅱ. GATT 1994第14条第1款a项以及《保障措施协议》第2条第1款、第3条第1款最后一句、第4条第1款a项、第4条第2款a项、第4条第2款b项、第4条第2款c项。因为保障措施没有基于一个适当的决定或者一个合乎逻辑且充分

① 印度尼西亚保障措施委员会根据《保障措施协议》第12条第1款a项就发起一项调查及其原因的通知规定，涉及平轧铁或非合金钢产品，2013年1月8日发布编号为G/SG/N/6/IDN/22的通知及其补充版，见2013年4月24日，发布编号为G/SG/N/6/IDN/22/Suppl.1的通知。

② 印度尼西亚保障措施委员会根据《保障措施协议》第12条第1款b项（对于一项由于进口增加而导致的严重损害或者严重损害威胁的决定的规定以及通知建议采取的措施）而发出的通知，于2014年5月27日发布，编号分别为G/SG/N/8/IDN/16、G/SG/N/10/IDN/16。

③ 印度尼西亚保障措施委员会根据《保障措施协议》第12条第1款b项（对于一项由于进口增加而导致的严重损害或者严重损害威胁的决定的规定）而发出通知，根据《保障措施协议》第12条第1条c项（有关决定实施一项保障措施的规定）而发出的通知，根据《保障措施协议》第9条脚注2的规定而发出的通知，涉案产品是HS编码为7210.61.11.00的平轧铁或非合金钢产品，文件代码分别是G/SG/N/8/IDN/16/Suppl.1、G/SG/N/10/IDN/16/Suppl.1、G/SG/N/11/IDN/14，28 July 2014.

的有关任何进口增长的说明。

Ⅲ. GATT 1994 第 14 条第 1 款 a 项以及《保障措施协议》第 2 条第 1 款、第 3 条第 1 款最后一句、第 4 条第 1 款 a 项、第 4 条第 1 款 b 项、第 4 条第 1 款 c 项、第 4 条第 2 款 a 项、第 4 条第 2 款 b 项、第 4 条第 2 款 c 项。因为保障措施基于严重损害或者严重损害威胁的决定，没有在国内产业的立场上反映出重大的总体上损害的情况，例如严重损害即将发生。此外，也没有合乎逻辑且充分的针对特定产品（优耐板产品）严重损害（或者严重损害威胁）的说明，尽管保障措施也适用于这些产品。

Ⅳ. GATT 1994 第 14 条第 1 款以及《保障措施协议》第 2 条第 1 款、第 3 条第 1 款最后一句以及第 4 条第 2 款 c 项。因为保障措施没有合乎逻辑且充分的依据来解释受调查的进口在多大范围内导致严重损害或者导致对于国内产业的严重损害威胁。此外，尽管存在与国内产业有关的“其他因素”，也没有合乎逻辑且充分的理由解释不可归因性的分析是如何进行的。

Ⅴ. 根据 GATT 1994 第 1 条第 1 款，在任何情况下，从量税都不能够适用于原产地在特定地区或者从特定地区被提交托运的产品，这就造成了一项没有及时且无条件地给予其他成员国的优势。

B. 关于对严重损害威胁以及建议采取保障措施的决定的通知，根据《保障措施协议》第 12 条第 2 款，涉案通知没有包含所有有关的信息，包括建议采取的措施、采取时间或者该项措施渐进自由化时间表。

C. 关于未在实施保障措施之前提供磋商机会，依据为 GATT 第 14 条第 2 款以及《保障措施协议》第 12 条第 3 款。因为印度尼西亚没有提供就相关因素举行磋商的机会（例如，建议采取的保障措施以及实施时间），并且与这些因素有关的信息仅仅在实际实施之后才予以发布。

越南建议这些磋商能够导致其他具有法律含义的事件（没有在这项请求中明确陈述但是与 GATT 1994 以及《保障措施协议》中印度尼西亚的其他义务有关）。为了简化广泛的意见交流，需要强调的是，如果情况真是如此，那么这些法律事件同样也会被磋商请求所涵盖。

同样地，越南提出，尽管它正在提出有关保障措施（实施于前述提到的印度尼西亚的法律文件和最终披露函件中）的磋商请求，这项请求也涵盖了任何其他的包含有任何决定、决定方式或计算方法，或补遗文件、补充文件、发展中的文件，或在任何情况下与在这项磋商请求中明确提及的标准文件有关的法律文件和（或）相关文件。

越南希望能够得到马来西亚方面关于此项请求的回应。同时建议磋商于双方相互同意的日期在日内瓦召开。

（路少华译，宋懿达校）

九、巴西——涉及税收和收费的若干措施：日本请求磋商

此文件自 2015 年 7 月 2 日，在日本代表团和巴西代表团及争端解决机构主席间进行沟通，现根据 DSU 第 4 条第 4 款的规定予以散发。

受我方（日本）政府授权，根据《关于争端解决规则与程序的谅解》（简称“DSU”）第一条和第四条，GATT 1994 第 1 条，《与贸易有关的投资措施协议》（简称“TRIMs 协议”）第 8 条，以及《补贴和反补贴协议》（简称“SCM 协议”）第 4 条和第 30 条，在涉及税收和收费的几项措施上，同适用协定的若干规定中巴西所要承担的义务不一致，我代表团请求与巴西联邦共和国政府进行磋商。

这些措施会影响几个经济部门，而且在某些情况下，它们横向适用于所有商品或多种类商品。无论作为一个整体还是单独来看，这些措施通过对巴西境内的生产者、投资者和出口商提供优惠和支持，还有：（1）对进口商品征收实施高于国内生产的产品的税收；（2）限制巴西境内包括国内生产产品在内的某些支出的税收优惠；以及（3）提供出口补贴，从而有效提高了对巴西国内产业保护的程度。

近几年，随着新的具体税收方案的通过和现有税收方案的修改或完成，巴西境内与税收相关的对生产者、投资者和生产商的税收优惠的整体框架得到了明显强化，然而相关的一些具体措施已经存在多年，所以也呈现出基本一致的规律。

本次磋商请求主要聚焦事项如下：

1. 与汽车部门相关的措施

巴西的“汽车供应链的科技创新和整合的激励

计划”或“自主创新”计划，降低了对国内汽车的税收。

巴西对工业产品实施IPI税（即工业产品税）。2011年9月，巴西对汽车的工业税税率提升了30%。2012年巴西在引入名为“自主创新”的新的税收优惠政策的同时提高了工业税税率。“自主创新”政策为项目内的车辆即由具有自主创新认证（资格）的公司制造或进口的车辆实行低工业税的税收优惠政策。在某些条件下，自主创新认证（资格）被授予巴西境内的汽车制造公司、在巴西境内的生产设施或工业项目的投资计划获得巴西相关机构正式批准的公司，以及不参与制造仅在巴西市场上销售汽车的公司。根据不同认证类型，要获得认证，公司必须满足一系列要求，包括某些国内生产要求（就在巴西境内生产汽车的公司而言）、国内研发（R&D）支出要求、国内设计支出要求以及国内监管要求。

一旦获得认证，在某些条件下，公司可获得IPI税收抵免，否则要根据项目内国内汽车销售计税。IPI税收抵免最高可抵免依汽车销售所记IPI税负的30%。剩余税负可根据公司进口汽车的比例就行抵免，最高抵免30%，但对汽车数量有明确限制。

用于抵免IPI税的IPI税负与在巴西境内的特定开支水平相关，（特别是）包括所谓战略投入（即原材料和汽车零部件）、工艺装备（模具）、研发记忆汽车供应商的能力培养。此外，巴西最近引入了一些额外标准，旨在进一步鼓励在汽车制造中使用本地生产的汽车零部件。

此外，有限几家获得认证的来自WTO成员方（即南方共同市场国家和墨西哥）的企业进口的汽车在IPI税的实施中享受特殊的税收减免优惠。而对从其他WTO成员方进口的汽车，IPI税收减免仅适用于有限数量的汽车。

日本认为，巴西“自主创新”及相关措施的建立和管理主要依据的法律文件包括但不限于下列法规：

2011年12月14日，第12546号法律；

2012年9月17日，第12715号法律；

2013年7月19日，第12844号法律；

2014年6月18日，第12996号法律；

2012年10月3日，第7819号法令；

2013年5月17日，第8015号法令；

2014年8月12日，第8294号法令；

2013年4月1日，科学技术与创新部第296号条例；

2013年4月11日，科学技术与创新部第106号条例；

2013年4月15日，科学技术与创新部第113号条例；

2013年8月12日，科学技术与创新部/发展工业外贸部第772号部际条例；

2013年9月4日，科学技术与创新部第280号条例；

2013年9月30日，科学技术与创新部第297号条例；

2014年9月23日，科学技术与创新部第257号条例；

2014年12月26日，科学技术与创新部第318号条例；

2013年5月22日，流转税第38号协议；

依照自主创新政策（INOVAR-Auto）授予的自主创新认证（资格）；

以及任何修订或扩展，任何替代措施、更新措施、实施措施以及任何与以上所列措施有关的其他措施。

日本担忧的是，自主创新认证条件以及接受并使用IPI税收抵免的条件外加提高的IPI税率，在实施中对产自国内的汽车及汽车零件的优惠条件要多于进口的相似产品，且对产自外国的汽车及汽车零件采取歧视性待遇。此外，自主创新认证条件以及接受并使用IPI税收抵免的条件对使用国产零件而非进口零件提供补贴。自主创新政策也对进口自某些WTO成员方而非其他受歧视性待遇国家的汽车给予了优惠条件。

根据这些事实，日本担心自主创新政策、巴西的IPI税收制度及其单独或组合措施本身及其使用都与巴西在下列协定条款项下应承担的义务不符：

GATT 1994第I：1条；

GATT 1994第III：2条；

GATT 1994第III：4条；

GATT 1994第III：5条；

《与贸易有关的投资措施协议》第2.1条，单独或同第2.2条一起使用，以及《与贸易有关的投资措施协议》附件中的示例清单；

《补贴与反补贴措施协议》第 3.1 条、第 3.2 条。

《补贴与反补贴措施协议》第 4.2 条要求在第 4.1 条项下进行的磋商请求需包括关于是否存在补贴及补贴性质的可用证据的声明。这一要求可用的证据列于附件 A 中。

2. 与信息和通信技术、自动化及相关产品相关的措施

A. 具体措施

为努力提高其信息和通信技术（简称“ICT”）、自动化及相关部门，巴西政府已经建立了多个项目以提供经济激励，包括但不限于对参与这些部门货物和服务的生产和进出口的国内实体实施必要的税收、关税、贡献和费用的免除和缩减。自 1991 年起，巴西开始实行一套一定税收优惠的综合系统，收录并通过以下计划实施：（1）信息计划，制定于信息法框架下（1991 年 10 月 23 日，第 8 号法律，2001 年 1 月 11 日第 1 号法律修订）；（2）数字包容计划（2005 年 11 月 21 日，第 11196 号法律）；（3）半导体产业奖励计划，即 PADIS（2007 年 5 月 31 日，第 11484 号法律）；以及（4）支持数字电视设备行业技术发展计划，即 PATVD（2007 年 5 月 31 日，第 11484 号法律）。

只有那些在巴西从事生产经营活动和符合基本生产过程（“PPB”，译为基本生产过程）要求的公司可以享受上述计划中指定产品的优惠待遇。PPB 是在巴西境内由行政部门发布的对“以产品的有效工业化为特征的生产设备的最小操作集”的一套标准。

Ⅰ. 信息计划

巴西的信息计划是通过信息法（1991 年 10 月 23 日，第 8248 号法律）及相关法律文件设立并实施的。该计划降低了发展和生产信息技术和自动化货物和服务的公司的工业产品税负（或 IPI），并且投资了巴西境内的信息技术研发活动。要在信息计划框架下享受税收优惠，据相关政府部门授权的行政决策（条例），公司必须是合格的，或者“认证”（资格）的。同时也必须证明公司是依据 PPB 条款要求在巴西境内生产相关产品的。

信息计划降低了获得认证的公司的 IPI 税负，其他公司按所制造产品的销售计税。信息计划也为制造相关产品过程中原材料、中间产品以及包装材料的使用提供 IPI 税负的税收抵免。此外，被认定为“先进”的产品在巴西享受更大的税收优惠。

日本认为，巴西信息计划的建立和管理主要依据的法律文件，包括但不限于下列法规：

1991 年 10 月 23 日，第 8248 号法律；

2001 年 1 月 11 日，第 10176 号法律；

2014 年 8 月 8 日，第 13023 号法律；

2006 年 9 月 26 日，第 5906 号法令；

2009 年 2 月 5 日，第 6759 号法令（最终及过渡条款），由之后的法案修订；

2010 年 6 月 15 日，第 7212 号法令（尤其是第六章第二部分）；

2002 年 10 月 18 日，科学技术与创新部/发展工业外贸部第 177 号部际条例；

2006 年 12 月 12 日，科学技术部第 950 号条例；

2007 年 3 月 19 日，科学技术与创新部/发展工业外贸部/巴西财政部第 148 号部际条例；

2007 年 10 月 25 日，科学技术与创新部/发展工业外贸部第 685 号部际条例；

2010 年 8 月 4 日，发展工业外贸部/科学技术部第 170 号部际条例；

2013 年 8 月 30 日，发展工业外贸部第 267 号条例；

2013 年 9 月 18 日，发展工商部/发展工业外贸部第 1 号部际条例；

2013 年 12 月 19 日，科学技术部第 1309 号条例；

2014 年 2 月 13 日，科学技术与创新部/发展工业外贸部第 202 号部际条例；

根据上述法律条文规定采用 PPB 的条例；

依照信息计划授予的认证（资格）；

以及任何修订或扩展，任何替代措施、更新措施、实施措施以及任何与以上所列措施有关的其他措施。

Ⅱ. 数字包容计划

根据第 11196 号法律条款、修订案及相关法规规定，所谓“数字包容计划”免除了“数字产品”生产商（如电脑、路由器、智能手机及其他计算机硬件）对社会一体化费/社会贡献税［PIS/PASEP 是为私企雇员（社会一体化费，或称 PIS）和公务

员（社会贡献税，或称PASEP）保险融资筹集资金的制度］和社会保险融资税［或称COFINS，对社会保障融资的贡献，要求为社会保障融资做出捐助］的支付，否则要根据货物和服务销售进行计税。特别是，对零售总额的PIS/PASEP和COFINS的贡献要求降至零。适用这一降低的产品包括：数字处理元件，重量低于3.5千克的用于数据处理的便携式数字自动化设备，键盘和鼠标，调制解调器，便携式自动数据处理器，便携式电话，以及消费者终端设备（数字路由器）。数字包容计划要求：要享受税收优惠，所涉产品需按PPB条例规定在巴西境内制造。

日本认为，巴西数字包容计划的建立和管理主要依据的法律文件，包括但不限于下列法规：

2005年11月21日，第11196号法律；

2005年12月6日，第5602号法令；

2013年4月10日，物料控制部第87号条例；

2013年8月26日，STE第2号条例；

以及任何修订或扩展，任何替代措施、更新措施、实施措施以及任何与以上所列措施有关的其他措施。

Ⅲ.半导体产业奖励计划和支持数字电视设备行业技术发展计划

半导体产业奖励计划和支持数字电视设备行业技术发展计划都是通过第11号法律（2007年5月31日）制定的。这些计划通过诸多相关法规和指令得以实施。活跃于巴西的半导体和相关产品、数字电视信息显示和设备制造的公司有资格享受税收优惠。要在该两项计划下受益，公司必须经相关政府部门认定合格，或者满足“认证”（资格）。对认证后的公司，根据国内销售或者机器、器具、仪器、设备和软件的进口以及用于开发和生产活动的上述产品的供应，PADIS和PATVD计划将减免某些税负和费用，包括IPI税和PIS/PASEP所要求的捐助、COFINS、进口PIS/PASEP、进口COFINS（进口PIS/PASEP和进口COFINS分别对货物进出口有筹款的缴纳要求）。此外，PADIS和PATVD根据上述产品的销售减免认证公司所要缴纳的PIS/PASEP，COFINS和IPI税。

制造业要按照PPB条例和（或）相关部委规定的其他标准，以期至少享受部分优惠待遇。这些要求和标准包括某些国内生产要求以及其他要求和（或）鼓励使用国产零部件的标准。这些计划的受益者必须每年对研发进行投资等，根据其相关产品的总销售额计算出一定的最低金额。

日本认为，PADIS计划的建立和管理主要依据的法律文件，包括但不限于下列法规：

2007年5月31日，第11484号法律；

2007年10月11日，第6233号法令；

2008年6月13日，第852号联邦税务秘书处规范指令；

2010年6月15日，第7212号法令（尤其是第六章第三部分）；

2009年2月5日，第6759号法令（尤其是第三册，第二标题，第七章第七部分），由之后的法案修订；

依照PADIS计划授予的认证（资格）；

以及任何修订或扩展，任何替代措施、更新措施、实施措施以及任何与以上所列措施有关的其他措施。

日本认为，PATVD计划的建立和管理主要依据的法律文件，包括但不限于下列法规：

2007年5月31日，第11484号法律；

2007年10月11日，第6234号法令；

2008年6月13日，第853号联邦税务秘书处规范指令；

2010年6月15日，第7212号法令（尤其是第六章第四部分）；

2009年2月5日，第6759号法令（尤其是第三册，第二标题，第七章第八部分）；

依照PATVD计划授予的认证（资格）；

以及任何修订或扩展，任何替代措施、更新措施、实施措施以及任何与以上所列措施有关的其他措施。

B.诉求的法律依据

令日本担忧的是，信息计划、数字包容计划、PADIS以及PATVD计划减少了纳税义务，在实施中对产自国内的电信、自动化和相关产品的优惠条件要多于对进口的相似产品，且对产自外国的电信、自动化和相关产品采取歧视性待遇。此外，由信息计划、数字包容计划、PADIS以及PATVD计划授权的税收减免对使用国产零件而非进口零件提供补贴。

根据这些事实，日本担心信息计划、数字包容计划、PADIS 以及 PATVD 计划单独或组合措施本身及其使用都与巴西在下列协定条款项下应承担的义务不符：

GATT 1994 第 I：1 条；

GATT 1994 第 II：1（b）条；

GATT 1994 第 III：2 条；

GATT 1994 第 III：4 条；

GATT 1994 第 III：5 条；

《与贸易有关的投资措施协议》第 2.1 条，单独或同第 2.2 条一起使用，以及《与贸易有关的投资措施协议》附件中的示例清单；

《补贴与反补贴措施协议》第 3.1（b）条、第 3.2 条。

《补贴与反补贴措施协议》第 4.2 条要求在《补贴与反补贴措施协议》第 4.1 条项下进行的磋商请求需包括关于是否存在补贴及补贴性质的可用证据的声明。这一要求可用的证据列于附件 B 中。

3. 向出口商提供税收优惠的措施

A. 出口公司资本货物特殊采购制度

RECAP 是巴西根据 2005 年 11 月 25 日第 11196 号法律和 2005 年 12 月 29 日第 5649 号法令建立的“出口公司资本货物特殊采购制度”，并通过诸多相关法规加以实施。在此制度下，对“主要出口企业”，主要指上一年总营业额中至少 50%来自出口的企业和出口没有达到 50%的临界值但是承诺在接下来三年内实现这一目标的企业（2005 年 11 月 25 日第 11196 号法律），巴西也根据上述公司对机器、工具、仪器、其他设备的国内采购和出口暂停几项税收和费用的征收，包括 PIS/PASEP、COFINS 进口 PIS/PASEP 以及进口 COFINS。当满足某些条件时，暂停征收将最终变为零利率。

要享受 RECAP 的优惠待遇，“主要出口企业”必须从财政部联邦收入秘书处获得“认证”（资格）。企业需承诺其在未来二至三年内（视具体情况而定）将出口水平维持在年总营业额的 50%或以上并履行上述承诺，满足这些条件时可享受 RECAP 的优惠待遇。

日本认为，RECAP 计划的建立和管理主要依据的法律文件，包括但不限于下列法规：

2005 年 11 月 25 日，第 11196 号法律；

2012 年 9 月 17 日，第 12715 号法律；

2005 年 12 月 29 日，第 5694 号法令；

2006 年 5 月 25 日，第 5789 号法令；

2009 年 2 月 5 日，第 6759 号法令（尤其是第三册，第二标题，第七章第四部分）；

2006 年 1 月 4 日第 605 号联邦税务总局规范指令；

依照 RECAP 计划授予的认证（资格）；

以及任何修订或扩展，任何替代措施、更新措施、实施措施以及任何与以上所列措施有关的其他措施。

依据上述指令制定和管理并由巴西有关当局实施的 RECAP 计划与巴西在《补贴与反补贴措施协议》第 3.1（a）条和第 3.2 条项下应承担的义务不符；

《补贴与反补贴措施协议》第 4.2 条要求，在第 4.1 条项下进行的磋商请求需包括关于是否存在补贴及补贴性质的可用证据的声明。这一要求可用的证据列于附件 C 中。

B. 与原材料、中间产品和包装材料采购相关的出口补贴

对主要出口企业，巴西也根据其对原材料、中间产品和包装材料的采购暂停和免除了 IPI 税、PIS/PASEP、COFINS、进口 PIS/PASEP 和进口 COFINS 的征收。

根据修订的第 10637 号法律（2002 年 12 月 30 日）和第 10865 号法律（2004 年 4 月 30 日），为了使上一年至少 50%的总营业额来自出口的主体受益，巴西暂停了对 IPI 税、PIS/PASEP、进口 PIS/PASEP、COFINS 和进口 COFINS 的征收。上述税收的暂停或免除？相当于使用此类原材料、中间产品和包装材料的最终产品在出口或销售时适用零税率。同样的规则适用于 IPI 税。

日本认为，这些出口补贴的建立和管理主要依据的法律文件，包括但不限于下列法规：

2002 年 12 月 30 日，第 10637 号法律；

2004 年 4 月 30 日，第 10865 号法律；

2012 年 9 月 17 日，第 12715 号法律；

2009 年 2 月 5 日，第 6759 号法令（尤其是第三册，第一标题，第七章，以及第三册，第二标题，第七章第五部分）；

2005 年 12 月 27 日第 595 号联邦税务总局规范指令；

2009年6月15日第948号联邦税务秘书处规范指令；

依照计划授予的主要单独出口实体认证（资格）或注册；

以及任何修订或扩展，任何替代措施、更新措施、实施措施以及任何与以上所列措施有关的其他措施。

依据上述指令制定和管理并由巴西有关当局实施的RECAP计划与巴西在《补贴与反补贴措施协议》第3.1（a）条和第3.2条项下应承担的义务不符；

《补贴与反补贴措施协议》第4.2条要求，在第4.1条项下进行的磋商请求需包括关于是否存在补贴及补贴性质的可用证据的声明。这一要求可用的证据列于附件C中。

日本保留在磋商阶段就上述措施提出进一步的事实和主张的权利。

日本期待收到巴西对此请求的回复，并确定一个双方均方便的磋商日期和地点。

附件A——汽车部门

2011年12月14日，第12546号法律，经之后法案修订；

2012年9月17日，第12715号法律，经之后法案修订；

2013年7月19日，第12844号法律，经之后法案修订；

2014年6月18日，第12996号法律，经之后法案修订；

2012年10月3日，第7819号法令，经之后法案修订；

2013年5月17日，第8015号法令；

2014年8月12日，第8294号法令；

2013年4月1日，科学技术与创新部第296号条例；

2013年4月11日，科学技术与创新部第106号条例；

2013年4月15日，科学技术与创新部第113号条例；

2013年8月12日，科学技术与创新部/发展工业外贸部第772号部际条例；

2013年9月4日，科学技术与创新部第280号条例；

2013年9月30日，科学技术与创新部第297号条例；

2014年9月23日，科学技术与创新部第257号条例；

2014年12月26日，科学技术与创新部第318号条例；

2013年5月22日，流转税第38号协议。

<u>在巴西发展部、工业和对外贸易部网站上可获得的已知实体名单：</u>

http：//www. mdic. gov. br//sitio/interna/interna. php？ area=2&menu=4217&refr=4205

附件B——电信、自动化及相关产品

<u>信息计划：</u>

1991年10月23日，第8248号法律，经之后法案修订；

2001年1月11日，第10176号法律，经之后法案修订；

2014年8月8日，第13023号法律，经之后法案修订；

2006年9月26日，第5906号法令，经之后法案修订；

2009年2月5日，第6759号法令，经之后法案修订；

2010年6月15日，第7212号法令，经之后法案修订；

2002年10月18日，科学技术与创新部/发展工业外贸部第177号部际条例；

2006年12月12日，科学技术部第950号条例；

2007年3月19日，科学技术与创新部/发展工业外贸部/巴西财政部第148号部际条例；

2007年10月25日，科学技术与创新部/发展工业外贸部第685号部际条例；

2010年8月4日，发展工业外贸部/科学技术部第170号部际条例；

2013年8月30日，发展工业外贸部第267号条例；

2013年9月18日，发展工商部/发展工业外贸部第1号部际条例；

2013年12月19日，科学技术部第1309号条例；

2014年2月13日，科学技术与创新部/发展工业外贸部第 202 号部际条例；

根据上述法律条文规定采用 PPB 的条例。

数字包容计划：

2005 年 11 月 21 日，第 11196 号法律，经之后法案修订；

2005 年 12 月 6 日，第 5602 号法令，经之后法案修订；

2013 年 4 月 10 日，物料控制部第 87 号条例；

2013 年 8 月 26 日，STE 第 2 号条例。

半导体产业奖励计划（PADIS）：

2007 年 5 月 31 日，第 11484 号法律，经之后法案修订；

2007 年 10 月 11 日，第 6233 号法令，经之后法案修订；

2008 年 6 月 13 日，第 852 号联邦税务秘书处规范指令；

2010 年 6 月 15 日，第 7212 号法令，经之后法案修订；

2009 年 2 月 5 日，第 6759 号法令，经之后法案修订。

支持数字电视设备行业技术发展计划（PATVD）：

2007 年 5 月 31 日，第 11484 号法律，经之后法案修订；

2007 年 10 月 11 日，第 6234 号法令，经之后法案修订；

2008 年 6 月 13 日，第 853 号联邦税务秘书处规范指令；

2010 年 6 月 15 日，第 7212 号法令，经之后法案修订；

2009 年 2 月 5 日，第 6759 号法令，经之后法案修订。

附件 C——对出口商的税收优惠

RECAP：

2005 年 11 月 25 日，第 11196 号法律，经之后法案修订；

2012 年 9 月 17 日，第 12715 号法律，经之后法案修订；

2005 年 12 月 29 日，第 5694 号法令，经之后法案修订；

2006 年 5 月 25 日，第 5789 号法令，经之后法案修订；

2009 年 2 月 5 日，第 6759 号法令；

2006 年 1 月 4 日第 605 号联邦税务总局规范指令。

受益人名单：

http：//www. receita. fazenda. gov. br/Legislacao/RegimeAquisicao/RelacaodasPJIN605. htm

与原材料、中间产品和包装材料采购相关的出口补贴：

2002 年 12 月 30 日，第 10637 号法律，经之后法案修订；

2004 年 4 月 30 日，第 10865 号法律，经之后法案修订；

2012 年 9 月 17 日，第 12715 号法律，经之后法案修订；

2009 年 2 月 5 日，第 6759 号法令，经之后法案修订；

2005 年 12 月 27 日第 595 号联邦税务总局规范指令；

2009 年 6 月 15 日第 948 号联邦税务秘书处规范指令。

（刘颖译，黄满盈校）

十、印度——对源自台湾、澎湖、金门、马祖单独关税区的 USB 闪存驱动器的反倾销关税：台、澎、金、马单独关税区请求磋商

此文件自 2015 年 9 月 24 日，在台湾、澎湖、金门、马祖单独关税区代表团和印度代表团及争端解决机构主席间进行沟通，现根据 DSU 第 4 条第 4 款的规定予以散发。

1. 根据《关于争端解决规则与程序的谅解》（简称“DSU”）第一条和第四条，GATT 1994 第 1 条，GATT 1994 第 22 条，以及 GATT 1994 第 6 条（以下简称“反倾销协议”），就印度对来自台湾、澎湖、金门、马祖单独关税区的 USB 闪存驱动器（下文简称“标的物”）特别实施的最终反倾销税措施，台湾、澎湖、金门、马祖单独关税区代表团请求与印度政府（简称“印度”）进行磋商。

2. 2013 年 6 月 21 日，印度通过印度公报的一则正式通知，对标的物发起了反倾销调查（简称“AD”）。并于 2014 年 12 月 19 日通过另外一则通知，对建议征收反倾销税的调查结果做出了肯定性

初裁。2015年5月22日，印度发布海关通知，对标的物加征反倾销税。

3. 本请求涵盖了印度对尤其是来自台湾、澎湖、金门和马祖单独关税区的标的物以及对标的物征收的反倾销税，包括所有与上述反倾销调查相关的布告、通知、裁决、决定、决策、命令以及任何其他法律文件。在上述情况下，有关印度发出的此类通知、调查结果、命令等的非详尽清单如下：

a. 启动通知，2013年6月21日

b. 披露声明，2014年12月5日

c. 最终裁决，2014年12月19日

d. 关税通知（2015年第22号），2015年5月22日

4. 对于上述每一项措施，本请求同样包含与之相关的任何修订、替代、延长、实施措施，不限于在当前请求进行磋商之前或是之后的日期予以发布。

5. 此外，涉及该问题的措施还有印度的相关法律以及在上述反倾销调查过程中所实施的印度的相关法律，特别包括《1995海关关税法》（对倾销产品的反倾销税的识别、评估以及损害的确定）。

6. 台湾、澎湖、金门、马祖单独关税区认为，关税规则附录II次要条款的第3条（对倾销产品的反倾销税的识别、评估以及损害的确定），以及上述规则的第9条第2款，与反倾销协议第3.3条不一致：该规则并未根据“进口产品之间”的竞争情况，对从一个以上国家进口的累计评估受到同时期反倾销调查的影响是否合适进行评估。由条款的系统应用可以确定，作为一项政策，印度也已经违反了且将继续违反《反倾销协定》第3.3条款，因为其并未根据“进口产品之间”的竞争情况，对从一个以上国家进口的累计评估受到同时期反倾销调查的影响是否合适进行评估。

7. 此外，单独关税区的台湾、澎湖、金门和马祖认为，上述第二段和第四段所描述的争议中的问题与GATT 1994的规定及《反倾销协议》不一致。特别是，上述措施与下列规定不符：

A. 与调查启动相关的措施：

- 《反倾销协定》第5.2条，第5.3条。因为就①出口自台湾、澎湖、金门、马祖单独关税区的标的物的正常价值、出口价格和倾销幅度以及②对国内产业的损害之间存在因果关系而言，国内行业提出的申请中并未包含“充分性”的证据。

- 《反倾销协定》第5.3条。因为印度并没有对国内行业提交的信息的准确性、充分性和有效性进行客观的有意义的检验。

B. 与问卷调查的拒绝以及可获得事实的运用相关的措施：

- 《反倾销协定》第6.8条及附录II。原因主要为：

① 印度在不满足第6.8条条款所描述的情况下，采用了“可获得事实”方式。

② 印度拒绝了由已知出口商提交的信息，违背了《反倾销协定》附录II中似1、3、6、7段中所规定的条件。

③ 印度拒绝了由某些已知出口商提交的关于反倾销调查过程中某些不相关实体未能提交单独的问卷调查的信息。

④ 印度未能考虑到调查机关及案件记录中的事实。

⑤ 印度参与了“可获得信息”的惩罚性使用。

- 《反倾销协定》第6.8条及附录II第5段。因为印度无视了所有由已知出口商提交的信息。

- 《反倾销协定》第6.1条、第6.2条、第6.8条和第6.11条。因为印度拒绝接受案件记录中由一名已知出口商（在台湾、澎湖、金门、马祖单独关税区以外注册成立的一家公司）提供的信息。

- 《反倾销协定》第6.8条以及附录II第7段。因为印度未实行“最佳可获信息”原则，特别是：

① 印度未对所采用的事实为何与每一个已知出口商及标的物的其他出口商最相适应或者“最适合”进行评估。

② 印度在使用二手资料时未从其他独立来源对该信息进行核对。

- 《反倾销协定》第6.8条，第6.1条。因为印度未能将足够的细节、由他们提出的信息中所谓的缺陷和差距以及这些缺陷所带来的后果通知到已知出口商，进而未能向已知出口商提供合理时间内澄清和改正此类缺陷和差距的机会。

C. 与所涉产品的定义及类似条款有关的措施：

- 《反倾销协议》第2.2条、第2.4条、第3.1条、第3.4条、第3.5条、第3.6条以及第

2.1 条、第 2.6 条。因为对包含在考虑范围内的一部分标的物，印度国内行业未执行相似条款。

• 《反倾销协议》第 9.3 条以及第 2.1 条、第 2.6 条。因为一部分标的物在进口到印度时未被征收反倾销税，而一部分标的物在进口到印度时已经被征收了反倾销税。对此，印度国内行业未执行相似条款。

D. 与一般价格和倾销幅度的计算相关的措施：

• 《反倾销协议》第 2.2 条。因为印度未使用第三方相似产品的比较价格，也没有使用原生产国的生产成本与合理数量的管理、销售和总成本费用之和来作为一般价格，且未给出充分解释。

• 《反倾销协议》第 2.4 条（最后一句）。因为印度剥夺了利害关系方就确保出口价格和结构性正常价值之间的公平比较进行调整而提出明智要求的机会。

• 《反倾销协议》第 2.4 条，第 2.4.2 条。因为印度计算单一倾销幅度的标的物包含了 14 个不同等级。而这 14 个等级的正常价值确定了不足 5 个。

• 《反倾销协议》第 6.10 条。因为印度并未计算来自台湾、澎湖、金门、马祖单独关税区的每一个已知出口商各自的倾销幅度。

• 《反倾销协议》第 2.2.1 条、第 2.4 条以及第 6.10 条。因为印度拒绝了关于正常价值和某些出口商出口价格的信息，参与出口产品至印度的无关实体并未协助调查。

• 《反倾销协议》第 9.3 条，GATT 条款第 6 条。因为倾销幅度的确定没有按照《反倾销协议》条款第 2 条来确定正常价值。

E. 与损害认定相关的措施：

• 《反倾销协议》第 3.2 条。因为印度没有考虑到在所谓的倾销产品的进口和国内相似产品价格之间存在的关联、关系或者解释力的存在。

• 《反倾销协议》第 3.3 条。因为就从这些国家进口的产品之间的竞争情况以及此类进口产品和国内相似产品之间的竞争情况而言，案件记录上没有对从特定国家进口的累计评估是否合适做出评定。

• 《反倾销协议》第 3.4 条。因为印度没有检查或评估所谓倾销产品与国内产业状况之间是否存在某种关联、关系或解释力。

• 《反倾销协议》第 3.1 条、第 3.5 条以及 GATT 条款第 6 条。因为印度已经进行了错误的因果关联分析。

F. 与调查执行相关的措施：

• 《反倾销协议》第 5.10 条。因为印度没有在发起调查 18 个月之内结束调查。

• 《反倾销协议》第 6.4 条。因为印度没有及时为利害关系方提供查看调查中所使用的进口数据、出口价格以及调查机构所使用的正常价值以及此类信息来源的机会。

• 《反倾销协议》第 6.2 条。因为缺少与调查中使用的进口数据、出口价格以及调查机构所使用的正常价值以及与此类信息来源相关的信息，利害关系方未能获得充分维护自身利益的机会。

• 《反倾销协议》第 6.5 条。因为①原本非机密的信息被印度作为机密信息对待；②印度没有要求机密信息的利害关系方提供此类信息的非机密摘要。

• 《反倾销协议》第 6.6 条。因为印度没有对国内行业提供的信息进行客观的有意义的检查。

• 《反倾销协议》第 6.9 条（第一句）。因为印度没有将“基本事实”通知利害关系方，包括但不限于：

—出口数据；

—正常价值的计算；

—出口价格的计算；

—倾销幅度的计算；

—比较正常价值和出口价格时所用的销量；

—不同等级或种类标的物之间比较的基础以及可能存在的影响价格比较的调整；

—足以消除损害的最低反倾销税的计算；

—以及所有此类信息来源。

• 《反倾销协议》第 6.2 条，第 6.9 条（第一句）。因为印度既没有向来自台湾、澎湖、金门、马祖单独关税区的每一个已知出口商提供充分维护自身利益的机会，也没有向该出口商提供披露声明。

• 《反倾销协议》第 6.9 条（第二句）。因为印度没有为利害关系方提供足够的时间来维护其利益。

• 《反倾销协议》第 12.2.2 条。因为印度没有公布所有相关信息（包括但不限于《反倾销协议》第12.2.1条中所列的详细信息)。

• GATT第X:2条。因为印度在正式公布之前已经对标的物实施了反倾销税。

8. 因此,对反倾销调查中的标的物所采取的反倾销税与《反倾销协议》第18条以及GATT 1994第6条的规定不一致。

9. 台湾、澎湖、金门、马祖单独关税区进一步认为,印度对相关问题采取的措施对台湾、澎湖、金门、马祖单独关税区的出口货物带来严重的负面影响。根据GATT 1994第XXIII:1条以及DSU第3.8条,台湾、澎湖、金门、马祖单独关税区认为,上述措施造成了GATT 1994项下台湾、澎湖、金门、马祖单独关税区利益的丧失或减损。

10. 台湾、澎湖、金门、马祖单独关税区保留其在磋商阶段对相关问题提出额外要求及法律诉求的权利。

11. 台湾、澎湖、金门、马祖单独关税区期待收到印度对此请求的回复,并确定一个双方均方便的磋商日期和地点。

(刘颖译,黄满盈校)

十一、俄罗斯——影响铁路设备及零部件进口的措施:乌克兰请求磋商

此文件自2015年10月21日,在乌克兰代表团和俄罗斯联邦代表团及争端解决机构主席间进行沟通,现根据DSU第4条第4款的规定予以散发。

受我方(乌克兰)政府授权,根据《关于争端解决规则与程序的谅解》(简称"DSU")第1条和第4条,GATT 1994第22条以及《技术性贸易壁垒协议》(简称"TBT协议")第14条,对涉及俄罗斯联邦对铁路车辆、道岔和其他铁路设备及零件的进口所采取的几项措施(下文简称"铁路产品"),我代表团请求与俄罗斯联邦政府(简称"俄罗斯")进行磋商。

1. 争议产生之背景

由于俄罗斯对某些铁路产品的进口所采取的几项措施,乌克兰生产商对俄罗斯的出口已被有效禁止。由此,2013年乌克兰对俄罗斯的铁路产品的出口额达到了17亿美元,而2014年出现明显下降(仅6亿美元),且将进一步下降:2015年上半年,出口价值总额仅为5100万美元。

2011年7月15日,白俄罗斯、哈萨克斯坦以及俄罗斯联邦关税联盟委员会(现欧亚经济委员会,简称"CU"或关税联盟)采纳了第710条决议,涉及2011年第1条、第2条、第3条技术法规(以下简称"技术法规"),为"铁路车辆""高速铁路"和"轨道交通基础设施建设"的市场投放设定安全和技术要求(以下简称"第710条决议")。根据第710条决议,新技术法规将于采纳3年之后生效(即2014年8月2日),并自该日起,依照技术法规规定的新程序,所有铁路产品的合格评定证书必须由联邦预算组织进行"联邦铁路运输认证登记"(简称FBO"RC FRT")。

2013年12月2日,欧亚经济委员会第285条决议是"对委员会2011年7月15日的第710条决议的修订",即对第710条决议做出了修改,允许第710条决议的实施存在过渡期,即截至2016年8月1日,在上述技术法规生效之前,将合格评定证书签发给铁路产品生产商。该修正案将目前还未进入强制性合格评定程序的铁路产品的过渡期设定至2016年8月1日。

重要的是,先前由FBO"RC FRT"向乌克兰铁路产品生产商签发的合格评定证书于2013年底开始被停用。该停用被俄罗斯联邦当局以"技术原因"和"乌克兰生产商生产设备适当条件下(每年所要求的)检查执行的缺乏"为由认定为合理。尽管我方多次要求,但对于这些证书毫无根据地被停用,俄罗斯联邦当局并未对乌克兰的出口商和乌克兰当局做出任何合理解释。

经过进一步认定,难以获得该证书的事情并未发生在欧亚经济委员会的其他国家。事实上,就铁路车辆产品,基于欧亚经济委员会2011年第1条技术法规,位于白俄罗斯共和国和哈萨克斯坦共和国的欧亚经济委员会合格评定机构已经对乌克兰铁路车辆产品的生产商经签发合格评定证书。

然而俄罗斯联邦评定机构认定这些证书无效。这些评定机构也决定紧要关头该类产品不可在俄罗斯联邦领土范围内被注册使用。

就铁路运输基础设施产品而言,受合格评定证书被停用的影响,依照欧亚经济委员会2011年第3条技术法规的新程序,乌克兰道岔生产商于2014年12月提交了新的申请。然而,2015年2月,这些乌克兰生产商的新申请也遭到俄罗斯联邦当局的

拒绝，且未给出任何合理解释。

由于上述合格评定证书的停用以及按欧亚经济委员会最新采纳的技术法规申请新证书的障碍，乌克兰生产商不能再向俄罗斯联邦出口铁路产品。

乌克兰在世界贸易组织的技术性贸易壁垒委员会以及与俄罗斯联邦的双边会谈中多次强调了其对这一问题的关注。然而，为解决这一问题做出的努力并未达成双方一致的解决方案。

2. 涉案措施

俄罗斯联邦实施和管理上述措施的法律条文一定程度上影响了乌克兰在 WTO 项下权利，法律条文如下：

• 2011 年 7 月 15 日，欧亚经济委员会第 710 条决议，就“铁路车辆的安全性”、“高速铁路的安全性”和“轨道交通基础设施建设的安全性”而“采纳关税联盟技术法规”；

• 2013 年 12 月 2 日，关税联盟第 285 号决议，是“对 2011 年 7 月 15 日欧亚经济委员会第 710 号决议的修订”；

• 关税同盟技术法规 No. 001/2011，根据 2011 年 7 月 15 日，欧亚经济委员会第 710 号决议，采纳的“铁路车辆的安全性”提议；

• 关税同盟技术法规 No. 002/2011，根据 2011 年 7 月 15 日，欧亚经济委员会第 710 号决议，采纳的“铁路车辆的安全性”提议；

• 关税同盟技术法规 No. 001/2011，根据 2011 年 7 月 15 日，欧亚经济委员会第 710 号决议，采纳的“轨道交通基础设施建设的安全性”提议；

• 俄罗斯联邦第 184-FZ 号法律， “技术法规”；

• 2015 年 5 月 29 日，欧亚经济联盟条约技术条例议定书及第 10 章节；

• 2005 年 11 月 14 日，俄罗斯联邦交通运输部第 137 号命令，“道路上运营的一般用途的铁路车辆、集装箱编号统计的组织工作”。2012 年 7 月 25 日，第 266 号命令，“联邦铁路运输代理机构关于铁路车辆、集装箱编号统计实施的公共服务的行政法规的通过”；

• 就乌克兰生产商证书停用一事，联邦铁路运输中俄罗斯联邦预算组织证书登记的指示；

• 2015 年 1 月 20 日，俄罗斯联邦第 ATS-3 号关于对签发给某些原产于乌克兰的铁路产品的证书失效的议定书。

• 2015 年 2 月 9 日，俄罗斯联邦预算组织为联邦铁路运输签发的第 01305 号证书登记信，拒绝了为某些铁路产品（道岔）签发统一的合格评定证书的申请。

此外，本请求也包括对上述第 2 部分的任何修正、补充、扩展或涉及上述第 2 部分的措施的任何修正、补充、扩展，对涉及上述第 2 部分的措施的任何替代、更新或执行，对涉及上述第 2 部分的措施的相关措施。

3. 诉求的法律依据

乌克兰认为，上述措施与俄罗斯联邦在下列协定条款项下应承担的义务不符：

• GATT 1994 第 I:1 条。因为原产于乌克兰的产品并没有像任何其他成员国的同类产品一样受到任何立即、无条件的有利条件、优惠、特权或者豁免权；

• GATT 1994 第 III:4 条。因为上述措施给予原产于乌克兰的产品的优惠待遇低于原产自本国的同类产品；

• GATT 1994 第 X:3（a）条。因为与上述措施相关的法律、规章、决议以及裁决并没有以统一、公平和合理的方式进行管理；

• GATT 1994 第 XI:1 条。因为俄罗斯联邦实施了禁止和限制措施而不是收取关税、税收或其他费用。

• GATT 1994 第 XIII:1 条。因为俄罗斯联邦对自乌克兰的进口实施了禁止和限制措施，而所有来自其他第三方国家的相似产品的进口或出口没有受到类似的禁止和限制措施。

•《技术性贸易壁垒协议》第 2.1 条。因为上述措施给予原产于乌克兰的产品的优惠待遇低于原产自本国和其他国家的同类产品；

•《技术性贸易壁垒协议》第 2.2 条。因为上述措施是以创造不必要的贸易障碍的角度或受其影响的条件下准备、采纳和实施的；

•《技术性贸易壁垒协议》第 2.5 条。因为俄罗斯联邦未应乌克兰机构的要求对上述措施的合理性做出解释；

•《技术性贸易壁垒协议》第 5.1.1 条。因为俄罗斯在评定准备、采纳和实施的一致性的过程中给予原产于乌克兰的产品的优惠待遇相比较而言低于原产自本国和其他国家的同类产品；

- 《技术性贸易壁垒协议》第5.1.2条。因为一致性评估过程中上述措施对国际贸易创造了不必要的障碍。

- 《技术性贸易壁垒协议》第5.2.1条。因为对原产于其他国家的产品的合格评定程序并没有尽快完成和实施，且评定过程要严于原产于本国的同类产品。

- 《技术性贸易壁垒协议》第5.2.2条。因为俄罗斯联邦当局并没有及时检查乌克兰生产商申请合格评定证书的文件的完整性，且没有准确完善地将所有缺陷通知这些申请者。同时因为俄罗斯联邦当局没有及时完善地传达给申请者以便必要情况下申请者可以采取正确的行动。

- 《技术性贸易壁垒协议》第5.2.3条。因为没有限制合格评估和费用确定的必需的信息要求。

- 《技术性贸易壁垒协议》第5.2.5条。因为与对原产于俄罗斯联邦或任何其他国家的同类产品所收取的费用而言，对原产于乌克兰的产品进行的合格评估所收取的费用是不公平的。

- 《技术性贸易壁垒协议》第5.2.6条。因为合格评定程序中所使用的设施的选址和样本的选择给申请人或其代理人造成了不必要的不便。

这些措施显然抵消或减损了乌克兰依据GATT 1994条第ⅩⅩⅢ:1条所能直接或间接获得的利益。

乌克兰保留在磋商阶段就上述措施提出进一步的事实和法律主张的权利。乌克兰也保留在磋商阶段以及未来专家组程序阶段提出额外诉求之权利。

乌克兰期待收到俄罗斯联邦对此请求的回复，并确定一个双方均方便的磋商日期和地点。

（刘颖译，黄满盈校）

十二、南非——对波特兰水泥征收临时反倾销税：巴基斯坦请求磋商

此文件自2015年11月9日由巴基斯坦代表团提交给南非代表团以及争端解决机构主席，现根据DSU第4.4条的规定予以发布：

巴基斯坦伊斯兰共和国（下称“巴基斯坦”）特此请求与南非共和国（下称“南非”）依据GATT 1994第23.1条、《关于执行GATT 1994第6条的协议（即反倾销协议，下称“ADA”）》第17.3条、DSU第4条，就南非对巴基斯坦的波特兰水泥产品采取反倾销措施进行磋商。

南非将征收该临时反倾销税之事通过2015年5月15日第38783期政府公告的第391号通知予以通告。南非将其发起反倾销调查的决定通过2014年8月22日第37915期政府公告的第675号通知予以通告。该项临时反倾销税是基于南非国际贸易执行委员会的《第495号报告：对原产自巴基斯坦或自巴基斯坦进口的波特兰水泥可能存在的倾销的调查》，而于2015年4月29日做出的初步裁定。

巴基斯坦认为，南非采取的反倾销措施违背《关于实施GATT 1994第6条的协议》(ADA)和GATT 1994的相关条款，如下所示：

1. 违反ADA第2.4条规定。南非未能将产品的正常价值与受调查的巴基斯坦出口商的出口价格进行公正的比较，出口商声明南非未能对正常价值及出口价格进行公正合理的调整，未能做出公正合理调整的部分包括但不限于：包装费用、支付成本、折扣和回扣、销售、一般费用和行政费用、物理特征差异、税收以及贸易水平等。

2. 违反ADA第2.6条规定。南非未能明确界定受调查的产品或相似产品的范围。南非要对“波特兰水泥”征收临时反倾销税，然而南非所实施的反倾销调查以及损害的确认却只集中在袋装水泥上。

3. 违反ADA第3.1、3.2、3.4、3.5、3.6以及12.1.1 (i)条规定。南非未能依据肯定性证据而对损害程度进行客观的判断，南非政府并未将受调查的全部产品作为损害分析的基础（波特兰水泥既包括袋装水泥也包括散装水泥）。相反，南非仅仅对袋装水泥所造成的损害程度进行分析，并且忽略了国内散装水泥的销量。

4. 违反ADA第3.1、3.2、3.4及3.5条。南非政府未能依据肯定的证据而对损害程度进行客观的判断，因为其将损害和因果关系调查期延长至4年却不能恰当地审查该期间证据的发展趋势。

5. 违反ADA第3.1、3.4及3.5条规定。南非没有根据肯定性证据而进行客观的审查，从而证明倾销的进口产品通过倾销活动的效应对南非造成损害。南非未能客观地评价倾销活动与南非国内产

业的恶化之间的时间关系。尤其是，南非没有考虑到其国内水泥生产商解散卡特尔企业所产生的影响。

6. 违反 ADA 第 6.2、6.8 条以及附录二的第 6 款规定。在反倾销调查过程中，南非没有对利益相关方提出的某些关键性问题做出回应，同时南非忽略了某些利益相关方提供的证据和信息，而且没有给出合理的解释，也没有给利益相关方进一步解释的机会，所以南非没有给利益相关方充分维护自身利益的机会。

7. 违反 ADA 第 6.1.3 及 6.5 条规定。南非没有及时提供书面申请材料的全文内容。这导致南非产业的主要数据都被省略或被不当引用。

8. 违反 ADA 第 6.2、6.4、6.5 条规定，南非未能使所有的利益相关方及时获取与维护自身利益相关的所有非机密信息。

9. 违反 ADA 第 6.5.1、6.5.2 条规定。南非没有要求国内产业提供机密信息的摘要，而机密信息的摘要能够使巴方合理地理解机密信息的内容。

10. 违反 ADA 第 12.2.1 条规定，特别是第 12.2.1 条第四项和第五项，无论在南非发布的实施临时反倾销措施的公告中，或者在单独报告中，南非都没能为损害的初步裁定结果做出充分的解释，也没能充分解释那些南非援引的引起争议的事实以及法律条款（无论被接受还是被拒绝），同样也没能对做出裁决的主要原因进行详细解释。

基于上述原因，巴基斯坦认为，南非的反倾销调查及其采取的措施与 GATT 1994 的第 6 条，ADA 第 1 条、第 18 条，以及上述提到的有关条款相违背。由于存在上述的诸多不一致，巴基斯坦认为南非对其产品征收临时关税违反了 ADA 第 7.1 条。

除了与反倾销措施相关的法律条款，此次的磋商也包括所有的修订的、扩展的、相关的法律文件以及具体实践方面。巴基斯坦保留其在磋商过程中提出与上述事项相关的其他措施和诉求的权利，以及要求成立专家组的权利。

巴基斯坦期待南非能够根据 DSU 第 4.3 条的规定及时地对此次请求做出回应，并建议确立一个彼此都方便的日期，以便在日内瓦展开磋商。

（宋懿达译，戴臻校）

十三、中国——关于某些国产飞机的税收豁免措施：美国请求磋商

此文件自 2015 年 12 月 8 日，在美国代表团和中国代表团及争端解决机构主席间进行沟通，现根据 DSU 第 4 条第 4 款的规定予以散发。

受我方（美国）政府授权，根据《关于争端解决规则与程序的谅解》（简称“DSU”）第 1 条和第 4 条，GATT 1994 第 22 条第 1 款，就中国为其某些国产飞机提供税收优惠的措施，我代表团请求与中华人民共和国（简称“中国”）进行磋商。

中国向某些国内飞机制造商的销售额提供增值税豁免，包括通用飞机、支线客机和农业飞机。但是中国并未向外国制造商提供类似待遇。这些措施体现在但不限于下列单独实施或共同实施的法律文件里：

1. 财税字［2000］51 号：财政部、国家税务总局关于国产支线飞机免增值税的通知；

2. 财税字［2002］97 号：财政部、国家税务总局关于农五飞机适用国产支线飞机增值税政策的通知；

3. 财税字［2006］283 号：财政部、国家税务总局关于中航一集团新支线飞机有关税收政策的通知；

4.《中华人民共和国增值税暂行条令》国务院令第 538 号、第 134 号修正案；

以及其他修正案、替代性文件和正在实施的其他措施。

这些措施显然与中国在 GATT 1994 第 3 条第 2 款项下所承担的义务不符，因为中国以直接或间接的方式对进口商品征收高于对中国本土同类产品征收的国内税和国内费用。这些措施也显然与中国在 GATT 第 3 条第 4 款项下所承担的义务不符，因为中国给进口产品的待遇要低于中国本土同类产品所享有的待遇。

中国的行为显然与其在 GATT 1994 第 10 条第 1 款项下所应承担的义务不符，因为中国并未及时列明上述的四项文件，以便各国政府与交易商能够熟悉它们。

中国的行为显然与其在《中国加入 WTO 议定书》（WT/L/432）（以下简称“入世议定书”）第一部分第 2 条（C）款第 1 项下所承担的义务不符，因为中国实施了上述四项有关或影响货物贸易

的文件，但是并没有向WTO成员、个人和企业公布，以便他们能够容易获得上述文件。

中国的行为显然与其在《入世协定书》第一部分第2条（C）款第2项下所应承担的义务不符，因为中国未能在上述四项文件在官方刊物上公布之后实施之前提供一段可向有关主管机关提出意见的合理时间。

中国的行为显然与其在《入世议定书》第一部分第1条和第2条（准确地说是《中国加入工作组报告书》第334段所包含的内容）项下所应承担的义务不符，因为中国未能使WTO成员容易获得译成一种或多种WTO正式语言的上述四项法律文件，从而好好利用这些文件。

我们期待中方对此请求做出回复，并确定一个彼此方便的日期进行磋商。

（张影译，邓晓虹校）

附录 1：1995—2015 年争端解决机构受理的案件①

第一部分
请求磋商；成立专家组；达成解决方案

序号	案　件	请求磋商	收到磋商请求（日-月-年）	加入磋商请求	请求成立专家组（日-月-年）	专家组成立（日-月-年）	双边达成解决方案（日-月-年）
1	马来西亚—聚乙烯和聚丙烯进口禁令	新加坡 WT/DS1/1	10-01-1995		17-03-1995 新加坡 WT/DS1/2 WT/DSB/M/6 （请求撤回）		
2	美国—精炼汽油及传统汽油标准	委内瑞拉 WT/DS2/1	24-01-1995		27-03-1995 委内瑞拉 WT/DS2/2	10-04-1995 WT/DSB/M/3	
3	韩国—对于农业产品检测及检验措施	美国 WT/DS3/1	04-04-1995	日本 WT/DS3/2			
4	美国—精炼汽油及传统汽油标准	巴西 WT/DS4/1	10-04-1995		22-05-1995 巴西 WT/DS4/2	31-05-1995 WT/DSB/M/5	
5	韩国—韩国产品保质期措施	美国 WT/DS5/1	03-05-1995	加拿大 WT/DS5/2 日本 WT/DS5/4			31-07-1995 WT/DS5/5 和 Corr. 1 24-11-1995 Add. 1 22-04-1996 Add. 1/Rev. 1 22-04-1996 Add. 2 22-04-1996 Add. 3 19-07-1996 Add. 4 20-09-1996 Add. 5
6	美国—在 1974 年贸易法第 301 及 304 节中对来自日本的汽车征收进口税	日本 WT/DS6/1	17-05-1995	欧共体 WT/DS6/2 澳大利亚 WT/DS6/3			19-07-1995 WT/DSB/M/6

① 此统计截至 2015 年 10 月 31 日。案件可分为五个部分：第一部分包括从最初提出磋商请求到成立专家组，再到争议各方形成双方满意的解决方法的案件；第二部分包括从成立专家组到通过专家组报告，再到提起上诉和通过上诉机构报告的案件；第三部分包括从通过专家组/上诉机构报告到执行争端解决机构建议和裁决的案件；第四、五部分分别包括援引《关于争端解决规则与程序的谅解》第 21.5 条和第 22 条再次提请申诉的案件。

续 表

序号	案 件	请求磋商	收到磋商请求（日-月-年）	加入磋商请求	请求成立专家组（日-月-年）	专家组成立（日-月-年）	双边达成解决方案（日-月-年）
7	欧共体—扇贝的贸易描述	加拿大 WT/DS7/1	19-05-1995	智利 WT/DS7/2 爱尔兰 WT/DS7/3 日本 WT/DS7/4 秘鲁 WT/DS7/5	10-07-1995 加拿大 WT/DS7/7 和 Corr. 1	19-07-1995 WT/DSB/M/6	19-07-1996 WT/DS7/12
8	日本—对酒精饮料征税	欧共体 WT/DS8/1	21-06-1995	美国 WT/DS8/2 加拿大 WT/DS8/3	15-09-1995 欧共体 WT/DS8/5	27-09-1995 WT/DSB/M/7	
9	欧共体—谷类进口税	加拿大 WT/DS9/1	30-06-1995		15-09-1995 加拿大 WT/DS9/2	11-10-1995 WT/DSB/M/8	
10	日本—对酒精饮料征税	加拿大 WT/DS10/1	07-07-1995	美国 WT/DS10/2 欧共体 WT/DS10/3	15-09-1995 加拿大 WT/DS10/5	27-09-1995 WT/DSB/M/7	
11	日本—对酒精饮料征税	美国 WT/DS11/1	07-07-1995		15-09-1995 美国 WT/DS11/2 和 Corr. 1	27-09-1995 WT/DSB/M/7	
12	欧共体—扇贝的贸易描述	秘鲁 WT/DS12/1	18-07-1995	加拿大 WT/DS12/3 智利 WT/DS12/2 和 Rev. 1 日本 WT/DS12/5	15-09-1995 秘鲁 WT/DS12/6 附录 22-09-1995 秘鲁 WT/DS12/7	11-10-1995 WT/DSB/M/8	19-07-1996 WT/DS12/12
13	欧共体—对谷物征收进口税	美国 WT/DS13/1	19-07-1995		29-09-1995 美国 WT/DS13/2 22-11-1996 WT/DS13/2/ Add. 1 13-02-1997 WT/DS13/5 27-03-1997 WT/DS13/6		02-05-1997 WTDS13/8 （请求撤回）

续 表

序号	案 件	请求磋商	收到磋商请求（日-月-年）	加入磋商请求	请求成立专家组（日-月-年）	专家组成立（日-月-年）	双边达成解决方案（日-月-年）
14	欧共体—扇贝的贸易描述	智利 WT/DS14/1	24-07-1995	加拿大 WT/DS14/2 秘鲁 WT/DS14/3 日本 WT/DS14/4	15-09-1995 智利 WT/DS14/5 附录 27-09-1995 智利 WT/DS14/6 附录	11-10-1995 WT/DSB/M/8	19-07-1996 WT/DS14/11
15	日本—影响电信设备购买措施	欧共体 WT/DS15/1	18-08-1995	美国 WT/DS15/2			
16	欧共体—对于香蕉进口、销售及分销的规定	危地马拉 洪都拉斯 墨西哥 美国 WT/DS16/1	28-09-1995	圣卢西亚 WT/DS16/2 哥伦比亚 WT/DS16/3 多米尼加 WT/DS16/4 委内瑞拉 WT/DS16/5 尼加拉瓜 WT/DS16/6 哥斯达黎加 WT/DS16/7			08-11-2012 WT/DS16/8
17	欧共体—稻米进口征税	泰国 WT/DS17/1	05-10-1995				
18	澳大利亚—影响鲑鱼进口措施	加拿大 WT/DS18/1	05-10-1995		10-03-1997 WT/DS18/2	10-04-1997 WT/DSB/M/31	
19	波兰—汽车进口管理体制	印度 WT/DS19/1	28-09-1995				11-09-1996 WT/DS19/2
20	韩国—罐装水措施	加拿大 WT/DS20/1	08-11-1995	美国 WT/DS20/2 欧共体 WT/DS20/4			24-04-1996 WT/DS20/6
21	澳大利亚—影响鲑鱼进口措施	美国 WT/DS21/1	20-11-1995	加拿大 WT/DS21/2	11-05-1999 美国 WT/DS21/4	16-06-1999 WT/DSB/M/64	27-10-2000 WT/DS21/10
22	巴西—影响可可粉措施	菲律宾 WT/DS22/1	30-11-1995		08-02-1996 菲律宾 WT/DS22/5	05-03-1996 WT/DSB/M/12	
23	委内瑞拉—对工业用管材的反倾销调查	墨西哥 WT/DS23/1	05-12-1995				26-05-1997 WT/DS23/3 （调查终止）
24	美国—对棉质及人造纤维质内衣进口的限制	哥斯达黎加 WT/DS24/1	22-12-1995		27-02-1996 哥斯达黎加 WT/DS24/2	05-03-1996 WT/DSB/M/12	

续 表

序号	案 件	请求磋商	收到磋商请求（日-月-年）	加入磋商请求	请求成立专家组（日-月-年）	专家组成立（日-月-年）	双边达成解决方案（日-月-年）
25	欧共体—乌拉圭回合稻米协议实施	乌拉圭 WT/DS25/1	14-12-1995				
26	欧共体—与肉及肉类制品相关措施（荷尔蒙）	美国 WT/DS26/1	26-01-1996	新西兰 WT/DS26/2 澳大利亚 WT/DS26/3 加拿大 WT/DS26/4	25-04-1996 美国 WT/DS26/6	20-05-1996 WT/DSB/M/17	
27	欧共体—对于香蕉进口、销售及分销的规定	厄瓜多尔 危地马拉 洪都拉斯 墨西哥 美国 WT/DS27/1	05-02-1996	多米尼加 WT/DS27/2 圣卢西亚 WT/DS27/3 尼加拉瓜 WT/DS27/4 牙买加 WT/DS/27/5	12-04-1996 厄瓜多尔 危地马拉 洪都拉斯 墨西哥 美国 WT/DS27/6	08-05-1996 WT/DSB/M/16	08-11-2012 WT/DS27/98
28	日本—关于音像制品措施	美国 WT/DS28/1	09-02-1996	欧共体 WT/DS28/2			24-01-1997 WT/DS28/4
29	土耳其—对于纺织品和服装限制措施	香港 WT/DS29/1	12-02-1996	欧共体 WT/DS29/2 马来西亚 菲律宾 泰国 WT/DS29/3 秘鲁 WT/DS29/4 印度 WT/DS29/5 巴西 WT/DS29/7 加拿大 WT/DS29/8			
30	巴西—对来自斯里兰卡的可可粉和可可奶进口征收补贴税	斯里兰卡 WT/DS30/1	23-02-1996				
31	加拿大—关于杂志的特定措施	美国 WT/DS31/1	11-03-1996		24-05-1996 美国 WT/DS31/2	19-06-1996 WT/DSB/M/19	
32	美国—影响女士及女童羊毛外套进口措施				15-03-1996 印度 WT/DS32/1	17-04-1996 WT/DSB/M/14	30-04-1996 WT/DS32/2 （根据争端解决机构1996年4月17日决定终止进一步行动）

续 表

序号	案 件	请求磋商	收到磋商请求（日-月-年）	加入磋商请求	请求成立专家组（日-月-年）	专家组成立（日-月-年）	双边达成解决方案（日-月-年）
33	美国—影响羊毛衬衫及女上衣进口的措施				15-03-1996 印度 WT/DS33/1 和 Corr. 1	17-04-1996 WT/DSB/M/14	
34	土耳其—对于纺织品及服装进口的限制	印度 WT/DS34/1	21-03-1996		02-02-1998 WT/DS34/2	13-03-1998 WT/DSB/M/43	06-07-2001 WT/DS34/14
35	匈牙利—对于农产品出口补贴	阿根廷 澳大利亚 加拿大 新西兰 泰国 美国 WT/DS35/1	27-03-1996	日本 WT/DS35/2	10-01-1997 澳大利亚 WT/DS35/4 10-01-1997 新西兰 WT/DS/35/5 10-01-1997 美国 WT/DS35/6 10-01-1997 阿根廷 WT/DS35/7	25-02-1997 WT/DSB/M/29	30-07-1997 WT/DSB/M/36
36	巴基斯坦—制药及农业化学产品的专利保护	美国 WT/DS36/1	30-04-1996	欧共体 WT/DS36/2	04-07-1996 美国 WT/DS36/3		07-03-1997 WT/DS36/4
37	葡萄牙—工业产权法案专利权保护	美国 WT/DS37/1	30-04-1996				15-10-1996 WT/DS37/2 和 Corr. 1
38	美国—古巴自由民主团结法	欧共体 WT/DS38/1	03-05-1996		08-10-1996 欧共体 WT/DS38/2 14-10-1996 Corr. 1	20-11-1996 WT/DSB/M/26 根据 DSU 第 12.12 条 1998 年 4 月 22 日专家组解散	
39	美国—对来自欧共体的产品提高关税	欧共体 WT/DS39/1	18-04-1996		24-06-1996 欧共体 WT/DS39/2		
40	韩国—电信采购部门的法律、法规及实践	欧共体 WT/DS40/1	09-05-1996				29-10-1997 WT/DS40/2
41	韩国—关于农产品检验措施	美国 WT/DS41/1	24-05-1996				
42	日本—音像制品相关措施	欧共体 WT/DS42/1	28-05-1996	美国 WT/DS42/2			7-11-1997 WT/DS42/4
43	土耳其—对外国电影收入征税	美国 WT/DS43/1	12-06-1996		10-01-1997 美国 WT/DS43/2	25-02-1997 WT/DSB/M/29	24-07-1997 WT/DS43/3

续 表

序号	案 件	请求磋商	收到磋商请求（日-月-年）	加入磋商请求	请求成立专家组（日-月-年）	专家组成立（日-月-年）	双边达成解决方案（日-月-年）
44	日本—影响消费者照相软片及相纸的措施	美国 WT/DS44/1	13-06-1996		20-09-1996 美国 WT/DS44/2	16-10-1996 WT/DSB/M/24	
45	日本—影响分销服务的措施	美国 WT/DS45/1 和 Add. 1	13-06-1996				
46	巴西—航空器出口融资计划	加拿大 WT/DS46/1	19-06-1996		17-09-1996 加拿大 WT/DS46/2 04-10-1996 WT/DS46/4 13-07-1998 WT/DS46/5	23-07-1998 WT/DSB/M/47	
47	土耳其—对于纺织品及服装进口的限制	泰国 WT/DS47/1	20-06-1996				
48	欧共体—影响家畜及肉类措施（荷尔蒙）	加拿大 WT/DS48/1	28-06-1996	澳大利亚 WT/DS48/2 美国 WT/DS48/3 新西兰 WT/DS48/4	17-09-1996 加拿大 WT/DS48/5	16-10-1996 WT/DSB/M/24	
49	美国—对来自墨西哥的新鲜或冷藏西红柿的反倾销调查	墨西哥 WT/DS49/1	01-07-1996				
50	印度—对于药物及农业化学产品专利权保护	美国 WT/DS50/1 美国 WT/DS50/11	02-07-1996	欧共体 WT/DS50/2 欧共体 WT/DS50/12	08-11-1996 美国 WT/DS50/4	20-11-1996 WT/DSB/M/26	
51	巴西—特定汽车投资措施	日本 WT/DS51/1	30-07-1996	韩国 WT/DS51/2 欧共体 WT/DS51/3 美国 WT/DS51/4 加拿大 WT/DS51/6			
52	巴西—影响汽车部门贸易及投资措施	美国 WT/DS52/1	09-08-1996	加拿大 WT/DS52/2 日本 WT/DS52/3 韩国 WT/DS52/4 欧共体 WT/DS52/5			
53	墨西哥—进口海关估价	欧共体 WT/DS53/1	27-08-1996	挪威 WT/DS53/2 瑞士 WT/DS53/3			

续 表

序号	案 件	请求磋商	收到磋商请求（日-月-年）	加入磋商请求	请求成立专家组（日-月-年）	专家组成立（日-月-年）	双边达成解决方案（日-月-年）
54	印度尼西亚—影响汽车工业特定措施	欧共体 WT/DS54/1	03-10-1996	美国 WT/DS54/2 日本 WT/DS54/3 韩国 WT/DS54/4 加拿大 WT/DS54/5	12-05-1997 欧共体 WT/DS54/6	12-06-1997 欧共体 WT/DSB/M/34	
55	印度尼西亚—影响汽车工业特定措施	日本 WT/DS55/1	04-10-1996	美国 WT/DS55/2 欧共体 WT/DS55/3 韩国 WT/DS55/4 加拿大 WT/DS55/5	18-04-1997 日本 WT/DS55/6 WT/DS64/4	12-06-1997 WT/DSB/M/34	
56	阿根廷—影响鞋类、纺织品、服装和其他项目进口的措施	美国 WT/DS56/1	04-10-1996	匈牙利 WT/DS56/2 欧共体 WT/DS56/3	10-01-1997 美国 WT/DS56/5	25-02-1997 WT/DSB/M/29	
57	澳大利亚—纺织品、服装及鞋类进口信贷计划	美国 WT/DS57/1	07-10-1996				
58	美国—对特定虾类及虾类产品进口限制	印度 马来西亚 巴基斯坦 泰国 WT/DS58/1	08-10-1996	香港 WT/DS58/2 欧共体 WT/DS58/3 日本 WT/DS58/4 澳大利亚 WT/DS58/5	10-01-1997 马来西亚 泰国 WT/DS58/6 07-02-1997 巴基斯坦 WT/DS58/7 04-03-1997 印度 WT/DS58/8	25-02-1997 WT/DSB/M/29 马来西亚 泰国 巴基斯坦 10-04-1997 WT/DSB/M/31 印度	
59	印度尼西亚—影响汽车工业的特定措施	美国 WT/DS59/1	08-10-1996	日本 WT/DS59/2 欧共体 WT/DS59/3 韩国 WT/DS59/4 加拿大 WT/DS59/5	13-06-1997 美国 WT/DS59/6	30-07-1997 WT/DSB/M/36	
60	危地马拉—对来自墨西哥的波特兰水泥的反倾销调查	墨西哥 WT/DS60/1	17-10-1996		13-02-1997 墨西哥 WT/DS60/2	20-03-1997 WT/DSB/M/30	
61	美国—对特定虾类及虾类产品进口限制	菲律宾 WT/DS61/1	25-10-1996	澳大利亚 WT/DS61/2 日本 WT/DS61/3			

续 表

序号	案 件	请求磋商	收到磋商请求（日-月-年）	加入磋商请求	请求成立专家组（日-月-年）	专家组成立（日-月-年）	双边达成解决方案（日-月-年）
62	欧共体—对某些计算机设备的海关分类	美国 WT/DS62/1	08-11-1996	韩国 WT/DS62/2 加拿大 WT/DS62/3	13-02-1997 美国 WT/DS62/4	25-02-1997 WT/DSB/M/29	
63	美国—对于前民主德国的尿素进口采取反倾销措施	欧共体 WT/DS63/1	28-11-1996				
64	印度尼西亚—影响汽车工业的特定措施	日本 WT/DS64/1	29-11-1996	美国 WT/DS64/2 欧共体 WT/DS64/3	18-04-1997 日本 WT/DS55/6 WT/DS64/4	12-06-1997 WT/DSB/M/34	
65	巴西—影响汽车部门贸易及投资措施	美国 WT/DS65/1	10-01-1997				
66	日本—影响猪肉进口措施	欧共体 WT/DS66/1	15-01-1997	加拿大 WT/DS66/2			
67	英国—对某些计算机设备的海关分类	美国 WT/DS67/1	14-02-1997	韩国 WT/DS67/2	10-03-1997 美国 WT/DS67/3	20-03-1997 争端解决机构决定此问题交由1997年2月25日成立的专家组决定 WT/DSB/M/30	
68	爱尔兰—对某些计算机设备的海关分类	美国 WT/DS68/1	14-02-1997		10-03-1997 美国 WT/DS68/2	20-03-1997 争端解决机构决定此问题交由1997年2月25日成立的专家组决定 WT/DSB/M/30	
69	欧共体—影响特定家禽产品进口的措施	巴西 WT/DS69/1	24-02-1997		12-06-1997 巴西 WT/DS69/2	30-07-1997 WT/DSB/M/36	
70	加拿大—影响民用航空器出口的措施	巴西 WT/DS70/1	10-03-1997		13-07-1998 巴西 WT/DS70/2	23-07-1998 WT/DSB/M/47	
71	加拿大—影响民用航空器出口的措施	巴西 WT/DS71/1	10-03-1997				
72	欧共体—影响黄油产品的措施	新西兰 WT/DS72/1	24-03-1997		7-11-1997 新西兰 WT/DS72/2	18-11-1997 WT/DSB/M/39	11-11-1999 WT/DS72/7
73	日本—导航卫星政府采购	欧共体 WT/DS73/1	26-03-1997	美国 WT/DS73/2			19-02-1998 WT/DS73/5
74	菲律宾—影响猪肉及家禽的措施	美国 WT/DS74/1	01-04-1997	欧共体 WT/DS74/2 加拿大 WT/DS74/3			13-03-1998 WT/DS74/5 WT/DS102/6

续 表

序号	案 件	请求磋商	收到磋商请求（日-月-年）	加入磋商请求	请求成立专家组（日-月-年）	专家组成立（日-月-年）	双边达成解决方案（日-月-年）
75	韩国—对酒精类饮料征税	欧共体 WT/DS75/1	02-04-1997	美国 WT/DS75/2 加拿大 WT/DS75/3	15-09-1997 欧共体 WT/DS75/6	16-10-1997 WT/DSB/M/38	
76	日本—影响农产品的措施	美国 WT/DS76/1	07-04-1997		06-10-1997 美国 WT/DS76/2	18-11-1997 WT/DSB/M/39	23-08-2001 WT/DS76/12
77	阿根廷—影响纺织品及服装的措施	欧共体 WT/DS77/1	21-04-1997	美国 WT/DS77/2	15-09-1997 欧共体 WT/DS77/3 06-10-1997 Rev. 1 16-10-1997 Rev. 1/Corr. 1	16-10-1997 WT/DSB/M/38 29-07-1998 WT/DS77/5 专家组暂停其程序	
78	美国—扫帚进口的保障措施	哥伦比亚 WT/DS78/1	28-04-1997				
79	印度—对于药物及农业化学产品专利权保护	欧共体 WT/DS79/1	28-04-1997		15-09-1997 欧共体 WT/DS79/2	16-10-1997 WT/DSB/M/38	
80	比利时—影响商业电话目录服务的措施	美国 WT/DS80/1	02-05-1997				
81	巴西—影响汽车部门贸易及投资措施	欧共体 WT/DS81/1	07-05-1997				
82	爱尔兰—影响版权及邻接权的措施	美国 WT/DS82/1	14-05-1997		12-01-1998 美国 WT/DS82/2		06-11-2000 WT/DS82/3
83	丹麦—影响知识产权实施的措施	美国 WT/DS83/1	14-05-1997				07-06-2001 WT/DS83/2
84	韩国—对酒精饮料征税	美国 WT/DS84/1	23-05-1997	加拿大 WT/DS/84/2 欧共体 WT/DS84/3	15-09-1997 美国 WT/DS84/4	16-10-1997 WT/DSB/M/38	
85	美国—影响纺织品及服装产品的措施	欧共体 WT/DS85/1	22-05-1997	瑞士 WT/DS85/2 洪都拉斯 WT/DS85/3 香港 WT/DS85/4 巴基斯坦 WT/DS85/5 印度 WT/DS85/6 日本 WT/DS85/7 多米尼加 WT/DS85/8			11-02-1998 WT/DS85/9

续 表

序号	案 件	请求磋商	收到磋商请求（日-月-年）	加入磋商请求	请求成立专家组（日-月-年）	专家组成立（日-月-年）	双边达成解决方案（日-月-年）
86	瑞典—影响知识产权实施的措施	美国 WT/DS86/1	28-05-1997				02-12-1998 WT/DS86/2
87	智利—对酒精饮料征税	欧共体 WT/DS87/1	04-06-1997	秘鲁 WT/DS87/2 美国 WT/DS87/3 墨西哥 WT/DS87/4	06-10-1997 欧共体 WT/DS87/5	18-11-1997 WT/DSB/M/39	
88	美国—影响政府采购的措施	欧共体 WT/DS88/1	20-06-1997	日本 WT/DS88/2	09-09-1998 欧共体 WT/DS88/3	21-10-1998 WT/DSB/M/49 14-02-2000 WT/DS88/6 专家组建立的授权取消	
89	美国—对于来自韩国彩色电视接收机进口征收反倾销税	韩国 WT/DS89/1 和 Corr. 1	10-07-1997	墨西哥 WT/DS89/2 泰国 WT/DS89/3 日本 WT/DS89/4 中国香港 WT/DS89/5 欧共体 WT/DS89/6	07-11-1997 韩国 WT/DS89/7 28-11-1997 WT/DS89/7/Corr. 1		05-01-1998 WT/DS89/8 18-09-1998 WT/DS89/9 （请求撤回）
90	印度—对于农产品、纺织品及工业品的数量限制	美国 WT/DS90/1	15-07-1997	日本 WT/DS90/2 欧共体 WT/DS90/3 加拿大 WT/DS90/4 澳大利亚 WT/DS90/5 瑞士 WT/DS90/6 新西兰 WT/DS90/7	06-10-1997 美国 WT/DS90/8 07-11-1997 WT/DS90/8/Corr. 1	18-11-1997 WT/DSB/M/39	
91	印度—对于农产品、纺织品及工业品的数量限制	澳大利亚 WT/DS91/1	16-07-1997	日本 WT/DS91/2 美国 WT/DS91/3 欧共体 WT/DS91/4 加拿大 WT/DS91/5 瑞士 WT/DS91/6 新西兰 WT/DS91/7			17-03-1998 WT/DS91/8 17-08-1998 WT/DS91/8 Corr. 1

续 表

序号	案 件	请求磋商	收到磋商请求（日-月-年）	加入磋商请求	请求成立专家组（日-月-年）	专家组成立（日-月-年）	双边达成解决方案（日-月-年）
92	印度—对于农产品、纺织品及工业品的数量限制	加拿大 WT/DS92/1	16-07-1997	日本 WT/DS92/2 美国 WT/DS92/3 欧共体 WT/DS92/4 澳大利亚 WT/DS92/5 瑞士 WT/DS92/6 新西兰 WT/DS92/7			18-03-1998 WT/DS92/8 25-09-1998 WT/DS92/8/Corr. 1
93	印度—对于农产品、纺织品及工业品的数量限制	新西兰 WT/DS93/1	16-07-1997	日本 WT/DS93/2 美国 WT/DS93/3 欧共体 WT/DS93/4 加拿大 WT/DS93/5 澳大利亚 WT/DS93/6 瑞士 WT/DS93/7			01-12-1998 WT/DS93/8
94	印度—对于农产品、纺织品及工业品的数量限制	瑞士 WT/DS94/1 和 Corr. 1	17-07-1997	日本 WT/DS94/2 美国 WT/DS94/3 欧共体 WT/DS94/4 加拿大 WT/DS94/5 澳大利亚 WT/DS94/6 新西兰 WT/DS94/7			23-02-1998 WT/DS94/9 18-09-1998 WT/DS94/9/Corr. 1
95	美国—影响政府采购的措施	日本 WT/DS95/1	18-07-1997	欧共体 WT/DS95/2	09-09-1998 日本 WT/DS95/3	21-10-1998 WT/DSB/M/49 14-02-2000 WT/DS95/6 建立专家组的授权取消	

续 表

序号	案 件	请求磋商	收到磋商请求（日-月-年）	加入磋商请求	请求成立专家组（日-月-年）	专家组成立（日-月-年）	双边达成解决方案（日-月-年）
96	印度—对于农产品、纺织品及工业品的数量限制	欧共体 WT/DS96/1	18-07-1997	日本 WT/DS96/2 美国 WT/DS96/3 加拿大 WT/DS96/4 澳大利亚 WT/DS96/5 瑞士 WT/DS96/6 新西兰 WT/DS96/7			07-04-1998 WT/DS96/8 28-09-1998 WT/DS96/8/Corr. 1
97	美国—对来自智利的鳟鱼进口实施反补贴税调查	智利 WT/DS97/1	05-08-1997				
98	韩国—对于特定奶制品进口保障措施	欧共体 WT/DS98/1	12-08-1997	澳大利亚 WT/DS98/2	12-01-1998 欧共体 WT/DS98/4	23-07-1998 WT/DSB/M/47	
99	美国—对来自韩国1兆或以上的计算机动态随机存取存储器芯片征收反倾销税	韩国 WT/DS99/1 和 Corr. 1&2	14-08-1997		07-11-1997 韩国 WT/DS99/2	16-01-1998 WT/DSB/M/40	25-10-2000 WT/DS99/12
100	美国—影响家禽产品进口措施	欧共体 WT/DS100/1	18-08-1997				
101	墨西哥—对来自美国的高果糖玉米糖浆开展反倾销调查	美国 WT/DS101/1	04-09-1997				
102	菲律宾—影响猪肉及家禽产品措施	美国 WT/DS102/1	07-10-1997	加拿大 WT/DS102/3 欧共体 WT/DS102/4			13-03-1998 WT/DS74/5 WT/DS102/6
103	加拿大—影响牛奶进口及奶制品出口的措施	美国 WT/DS103/1	08-10-1997	日本 WT/DS103/2 澳大利亚 WT/DS103/3	03-02-1998 WT/DS103/4	25-03-1998 WT/DSB/M/44	09-05-2003 WT/DS103/33
104	欧共体—影响融化干酪出口的措施	美国 WT/DS104/1	08-10-1997	日本 WT/DS104/2 澳大利亚 WT/DS104/3 加拿大 WT/DS104/4			

续 表

序号	案 件	请求磋商	收到磋商请求（日-月-年）	加入磋商请求	请求成立专家组（日-月-年）	专家组成立（日-月-年）	双边达成解决方案（日-月-年）
105	欧共体—对于香蕉进口、销售及分销区域的规定	巴拿马 WT/DS105/1 和 Add. 1&2	24-10-1997	哥伦比亚 WT/DS105/2 和 Add. 1 危地马拉 WT/DS105/3 多米尼加 WT/DS105/4 墨西哥 WT/DS105/5 哥斯达黎加 WT/DS105/6 洪都拉斯 WT/DS105/7 和 Add. 1 厄瓜多尔 WT/DS105/8 美国 WT/DS105/9 科特迪瓦 WT/DS105/10			08-11-2012 WT/DS105/11
106	澳大利亚—对汽车皮革生产和采购补助	美国 WT/DS106/1	10-11-1997		12-01-1998 美国 WT/DS106/2	22-01-1998 WT/DSB/M/41	11-06-1998 WT/DS126/2（专家组要求撤销）
107	巴基斯坦—影响皮革出口措施	欧共体 WT/DS107/1	07-11-1997				
108	美国—“海外销售公司”的税收	欧共体 WT/DS108/1 和 Add. 1	18-11-1997		09-07-1998 欧共体 WT/DS108/2	22-09-1998 WT/DSB/M/48	
109	智利—对酒精饮料征税	美国 WT/DS109/1 和 Corr. 1	11-12-1997	秘鲁 WT/DS109/2 墨西哥 WT/DS/109/3			
110	智利—对酒精饮料征税	欧共体 WT/DS110/1	15-12-1997	美国 WT/DS110/2 墨西哥 WT/DS110/3	13-03-1998 WT/DS110/4	25-03-1998 WT/DSB/M/44	
111	美国—落花生进口关税率配额	阿根廷 WT/DS111/1	19-12-1997	加拿大 WT/DS111/2 日本 WT/DS111/3			
112	秘鲁—对来自巴西的公交车进口的反补贴税调查	巴西 WT/DS112/1	23-12-1997				

续 表

序号	案 件	请求磋商	收到磋商请求（日-月-年）	加入磋商请求	请求成立专家组（日-月-年）	专家组成立（日-月-年）	双边达成解决方案（日-月-年）
113	加拿大—影响奶制品出口措施	新西兰 WT/DS113/1	29-12-1997	美国 WT/DS113/2 日本 WT/DS113/3	12-03-1998 WT/DS113/4	25-03-1998 WT/DSB/M/44	09-05-2003 WT/DS113/33
114	加拿大—药物产品专利权保护	欧共体 WT/DS114/1	19-12-1997	美国 WT/DS114/2 澳大利亚 WT/DS114/3 瑞士 WT/DS114/4	12-11-1998 WT/DS114/5	01-02-1999 WT/DSB/M/54	
115	欧共体—影响版权及邻接权的措施	美国 WT/DS115/1	06-01-1998		12-01-1998 美国 WT/DS115/2		06-11-2000 WT/DS115/3
116	巴西—影响进口付款条件的措施	欧共体 WT/DS116/1	08-01-1998	瑞士 WT/DS116/2 日本 WT/DS116/3 澳大利亚 WT/DS116/4 美国 WT/DS116/5 韩国 WT/DS116/6			
117	加拿大—影响企业分销服务的措施	欧共体 WT/DS117/1	20-01-1998				
118	美国—港口维护税	欧共体 WT/DS118/1	06-02-1998	加拿大 WT/DS118/2 日本 WT/DS118/3 挪威 WT/DS118/4			
119	澳大利亚—涂层非木纸反倾销措施	瑞士 WT/DS119/1	20-02-1998	日本 WT/DS119/2 欧共体 WT/DS119/3			13-05-1998 WT/DS119/4
120	印度—影响特定商品出口措施	欧共体 WT/DS120/1	11-03-1998		13-10-2000 欧共体 WT/DS120/2		
121	阿根廷—鞋类产品进口保障措施	欧共体 WT/DS121/1	06-04-1998	美国 WT/DS121/2	11-06-1998 欧共体 WT/DS121/3	23-07-1998 WT/DSB/M/47	
122	泰国—对波兰出口的铁或非合金钢的角铁、型材、轧材及工字梁的反倾销税案	波兰 WT/DS122/1	06-04-1998		15-10-1999 波兰 WT/DS122/2	19-11-1999 WT/DSB/M/71	

续 表

序号	案 件	请求磋商	收到磋商请求（日-月-年）	加入磋商请求	请求成立专家组（日-月-年）	专家组成立（日-月-年）	双边达成解决方案（日-月-年）
123	阿根廷—鞋类产品进口保障措施	印度尼西亚 WT/DS123/1	22-04-1998	美国 WT/DS123/2	16-04-1999 WT/DS123/3 10-05-99，印度尼西亚要求从争端解决机构议程中撤回上诉，并保留其在以后的争端解决机构会议上做出上诉的权利（WT/DS123/4）		
124	欧共体—动画片及电视节目知识产权保护的实施	美国 WT/DS124/1	30-04-1998				20-03-2001 WT/DS124/2
125	希腊—动画片及电视节目知识产权保护的实施	美国 WT/DS125/1	04-05-1998				20-03-2001 WT/DS125/2
126	澳大利亚—汽车皮革生产和出口的补贴	美国 WT/DS126/1	04-05-1998		11-04-1998 美国 WT/DS126/2	22-06-1998 WT/DSB/M/46	24-07-2000 WT/DS126/11
127	比利时—构成补贴的特定进口税	美国 WT/DS127/1	05-05-1998				
128	荷兰—构成补贴的特定进口税	美国 WT/DS128/1	05-05-1998				
129	希腊—构成补贴的特定进口税	美国 WT/DS129/1	05-05-1998				
130	爱尔兰—构成补贴的特定进口税	美国 WT/DS130/1	05-05-1998				
131	法国—构成补贴的特定进口税	美国 WT/DS131/1	05-05-1998				
132	墨西哥—对来自美国的高果糖玉米糖浆开展反倾销调查	美国 WT/DS132/1	08-05-1998		14-10-1998 美国 WT/DS132/2	25-11-1998 WT/DSB/M/51	
133	斯洛伐克—关于牛的运输及奶制品进口的措施	瑞士 WT/DS133/1	07-05-1998	美国 WT/DS133/2			
134	欧共体—对于稻米的特定进口税的限制	印度 WT/DS134/1 和 Corr. 1	27-05-1998				
135	欧共体—影响石棉及石棉产品的措施	加拿大 WT/DS135/1	28-05-1998	巴西 WT/DS135/2	09-10-1998 加拿大 WT/DS135/3	25-11-1998 WT/DSB/M/51	
136	美国—1916 年反倾销法案	欧共体 WT/DS136/1	04-06-1998		12-11-1998 欧共体 WT/DS136/2	01-02-1999 WT/DSB/M/54	

续 表

序号	案 件	请求磋商	收到磋商请求（日-月-年）	加入磋商请求	请求成立专家组（日-月-年）	专家组成立（日-月-年）	双边达成解决方案（日-月-年）
137	欧共体—影响从加拿大进口松木的措施	加拿大 WT/DS137/1	17-06-1998				
138	美国—对来自英国的热轧铅铋碳钢产品征收反补贴税	欧共体 WT/DS138/1	12-06-1998	加拿大 WT/DS138/2	14-01-1999 WT/DS138/3 25-01-1999 WT/DS138/3 和 Corr. 1	17-02-1999 WT/DSB/M/55 和 Corr. 1	
139	加拿大—特定汽车工业措施	日本 WT/DS139/1	03-07-1998		13-11-1998 WT/DS139/2	01-02-1999 WT/DSB/M/54	
140	欧共体—对来自印度未漂平纹棉布进行反倾销调查	印度 WT/DS140/1	03-08-1998	巴基斯坦 WT/DS140/2			
141	欧共体—对来自印度棉布床单进口征收反倾销税	印度 WT/DS141/1	03-08-1998	巴基斯坦 WT/DS141/2	08-09-1999 印度 WT/DS141/3	27-10-1999 WT/DSB/M/70	
142	加拿大—特定汽车工业措施	欧共体 WT/DS142/1	17-08-1998		14-01-1999 WT/DS142/2	01-02-1999 WT/DSB/M/54	
143	斯洛伐克—影响从匈牙利小麦进口关税的措施	匈牙利 WT/DS143/1	18-09-1998 （20 天）		09-10-1998 匈牙利 WT/DS143/2		
144	美国—影响从加拿大进口牛、羊和谷物的特定措施	加拿大 WT/DS144/1	25-09-1998				
145	阿根廷—对来自欧共体的面筋征收反补贴税	欧共体 WT/DS145/1 和 Rev. 1	23-09-1998				
146	印度—影响汽车部门的措施	欧共体 WT/DS146/1 和 Corr. 1	06-10-1998	日本 WT/DS146/2 美国 WT/DS146/3	13-10-2000 欧共体 WT/DS146/4	17-11-2000 WT/DSB/M/92	
147	日本—影响皮革的关税配额及补贴	欧共体 WT/DS147/1	08-10-1998				
148	捷克—影响从匈牙利小麦进口关税的措施	匈牙利 WT/DS148/1	12-10-1998 （20 天）				
149	印度—进口限制	欧共体 WT/DS149/1	28-10-1998	美国 WT/DS149/2 日本 WT/DS149/3 瑞士 WT/DS149/4 澳大利亚 WT/DS149/5			

续 表

序号	案 件	请求磋商	收到磋商请求（日-月-年）	加入磋商请求	请求成立专家组（日-月-年）	专家组成立（日-月-年）	双边达成解决方案（日-月-年）
150	印度—影响关税的措施	欧共体 WT/DS150/1	31-10-1998	美国 WT/DS150/2 加拿大 WT/DS150/3 日本 WT/DS150/4 瑞士 WT/DS150/5 澳大利亚 WT/DS150/6			
151	美国—影响纺织品及服装产品的措施（Ⅱ）	欧共体 WT/DS151/1	19-11-1998	多米尼加 WT/DS151/2 中国香港 WT/DS151/3 巴基斯坦 WT/DS151/4 洪都拉斯 WT/DS151/5 日本 WT/DS151/6 瑞士 WT/DS151/7 萨尔瓦多 WT/DS151/8 印度 WT/DS151/9			24-07-2000 WT/DS151/10
152	美国—1974 年贸易法案第 301-310 部分	欧共体 WT/DS152/1	25-11-1998	多米尼加 WT/DS152/2 巴拿马 WT/DS152/3 危地马拉 WT/DS152/4 墨西哥 WT/DS152/5 牙买加 WT/DS152/6 洪都拉斯 WT/DS152/7 日本 WT/DS152/8 哥伦比亚 WT/DS152/9 厄瓜多尔 WT/DS152/10	02-02-1999 欧共体 WT/DS152/11	02-03-1999 WT/DSB/M/56	

续 表

序号	案 件	请求磋商	收到磋商请求（日-月-年）	加入磋商请求	请求成立专家组（日-月-年）	专家组成立（日-月-年）	双边达成解决方案（日-月-年）
153	欧共体—制药及农业化学产品的专利保护	加拿大 WT/DS153/1	02-12-1998	美国 WT/DS153/2 澳大利亚 WT/DS153/3 瑞士 WT/DS153/4			
154	欧共体—影响咖啡差别及优惠待遇的措施	巴西 WT/DS154/1	07-12-1998	哥伦比亚 WT/DS154/2 秘鲁 WT/DS154/3 哥斯达黎加 WT/DS154/4 玻利维亚 WT/DS154/5			
155	阿根廷—影响牛皮出口及成皮进口的措施	欧共体 WT/DS155/1	23-12-1998		04-06-1999 欧共体 WT/DS155/2	26-07-1999 WT/DSB/M/65	
156	危地马拉—对来自墨西哥的波特兰水泥的反倾销措施	墨西哥 WT/DS156/1 和 Corr. 1&2	05-01-1999		15-07-1999 墨西哥 WT/DS156/2 05-08-1999 WT/DS156/2 和 Corr. 1	22-09-1999 WT/DSB/M/68	
157	阿根廷—从意大利进口钻头的采取反倾销措施	欧共体 WT/DS157/1	14-01-1999				
158	欧共体—对于香蕉进口、销售及分销的规定	危地马拉 洪都拉斯 墨西哥 巴拿马 美国 WT/DS158/1	20-01-1999	厄瓜多尔 WT/DS158/2 伯利兹 WT/DS158/3			08-11-2012 WT/DS158/4
159	匈牙利—对来自捷克的钢铁产品进口的保障措施	捷克 WT/DS159/1	21-01-1999				
160	美国—美国版权法第 110（5）节	欧共体 WT/DS160/1	26-01-1999	澳大利亚 WT/DS160/2 加拿大 WT/DS160/3 瑞士 WT/DS160/4	16-04-1999 欧共体 WT/DS160/5	26-05-1999 WT/DSB/M/62	

续 表

序号	案 件	请求磋商	收到磋商请求（日-月-年）	加入磋商请求	请求成立专家组（日-月-年）	专家组成立（日-月-年）	双边达成解决方案（日-月-年）
161	韩国—影响新鲜、冷藏、冷冻牛肉进口措施	美国 WT/DS161/1	01-02-1999	新西兰 WT/DS161/2 澳大利亚 WT/DS161/3 加拿大 WT/DS161/4	16-04-1999 美国 WT/DS161/5	26-05-1999 WT/DSB/M/62	
162	美国—1916 反倾销法案	日本 WT/DS162/1	10-02-1999	欧共体 WT/DS162/2	04-06-1999 日本 WT/DS162/3	26-07-1999 WT/DSB/M/65	
163	韩国—影响政府采购措施	美国 WT/DS163/1	16-02-1999	欧共体 WT/DS163/2 日本 WT/DS163/3	11-05-1999 美国 WT/DS163/4	16-06-1999 WT/DSB/M/64	
164	阿根廷—影响鞋类进口措施	美国 WT/DS164/1	01-03-1999	欧共体 WT/DS164/2	20-05-1999 美国 WT/DS164/3 15-07-1999 WT/DS164/4	26-07-1999 WT/DSB/M/65	
165	美国—对来自欧共体特定产品的进口措施	欧共体 WT/DS165/1	04-03-1999	多米尼加 WT/DS165/2 日本 WT/DS165/3 洪都拉斯 WT/DS165/4 危地马拉 WT/DS165/5 厄瓜多尔 WT/DS165/6 巴拿马 WT/DS165/7 和 Corr. 1	11-05-1999 欧共体 WT/DS165/8	16-06-1999 WT/DSB/M/64	
166	美国—对来自欧共体面筋进口的保障措施	欧共体 WT/DS166/1	17-03-1999	澳大利亚 WT/DS166/2	04-06-1999 欧共体 WT/DS166/3	26-07-1999 WT/DSB/M/65	
167	美国—对来自加拿大活牛的反补贴税调查	加拿大 WT/DS167/1	19-03-1999	墨西哥 WT/DS167/2			
168	南非—对来自印度某些药品征收反倾销税	印度 WT/DS168/1	01-04-1999				

续 表

序号	案 件	请求磋商	收到磋商请求（日-月-年）	加入磋商请求	请求成立专家组（日-月-年）	专家组成立（日-月-年）	双边达成解决方案（日-月-年）
169	韩国—影响新鲜、冷藏及冷冻牛肉进口的措施	澳大利亚 WT/DS169/1	13-04-1999	新西兰 WT/DS169/2 美国 WT/DS169/3 加拿大 WT/DS169/4 和 Corr. 1	15-07-1999 澳大利亚 WT/DS169/5	26-07-1999 WT/DSB/M/65	
170	加拿大—专利保护条款	美国 WT/DS170/1	06-05-1999		15-07-1999 美国 WT/DS170/2	22-09-1999 WT/DSB/M/68	
171	阿根廷—对药品的专利权保护及对农业化学品测试数据保护	美国 WT/DS171/1	06-05-1999	瑞士 WT/DS171/2			31-05-2002 WT/DS171/3
172	欧共体—航班管理系统开发有关措施	美国 WT/DS172/1	21-05-1999				
173	法国—航班管理系统开发有关措施	美国 WT/DS173/1	21-05-1999				
174	欧共体—农产品和食品的商标及地理标识保护	美国 WT/DS174/1 和 Add. 1	01-06-1999 04-04-2003	加拿大 WT/DS174/3 澳大利亚 WT/DS174/4 墨西哥 WT/DS174/5 新西兰 WT/DS174/6 斯里兰卡 WT/DS174/7 印度 WT/DS174/8 阿根廷 WT/DS174/9 匈牙利 WT/DS174/10 马耳他 WT/DS174/11 保加利亚 WT/DS174/12 捷克 WT/DS174/13 塞浦路斯 WT/DS174/14 斯洛文尼亚 WT/DS174/15 土耳其 WT/DS174/16 罗马尼亚 WT/DS174/17 斯洛伐克 WT/DS174/18	18-08-2003 美国 WT/DS174/20	02-10-2003 WT/DSB/M/156	

续 表

序号	案 件	请求磋商	收到磋商请求（日-月-年）	加入磋商请求	请求成立专家组（日-月-年）	专家组成立（日-月-年）	双边达成解决方案（日-月-年）
175	印度—影响汽车部门投资和贸易的措施	美国 WT/DS175/1	02-06-1999	日本 WT/DS175/2 欧共体 WT/DS175/3	18-05-2000 美国 WT/DS175/4	27-07-2000 WT/DSB/M/86	
176	美国—1998 年全面拨款法第 211 部分	欧共体 WT/DS176/1	08-07-1999		07-07-2000 欧共体 WT/DS176/2	26-09-2000 WT/DSB/M/89	
177	美国—对来自新西兰的新鲜、冷藏及冷冻羔羊肉采取的保障措施	新西兰 WT/DS177/1	16-07-1999	澳大利亚 WT/DS177/2 加拿大 WT/DS177/3	15-10-1999 新西兰 WT/DS177/4	19-11-1999 WT/DSB/M/71	
178	美国—对来自澳大利亚羔羊肉采取的保障措施	澳大利亚 WT/DS178/1 和 Corr. 1	23-07-1999	新西兰 WT/DS178/2 和 Corr. 1 欧共体 WT/DS178/3 加拿大 WT/DS178/4	15-10-1999 澳大利亚 WT/DS178/5 和 Corr. 1	19-11-1999 WT/DSB/M/71	
179	美国—来自韩国的不锈钢卷板和不锈钢条的反倾销措施	韩国 WT/DS179/1	30-07-1999		15-10-1999 韩国 WT/DS179/2	19-11-1999 WT/DSB/M/71	
180	美国—特定糖浆税则归类	加拿大 WT/DS180/1	06-09-1999				
181	哥伦比亚—对来自泰国的纯聚酯长丝布进口的保障措施				08-09-1999 泰国 WT/DS181/1 撤销请求 27-10-1999 WT/DSB/M/70		
182	厄瓜多尔—对来自墨西哥的灰水泥的反倾销措施	墨西哥 WT/DS182/1 和 Corr. 1	05-10-1999				
183	巴西—对于进口许可证及最低进口价格的措施	欧共体 WT/DS183/1	14-10-1999	美国 WT/DS183/2			
184	美国—对来自日本的热轧薄板卷产品征收反倾销税	日本 WT/DS184/1	18-11-1999		11-02-2000 日本 WT/DS184/2	20-03-2000 WT/DSB/M/77	

续 表

序号	案 件	请求磋商	收到磋商请求（日-月-年）	加入磋商请求	请求成立专家组（日-月-年）	专家组成立（日-月-年）	双边达成解决方案（日-月-年）
185	特立尼达和多巴哥—影响从哥斯达黎加进口的意大利面的措施	哥斯达黎加 WT/DS185/1	18-11-1999				
186	美国—1930关税法及修正 第337部分	欧共体 WT/DS186/1	12-01-2000	加拿大 WT/DS186/2 日本 WT/DS186/3			
187	特立尼达和多巴哥—对来自哥斯达黎加的进口通心粉和意大利面的临时反倾销措施	哥斯达黎加 WT/DS187/1	17-01-2000				
188	尼加拉瓜—洪都拉斯和哥伦比亚进口措施	哥伦比亚 WT/DS188/1	17-01-2000		28-03-2000 哥伦比亚 WT/DS188/1 和 Corr. 1	18-05-2000 WT/DSB/M/80	
189	阿根廷—对从德国进口动画板和意大利进口的瓷砖采取明确反倾销措施	欧共体 WT/DS189/1	26-01-2000		15-09-2000 欧共体 WT/DS189/2 07-11-2000 WT/DS189/3	17-11-2000 WT/DSB/M/92	
190	阿根廷—对于原产巴西的特定机织棉布的过渡期保障措施				11-02-2000 巴西 WT/DS190/1	20-03-2000 WT/DSB/M/77	27-06-2000 WT/DS190/2
191	厄瓜多尔—对来自墨西哥的水泥的明确反倾销措施	墨西哥 WT/DS191/1	15-03-2000				
192	美国—对来自巴基斯坦精梳棉纱线的过渡期保障措施	N. A.	N. A.	N. A.	03-04-2000 巴基斯坦 WT/DS192/1	19-06-2000 WT/DSB/M/84	
193	智利—影响剑鱼的运输及进口措施	欧共体 WT/DS193/1	19-04-2000		06-11-2000 欧共体 WT/DS193/2	12-12-2000 WT/DSB/M/94 23-03-2001 WT/DS193/3 终止成立专家组	
194	美国—作为出口限制的补贴	加拿大 WT/DS194/1	19-05-2000		24-07-2000 加拿大 WT/DS194/2	11-09-2000 WT/DSB/M/88	

续 表

序号	案 件	请求磋商	收到磋商请求（日-月-年）	加入磋商请求	请求成立专家组（日-月-年）	专家组成立（日-月-年）	双边达成解决方案（日-月-年）
195	菲律宾—影响汽车部门投资和贸易的措施	美国 WT/DS195/1	23-05-2000		13-10-2000 美国 WT/DS195/3	17-11-2000 WT/DSB/M/92	
196	阿根廷—对于专利及测试数据的特定保护措施	美国 WT/DS196/1	30-05-2000	欧共体 WT/DS196/2 瑞士 WT/DS196/3			31-05-2002 WT/DS196/4
197	巴西—最低进口价格措施	美国 WT/DS197/1	30-05-2000	欧共体 WT/DS197/2			
198	罗马尼亚—最低进口价格措施	美国 WT/DS198/1	30-05-2000				26-09-2001 WT/DS198/2
199	巴西—影响专利保护的措施	美国 WT/DS199/1	30-05-2000	欧共体 WT/DS/199/2	08-01-2001 美国 WT/DS199/3	01-02-2001 WT/DSB/M/98	05-07-2001 WT/DS199/4
200	美国—1974 贸易法案及修正案第 306 节	欧共体 WT/DS200/1	05-06-2000	厄瓜多尔 W/DS200/2 牙买加 WT/DS200/3 日本 WT/DS200/4 多米尼加 WT/DS200/5 洪都拉斯 WT/DS200/6 危地马拉 WT/DS200/7 加拿大 WT/DS200/8 巴拿马 WT/DS200/9 澳大利亚 WT/DS200/10 圣卢西亚 WT/DS200/11			
201	尼加拉瓜—影响从洪都拉斯和哥伦比亚进口的措施	洪都拉斯 WT/DS201/1	06-06-2000	欧共体 WT/DS201/2			
202	美国—对源自韩国进口的圆焊碳质条形管的保障措施	韩国 WT/DS202/1	13-06-2000	欧共体 WT/DS202/2 日本 WT/DS202/3	15-09-2000 韩国 WT/DS202/4	23-10-2000 WT/DSB/M/91	

续 表

序号	案 件	请求磋商	收到磋商请求（日-月-年）	加入磋商请求	请求成立专家组（日-月-年）	专家组成立（日-月-年）	双边达成解决方案（日-月-年）
203	墨西哥—影响活猪贸易的措施	美国 WT/DS203/1	10-07-2000				
204	墨西哥—影响电信服务的措施	美国 WT/DS204/1 和 Add. 1	17-08-2000		10-11-2000 美国 WT/DS204/2 18-02-2002 WT/DS204/3	17-04-2002 WT/DSB/M/123	
205	埃及—豆油罐装金枪鱼进口限令	泰国 WT/DS205/1	22-09-2000				
206	美国—对来自印度钢板的反倾销及反补贴措施	印度 WT/DS206/1	04-10-2000		07-06-2001 印度 WT/DS206/2	24-07-2001 WT/DSB/M/107	
207	智利—对特定农产品的综合价格制度及保障措施	阿根廷 WT/DS207/1	05-10-2000		19-01-2001 阿根廷 WT/DS207/2	12-03-2001 WT/DSB/M/101	
208	土耳其—对于钢铁管配件征收反倾销税	巴西 WT/DS208/1	09-10-2000				
209	欧共体—影响速溶咖啡措施	巴西 WT/DS209/1	12-10-2000	厄瓜多尔 WT/DS209/2			
210	比利时—建立稻米海关税的管理办法	美国 WT/DS210/1	12-10-2000		19-01-2001 美国 WT/DS210/2 01-03-2001 WT/DS201/2/ Rev. 1	12-03-2001 WT/DSB/M/101	18-12-2001 WT/DS210/6
211	埃及—对来自土耳其钢筋采取反倾销措施	土耳其 WT/DS211/1	06-11-2000		04-05-2001 土耳其 WT/DS211/2 11-05-2001 WT/DS/211/2/ Corr. 1	20-06-2001 WT/DSB/M/106	
212	美国—对于特定来自欧共体产品的反补贴措施	欧共体 WT/DS212/1 和 Add. 1	10-11-2000	巴西 WT/DS212/2 和 Add. 1 以色列 WT/DS212/3	10-08-2001 欧共体 WT/DS212/4	10-09-2001 WT/DSB/M/109	
213	美国—对特定来自德国的耐腐蚀扁钢征收反补贴税	欧共体 WT/DS213/1 和 Add. 1	10-11-2000	印度 WT/DS213/2	10-08-2001 欧共体 WT/DS213/3	10-09-2001 WT/DSB/M/109	
214	美国—对钢盘条和圆缝碳质钢管的保障措施	欧共体 WT/DS214/1	01-12-2000	加拿大 WT/DS214/2 印度 WT/DS214/3	10-08-2001 WT/DS214/4	10-09-2001 WT/DSB/M/109	
215	菲律宾—对来自韩国的聚乙烯树脂采取反倾销措施	韩国 WT/DS215/1	15-12-2000				

续 表

序号	案 件	请求磋商	收到磋商请求（日-月-年）	加入磋商请求	请求成立专家组（日-月-年）	专家组成立（日-月-年）	双边达成解决方案（日-月-年）
216	墨西哥—对电力传输器采取临时反倾销措施	巴西 WT/DS216/1	20-12-2000	欧共体 WT/DS216/2 美国 WT/DS216/3			
217	美国—2000年持续性倾销及补贴补偿法	澳大利亚 巴西 智利 欧共体 印度 印度尼西亚 日本 韩国 泰国 WT/DS217/1	21-12-2000	阿根廷 WT/DS217/2 加拿大 WT/DS217/3 墨西哥 WT/DS217/4 和 Add. 1	13-07-2001 澳大利亚 巴西 智利 欧共体 印度 印度尼西亚 日本 韩国 泰国 WT/DS217/5	23-08-2001 WT/DSB/M/108	
218	美国—对来自巴西的特定碳钢制品的反补贴税	巴西 WT/DS218/1	21-12-2000	欧共体 WT/DS218/2			
219	欧共体—对来自巴西的可锻铸铁管接头征收反倾销税	巴西 WT/DS219/1	21-12-2000		08-06-2001 巴西 WT/DS219/2	24-07-2001 WT/DSB/M/107	
220	智利—对特定农产品相关的综合价格制度及保障措施	危地马拉 WT/DS220/1	05-01-2001				
221	美国—乌拉圭回合协议第129（C）（1）节	加拿大 WT/DS221/1	17-01-2001	印度 WT/DS221/2 欧共体 WT/DS221/3	13-07-2001 加拿大 WT/DS221/4	23-08-2001 WT/DSB/M/108	
222	加拿大—地区航空器的出口信贷保证	巴西 WT/DS222/1	22-01-2001		01-03-2001 巴西 WT/DS222/2	12-03-2001 WT/DSB/M/101	
223	欧共体—来自美国的玉米黄浆饲料的关税率配额	美国 WT/DS223/1	25-01-2001				
224	美国—美国专利权	巴西 WT/DS224/1	31-01-2001	印度 WT/DS224/2			
225	美国—对从意大利进口无缝管征收反倾销税	欧共体 WT/DS225/1	05-02-2001	日本 WT/DS225/2			
226	智利—对食用油混合物的临时保障措施	阿根廷 WT/DS226/1	19-02-2002				
227	秘鲁—对香烟征税	智利 WT/DS227/1 和 Corr. 1&2	01-03-2001		03-05-2001 智利 WT/DS227/2 此上诉于2001年7月12日被正式撤回 WT/DS227/3	20-06-2001 WT/DSB/M/106	

续 表

序号	案件	请求磋商	收到磋商请求（日-月-年）	加入磋商请求	请求成立专家组（日-月-年）	专家组成立（日-月-年）	双边达成解决方案（日-月-年）
228	智利—对糖类的保障措施	哥伦比亚 WT/DS228/1	15- 03-2001	古巴 WT/DS228/2 危地马拉 WT/DS228/3 尼加拉瓜 WT/DS228/4 哥斯达黎加 WT/DS228/5 萨尔瓦多 WT/DS228/6			
229	巴西—对来自印度的麻袋征收反倾销税	印度 WT/DS229/1	09-04-2001				
230	智利—关于糖类的保障措施和程序修改	哥伦比亚 WT/DS230/1	17-04-2001	危地马拉 WT/DS230/2 哥斯达黎加 WT/DS230/3 古巴 WT/DS230/4 尼加拉瓜 WT/DS230/5			
231	欧共体—沙丁鱼贸易描述	秘鲁 WT/DS231/1	20-03-2001	委内瑞拉 WT/DS231/2 智利 WT/DS231/3 美国 WT/DS231/4 厄瓜多尔 WT/DS231/5	07-06-2001 秘鲁 WT/DS231/6	24-07-2001 WT/DSB/M/107	25-07-2003 WT/DS231/18
232	墨西哥—影响火柴进口的措施	智利 WT/DS232/1 要求磋商的申请撤回 WT/DS232/3 (02-02-04)	17-05-2001	欧共体 WT/DS232/2			
233	阿根廷—影响药类产品进口的措施	印度 WT/DS233/1	25-05-2001				

续 表

序号	案　件	请求磋商	收到磋商请求（日-月-年）	加入磋商请求	请求成立专家组（日-月-年）	专家组成立（日-月-年）	双边达成解决方案（日-月-年）
234	美国—2000 年持续性倾销及补贴补偿法案	加拿大 墨西哥 WT/DS234/1	21-05-2001	日本 WT/DS234/2 欧共体 WT/DS234/3 巴西 WT/DS234/4 印度尼西亚 WT/DS234/5 韩国 WT/DS234/6 印度 WT/DS234/7 危地马拉 WT/DS234/8 泰国 WT/DS234/9 澳大利亚 WT/DS234/10 智利 WT/DS234/11	10-08-2001 加拿大 WT/DS234/12 10-08-2001 墨西哥 WT/DS234/13	10-09-2001 争端解决机构决定于 2001 年 8 月 23 日成立专家组，应 澳大利亚 巴西 智利 欧共体 印度 印度尼西亚 日本 韩国 泰国 的要求。此案件也可参见加拿大和墨西哥申请 WT/DSB/M/109	
235	斯洛伐克—糖类进口的保障措施	波兰 WT/DS235/1	11-07-2001				11-01-2002 WT/DS235/2
236	美国—对来自加拿大的特定软木的初步判决	加拿大 WT/DS236/1	21-08-2001		26-10-2001 加拿大 WT/DS236/2	05-12-2001 WT/DSB/M/114	12-10-2006 WT/DS236/5/Add. 1
237	土耳其—新鲜水果的特定进口程序	厄瓜多尔 WT/DS237/1	31-08-2001	欧共体 WT/DS237/2	14-06-2002 厄瓜多尔 WT/DS237/3	29-07-2002 WT/DSB/M/130	22-11-2002 WT/DS237/4
238	阿根廷—桃脯进口的保障措施	智利 WT/DS238/1	14-09-2001		06-12-2002 智利 WT/DS238/2	18-01-2002 WT/DSB/M/117	
239	美国—对从巴西进口硅金属征收反倾销税	巴西 WT/DS239/1 和 Rev. 1	18-09-2001 01-11-2001	泰国 WT/DS239/2 欧共体 WT/DS239/3			
240	罗马尼亚—小麦及小麦粉进口禁令	匈牙利 WT/DS240/1 WT/DS240/1/Add. 1	18-10-2001 30-10-2001		28-11-2001 匈牙利 WT/DS240/2 2001 年 12 月 20 日撤销建立专家组请求 WT/DS240/3		
241	阿根廷—对来自巴西家禽征收反倾销税	巴西 WT/DS241/1	07-11-2001	欧共体 WT/DS241/2	26-02-2002 巴西 WT/DS241/3	17-04-2002 WT/DSB/M/123	

续 表

序号	案 件	请求磋商	收到磋商请求（日-月-年）	加入磋商请求	请求成立专家组（日-月-年）	专家组成立（日-月-年）	双边达成解决方案（日-月-年）
242	欧共体—普惠制	泰国 WT/DS242/1	07-12-2001	哥斯达黎加 WT/DS242/2 危地马拉 WT/DS242/3 尼加拉瓜 WT/DS242/4 洪都拉斯 WT/DS242/5 哥伦比亚 WT/DS242/6			
243	美国—纺织品及服装原产地证明	印度 WT/DS243/1	11-01-2002	孟加拉国 WT/DS243/2 欧共体 WT/DS243/3	08-05-2002 印度 WT/DS243/5 07-06-2002 WT/DS243/5/Rev. 1	24-06-2002 WT/DSB/M/128	
244	美国—对来自日本的耐腐蚀钢板反倾销税日复审	日本 WT/DS244/1	30-01-2002	欧共体 WT/DS244/2 印度 WT/DS244/3	05-04-2002 日本 WT/DS244/4	22-05-2002 WT/DSB/M/124 和 Corr. 1	
245	日本—影响苹果进口的措施	美国 WT/DS245/1	01-03-2002		08-05-2002 美国 WT/DS245/2	03-06-2002 WT/DSB/M/125	30-08-2005 WT/DS245/21
246	欧共体—给予发展中国家的优惠关税条件	印度 WT/DS246/1	05-03-2002	委内瑞拉 WT/DS246/2 哥伦比亚 WT/DS246/3	06-12-2002 印度 WT/DS246/4	27-01-2003 WT/DSB/M/142	
247	美国—对来自加拿大的软木进口的临时反倾销措施	加拿大 WT/DS247/1	06-03-2002				12-10-2006 WT/DS247/2 23-02-2007 WT/DS247/2/Add. 1
248	美国—对于特定钢铁制品进口的保障措施	欧共体 WT/DS248/1	07-03-2002	日本 WT/DS248/2 瑞士 WT/DS248/3 韩国 WT/DS248/4 挪威 WT/DS248/5 委内瑞拉 WT/DS248/6 加拿大 WT/DS248/7 墨西哥 WT/DS248/8 中国 WT/DS248/9 新西兰 WT/DS248/10	08-05-2002 欧共体 WT/DS248/12	03-06-2002 WT/DSB/M/125	

续 表

序号	案 件	请求磋商	收到磋商请求（日-月-年）	加入磋商请求	请求成立专家组（日-月-年）	专家组成立（日-月-年）	双边达成解决方案（日-月-年）
249	美国—对于特定钢铁产品的保障措施	日本 WT/DS249/1	20-03-2002	挪威 WT/DS249/2 新西兰 WT/DS249/3 墨西哥 WT/DS249/4	24-05-2002 日本 WT/DS249/6	14-06-2002 争端解决机构同意在2002年6月3日成立专家组来调查欧共体提请的上诉，同时也就日本提请的类似案件上诉做相应调查 WT/DSB/M/127	
250	美国—美国佛罗里达州对橙、柚加工产品的补贴性特许权税	巴西 WT/DS250/1	20-03-2002		19-08-2002 巴西 WT/DS250/2	01-10-2002 WT/DSB/M/133	28-05-2004 WT/DS250/3
251	美国—对于特定钢铁产品进口的保障措施	韩国 WT/DS251/1	20-03-2002	挪威 WT/DS251/2 日本 WT/DS251/3 新西兰 WT/DS251/4 墨西哥 WT/DS251/5	24-05-2002 韩国 WT/DS251/7	14-06-2002 争端解决机构同意在2002年6月3日成立专家组来调查欧共体提请的上诉，同时也就韩国提请的类似案件上诉做相应调查 WT/DSB/M/127	
252	美国—对于特定钢铁产品进口的保障措施	中国 WT/DS252/1	26-03-2002	日本 WT/DS252/2 新西兰 WT/DS252/3	27-05-2002 中国 WT/DS252/5	24-06-2002 争端解决机构同意在2002年6月3日成立专家组来调查欧共体提请的上诉，同时也就中国提请的类似案件上诉做相应调查 WT/DSB/M/128	
253	美国—对于特定钢铁产品进口的保障措施	瑞士 WT/DS253/1	03-04-2002	新西兰 WT/DS253/2 日本 WT/DS253/3	04-06-2002 瑞士 WT/DS253/5	24-06-2002 争端解决机构同意在2002年6月3日成立专家组来调查欧共体提请的上诉，同时也就瑞士提请的类似案件上诉做相应调查 WT/DSB/M/128	

续 表

序号	案 件	请求磋商	收到磋商请求（日-月-年）	加入磋商请求	请求成立专家组（日-月-年）	专家组成立（日-月-年）	双边达成解决方案（日-月-年）
254	美国—对于特定钢铁产品进口的保障措施	挪威 WT/DS254/1	04-04-2002	新西兰 WT/DS254/2 日本 WT/DS254/3	04-06-2002 挪威 WT/DS254/5	24-06-2002 争端解决机构同意在2002年6月3日成立专家组来调查欧共体提请的上诉，同时也就挪威提请的类似案件上诉做相应调查 WT/DSB/M/128	
255	秘鲁—对特定进口产品的税收措施	智利 WT/DS255/1	22-04-2002	美国 WT/DS255/2	14-06-2002 智利 WT/DS255/3 25-09-2002 WT/DS255/5 （此事件撤回）		
256	土耳其—对来自匈牙利的宠物食品的进口禁令	匈牙利 WT/DS256/1	03-05-2002				
257	美国—对来自加拿大的特定软木的最终反补贴税决定	加拿大 WT/DS257/1	03-05-2002		19-07-2002 加拿大 WT/DS257/2 19-08-2002 WT/DS257/3	01-10-2002 WT/DSB/M/133	12-10-2006 WT/DS257/26 23-02-2007 WT/DS257/26/Add. 1
258	美国—对于特定钢铁产品进口的保障措施	新西兰 WT/DS258/1	14-05-2002	欧共体 WT/DS258/2 日本 WT/DS258/3 韩国 WT/DS258/4 挪威 WT/DS258/5 中国 WT/DS258/6 墨西哥 WT/DS258/7	28-06-2002 新西兰 WT/DS258/9	08-07-2002 争端解决机构同意在2002年6月3日成立专家组来调查欧共体提请的上诉，同时也就新西兰提请的类似案件上诉做相应调查 WT/DSB/M/129	

续 表

序号	案 件	请求磋商	收到磋商请求（日-月-年）	加入磋商请求	请求成立专家组（日-月-年）	专家组成立（日-月-年）	双边达成解决方案（日-月-年）
259	美国—对特定钢铁产品进口采取保障措施	巴西 WT/DS259/1	21-05-2002	欧共体 WT/DS259/2 日本 WT/DS259/3 韩国 WT/DS259/4 挪威 WT/DS259/5 中国 WT/DS259/6 墨西哥 WT/DS259/7	22-07-2002 巴西 WT/DS259/10	29-07-2002 争端解决机构同意在 2002 年 6 月 3 日成立专家组来调查欧共体提请的上诉，同时也就巴西提请的类似案件上诉做相应调查 WT/DSB/M/130	
260	欧共体—对于特定钢铁产品进口的临时保障措施	美国 WT/DS260/1	30-05-2002	日本 WT/DS260/2	19-08-2002 美国 WT/DS260/4	16-09-2002 WT/DSB/M/132	
261	乌拉圭—特定产品的税收待遇	智利 WT/DS261/1	18-06-2002	欧共体 WT/DS261/2 墨西哥 WT/DS261/3	03-04-2003 智利 WT/DS261/4	19-05-2003 WT/DSB/M/150	08-01-2004 WT/DS261/7
262	美国—对来自德国和法国的特定钢铁产品的反倾销和反补贴税的日落复审	欧共体 WT/DS262/1	25-07-2002	加拿大 WT/DS262/2 日本 WT/DS262/3			
263	欧共体—影响酒类进口的措施	阿根廷 WT/DS263/1	04-09-2002				
264	美国—对来自加拿大的木材的最终倾销决定	加拿大 WT/DS264/1	13-09-2002		06-12-2002 加拿大 WT/DS264/2	08-01-2003 WT/DSB/M/140	12-10-2006 WT/DS264/29 23-02-2007 Add. 1

续 表

序号	案 件	请求磋商	收到磋商请求（日-月-年）	加入磋商请求	请求成立专家组（日-月-年）	专家组成立（日-月-年）	双边达成解决方案（日-月-年）
265	欧共体—糖类出口补贴	澳大利亚 WT/DS265/1	27-09-2002	毛里求斯 WT/DS265/2 巴西 WT/DS265/3 瑞士 WT/DS265/4 斐济 WT/DS265/5 圭亚那 WT/DS265/6 伯利兹 WT/DS265/7 牙买加 WT/DS265/8 印度 WT/DS265/9 津巴布韦 WT/DS265/10 马拉维 WT/DS265/11 加拿大 WT/DS265/12 肯尼亚 WT/DS265/13 巴巴多斯 WT/DS265/14 科特迪瓦 WT/DS265/15 刚果 WT/DS265/16 马达加斯加 WT/DS265/17 哥伦比亚 WT/DS265/18 圣基茨和尼维斯 WT/DS265/19	09-07-2003 澳大利亚 WT/DS265/21	29-08-2003 WT/DSB/M/155	

续 表

序号	案　件	请求磋商	收到磋商请求（日-月-年）	加入磋商请求	请求成立专家组（日-月-年）	专家组成立（日-月-年）	双边达成解决方案（日-月-年）
266	欧共体—糖类出口补贴	巴西 WT/DS266/1	27-09-2002	澳大利亚 WT/DS266/2 毛里求斯 WT/DS266/3 印度 WT/DS266/4 瑞士 WT/DS266/5 斐济 WT/DS266/6 圭亚那 WT/DS266/7 伯利兹 WT/DS266/8 牙买加 WT/DS266/9 津巴布韦 WT/DS266/10 马拉维 WT/DS266/11 加拿大 WT/DS266/12 肯尼亚 WT/DS266/13 巴巴多斯 WT/DS266/14 科特迪瓦 WT/DS266/15 刚果 WT/DS266/16 马达加斯加 WT/DS266/17 哥伦比亚 WT/DS266/18 圣基茨和尼维斯 WT/DS266/19	09-07-2003 巴西 WT/DS266/21	29-08-2003 WT/DSB/M/155	
267	美国—陆地棉补贴	巴西 WT/DS267/1	27-09-2002	津巴布韦 WT/DS267/2 印度 WT/DS267/3 阿根廷 WT/DS267/4 加拿大 WT/DS267/5	06-02-2003 巴西 WT/DS267/7	18-03-2003 WT/DSB/M/145	16-10-2014 WT/DS267/46
268	美国—对来自阿根廷的石油管材的反倾销措施日落复审	阿根廷 WT/DS268/1	07-10-2002		03-04-2003 阿根廷 WT/DS268/2	19-05-2003 WT/DSB/M/150	

续 表

序号	案 件	请求磋商	收到磋商请求（日-月-年）	加入磋商请求	请求成立专家组（日-月-年）	专家组成立（日-月-年）	双边达成解决方案（日-月-年）
269	欧共体—对冷冻无骨鸡块的关税分类	巴西 WT/DS269/1	11-10-2002	美国 WT/DS269/2	19-09-2003 巴西 WT/DS269/3	07-11-2003 WT/DSB/M/157	
270	澳大利亚—影响新鲜水果和蔬菜进口的特定措施	菲律宾 WT/DS270/1	18-10-2002	欧共体 WT/DS270/2 泰国 WT/DS270/3	07-07-2003 菲律宾 WT/DS270/5/Rev. 1	29-08-2003 WT/DSB/M/155	
271	澳大利亚—影响菠萝进口的措施	菲律宾 WT/DS271/1	18-10-2002	欧共体 WT/DS271/2 泰国 WT/DS271/3			
272	秘鲁—对来自阿根廷的植物油征收临时税	阿根廷 WT/DS272/1	21-10-2002				
273	韩国—影响商船贸易的措施	欧共体 WT/DS273/1	21-10-2002		11-06-2003 欧共体 WT/DS273/2	21-07-2003 WT/DSB/M/153	
274	美国—对于特定钢铁产品进口的保障措施	台、澎、金、马单独关税区 WT/DS274/1	01-11-2002	日本 WT/DS274/2			
275	委内瑞拉—对特定农产品进口许可证措施	美国 WT/DS275/1	07-11-2002	欧共体 WT/DS275/2 加拿大 WT/DS275/3 新西兰 WT/DS275/4 阿根廷 WT/DS275/5 哥伦比亚 WT/DS275/6 智利 WT/DS275/7			
276	加拿大—对于小麦出口措施和谷物进口待遇	美国 WT/DS276/1	17-12-2002	日本 WT/DS276/2 墨西哥 WT/DS276/3 欧共体 WT/DS276/4 澳大利亚 WT/DS276/5	06-03-2003 美国 WT/DS276/6 30-06-2003 美国 WT/DS276/9	31-03-2003 WT/DSB/M/146 11-07-2003 WT/DSB/M/152	
277	美国—对来自加拿大的软木的国际贸易商会调查	加拿大 WT/DS277/1	20-12-2002		03-04-2003 加拿大 WT/DS277/2	07-05-2003 WT/DSB/M/149	12-10-2006 WT/DS277/20
278	智利—果糖进口的保障措施	阿根廷 WT/DS278/1	20-12-2002				

续 表

序号	案 件	请求磋商	收到磋商请求（日-月-年）	加入磋商请求	请求成立专家组（日-月-年）	专家组成立（日-月-年）	双边达成解决方案（日-月-年）
279	印度—2002 至 2007 年进出口政策中进口限制的持续	欧共体 WT/DS279/1	23-12-2002	美国 WT/DS279/2			
280	美国—对来自墨西哥的钢板的反补贴税	墨西哥 WT/DS280/1	21-01-2003		04-08-2003 墨西哥 WT/DS280/2	29-08-2003 WT/DSB/M/155	
281	美国—对来自墨西哥的水泥的反倾销措施	墨西哥 WT/DS281/1	31-01-2003		29-07-2003 墨西哥 WT/DS281/2	29-08-2003 WT/DSB/M/155	16-05-2007 WT/DS281/8
282	美国—对来自墨西哥的石油工业用管材的反倾销措施	墨西哥 WT/DS282/1	18-02-2003		29-07-2003 墨西哥 WT/DS282/2	29-08-2003 WT/DSB/M/155	
283	欧共体—糖类出口补贴	泰国 WT/DS283/1	14-03-2003		09-07-2003 泰国 WT/DS283/2	29-08-2003 WT/DSB/M/155	
284	墨西哥—阻碍来自尼加拉瓜黑豆进口的特定措施	尼加拉瓜 WT/DS284/1	17-03-2003	美国 WT/DS284/2 加拿大 WT/DS284/3			
285	美国—影响博彩业跨境提供的措施	安提瓜和巴布达 WT/DS285/1 和 WT/DS285/1/Add. 1	13-03-2003 01-04-2003		12-06-2003 安提瓜和巴布达 WT/DS285/2	21-07-2003 WT/DSB/M/153	
286	欧共体—冷冻无骨鸡的关税分类	泰国 WT/DS286/1	25-03-2003	巴西 WT/DS286/2 美国 WT/DS286/3	27-10-2003 泰国 WT/DS286/5	21-11-2003 争端解决机构同意在 11 月 7 日成立专家组对巴西（WT/DS269/3）做出的上诉进行调查，同时也调查泰国（WT/DSB/M/15）就同一事件提出的投诉	
287	澳大利亚—进口检疫制度	欧共体 WT/DS287/1	03-04-2003	智利 WT/DS287/2 加拿大 WT/DS287/3 印度 WT/DS287/4 菲律宾 WT/DS287/5	29-08-2003 欧共体 WT/DS287/7 和 14-10-2003 WT/DS287/7/Rev. 1		09-03-2007 WT/DS287/8
288	南非—对来自土耳其毛毯的反倾销措施	土耳其 WT/DS288/1	09-04-2003				
289	捷克—对来自波兰的猪肉进口的格外关税	波兰 WT/DS289/1	16-04-2003				

续 表

序号	案 件	请求磋商	收到磋商请求（日-月-年）	加入磋商请求	请求成立专家组（日-月-年）	专家组成立（日-月-年）	双边达成解决方案（日-月-年）
290	欧共体—农产品和食品的商标及地理标识保护	澳大利亚 WT/DS290/1	17-04-2003	马耳他 WT/DS290/2 保加利亚 WT/DS290/3 捷克 WT/DS290/4 塞浦路斯 WT/DS290/5 美国 WT/DS290/6 斯洛文尼亚 WT/DS290/7 新西兰 WT/DS290/8 土耳其 WT/DS290/9 墨西哥 WT/DS290/10 阿根廷 WT/DS290/11 匈牙利 WT/DS290/12 哥伦比亚 WT/DS290/13 罗马尼亚 WT/DS290/14 斯洛伐克 WT/DS290/15 台、澎、金、马单独关税区 WT/DS290/16	18-08-2003 澳大利亚 WT/DS290/18	02-10-2003 WT/DSB/M/156	
291	欧共体—影响生物科技产品审批及营销的措施	美国 WT/DS291/1	13-05-2003	秘鲁 WT/DS291/2 哥伦比亚 WT/DS291/3 墨西哥 WT/DS291/4 澳大利亚 WT/DS291/5 新西兰 WT/DS291/6 阿根廷 WT/DS291/7 巴西 WT/DS291/8 加拿大 WT/DS291/9 印度 WT/DS291/10 智利 WT/DS291/11	07-08-2003 WT/DS291/23	29-08-2003 WT/DSB/M/155	

续 表

序号	案 件	请求磋商	收到磋商请求（日-月-年）	加入磋商请求	请求成立专家组（日-月-年）	专家组成立（日-月-年）	双边达成解决方案（日-月-年）
292	欧共体—影响生物科技产品审批及营销的措施	加拿大 WT/DS292/1	13-05-2003	墨西哥 WT/DS292/2 美国 WT/DS292/3 澳大利亚 WT/DS292/4 阿根廷 WT/DS292/5 巴西 WT/DS292/6 印度 WT/DS292/7 新西兰 WT/DS292/8	07-08-2003 WT/DS292/17	29-08-2003 WT/DSB/M/155	15-07-2009 WT/DS292/40
293	欧共体—影响生物科技产品批准及营销的措施	阿根廷 WT/DS293/1	14-05-2003	墨西哥 WT/DS293/2 美国 WT/DS293/3 澳大利亚 WT/DS293/4 巴西 WT/DS293/5 加拿大 WT/DS293/6 印度 WT/DS293/7 新西兰 WT/DS293/8	07-08-2003 阿根廷 WT/DS293/17	29-08-2003 WT/DSB/M/155	19-03-2010 WT/DS293/41
294	美国—计算倾销差额（归零法）的法律、规则及方法	欧共体 WT/DS294/1 和 WT/DS294/1/Add. 1	12-06-2003 08-09-2003	印度 WT/DS294/2 韩国 WT/DS294/3 日本 WT/DS294/4 墨西哥 WT/DS294/5 和 WT/DS294/6	05-02-2004 欧共体 WT/DS294/7	19-03-2004 WT/DSB/M/166	
295	墨西哥—对于牛肉及稻米反倾销措施	美国 WT/DS295/1	16-06-2003		19-09-2003 美国 WT/DS295/2		
296	美国—对于来自韩国的计算机动态随机存取存储器芯片（DRAMS）征收反补贴税调查	韩国 WT/DS296/1 和 WT/DS296/1/Add. 1	30-06-2003 18-08-2003		19-11-2003 韩国 WT/DS296/2	23-01-2004 WT/DSB/M/163	

续 表

序号	案件	请求磋商	收到磋商请求（日-月-年）	加入磋商请求	请求成立专家组（日-月-年）	专家组成立（日-月-年）	双边达成解决方案（日-月-年）
297	克罗地亚—影响活体动物及肉产品进口的措施	匈牙利 WT/DS297/1	09-07-2003				30-01-2009 WT/DS297/2
298	墨西哥—对于海关估价及其他特定用途的定价方法	危地马拉 WT/DS298/1 撤销要求磋商的请求 WT/DS298/2 （29-08-05）	22-07-2003				
299	欧共体—对来自韩国的计算机动态随机存取存储器芯片采取反补贴措施	韩国 WT/DS299/1 和 WT/DS299/1/Rev. 1/Add. 1	25-07-2003 25-08-2003		19-11-2003 韩国 WT/DS299/2	23-01-2004 WT/DSB/M/163	
300	多米尼加—影响香烟进口的措施	洪都拉斯 WT/DS300/1	28-08-2003				
301	欧共体—影响商船贸易的措施	韩国 WT/DS301/1	03-09-2003	中国 WT/DS301/2	05-02-2004 韩国 WT/DS301/3	19-03-2004 WT/DSB/M/163	
302	多米尼加—影响香烟进口和国内销售的措施	洪都拉斯 WT/DS302/1	08-10-2003	危地马拉 WT/DS302/2 尼加拉瓜 WT/DS302/3	08-12-2003 洪都拉斯 WT/DS302/5	09-01-2004 WT/DSB/M/162	
303	厄瓜多尔—对中密度板进口的保障措施	智利 WT/DS303/1	24-11-2003				
304	印度—对来自欧共体的特定产品进口的反倾销措施	欧共体 WT/DS304/1 和 Corr. 1	08-12-2003	土耳其 WT/DS304/2 台、澎、金、马单独关税区 WT/DS304/3			
305	埃及—影响纺织品及服装进口措施	美国 WT/DS305/1	23-12-2003	欧共体 WT/DS305/2			20-05-2005 WT/DS305/4
306	印度—对来自孟加拉电池采取反倾销措施	孟加拉 WT/DS306/1	28-01-2004	欧共体 WT/DS306/2			20-02-2006 WT/DS306/3
307	欧共体—对商船的补贴	韩国 WT/DS307/1	13-02-2004				

续 表

序号	案 件	请求磋商	收到磋商请求（日-月-年）	加入磋商请求	请求成立专家组（日-月-年）	专家组成立（日-月-年）	双边达成解决方案（日-月-年）
308	墨西哥—对于非酒精饮料及其他饮料征税	美国 WT/DS308/1	16-03-2004	加拿大 WT/DS308/2	10-06-2004 美国 WT/DS308/4	06-07-2004 WT/DSB/M/172	
309	中国—对集成电路的增值税	美国 WT/DS309/1	18-03-2004	欧共体 WT/DS309/2 日本 WT/DS309/3 墨西哥 WT/DS309/4 台、澎、金、马单独关税区 WT/DS309/5			05-10-2005 WT/DS309/8
310	美国—国际贸易委员会对来自加拿大的硬粒赤春小麦的决定	加拿大 WT/DS310/1	08-04-2004		10-06-2004 加拿大 WT/DS310/2 20-07-2004 加拿大请求将成立专家组的要求从争端解决机构议程中撤回，保留其在未来会议中对该项请求的权利（WT/DSB/M/173）		
311	美国—对来自加拿大软木的反补贴税复审	加拿大 WT/DS311/1	14-04-2004				12-10-2006 WT/DS311/2 23-02-2007 WT/DS311/2/Add. 1
312	韩国—对来自印度尼西亚特定纸张征收反倾销税	印度尼西亚 WT/DS312/1	04-06-2004		16-08-2004 印度尼西亚 WT/DS312/2	27-09-2004 WT/DSB/M/176	
313	欧共体—对来自印度的扁钢和非合金钢产品采取反倾销措施	印度 WT/DS313/1	05-07-2004				22-10-2004 WT/DS313/2
314	墨西哥—对来自欧共体的橄榄油采取临时反补贴措施	欧共体 WT/DS314/1	18-08-2004				

续 表

序号	案 件	请求磋商	收到磋商请求（日-月-年）	加入磋商请求	请求成立专家组（日-月-年）	专家组成立（日-月-年）	双边达成解决方案（日-月-年）
315	欧共体—特定海关措施	美国 WT/DS315/1	21-09-2004	澳大利亚 WT/DS315/2 日本 WT/DS315/3 巴西 WT/DS315/4 阿根廷 WT/DS315/5 台、澎、金、马单独关税区 WT/DS315/6 印度 WT/DS315/7	13-01-2005 美国 WT/DS315/8	21-03-2005 WT/DSB/M/186	
316	欧共体及其某些成员国—影响大型民用航空器贸易的措施	美国 WT/DS316/1 WT/DS316/1/Add. 1	06-10-2004 31-01-2006		31-05-2005 美国 WT/DS316/2 11-04-2006 美国 WT/DS316/6	20-07-2005 WT/DSB/M/194 09-05-2006 WT/DSB/M/211 和 Corr. 1	
317	美国—影响大型民用航空器贸易的措施	欧共体 WT/DS317/1 WT/DS317/1/Add. 1	06-10-2004 27-06-2005		31-05-2005 欧共体 WT/DS317/2 20-01-2006 欧共体 WT/DS317/5	20-07-2005 WT/DSB/M/194 17-02-2006 WT/DSB/M/205	
318	印度—对来自台、澎、金、马单独关税区特定产品的反倾销措施	台、澎、金、马单独关税区 WT/DS318/1	28-10-2004				
319	美国—1930 年关税法案第 776 节	欧共体 WT/DS319/1	05-11-2004				
320	美国—继续中止在荷尔蒙案件中的义务	欧共体 WT/DS320/1	08-11-2004	加拿大 WT/DS320/2 澳大利亚 WT/DS320/3 墨西哥 WT/DS320/4	13-01-2005 欧共体 WT/DS320/6	17-02-2005 WT/DSB/M/183	
321	加拿大—欧共体继续中止在荷尔蒙案件中义务	欧共体 WT/DS321/1	08-11-2004	澳大利亚 WT/DS321/2 墨西哥 WT/DS321/3 美国 WT/DS321/4	13-01-2005 欧共体 WT/DS321/6	17-02-2005 WT/DSB/M/183	

续 表

序号	案 件	请求磋商	收到磋商请求（日-月-年）	加入磋商请求	请求成立专家组（日-月-年）	专家组成立（日-月-年）	双边达成解决方案（日-月-年）
322	美国—与归零法及日落复审相关的措施	日本 WT/DS322/1	24-11-2004	印度 WT/DS322/2 挪威 WT/DS322/3 阿根廷 WT/DS322/4 台、澎、金、马单独关税区 WT/DS322/5 欧共体 WT/DS322/6 墨西哥 WT/DS322/7	04-02-2005 日本 WT/DS322/8	28-02-2005 WT/DSB/M/185	
323	日本—干紫菜和味付紫菜进口配额	韩国 WT/DS323/1	01-12-2004		04-02-2005 韩国 WT/DS323/2	21-03-2005 WT/DSB/M/186	23-01-2006 WT/DS323/5
324	美国—对来自泰国虾的临时反倾销措施	泰国 WT/DS324/1	09-12-2004	日本 WT/DS324/2 巴西 WT/DS324/3 欧共体 WT/DS324/4 中国 WT/DS324/5 印度 WT/DS324/6 厄瓜多尔 WT/DS324/7			
325	美国—对来自墨西哥的不锈钢的反倾销措施	墨西哥 WT/DS325/1	05-01-2005	日本 WT/DS325/2 欧共体 WT/DS325/3			
326	欧共体—对于鲑鱼的保障措施	智利 WT/DS326/1 撤回磋商请求 WT/DS326/4 (12-05-05)	08-02-2005	挪威 WT/DS326/2			
327	埃及—对来自巴基斯坦火柴的反倾销措施	巴基斯坦 WT/DS327/1	21-02-2005		09-06-2005 巴基斯坦 WT/DS327/2	20-07-2005 WT/DSB/M/194	27-03-2006 WT/DS327/3
328	欧共体—对于鲑鱼的保障措施	挪威 WT/DS328/1	01-03-2005	智利 WT/DS328/2			
329	巴拿马—对于特定奶类产品的关税分类	墨西哥 WT/DS329/1	16-03-2005				20-09-2005 WT/DS329/2

续 表

序号	案件	请求磋商	收到磋商请求（日-月-年）	加入磋商请求	请求成立专家组（日-月-年）	专家组成立（日-月-年）	双边达成解决方案（日-月-年）
330	阿根廷—对于橄榄油，面筋及桃子的反补贴税	欧共体 WT/DS330/1	29-04-2005				
331	墨西哥—对来自危地马拉的钢管征收反倾销税	危地马拉 WT/DS331/1	17-06-2005		06-02-2006 危地马拉 WT/DS331/2	17-03-2006 WT/DSB/M/207	
332	巴西—影响翻新轮胎进口的措施	欧共体 WT/DS332/1	20-06-2005	阿根廷 WT/DS332/2	17-11-2005 欧共体 WT/DS332/4	20-01-2006 WT/DSB/M/203	
333	多米尼加—影响来自哥斯达黎加进口的外汇费用	哥斯达黎加 WT/DS333/1	12-09-2005	危地马拉 WT/DS333/2 萨尔瓦多 WT/DS333/3			
334	土耳其—影响稻米进口的措施	美国 WT/DS334/1	02-11-2005	澳大利亚 WT/DS334/2 泰国 WT/DS334/3	06-02-2006 美国 WT/DS334/4	17-03-2006 WT/DSB/M/207	
335	美国—对来自厄瓜多尔的虾的反倾销措施	厄瓜多尔 WT/DS335/1	17-11-2005	欧共体 WT/DS335/2 印度 WT/DS335/3 巴西 WT/DS335/4 泰国 WT/DS335/5	08-06-2006 厄瓜多尔 WT/DS335/6	19-07-2006 WT/DSB/M/217	
336	日本—对来自韩国的计算机动态随机存取存储器芯片的反补贴措施	韩国 WT/DS336/1	14-03-2006	美国 WT/DS336/2 欧共体 WT/DS336/3	18-05-2006 韩国 WT/DS336/5	19-06-2006 WT/DSB/M/215	
337	欧共体—对来自挪威的养殖鲑鱼的反倾销措施	挪威 WT/DS337/1 和 WT/DS337/1/Add. 1	17-03-2006 27-03-2006		29-05-2006 挪威 WT/DS337/2	22-06-2006 WT/DSB/M/216	
338	加拿大—对来自美国谷物玉米征收临时的反倾销税和反补贴税	美国 WT/DS338/1	17-03-2006				

续 表

序号	案 件	请求磋商	收到磋商请求（日-月-年）	加入磋商请求	请求成立专家组（日-月-年）	专家组成立（日-月-年）	双边达成解决方案（日-月-年）
339	中国—影响汽车零部件进口的措施	欧共体 WT/DS339/1	30-03-2006	美国 WT/DS339/2 日本 WT/DS339/3 澳大利亚 WT/DS339/4 墨西哥 WT/DS339/5 加拿大 WT/DS339/6	15-09-2006 欧共体 WT/DS339/8	26-10-2006 WT/DSB/M/221	
340	中国—影响汽车零部件进口的措施	美国 WT/DS340/1	30-03-2006	日本 WT/DS340/2 欧共体 WT/DS340/3 澳大利亚 WT/DS340/4 墨西哥 WT/DS340/5 加拿大 WT/DS340/6	15-09-2006 美国 WT/DS340/8	26-10-2006 WT/DSB/M/221	
341	墨西哥—对来自欧共体的橄榄油采取反补贴措施	欧共体 WT/DS341/1	31-03-2006		07-12-2006 欧共体 WT/DS341/2	23-01-2007 WT/DSB/M/225	
342	中国—影响汽车零部件进口的措施	加拿大 WT/DS342/1	13-04-2006	美国 WT/DS342/2 澳大利亚 WT/DS342/3 日本 WT/DS342/4 欧共体 WT/DS342/5 墨西哥 WT/DS342/6	15-09-2006 加拿大 WT/DS342/8	26-10-2006 WT/DSB/M/221	
343	美国—影响来自泰国虾的措施	泰国 WT/DS343/1 和 Corr. 2	24-04-2006	印度 WT/DS343/2 日本 WT/DS343/3 巴西 WT/DS343/4 中国 WT/DS343/5	15-09-2006 泰国 WT/DS343/7	26-10-2006 WT/DSB/M/221	

续 表

序号	案　件	请求磋商	收到磋商请求（日-月-年）	加入磋商请求	请求成立专家组（日-月-年）	专家组成立（日-月-年）	双边达成解决方案（日-月-年）
344	美国—对来自墨西哥的不锈钢的反倾销措施	墨西哥 WT/DS344/1	26-05-2006	日本 WT/DS344/2	12-10-2006 墨西哥 WT/DS344/4	26-10-2006 WT/DSB/M/221	08-04-2013 WT/DS344/26
345	美国—涉及反倾销及反补贴税的商品海关保证金	印度 WT/DS345/1	06-06-2006	泰国 WT/DS345/2 中国 WT/DS345/3 巴西 WT/DS345/4	13-10-2006 印度 WT/DS345/6	21-11-2006 WT/DSB/M/222	
346	美国—对来自阿根廷的工业用管材的反倾销行政复审	阿根廷 WT/DS346/1	20-06-2006				
347	欧共体及其某些成员国—影响大型民用航空器贸易的措施（二诉）	美国 WT/DS347/1	31-01-2006		11-04-2006 美国 WT/DS347/3	09-05-2006 WT/DSB/M/211 和 Corr. 1 根据 DSU 第 12.12 条 07-10-2007 专家组解散	
348	哥伦比亚—来自巴拿马特定产品进口的海关措施	巴拿马 WT/DS348/1	20-07-2006	危地马拉 WT/DS348/2 中国 WT/DS348/3 菲律宾 WT/DS348/4 中国香港 WT/DS348/5 巴基斯坦 WT/DS348/6 WT/DS348/7 泰国 WT/DS348/8			01-12-2006 WT/DS348/10
349	欧共体—影响新鲜及冷藏大蒜的关税配额措施	阿根廷 WT/DS349/1	06-09-2006				
350	美国—继续使用归零法	欧共体 WT/DS350/1 和 WT/DS350/1/ Add. 1	02-10-2006 09-10-2006	日本 WT/DS350/2 泰国 WT/DS350/3 巴西 WT/DS350/4 印度 WT/DS350/5	10-05-2007 欧共体 WT/DS350/6	04-06-2007 WT/DSB/M/233	
351	智利—对于特定奶制品的临时保障措施	阿根廷 WT/DS351/1	25-10-2006		8-03-2007 阿根廷 WT/DS351/2 WT/DS356/2	24-04-2007 WT/DSB/M/230	

续 表

序号	案 件	请求磋商	收到磋商请求（日-月-年）	加入磋商请求	请求成立专家组（日-月-年）	专家组成立（日-月-年）	双边达成解决方案（日-月-年）
352	印度—影响来自欧共体葡萄酒和烈性酒进口和销售的措施	欧共体 WT/DS352/1	20-11-2006	美国 WT/DS352/2 澳大利亚 WT/DS352/3	23-03-2007 欧共体 WT/DS352/4	24-04-2007 WT/DSB/M/230 17-07-2008 建立专家组的授权取消（WT/DS352/7）	
353	美国—影响大型民用航空器贸易的措施（二诉）	欧共体 WT/DS353/1 WT/DS317/1/Add. 2			欧共体 WT/DS353/2/Corr. 1 WT/DS317/5/Add. 1/Corr. 1		
354	加拿大—对葡萄酒和啤酒的税收减免	欧共体 WT/DS354/1	29-11-2006				17-12-2008 WT/DS354/2
355	巴西—对产自阿根廷特定树脂征收反倾销税	阿根廷 WT/DS355/1	26-12-2006		07-06-2007 阿根廷 WT/DS355/2	24-07-2007 WT/DSB/M/236 05-02-2009 建立专家组的授权取消 WT/DS355/6	
356	智利—对特定奶制品实施保障措施	阿根廷 WT/DS356/1	28-12-2006		8-03-2007 阿根廷 WT/DS351/2 WT/DS356/2	24-04-2007 WT/DSB/M/230	
357	美国—对玉米和其他农产品的补贴和国内支持	加拿大 WT/DS357/1	08-01-2007	澳大利亚 WT/DS357/2 危地马拉 WT/DS357/3 巴西 WT/DS357/4 阿根廷 WT/DS357/5 欧共体 WT/DS357/6 乌拉圭 WT/DS357/7 尼加拉瓜 WT/DS357/8 泰国 WT/DS357/9	07-06-2007 加拿大 WT/DS357/11 15-11-2007 撤回请求 WT/DS357/13 08-11-2007 加拿大 WT/DS357/12 和 Corr. 1	17-12-2007 WT/DSB/M/243	

续 表

序号	案 件	请求磋商	收到磋商请求（日-月-年）	加入磋商请求	请求成立专家组（日-月-年）	专家组成立（日-月-年）	双边达成解决方案（日-月-年）
358	中国—国内税收和其他支付的退还、抵免、减免措施	美国 WT/DS358/1	02-02-2007	欧共体 WT/DS358/2 澳大利亚 WT/DS358/3 日本 WT/DS358/4 墨西哥 WT/DS358/5	12-07-2007 美国 WT/DS358/13	31-08-2007 WT/DSB/M/238	
		WT/DS358/1/Add. 1	27-04-2007	墨西哥 WT/DS358/7 欧共体 WT/DS358/8 澳大利亚 WT/DS358/9 日本 WT/DS358/10 加拿大 WT/DS358/11			
359	中国—国内税收和其他支付的退还、抵免、减免措施	墨西哥 WT/DS359/1	26-02-2007	欧共体 WT/DS359/2 澳大利亚 WT/DS359/3 日本 WT/DS359/4 美国 WT/DS359/5	12-07-2007 墨西哥 WT/DS359/13	31-08-2007 WT/DSB/M/238	
		WT/DS359/1/Add. 1	04-05-2007	澳大利亚 WT/DS359/7 欧共体 WT/DS359/8 加拿大 WT/DS359/9 日本 WT/DS359/10 美国 WT/DS359/11			
360	印度—对来自美国的进口产品征收“附加税”和“超额附加税”	美国 WT/DS360/1	06-03-2007	欧共体 WT/DS360/2 澳大利亚 WT/DS360/3	24-05-2007 美国 WT/DS360/5	20-06-2007 WT/DSB/M/234	
361	欧共体—香蕉进口制度	哥伦比亚 WT/DS361/1	21-03-2007				08-11-2012 WT/DS361/3

续 表

序号	案　件	请求磋商	收到磋商请求（日-月-年）	加入磋商请求	请求成立专家组（日-月-年）	专家组成立（日-月-年）	双边达成解决方案（日-月-年）
362	中国—影响知识产权保护和执法的措施	美国 WT/DS362/1	10-04-2007	日本 WT/DS362/2 欧共体 WT/DS362/3 加拿大 WT/DS362/4 墨西哥 WT/DS362/5	21-08-2007 美国 WT/DS362/7	25-09-2007 WT/DSB/M/239	
363	中国—影响某些出版物和视听娱乐产品贸易权和分销权的措施	美国 WT/DS363/1 WT/DS363/1/Add. 1	10-04-2007 10-07-2007	欧共体 WT/DS363/2 欧共体 WT/DS363/4	10-10-2007 美国 WT/DS363/5	27-11-2007 WT/DSB/M/242	
364	欧共体—香蕉进口制度	巴拿马 WT/DS364/1	22-06-2007				08-11-2012 WT/DS364/3
365	美国—对农产品的国内支持和出口信贷担保	巴西 WT/DS365/1	11-07-2007	加拿大 WT/DS365/2 危地马拉 WT/DS365/3 哥斯达黎加 WT/DS365/4 欧共体 WT/DS365/5 墨西哥 WT/DS365/6 澳大利亚 WT/DS365/7 阿根廷 WT/DS365/8 泰国 WT/DS365/9 印度 WT/DS365/10 尼加拉瓜 WT/DS365/11	08-11-2007 巴西 WT/DS365/13	17-12-2007 WT/DSB/M/243	
366	哥伦比亚—指示性价格和入境港口的限制	巴拿马 WT/DS366/1	12-07-2007	危地马拉 WT/DS366/2 洪都拉斯 WT/DS366/3 台、澎、金、马单独关税区 WT/DS366/4	14-09-2007 巴拿马 WT/DS366/6	22-10-2007 WT/DSB/M/241	

续 表

序号	案 件	请求磋商	收到磋商请求（日-月-年）	加入磋商请求	请求成立专家组（日-月-年）	专家组成立（日-月-年）	双边达成解决方案（日-月-年）
367	澳大利亚—影响来自新西兰苹果进口的措施	新西兰 WT/DS367/1	31-08-2007	欧共体 WT/DS367/2 美国 WT/DS367/3	06-12-2007 新西兰 WT/DS367/5	21-01-2008 WT/DSB/M/245	
368	美国—对来自中国的铜版纸征收临时反倾销和反补贴税	中国 WT/DS368/1	14-09-2007				
369	欧共体—禁止海豹产品进口和销售的措施	加拿大 WT/DS369/1	25-09-2007		11-02-2011 加拿大 WT/DS369/2	25-03-2011 WT/DSB/M/294	
370	泰国—对来自欧共体特定商品的海关估价制度	欧共体 WT/DS370/1	25-01-2008	菲律宾 WT/DS370/2 美国 WT/DS370/3			
371	泰国—对来自菲律宾烟草所采取的海关和财政措施	菲律宾 WT/DS371/1	07-02-2008	欧共体 WT/DS371/2	29-09-2008 菲律宾 WT/DS371/3	17-11-2008 WT/DSB/M/259	
372	中国—影响金融信息服务和外资金融信息服务提供商的措施	欧共体 WT/DS372/1	03-03-2008	美国 WT/DS372/2			
373	中国—影响金融信息服务和外资金融信息服务提供商的措施	美国 WT/DS373/1	03-03-2008	欧共体 WT/DS373/2			
374	南非—对未涂层纸采取反倾销措施	印度尼西亚 WT/DS374/1 撤回磋商请求 WT/DS374/2 （2008年11月20日）	09-05-2008				
375	欧共体及其成员国—对特定信息技术产品的关税措施	美国 WT/DS375/1	28-05-2008	泰国 WT/DS375/2 日本 WT/DS375/3 新加坡 WT/DS375/4 菲律宾 WT/DS375/5 台、澎、金、马单独关税区 WT/DS375/6 中国 WT/DS375/7	18-08-2008 美国 WT/DS375/8 WT/DS376/8 WT/DS377/6	23-09-2008 WT/DSB/M/256	

续 表

序号	案 件	请求磋商	收到磋商请求（日-月-年）	加入磋商请求	请求成立专家组（日-月-年）	专家组成立（日-月-年）	双边达成解决方案（日-月-年）
376	欧共体及其成员国—对特定信息技术产品的关税措施	日本 WT/DS376/1	28-05-2008	泰国 WT/DS376/2 台、澎、金、马单独关税区 WT/DS376/3 新加坡 WT/DS376/4 菲律宾 WT/DS376/5 美国 WT/DS376/6 中国 WT/DS376/7	18-08-2008 日本 WT/D376/8 WT/DS375/8 WT/DS377/6	23-09-2008 WT/DSB/M/256	
377	欧共体及其成员国—对特定信息技术产品的关税措施	台、澎、金、马单独关税区 WT/DS377/1	12-06-2008	美国 WT/DS377/2 中国 WT/DS377/3 日本 WT/DS377/4	18-08-2008 台、澎、金、马单独关税区 WT/DS377/6 WT/DS375/8 WT/DS376/8	23-09-2008 WT/DSB/M/256	
378	中国—影响金融信息服务和外资金融信息服务提供商的措施	加拿大 WT/DS378/1	20-06-2008	美国 WT/DS378/2			
379	美国—对来自中国的特定产品征收反倾销税和反补贴税	中国 WT/DS379/1	19-09-2008		09-12-2008 中国 WT/DS379/2	20-01-2009 WT/DSB/M/263	
380	印度—对进口葡萄酒与烈酒采取的某些税收和其他措施	欧共体 WT/DS380/1 WT/DS380/1/Add. 1 WT/DS380/1/Add. 2	22-09-2008 15-12-2008 04-05-2009	澳大利亚 WT/DS380/2 美国 WT/DS380/3 美国 WT/DS380/4 美国 WT/DS380/5			
381	美国—对金枪鱼和金枪鱼产品的进口、营销和销售采取的措施	墨西哥 WT/DS381/1	24-10-2008	欧共体 WT/DS381/2 澳大利亚 WT/DS381/3	09-03-2009 墨西哥 WT/DS381/4	20-04-2009 WT/DSB/M/267	
382	美国—对从巴西进口的特定橙汁采取的反倾销行政复审和其他措施	巴西 WT/DS382/1 WT/DS382/1/Add. 1	27-11-2008 22-05-2009	日本 WT/DS382/2 日本 WT/DS382/3	20-08-2009 巴西 WT/DS382/4	25-09-2009 WT/DSB/M/274	14-02-2013 WT/DS382/12 （双方达成满意的解决方案）

续 表

序号	案 件	请求磋商	收到磋商请求（日-月-年）	加入磋商请求	请求成立专家组（日-月-年）	专家组成立（日-月-年）	双边达成解决方案（日-月-年）
383	美国—对从泰国进口的聚乙烯包装袋采取的反倾销措施	泰国 WT/DS383/1	26-11-2008		09-03-2009 泰国 WT/DS383/2	20-03-2009 WT/DSB/M/266	
384	美国—对特定国家原产地标签要求	加拿大 WT/DS384/1 WT/DS384/1/Add. 1	01-12-2008 07-05-2009	尼加拉瓜 WT/DS384/2 墨西哥 WT/DS384/3 墨西哥 WT/DS384/5 秘鲁 WT/DS384/6	07-10-2009 加拿大 WT/DS384/8	19-11-2009 WT/DSB/M276	
385	欧共体—对从印度进口的聚对苯二甲酸乙二醇酯（PET）征收反倾销和反补贴税的期终复审	印度 WT/DS385/1	04-12-2008				
386	美国—对特定国家原产地标签要求	墨西哥 WT/DS386/1 WT/DS386/1/Add. 1	17-12-2008 07-05-2009	加拿大 WT/DS386/2 加拿大 WT/DS386/4 秘鲁 WT/DS386/5	13-10-2009 墨西哥 WT/DS386/7 和 Corr. 1	19-11-2009 WT/DSB/M/276	
387	中国—援助、贷款和其他鼓励措施	美国 WT/DS387/1	19-12-2008	墨西哥 WT/DS387/2 欧共体 WT/DS387/3 加拿大 WT/DS387/4 澳大利亚 WT/DS387/5 土耳其 WT/DS387/6 哥伦比亚 WT/DS387/7 危地马拉 WT/DS387/8 厄瓜多尔 WT/DS387/9 新西兰 WT/DS387/10			

续 表

序号	案　件	请求磋商	收到磋商请求（日-月-年）	加入磋商请求	请求成立专家组（日-月-年）	专家组成立（日-月-年）	双边达成解决方案（日-月-年）
388	中国—援助、贷款和其他鼓励措施	墨西哥 WT/DS388/1	19-12-2008	欧共体 WT/DS388/2 加拿大 WT/DS388/3 澳大利亚 WT/DS388/4 土耳其 WT/DS388/5 美国 WT/DS388/6 哥伦比亚 WT/DS388/7 危地马拉 WT/DS388/8 厄瓜多尔 WT/DS388/9 新西兰 WT/DS388/10			
389	欧共体—对从美国进口的鸡肉及其产品采取的特定措施	美国 WT/DS389/1	16-01-2009	澳大利亚 WT/DS389/2	08-10-2009 美国 WT/DS389/4	19-11-2009 WT/DSB/M/276	
390	中国—援助、贷款和其他鼓励措施	危地马拉 WT/DS390/1	19-01-2009	欧共体 WT/DS390/2 澳大利亚 WT/DS390/3 墨西哥 WT/DS390/4 美国 WT/DS390/5 土耳其 WT/DS390/6 厄瓜多尔 WT/DS390/7 哥伦比亚 WT/DS390/8 加拿大 WT/DS390/9 新西兰 WT/DS390/10			
391	韩国—对从加拿大进口牛肉及其产品采取的措施	加拿大 WT/DS391/1	09-04-2009	欧共体 WT/DS391/2	09-07-2009 加拿大 WT/DS391/3	31-08-2009 WT/DSB/M/273	19-06-2012 WT/DS391/9
392	美国—对从中国进口的鸡肉采取的特定措施	中国 WT/DS392/1	17-04-2009		23-06-2009 中国 WT/DS392/2	31-07-2009 WT/DSB/M/272	
393	智利—对从阿根廷进口面粉采取的反倾销措施	阿根廷 WT/DS393/1	14-05-2009				

续 表

序号	案 件	请求磋商	收到磋商请求（日-月-年）	加入磋商请求	请求成立专家组（日-月-年）	专家组成立（日-月-年）	双边达成解决方案（日-月-年）
394	中国—与限制原材料出口有关的措施	美国 WT/DS394/1	23-06-2009	欧共体 WT/DS394/2 土耳其 WT/DS394/3 加拿大 WT/DS394/4 墨西哥 WT/DS394/5	04-11-2009 美国 WT/DS394/7	21-12-2009 WT/DSB/M/277	
395	中国—与限制原材料出口有关的措施	欧共体 WT/DS395/1	23-06-2009	土耳其 WT/DS395/2 美国 WT/DS395/3 加拿大 WT/DS395/4 墨西哥 WT/DS395/5	04-11-2009 欧共体 WT/DS395/7	21-12-2009 WT/DSB/M/277	
396	菲律宾—对蒸馏酒征收国内税	欧共体 WT/DS396/1	29-07-2009	美国 WT/DS396/2	10-12-2009 欧盟 WT/DS396/4	19-01-2010 WT/DSB/M/278	
397	欧共体—对从中国进口的钢铁紧固件采取最终反倾销措施	中国 WT/DS397/1	31-07-2009		12-10-2009 中国 WT/DS397/3	23-10-2009 WT/DSB/M/275	
398	中国—与限制原材料出口有关的措施	墨西哥 WT/DS398/1	21-08-2009	欧共体 WT/DS398/2 美国 WT/DS398/3 哥伦比亚 WT/DS398/4 加拿大 WT/DS398/5	04-11-2009 墨西哥 WT/DS398/6	21-12-2009 WT/DSB/M/277	
399	美国—对从中国进口汽车轮胎采取的限制措施	中国 WT/DS399/1	14-09-2009		09-12-2009 中国 WT/DS399/2	19-01-2010 WT/DSB/M/278	
400	欧共体—限制海豹产品进口及营销的限制措施	加拿大 WT/DS400/1 WT/DS400/1/Add. 1	02-11-2009 18-10-2010	冰岛 WT/DS400/2 挪威 WT/DS400/3	11-02-2011 加拿大 WT/DS400/4	25-03-2011 WT/DSB/M/294	
401	欧共体—限制海豹产品进口及营销的限制措施	挪威 WT/DS401/1 WT/DS401/1/Add. 1	05-11-2009 19-10-2010	冰岛 WT/DS401/2 加拿大 WT/DS401/3 加拿大 WT/DS401/4	14-03-2011 挪威 WT/DS401/5	21-04-2011 争端解决机构同意在2011年3月25日会议上，设立专家组以调查加拿大的投诉（WT/DS400/4）和挪威的投诉 WT/DSB/M/295	

续 表

序号	案 件	请求磋商	收到磋商请求（日-月-年）	加入磋商请求	请求成立专家组（日-月-年）	专家组成立（日-月-年）	双边达成解决方案（日-月-年）
402	美国—对自韩国产品的反倾销措施适用归零法	韩国 WT/DS402/1	24-11-2009	日本 WT/DS402/2	08-04-2010 韩国 WT/DS402/3	18-05-2010 WT/DSB/M/283	
403	菲律宾—对蒸馏酒精征税	美国 WT/DS403/1	14-01-2010	欧盟 WT/DS403/2	26-03-2010 美国 WT/DS403/4	20-04-2010 争端解决机构同意在 2010 年 1 月 19 日会议上成立专家组来调查欧盟提请的上诉，同时也就美国提请的类似案件上诉做相应调查 WT/DSB/M/282	
404	美国—对自越南进口的虾采取反倾销措施	越南 WT/DS404/1	01-02-2010	日本 WT/DS404/2 欧盟 WT/DS404/3 泰国 WT/DS404/4	07-04-20 越南 WT/DS404/5	18-05-2010 WT/DSB/M/283	
405	欧盟—对自中国进口的鞋采取反倾销措施	中国 WT/DS405/1	04-02-2010		08-04-2010 中国 WT/DS405/2	18-05-2010 WT/DSB/M/283	
406	美国—影响丁香香烟生产和销售的措施	印度尼西亚 WT/DS406/1	07-04-2010		09-06-2010 印度尼西亚 WT/DS406/2	20-07-2010 WT/DSB/M/285	03-10-2014 WT/DS406/17
407	中国—对自欧盟的钢铁坚固件征收临时反倾销税	欧盟 WT/DS407/1	07-05-2010				
408	欧盟及其成员国—运输中的癫痫仿制药	印度 WT/DS408/1	11-05-2010	加拿大 WT/DS408/2 巴西 WT/DS408/3 厄瓜多尔 WT/DS408/4 土耳其 WT/DS408/5 中国 WT/DS408/6 日本 WT/DS408/7			

续 表

序号	案 件	请求磋商	收到磋商请求（日-月-年）	加入磋商请求	请求成立专家组（日-月-年）	专家组成立（日-月-年）	双边达成解决方案（日-月-年）
409	欧盟及其成员国—运输中的癫痫仿制药	巴西 WT/DS409/1	12-05-2010	加拿大 WT/DS409/2 厄瓜多尔 WT/DS409/3 印度 WT/DS409/4 土耳其 WT/DS409/5 中国 WT/DS409/6 日本 WT/DS409/7			
410	阿根廷—对来自秘鲁的紧固件及链条实施反倾销措施	秘鲁 WT/DS410/1	19-05-2010				
411	亚美尼亚—影响香烟和酒精输入和进口的措施	乌克兰 WT/DS411/1	20-07-2010		06-10-2010 乌克兰 WT/DS411/2/Rev. 1		
412	加拿大—影响再生能源部门的措施	日本 WT/DS412/1	13-09-2010	美国 WT/DS412/2 欧盟 WT/DS412/3	01-06-2011 日本 WT/DS412/5	20-07-2011 WT/DSB/M/300	
413	中国—影响电子支付服务的措施	美国 WT/DS413/1	15-09-2010		11-02-2011 美国 WT/DS413/2	25-03-2011 WT/DSB/M/294	
414	中国—对自美国进口的取向电工钢征收反补贴税和反倾销税	美国 WT/DS414/1	15-09-2010		11-02-2011 美国 WT/DS414/2	25-03-2011 WT/DSB/M/294	
415	多米尼加—聚丙烯管状织物包装袋进口的保障措施	哥斯达黎加 WT/DS415/1	15-10-2010	巴拿马 WT/DS415/2 萨尔瓦多 WT/DS415/3 洪都拉斯 WT/DS415/4 危地马拉 WT/DS415/5	15-12-2010 哥斯达黎加 WT/DS415/7	07-02-2011 WT/DSB/M/292	
416	多米尼加—聚丙烯管状织物包装袋进口的保障措施	危地马拉 WT/DS416/1	15-10-2010	巴拿马 WT/DS416/2 哥斯达黎加 WT/DS416/3 厄瓜多尔 WT/DS416/4 洪都拉斯 WT/DS416/5	15-12-2010 危地马拉 WT/DS416/7	07-02-2011 WT/DSB/M/292	

续 表

序号	案 件	请求磋商	收到磋商请求（日-月-年）	加入磋商请求	请求成立专家组（日-月-年）	专家组成立（日-月-年）	双边达成解决方案（日-月-年）
417	多米尼加—聚丙烯管状织物包装袋进口的保障措施	洪都拉斯 WT/DS417/1	18-10-2010	巴拿马 WT/DS417/2 和 Corr. 1 哥斯达黎加 WT/DS417/3 萨尔瓦多 WT/DS417/4 危地马拉 WT/DS417/5	20-12-2010 洪都拉斯 WT/DS417/7	07-02-2011 WT/DSB/M/292	
418	多米尼加—聚丙烯管状织物包装袋进口的保障措施	萨尔瓦多 WT/DS418/1	19-10-2010	巴拿马 WT/DS418/2 哥斯达黎加 WT/DS418/3 洪都拉斯 WT/DS418/4 危地马拉 WT/DS418/5	20-12-2010 萨尔瓦多 WT/DS418/7	07-02-2011 WT/DSB/M/292	
419	中国—有关风能设备的措施	美国 WT/DS419/1	22-12-2010	欧盟 WT/DS419/2 日本 WT/DS419/3			
420	美国—对自韩国进口的耐腐蚀碳钢板采取反倾销措施	韩国 WT/DS420/1	31-01-2011	日本 WT/DS420/2 墨西哥 WT/DS420/3	15-09-2011 韩国 WT/DS420/4 09-02-2012 韩国 WT/DS420/5	22-02-2012 WT/DSB/M/312	
421	摩尔多瓦—影响货物进口及国内销售的措施（环保税）	乌克兰 WT/DS421/1	17-02-2011	欧盟 WT/DS421/2	12-05-2011 乌克兰 WT/DS421/4	17-06-2011 WT/DSB/M/298	
422	美国—对自中国进口的冷冻暖水虾采取反倾销措施	中国 WT/DS422/1 WT/DS422/1/Add. 1	28-02-2011 27-07-2011	日本 WT/DS422/2	13-10-2011 中国 WT/DS422/3	25-10-2011 WT/DSB/M/305	
423	乌克兰—蒸馏酒征税	摩尔多瓦 WT/DS423/1	02-03-2011	欧盟 WT/DS423/2	01-06-2011 摩尔多瓦 WT/DS423/4	20-07-2011 WT/DSB/M/300	
424	美国—对自意大利进口的不锈钢薄板和卷材不锈钢薄板和卷材采取反倾销措施	欧盟 WT/DS424/1	01-04-2011	日本 WT/DS424/2			
425	中国—对从欧盟进口的X射线安全检查设备征收最终反倾销税	欧盟 WT/DS425/1	25-07-2011		08-12-2011 欧盟 WT/DS425/2	20-01-2012 WT/DSB/M/311	

续 表

序号	案 件	请求磋商	收到磋商请求（日-月-年）	加入磋商请求	请求成立专家组（日-月-年）	专家组成立（日-月-年）	双边达成解决方案（日-月-年）
426	加拿大—上网电价补贴计划相关措施	欧盟 WT/DS426/1 WT/DS426/1/Add. 1	11-08-2011 22-08-2011	美国 WT/DS426/2 日本 WT/DS426/3	09-01-2012 欧盟 WT/DS426/5	20-01-2012 WT/DSB/M/311	
427	中国—对来自美国的白羽肉鸡产品采取反倾销和反补贴措施	美国 WT/DS427/1	20-09-2011		08-12-2011 美国 WT/DS427/2	20-01-2012 WT/DSB/M/311	
428	土耳其—对来自印度的进口棉纱（不包括缝纫线）采取保障措施	印度 WT/DS428/1	13-02-2012				
429	美国—对源自越南的某些暖水虾的反倾销措施	越南 WT/DS429/1	22-02-2012		17-01-2013 越南 WT/DS429/2/Rev. 1 和 Corr. 2	27-02-2013 WT/DSB/M/329	
430	印度—影响某些农产品进口的措施	美国 WT/DS430/1	06-03-2012	哥伦比亚 WT/DS430/2	11-05-2012 美国 WT/DS430/3	25-06-2012 WT/DSB/M/318	
431	中国—影响稀土、钨、钼出口的措施	美国 WT/DS431/1	13-03-2012	欧盟 WT/DS431/2 日本 WT/DS431/3 加拿大 WT/DS431/4	27-06-2012 美国 WT/DS431/6	23-07-2012 WT/DSB/M/320	
432	中国—影响稀土、钨、钼出口的措施	欧盟 WT/DS432/1	13-03-2012	日本 WT/DS432/2 美国 WT/DS432/3 加拿大 WT/DS432/4	27-06-2012 欧盟 WT/DS432/6	23-07-2012 WT/DSB/M/320	
433	中国—影响稀土、钨、钼出口的措施	日本 WT/DS433/1	13-03-2012	欧盟 WT/DS433/2 美国 WT/DS433/3 加拿大 WT/DS433/4	27-06-2012 日本 WT/DS433/6	23-07-2012 WT/DSB/M/320	
434	澳大利亚—影响烟草制品包装使用商标及其他简单包装要求的措施	乌克兰 WT/DS434/1	13-03-2012	危地马拉 WT/DS434/2 乌拉圭 WT/DS434/3 巴西 WT/DS434/4 挪威 WT/DS434/5 欧盟 WT/DS434/6 新西兰 WT/DS434/7 加拿大 WT/DS434/8 尼加拉瓜 WT/DS434/9	14-08-2012 乌克兰 WT/DS434/11	28-09-2012 WT/DSB/M/322	

续 表

序号	案 件	请求磋商	收到磋商请求（日-月-年）	加入磋商请求	请求成立专家组（日-月-年）	专家组成立（日-月-年）	双边达成解决方案（日-月-年）
435	澳大利亚—影响烟草制品包装使用商标及其他简单包装要求的措施	洪都拉斯 WT/DS435/1 Corr-1	04-04-2012	巴西 WT/DS435/2 Corr-1 津巴布韦 WT/DS435/3 Corr-1 新西兰 WT/DS435/4 Corr-1 尼加拉瓜 WT/DS435/5 Corr-1 危地马拉 WT/DS435/6 Corr-1 乌拉圭 WT/DS435/7 Corr-1 欧盟 WT/DS435/8 Corr-1 乌克兰 WT/DS435/9 Corr-1 加拿大 WT/DS435/10 Corr-1 萨尔瓦多 WT/DS435/11 Corr-1 挪威 WT/DS435/12 Corr-1 菲律宾 WT/DS435/13 Corr-1 印度尼西亚 WT/DS435/14 Corr-1	15-10-2012 洪都拉斯 WT/DS435/16	25.09.13 WT/DSB/M/337	
436	美国—对源自印度的某些热轧碳钢产品的反补贴措施	印度 WT/DS436/1 Rev-1	12-04-2012 24-04-2012	加拿大 WT/DS436/2	12-07-2012 印度 WT/DS436/3	31-08-2012 WT/DSB/M/321	
437	美国—对来自中国的某些产品的反补贴税的措施	中国 WT/DS437/1	25-05-2012		20-08-2012 中国 WT/DS437/2	28-09-2012 WT/DSB/M/322	

续 表

序号	案件	请求磋商	收到磋商请求（日-月-年）	加入磋商请求	请求成立专家组（日-月-年）	专家组成立（日-月-年）	双边达成解决方案（日-月-年）
438	阿根廷—影响货物进口的措施	欧盟 WT/DS438/1	25-05-2012	土耳其 WT/DS438/2 美国 WT/DS438/3 乌克兰 WT/DS438/4 日本 WT/DS438/5 加拿大 WT/DS438/6 危地马拉 WT/DS438/7 澳大利亚 WT/DS438/8 墨西哥 WT/DS438/9	06-12-2012 欧盟 WT/DS438/11	28-01-2013 WT/DSB/M/328	
439	南非—对来自巴西的冷冻鸡征收反倾销税	巴西 WT/DS439/1	21-06-2012				
440	中国—对美部分进口汽车实施反倾销和反补贴措施	美国 WT/DS440/1	05-07-2012		17-09-2012 美国 WT/DS440/2	23-10-2012 WT/DSB/M/323	
441	澳大利亚—影响烟草制品包装使用商标、地理标志及其他简单包装要求的措施	多米尼加 WT/DS441/1	18-07-2012	乌拉圭 WT/DS441/2 新西兰 WT/DS441/3 洪都拉斯 WT/DS441/4 尼加拉瓜 WT/DS441/5 危地马拉 WT/DS441/6 萨尔瓦多 WT/DS441/7 欧盟 WT/DS441/8 巴西 WT/DS441/9 乌克兰 WT/DS441/10 南非 WT/DS441/11 加拿大 WT/DS441/12 挪威 WT/DS441/13	09-11-2012 多米尼加 WT/DS441/15	25.04.14 WT/DSB/M/344	
442	欧盟—对印度尼西亚脂肪醇的进口反倾销措施	印度尼西亚 WT/DS442/1	27-07-2012		01-05-2013 印度尼西亚 WT/DS442/2	25-06-2013 WT/DSB/M/333	

续 表

序号	案 件	请求磋商	收到磋商请求（日-月-年）	加入磋商请求	请求成立专家组（日-月-年）	专家组成立（日-月-年）	双边达成解决方案（日-月-年）
443	欧盟及其成员国—对生物柴油进口的某些措施	阿根廷 WT/DS443/1	17-08-2012	澳大利亚 WT/DS443/2 印度尼西亚 WT/DS443/3	06-12-2012 阿根廷 WT/DS443/5		
444	阿根廷—影响货物进口的措施	美国 WT/DS444/1	21-08-2012	墨西哥 WT/DS444/2 土耳其 WT/DS444/3 欧盟 WT/DS444/4 澳大利亚 WT/DS444/5 日本 WT/DS444/6 加拿大 WT/DS444/7 危地马拉 WT/DS444/8	06-12-2012 美国 WT/DS444/10	28-01-2013 WT/DSB/M/328	
445	阿根廷—影响货物进口的措施	日本 WT/DS445/1	21-08-2012	墨西哥 WT/DS445/2 土耳其 WT/DS445/3 欧盟 WT/DS445/4 澳大利亚 WT/DS445/5 加拿大 WT/DS445/6 危地马拉 WT/DS445/7 美国 WT/DS445/8	06-12-2012 日本 WT/DS445/10	28-01-2013 WT/DSB/M/328	
446	阿根廷—影响货物进口的措施	墨西哥 WT/DS446/1	24-08-2012	土耳其 WT/DS446/2 澳大利亚 WT/DS446/3 日本 WT/DS446/4 加拿大 WT/DS446/5 欧盟 WT/DS446/6 危地马拉 WT/DS446/7 美国 WT/DS446/8	21-11-2012 墨西哥 WT/DS446/10		

续 表

序号	案 件	请求磋商	收到磋商请求（日-月-年）	加入磋商请求	请求成立专家组（日-月-年）	专家组成立（日-月-年）	双边达成解决方案（日-月-年）
447	美国—影响源自阿根廷的动物、肉类和其他动物制品进口的措施	阿根廷 WT/DS447/1 Corr-1	30-08-2012		06-12-2012 阿根廷 WT/DS447/2	28-01-2013 WT/DSB/M/328	
448	美国—影响新鲜柠檬进口的措施	阿根廷 WT/DS448/1 Corr-1	03-09-2012		06-12-2012 阿根廷 WT/DS448/2		
449	美国—对自中国的某些产品的反补贴和反倾销措施	中国 WT/DS449/1	17-09-2012		19-11-2012 中国 WT/DS449/2	17-12-2012 WT/DSB/M/327	
450	中国—影响汽车与汽车零部件产业的若干措施	美国 WT/DS450/1	17-09-2012	欧盟 WT/DS450/2			
451	中国—影响纺织品服装产品生产与出口的措施	墨西哥 WT/DS451/1	15-10-2012	欧盟 WT/DS451/2 危地马拉 WT/DS451/3 澳大利亚 WT/DS451/4 美国 WT/DS451/5 巴西 WT/DS451/6 秘鲁 WT/DS451/7 洪都拉斯 WT/DS451/8 哥伦比亚 WT/DS451/9			
452	欧盟及其成员国—影响可再生能源生产部门的措施	中国 WT/DS452/1	05-11-2012	日本 WT/DS452/2 澳大利亚 WT/DS452/3 阿根廷 WT/DS452/4			
453	阿根廷—与货物和服务贸易相关的措施	巴拿马 WT/DS453/1	12-12-2012	美国 WT/DS453/2 欧盟 WT/DS453/3	13-05-2013 巴拿马 WT/DS453/4	25.06.13 WT/DSB/M/333	

续 表

序号	案 件	请求磋商	收到磋商请求（日-月-年）	加入磋商请求	请求成立专家组（日-月-年）	专家组成立（日-月-年）	双边达成解决方案（日-月-年）
454	中国—对日本进口的高性能不锈钢无缝钢管（HP-SSST）征收反倾销税	日本 WT/DS454/1	20-12-2012	欧盟 WT/DS454/2	11-04-2013 日本 WT/DS454/4	24-05-2013 WT/DSB/M/332	
455	印度尼西亚—园艺产品、动物及动物产品进口	美国 WT/DS455/1	10-01-2013	欧盟 WT/DS455/2 加拿大 WT/DS455/3 澳大利亚 WT/DS455/4	14-03-2013 美国 WT/DS455/7	24-04-2013 WT/DSB/M/331	
456	印度—有关太阳能电池和太阳能模块的相关措施	美国 WT/DS456/1	06-02-2013	日本 WT/DS456/2 澳大利亚 WT/DS456/3	14-04-2014 美国 WT/DS456/5	23-05-2014 WT/DSB/M/345	
457	秘鲁—某些农产品进口的附加税	危地马拉 WT/DS457/1	12-04-2013		13-06-2013 危地马拉 WT/DS457/2	23-07-2013 WT/DSB/M/334	
458	澳大利亚—关于烟草制品和包装的商标、地理标志和其他简单包装措施	古巴 WT/DS458/1	03-05-2013	加拿大 WT/DS458/2 新西兰 WT/DS458/3 挪威 WT/DS458/4 乌克兰 WT/DS458/5 洪都拉斯 WT/DS458/6 欧盟 WT/DS458/7 多米尼加 WT/DS458/8 乌拉圭 WT/DS458/9 巴西 WT/DS458/10 危地马拉 WT/DS458/11 尼加拉瓜 WT/DS458/12	04-04-2014 古巴 WT/DS458/14	25-04-2014 WT/DSB/M/344	
459	欧盟及部分成员国—对生物柴油进口营销采取的部分措施及支持生物柴油产业的措施	阿根廷 WT/DS459/1	15-05-2013				

续 表

序号	案 件	请求磋商	收到磋商请求（日-月-年）	加入磋商请求	请求成立专家组（日-月-年）	专家组成立（日-月-年）	双边达成解决方案（日-月-年）
460	中国—对欧盟高性能不锈钢无缝钢管（HP-SSST）征收反倾销税	欧盟 WT/DS460/1	13-06-2013	日本 WT/DS460/2	16-08-2013 欧盟 WT/DS460/4	30-08-2013 WT/DSB/M/336	
461	哥伦比亚—与纺织品、服装和鞋类产品进口有关的措施	巴拿马 WT/DS461/1	18-06-2013	危地马拉 WT/DS461/2	19-08-2013 巴拿马 WT/DS461/3	25-09-2013 WT/DSB/M/337	
462	俄罗斯—机动车的回收费	欧盟 WT/DS462/1	09-07-2013	美国 WT/DS462/2 日本 WT/DS462/3 中国 WT/DS462/4 土耳其 WT/DS462/5 乌克兰 WT/DS462/6	10-10-2013 欧盟 WT/DS462/8	25-11-2013 WT/DSB/M/339	
463	俄罗斯—对机动车征收回收费	日本 WT/DS463/1	24-07-2013	美国 WT/DS463/2 土耳其 WT/DS463/3 欧盟 WT/DS463/4 乌克兰 WT/DS463/5 中国 WT/DS463/6			
464	美国—对韩国产大型家用洗衣机采取反倾销和反补贴措施	韩国 WT/DS464/1	29-08-2013	中国 WT/DS464/2 日本 WT/DS464/3	05-12-2013 韩国 WT/DS464/4	22-01-2014 WT/DSB/M/341	
465	印度尼西亚—园艺产品、动物及动物产品的进口	美国 WT/DS465/1	30-08-2013	新西兰 WT/DS465/2 加拿大 WT/DS465/3 欧盟 WT/DS465/4 泰国 WT/DS465/5 澳大利亚 WT/DS465/6			

续 表

序号	案 件	请求磋商	收到磋商请求（日-月-年）	加入磋商请求	请求成立专家组（日-月-年）	专家组成立	双边达成解决方案（日-月-年）
466	印度尼西亚—园艺产品、动物及动物产品进口	新西兰 WT/DS466/1	30-08-2013	美国 WT/DS466/2 加拿大 WT/DS466/3 欧盟 WT/DS466/4 泰国 WT/DS466/5 澳大利亚 WT/DS466/6			
467	澳大利亚—关于烟草制品和包装的商标、地理标志和其他简单包装措施	印度尼西亚 WT/DS467/1	20-09-2013	危地马拉 WT/DS467/2 尼加拉瓜 WT/DS467/3 新西兰 WT/DS467/4 乌拉圭 WT/DS467/5 欧盟 WT/DS467/6 挪威 WT/DS467/7 加拿大 WT/DS467/8 多米尼加 WT/DS467/9 巴西 WT/DS467/10 洪都拉斯 WT/DS467/11 乌克兰 WT/DS467/12 古巴 WT/DS467/13	03-03-2014 印度尼西亚 WT/DS467/15	26-03-2014 WT/DSB/M/343	
468	乌克兰—有关小轿车的最终保障措施		30-10-2013	欧盟 WT/DS468/2 俄罗斯 WT/DS468/3	13-02-2014 日本 WT/DS468/5	26-03-2014 WT/DSB/M/343	
469	欧盟—针对亚特兰大-斯坎迪亚鲱鱼的措施	丹麦代表法罗群岛 WT/DS469/1	04-11-2013		08-01-2014 丹麦代表法罗群岛 WT/DS469/2	26-02-2014 WT/DSB/M/343	21-08-2014 WT/DS469/3（联合通讯解决）
470	巴基斯坦—对产自印度尼西亚的部分纸制品的反倾销和反补贴措施	印度尼西亚 WT/DS470/1	27-11-2013		12-05-2014 印度尼西亚 WT/DS470/2		

续 表

序号	案 件	请求磋商	收到磋商请求（日-月-年）	加入磋商请求	请求成立专家组（日-月-年）	专家组成立（日-月-年）	双边达成解决方案（日-月-年）
471	美国—部分方法及其在涉及中国的反倾销诉讼中的运用	中国 WT/DS471/1	03-12-2013	日本 WT/DS471/2 俄罗斯 WT/DS471/3 乌克兰 WT/DS471/4	13-02-2014 中国 WT/DS471/5 和 Corr. 1	26-03-2014 WT/DSB/M/343	
472	巴西—关于税收和收费的部分措施	欧盟 WT/DS472/1	19-12-2013	日本 WT/DS472/2 阿根廷 WT/DS472/3 美国 WT/DS472/4	31-10-2014 欧盟 WT/DS472/5		
473	欧盟—对产自阿根廷的生物柴油的反倾销措施	阿根廷 WT/DS473/1	19-12-2013	俄罗斯 WT/DS473/2 印度尼西亚 WT/DS473/3	13-03-2014 阿根廷 WT/DS473/5	25-04-2014 WT/DSB/M/344	
474	欧盟—成本调整方法论和部分对产自俄罗斯的进口产品的反倾销措施	俄罗斯 WT/DS474/1	23-12-2013	中国 WT/DS474/2 印度尼西亚 WT/DS474/3	04-06-2014 俄罗斯 WT/DS474/4	22-07-2014 WT/DSB/M/348	
475	俄罗斯—影响自欧盟进口的生猪、猪肉及其他猪产品的措施	欧盟 WT/DS475/1	08-04-2014		27-06-2014 欧盟 WT/DS475/2	22-07-2014 WT/DSB/M/348	
476	欧盟及其成员国—对能源部门采取的某些措施	俄罗斯 WT/DS476/1	30-04-2014				
477	印度尼西亚—涉及园艺产品、动物和动物产品的进口措施	新西兰 WT/DS477/1	08-05-2014	美国 WT/DS477/2 泰国 WT/DS477/3 欧盟 WT/DS477/4 加拿大 WT/DS477/5 台、澎、金、马单独关税区 WT/DS477/6 澳大利亚 WT/DS477/7			

续 表

序号	案 件	请求磋商	收到磋商请求（日-月-年）	加入磋商请求	请求成立专家组（日-月-年）	专家组成立（日-月-年）	双边达成解决方案（日-月-年）
478	印度尼西亚—园艺产品、动物和动物产品的进口措施	美国 WT/DS478/1	08-05-2014	新西兰 WT/DS478/2 泰国 WT/DS478/3 欧盟 WT/DS478/4 加拿大 WT/DS478/5 台、澎、金、马单独关税区 WT/DS478/6 澳大利亚 WT/DS478/7			
479	俄罗斯—对自德国和意大利进口的轻型商用车采取反倾销措施	欧盟 WT/DS479/1	21-05-2014		15-09-2014 欧盟 WT/DS479/2	20-10-2014 WT/DSB/M/351	
480	欧盟—对源自印度尼西亚的生物柴油实施反倾销措施	印度尼西亚 WT/DS480/1	10-06-2014				
481	印度尼西亚—在"美国丁香烟案"中援引 DSU 第 22 条第 2 款	欧盟 WT/DS481/1	13-06-2014	澳大利亚 WT/DS481/2 巴西 WT/DS481/3			
482	加拿大—对自台、澎、金、马单独关税区进口的加拿大碳钢焊接管采取反倾销措施	台、澎、金、马单独关税区 WT/DS482/1	25-06-2014				
483	中国—对自加拿大进口的纤维素纸浆采取的反倾销措施	加拿大 WT/DS483/1	15-10-2014				
484	印度尼西亚—与鸡肉和鸡肉产品进口相关的措施	巴西 WT/DS484/1	16-10-2014	美国 WT/DS484/2 新西兰 WT/DS484/3 台、澎、金、马单独关税区 WT/DS484/4 澳大利亚 WT/DS484/5 欧盟 WT/DS484/6			

续 表

序号	案 件	请求磋商	收到磋商请求（日-月-年）	加入磋商请求	请求成立专家组（日-月-年）	专家组成立（日-月-年）	双边达成解决方案（日-月-年）
485	俄罗斯—对某些农产品和制造成品的关税待遇	欧盟 WT/DS485/1	31-10-2014				
486	欧盟--对自巴基斯坦进口的聚对苯二甲酸乙二醇酯采取的反补贴措施	巴基斯坦 WT/DS486/1	28-10-2014		12-02-2015	25-03-2015	
487	美国——对大型民用航空器采取的有条件税收优惠	欧盟 WT/DS487/1	19-12-2014		12-02-2015	23-02-2015	
488	美国—对自韩国进口的石油工业用管材采取的反倾销措施	韩国 WT/DS488/1	22-12-2014	土耳其 WT/DS488/2 乌克兰 WT/DS488/3 俄罗斯 WT/DS488/4	23-02-2015	10-03-2015	
489	中国—与示范基地和公众服务平台方案有关的措施	美国 WT/DS489/1	11-02-2015	欧盟 WT/DS489/2 日本 WT/DS489/3 巴西 WT/DS489/4	09-04-2015	22-04-2015	
490	印度尼西亚—特定铁或钢产品保障措施	台、澎、金、马单独关税区 WT/DS490/1	12-02-2015		20-08-2015	31-08-2015	
491	美国—对某些铜版纸的反倾销和反补贴措施	印度尼西亚 WT/DS491/1	13-03-2015		09-07-2015 20-08-2015	28-09-2015	
492	欧盟—影响禽肉产品关税减让的措施	中国 WT/DS492/1	08-04-2015		08-06-2015	20-07-2015	
493	乌克兰—对硝酸铵的反倾销措施	俄罗斯 WT/DS493/1	07-05-2015				
494	欧盟—影响自欧盟对自俄罗斯进口的部分产品的成本调整方法和对应的反倾销措施	俄罗斯 WT/DS494/1	07-05-2015	乌克兰 WT/DS494/2			
495	韩国—对放射性核素的进口禁令和测试及认证要求	日本 WT/DS495/1	21-05-2015	中国台北 WT/DS495/2	20-08-2015	28-09-2015	

续 表

序号	案 件	请求磋商	收到磋商请求（日-月-年）	加入磋商请求	请求成立专家组（日-月-年）	专家组成立（日-月-年）	双边达成解决方案（日-月-年）
496	印度尼西亚—钢铁产品保障措施	越南 WT/DS496/1	01-06-2015	中国台北 WT/DS496/2	17-09-2015	28-10-2015	
497	巴西—涉及税收和收费的若干措施	日本 WT/DS497/1	02-07-2015	欧盟 WT/DS497/2	17-09-2015	28-09-2015	
498	印度—对源自台湾、澎湖、金门、马祖单独关税区的USB闪存驱动器的反倾销关税	台、澎、金、马单独关税区 WT/DS498/1	24-09-2015				
499	俄罗斯—影响铁路设备及零部件进口的措施	乌克兰 WT/DS499/1	21-10-2015				

第二部分
散发及通过专家组及上诉机构报告

序号	案 件	专家组成立（日-月-年）	散发专家组报告（日-月-年）	通知上诉（日-月-年）	通过专家组报告（日-月-年）	散发上诉机构报告（日-月-年）	通过上诉机构报告（日-月-年）
1	美国—精炼及传统汽油标准	10-04-1995 委内瑞拉 WT/DS2 31-05-1995 巴西 WT/DS4	29-01-1996 WT/DS2/R	21-02-1996 美国 WT/DS2/6	20-05-1996 WT/DS2/9	29-04-1996 WT/DS2/AB/R	20-05-1996 WT/DS2/9
2	日本—对酒精饮料征税	27-09-1995 欧共体 WT/DS8 加拿大 WT/DS10 美国 WT/DS11	11-07-1996 WT/DS8/R WT/DS10/R WT/DS11/R	08-08-1996 日本 WT/DS8/9 WT/DS10/9 WT/DS11/6	01-11-1996 WT/DS8/11 WT/DS10/11 WT/DS11/8	04-10-1996 WT/DS8/AB/R WT/DS10/AB/R WT/DS11/AB/R	01-11-1996 WT/DS8/11 WT/DS10/11 WT/DS11/8
3	欧共体—扇贝的贸易描述	19-07-1995 加拿大 WT/DS7	05-08-1996 WT/DS7/R	N. A.	N. A.	N. A.	N. A.
4	欧共体—扇贝的贸易描述	11-10-1995 秘鲁 WT/DS12 智利 WT/DS14	05-08-1996 WT/DS12/R WT/DS14/R	N. A.	N. A.	N. A.	N. A.
5	巴西—影响可可粉的措施	05-03-1996 菲律宾 WT/DS22	17-10-1996 WT/DS22/R	16-12-1996 菲律宾 WT/DS22/8	20-03-1997 WT/DS22/11/Rev. 2	21-02-1997 WT/DS22/AB/R	20-03-1997 WT/DS22/11/Rev. 2
6	美国—对于棉质及人造纤维内衣的进口限制	05-03-1996 哥斯达黎加 WT/DS24	08-11-1996 WT/DS24/R	11-11-1996 哥斯达黎加 WT/DS24/5	25-02-1997 WT/DS24/8	10-02-1997 WT/DS24/AB/R	25-02-1997 WT/DS24/8

续 表

序号	案 件	专家组成立（日-月-年）	散发专家组报告（日-月-年）	通知上诉（日-月-年）	通过专家组报告（日-月-年）	散发上诉机构报告（日-月-年）	通过上诉机构报告（日-月-年）
7	美国—影响从印度进口的羊毛衬衫和女上衣的措施	17-04-1996 印度 WT/DS33	06-01-1997 WT/DS33/R	24-02-1997 印度 WT/DS33/3	23-05-1997 WT/DS33/5	25-04-1997 WT/DS33/AB/R 和Corr. 1	23-05-1997 WT/DS33/5
8	加拿大—关于杂志的特定措施	19-06-1996 美国 WT/DS31	14-03-1997 WT/DS31/R 和Corr. 1	29-04-1997 加拿大 WT/DS31/5	30-07-1997 WT/DS31/7	30-06-1997 WT/DS31/AB/R	30-07-1997 WT/DS31/7
9	欧共体—香蕉进口、销售和分销	08-05-1996 厄瓜多尔 危地马拉 洪都拉斯 墨西哥 美国 WT/DS27	22-05-1997 WT/DS27/ R/ECU WT/DS27/ R/GTM WT/DS27/ R/HND WT/DS27/ R/MEX WT/DS27/ R/美国A	11-06-1997 欧共体 WT/DS27/9	25-09-1997 WT/DS27/12	09-09-1997 WT/DS27/AB/R	25-09-1997 WT/DS27/12
10	欧共体—关于肉类及肉制品措施（荷尔蒙）	20-05-1996 美国 WT/DS26 16-10-1996 加拿大 WT/DS48	18-08-1997 WT/DS26/ R/美国A WT/DS48/ R/CAN	24-09-1997 欧共体 WT/DS26/9 WT/DS48/7	13-02-1998 WT/DS26/13 WT/DS48/11	16-01-1998 WT/DS26/AB/R WT/DS48/AB/R	13-02-1998 WT/DS26/13 WT/DS48/11
11	印度—对于药品及农业化学品的专利权保护	20-11-1996 美国 WT/DS50	05-09-1997 WT/DS50/R	15-10-1997 印度 WT/DS50/6	16-01-1998 WT/DS50/9	19-12-1997 WT/DS50/AB/R	16-01-1998 WT/DS50/9
12	阿根廷—影响鞋类、纺织品、服装和其他项目的进口措施	25-02-1997 美国 WT/DS56	25-11-1997 WT/DS56/R	21-01-1998 阿根廷 WT/DS56/8	22-04-1998 WT/DS56/11	27-03-1998 WT/DS56/AB/R 20-04-1998 WT/DS56/AB/R/ Corr. 1	22-04-1998 WT/DS56/11
13	欧共体—特定计算机设备的海关分类	25-02-1997 美国 WT/DS62 30-03-1997 WT/DS67 WT/DS68	05-02-1998 WT/DS62/R WT/DS67/R WT/DS68/R	24-03-1998 欧共体 WT/DS62/8 WT/DS67/6 WT/DS68/5	22-06-1998 WT/DS62/11 WT/DS64/9 WT/DS68/8	05-06-1998 WT/DS62/AB/R WT/DS67/AB/R WT/DS68/AB/R	22-06-1998 WT/DS62/11 WT/DS67/9 WT/DS68/10
14	欧共体—影响特定家禽产品进口的措施	30-07-1997 巴西 WT/DS69	12-03-1998 WT/DS69/R	29-04-1998 巴西 WT/DS69/4	23-07-1998 WT/DS69/7	13-07-1998 WT/DS69/AB/R	23-07-1998 WT/DS69/7
15	日本—对进口胶卷相纸的限制	16-10-1996 美国 WT/DS44	31-03-1998 WT/DS44/R	N. A.	22-04-1998 WT/DS44/5	N. A.	N. A.

续 表

序号	案 件	专家组成立（日-月-年）	散发专家组报告（日-月-年）	通知上诉（日-月-年）	通过专家组报告（日-月-年）	散发上诉机构报告（日-月-年）	通过上诉机构报告（日-月-年）
16	美国—对特定虾及虾类产品进口限制	25-02-1997 马来西亚 泰国 巴基斯坦 10-04-1997 印度 WT/DS58	15-05-1998 WT/DS58/R 09-11-1998 WT/DS58/R/Corr. 1	13-07-1998 美国 WT/DS58/11	06-11-1998 WT/DS58/14	12-10-1998 WT/DS58/AB/R	06-11-1998 WT/DS58/14
17	澳大利亚—影响鲑鱼进口的措施	10-04-1997 加拿大 WT/DS18	12-06-1998 WT/DS18/R 13-07-1998 WT/DS18/R/Corr. 1	22-07-1998 澳大利亚 WT/DS18/5	06-11-1998 WT/DS18/11	20-10-1998 WT/DS18/AB/R	06-11-1998 WT/DS18/11
18	危地马拉—对来自墨西哥的波特兰水泥的反倾销调查	20-09-1997 墨西哥 WT/DS60	19-06-1998 WT/DS60/R	04-08-1998 危地马拉 WT/DS60/9	25-11-1998 WT/DS60/12	02-11-1998 WT/DS60/AB/R	25-11-1998 WT/DS60/12
19	印度尼西亚—影响汽车工业的特定措施	12-06-1998 日本 WT/DS55 WT/DS64 欧共体 WT/DS54 30-06-1997 美国 WT/DS59	02-07-1998 WT/DS54/R WT/DS55/R WT/DS59/R WT/DS64/R 和 Corr. 2	N. A.	23-07-1998 WT/DS54/10 WT/DS55/10 WT/DS59/9 WT/DS64/8	N. A.	N. A.
20	印度—对于药品及农业化学品的专利权保护	16-10-1997 欧共体 WT/DS79	24-08-1998 WT/DS79/R	N. A.	22-09-1998 WT/DS79/5 和 Corr. 1	N. A.	N. A.
21	韩国—对酒精饮料征税	16-10-1997 欧共体 WT/DS75 美国 WT/DS84	17-09-1998 WT/DS75/R WT/DS84/R	20-10-1998 韩国 WT/DS75/9 WT/DS84/7	17-02-1999 WT/DS75/12 WT/DS84/10	18-01-1999 WT/DS75/AB/R WT/DS84/AB/R	17-02-1999 WT/DS75/12 WT/DS84/10
22	日本—影响农产品的措施	18-11-1997 美国 WT/DS76	27-10-1998 WT/DS76/R	24-11-1998 日本 WT/DS76/5	19-03-1999 WT/DS76/8	22-02-1999 WT/DS76/AB/R	19-03-1999 WT/DS76/8
23	美国—对来自韩国的 1 兆或以上的计算机动态随机存取存储器芯片征收反倾销税	16-01-1998 韩国 WT/DS99	29-01-1999 WT/DS99/R	N. A.	19-03-1999 WT/DS99/5	N. A.	N. A.
24	印度—对于农产品、纺织品和工业产品进口的数量限制	18-11-1997 美国 WT/DS90	06-04-1999 WT/DS90/R	25-05-1999 印度 WT/DS90/11	22-09-1999 WT/DS90/14	23-08-1999 WT/DS90/AB/R	22-09-1999 WT/DS90/14

续 表

序号	案 件	专家组成立（日-月-年）	散发专家组报告（日-月-年）	通知上诉（日-月-年）	通过专家组报告（日-月-年）	散发上诉机构报告（日-月-年）	通过上诉机构报告（日-月-年）
25	巴西—对于航空器出口融资	23-07-1998 加拿大 WT/DS46	14-04-1999 WT/DS46/R	03-05-1999 巴西 WT/DS46/8	20-08-1999 WT/DS46/10	02-08-1999 WT/DS46/AB/R	20-08-1999 WT/DS46/10
26	加拿大—影响民用航空器措施	23-07-1998 巴西 WT/DS70	14-04-1999 WT/DS70/R	03-05-1999 加拿大 WT/DS70/4	20-08-1999 WT/DS70/6	02-08-1999 WT/DS70/AB/R	20-08-1999 WT/DS70/6
27	加拿大—影响牛奶进口及奶制品出口的措施	25-03-1998 美国 WT/DS103 新西兰 WT/DS113	17-05-1999 WT/DS103/R WT/DS113/R	15-07-1999 加拿大 WT/DS103/6 WT/DS113/6	27-10-1999 WT/DS103/11 WT/DS113/11	13-10-1999 WT/DS103/AB/R WT/DS113/AB/R	27-10-1999 WT/DS103/11 WT/DS113/11
28	澳大利亚—对于汽车皮革制造商和生产商提供的补贴	22-06-1998 美国 WT/DS126	25-05-1999 WT/DS126/R	N. A.	16-06-1999 WT/DS126/5	N. A.	N. A.
29	土耳其—对于纺织品和服装进口的限制	13-03-1998 印度 WT/DS34	31-05-1999 WT/DS34/R	26-07-1999 土耳其 WT/DS34/6	19-11-1999 WT/DS34/11	22-10-1999 WT/DS34/AB/R	19-11-1999 WT/DS34/11
30	智利—对酒精饮料征税	18-11-1997 欧共体 WT/DS87 25-03-1998 欧共体 WT/DS110	15-06-1999 WT/DS87/R WT/DS110/R	13-09-1999 智利 WT/DS87/8 WT/DS110/7	12-01-2000 WT/DS87/12 WT/DS110/11	13-12-1999 WT/DS87/AB/R WT/DS110/AB/R	12-01-2000 WT/DS87/12 WT/DS110/11
31	韩国—对于特定奶制品进口的保障措施	22-07-1998 欧共体 WT/DS98	21-06-1999 WT/DS98/R	15-09-1999 韩国 WT/DS98/7	12-01-2000 WT/DS98/10	14-12-1999 WT/DS98/AB/R	12-01-2000 WT/DS98/10
32	阿根廷—对鞋类产品进口的保障措施	23-07-1998 欧共体 WT/DS121	25-06-1999 WT/DS121/R	15-09-1999 阿根廷 WT/DS121/6 和 Corr. 1	12-01-2000 WT/DS121/9	14-12-1999 WT/DS121/AB/R	12-01-2000 WT/DS121/9
33	欧共体—影响黄油产品的措施	18-11-1997 新西兰 WT/DS72	24-11-1999 WT/DS72/R	N. A.	N. A.	N. A.	N. A.
34	美国—“海外销售公司”税收待遇	22-09-1998 欧共体 WT/DS108	08-10-1999 WT/DS108/R	26-11-1999 美国 WT/DS108/7	20-03-2000 WT/DS108/10	24-02-2000 WT/DS108/AB/R	20-03-2000 WT/DS108/10
35	美国—1974 年贸易法第 301-310 节	02-03-1999 欧共体 WT/DS152	22-12-1999 WT/DS152/R	N. A.	27-01-2000 WT/DS152/14	N. A.	N. A.
36	美国—对来自英国的热轧钢铅铋碳钢产品征收反补贴税	17-02-1999 欧共体 WT/DS138	23-12-1999 WT/DS138/R	27-01-2000 美国 WT/DS138/5	07-06-2000 WT/DS138/9 和 Corr. 1	10-05-2000 WT/DS138/AB/R	07-06-2000 WT/DS138/9 和 Corr. 1

续 表

序号	案件	专家组成立（日-月-年）	散发专家组报告（日-月-年）	通知上诉（日-月-年）	通过专家组报告（日-月-年）	散发上诉机构报告（日-月-年）	通过上诉机构报告（日-月-年）
37	墨西哥—对来自美国的高果糖玉米浆进行反倾销调查	25-11-1998 美国 WT/DS132 和 Corr. 1	28-01-2000 WT/DS132/R	N. A.	24-02-2000 WT/DS132/4 和 Corr. 1	N. A.	N. A.
38	加拿大—影响汽车工业的特定措施	01-02-1999 日本 WT/DS139 01-02-1999 欧共体 WT/DS142	11-02-2000 WT/DS139/R WT/DS142/R	02-03-2000 加拿大 WT/DS139/5 WT/DS142/5	19-06-2000 WT/DS139/8 WT/DS142/8	31-05-2000 WT/DS139/R WT/DS142/R	19-06-2000 WT/DS139/8 WT/DS142/8
39	加拿大—药品的专利权保护	04-02-1999 欧共体 WT/DS114	17-03-2000 WT/DS114/R	N. A.	07-04-2000 WT/DS114/9	N. A.	N. A.
40	美国—1916 年反倾销法	01-02-1999 欧共体 WT/DS136	31-03-2000 WT/DS136/R 和 Corr. 1	29-05-2000 美国 WT/DS136/5	26-09-2000 WT/DS136/8	28-08-2000 WT/DS136/AB/R	26-09-2000 WT/DS136/8
41	韩国—影响政府采购的措施	16-06-1999 美国 WT/DS163	01-05-2000 WT/DS163/R	N. A.	19-06-2000 WT/DS163/7	N. A.	N. A.
42	加拿大—专利保护条款	22-09-1999 美国 WT/DS170	05-05-2000 WT/DS170/R	19-06-2000 加拿大 WT/DS170/4	12-10-2000 WT/DS170/7	18-09-2000 WT/DS170/AB/R	12-10-2000 WT/DS170/7
43	美国—1916 年反倾销法	26-07-1999 日本 WT/DS162	29-05-2000 WT/DS162/R 和 25-09-2000 Add. 1	29-05-2000 美国 WT/DS162/6	26-09-2000 WT/DS162/11	28-08-2000 WT/DS162/AB/R	26-09-2000 WT/DS162/11
44	美国—美国版权法第 110（5）节	26-05-1999 欧共体 WT/DS160	15-06-2000 WT/DS160/R	N. A.	27-07-2000 WT/DS160/8	N. A.	N. A.
45	美国—对来自欧共体特定产品的进口措施	16-06-1999 欧共体 WT/DS165	17-07-2000 WT/DS165/R 和 Add. 1	12-09-2000 欧共体 WT/DS165/10	10-01-2001 WT/DS165/13	11-12-2000 WT/DS165/AB/R	10-01-2001 WT/DS165/13
46	韩国—影响新鲜、冷藏及冷冻牛肉进口的措施	26-05-1999 美国 WT/DS161 26-07-1999 澳大利亚 WT/DS169	31-07-2000 WT/DS161/R WT/DS169/R	11-09-2000 韩国 WT/DS161/8 WT/DS169/8	10-01-2001 WT/DS161/11 WT/DS169/11	11-12-2000 WT/DS161/AB/R WT/DS169/AB/R	10-01-2001 WT/DS161/11 WT/DS169/11

续 表

序号	案 件	专家组成立（日-月-年）	散发专家组报告（日-月-年）	通知上诉（日-月-年）	通过专家组报告（日-月-年）	散发上诉机构报告（日-月-年）	通过上诉机构报告（日-月-年）
47	美国—对来自欧共体面筋进口的保障措施	26-07-1999 欧共体 WT/DS166	31-07-2000 WT/DS166/R	26-09-2000 美国 WT/DS166/7	19-01-2001 WT/DS166/10	22-12-2000 WT/DS166/AB/R	19-01-2001 WT/DS166/10
48	欧共体—影响石棉及含石棉产品的措施	25-11-1998 加拿大 WT/DS135	18-09-2000 WT/DS135/R 和 Add. 1	23-10-2000 加拿大 WT/DS135/8	05-04-2001 WT/DS135/12	12-03-2001 WT/DS135/AB/R	05-04-2001 WT/DS135/12
49	危地马拉—对来自墨西哥的灰波特兰水泥采取反倾销措施	22-09-1999 墨西哥 WT/DS156	24-10-2000 WT/DS156/R	N. A.	17-11-2000 WT/DS156/4	N. A.	N. A.
50	美国—对来自韩国的不锈钢卷板和不锈钢条采取反倾销措施	19-11-1999 韩国 WT/DS179	22-12-2000 WT/DS179/R	N. A.	01-02-2001 WT/DS179/4	N. A.	N. A.
51	阿根廷—影响牛皮出口和成皮进口的措施	26-07-1999 欧共体 WT/DS155	19-12-2000 WT/DS155/R 和 Corr. 1	N. A.	16-02-2001 WT/DS155/5	N. A.	N. A.
52	欧共体—对于来自印度棉质床单进口征收反倾销税	27-10-1999 印度 WT/DS141	30-10-2000 WT/DS141/R	01-12-2000 欧共体 WT/DS141/6	12-03-2001 WT/DS141/9	01-03-2001 WT/DS141/AB/R	12-03-2001 WT/DS141/9
53	泰国—对波兰出口的铁或非合金钢的角铁、型材、轧材及工字梁的反倾销税案	19-11-1999 波兰 WT/DS122	28-09-2000 WT/DS122/R	23-10-2000 泰国 WT/DS122/4	05-04-2001 WT/DS122/7	12-03-2001 WT/DS122/AB/R	05-04-2001 WT/DS122/7
54	美国—对来自新西兰和澳大利亚的新鲜、冷藏和冷冻羔羊肉进口采取保障措施	19-11-1999 新西兰 WT/DS177 澳大利亚 WT/DS178	21-12-2000 WT/DS177/R WT/DS178/R	31-01-2001 美国 WT/DS177/7 WT/DS178/8	16-05-2001 WT/DS177/10 WT/DS178/11	01-05-2001 WT/DS177/AB/R WT/DS178/AB/R	16-05-2001 WT/DS177/10 WT/DS178/11
55	美国—对来自日本的某些热轧钢产品采取反倾销措施	20-03-2000 日本 WT/DS184	28-02-2001 WT/DS184/R	25-04-2001 美国 WT/DS184/5	23-08-2001 WT/DS184/8	24-07-2001 WT/DS184/AB/R	23-08-2001 WT/DS184/8
56	美国—对来自巴基斯坦棉纱采取过渡性保障措施	19-06-2000 巴基斯坦 WT/DS192	31-05-2001 WT/DS192/R	09-07-2001 美国 WT/DS192/4	05-11-2001 WT/DS192/7	08-10-2001 WT/DS192/AB/R	05-11-2001 WT/DS192/7
57	美国—对于作为出口限制的补贴措施	11-09-2000 加拿大 WT/DS194	29-06-2001 WT/DS194/R	N. A.	23-08-2001 WT/DS194/4	N. A.	N. A.

续 表

序号	案 件	专家组成立（日-月-年）	散发专家组报告（日-月-年）	通知上诉（日-月-年）	通过专家组报告（日-月-年）	散发上诉机构报告（日-月-年）	通过上诉机构报告（日-月-年）
58	美国—1998 年全面拨款法第 211 节	26-09-2000 欧共体 WT/DS176	06-08-2001 WT/DS176/R	04-10-2001 欧共体 WT/DS176/5	01-02-2002 WT/DS176/9	02-01-2002 WT/DS176/AB/R	01-02-2002 WT/DS176/9
59	阿根廷—影响从意大利进口地板砖的措施	17-11-2000 欧共体 WT/DS189	28-09-2001 WT/DS189/R	N. A.	05-11-2001 WT/DS189/6	N. A.	N. A.
60	美国—自韩国进口的圆焊碳质条形管的保障措施	23-10-2000 韩国 WT/DS202	29-10-2001 WT/DS202/R	19-11-2001 美国 WT/DS202/9	08-03-2002 WT/DS202/13	15-02-2002 WT/DS202/AB/R	08-03-2002 WT/DS202/13
61	印度—影响汽车部门的措施	27-07-2000 美国 WT/DS175 17-11-2000 欧共体 WT/DS146	21-12-2001 WT/DS146/R 和 Corr. 1 WT/DS175/R 和 Corr. 1	31-01-2002 印度 WT/DS146/8 WT/DS175/8	05-04-2002 WT/DS146/11 WT/DS175/11	19-03-2002 WT/DS146/AB/R WT/DS175/AB/R	05-04-2002 WT/DS146/11 WT/DS175/11
62	加拿大—地区性航空器的出口信贷保证	12-03-2001 巴西 WT/DS222	28-01-2002 WT/DS222/R 和 Corr. 1	N. A.	19-02-2002 WT/DS222/6	N. A.	N. A.
63	智利—对特定农产品相关的综合价格制度及保障措施	12-03-2001 阿根廷 WT/DS207	03-05-2002 WT/DS207/R	24-06-2002 智利 WT/DS207/5	23-10-2002 WT/DS207/8	23-09-2002 WT/DS207/AB/R	23-10-2002 WT/DS207/8
64	欧共体—沙丁鱼贸易描述	24-07-2001 秘鲁 WT/DS231	29-05-2002 WT/DS231/R 和 Corr. 1	28-06-2002 欧共体 WT/DS231/11	23-10-2002 WT/DS231/15	26-09-2002	23-10-2002 WT/DS231/15
65	美国—对来自印度的钢板采取反倾销及反补贴措施	24-07-2001 印度 WT/DS206	28-06-2002 WT/DS206/R 和 Corr. 1	N. A.	29-07-2002 WT/DS206/5	N. A.	N. A.
66	美国—对于来自德国的某些耐腐蚀碳钢板产品征收反补贴税	10-09-2001 欧共体 WT/DS213	03-07-2002 WT/DS213/R 和 Corr. 1	30-08-2002 美国 WT/DS213/6	19-12-2002 WT/DS213/9	28-11-2002 WT/DS213/AB/R 和 Corr. 1	19-12-2002 WT/DS213/9
67	美国—乌拉圭回合协议法案第 129 (C) (1) 节	23-08-2001 加拿大 WT/DS221	15-07-2002 WT/DS221/R 和 Corr. 1	N. A.	30-08-2002 WT/DS221/7	N. A.	N. A.

续 表

序号	案 件	专家组成立（日-月-年）	散发专家组报告（日-月-年）	通知上诉（日-月-年）	通过专家组报告（日-月-年）	散发上诉机构报告（日-月-年）	通过上诉机构报告（日-月-年）
68	美国—对来自欧共体某些产品采取反补贴措施	10-09-2001 欧共体 WT/DS212	31-07-2002 WT/DS212/R	09-09-2002 美国 WT/DS212/7	08-01-2003 WT/DS212/11	09-12-2002 WT/DS212/AB/R	08-01-2003 WT/DS212/11
69	埃及—对来自土耳其钢筋采取反倾销措施	20-06-2001 土耳其 WT/DS211	08-08-2002 WT/DS211/R	N. A.	01-10-2002 WT/DS211/5	N. A.	N. A.
70	美国—2000年持续性倾销及补贴补偿法案	23-08-2001 澳大利亚 巴西 智利 欧共体 印度 印度尼西亚 日本 韩国 泰国 WT/DS217 10-09-2001 加拿大 墨西哥 WT/DS234	16-09-2002 WT/DS217/R WT/DS234/R	18-10-2002 美国 WT/DS217/8 WT/DS234/16	27-01-2003 WT/DS217/11 WT/DS234/19	16-01-2003	27-01-2003 WT/DS217/11 WT/DS234/19
71	美国—对来自加拿大特定软木的初步决定	05-12-2001 加拿大 WT/DS236	27-09-2002 WT/DS236/R	N. A.	01-11-2002 WT/DS236/4	N. A.	N. A.
72	阿根廷—对于桃脯进口的保障措施	18-01-2002 智利 WT/DS238	14-02-2003 WT/DS238/R	N. A.	15-04-2003 WT/DS238/5	N. A.	N. A.
73	欧共体—对来自巴西的可锻铸铁管接头征收反倾销税	24-07-2001 巴西 WT/DS219	07-03-2003 WT/DS219/R	23-04-2003 巴西 WT/DS219/7	18-08-2003 WT/DS219/10	22-07-2003 WT/DS219/AB/R	18-08-2003 WT/DS219/10
74	阿根廷—对来自巴西的家禽征收反倾销税	17-04-2002 巴西 WT/DS241	22-04-2003 WT/DS241/R	N. A.	19-05-2003 WT/DS241/6	N. A.	N. A.
75	美国—纺织品及服装原产地证明	24-06-2002 印度 WT/DS243	20-06-2003 WT/DS243/R 和 Corr. 1	N. A.	21-07-2003 WT/DS243/8	N. A.	N. A.

续 表

序号	案 件	专家组成立 （日-月-年）	散发专家组报告 （日-月-年）	通知上诉 （日-月-年）	通过专家组报告 （日-月-年）	散发上诉机构报告 （日-月-年）	通过上诉机构报告 （日-月-年）
76	美国—对特定钢铁产品进口采取保障措施	03-06-2002 欧共体 WT/DS248 14-06-2002 日本 WT/DS249 14-06-2002 韩国 WT/DS251 24-06-2002 中国 WT/DS252 24-06-2002 瑞士 WT/DS253 24-06-2002 挪威 WT/DS254 08-07-2002 新西兰 WT/DS258 29-07-2002 巴西 WT/DS259	11-07-2003 WT/DS248/R 和 Corr. 1 WT/DS249/R 和 Corr. 1 WT/DS251 和 Corr. 1 WT/DS252 和 Corr. 1 WT/DS253 和 Corr. 1 WT/DS254 和 Corr. 1 WT/DS254 和 Corr. 1 WT/DS258 和 Corr. 1 WT/DS259 和 Corr. 1	11-08-2003 美国 WT/DS248/17 WT/DS249/11 WT/DS251/12 WT/DS252/10 WT/DS253/10 WT/DS254/10 WT/DS258/14 WT/DS259/13	10-12-2003 WT/DS248/20 WT/DS249/14 WT/DS251/15 WT/DS252/13 WT/DS253/13 WT/DS254/13 WT/DS258/17 WT/DS259/16	10-11-2003 WT/DS248/AB/R WT/DS249/AB/R WT/DS251/AB/R WT/DS252/AB/R WT/DS253/AB/R WT/DS254/AB/R WT/DS258/AB/R WT/DS259/AB/R	10-12-2003 WT/DS248/20 WT/DS249/14 WT/DS251/15 WT/DS252/13 WT/DS253/13 WT/DS254/13 WT/DS258/17 WT/DS259/16
77	日本—影响苹果进口的措施	03-06-2002 美国 WT/DS245	15-07-2003 WT/DS245/R	28-08-2003 日本 WT/DS245/5	10-12-2003 WT/DS245/8	26-11-2003 WT/DS245/AB/R	10-12-2003 WT/DS245/8
78	美国—对来自日本的耐腐蚀碳钢板产品的反倾销税日落复审	22-05-2002 日本 WT/DS244	14-08-2003 WT/DS244/R	15-09-2003 日本 WT/DS244/7	09-01-2004 WT/DS244/10	15-12-2003 WT/DS244/AB/R	09-01-2004 WT/DS244/10
79	美国—对来自加拿大的软木最终反补贴税决定	01-10-2002 加拿大 WT/DS257	29-08-2003 WT/DS257/R 和 Corr. 1	21-10-2003 美国 WT/DS257/8	17-02-2004 WT/DS257/11	19-01-2004 WT/DS257/AB/R	17-02-2004 WT/DS257/11
80	欧共体—发展中国家优惠关税授予条件	27-01-2003 印度 WT/DS246	01-12-2003 WT/DS246/R	08-01-2004 欧共体 WT/DS246/7	20-04-2004 WT/DS246/10	07-04-2004 WT/DS246/AB/R	20-04-2004 WT/DS246/10
81	美国—对加拿大软木的国际贸易委员会调查	07-05-2003 加拿大 WT/DS277	22-03-2004 WT/DS277/R	N. A.	26-04-2004 WT/DS277/5	N. A.	N. A.
82	墨西哥—影响电信服务的措施	17-04-2002 美国 WT/DS204	02-04-2004 WT/DS204/R	N. A.	01-06-2004 WT/DS204/8	N. A.	N. A.
83	美国—对加拿大软木的最终倾销决定	08-01-2003 加拿大 WT/DS264	13-04-2004 WT/DS264/R	13-05-2004 美国 WT/DS264/6	31-08-2004 WT/DS264/9	11-08-2004 WT/DS264/AB/R	31-08-2004 WT/DS264/9

续 表

序号	案 件	专家组成立（日-月-年）	散发专家组报告（日-月-年）	通知上诉（日-月-年）	通过专家组报告（日-月-年）	散发上诉机构报告（日-月-年）	通过上诉机构报告（日-月-年）
84	加拿大—关于小麦出口和谷物进口的措施	31-03-2003 美国 WT/DS276	06-04-2004 WT/DS276/R	01-06-2004 美国 WT/DS276/15	27-09-2004 WT/DS276/18	30-08-2004 WT/DS276/AB/R	27-09-2004 WT/DS276/18
85	美国—对来自阿根廷石油工业用管材的反倾销措施日落复审	19-05-2003 阿根廷 WT/DS268	16-07-2004 WT/DS268/R	31-08-2004 美国 WT/DS268/5	17-12-2004 WT/DS268/8	29-11-2004 WT/DS268/AB/R	17-12-2004 WT/DS268/8
86	美国—陆地棉补贴	18-03-2003 巴西 WT/DS267	08-09-2004 WT/DS267/R 和 Corr. 1	18-10-2004 美国 WT/DS267/17	21-03-2005 WT/DS267/20	03-03-2005 WT/DS267/AB/R	21-03-2005 WT/DS267/20
87	韩国—影响商船贸易的措施	21-07-2003 欧共体 WT/DS273	07-03-2005 WT/DS273/R	N. A.	11-04-2005 WT/DS273/8	N. A.	N. A.
88	欧共体—农产品和食品的商标及地理标识保护	02-10-2003 美国 WT/DS174 澳大利亚 WT/DS290	15-03-2005 WT/DS174/R 和 Add. 1，2 & 3 WT/DS290/R 和 Add. 1，2 & 3	N. A.	20-04-2005 WT/DS174/23 WT/DS290/21	N. A.	N. A.
89	美国—影响博彩业跨境交付的措施	21-07-2003 安提瓜和巴布达 WT/DS285	10-11-2004 WT/DS285/R	07-01-2005 美国 WT/DS285/6	20-04-2005 WT/DS285/10	07-04-2005 WT/DS285/AB/R	20-04-2005 WT/DS285/10
90	欧共体—糖类出口补贴	29-08-2003 澳大利亚 WT/DS265 巴西 WT/DS266 泰国 WT/DS283	15-10-2004 WT/DS265/R WT/DS266/R WT/DS283/R	13-01-2005 欧共体 WT/DS265/25 WT/DS266/25 WT/DS283/6	19-05-2005 WT/DS265/29 WT/DS266/29 WT/DS283/10	28-04-2005 WT/DS265/AB/R WT/DS266/AB/R WT/DS283/AB/R	19-05-2005 WT/DS265/29 WT/DS266/29 WT/DS283/10
91	多米尼加—影响香烟进口和国内销售的措施	09-01-2004 洪都拉斯 WT/DS302	26-11-2004 WT/DS302/R	24-01-2004 多米尼加 WT/DS302/8	19-05-2005 WT/DS302/12	25-04-2005 WT/DS302/AB/R	19-05-2005 WT/DS302/12
92	欧共体—影响商船贸易的措施	19-03-2004 韩国 WT/DS301	22-04-2005 WT/DS301/R	N. A.	20-06-2005 WT/DS301/6	N. A.	N. A.
93	美国—对来自韩国的计算机动态随机存取存储器芯片进行反补贴税调查	19-11-2003 韩国 WT/DS296	21-02-2005 WT/DS296/R	29-03-2005 美国 WT/DS296/5	20-07-2005 WT/DS296/10	27-06-2005 WT/DS296/AB/R	20-07-2005 WT/DS296/10

续 表

序号	案 件	专家组成立（日-月-年）	散发专家组报告（日-月-年）	通知上诉（日-月-年）	通过专家组报告（日-月-年）	散发上诉机构报告（日-月-年）	通过上诉机构报告（日-月-年）
94	欧共体—对于来自韩国的计算机动态随机存取存储器芯片采取补贴措施	23-01-2004 韩国 WT/DS299	17-06-2005 WT/DS299/R	N. A.	03-08-2005 WT/DS299/6	N. A.	N. A.
95	欧共体—冷冻无骨鸡的关税分类	07-11-2003 巴西 WT/DS269 21-11-2003 泰国 WT/DS286	30-05-2005 WT/DS269/R WT/DS286/R	13-06-2005 欧共体 WT/DS269/6 WT/DS286/8	27-09-2005 WT/DS269/10 WT/DS286/12	12-09-2005 WT/DS269/AB/R WT/DS286/AB/R	27-09-2005 WT/DS269/10 WT/DS286/12
96	墨西哥—对于牛肉和稻米的反倾销措施：针对稻米的上诉	07-11-2003 美国 WT/DS295	06-06-2005 WT/DS295/R	20-07-2005 墨西哥 WT/DS295/6	20-12-2005 WT/DS295/9	29-11-2005 WT/DS295/AB/R	20-12-2005 WT/DS295/9
97	美国—对来自墨西哥的石油工业用管材反倾销措施	29-08-2003 墨西哥 WT/DS282	20-06-2005 WT/DS282/R	04-08-2005 墨西哥 WT/DS282/6	28-11-2005 WT/DS282/10	02-11-2005 WT/DS282/AB/R	28-11-2005 WT/DS282/10
98	韩国—对来自印度尼西亚特定纸张进口征收反倾销税	27-09-2004 印度尼西亚 WT/DS312	28-10-2005 WT/DS312/R	N. A.	28-11-2005 WT/DS312/5	N. A.	N. A.
99	墨西哥—对非酒精饮料及其他饮料征税	06-07-2004 美国 WT/DS308	07-10-2005 WT/DS308/R	06-12-2005 墨西哥 WT/DS308/10	24-03-2006 WT/DS308/13	06-03-2006 WT/DS308/AB/R	24-03-2006 WT/DS308/13
100	美国—计算倾销差额（归零法）的法律、规则及方法，	19-03-2004 欧共体 WT/DS294	31-10-2005 WT/DS294/R	17-01-2006 欧共体 WT/DS294/12	09-05-2006 WT/DS294/17	18-04-2006 WT/DS294/AB/R	09-05-2006 WT/DS294/17
101	日本—干紫菜和味付紫菜进口配额	21-03-2005 韩国 WT/DS323	01-02-2006 WT/DS323/R	N. A.	N. A.	N. A.	N. A.
102	欧共体—特定海关措施	21-03-2005 美国 WT/DS315	16-06-2006 WT/DS315/R	14-08-2006 美国 WT/DS315/11	11-12-2006 WT/DS315/15	13-11-2006 WT/DS315/AB/R	11-12-2006 WT/DS315/15
103	美国—关于归零法及日落复审措施	28-02-2005 日本 WT/DS322	20-09-2006 WT/DS322/R	11-10-2006 日本 WT/DS322/12	23-01-2007 WT/DS322/15	09-01-2007 WT/DS322/AB/R	23-01-2007 WT/DS322/15

续　表

序号	案　件	专家组成立（日-月-年）	散发专家组报告（日-月-年）	通知上诉（日-月-年）	通过专家组报告（日-月-年）	散发上诉机构报告（日-月-年）	通过上诉机构报告（日-月-年）
104	欧共体—影响生物科技产品审批及营销的措施	29-08-2003 美国 WT/DS291 加拿大 WT/DS292 阿根廷 WT/DS293	29/09-2006 WT/DS291/R WT/DS292/R WT/DS293/R		21-11-2006 WT/DS291/33 WT/DS292/27 WT/DS293/27	N. A.	N. A.
105	美国—对来自厄瓜多尔的虾的反倾销措施	19-07-2006 厄瓜多尔 WT/DS335	30-01-2007 WT/DS335/R	N. A.	20-02-2007 WT/DS335/9	N. A.	N. A.
106	墨西哥—对来自危地马拉的钢管征收反倾销税	17-03-2006 危地马拉 WT/DS331	08-06-2007 WT/DS331/R	N. A.	24-07-2007 WT/DS331/5	N. A.	N. A.
107	巴西—影响翻新轮胎进口的措施	20-01-2006 欧共体 WT/DS332	12-06-2007 WT/DS332/R	03-09-2007 欧共体 WT/DS332/9	17-12-2007 WT/DS332/12	03-12-2007 WT/DS332/AB/R	17-12-2007 WT/DS332/12
108	日本—对来自韩国的计算机动态随机存取存储器芯片的反补贴措施	19-06-2006 韩国 WT/DS336	13-07-2007 WT/DS336/R	30-08-2007 日本 WT/DS336/8	17-12-2007 WT/DS336/12	28-11-2007 WT/DS336/AB/R 和 CORR. 1	17-12-2007 WT/DS336/12
109	土耳其—影响稻米进口的措施	17-03-2006 美国 WT/DS334/4	21-09-2007 WT/DS334/R	N. A.	22-10-2007 WT/DS334/8	N. A.	N. A.
110	欧共体—对产自挪威的养殖鲑鱼采取反倾销措施	22-06-2006 挪威 WT/DS337	16-11-2007 WT/DS337/R	N. A.	15-01-2008 WT/DS337/6	N. A.	N. A.
111	美国—对来自墨西哥的不锈钢采取最终反倾销措施	21-10-2006 墨西哥 WT/DS344	20-12-2007 WT/DS344/R	31-01-2008 墨西哥 WT/DS344/7	20-05-2008 WT/DS344/10	30-04-2008 WT/DS344/AB/R	20-05-2008 WT/DS344/10
112	美国—对来自泰国的虾采取的措施	26-10-2006 泰国 WT/DS343	29-02-2008 WT/DS343/R	17-04-2008 泰国 WT/DS343/10	01-08-2008 WT/DS343/14	16-07-2008 WT/DS343/AB/R	01-08-2008 WT/DS343/14
113	美国—海关保税指令	21-11-2006 印度 WT/DS345	29-02-2008 WT/DS345/R	17-04-2008 印度 WT/DS345/9	01-08-2008 WT/DS345/13	16-07-2008 WT/DS345/AB/R	01-08-2008 WT/DS345/13
114	美国—欧共体要求取消报复措施：荷尔蒙争端	17-02-2005 欧共体 WT/DS320	31-03-2008 WT/DS320/R	29-05-2008 欧共体 WT/DS320/12	14-11-2008 WT/DS320/18	16-10-2008 WT/DS320/AB/R	14-11-2008 WT/DS320/18

续 表

序号	案 件	专家组成立（日-月-年）	散发专家组报告（日-月-年）	通知上诉（日-月-年）	通过专家组报告（日-月-年）	散发上诉机构报告（日-月-年）	通过上诉机构报告（日-月-年）
115	加拿大—欧共体要求取消报复措施：荷尔蒙争端	17-02-2005 欧共体 WT/DS321	31-03-2008 WT/DS321/R	29-05-2008 欧共体 WT/DS321/12	14-11-2008 WT/DS321/16	16-10-2008 WT/DS321/AB/R	14-11-2008 WT/DS321/16
116	印度—对来自美国的进口产品征收“附加税”和“超额附加税”	20-06-2007 美国 WT/DS360	09-06-2008 WT/DS360/R	01-08-2008 美国 WT/DS360/8	17-11-2008 WT/DS360/12	30-10-2008 WT/DS360/AB/R	17-11-2008 WT/DS360/12
117	中国—影响汽车零部件进口的措施	26-10-2006 欧共体 WT/DS339 美国 WT/DS340 加拿大 WT/DS342	18-07-2008 WT/DS339/R WT/DS340/R WT/DS342/R 和 Add. 1 & 2	15-09-2008 中国 WT/DS339/12 WT/DS340/12 WT/DS342/12	12. 01. 09 WT/DS339/14 WT/DS340/14 WT/DS342/14	15. 12. 08 WT/DS339/AB/R WT/DS340/AB/R WT/DS342/AB/R	12. 01. 09 WT/DS339/14 WT/DS340/14 WT/DS342/14
118	墨西哥—对来自欧共体的橄榄油采取反补贴措施	23-01-2007 欧共体 WT/DS341	04-09-2008 WT/DS341/R	N. A.	21-10-2008 WT/DS341/5	N. A.	N. A.
119	美国—与归零法和日落复审相关的措施	04-06-2007 欧共体 WT/DS350	01-10-2008 WT/DS350/R	06-11-2008 欧共体 WT/DS350/11	19-02-2009 WT/DS350/15	04-02-2009 WT/DS350/AB/R	19-02-2009 WT/DS350/15
120	中国—影响知识产权保护和执法的措施	25-09-2007 美国 WT/DS362	26-01-2009 WT/DS362/R	N. A.	20-03-2009 WT/DS362/10	N. A.	N. A.
121	哥伦比亚—对港口入境的价格限制要求	22-10-2007 巴拿马 WT/DS366	27-04-2009 WT/DS366/R 和 Corr. 1	N. A.	20-05-2009 WT/DS366/9	N. A.	N. A.
122	中国—影响知识产权保护和执法的措施	27-11-2007 美国 WT/DS363	12-08-2009 WT/DS363/R 和 Corr. 1	22-09-2009 WT/DS363/10	19-01-2010 WT/DS363/14	21-12-2009 WT/DS363/AB/R	19-01-2010 WT/DS363/14
123	美国—对自泰国的 PE 塑胶购物袋采取反倾销措施	20-03-2009 泰国 WT/DS383	22-01-2010 WT/DS383/R	N. A.	18-02-2010 WT/DS383/5	N. A.	N. A.
124	欧共体及其部分成员—影响大型民用飞机贸易的措施	20-07-2005 美国 WT/DS316	30-06-2010 WT/DS316/R	21-07-2010 欧盟 WT/DS316/12	01-06-2011 WT/DS316/16	18-05-2011 WT/DS316/AB/R	01-06-2011 WT/DS316/16
125	澳大利亚—影响自新西兰进口苹果的措施	21-01-2008 新西兰 WT/DS367	09-08-2010 WT/DS367/R	31-08-2010 澳大利亚 WT/DS367/13	01-06-2011 WT/DS316/16	18-05-2011 WT/DS316/AB/R	01-06-2011 WT/DS316/16

续 表

序号	案 件	专家组成立（日-月-年）	散发专家组报告（日-月-年）	通知上诉（日-月-年）	通过专家组报告（日-月-年）	散发上诉机构报告（日-月-年）	通过上诉机构报告（日-月-年）
126	欧共体及其成员国—部分信息技术产品的关税待遇	23-09-2008 美国 WT/DS375 日本 WT/DS376 台、澎、金、马单独关税区 WT/DS377	16-08-2010 WT/DS375/R WT/DS376/R WT/DS377/R	N. A.	21-09-2010 WT/DS375/13 WT/DS376/13 WT/DS377/11	N. A.	N. A.
127	美国—影响自中国进口家禽的措施	31-07-2009 中国 WT/DS392	29-09-2010 WT/DS392/R	N. A.	25-10-2010 WT/DS392/5	N. A.	N. A.
128	美国—对自中国进口的产品征收确定性反倾销税和反补贴税	20-01-2009 中国 WT/DS379	22-10-2010 WT/DS379/R	01. 12. 10 中国 WT/DS379/6	25-03-2011 WT/DS379/9	11-03-2011 WT/DS379/AB/R	25-03-2011 WT/DS379/9
129	泰国—对自菲律宾进口香烟的关税和财政措施	17-11-2008 菲律宾 WT/DS371	15-11-2010 WT/DS371/R	22-02-2011 泰国 WT/DS371/8	15-07-2011 WT/DS371/11	17-06-2011 WT/DS371/AB/R	15-07-2011 WT/DS371/11
130	欧共体—对从中国进口的钢铁紧固件采取最终反倾销措施	23-10-2009 中国 WT/DS397	03-12-2010 WT/DS397/R	25-03-2011 欧盟 WT/DS397/7	28-07-2011 WT/DS397/11	15-07-2011 WT/DS397/AB/R	28-07-2011 WT/DS397/11
131	美国—对从中国进口汽车轮胎采取的限制措施	19-01-2010 中国 WT/DS399	13-12-2010 WT/DS399/R	24-05-2011 中国 WT/DS399/6	05-10-2011 WT/DS399/9	05-09-2011 WT/DS399/AB/R	05-10-2011 WT/DS399/9
132	美国—对自韩国产品的反倾销措施适用归零法	18-05-2010 韩国 WT/DS402	18-01-2011 WT/DS402/R	N. A.	24-02-2011 WT/DS402/5	N. A.	N. A.
133	美国—对从巴西进口的特定橙汁采取的反倾销行政复审和其他措施	25-09-2009 巴西 WT/DS382	25-03-2011 WT/DS382/R	N. A.	17-06-2011 WT/DS382/8	N. A.	N. A.
134	美国—影响大型民用航空器贸易的措施（二诉）	17-02-2006 欧共体 WT/DS353	31-03-2011 WT/DS353/R	01-04-2011 欧盟 WT/DS353/8	23-03-2012 WT/DS353/13	12-03-2012 WT/DS353/AB/R	23-03-2012 WT/DS353/13
135	中国—与限制原材料出口有关的措施	21-12-2009 美国 WT/DS394 欧共体 WT/DS395 墨西哥 WT/DS398	05-07-2011 WT/DS394/R WT/DS395/R WT/DS398/R	31-08-2011 中国 WT/DS394/11 WT/DS395/11 WT/DS398/10	22-02-2012 WT/DS394/16 WT/DS395/15 WT/DS398/14	30-01-2012 WT/DS394/AB/R WT/DS395/AB/R WT/DS398/AB/R	22-02-2012 WT/DS394/16 WT/DS395/15 WT/DS398/14

续 表

序号	案 件	专家组成立（日-月-年）	散发专家组报告（日-月-年）	通知上诉（日-月-年）	通过专家组报告（日-月-年）	散发上诉机构报告（日-月-年）	通过上诉机构报告（日-月-年）
136	美国—对自越南进口的虾采取反倾销措施	18-05-2010 越南 WT/DS404	11-07-2011 WT/DS404/R	N. A.	02-09-2011 WT/DS404/9	N. A.	N. A.
137	菲律宾—对蒸馏酒精征税	19-01-2010 欧盟 WT/DS396 20-04-2010 美国 WT/DS403	15-08-2011 WT/DS396/R WT/DS403/R	23-09-2011 菲律宾 WT/DS396/7 WT/DS403/7	20-01-2012 WT/DS396/11 WT/DS403/11	21-12-2011 WT/DS396/AB/R WT/DS403/AB/R	20-01-2012 WT/DS396/11 WT/DS403/11
138	美国—影响丁香香烟生产和销售的措施	20-07-2010 印度尼西亚 WT/DS406	02-09-2011 WT/DS406/R	05-01-2012 美国 WT/DS406/6	24-04-2012 WT/DS406/9	04-04-2012 WT/DS406/AB/R	24-04-2012 WT/DS406/9
139	美国—对金枪鱼和金枪鱼产品的进口、营销和销售采取的措施	20-04-2009 墨西哥 WT/DS381	15-09-2011 WT/DS381/R	20-01-2012 美国 WT/DS381/10	13-06-2012 WT/DS381/15	16-05-2012 WT/DS381/AB/R	13-06-2012 WT/DS381/15
140	欧盟—对自中国进口的鞋采取反倾销措施	18-05-2010 中国 WT/DS405	28-10-2011 WT/DS405/R	N. A.	22-02-2012 WT/DS405/6	N. A.	N. A.
141	多米尼加—聚丙烯管状织物包装袋进口的保障措施	07-02-2011 哥斯达黎加 WT/DS415 危地马拉 WT/DS416 洪都拉斯 WT/DS417 萨尔瓦多 WT/DS418	31-01-2012 WT/DS415/R WT/DS416/R WT/DS417/R WT/DS418/R Add. 1	N. A.	22-02-2012 WT/DS415/11 WT/DS416/11 WT/DS417/11 WT/DS418/11	N. A.	N. A.
142	美国—对特定国家原产地标签要求	19-11-2009 加拿大 WT/DS384 墨西哥 WT/DS386	18-11-2011 WT/DS384/R WT/DS386/R	23-03-2012 美国 WT/DS384/12 WT/DS386/11	23-07-2012 WT/DS384/18 WT/DS386/17	29-06-2012 WT/DS384/AB/R WT/DS386/AB/R	23-07-2012 WT/DS384/18 WT/DS386/17
143	美国—对自中国进口的冷冻暖水虾采取反倾销措施	25-10-2011 WT/DS422	08-06-2012 WT/DS422/R Add. 1	N. A.	23-07-2012 WT/DS422/6	N. A.	N. A.
144	中国—对自美国进口的取向电工钢征收反补贴税和反倾销税	25-03-2011 WT/DS414	15-06-2012 WT/DS414/R Add. 1	20-07-2012 中国 WT/DS414/5	16-11-2012 WT/DS414/8	18-10-2012 WT/DS414/AB/R	16-11-2012 WT/DS414/8
145	中国—影响电子支付服务的措施	25-03-2011 WT/DS413	16-07-2012 WT/DS413/R Add. 1	N. A.	31-08-2012 WT/DS413/6	N. A.	N. A.

续 表

序号	案件	专家组成立（日-月-年）	散发专家组报告（日-月-年）	通知上诉（日-月-年）	通过专家组报告（日-月-年）	散发上诉机构报告（日-月-年）	通过上诉机构报告（日-月-年）
146	中国—对从欧盟进口的X射线安全检查设备征收最终反倾销税	20-01-2012 欧盟 WT/DS425	26-02-2013 WT/DS425/R 和 Add. 1	N. A.	24-04-2013 WT/DS425/6	N. A.	N. A.
147	加拿大—影响再生能源部门的措施/加拿大—上网电价补贴计划相关措施	20-07-2011 日本 WT/DS412 20-01-2012 欧盟 WT/DS426	19-12-2012 WT/DS412/R WT/DS426/R 和 Add. 1	05-02-2013 加拿大 WT/DS412/10 WT/DS426/9	24-05-2013 WT/DS412/14 WT/DS426/13	06-05-2013 WT/DS412/AB/R WT/DS426/AB/R	24-05-2013 WT/DS412/14 WT/DS426/13
148	中国—对来自美国的白羽肉鸡产品采取反倾销和反补贴措施	20-01-2012 美国 WT/DS427	02-08-2013 WT/DS427/R 和 Add. 1	N. A.	25-09-2013 WT/DS427/5	N. A.	N. A.
149	欧共体—限制海豹产品进口及营销的限制措施	25-03-2011 加拿大 WT/DS400 21-04-2011 挪威 WT/DS401	25-11-2013 WT/DS400/R WT/DS401/R 和 Add. 1	24-01-2014 加拿大 WT/DS400/8 挪威 WT/DS401/9	18-06-2014 WT/DS400/13 WT/DS401/14	22-05-2014 WT/DS400/AB/R WT/DS401/AB/R	18-06-2014 WT/DS400/13 WT/DS401/14
150	中国—对美部分进口汽车实施反倾销和反补贴措施	23-10-2012 美国 WT/DS440	23-05-2014 WT/DS440/R 和 Add. 1	N. A.	18-06-2014 WT/DS440/5	N. A.	N. A.
151	美国—对来自中国的某些产品的反补贴和反倾销措施	17-12-2012 中国 WT/DS449	27-03-2014 WT/DS449/R Add-1	08-04-2014 中国 WT/DS449/6	22-07-2014 WT/DS449/10	07-07-2014 WT/DS449/AB/R 和 Corr. 1	22-07-2014 WT/DS449/10
152	中国—影响稀土、钨、钼出口的措施	23-07-2012 美国 WT/DS431 欧盟 WT/DS432 日本 WT/DS433	26-03-2014 WT/DS431/R WT/DS432/R WT/DS433/R 和 Add. 1	08-04-2014 美国 WT/DS431/9 25-04-2014 中国 WT/DS432/9 WT/DS433/9	29-08-2014 WT/DS431/14 WT/DS432/12 WT/DS433/12	07-08-2014 WT/DS431/AB/R WT/DS432/AB/R WT/DS433/AB/R	29-08-2014 WT/DS431/14 WT/DS432/12 WT/DS433/12
153	美国—对源自印度的某些热轧碳钢产品的反补贴措施	31-08-2012 印度 WT/DS436	14-07-2014 WT/DS436/R 和 Add-1	18-08-2014 印度 WT/DS436/6		08-10-2014 WT/DS436/8 10-12-2014 WT/DS436/10	08/12/2014 WT/DS436/AB/R
154	美国—对来自中国的某些产品的反补贴税的措施	28-09-2012 中国 WT/DS437	14-07-2014 WT/DS437/R 和 Add. 1	22-08-2014 中国 WT/DS437/7		18-12-2014 WT/DS437/AB/R	16-01-2015 WT/DS437/11 WT/DS437/11/ Corr. 1

续 表

序号	案 件	专家组成立（日-月-年）	散发专家组报告（日-月-年）	通知上诉（日-月-年）	通过专家组报告（日-月-年）	散发上诉机构报告（日-月-年）	通过上诉机构报告（日-月-年）
155	阿根廷—影响货物进口的措施	28-01-2013 欧盟 WT/DS438 美国 WT/DS444 日本 WT/DS445	22-08-2014 WT/DS438/R WT/DS444/R WT/DS445/R 和 Add. 1	26-09-2014 阿根廷 WT/DS438/15 WT/DS444/14 WT/DS445/14		15-01-2015 WT/DS438/AB/R WT/DS444/AB/R WT/DS445/AB/R	26-01-2015 WT/DS438/20 WT/DS445/21
156	印度—影响某些农产品进口的措施	25-06-2012 美国 WT/DS430	14-10-2014 WT/DS430/R 和 Add. 1	02-02-2015 WT/DS430/8		04-06-2015 WT/DS430/AB/R	19-06-2015 WT/DS430/11
157	美国—影响源自阿根廷的动物、肉类和其他动物制品进口的措施	09-08-2013 阿根廷 WT/DS447/3	24-07-2015 WT/DS447/R 和 Add. 1		03-09-2015 WT/DS447/5		26-01-2015 WT/DS447/20 WT/DS447/21
158	阿根廷—与货物和服务贸易相关的措施	25-06-2013 WT/DS453/4	30-09-2015 WT/DS453/R 和 Add. 1				
159	中国—对从日本进口的高性能不锈钢无缝钢管（HP-SSST）征收反倾销税	12-04-2013 WT/DS454/4	14-02-2015 WT/DS454/R WT/DS460/R 和 Add. 1	22-05-2015 WT/DS454/7		14-10-2015 WT/DS454/AB/R WT/DS460/AB/R 和 Add. 1	
160	秘鲁—某些农产品进口的附加税	23-07-2013 WT/DS457/3	27-11-2014 WT/DS457/R 和 Add. 1	01-04-2015 WT/DS457/7 WT/DS457/8		20-07-2015 WT/DS457/AB/R 和 Add. 1	
161	乌克兰—有关小轿车的最终保障措施	26-03-2014 WT/DS468/3	26-06-2015 WT/DS468/R 和 Add. 1		20-07-2015 WT/DS468/8		

第三部分
执行争端解决机构建议

序号	案 件	通过专家组及上诉机构报告（日-月-年）	通知执行争端解决机构建议的意向（日-月-年）	确定合理时限（日-月-年）	根据 DSU 第 21.3 条确定的合理期限	根据 DSU 第 21.6 条争端解决机构对执行的监督
1	美国—精炼及传统汽油标准	20-05-1996 WT/DS2/9	19-06-1996 WT/DSB/M/19	03-12-1996 WT/DSB/M/27	20-05-96 至 20-08-97 （15 个月）	WT/DS2/10 和 Add. 1-Add. 7
2	日本—对酒精饮料征税	01-11-1996 WT/DS8/11 WT/DS10/11 WT/DS11/8	20-11-1996 WT/DSB/M/26	14-02-1997 WT/DS8/15 WT/DS10/15 WT/DS11/13 （通过仲裁）	14-02-1997 至 14-05-1998 （15 个月）	WT/DS8/18 WT/DS10/18 WT/DS11/16 和 Add. 1-Add. 2

续 表

序号	案 件	通过专家组及上诉机构报告（日-月-年）	通知执行争端解决机构建议的意向（日-月-年）	确定合理时限（日-月-年）	根据DSU第21.3条确定的合理期限	根据DSU第21.6条争端解决机构对执行的监督
3	美国—对于棉质及人造纤维内衣的进口限制	25-02-1997 WT/DS24/8	20-03-1997 WT/DSB/M/30	N. A.	N. A.	此措施于1997年3月28日到期 WT/DSB/M/31
4	巴西—影响可可粉的措施	20-03-1997 WT/DS22/11/Rev-2	N. A.	N. A.	N. A.	N. A.
5	美国—影响从印度进口羊毛衬衫和女上衣进口的措施	23-05-1997 WT/DS33/5	N. A.	N. A.	N. A.	该限制于1996年12月3日废除 WT/DSB/M/33
6	加拿大—关于杂志的特定措施	30-07-1997 WT/DS31/7	29-08-1997 WT/DS31/8	15-09-1997	30-07-1997至30-10-1998（15个月）	WT/DS31/9 和Add. 1-Add. 5
7	欧共体—香蕉进口、销售和分销	25-09-1997 WT/DS27/12	16-10-1997 WT/DSB/M/38	07-01-1998 WT/DS27/15 （通过仲裁）	25-09-1997至01-01-1999（15个月零1周）	WT/DS27/17 和Add. 1-Add. 3 WT/DS27/51 和Add. 1-Add. 25
8	印度—对于药品及农业化学品的专利权保护	16-01-1998 WT/DS50/9	13-02-1998 WT/DSB/M/42	21-04-1998 WT/DSB/M/45	16-01-1998至19-04-1999（15个月）	WT/DS50/10 和Add. 1-Add. 4
9	欧共体—关于肉及肉制品措施（荷尔蒙）	13-02-1998 WT/DS26/13 WT/DS48/11	13-03-1998 WT/DSB/M/43	29-05-1998 WT/DS26/15 WT/DS48/13 （通过仲裁）	13-02-1998至13-05-1999（15个月）	WT/DS26/17 WT/DS48/15 和Add. 1-Add. 4
10	阿根廷—影响鞋类、纺织品、服装和其他项目的进口措施	22-04-1998 WT/DS56/11	08-05-1998 WT/DS56/12	15-06-1998 WT/DSB/M/46	22-04-1998至19-10-1998（有180天的调查期限来决定纺织品和服装的特殊税） 22-04-1998至01-01-1999（有242天的调查期限决定统计税）	WT/DS56/15 和Add. 1-Add. 4
11	日本—对进口胶卷相纸的限制	22-04-1998 WT/DS44/5	N. A.	N. A.	N. A.	N. A.
12	欧共体—特定计算机设备的海关分类	22-06-1998 WT/DS62/11 WT/DS67/9 WT/DS68/8	N. A.	N. A.	N. A.	N. A.
13	欧共体—影响特定家禽产品进口的措施	23-07-1998 WT/DS69/7	27-08-1998 WT/DS69/8	20-10-1998 WT/DS69/9	直至31-03-1999	

续 表

序号	案 件	通过专家组及上诉机构报告（日-月-年）	通知执行争端解决机构建议的意向（日-月-年）	确定合理时限（日-月-年）	根据 DSU 第 21.3 条确定的合理期限	根据 DSU 第 21.6 条争端解决机构对执行的监督
14	印度尼西亚—影响汽车工业的特定措施	23-07-1998 WT/DS54/10 WT/DS55/10 WT/DS59/9 WT/DS64/8	21-08-1998 WT/DS54/12 WT/DS55/11 WT/DS59/10 WT/DS64/9	07-12-1998 WT/DS54/15 WT/DS55/14 WT/DS59/13 WT/DS64/12 （通过仲裁）	23-07-1998 至 23-07-1999 （12 个月）	WT/DS54/17 WT/DS55/16 WT/DS59/15 WT/DS64/14 和 Add. 1
15	印度—对于药品及农业化学品的专利权保护	22-09-1998 WT/DS79/5 和 Corr. 1	21-10-1998 WT/DSB/M/49	24-11-1998 WT/DSB/M/51	直至 19-04-1999	WT/DS79/6
16	美国—对特定虾及虾类产品进口限制	06-11-1998 WT/DS58/14	25-11-1998 WT/DSB/M/51	21-01-1999 WT/DSB/M/54	06-11-1998 至 06-12-1999 （13 个月）	WT/DS58/15
17	澳大利亚—影响鲑鱼进口的措施	06-11-1998 WT/DS18/11	25-11-1998 WT/DSB/M/51	23-02-1999 WT/DS18/9 （通过仲裁）	06-11-1998 至 06-07-1999 （8 个月）	（见第四部分）
18	危地马拉—对来自墨西哥的波特兰水泥的反倾销调查	25-11-1998 WT/DS60/12	N. A.	N. A.	N. A.	N. A.
19	韩国—对酒精饮料征税	17-02-1999 WT/DS75/12 WT/DS84/10	19-03-1999 WT/DSB/M/57	04-06-1999 WT/DS75/16 WT/DS84/14 （通过仲裁）	17-02-1999 至 31-01-2000 （11 个月零 2 周）	WT/DS75/18 WT/DS84/16
20	日本—影响农产品进口的措施	19-03-1999 WT/DS76/8	15-04-1999 WT/DSB/M/58	15-06-1999 WT/DS76/9	19-03-1999 至 31-12-1999 （9 个月零 12 天）	WT/DS76/11 和 Add. 1-Add. 16 日本和美国已通知争端解决机构，他们已达成双方满意的解决方案 WT/DS76/12
21	美国—对来自韩国的 1 兆或以上的计算机动态随机存取存储器芯片征收反倾销税	19-03-1999 WT/DS99/5	15-04-1999 WT/DSB/M/58	19-05-1999 WT/DSB/M/65	19-03-1999 至 19-11-1999 （8 个月）	WT/DS99/6
22	澳大利亚—对于汽车皮革制造商和生产商提供的补贴	16-06-1999 WT/DS126/5	06-07-1999 WT/DS126/6		根据《补贴与反补贴协议》第 4.7 条，专家组建议于报告批准日起 90 天内撤销此措施	WT/DS126/7 （见第四部分）

续 表

序号	案 件	通过专家组及上诉机构报告（日-月-年）	通知执行争端解决机构建议的意向（日-月-年）	确定合理时限（日-月-年）	根据DSU第21.3条确定的合理期限	根据DSU第21.6条争端解决机构对执行的监督
23	巴西—对于航空器出口资金融通	20-08-1999 WT/DS46/10	13-09-1999 WT/DS46/11		根据《补贴与反补贴协议》第4.7条，专家组建议于报告批准日起90天内撤销此措施	WT/DS46/12 （见第四部分）
24	加拿大—影响民用航空器措施	20-08-1999 WT/DS70/6	06-09-1999 WT/DS70/1		根据《补贴与反补贴协议》第4.7条，专家组建议于报告批准日起90天内撤销此措施	WT/DS70/8 （见第四部分）
25	印度—对于农产品，纺织品和工业产品进口的数量限制	22-09-1999 WT/DS90/14	14-10-1999 WT/DSB/M/69	28-12-1999 WT/DS90/15	直至01-04-2000及01-04-2001	WT/DS90/16 和Add.1-Add.7
26	加拿大—影响牛奶进口及奶制品出口的措施	27-10-1999 WT/DS103/11 WT/DS113/11	19-11-1999 WT/DSB/M/71	22-12-1999 WT/DS103/10 WT/DS113/10	此实施阶段最迟不迟于2000年12月31日	WT/DS103/12— WT/DS113/12 和Add.1-Add.6 （见第四部分）
27	土耳其—对于纺织品和服装进口的限制	19-11-1999 WT/DS34/11	15-12-1999 WT/DS34/9	07-01-2000 WT/DS34/10	19-02-2001	WT/DS34/12 和Add.1-Add.8 就土耳其所采取的措施达成一致的通知 WT/DS34/14
28	智利—对酒精饮料征税	12-01-2000 WT/DS87/12 WT/DS110/11	11-02-2000 WT/DSB/M/75	23-05-2000 WT/DS87/15 WT/DS110/4 （通过仲裁）	12-01-2000至21-03-2001 （14个月零9天）	WT/DS87/17 和Add.1 & 2
29	韩国—对于特定奶制品进口的保障措施	12-01-2000 WT/DS98/10	11-02-2000 WT/DSB/M/75	21-03-2000 WT/DS98/11	直至20-05-2000	WT/DS98/12
30	阿根廷—对鞋类产品进口的保障措施	12-01-2000 WT/DS121/9	11-02-2000 WT/DSB/M/75	N.A.	N.A.	N.A.
31	美国—1974年贸易法第301-310部分	27-01-2000 WT/DS152/14	N.A.	N.A.	N.A.	N.A.
32	墨西哥—对来自美国的高果糖玉米浆进行反倾销调查	24-02-2000 WT/DS132/4 和Corr.1	20-03-2000 WT/DSB/M/77	10-04-2000 WT/DS132/5	24-02-2000至22-09-2000 （6个月零29天）	（见第四部分）

续 表

序号	案 件	通过专家组及上诉机构报告（日-月-年）	通知执行争端解决机构建议的意向（日-月-年）	确定合理时限（日-月-年）	根据 DSU 第 21.3 条确定的合理期限	根据 DSU 第 21.6 条争端解决机构对执行的监督
33	美国—“海外销售公司”税收待遇	20-03-2000 WT/DS108/10	07-04-2000 WT/DSB/M/78	20-03-2000（报告批准）	直至 01-10-2000 相应地时间延至 01-11-2000	（见第四部分）
34	加拿大—药品的专利权保护	07-04-2000 WT/DS114/9	25-04-2000 WT/DSB/M/79	18-08-2000 WT/DS114/13（通过仲裁）	直至 07-10-2000	相关规定于 07-10-2000 公布
35	美国—对来自英国的热轧铅铋碳钢产品征收反补贴税	07-06-2000 WT/DS138/9 和 Corr. 1	05-07-2000 WT/DSB/M/85	N. A.	N. A.	N. A.
36	加拿大—影响汽车工业的特定措施	19-06-2000 WT/DS139/8 WT/DS142/8	27-07-2000 WT/DSB/M/86	04-10-2000 WT/DS139/12 WT/DS142/12（通过仲裁）	直至 19-02-2001	此措施于 18-02-2001 废止 WT/DSB/M/101
37	韩国—影响政府采购措施	19-06-2000 WT/DS163/7	N. A.	N. A.	N. A.	N. A.
38	美国—美国版权法第 110（5）节	27-07-2000 WT/DS160/8	24-08-2000 WT/DS160/9	15-01-2001 WT/DS160/12（通过仲裁）	直至 27-07-2001 相应地时间顺延至美国国会结束或 31-12-2001（WT/DS160/14）	WT/DS160/18 和 Add. 1-Add. 16（见第四部分）在 23-06-2003 各方达成了相互满意的临时性协议（WT/DS160/23）相应地现状报告重新开始 WT/DS160/24 和 Add. 1-Add. 22
39	美国—1916 年反倾销法	26-09-2000 WT/DS136/8 WT/DS162/11	23-10-2000 WT/DSB/M/91	28-02-2001 WT/DS136/11 WT/DS162/14（通过仲裁）	直至 26-07-2001 相应地时间顺延至美国国会结束或 31-12-2001（WT/DS136/13 WT/DS162/16）	WT/DS136/14 WT/DS162/17 和 Add. 1-Add. 31（见第四部分）
40	加拿大—专利保护条款	12-10-2000 WT/DS170/7	23-10-2000 WT/DSB/M/91	28-02-2001 WT/DS170/10（通过仲裁）	直至 12-08-2001	加拿大宣布执行建议至 12-08-2001 止 WT/DSB/M/107
41	危地马拉—对来自墨西哥的灰波特兰水泥采取反倾销措施	17-11-2000 WT/DS156/4	12-12-2000 WT/DSB/M/94	N. A.	N. A.	反倾销税至 02-10-2000 止 WT/DSB/M/94

续 表

序号	案 件	通过专家组及上诉机构报告（日-月-年）	通知执行争端解决机构建议的意向（日-月-年）	确定合理时限（日-月-年）	根据DSU第21.3条确定的合理期限	根据DSU第21.6条争端解决机构对执行的监督
42	韩国—影响新鲜、冷藏及冷冻牛肉进口的措施	10-01-2001 WT/DS161/11 WT/DS169/11	01-02-2001 WT/DSB/M/98	19-04-2001 WT/DS161/12 WT/DS169/12	直至10-09-2001	韩国宣布执行建议至10-09-2001止 WT/DSB/M/110
43	美国—对来自欧共体面筋进口的保障措施	19-01-2001 WT/DS166/10	03-04-2001 WT/DSB/M/99	04-04-2001 WT/DS166/12	直至02-06-2001	
44	美国—来自韩国的不锈钢卷板和不锈钢条的反倾销措施	01-02-2001 WT/DS179/4	01-03-2001 WT/DSB/M/100	26-04-2001 WT/DS179/5	直至01-09-2001	美国宣布执行建议至01-09-2001止 WT/DSB/M/109
45	阿根廷—影响牛皮出口和成皮进口的措施	16-02-2001 WT/DS155/5	12-03-2001 WT/DSB/M/101	31-08-2001 WT/DS155/10 （通过仲裁）	直至28-02-2002	WT/DS155/12 争端解决机构注意到欧共体和阿根廷之间根据《关于争端解决规则与程序的谅解》第21和22条达成的协议 WT/DSB/M/121
46	欧共体—对来自印度的棉质床单进口征收反倾销税	12-03-2001 WT/DS141/9	05-04-2001 WT/DSB/M/103	26-04-2001 WT/DS141/10	直至14-08-2001	见第四部分
47	泰国—对波兰出口的铁或非合金钢的角铁、型材、轧材及工字梁的反倾销税案	05-04-2001 WT/DS122/7	26-04-2001 WT/DSB/M/104	25-05-2001 WT/DS122/8	直至20-10-2001	WT/DS122/9 WT/DS122/11 （双方达成协议，此项不再出现在争端解决机构的日程中）
48	欧共体—影响石棉及含石棉产品的措施	05-04-2001 WT/DS135/12	N. A.	N. A.	N. A.	N. A.
49	美国—对来自新西兰和澳大利亚的新鲜、冷藏和冷冻羔羊肉进口采取保障措施	16-05-2001 WT/DS177/10 WT/DS178/11	20-06-2001 WT/DS177/11 WT/DS178/12	31-08-2001 决定于15-11-2001停止该措施 WT/DS177/12 WT/DS178/13	直至15-11-2001	14-11-2001 美国宣布已完成必要的法律步骤来实施8月31日的决定 WT/DSB/M/113

续 表

序号	案 件	通过专家组及上诉机构报告（日-月-年）	通知执行争端解决机构建议的意向（日-月-年）	确定合理时限（日-月-年）	根据 DSU 第 21.3 条确定的合理期限	根据 DSU 第 21.6 条争端解决机构对执行的监督
50	美国—对来自日本的某些热轧钢产品采取反倾销措施	23-08-2001 WT/DS184/8	10-09-2001 WT/DSB/M/109	19-02-2002 WT/DS184/13 （通过仲裁）	23-08-01 至 23-11-2002 （15 个月） 相应地，时间顺延直至 31-12-2003 或直至美国国会休会日，选两者较早者 （WT/DS184/16） 相应地，时间被修改于 31-07-2004 到期 （WT/DS184/17） 相应地，时间被修改于 31-07-2005 到期 （WT/DS184/18）	WT/DS184/15 和 Add. 1-Add. 47
51	美国—对于作为出口限制的补贴措施	23-08-2001 WT/DS194/4	N. A.	N. A.	N. A.	N. A.
52	美国—对来自巴基斯坦棉纱采取过渡性保障措施	05-11-2001 WT/DS192/7	21-11-2001 WT/DSB/M/113	N. A.	N. A.	美国宣布此措施于 01-11-2001 被废除 WT/DSB/M/113
53	阿根廷—对来自意大利的地板砖进口的反倾销措施	05-11-2001 WT/DS189/6	05-12-2001 WT/DSB/M/114	18-12-2001 WT/DS189/7	05-11-2001 至 05-04-2002 WT/DS189/7	WT/DS189/8
54	美国—1998 年全面拨款法第 211 节	01-02-2002 WT/DS176/9	19-02-2002 WT/DSB/M/120	28-03-2002 WT/DS176/10	直至 31-12-2002 或美国国会休会日，不迟于 03-01-2003 相应地，时间被修改于 30-06-2003 到期 （WT/DS176/12） 时间再次被修改于 31-12-2003 到期 （WT/DS176/13） 相应地，时间被修改于 31-12-2004 到期 （WT/DS176/14） 相应地，时间被修改于 30-06-2005 到期 （WT/DS176/15）	WT/DS176/11 和 Add. 1-Add. 47

续　表

序号	案　件	通过专家组及上诉机构报告（日-月-年）	通知执行争端解决机构建议的意向（日-月-年）	确定合理时限（日-月-年）	根据DSU第21.3条确定的合理期限	根据DSU第21.6条争端解决机构对执行的监督
55	加拿大—地区性航空器的出口信贷保证	19-02-2002 WT/DS222/6	08-03-2002 WT/DSB/M/121		专家组建议从报告通过后的90天内撤销此措施（截至20-05-2002）	（见第四部分）
56	美国—对产自韩国的环状焊接碳素钢管实施保障措施	08-03-2002 WT/DS202/13	05-04-2002 WT/DSB/M/122	29-07-2002 WT/DS202/18	直至01-09-2002	在18-03-2003争端解决机构会议上，美国宣布此措施已于01-03-2003终止 WT/DSB/M/145
57	印度—影响汽车部门的措施	05-04-2002 WT/DS146/11 WT/DS175/11	02-05-2002 WT/DS146/12 WT/DS175/12	18-07-2002 WT/DS146/13 WT/DS175/13	05-04-2002至05-09-2002（5个月）	在11-11-2002争端解决机构会议上，印度宣布其已执行了争端解决机构的建议 WT/DSB/M/136
58	美国—对来自印度的钢板采取反倾销及反补贴措施	29-07-2002 WT/DS206/5	27-08-2002 WT/DS206/6	01-10-2002 WT/DS206/7	20-07-2002至29-12-2002（5个月）相应地，时间被修改为31-01-2003到期（WT/DS206/8）	在19-02-2003争端解决机构会议上，美国宣布已按争端解决机构建议来执行 WT/DSB/M/143
59	美国—乌拉圭回合协议第129（c）（1）	30-08-2002 WT/DS221/7	N. A.	N. A.	N. A.	N. A.
60	埃及—对来自土耳其钢筋采取反倾销措施	01-10-2002 WT/DS211/5	23-10-2002 WT/DSB/M/134	14-11-2002 WT/DS211/6	01-10-2002至31-07-2003（9个月）	WT/DS211/7和Add. 1-Add. 3 在29-08-2003争端解决机构会议上，埃及宣布已按争端解决机构建议执行
61	智利—对特定农产品相关的综合价格制度及保障措施	23-10-2002 WT/DS207/8	11-11-2002 WT/DSB/M/136	17-03-2003 WT/DS207/13（通过仲裁）	23-10-2002至23-12-2003（14个月）	WT/DS207/15和Add. 7（见第四部分）

续 表

序号	案 件	通过专家组及上诉机构报告（日-月-年）	通知执行争端解决机构建议的意向（日-月-年）	确定合理时限（日-月-年）	根据 DSU 第 21.3 条确定的合理期限	根据 DSU 第 21.6 条争端解决机构对执行的监督
62	欧共体—沙丁鱼贸易描述	23-10-2002 WT/DS231/15	11-11-2002 WT/DSB/M/136	19-12-2002 WT/DS231/16	23-10-2002 至 23-04-2003 相应地，时间 被修改于 01-07-2003 到期 （WT/DS231/17）	WT/DS231/18 （双方同意的 解决方案）
63	美国—对来自加拿大特定软木的初步决定	01-11-2002 WT/DS236/4	28-11-2002 WT/DSB/M/137	N. A.	N. A.	N. A.
64	美国—对来自德国的特定耐腐蚀碳钢板征收反补贴税	19-12-2002 WT/DS213/9	17-01-2003 WT/DSB/M/141	N. A.	N. A.	在 20-04-2004 争端解决机构会议 上，美国宣布已按 争端解决机构 建议执行 （WT/DSB/M/167）
65	美国—对于来自欧共体的特定产品的反补贴措施	08-01-2003 WT/DS212/11	27-01-2003 WT/DSB/M/142	10-04-2003 WT/DS212/12	08-01-2003 至 08-11-2003 （10 个月）	WT/DS212/13 WT/DS212/19 （见第四部分）
66	美国—2000 年持续性倾销及补贴补偿法案	27-01-2003 WT/DS217/11 WT/DS234/19	27-01-2003 WT/DSB/M/142 19-02-2003 WT/DSB/M/143 26-02-2003 WT/DSB/M/144	13-06-2003 WT/DS217/14 WT/DS234/22 （通过仲裁）	27-01-2003 至 27-12-2003 （11 个月） 在与澳大利亚、 印度尼西亚和泰国 有关的争议中， 实施时间被修改 于 27-12-2004 到期 （WT/DS217 /17，18，19） 相应地，美国 就此事项分别 与下列国家 达成程序谅解： 澳大利亚 （WT/DS217/44） 泰国 （WT/DS217/45） 印度尼西亚 （WT/DS217/46）	WT/DS217/16 WT/DS234/24 和 Add. 1-Add. 24 （见第四部分）
67	阿根廷—对于桃脯进口的保障措施	15-04-2003 WT/DS238/5	14-05-2003 WT/DS238/6 19-05-2003 WT/DSB/M/150	30-05-2003 WT/DS238/7	直至 31-12-2003	在 23-01-2004 争端解决机构 会议上，阿根廷 宣布已按争端 解决机构建议执行 （WT/DSB/M/163）

续 表

序号	案 件	通过专家组及上诉机构报告（日-月-年）	通知执行争端解决机构建议的意向（日-月-年）	确定合理时限（日-月-年）	根据DSU第21.3条确定的合理期限	根据DSU第21.6条争端解决机构对执行的监督
68	阿根廷—对来自巴西的家禽征收反倾销税	19-05-2003 WT/DS241/6	N. A.	N. A.	N. A.	N. A.
69	美国—纺织品及服装原产地证明	21-07-2003 WT/DS243/8	N. A.	N. A.	N. A.	N. A.
70	欧共体—对来自巴西的可锻铸铁管接头征收反倾销税	18-08-2003 WT/DS219/10	15-09-2003 WT/DS219/11 02-10-2003 WT/DSB/M/156	01-10-2003 WT/DS219/12	18-08-2003至 19-03-2004 （7个月）	17-03-2004， 欧共体就其执行争端解决机构建议提供信息 （WT/DS219/13）
71	日本—影响苹果进口的措施	10-12-2003 WT/DS245/8	09-01-2004 WT/DSB/M/162	30-01-2004 WT/DS245/9	10-12-2003至 30-06-2004 （6个月零20天）	（见第四部分）
72	美国—对特定钢铁产品进口采取保障措施	10-12-2003 WT/DS248/20 WT/DS249/14 WT/DS251/15 WT/DS252/13 WT/DS253/13 WT/DS254/13 WT/DS258/17 WT/DS259/16	N. A.	N. A.	N. A.	在10-12-2003的争端解决机构会议上，美国宣布其总统已经下令停止与此争议相关的10项保障措施 （WT/DSB/M/160）
73	美国—对来自日本的耐腐蚀碳钢板产品的反倾销税日落复审	09-01-2004 WT/DS244/10	N. A.	N. A.	N. A.	N. A.
74	美国—对来自加拿大的软木最终反补贴税决定	17-02-2004 WT/DS257/11	05-03-2004 WT/DS257/12	28-04-2004 WT/DS257/13	17-02-2004至 17-12-2004 （10个月）	WT/DS257/14和 Add. 1 （见第四部分）
75	欧共体—发展中国家优惠关税授予条件	20-04-2004 WT/DS246/10	19-05-2004 WT/DSB/M/169	20-09-2004 WT/DS246/14 （通过仲裁）	20-04-2004至 01-07-2005 （14个月零11天）	WT/DS246/16和 Add. 1-Add. 3
76	美国—国际贸易委员会对加拿大软木的调查	26-04-2004 WT/DS277/R	19-05-2004 WT/DSB/M/169	01-10-2004 WT/DS277/7	26-04-2004至 26-01-2005 （9个月）	在25-01-2005的争端解决机构会议上，美国说明其已按争端解决机构在此争端中的建议执行 （见第四部分）

续 表

序号	案　件	通过专家组及上诉机构报告（日-月-年）	通知执行争端解决机构建议的意向（日-月-年）	确定合理时限（日-月-年）	根据 DSU 第 21.3 条确定的合理期限	根据 DSU 第 21.6 条争端解决机构对执行的监督
77	墨西哥—影响电信服务的措施	01-06-2004 WT/DS204/8	01-06-2004 WT/DS204/7	01-06-2004 WT/DS204/7	从报告通过之日起的 13 个月内；也就是说在 2005 年 7 月底前	WT/DS204/9 和 Add. 1-Add. 8
78	美国—对加拿大软木的最终倾销决定	31-08-2004 WT/DS264/9	27-09-2004 WT/DSB/M/176	06-12-2004 WT/DS264/12	31-08-2004 至 15-04-2005 相应地，时间被修改于 02-05-2005 到期（WT/DS264/15）	在 19-05-2005 的争端解决机构会议上，美国说明其已按争端解决机构的建议和规则执行 WT/DSB/M/189）（见第四部分）
79	加拿大—关于小麦出口和谷物进口的措施	27-09-2004 WT/DS276/18	18-10-2004 WT/DSB/M/177	15-11-2004 WT/DS276/19	27-09-2004 至 01-08-2005（10 个月零 5 天）	WT/DS276/20 和 Add. 1-Add. 3
80	美国—对来自阿根廷石油工业用管材的反倾销措施日落复审	17-12-2004 WT/DS268/8	14-01-2005 WT/DSB/M/181	07-06-2005 WT/DS268/12 （通过仲裁）	17-12-2004 至 17-12-2005（12 个月）	在 20-12-2005 的争端解决机构会议上美国说明其已按争端解决机构的建议和规则执行（见第四部分）
81	美国—陆地棉补贴	21-03-2005 WT/DS/267/20	20-04-2005 WT/DSB/M/188		根据《补贴与反补贴协议》第 4.7 条，专家组建议此措施自报告被批准后的 6 个月内或在 2005 年 7 月 1 日之前撤销（以较早的为准）	（见第四部分）
82	韩国—影响商船贸易的措施	11-04-2005 WT/DS273/8			根据《补贴与反补贴协议》第 4.7 条，专家组建议此措施自报告被批准后的 90 天内撤销	
83	欧共体—农产品和食品的商标及地理标识保护	20-04-2005 WT/DS174/23 WT/DS290/21	19-05-2005 WT/DSB/M/189	09-06-2005 WT/DS174/24 WT/DS290/22	实施时间至 03-04-2006 为止（11 个月零 2 周）	WT/DS174/25-WT/DS290/23 和 Add. 1-Add. 3

续 表

序号	案 件	通过专家组及上诉机构报告（日-月-年）	通知执行争端解决机构建议的意向（日-月-年）	确定合理时限（日-月-年）	根据 DSU 第 21.3 条确定的合理期限	根据 DSU 第 21.6 条争端解决机构对执行的监督
84	美国—影响博彩业跨境交付的措施	20-04-2005 WT/DS285/10	19-05-2005 WT/DSB/M/189	19-08-2005 WT/DS285/13 （通过仲裁）	20-04-2005 至 03-04-2006 （11 个月零 2 周）	WT/DS285/15 和 Add. 1 （见第四部分）
85	欧共体—糖类出口补贴	19-05-2005 WT/DS265/29 WT/DS266/29 WT/DS283/10	13-06-2005 WT/DSB/M/191	28-10-2005 WT/DS265/33— WT/DS266/33— WT/DS283/14 （通过仲裁）	19-05-2005 至 22-05-2006 （12 个月零 3 天）	WT/DS265/35- WT/DS266/35- WT/DS283/16 和 Add. 1
86	多米尼加—影响香烟进口和国内销售的措施	19-05-2005 WT/DS302/12	13-06-2005 WT/DSB/M/191	16-08-2005 WT/DS302/17	19-05-2005 之后的 24 个月： 也就是在 19-05-2007 之前	
87	欧共体—影响商船贸易的措施	20-06-2005 WT/DS301/6	20-07-2005 WT/DSB/M/194			
88	美国—对来自韩国的计算机动态随机存取存储器芯片的反补贴税调查	20-07-2005 WT/DS296/10	03-08-2005 WT/DSB/M/195	07-11-2005 WT/DS296/11	20-07-2005 至 08-03-2006 （7 个月零 16 天）	在 14-03-2006 的争端解决机构 会议上美国说明 其已按争端解决 机构的建议和 规则执行 （WT/DSB/M/206）
89	欧共体—对来自韩国的计算机动态随机存取存储器芯片的反补贴措施	03-08-2005 WT/DS299/6	31-08-2005 WT/DSB/M/196	12-10-2005 WT/DS299/7	03-08-2005 至 03-04-2006 （8 个月）	WT/DS299/8 WT/DS299/9
90	欧共体—冷冻无骨鸡的关税分类	27-09-2005 WT/DS269/10 WT/DS286/12	18-10-2005 WT/DSB/M/199	20-02-2006 WT/DS269/13— WT/DS286/15 （通过仲裁）	27-09-2005 至 27-06-2006 （9 个月）	WT/DS269/15— WT/DS286/17 和 Add. 1
91	美国—对来自墨西哥的石油工业用管材反倾销措施	28-11-2005 WT/DS282/10	20-12-2005 WT/DSB/M/202	15-02-2006 WT/DS282/11	28-11-2005 至 28-05-2006 （6 个月）	（见第四部分）
92	韩国—对来自印度尼西亚特定纸张进口征收反倾销税	28-11-2005 WT/DS312/5	20-12-2005 WT/DSB/M/202	10-02-2006 WT/DS312/6	28-11-2005 至 28-07-2006 （8 个月）	（见第四部分）

续 表

序号	案 件	通过专家组及上诉机构报告（日-月-年）	通知执行争端解决机构建议的意向（日-月-年）	确定合理时限（日-月-年）	根据 DSU 第 21.3 条确定的合理期限	根据 DSU 第 21.6 条争端解决机构对执行的监督
93	墨西哥—对于牛肉和稻米的反倾销措施：对于稻米的上诉	20-12-2005 WT/DS295/9	19-01-2006 WT/DS295/10	18-05-2006 WT/DS295/12	20-12-2005 至 20-08-2006 [8 个月，考虑到专家组报告第 8.1 和 8.3 段和上诉机构报告第 350（b）和（c）段] 20-12-2005 至 20-12-2006 [12 个月，考虑到专家组报告第 8.5 段和上诉机构报告第 350（d）段]	WT/DS295/13 和 Add. 1
94	墨西哥—对于非酒精饮料及其他饮料征税	24-03-2006 WT/DS308/13	21-04-2006 WT/DSB/M/210	03-07-2006 WT/DS308/15	24-03-2006 至 01-01-2007 （9 个月零 8 天） 或者如果墨西哥国会在 2006 年 12 月 1～31 日间制定法律停止此措施 24-03-2006 至 31-01-2007 （10 个月零 7 天）	WT/DS308/16
95	美国—计算倾销差额（归零法）的法律、规则及方法	09-05-2006 WT/DS294/17	30-05-2006 WT/DSB/M/213	28-07-2006 WT/DS294/19	09-05-2006 至 09-04-2007 （11 个月）	WT/DS294/20 和 Add. 1-Add. 6 （见第四部分） WT/DS294/34 和 Add. 1-Add. 6 随后的报告： WT/DS294/38 和 Add. 1-Add. 20
96	欧共体—影响生物科技产品审批及营销的措施	21-11-2006 WT/DS291/33 WT/DS292/27 WT/DS293/27	19-12-2006 WT/DSB/M/224	21-06-2007 WT/DS291/35	21-11-2006 至 21-11-2007 （12 个月） 期限延长 WT/DS292/34，35，36，37，38 & 39 (Corr. 1) 加拿大 和 WT/DS293/34，35，36，37，38，39 & 40 阿根廷	WT/DS291/37 和 Add. 1-Add. 57 WT/DS292/31 和 Add. 1-Add. 18 WT/DS293/31 和 Add. 1-Add. 26 （见第四部分）

续 表

序号	案 件	通过专家组及上诉机构报告（日-月-年）	通知执行争端解决机构建议的意向（日-月-年）	确定合理时限（日-月-年）	根据DSU第21.3条确定的合理期限	根据DSU第21.6条争端解决机构对执行的监督
97	欧共体—特定海关措施	11-12-2006 WT/DS315/15	19-12-2006 WT/DSB/M/224			
98	美国—关于归零法及日落复审措施	23-01-2007 WT/DS322/15	20-02-2007 WT/DSB/M/226	04-05-2007 WT/DS322/20	23-01-2007至 24-12-2007 （11个月）	WT/DS322/22 和Add. 1-Add. 2 （见第四部分） WT/DS322/36 和Add. 1-Add. 29
99	美国—对来自厄瓜多尔虾征收反倾销税	20-02-2007 WT/DS335/9	20-03-2007 WT/DSB/M/228	26-03-2007 WT/DS335/10	20-02-2007至 20-08-2007 （6个月）	2007年8月， 美国宣布已按 争端解决机构建议 和裁决执行 WT/DSB/M/238
100	墨西哥—对来自危地马拉的钢管征收反倾销税	24-07-2007 WT/DS331/5	23-08-2007 WT/DS331/6	25-09-2007 WT/DS331/7	24-07-2007至 24-01-2008 （6个月）	2008年1月 24日，墨西哥宣布 已按争端解决 机构建议和 裁决执行 WT/DSB/M/248
101	土耳其—影响大米进口的措施	22-10-2007 WT/DS334/8	20-11-2007 WT/DS334/10	09-04-2008 WT/DS334/12	22-10-2007至 22-04-2008 （6个月）	WT/DS334/14
102	巴西—影响翻新轮胎进口的措施	17-12-2007 WT/DS332/12	15-01-2008 WT/DSB/M/244	29-08-2008 WT/DS332/16 （通过仲裁）	17-12-2007至 11-12-2008 （12个月）	WT/DS332/19 和Add. 1-Add. 6
103	日本—对来自韩国的动态随机存储器征收反补贴税	17-12-2007 WT/DS336/12	15-01-2008 WT/DSB/M/244	05-05-2008 WT/DS336/16 （通过仲裁）	17-12-2007至 01-09-2008 （8个月零2星期）	（见第四部分）
104	欧共体—对产自挪威的人工养殖的鲑鱼采取反倾销措施	15-01-2008 WT/DS337/6	08-02-2008 WT/DSB/M/246	06-05-2008 WT/DS337/8	15-01-2008至 15-11-2008 （10个月）	争端解决机构于 2008年8月1日 开会宣布撤销 该措施，于 2008年7月 20日生效 WT/DSB/M/254
105	美国—对产自墨西哥的不锈钢采取最终反倾销措施	20-05-2008 WT/DS344/10	02-06-2008 WT/DSB/M/251	31-10-2008 WT/DS344/15 （通过仲裁）	20-05-2008至 30-04-2009 （11个零10天）	（见第四部分）

续 表

序号	案　件	通过专家组及上诉机构报告（日-月-年）	通知执行争端解决机构建议的意向（日-月-年）	确定合理时限（日-月-年）	根据 DSU 第 21.3 条确定的合理期限	根据 DSU 第 21.6 条争端解决机构对执行的监督
106	美国—与来自泰国虾有关的措施	01-08-2008 WT/DS343/14	29-08-2008 WT/DSB/M/255	31-10-2008 WT/DS343/16	01-08-2008 至 01-04-2009 （8 个月）	在 2009 年 4 月 20 日争端解决机构会议上，美国说明其已按争端解决机构的建议和规则执行 WT/DSB/M/267
107	美国—海关保税指令	01-08-2008 WT/DS345/13	29-08-2008 WT/DSB/M/255	31-10-2008 WT/DS345/15	01-08-2008 至 01-04-2009 （8 个月）	在 2009 年 4 月 20 日争端解决机构会议上，美国说明其已按争端解决机构的建议和规则执行 WT/DSB/M/267
108	墨西哥—对从欧共体进口的橄榄油采取最终反补贴措施	21-10-2008 WT/DS341/5	17-11-2008 WT/DSB/M/259			在 2008 年 12 月 11 日争端解决机构会议上，墨西哥说明其已按争端解决机构的建议和规则执行 WT/DSB/M/260
109	美国—欧共体继续要求中止在荷尔蒙案件中的义务	14-11-2008 WT/DS320/18	11-12-2008 WT/DSB/M/260			
110	加拿大—欧共体继续要求中止在荷尔蒙案件中的义务	14-11-2008 WT/DS321/16	11-12-2008 WT/DSB/M/260			
111	中国—影响汽车零部件进口的措施	12-01-2009 WT/DS339/14 WT/DS340/14 WT/DS342/14	11-02-2009 WT/DSB/M/264	27-02-2009 WT/DS339/15 WT/DS340/15 WT/DS342/15	12-01-2009 至 01-09-2009 （7 个月 零 20 天）	在 2009 年 8 月 31 日争端解决机构会议上，中国说明其已使其措施与争端解决机构的建议和裁决一致。 WT/DSB/M/273
112	美国—继续存在和运用归零法	19-02-2009 WT/DS350/15	20-03-2009 WT/DSB/M/266	02-06-2009 WT/DS350/17	19-02-2009 至 19-12-2009 （10 个月）	WT/DS350/18 和 Add. 1 -Add. 10

续 表

序号	案　件	通过专家组及上诉机构报告（日-月-年）	通知执行争端解决机构建议的意向（日-月-年）	确定合理时限（日-月-年）	根据DSU第21.3条确定的合理期限	根据DSU第21.6条争端解决机构对执行的监督
113	中国—影响知识产权保护和执法的措施	20-03-2009 WT/DS362/10	20-04-2009 WT/DSB/M/267	29-06-2009 WT/DS362/13	20-03-2009至 20-03-2010 （12个月）	WT/DS362/14 和Add. 1 & Add. 2 2010年4月20日争端解决机构会议上，中国说明其已使其措施与争端解决机构的建议和裁决一致 （WT/DSB/M/282）
114	哥伦比亚—对港口入境的价格限制要求	20-05-2009 WT/DS366/9	19-06-2009 WT/DSB/M/270	02-10-2009 WT/DS366/13	20-05-2009至 04-02-2010 （8个月零15天）	WT/DS366/15
115	中国—影响出版物和视听娱乐产品的贸易权和分销服务措施	19-01-2010 WT/DS363/14	18-02-2010 WT/DSB/M/279	12-07-2010 WT/DS363/16	19-01-2010至 19-03-2011 （14个月）	WT/DS363/17 和Add. 1-Add. 15
116	美国—对自泰国的PE塑胶购物袋采取反倾销措施	18-02-2010 WT/DS383/5	19-03-2010 WT/DSB/M/280	31-03-2010 WT/DS383/6	18-02-2010至 18-08-2010 （6个月）	2010年8月31日争端解决机构会议上，美国说明其已使其措施与争端解决机构的建议和裁决一致 （WT/DSB/M/286）
117	欧盟及其成员国—某些信息技术产品的关税待遇	21-09-2010 WT/DS375/13 WT/DS376/13 WT/DS377/11	13-10-2010 WT/DS375/14 WT/DS376/14 WT/DS377/12	20-12-2010 WT/DS375/16 WT/DS376/16 WT/DS377/14	21-09-2010至 30-06-2011 （9个月零9天）	WT/DS375/18 WT/DS376/18 WT/DS377/16
118	澳大利亚—影响自新西兰进口苹果的措施	17-12-2010 WT/DS367/17	10-01-2011 WT/DS367/18	31-01-2011 WT/DS367/19	直至17-08-2011	WT/DS367/20
119	美国—对来自韩国产品的反倾销措施适用归零法	24-02-2011 WT/DS402/5	25-03-2011 WT/DSB/M/294	17-06-2011 WT/DS402/6	(i) 9个月—直至 24-11-2011 (ii) 8个月—直至 24-10-2011	
120	美国—对来自中国的特定产品征收反倾销税和反补贴税	25-03-2011 WT/DS379/6	21-04-2011 WT/DSB/M/295	08-07-2011 WT/DS379/11	25-03-2011至 25-02-2012 （11个月）	WT/DS379/12 和Add. 1-Add. 7

续 表

序号	案 件	通过专家组及上诉机构报告（日-月-年）	通知执行争端解决机构建议的意向（日-月-年）	确定合理时限（日-月-年）	根据 DSU 第 21.3 条确定的合理期限	根据 DSU 第 21.6 条争端解决机构对执行的监督
121	欧共体及其某些成员国—影响大型民用航空器贸易的措施	01-06-2011 WT/DS316/16	17-06-2011 WT/DSB/M/298		根据《补贴与反补贴协议》第 7.9 条，此措施自报告被批准后的 6 个月内撤销（01-12-2011）	（见第四部分）
122	美国—对从巴西进口的特定橙汁采取的反倾销行政复审和其他措施	17-06-2011 WT/DS382/8	17-06-2011 WT/DSB/M/298	17-06-2011 WT/DS382/9	17-06-2011 至 17-03-2012 （9 个月）	WT/DS382/10 和 Add. 1-Add. 10
123	泰国—对来自菲律宾烟草所采取的海关和财政措施	15-07-2011 WT/DS371/11	11-08-2011 WT/DS371/12	23-09-2011 WT/DS371/14	15-07-2011 至 15-05-2012 （10 个月） 15-07-2011 至 15-10-2012 （15 个月）	WT/DS371/15 和 Add. 1-Add. 6
124	欧共体—对从中国进口的钢铁紧固件采取最终反倾销措施	28-07-2011 WT/DS397/11	18-08-2011 WT/DS397/12	19-01-2012 WT/DS397/14	28-07-2011 至 12-10-2012 （14 个月零 2 周）	WT/DS397/15 和 Add. 1-Add. 3
125	美国—对自越南进口的虾采取反倾销措施	02-09-2011 WT/DS404/9	27-09-2011 WT/DSB/M/303	31-10-2011 WT/DS404/10	02-09-2011 至 02-07-2012 （10 个月）	WT/DS404/11 和 Add. 1-Add. 5
126	美国—对从中国进口的汽车轮胎采取的限制措施	05-10-2011 WT/DS399/9	N. A.	N. A.	N. A.	N. A.
127	菲律宾—对蒸馏酒精征税	20-01-2012 WT/DS396/11 WT/DS403/11	15-02-2012 WT/DS396/12 WT/DS403/12	20-04-2012 WT/DS396/14 WT/DS403/14	20-01-2012 至 08-03-2013 （13 个月 & 16 天）	WT/DS396/15— WT/DS403/15
128	欧盟—对自中国进口的鞋采取反倾销措施	22-02-2012 WT/DS405/6	23-03-2012 WT/DSB/M/313	23-05-2012 WT/DS405/7	22-02-2012 至 11-10-2012 （7 个月 & 19 天）	
129	多米尼加—聚丙烯管状织物包装袋进口的保障措施	22-02-2012 WT/DS415/11 WT/DS416/11 WT/DS417/11 WT/DS418/11	23-03-2012 WT/DSB/M/313	13-04-2012 WT/DS415/12 WT/DS416/12 WT/DS417/12 WT/DS418/12	RPT2012 年 4 月 21 日结束 WT/DS415/13 WT/DS416/13 WT/DS417/13 WT/DS418/13 （保障措施 2012 年 4 月 21 日取消）	
130	中国—与限制原材料出口有关的措施	22-02-2012 WT/DS394/16 WT/DS395/15 WT/DS398/14	23-03-2012 WT/DSB/M/313	24-05-2012 WT/DS394/18 WT/DS395/17 WT/DS398/16	22-02-2012 至 31-12-2012 （10 个月 & 9 天）	WT/DS394/19 WT/DS395/18 WT/DS398/17 和 Add. 1

续 表

序号	案 件	通过专家组及上诉机构报告（日-月-年）	通知执行争端解决机构建议的意向（日-月-年）	确定合理时限（日-月-年）	根据 DSU 第 21.3 条确定的合理期限	根据 DSU 第 21.6 条争端解决机构对执行的监督
131	美国—影响大型民用航空器贸易的措施（二诉）	23-03-2012 WT/DS353/13	13-04-2012 WT/DSB/M/314		SCM 协议相符 23-09-2012	WT/DS353/15
132	美国—影响丁香香烟生产和销售的措施	24-04-2012 WT/DS406/9	24-05-2012 WT/DSB/M/316	14-06-2012 WT/DS406/10	24-04-2012 至 24-07-2013 （15 个月）	WT/DS406/11 和 Add. 1-Add. 7
133	美国—对金枪鱼和金枪鱼产品的进口、营销和销售采取的措施	13-06-2012 WT/DS381/15	25-06-2012 WT/DSB/M/318	17-09-2012 WT/DS381/17	13-06-2012 至 13-07-2013 （13 个月）	WT/DS381/18 和 Add. 1-Add. 3
134	美国—对自中国进口的冷冻暖水虾采取反倾销措施	23-07-2012 WT/DS422/6	23-07-2012 WT/DSB/M/320	27-07-2012 WT/DS422/7	23-07-2012 至 23-03-2013 （8 个月）	WT/DS422/8 和 Add. 1
135	美国—对特定国家原产地标签要求	23-07-2012 WT/DS384/18 WT/DS386/17	21-08-2012 WT/DS384/19 WT/DS386/18	04-12-2012 WT/DS384/24— WT/DS386/23 （仲裁）	23-07-2012 至 23-05-2013 （10 个月）	24-05-2013 美国关于 DSB 建议实施声明 （WT/DSB/M/332）
136	中国—影响电子支付服务的措施	31-08-2012 WT/DS413/6	28-09-2012 WT/DSB/M/322	22-11-2012 WT/DS413/8	31-08-2012 至 31-07-2013 （11 个月）	WT/DS413/9 和 Add. 1
137	中国—对自美国进口的取向电工钢征收反补贴税和反倾销税	16-11-2012 WT/DS414/8	30-11-2012 WT/DSB/M/326	03-05-2013 WT/DS414/12 （仲裁）	16-11-2012 至 31-07-2013 （8 个月 & 15 天）	30-08-2013 中国关于 DSB 建议实施声明 WT/DSB/M/336
138	中国—对从欧盟进口的 X 射线安全检查设备征收最终反倾销税	24-04-2013 WT/DS425/6	24-05-2013 WT/DSB/M/332	19-07-2013 WT/DS425/8	24-04-2013 至 19-02-2014 （9 个月 & 25 天）	WT/DS425/9
139	加拿大—影响再生能源部门的措施/加拿大-上网电价补贴计划相关措施	24-05-2013 WT/DS412/14 WT/DS426/13	20-06-2013 WT/DS412/15 WT/DS426/14 25-06-2013 WT/DSB/M/333	29-07-2013 WT/DS412/16 WT/DS426/16	24-05-2013 至 24-03-2014 （10 个月） 随后时间被延长至 05-06-2014 （WT/DS412/18） （WT/DS426/18）	WT/DS412/17 WT/DS426/17 和 Add. 1- Add. 3 WT/DS412/19 WT/DS426/19
140	中国—对来自美国的白羽肉鸡产品采取反倾销和反补贴措施	25-09-2013 WT/DS427/5	22-10-2013 WT/DSB/M/338	19-12-2013 WT/DS427/7	25-09-2013 至 09-07-2014 （9 个月零 14 天）	WT/DS427/8
141	欧共体—限制海豹产品进口及营销的限制措施	18-06-2014 WT/DS400/13 WT/DS401/14	10-07-2014 WT/DSB/M/347	05-09-2014 WT/DS400/15 WT/DS401/16	18-06-2014 至 18-10-2015 （16 个月）	

续 表

序号	案 件	通过专家组及上诉机构报告（日-月-年）	通知执行争端解决机构建议的意向（日-月-年）	确定合理时限（日-月-年）	根据 DSU 第 21.3 条确定的合理期限	根据 DSU 第 21.6 条争端解决机构对执行的监督
142	美国—对来自中国的某些产品的反补贴和反倾销措施	22-07-2014 WT/DS449/10	21-08-2014 WT/DS449/11 WT/DSB/M/349	27-07-2015 WT/DS449/12 WT/DS449/13	至 22-07-2015 （12 个月） 随后延长至 05-08-2015	
143	中国—影响稀土、钨、钼出口的措施	29-08-2014 WT/ DS431/14 WT/DS432/12 WT/DS433/12	26-09-2014 WT/DSB/M/350	26-09-2015 WT/DS431/15 WT/DS431/16	8 个月零 3 天	
144	美国—对源自印度的某些热轧碳钢产品的反补贴措施	22-12-2014 WT/DS436/11		02-09-2015 WT/DS436/12 WT/DS436/13	至 19-03-2016 15 个月	
145	阿根廷—影响货物进口的措施	26-01-2015 WT/DS436/11 WT/DS436/20 WT/DS444/20 WT/DS445/21		13-03-2015 WT/DS444/21 WT/DS445/22 06-07-2015 WT/DS444/22 WT/DS445/23	26-01-2015 至 31-12-2015 11 个月 5 天	
146	中国—对日本进口的高性能不锈钢无缝钢管（HP-SSST）征收反倾销税	28-10-2015 WT/DS454/12 WT/DS460/12			28-10-2015 至 22-08-2016 9 个月 25 天	
147	秘鲁—某些农产品进口的附加税	31-07-2015 WT/DS457/11		17-09-2015 W T/DS457/12 05-10-2015 WT/DS457/13 15-10-2015 WT/DS457/14	31-07-2015 至 29-03-2016 7 个月 29 天	

第四部分
援引《关于争端解决规则与程序的谅解》第 21.5 条

序号	案 件	援引第 21.5 条（日-月-年）	提交原专家组（日-月-年）	散发专家组报告（日-月-年）	通知上诉（日-月-年）	散发上诉机构报告（日-月-年）	通过专家组和（或）上诉机构报告（日-月-年）
1	欧共体—香蕉进口、销售和分销	15-12-1998 欧共体 WT/DS27/40 18-12-1998 厄瓜多尔 WT/DS27/41	12-01-1999 WT/DSB/M/53 欧共体 厄瓜多尔	12-04-1999 WT/DS27/ RW/ECU WT/DS27/ RW/EEC 和 Corr. 1	N. A.	N. A.	06-05-1999 WT/DSB/M/61 （WT/DS27/ RW/ECU）

续 表

序号	案 件	援引第21.5条（日-月-年）	提交原专家组（日-月-年）	散发专家组报告（日-月-年）	通知上诉（日-月-年）	散发上诉机构报告（日-月-年）	通过专家组和（或）上诉机构报告（日-月-年）
2	澳大利亚—影响鲑鱼进口的措施	28-07-1999 加拿大 WT/DS18/14	28-07-1999 WT/DSB/M/66	18-02-2000 WT/DS18/RW	N. A.	N. A.	20-03-2000 WT/DSB/M/77
3	澳大利亚—对于汽车皮革制造商和生产商提供的补贴	04-10-1999 美国 WT/DS126/8	14-10-1999 WT/DSB/M/69	21-01-2000 WT/DS126/RW 和 Corr. 1	N. A.	N. A.	11-02-2000 WT/DSB/M/75
4	巴西—对于航空器出口融资	26-11-1999 加拿大 WT/DS46/13	09-12-1999 WT/DSB/M/72	09-05-2000 WT/DS46/RW	22-05-2000 巴西 WT/DS46/17	21-07-2000 WT/DS46/ AB/RW	04-08-2000 WT/DSB/M/87
5	加拿大—影响民用航空器措施	23-11-1999 巴西 WT/DS70/9	09-12-1999 WT/DSB/M/72	09-05-2000 WT/DS70/RW	22-05-2000 巴西 WT/DS70/12	21-07-2000 WT/DS70/ AB/RW	04-08-2000 WT/DSB/M/87
6	美国—对来自韩国计算机动态随机存取存储器芯片征收反倾销税	07-04-2000 韩国 WT/DS99/8	25-04-2000 WT/DSB/M/79	07-11-2000 WT/DS99/RW （双方达成协议）	N. A.	N. A.	N. A.
7	美国—对特定虾及虾类产品进口限制	13-10-2000 马来西亚 WT/DS58/17	23-10-2000 WT/DSB/M/91	15-06-2001 WT/DS58/RW	23-07-2001 马来西亚 WT/DS58/20	22-10-2001 WT/DS58/ AB/RW	21-11-2001 WT/DSB/M/113
8	墨西哥—对来自美国的高果糖玉米浆开展反倾销调查	13-10-2000 美国 WT/DS132/6	23-10-2000 WT/DSB/M/91	22-06-2001 WT/DS132/RW	24-07-2001 墨西哥 WT/DS132/10	22-10-2001 WT/DS132/ AB/RW	21-11-2001 WT/DSB/M/113
9	美国—“海外销售公司”税收待遇	07-12-2000 欧共体 WT/DS108/16	20-12-2000 WT/DSB/M/95	20-08-2001 WT/DS108/RW	15-10-2001 美国 WT/DS108/21	14-01-2002 WT/DS108/ AB/RW	29-01-2002 WT/DSB/M/118
10	巴西—对于航空器出口资金融通：加拿大再次援引DSU第21.5条	19-01-2001 加拿大 WT/DS46/26	16-02-2001 WT/DSB/M/99	26-07-2001 WT/DS46/ RW/2	N. A.	N. A.	23-08-2001 WT/DSB/M/108
11	加拿大—影响牛奶进口及奶制品出口的措施	16-02-2001 美国 WT/DS103/16 16-02-2001 新西兰 WT/DS113/16	01-03-2001 WT/DSB/M/100	11-07-2001 WT/DS103/RW WT/DS113/RW	04-09-2001 加拿大 WT/DS103/20 WT/DS113/20	03-12-2001 WT/DS103/ AB/RW WT/DS113/ AB/RW	18-12-2001 WT/DSB/M/116
12	加拿大—影响牛奶进口及奶制品出口的措施：美国和新西兰再次引用第21.5条	06-12-2001 美国 WT/DS103/23 06-12-2001 新西兰 WT/DS113/23	18-12-2001 WT/DSB/M/116	26-07-2002 WT/DS103/ RW/2 WT/DS113/ RW/2	23-09-2002 加拿大 WT/DS103/28 WT/DS113/28	20-12-2002 WT/DS103/ AB/RW2 WT/DS113/ AB/RW2	17-01-2003 WT/DSB/M/141

续 表

序号	案 件	援引第 21.5 条（日-月-年）	提交原专家组（日-月-年）	散发专家组报告（日-月-年）	通知上诉（日-月-年）	散发上诉机构报告（日-月-年）	通过专家组和（或）上诉机构报告（日-月-年）
13	欧共体—对于来自印度的棉质床单征收反倾销税	07-05-2002 印度 WT/DS141/13/Rev. 1	22-05-2002 WT/DSB/M/124 和 Corr. 1	29-11-2002 WT/DS141/RW	08-01-2003 印度 WT/DS141/16	08-04-2003 WT/DS141/AB/RW	24-04-2003 WT/DSB/M/148
14	美国—对来自欧共体的特定产品的反补贴措施	17-03-2004 欧共体 WT/DS212/14	27-09-2004 WT/DS212/15 WT/DSB/M/176	17-08-2005 WT/DS212/RW	N. A.	N. A.	27-09-2005 WT/DSB/M/198
15	智利—对特定农产品相关的综合价格制度及保障措施	19-05-2004 阿根廷 WT/DS207/17	20-01-2006 WT/DS207/18 WT/DSB/M/203	08-12-2006 WT/DS207/RW	05-02-2007 智利 WT/DS207/22	07-05-2007 WT/DS207/AB/RW	22-05-2007 WT/DSB/M/232
16	日本—影响苹果进口的措施	19-07-2004 美国 WT/DS245/11	30-07-2004 WT/DSB/M/174	23-06-2005 WT/DS245/RW	N. A.	N. A.	20-07-2005 WT/DSB/M/194
17	美国—对来自加拿大的软木最终反补贴税决定	04-01-2005 加拿大 WT/DS257/15	14-01-2005 WT/DSB/M/181	01-08-2005 WT/DS257/RW	06-09-2005 美国 WT/DS257/22	05-12-2005 WT/DS257/AB/RW	20-12-2005 WT/DSB/M/202
18	美国—“海外销售公司”税收待遇：欧共体再次援引第 21.5 条	14-01-2005 欧共体 WT/DS108/29	17-02-2005 WT/DSB/M/183	30-09-2005 WT/DS108/RW2	14-11-2005 美国 WT/DS108/32	13-02-2006 WT/DS108/AB/RW2	14-03-2006 WT/DS108/36
19	美国—国际贸易委员会对加拿大软木的调查	15-02-2005 加拿大 WT/DS277/8	25-02-2005 WT/DSB/M/184	15-11-2005 WT/DS277/RW	13-01-2006 加拿大 WT/DS277/16	13-04-2006 WT/DS277/AB/RW	09-05-2006 WT/DS277/19
20	美国—对加拿大软木的最终倾销决定	19-05-2005 加拿大 WT/DS264/16	01-06-2005 WT/DSB/M/190	03-04-2006 WT/DS264/RW	17-05-2006 加拿大 WT/DS264/25	15-08-2006 WT/DS264/AB/RW	01-09-2006 WT/DS264/28
21	欧共体—香蕉进口制度及 ACP-EC 合作伙伴协定	30-11-2005 洪都拉斯 WT/DS27/62 30-11-2005 巴拿马 WT/DS27/63 30-11-2005 尼加拉瓜 WT/DS27/64					
22	美国—对来自阿根廷石油工业用管材的反倾销措施日落复审	26-01-2006 阿根廷 WT/DS268/15	17-03-2006 WT/DS268/16 WT/DSB/M/207	30-11-2006 WT/DS268/RW	12-01-2007 美国 WT/DS268/19	12-04-2007 WT/DS268/AB/RW	11-05-2007 WT/DSB/M/231
23	美国—影响博彩业跨境交付的措施	08-06-2006 安提瓜和巴布达 WT/DS285/17	19-07-2006 WT/DS285/18 WT/DSB/M/217	30-03-2007 WT/DS285/RW	N. A.	N. A.	22-05-2007 WT/DSB/M/232

续 表

序号	案 件	援引第21.5条（日-月-年）	提交原专家组（日-月-年）	散发专家组报告（日-月-年）	通知上诉（日-月-年）	散发上诉机构报告（日-月-年）	通过专家组和（或）上诉机构报告（日-月-年）
24	美国—陆地棉补贴	18-08-2006 巴西 WT/DS267/30	28-09-2006 WT/DSB/M/220	18-12-2007 WT/DS267/RW 和 Corr. 1	12-02-2008 美国 WT/DS267/33	02-06-2008 WT/DS267/AB/RW	20-06-2008 WT/DSB/M/252
25	美国—对来自墨西哥的石油工业用管材反倾销措施	21-08-2006 墨西哥 WT/DS282/13	24-04-2007 WT/DS282/14 WT/DSB/M/230 06-07-2008 专家组建立的授权取消 WT/DS282/17				
26	韩国—对来自印度尼西亚特定纸张进口征收反倾销税	26-10-2006 印度尼西亚 WT/DS312/8	23-01-2007 WT/DS312/9 WT/DSB/M/225	28-09-2007 WT/DS312/RW	N. A.	N. A.	22-10-2007 WT/DS312/12
27	欧共体—关于香蕉进口、销售和分销的制度	16-11-2006 厄瓜多尔 WT/DS27/65	20-03-2007 WT/DS27/80 WT/DSB/M/228	07-04-2008 WT/DS27/RW2/ECU	28-08-2008 欧共体 WT/DS27/89	26-11-2008 WT/DS27/AB/RW2/ECU	11-12-2008 WT/DSB/M/260
28	欧共体—关于香蕉进口、销售和分销的制度	29-06-2007 美国 WT/DS27/83	12-07-2007 WT/DSB/M/235	19-05-2008 WT/DS27/RW/美国 A 和 Corr. 1	28-08-2008 欧共体 WT/DS27/90	26-11-2008 WT/DS27/AB/RW/美国 A 和 Corr. 1	22-12-2008 WT/DSB/M/261
29	美国—计算倾销幅度的法律、法规和方法（“归零法”）	09-07-2007 欧共体 WT/DS294/22	25-09-2007 WT/DS294/25 WT/DSB/M/239	17-12-2008 WT/DS294/RW	13-02-2009 欧共体 WT/DS294/28	14-05-2009 WT/DS294/AB/RW 和 Corr. 1	11-06-2009 WT/DSB/M/269
30	美国—与归零法和日落复审相关的措施	07-04-2008 日本 WT/DS322/27	18-04-2008 WT/DSB/M/249	24-04-2009 WT/DS322/RW	20-05-2009 美国 WT/DS322/32	18-08-2009 WT/DS322/AB/RW	31-08-2009 WT/DSB/M/273
31	日本—对来自韩国的动态随机存储器征收反补贴税	09-09-2008 韩国 WT/DS336/19	23-09-2008 WT/DSB/M/256 2009年3月4日，韩国要求专家组中止工作 WT/DS336/22 05-03-2010 专家组建立的授权取消 WT/DS336/23				
32	欧共体—与肉及肉制品有关的措施（荷尔蒙）	22-12-2008 欧共体 WT/DS26/23					
33	欧共体—与肉及肉制品有关的措施（荷尔蒙）	22-12-2008 欧共体 WT/DS48/21					

续 表

序号	案 件	援引第 21.5 条（日-月-年）	提交原专家组（日-月-年）	散发专家组报告（日-月-年）	通知上诉（日-月-年）	散发上诉机构报告（日-月-年）	通过专家组和（或）上诉机构报告（日-月-年）
34	美国—对从墨西哥进口的不锈钢采取最终反倾销措施	19-08-2009 墨西哥 WT/DS344/18	21-09-2010 WT/DS344/20 WT/DSB/M/287	06-05-2013 WT/DS344/RW WT/DS344/26 （见第一部分）	N. A.	N. A.	N. A.
35	欧盟及其部分成员国—影响大型民用航空器贸易的措施	30-03-2012 美国 WT/DS316/23	13-04-2012 WT/DS316/23 WT/DSB/M/314				
36	美国—影响大型民用航空器贸易的措施（二诉）	25-09-2012 欧盟 WT/DS353/16	23-10-2012 WT/DS353/18 WT/DSB/M/323				
37	美国—对特定国家原产地标签要求	19-08-2013 加拿大 WT/DS384/26 墨西哥 WT/DS386/25	25-09-2013 WT/DSB/M/337	20-10-2014 WT/DS384/RW WT/DS386/RW 和 Add. 1	02-12-2014 WT/DS384/29 WT/DS386/28 16-12-2015 WT/DS386/29	18-05-2015 WT/DS384/ AB/RW WT/DS386/ AB/R	
38	欧共体—对从中国进口的钢铁紧固件采取最终反倾销措施	30-10-2013 中国 WT/DS397/17	18-12-2013 WT/DS397/18 WT/DSB/M/340	07-08-2015 WT/DS397/RW 和 Add. 1			
39	美国—对金枪鱼和金枪鱼产品的进口、营销和销售采取的措施	14-11-2013 墨西哥 WT/DS381/20	22-01-2014 WT/DSB/M/341	14-04-2015 WT/DS38/RW Add. 1，Corr. 1			
40	中国—对自美国进口的取向电工钢征收反补贴税和反倾销税	13-01-2014 美国 WT/DS414/15	26-02-2014 WT/DS414/16 WT/DSB/M/342	31-07-2015 WT/DS414/RW 和 Add. 1			

第五部分
援引《关于争端解决规则与程序的谅解》第 22 条

序号	案 件	援引第 22 条	在第 22.6 下进行仲裁	仲裁人报告	由争端解决机构授权中止减让
1	欧共体—香蕉进口、销售和分销	14-01-1999 美国 WT/DS27/43	29-01-1999 欧共体 WT/DS27/46	09-04-1999 WT/DS27/ARB	根据美国要求 （WT/DS27/49） 于 1999 年 4 月 19 日 争端解决机构会议上授权 （WT/DSB/M/59）

续 表

序号	案 件	援引第22条	在第22.6下进行仲裁	仲裁人报告	由争端解决机构授权中止减让
2	欧共体—香蕉进口、销售和分销	08-11-1999 厄瓜多尔 WT/DS27/52	19-11-1999 欧共体 WT/DS27/53	24-03-2000 WT/DS27/ ARB/ECU	根据厄瓜多尔要求 (WT/DS27/54)于 2000年5月18日 争端解决机构会议上授权 (WT/DSB/M/80)
3	欧共体—关于肉及肉制品措施(荷尔蒙)	17-05-1999 美国 WT/DS26/19 20-05-1999 加拿大 WT/DS48/17	02-06-1999 欧共体 WT/DS26/20 WT/DS48/18	12-07-1999 WT/DS26/ARB WT/DS48/ARB	根据美国要求 (WT/DS26/21)和 加拿大要求(WT/DS48/19) 于1999年7月26日 争端解决机构会议上授权 (WT/DSB/M/65)
4	澳大利亚—影响鲑鱼进口的措施	15-07-1999 加拿大 WT/DS18/12	27-07-1999 澳大利亚 WT/DS18/13	N. A.	N. A.
5	巴西—对于航空器出口融资	10-05-2000 加拿大 WT/DS46/16	22-05-2000 巴西 WT/DS46/18	28-08-2000 WT/DS46/ARB	根据加拿大要求 (WT/DS46/25) 于2000年12月12日 争端解决机构会议上授权 (WT/DSB/M/94)
6	美国—"海外销售公司"税收待遇	17-11-2000 欧共体 WT/DS108/13	28-11-2000 美国 WT/DS108/17	30-08-2002 WT/DS108/ARB	根据欧共体要求 (WT/DS108/26) 于2003年5月7日的 争端解决机构会议上授权 (WT/DSB/M/149)
7	加拿大—影响牛奶进口及奶制品出口的措施	16-02-2001 美国 WT/DS103/17 16-02-2001 新西兰 WT/DS113/17	28-02-2001 加拿大 WT/DS103/18 WT/DS113/18	双方达成一致 (WT/DS103/33, WT/DS113/33) 仲裁于2003年 5月9日终止	
8	美国—1916年反倾销法	07-01-2002 欧共体 WT/DS136/15 07-01-2002 日本 WT/DS162/18	17-01-2002 美国 WT/DS136/16 WT/DS162/19	24-02-2004 WT/DS136/ARB	
9	美国—美国版权法第110(5)节	07-01-2002 欧共体 WT/DS160/19	17-01-2002 美国 WT/DS160/20	N. A.	N. A.
10	加拿大—地区性航空器的出口信贷保证	23-05-2002 巴西 WT/DS222/7 和Corr. 1	21-06-2002 加拿大 WT/DS222/8	17-02-2003 WT/DS222/ARB	根据巴西要求 (WT/DS222/10) 于2003年3月18日 争端解决机构会议上授权 (WT/DSB/M/145)

续 表

序号	案 件	援引第 22 条	在第 22.6 下进行仲裁	仲裁人报告	由争端解决机构授权中止减让
11	美国—2000 年持续性倾销及补贴补偿法案	15-01-2004 巴西 WT/DS217/20 智利 WT/DS217/21 欧共体 WT/DS217/22 印度 WT/DS217/23 日本 WT/DS217/24 韩国 WT/DS217/25 加拿大 WT/DS234/25 墨西哥 WT/DS234/26 和 Corr. 1	23-01-2004 美国 WT/DS217/26 WT/DS217/27 WT/DS217/28 WT/DS217/29 WT/DS217/30 WT/DS217/31 WT/DS234/27 WT/DS234/28	31-08-2004 WT/DS217/ ARB/BRA WT/DS217/ ARB/CHL WT/DS217/ ARB/EEC WT/DS217/ ARB/IND WT/DS217/ ARB/JPN WT/DS217/ ARB/KOR WT/DS234/ ARB/CAN WT/DS234/ ARB/MEX	根据巴西要求 (WT/DS217/38); 欧共体 (WT/DS217/39); 印度 (WT/DS217/40); 日本 (WT/DS217/41); 韩国 (WT/DS217/42); 加拿大 (WT/DS234/31); 墨西哥 (WT/DS234/32), 于 2004 年 11 月 26 日 在争端解决机构会议上授权 (WT/DSB/M/178) 根据智利 (WT/DS217/43) 要求，于 2004 年 12 月 17 日 在争端解决机构会议上授权 (WT/DSB/M/180)
12	日本—影响苹果进口的措施	19-07-2004 美国 WT/DS245/12	29-07-2004 日本 WT/DS245/13	双方达成一致 (WT/DS245/21) 仲裁于 2005 年 8 月 30 日终止	
13	美国—对来自加拿大的软木最终反补贴税决定	04-01-2005 加拿大 WT/DS257/16	13-01-2005 美国 WT/DS257/17	双方达成一致 (WT/DS257/26) 仲裁于 2006 年 10 月 12 日终止	
14	美国—国际贸易委员会对加拿大软木的调查	15-02-2005 加拿大 WT/DS277/9	23-02-2005 美国 WT/DS277/10	双方达成一致 (WT/DS277/20) 仲裁于 2006 年 10 月 12 日终止	
15	美国—对加拿大软木的最终倾销决定	19-05-2005 加拿大 WT/DS264/17	31-05-2005 美国 WT/DS264/19	双方达成一致 (WT/DS264/29) 仲裁于 2006 年 10 月 12 日终止	
16	美国—陆地棉补贴 (I)	05-07-2005 巴西 WT/DS267/21	14-07-2005 美国 WT/DS267/23	31-08-2009 WT/DS267/ARB/1	根据巴西请求 (WT/DS267/41) 于 2009 年 11 月 19 日 争端解决机构会议上授权 (WT/DSB/M/276)
17	美国—陆地棉补贴 (II)	06-10-2005 巴西 WT/DS267/26	17-10-2005 美国 WT/DS267/27	31-08-2009 WT/DS267/ ARB/2 和 Corr. 1	根据巴西请求 (WT/DS267/42) 于 2009 年 11 月 19 日 争端解决机构会议上授权 (WT/DSB/M/276)

续 表

序号	案 件	援引第22条	在第22.6下进行仲裁	仲裁人报告	由争端解决机构授权中止减让
18	美国—对来自阿根廷石油工业用管材的反倾销措施日落复审	21-05-2007 阿根廷 WT/DS268/24	01-06-2007 美国 WT/DS268/25		
19	美国—影响博彩业跨境交付的措施	21-06-2007 安提瓜和巴布达 WT/DS285/22	23-07-2007 美国 WT/DS285/23	21-12-2007 WT/DS285/ARB	根据安提瓜和巴布达请求 (WT/DS285/25) 于2013年1月28日 争端解决机构会议上授权 (WT/DSB/M/328)
20	美国—与归零法和日落复审相关的措施	10-01-2008 日本 WT/DS322/23 10-01-2008 日本 WT/DS322/24	18-01-2008 美国 WT/DS322/25		
21	欧共体—影响生物科技产品审批和营销的措施	17-01-2008 美国 WT/DS291/39	06-02-2008 欧共体 WT/DS291/40		
22	美国—计算倾销幅度的法律、法规和方法（“归零法”）	29-01-2010 欧盟 WT/DS294/35 22-06-2012 WT/DS294/45 (欧盟根据DSU第22.2条撤销)	12-02-2010 美国 WT/DS294/36		
23	欧盟及其部分成员国—影响大型民用航空器贸易的措施	09-12-2011 美国 WT/DS316/18	22-12-2011 欧盟 WT/DSB/M/309		
24	美国—影响大型民用航空器贸易的措施（二诉）	27-09-2012 欧盟 WT/DS353/17	22-10-2012 WT/DS353/19		
25	美国—影响丁香香烟生产和销售的措施	12-08-2013 印度尼西亚 WT/DS406/12 08-10-2014 WT/DS406/18 (印度尼西亚根据DSU第22.2条撤销)	22-08-2013 WT/DS406/13 WT/DSB/M/335 (见第一部分)		

附录 2：1995—2015 年上诉机构受理的案件[①]

1. 上诉案件数量（1995—2015 年）

年份	数量	最初上诉程序	第 21.5 条上诉程序
1995	0	0	0
1996	4	4	0
1997	6	6	0
1998	8	8	0
1999	9	9	0
2000	13	11	2
2001	9	5	4
2002	7	6	1
2003	6	5	1
2004	5	5	0
2005	13	11	2
2006	5	3	2
2007	4	2	2
2008	11	8	3
2009	3	1	2
2010	3	3	0
2011	6	6	0
2012	4	4	0
2013	1	1	0
2014	9	8	1
2015	8	6	2
合计	134	112	22

2. 被上诉的专家组报告比率（1995—2015 年）

批准年份	所有专家组报告			非第 21.5 条专家组报告			第 21.5 条专家组报告		
	批准的专家组报告	被上诉的专家组报告	被上诉比率	批准的专家组报告	被上诉的专家组报告	被上诉比率	批准的专家组报告	被上诉的专家组报告	被上诉比率
1996	2	2	100%	2	2	100%	0	0	—
1997	5	5	100%	5	5	100%	0	0	—
1998	12	9	75%	12	9	75%	0	0	—
1999	10	7	70%	9	7	78%	1	0	0%
2000	19	11	58%	15	9	60%	4	2	50%
2001	17	12	71%	13	9	69%	4	3	75%
2002	12	6	50%	11	5	45%	1	1	100%
2003	10	7	70%	8	5	63%	2	2	100%
2004	8	6	75%	8	6	75%	0	0	—
2005	20	12	60%	17	11	65%	3	1	33%

① 1995 年无专家组报告。

续 表

批准年份	所有专家组报告			非第21.5条专家组报告			第21.5条专家组报告		
	批准的专家组报告	被上诉的专家组报告	被上诉比率	批准的专家组报告	被上诉的专家组报告	被上诉比率	批准的专家组报告	被上诉的专家组报告	被上诉比率
2006	7	6	86%	4	3	75%	3	3	100%
2007	10	5	50%	6	3	50%	4	2	50%
2008	11	9	82%	8	6	75%	3	3	100%
2009	8	6	75%	6	4	67%	2	2	100%
2010	5	2	40%	5	2	40%	0	0	—
2011	8	5	63%	8	5	63%	0	0	—
2012	18	11	61%	18	11	61%	0	0	—
2013	4	2	50%	4	2	50%	0	0	—
2014	15	13	87%	13	11	85%	2	2	100%
2015	13	8	62%	11	6	55%	2	2	100%
合计	214	144	67%	183	121	66%	31	23	74%

3. 上诉机构报告所涉及的WTO协议（1995—2015年）

年份	DSU	WTO协议	GATT1994	农业	SPS	ATC	TBT	TRIMs	反倾销	进口许可证	SCM	保障措施	GATS	TRIPS
1996	0	0	2	0	0	0	0	0	0	0	0	0	0	0
1997	4	1	5	1	0	2	0	0	0	1	1	0	1	1
1998	7	1	4	1	2	0	0	0	1	1	0	0	0	0
1999	7	1	6	1	1	0	0	0	0	0	2	1	0	0
2000	8	1	7	2	0	0	0	0	2	0	5	2	1	1
2001	7	1	3	1	0	1	1	0	4	0	1	2	0	0
2002	8	2	4	3	0	0	1	0	1	0	3	1	1	1
2003	4	2	3	0	1	0	0	0	4	0	1	1	0	0
2004	2	0	5	0	0	0	0	0	2	0	1	0	0	0
2005	9	0	5	2	0	0	0	0	2	0	4	0	1	0
2006	5	0	3	0	0	0	0	0	3	0	2	0	0	0
2007	5	0	2	1	0	0	0	0	2	0	1	0	0	0
2008	8	1	9	1	2	0	0	0	3	0	3	0	0	0
2009	3	0	4	0	0	0	0	0	3	0	0	0	1	0
2010	1	0	0	0	1	0	0	0	0	0	0	0	0	0
2011	7	1	6	0	0	0	0	0	1	0	2	0	0	0
2012	9	0	7	0	0	0	4	0	1	0	2	0	0	0
2013	0	0	2	0	0	0	0	2	0	0	2	0	0	0
2014	6	4	7	0	0	0	2	0	0	0	3	0	0	0
2015	7	0	7	1	0	0	2	0	3	1	0	0	0	0
合计	107	15	91	14	7	3	10	2	32	3	33	7	5	3

4. 上诉案件中的参与方及第三方（1995—2015 年）

（1）统计概况

WTO 成员	上诉方	其他上诉方	被上诉方	第三方	合计
安提瓜和巴布达	0	1	1	0	2
阿根廷	3	3	6	20	32
澳大利亚	2	2	6	43	53
巴林	0	0	0	1	1
巴巴多斯	0	0	0	1	1
伯利兹	0	0	0	4	4
贝宁	0	0	0	1	1
委内瑞拉	0	0	1	6	7
玻利维亚	0	0	0	1	1
巴西	5	7	12	34	58
喀麦隆	0	0	0	3	3
加拿大	14	10	23	30	77
乍得	0	0	0	2	2
智利	3	0	2	12	17
中国	15	4	10	45	74
哥伦比亚	0	0	0	22	22
哥斯达黎加	1	0	0	3	4
科特迪瓦	0	0	0	4	4
古巴	0	0	0	4	4
多米尼克	0	0	0	4	4
多米尼加	1	0	1	4	6
厄瓜多尔	0	2	2	16	20
埃及	0	0	0	2	2
萨尔瓦多	0	0	0	5	5
欧盟	21	20	46	67	154
斐济	0	0	0	1	1
加纳	0	0	0	2	2
格林纳达	0	0	0	1	1
危地马拉	1	2	2	11	16
圭亚那	0	0	0	1	1
洪都拉斯	0	2	2	4	8
中国香港	0	0	0	8	8
冰岛	0	0	0	2	2
印度	8	2	8	43	61
印度尼西亚	0	1	1	4	6
以色列	0	0	0	2	2
牙买加	0	0	0	5	5
日本	7	6	15	63	91

续 表

WTO成员	上诉方	其他上诉方	被上诉方	第三方	合计
哈萨克	0	0	0	0	0
肯尼亚	0	0	0	1	1
韩国	3	4	6	34	47
科威特	0	0	0	1	1
马达加斯加	0	0	0	1	1
马来西亚	1	0	1	0	2
马拉维	0	0	0	1	1
毛里求斯	0	0	0	2	2
墨西哥	5	6	9	35	55
纳米比亚	0	0	0	1	1
新西兰	0	3	6	14	23
尼加拉瓜	0	0	0	4	4
尼日利亚	0	0	0	1	1
挪威	2	1	3	28	34
阿曼	0	0	0	3	3
巴基斯坦	0	0	2	3	5
巴拿马	0	0	0	3	3
巴拉圭	0	0	0	5	5
秘鲁	1	1	1	7	10
菲律宾	3	0	3	1	7
波兰	0	0	1	0	1
俄罗斯	0	0	0	8	8
圣卢西亚	0	0	0	4	4
沙特阿拉伯	0	0	0	13	13
塞内加尔	0	0	0	1	1
塞舌尔	0	0	0	0	0
圣基茨和尼维斯	0	0	0	1	1
圣文森特和格林纳丁斯	0	0	0	3	3
苏里南	0	0	0	3	3
斯威士兰	0	0	0	1	1
瑞士	0	1	1	1	3
中国台北	0	0	0	39	39
坦桑尼亚	0	0	0	1	1
泰国	3	2	5	22	32
特立尼达和多巴哥	0	0	0	1	1
土耳其	1	0	0	16	17
美国	36	24	80	38	178
越南	1	0	0	7	8
合计	137	104	256	785	1 282

(2) 年度详细信息

1996 年

案件	上诉方	其他上诉方	被上诉方	第三方
美国—汽油 WT/DS2/AB/R	美国	—	巴西 委内瑞拉	欧共体 挪威
日本—含酒精饮料 II WT/DS8/AB/R WT/DS10/AB/R WT/DS11/AB/R	日本	美国	加拿大 欧共体 日本 美国	—

1997 年

案件	上诉方	其他上诉方	被上诉方	第三方
美国—内衣裤 WT/DS24/AB/R	哥斯达黎加	—	美国	印度
巴西—可可粉 WT/DS22/AB/R	菲律宾	巴西	巴西 菲律宾	欧共体 美国
美国—羊毛衬衫及女上衣 WT/DS33/AB/R 和 Corr. 1	印度	—	美国	—
加拿大—期刊 WT/DS31/AB/R	加拿大	美国	加拿大 美国	—
欧共体—香蕉Ⅲ WT/DS27/AB/R	欧共体	厄瓜多尔 危地马拉 洪都拉斯 墨西哥 美国	厄瓜多尔 欧共体 危地马拉 洪都拉斯 墨西哥 美国	伯利兹 喀麦隆 哥伦比亚 哥斯达黎加 科特迪瓦 多米尼加 多米尼克 加纳 格林纳达 牙买加 日本 尼加拉瓜 圣卢西亚 圣文森特和格林纳丁斯 塞内加尔 苏里南 委内瑞拉
印度—专利权(美国) WT/DS50/AB/R	印度	—	美国	欧共体

1998 年

案件	上诉方	其他上诉方	被上诉方	第三方
欧共体—荷尔蒙 WT/DS26/AB/R WT/DS48/AB/R	欧共体	加拿大 美国	加拿大 欧共体 美国	澳大利亚 新西兰 挪威

续 表

案件	上诉方	其他上诉方	被上诉方	第三方
阿根廷—纺织品及服装 WT/DS56/AB/R 和 Corr. 1	阿根廷	—	美国	欧共体
欧共体—计算机设备 WT/DS62/AB/R WT/DS67/AB/R WT/DS68/AB/R	欧共体	—	美国	日本
欧共体—家禽 WT/DS69/AB/R	巴西	欧共体	巴西 欧共体	泰国 美国
美国—虾 WT/DS58/AB/R	美国	—	印度 马来西亚 巴基斯坦 泰国	澳大利亚 厄瓜多尔 欧共体 中国香港 墨西哥 尼日利亚
澳大利亚—鲑鱼 WT/DS18/AB/R	澳大利亚	加拿大	澳大利亚 加拿大	欧共体 印度 挪威 美国
危地马拉—水泥 I WT/DS60/AB/R	危地马拉	—	墨西哥	美国

1999 年

案件	上诉方	其他上诉方	被上诉方	第三方
韩国—含酒精饮料 WT/DS75/AB/R WT/DS84/AB/R	韩国	—	欧共体 美国	墨西哥
日本—农产品 II WT/DS76/AB/R	日本	美国	日本 美国	巴西 欧共体
巴西—航行器 WT/DS46/AB/R	巴西	加拿大	巴西 加拿大	欧共体 美国
加拿大—航行器 WT/DS70/AB/R	加拿大	巴西	巴西 加拿大	欧共体 美国
印度—数量限制 WT/DS90/AB/R	印度	—	美国	—
加拿大—奶制品 WT/DS103/AB/R WT/DS113/AB/R 和 Corr. 1	加拿大	—	新西兰 美国	—
土耳其—纺织品 WT/DS34/AB/R	土耳其	—	印度	中国香港 日本 菲律宾

续　表

案件	上诉方	其他上诉方	被上诉方	第三方
智利—含酒精饮料 WT/DS87/AB/R WT/DS110/AB/R	智利	—	欧共体	墨西哥 美国
阿根廷—鞋类（欧共体） WT/DS121/AB/R	阿根廷	欧共体	阿根廷 欧共体	印度尼西亚 美国
韩国—奶制品 WT/DS98/AB/R	韩国	欧共体	韩国 欧共体	美国

2000 年

案件	上诉人	其他上诉人	被上诉人	第三方
美国—海外销售公司 WT/DS108/AB/R	美国	欧共体	欧共体 美国	加拿大 日本
美国—热轧铅铋碳钢制品案 II WT/DS138/AB/R	美国	—	欧共体	巴西 墨西哥
加拿大—汽车 WT/DS139/AB/R	加拿大	欧共体 日本	加拿大 欧共体 日本	韩国 美国
巴西—航空器 （第 21.5 条—加拿大） WT/DS46/AB/RW	巴西	—	加拿大	欧共体 美国
加拿大—航空器 （第 21.5 条—巴西） WT/DS70/AB/RW	巴西	—	加拿大	欧共体 美国
美国—1916 年法案 WT/DS136/AB/R WT/DS162/AB/R	美国	欧共体 日本	欧共体 日本 美国	欧共体 印度 日本 墨西哥
加拿大—专利权保护 WT/DS170/AB/R	加拿大	—	美国	—
韩国—对牛肉的多种标准 WT/DS161/AB/R WT/DS169/AB/R	韩国	—	澳大利亚 美国	加拿大 新西兰
美国—特定欧共体产品 WT/DS165/AB/R	欧共体	美国	欧共体 美国	多米尼克 厄瓜多尔 印度 牙买加 日本 圣卢西亚
美国—麦麸 WT/DS166/AB/R	美国	欧共体	欧共体 美国	澳大利亚 加拿大 新西兰

2001 年

案件	上诉方	其他上诉方	被上诉方	第三方
欧共体—棉质床单 WT/DS141/AB/R	欧共体	印度	欧共体 印度	埃及 日本 美国
欧共体—石棉 WT/DS135/AB/R	加拿大	欧共体	加拿大 欧共体	巴西 美国
泰国—工字梁 WT/DS122/AB/R	泰国	—	波兰	欧共体 日本 美国
美国—羔羊 WT/DS177/AB/R WT/DS178/AB/R	美国	澳大利亚 新西兰	澳大利亚 新西兰 美国	欧共体
美国—热轧钢 WT/DS184/AB/R	美国	日本	日本 美国	巴西 加拿大 智利 欧共体 韩国
美国—棉纱 WT/DS192/AB/R	美国	—	巴基斯坦	欧共体 印度
美国—虾 (第 21.5 条—马来西亚) WT/DS58/AB/RW	马来西亚	—	美国	澳大利亚 欧共体 中国香港 印度 日本 墨西哥 泰国
墨西哥—玉米浆(第 21.5 条—美国) WT/DS132/AB/RW	墨西哥	—	美国	欧共体
加拿大—奶制品 (第 21.5 条—新西兰和美国) WT/DS103/AB/RW WT/DS113/AB/RW	加拿大	—	新西兰 美国	欧共体

2002 年

案件	上诉方	其他上诉方	被上诉方	第三方
美国—211 拨款法 WT/DS176/AB/R	欧共体	美国	欧共体 美国	—
美国—海外销售公司 (第 21.5 条—欧共体) WT/DS108/AB/RW	美国	欧共体	欧共体 美国	澳大利亚 加拿大 印度 日本
美国—直线管 WT/DS202/AB/R	美国	韩国	韩国 美国	澳大利亚 加拿大 欧共体 日本 墨西哥

续 表

案件	上诉方	其他上诉方	被上诉方	第三方
印度—汽车 II WT/DS146/AB/R WT/DS175/AB/R	印度	—	欧共体 美国	韩国
智利—综合价格制度 WT/DS207/AB/R 和 Corr. 1	智利	—	阿根廷	澳大利亚 巴西 哥伦比亚 厄瓜多尔 欧共体 巴拉圭 美国 委内瑞拉
欧共体—沙丁鱼 WT/DS231/AB/R	欧共体	—	秘鲁	加拿大 智利 厄瓜多尔 美国 委内瑞拉
美国—碳钢 WT/DS213/AB/R 和 Corr. 1	美国	欧共体	欧共体 美国	日本 挪威
美国—特定欧共体产品补偿措施 WT/DS212/AB/R	美国	—	欧共体	巴西 印度 墨西哥
加拿大—奶制品 (第 21.5 条—新西兰和美国 II) WT/DS103/AB/RW2 WT/DS113/AB/RW2	加拿大	—	新西兰 美国	阿根廷 澳大利亚 欧共体

2003 年

案件	上诉方	其他上诉方	被上诉方	第三方
美国—抵消法案 (伯德修正案) WT/DS217/AB/R WT/DS234/AB/R	美国	—	澳大利亚 巴西 加拿大 智利 欧共体 印度 印度尼西亚 日本 韩国 墨西哥 泰国	阿根廷 哥斯达黎加 中国香港 以色列 挪威
欧共体—棉质床单 (第 21.5 条—印度) WT/DS141/AB/RW	印度	—	欧共体	日本 韩国 美国
欧共体—管道配件 WT/DS219/AB/R	巴西	—	欧共体	智利 日本 墨西哥 美国

续 表

案件	上诉方	其他上诉方	被上诉方	第三方
美国—钢铁保障措施 WT/DS248/AB/R WT/DS249/AB/R WT/DS251/AB/R WT/DS252/AB/R WT/DS253/AB/R WT/DS254/AB/R WT/DS258/AB/R WT/DS259/AB/R	美国	巴西 中国 欧共体 日本 韩国 新西兰 挪威 瑞士	巴西 中国 欧共体 日本 韩国 新西兰 挪威 瑞士 美国	加拿大 古巴 墨西哥 中国台北 泰国 土耳其 委内瑞拉
日本—苹果 WT/DS245/AB/R	日本	美国	日本 美国	澳大利亚 巴西 欧共体 新西兰 中国台北
美国—不锈钢日落复审 WT/DS244/AB/R	日本	—	美国	巴西 智利 欧共体 印度 韩国 挪威

2004 年

案件	上诉方	其他上诉方	被上诉方	第三方
美国—软木 IV WT/DS257/AB/R	美国	加拿大	加拿大 美国	欧共体 印度 日本
欧共体—歧视性关税 WT/DS246/AB/R	欧共体	—	印度	玻利维亚 巴西 哥伦比亚 哥斯达黎加 古巴 厄瓜多尔 圣萨尔瓦多 危地马拉 洪都拉斯 毛里求斯 尼加拉瓜 巴基斯坦 巴拿马 巴拉圭 秘鲁 美国 委内瑞拉
美国—软木 V WT/DS264/AB/R	美国	加拿大	加拿大 美国	欧共体 印度 日本
加拿大—小麦出口和谷物进口 WT/DS276/AB/R	美国	加拿大	加拿大 美国	澳大利亚 中国 欧共体 墨西哥 中国台北

续　表

案件	上诉方	其他上诉方	被上诉方	第三方
美国—石油国家工业用管材日落复审 WT/DS268/AB/R	美国	阿根廷	阿根廷 美国	欧共体 日本 韩国 墨西哥 中国台北

2005 年

案件	上诉方	其他上诉方	被上诉方	第三方
美国—细绒棉 WT/DS267/AB/R	美国	巴西	巴西 美国	阿根廷 澳大利亚 贝宁 加拿大 乍得 中国 欧共体 印度 新西兰 巴基斯坦 巴拉圭 中国台北 委内瑞拉
美国—博彩业 WT/DS285/AB/R 和 Corr. 1	美国	安提瓜和巴布达	安提瓜和巴布达 美国	加拿大 欧共体 日本 墨西哥 中国台北
欧共体—糖类 出口补贴 WT/DS265/AB/R WT/DS266/AB/R WT/DS283/AB/R	欧共体	澳大利亚 巴西 泰国	澳大利亚 巴西 欧共体 泰国	巴巴多斯 伯利兹 加拿大 中国 哥伦比亚 科特迪瓦 古巴 斐济 圭纳亚 印度 牙买加 肯尼亚 马达加斯加 马拉维 毛里求斯 新西兰 巴拉圭 圣基茨和尼维斯 瑞士 坦桑尼亚 特立尼达和多巴哥 美国

续　表

案件	上诉方	其他上诉方	被上诉方	第三方
多米尼加—烟草进口和销售 WT/DS302/AB/R	多米尼加	洪都拉斯	多米尼加 洪都拉斯	中国 萨尔瓦多 欧共体 危地马拉 美国
美国—对计算机动态随机存取存储器芯片反补贴税调查案 WT/DS296/AB/R	美国	韩国	韩国 美国	中国 欧共体 日本 中国台北
欧共体—鸡块 WT/DS269/AB/R WT/DS286/AB/R 和 Corr. 1	欧共体	巴西 泰国	巴西 欧共体 泰国	中国 美国
墨西哥—稻米反倾销措施 WT/DS295/AB/R	墨西哥	—	美国	中国 欧共体
美国—石油工业用管材反倾销措施 WT/DS282/AB/R	墨西哥	美国	墨西哥 美国	阿根廷 加拿大 中国 欧共体 日本 中国台北
美国—软木 IV (第 21.5 条—加拿大) WT/DS257/AB/RW	美国	加拿大	加拿大 美国	中国 欧共体

2006 年

案件	上诉方	其他上诉方	被上诉方	第三方
美国—海外销售公司 (第 21.5 条—欧共体 II) WT/DS108/AB/RW2	美国	欧共体	欧共体 美国	澳大利亚 巴西 中国
墨西哥—不含酒精饮料税 WT/DS308/AB/R	墨西哥	—	美国	加拿大 中国 欧共体 危地马拉 日本
美国—软木 VI (第 21.5 条—加拿大) WT/DS277/AB/RW 和 Corr. 1	加拿大	—	美国	中国 欧共体
美国—归零法 (欧共体) WT/DS294/AB/R 和 Corr. 1	欧共体	美国	美国 欧共体	阿根廷 巴西 中国 中国香港 印度 日本 韩国 墨西哥 挪威 中国台北

续 表

案件	上诉方	其他上诉方	被上诉方	第三方
美国—软木 V （第 21.5 条—加拿大） WT/DS264/AB/RW	加拿大	—	美国	中国 欧共体 印度 日本 新西兰 泰国
欧共体—特定海关事项案 WT/DS315/AB/R	美国	欧共体	欧共体 美国	阿根廷 澳大利亚 巴西 中国 中国香港 印度 日本 韩国 中国台北

2007 年

案件	上诉方	其他上诉方	被上诉方	第三方
美国—归零法（日本） WT/DS322/AB/R	日本	美国	美国 日本	阿根廷 中国 欧共体 中国香港 印度 韩国 墨西哥 新西兰 挪威 泰国
美国—石油工业用管材日落复审 （第 21.5 条—阿根廷） WT/DS268/AB/RW	美国	阿根廷	阿根廷 美国	中国 欧共体 日本 韩国 墨西哥
智利—价格综合制度 （第 21.5 条—阿根廷） WT/DS207/AB/RW	智利	阿根廷	阿根廷 智利	澳大利亚 巴西 加拿大 中国 哥伦比亚 欧共体 秘鲁 泰国 美国
日本—计算机动态随机存取存储器芯片（韩国） WT/DS336/AB/R 和 Corr. 1	日本	韩国	韩国 日本	欧共体 美国

续 表

案件	上诉方	其他上诉方	被上诉方	第三方
巴西—翻新轮胎 WT/DS332/AB/R	欧共体	—	巴西	阿根廷 澳大利亚 中国 古巴 危地马拉 日本 韩国 墨西哥 巴拉圭 中国台北 泰国 美国

2008 年

案件	上诉方	其他上诉方	被上诉方	第三方
美国—不锈钢（墨西哥） WT/DS344/AB/R	墨西哥	—	美国	智利 中国 欧共体 日本 泰国
美国—高地棉 （第 21.5 条—巴西） WT/DS267/AB/RW	美国	巴西	巴西 美国	阿根廷 澳大利亚 加拿大 乍得 中国 欧共体 印度 日本 新西兰 泰国
美国—虾（泰国） WT/DS343/AB/R	泰国	美国	美国 泰国	巴西 智利 中国 欧共体 印度 日本 韩国 墨西哥 越南
美国—海关保税指令 WT/DS345/AB/R	印度	美国	美国 印度	巴西 中国 欧共体 日本 泰国
美国—要求取消报复措施 WT/DS320/AB/R	欧共体	美国	美国 欧共体	澳大利亚 巴西 中国 印度 墨西哥 新西兰 挪威 中国台北

续 表

案件	上诉方	其他上诉方	被上诉方	第三方
加拿大—要求取消报复措施 WT/DS321/AB/R	欧共体	加拿大	加拿大 欧共体	澳大利亚 巴西 中国 印度 墨西哥 新西兰 挪威 中国台北
印度—进口附加税 WT/DS360/AB/R	美国	印度	印度 美国	澳大利亚 智利 欧共体 日本 越南
欧共体—香蕉 III (第 21.5 条—厄瓜多尔 II) WT/DS27/AB/RW2/ECU 和 Corr. 1	欧共体	厄瓜多尔	厄瓜多尔 欧共体	伯利兹 巴西 喀麦隆 哥伦比亚 科特迪瓦 多米尼克 多米尼加 加纳 牙买加 日本 尼加拉瓜 巴拿马 圣卢西亚 圣文森特和格林纳丁斯 苏里南 美国
欧共体—香蕉 III (第 21.5 条—美国) WT/DS27/AB/RW/USA 和 Corr. 1	欧共体	—	美国	伯利兹 巴西 喀麦隆 哥伦比亚 科特迪瓦 多米尼克 多米尼加 厄瓜多尔 牙买加 日本 墨西哥 尼加拉瓜 巴拿马 圣卢西亚 圣文森特和格林纳丁斯 苏里南
中国—汽车零部件(欧共体) WT/DS339/AB/R	中国	—	欧共体	阿根廷 澳大利亚 巴西 日本 墨西哥 中国台北 泰国

续 表

案件	上诉方	其他上诉方	被上诉方	第三方
中国—汽车零部件（美国） WT/DS340/AB/R	中国	—	美国	阿根廷 澳大利亚 巴西 日本 墨西哥 中国台北 泰国
中国—汽车零部件（加拿大） WT/DS342/AB/R	中国	—	加拿大	阿根廷 澳大利亚 巴西 日本 墨西哥 中国台北 泰国

2009 年

案件	上诉方	其他上诉方	被上诉方	第三方
美国—归零法 WT/DS350/AB/R	欧共体	美国	欧共体 美国	巴西 中国 埃及 印度 日本 韩国 墨西哥 挪威 中国台北 泰国
美国—归零法（欧共体） （第 21.5 条 —欧共体） WT/DS294/AB/RW 和 Corr. 1	欧共体	美国	欧共体 美国	印度 日本 韩国 墨西哥 挪威 中国台北 泰国
美国—归零法（日本） （第 21.5 条 —日本） WT/DS322/AB/RW	美国	—	日本	中国 欧共体 中国香港 韩国 墨西哥 挪威 中国台北 泰国
中国—出版物和视听产品 WT/DS363/AB/R	中国	美国	中国 美国	澳大利亚 欧共体 日本 韩国 中国台北

2010 年

案件	上诉方	其他上诉方	被上诉方	第三方
澳大利亚—苹果 WT/DS367/AB/R	澳大利亚	新西兰	新西兰 澳大利亚	智利 欧盟 日本 巴基斯坦 中国台北 美国

2011 年

案件	上诉方	其他上诉方	被上诉方	第三方
美国—反倾销和反补贴税（中国） WT/DS379/AB/R	中国	—	美国	阿根廷 澳大利亚 巴林 巴西 加拿大 欧盟 印度 日本 科威特 墨西哥 挪威 沙特阿拉伯 中国台北 土耳其
欧盟及其部分成员国—大型民用航空器 WT/DS316/AB/R	欧盟	美国	美国 欧盟	澳大利亚 巴西 加拿大 中国 日本 韩国
泰国—香烟（菲律宾） WT/DS371/AB/R	泰国	—	菲律宾	澳大利亚 中国 欧盟 印度 中国台北 美国
欧共体—坚固件（中国） WT/DS397/AB/R	欧盟	中国	中国 欧盟	巴西 加拿大 智利 哥伦比亚 印度 日本 挪威 中国台北 泰国 土耳其 美国

续 表

案件	上诉方	其他上诉方	被上诉方	第三方
美国—轮胎（中国） WT/DS399/AB/R	中国	—	美国	欧盟 日本 中国台北 土耳其 越南
菲律宾—蒸馏酒精（欧盟） WT/DS396/AB/R	菲律宾	欧盟	欧盟 菲律宾	澳大利亚 中国 印度 墨西哥 中国台北 泰国
菲律宾—蒸馏酒精（美国） WT/DS403/AB/R	菲律宾	—	美国	澳大利亚 中国 哥伦比亚 印度 墨西哥 中国台北 泰国

2012 年

案件	上诉方	其他上诉方	被上诉方	第三方
中国—原材料（美国） WT/DS394/AB/R	中国	美国	中国 美国	阿根廷 巴西 加拿大 智利 哥伦比亚 厄瓜多尔 印度 日本 韩国 挪威 沙特阿拉伯 中国台北 土耳其
中国—原材料（欧盟） WT/DS395/AB/R	中国	欧盟	中国 欧盟	阿根廷 巴西 加拿大 智利 哥伦比亚 厄瓜多尔 印度 日本 韩国 挪威 沙特阿拉伯 中国台北 土耳其

续 表

案件	上诉方	其他上诉方	被上诉方	第三方
中国—原材料（墨西哥） WT/DS398/AB/R	中国	墨西哥	中国 墨西哥	阿根廷 巴西 加拿大 智利 哥伦比亚 厄瓜多尔 印度 日本 韩国 挪威 沙特阿拉伯 中国台北 土耳其
美国—大型民用航空器（二诉） WT/DS353/AB/R	欧盟	美国	美国 欧盟	澳大利亚 巴西 加拿大 中国 日本 韩国
美国—丁香香烟 WT/DS406/AB/R	美国	—	印度尼西亚	巴西 哥伦比亚 多米尼加 欧盟 危地马拉 墨西哥 挪威 土耳其
美国—金枪鱼 II（墨西哥） WT/DS381/AB/R	美国	墨西哥	墨西哥 美国	阿根廷 澳大利亚 巴西 加拿大 中国 厄瓜多尔 危地马拉 日本 韩国 新西兰 中国台北 泰国 土耳其 委内瑞拉

续 表

案件	上诉方	其他上诉方	被上诉方	第三方
美国—原产地标签（加拿大） WT/DS384/AB/R	美国	加拿大	加拿大 美国	阿根廷 澳大利亚 巴西 中国 哥伦比亚 欧盟 危地马拉 印度 日本 韩国 新西兰 秘鲁 中国台北
美国—原产地标签（墨西哥） WT/DS386/AB/R	美国	墨西哥	墨西哥 美国	阿根廷 澳大利亚 巴西 中国 哥伦比亚 欧盟 危地马拉 印度 日本 韩国 新西兰 秘鲁 中国台北
中国—取向电工钢 WT/DS414/AB/R	中国	—	美国	阿根廷 欧盟 洪都拉斯 印度 日本 韩国 沙特阿拉伯 越南

2013年

案件	上诉方	其他上诉方	被上诉方	第三方
加拿大—影响可再生能源部门的措施 WT/DS412/AB/R	加拿大	日本	日本 加拿大	澳大利亚 巴西 中国 萨尔瓦多 欧盟 洪都拉斯 印度 韩国 墨西哥 挪威 沙特阿拉伯 中国台北 美国

续 表

案件	上诉方	其他上诉方	被上诉方	第三方
加拿大—有关上网电价补贴措施 WT/DS426/AB/R	加拿大	欧盟	欧盟 加拿大	澳大利亚 巴西 中国 萨尔瓦多 印度 日本 韩国 墨西哥 挪威 沙特阿拉伯 中国台北 土耳其 美国

2014 年

案件	上诉方	其他上诉方	被上诉方	第三方
欧共体—限制海豹产品进口及营销的限制措施 WT/DS400/AB/R	加拿大 挪威	欧盟	加拿大 挪威 欧盟	阿根廷 中国 哥伦比亚 厄瓜多尔 冰岛 日本 墨西哥 俄罗斯 美国
欧共体—限制海豹产品进口及营销的限制措施 WT/DS401/AB/R	加拿大 挪威	欧盟	加拿大 挪威 欧盟	阿根廷 中国 哥伦比亚 厄瓜多尔 冰岛 日本 墨西哥 纳米比亚 俄罗斯 美国
美国—对自中国的某些产品的反补贴和反倾销措施 WT/DS449/AB/R 和 Corr. 1	中国	美国	中国 美国	澳大利亚 巴西 加拿大 欧盟 印度 日本 韩国 挪威 俄罗斯 沙特阿拉伯 土耳其 越南

续 表

案件	上诉方	其他上诉方	被上诉方	第三方
中国—影响稀土、钨、钼出口的措施 WT/DS431/AB/R	美国	中国	美国 中国	阿根廷 澳大利亚 巴西 加拿大 中国台北 哥伦比亚 欧盟 印度 印度尼西亚 韩国 日本 挪威 阿曼 秘鲁 俄罗斯 沙特阿拉伯 土耳其 越南
中国—影响稀土、钨、钼出口的措施 WT/DS432/AB/R	中国		欧盟	阿根廷 澳大利亚 巴西 加拿大 中国台北 哥伦比亚 印度 印度尼西亚 日本 韩国 挪威 阿曼 秘鲁 俄罗斯 沙特阿拉伯 土耳其 美国 越南
中国—影响稀土、钨、钼出口的措施 WT/DS433/AB/R	中国		日本	阿根廷 澳大利亚 巴西 加拿大 中国台北 哥伦比亚 印度 印度尼西亚 韩国 挪威 阿曼 秘鲁 俄罗斯

续　表

案件	上诉方	其他上诉方	被上诉方	第三方
美国—对源自印度的某些热轧碳钢产品的反补贴措施 WT/DS436/AB/R	印度	美国	印度 美国	澳大利亚 加拿大 中国 欧盟 沙特阿拉伯 土耳其
美国—对来自中国的产品实施反补贴措施 WT/DS437/AB/R	中国	美国	美国 中国	澳大利亚 巴西 加拿大 欧盟 印度 日本 韩国 挪威 俄罗斯 沙特阿拉伯 土耳其 越南

2015 年

案件	上诉方	其他上诉方	被上诉方	第三方
阿根廷—影响货物进口的措施 WT/DS438/AB/R	阿根廷	欧盟	阿根廷 欧盟	澳大利亚 加拿大 中国 厄瓜多尔 危地马拉 印度 以色列 韩国 挪威 沙特阿拉伯 中国台北 泰国 土耳其 瑞士 美国
阿根廷—影响货物进口的措施 WT/DS444/AB/R	阿根廷		美国	澳大利亚 加拿大 中国 厄瓜多尔 危地马拉 印度 以色列 韩国 挪威 沙特阿拉伯 中国台北 泰国 土耳其 瑞士

续 表

案件	上诉方	其他上诉方	被上诉方	第三方
阿根廷—影响货物进口的措施 WT/DS445/AB/R	阿根廷	日本	阿根廷 日本	澳大利亚 加拿大 中国 厄瓜多尔 危地马拉 印度 以色列 韩国 挪威 沙特阿拉伯 中国台北 泰国 土耳其 瑞士 美国
美国—对特定国家原产地标签要求—加拿大、墨西哥诉诸 DSU 第 21.5 条 WT/DS384/AB/RW	美国	加拿大	加拿大 美国	澳大利亚 巴西 中国 哥伦比亚 欧盟 危地马拉 印度 日本 韩国 新西兰
美国—对特定国家原产地标签要求—加拿大、墨西哥诉诸 DSU 第 21.5 条 WT/DS386/AB/RW	美国	墨西哥	墨西哥 美国	澳大利亚 巴西 中国 哥伦比亚 欧盟 危地马拉 印度 日本 韩国 新西兰
美国—对源自越南的某些暖水虾的反倾销措施 WT/DS429/AB/R	越南		美国	中国 厄瓜多尔 欧盟 日本 挪威 泰国

续 表

案件	上诉方	其他上诉方	被上诉方	第三方
印度—影响某些农产品进口的措施 WT/DS430/AB/R	印度		美国	阿根廷 巴西 中国 哥伦比亚 厄瓜多尔 欧盟 危地马拉 日本
秘鲁—某些农产品进口的附加税 WT/DS457/AB/R	秘鲁	危地马拉	危地马拉 秘鲁	阿根廷 巴西 中国 哥伦比亚 厄瓜多尔 萨尔瓦多 欧盟 洪都拉斯 印度 韩国 美国
中国—对日本进口的高性能不锈钢无缝钢管（HP-SSST）征收反倾销税 WT/DS454/AB/R 和 Add. 1	日本	中国	中国 日本	印度 韩国 俄罗斯 沙特阿拉伯 土耳其 美国
中国—对欧盟高性能不锈钢无缝钢管（HP-SSST）征收反倾销税 WT/DS460/AB/R 和 Add. 1	中国	欧盟	中国 欧盟	印度 韩国 俄罗斯 沙特阿拉伯 土耳其 美国
美国—对金枪鱼和金枪鱼产品的进口、营销和销售采取的措施—墨西哥诉诸 DSU 第 21.5 条 WT/DS381/AB/RW	美国	墨西哥	墨西哥 美国	澳大利亚 加拿大 中国 欧盟 危地马拉 日本 韩国 新西兰 挪威 泰国

5. WTO争端解决报告及裁决（1995—2015年）

简要标题	案件标题全称及出处
阿根廷—陶瓷	专家组报告，阿根廷—对于从意大利进口地板瓷砖的明确反倾销措施，WT/DS189/R，2001年11月5日通过，DSR 2001：XII，6241
阿根廷—鞋类（欧共体）	上诉机构报告，阿根廷—鞋类进口安全标准措施，WT/DS121/AB/R，2000年1月12日通过，DSR 2000：I，515
阿根廷—鞋类（欧共体）	专家组报告，阿根廷—鞋类进口安全标准措施，WT/DS121/R，2000年1月12日通过，上诉机构报告修正，WT/DS121/AB/R，DSR 2000：II，575
阿根廷—皮革	专家组报告，阿根廷—影响牛皮出口及成皮进口措施，WT/DS155/R和Corr.1，2001年2月16日通过，DSR 2001：V，1779
阿根廷—皮革 [第21.3（c）条]	仲裁决议，阿根廷—影响牛皮出口及成皮进口措施—在DSU第21.3（c）条下的仲裁，WT/DS155/10，2001年8月31日，DSR 2001：XII，6013
阿根廷—进口措施	上诉机构报告，阿根廷—影响货物进口的措施，WT/DS438/AB/R / WT/DS444/AB/R / WT/DS445/AB/R，2015年1月26日通过
阿根廷—进口措施	专家组报告，阿根廷—影响货物进口的措施，WT/DS438/AB/R / WT/DS444/AB/R / WT/DS445/AB/R和Add.1，2015年1月26日通过，由上诉机构报告WT/DS438/AB/R / WT/DS444/AB/R / WT/DS445/AB/R修正（WT/DS438/R）和支持（WT/DS444/R / WT/DS445/R）
阿根廷—家禽反倾销税	专家组报告，阿根廷—对来自巴西的家禽的明确反倾销措施，WT/DS241/R，2003年5月19日通过DSR 2003：V，1727
阿根廷—桃脯	专家组报告，阿根廷—对进口桃脯的明确保障措施，WT/DS238/R，2003年4月15日通过，DSR 2003：III，1037
阿根廷—纺织品及服装	上诉机构报告，阿根廷—影响鞋类、纺织品、服装和其他项目的进口措施，WT/DS56/AB/R和Corr.1，1998年4月22日通过，DSR 1998：III，1003
阿根廷—纺织品及服装	专家组报告，阿根廷—影响鞋类、纺织品、服装和其他项目的进口措施，WT/DS56/R，1998年4月22日通过，上诉机构报告修正，WT/DS56/AB/R，DSR 1998：III，1033
澳大利亚—苹果	上诉机构报告，澳大利亚—影响自新西兰苹果进口的措施，WT/DS367/AB/R，2010年12月17日通过，DSR 2010：V，2175
澳大利亚—苹果	专家组报告，澳大利亚—影响自新西兰苹果进口的措施，WT/DS367/R，2010年12月17日通过，上诉机构报告修正，WT/DS367/AB/R，DSR 2010：VI，2371
澳大利亚—汽车皮革II	专家组报告，澳大利亚—对汽车皮革生产商及出口商的补贴，WT/DS126/R，1999年6月16日，DSR 1999：III，951
澳大利亚—汽车皮革II （第21.5条—美国）	专家组报告，澳大利亚—对汽车皮革生产商及出口商的补贴—根据DSU第21.5条，WT/DS126/RW和Corr.1，通过2000年2月11日通过，DSR 2000：III，1189
澳大利亚—鲑鱼	上诉机构报告，澳大利亚—影响鲑鱼进口措施，WT/DS18/AB/R，1998年11月6日通过，DSR 1998：VIII，3327
澳大利亚—鲑鱼	专家组报告，澳大利亚—影响鲑鱼进口措施，WT/DS18/R和Corr.1，1998年11月6日通过，上诉机构报告修正，WT/DS18/AB/R，DSR 1998：VIII，3407

续 表

简要标题	案件标题全称及出处
澳大利亚—鲑鱼 [第 21.3（c）条]	仲裁决议，澳大利亚—影响鲑鱼进口措施—第 21.3（c）条下的仲裁，WT/DS18/9，1999 年 2 月 23 日，DSR 1999：I，267
澳大利亚—鲑鱼 （第 21.5 条—加拿大）	专家组报告，澳大利亚—影响鲑鱼进口措施—根据加拿大 DSU 第 21.5 条，WT/DS18/RW，2000 年 3 月 20 日通过，DSR 2000：IV，2031
巴西—民用航空器	上诉机构报告，巴西—民用航空器出口资助计划，WT/DS46/AB/R，1999 年 8 月 20 日通过，DSR 1999：III，1161
巴西—民用航空器	专家组报告，巴西—民用航空器出口补贴计划，1999 年 8 月 20 日通过，上诉机构报告修正，WT/DS46/AB/R，DSR 1999：III，1221
巴西—民用航空器 （第 21.5 条—加拿大）	上诉机构报告，巴西—民用航空器出口补贴计划—加拿大引用 DSU 第 21.5 条，WT/DS46/AB/RW，2000 年 8 月 4 日通过，DSR 2000：VIII，4067
巴西—民用航空器 （第 21.5 条—加拿大）	专家组报告，巴西—民用航空器出口补贴计划—加拿大引用 DSU 第 21.5 条，WT/DS46/RW，2000 年 8 月 4 日，上诉机构报告修正，WT/DS46/AB/RW，DSR 2000：IX，4093
巴西—民用航空器 （第 21.5 条—加拿大 II）	专家组报告，巴西—民用航空器出口补贴计划—加拿大再次引用 DSU 第 21.5 条，WT/DS46/RW/2，2001 年 8 月 23 日通过，DSR 2001：X，5481
巴西—民用航空器 （第 22.6 条—巴西）	仲裁决定，巴西—民用航空器出口补贴计划—巴西根据 DSU 第 22.6 条及 SCM 协议第 4.11 条提出仲裁，WT/DS46/ARB，2000 年 8 月 28 日，DSR 2002：I，p.19
巴西—可可粉	上诉机构报告，巴西—影响可可粉措施 WT/DS22/AB/R，1997 年 3 月 20 日通过，DSR 1997：I，167
巴西—可可粉	专家组报告，巴西—影响可可粉措施，WT/DS22/R，1997 年 3 月 20 日通过，得到上诉机构报告支持，WT/DS22/AB/R，DSR 1997：I，p.189
巴西—翻新轮胎	上诉机构报告，巴西—影响翻新轮胎进口的措施，WT/DS332/AB/R，2007 年 12 月 17 日通过，DSR 2007：IV，p.1527
巴西—翻新轮胎	专家组报告，巴西—影响翻新轮胎进口的措施，WT/DS332/R，2007 年 12 月 17 日通过，上诉机构报告修正，WT/DS332/AB/R，DSR 2007：V，p.1649
巴西—翻新轮 [第 21.3（c）条]	仲裁决定，巴西—影响翻新轮胎进口的措施—DSU 第 21.3（c）条下的仲裁，WT/DS332/16，2008 年 8 月 29 日，DSR 2008：XX，p.8581
加拿大—民用航空器	上诉机构报告，加拿大—影响民用航空器出口措施，WT/DS70/AB/R，1999 年 8 月 20 日通过，DSR 1999：III，p.1377
加拿大—民用航空器	专家组报告，加拿大—影响民用航空器出口措施，WT/DS70/R，1999 年 8 月 20 日通过，得到上诉机构报告支持，WT/DS70/AB/R，DSR 1999：IV，p.1443
加拿大—民用航空器 （第 21.5 条—巴西）	上诉机构报告，加拿大—影响民用航空器出口措施—巴西引用 DSU 第 21.5 条，WT/DS70/AB/RW，2000 年 8 月 4 日通过，DSR 2000：IX，p.4299
加拿大—民用航空器 （第 21.5 条—巴西）	专家组报告，加拿大—影响民用航空器出口措施—巴西引用 DSU 第 21.5 条，WT/DS70/RW，2000 年 8 月 4 日通过，上诉机构报告修正，WT/DS70/AB/RW，DSR 2000：IX，p.4315
加拿大—民用航空器信贷保证	专家组报告，加拿大—地区民用航空器出口信贷保证，WT/DS222/R 和 Corr.1，2002 年 2 月 19 日，DSR 2002：III，p.849

续　表

简要标题	案件标题全称及出处
加拿大—民用航空器信贷保证（第 22.6 条—加拿大）	仲裁决定，加拿大—地区民用航空器出口信贷保证—加拿大引用 DSU 第 22.6 条 SCM 协议第 4.11 条，WT/DS222/ARB，2003 年 2 月 17 日，DSR 2003：III，p. 1187
加拿大—汽车	上诉机构报告，加拿大—影响汽车工业特定措施，WT/DS139/AB/R，WT/DS142/AB/R，2000 年 6 月 19 日通过，DSR 2000：VI，p. 2985
加拿大—汽车	专家组报告，加拿大—影响汽车工业特定措施，WT/DS139/R，WT/DS142/R，2000 年 6 月 19 日，上诉机构报告修正，WT/DS139/AB/R，WT/DS142/AB/R，DSR 2000：VII，p. 3043
加拿大—汽车［第 21.3（c）条］	仲裁决定，加拿大—影响汽车工业特定措施—DSU 第 21.3（c）条下的仲裁 WT/DS139/12，WT/DS142/12，2000 年 10 月 4 日，DSR 2000：X，p. 5079
加拿大—要求取消报复措施	上诉机构报告，加拿大—欧共体要求取消报复措施—荷尔蒙争端，WT/DS321/AB/R，2008 年 11 月 14 日通过，DSR 2008：XIV，p. 5373
加拿大—要求取消报复措施	专家组报告，加拿大—欧共体要求取消报复措施—荷尔蒙争端，WT/DS321/AB/R 和 Add. 1—Add. 7，2008 年 11 月 14 日通过，上诉机构报告修正，WT/DS321/AB/R，DSR 2008：XV，p. 5757
加拿大—奶制品	上诉机构报告，加拿大—影响牛奶进口及奶制品出口的措施，WT/DS103/AB/R，WT/DS113/AB/R 及 Corr. 1，引自 1999 年 10 月 27 日 DSR 1999：V，p. 2057
加拿大—奶制品	专家组报告，加拿大—影响牛奶进口及奶制品出口的措施，WT/DS103/R，WT/DS113/R，1999 年 10 月 27 日通过，上诉机构报告修正，WT/DS103/AB/R，WT/DS113/AB/R，DSR 1999：VI，p. 2097
加拿大—奶制品（第 21.5 条—新西兰和美国）	上诉机构报告，加拿大—影响牛奶进口及奶制品出口的措施—新西兰和美国引用 DSU 第 21.5 条，WT/DS103/AB/RW，WT/DS113/AB/RW，2001 年 12 月 18 日通过，DSR 2001：XIII，p. 6829
加拿大—奶制品（第 21.5 条—新西兰和美国）	专家组报告，加拿大—影响牛奶进口及奶制品出口的措施—新西兰和美国引用 DSU 第 21.5 条，WT/DS103/RW，WT/DS113/RW，2001 年 12 月 18 日通过，上诉机构报告驳回，WT/DS103/AB/RW，WT/DS113/AB/RW，DSR 2001：XIII，p. 6865
加拿大—奶制品（第 21.5 条—新西兰和美国 II）	上诉机构报告，加拿大—影响牛奶进口及奶制品出口的措施—新西兰和美国引用 DSU 第 21.5 条，WT/DS103/AB/RW2，WT/DS113/AB/RW2，2003 年 1 月 17 日通过，DSR 2003：I，p. 213
加拿大—奶制品（第 21.5 条—新西兰和美国 II）	专家组报告，加拿大—影响牛奶进口及奶制品出口的措施—新西兰和美国引用 DSU 第 21.5 条，WT/DS103/RW2，WT/DS113/RW2，2003 年 1 月 17 日通过，上诉机构报告修正，WT/DS103/AB/RW2，WT/DS113/AB/RW2，DSR 2003：I，p. 255
加拿大—专利条款	上诉机构报告，加拿大—专利保护条款，WT/DS170/AB/R，2000 年 10 月 12 日通过，DSR 2000：X，p. 5093
加拿大—上网电价计划	专家组报告，加拿大—有关上网电价计划，WT/DS426/R 和 Add. 1，2012 年 12 月 19 日在 WTO 成员中散发，【上诉中】
加拿大—专利条款	专家组报告，加拿大—专利保护条款，WT/DS170/R，2000 年 10 月 12 日通过，得到上诉机构报告支持，WT/DS170/AB/R，DSR 2000：XI，p. 5121

续 表

简要标题	案件标题全称及出处
加拿大—专利条款 [第 21.3（c）条]	仲裁决定，加拿大—专利保护条款—DSU 第 21.3（c）条下仲裁，WT/DS170/10，2001 年 2 月 28 日，DSR 2001：V，p. 2031
加拿大—杂志	上诉机构报告，加拿大—相关杂志特定措施，WT/DS31/AB/R，1997 年 7 月 30 日通过，DSR 1997：I，p. 449
加拿大—杂志	专家组报告，加拿大—相关杂志特定措施，WT/DS31/R 和 Corr. 1，1997 年 7 月 30 日 通过，上诉机构报告修正，WT/DS31/AB/R，DSR 1997：I，p. 481
加拿大—药品专利	专家组报告，加拿大—药品专利保护，WT/DS114/R，2000 年 4 月 7 日通过，DSR 2000：V，p. 2289
加拿大—药品专利 [第 21.3（c）条]	仲裁决定，加拿大—药品专利保护—根据 DSU 第 21.3（c）进行的仲裁，WT/DS114/13，2000 年 8 月 18 日，DSR 2002：I，p. 3
加拿大—可再生能源/加拿大—影响上网电价补贴的措施	上诉机构报告，加拿大—影响可再生能源生产部门的措施/加拿大—影响上网电价补贴的措施，WT/DS412/R / WT/DS426/R，2013 年 5 月 24 日通过
加拿大—可再生能源/加拿大—影响上网电价补贴的措施	专家组报告，加拿大—影响可再生能源生产部门的措施/加拿大—影响上网电价补贴的措施，WT/DS412/R / WT/DS426/R / 和 Add. 1，2013 年 5 月 24 日通过，上诉机构报告修正，WT/DS412/AB/R / WT/DS426/AB/R
加拿大—小麦出口和谷物进口	上诉机构报告，加拿大—小麦出口和谷物进口措施，WT/DS276/AB/R，2004 年 9 月 27 日通过，DSR 2004：VI，p. 2739
加拿大—小麦出口和谷物进口	专家组报告，加拿大—小麦出口和谷物进口措施，WT/DS276/R，2004 年 9 月 27 日通过，得到上诉机构报告支持，WT/DS276/AB/R，DSR 2004：VI，p. 2817
智利—酒精饮料	上诉机构报告，智利—酒精饮料税 WT/DS87/AB/R，WT/DS110/AB/R，2000 年 1 月 12 日通过，DSR 2000：I，p. 281
智利—酒精饮料	专家组报告，智利—酒精饮料税，WT/DS87/R，WT/DS110/R，2000 年 1 月 12 日通过，上诉机构报告修正，WT/DS87/AB/R，WT/DS110/AB/R，DSR 2000：I，p. 303
智利—酒精饮料 [第 21.3（c）条]	仲裁决定，智利—酒精饮料税—在 DSU 第 21.3（c）条下仲裁，WT/DS87/15，WT/DS110/14，2000 年 5 月 23 日，DSR 2000：V，p. 2583
智利—综合价格制度	上诉机构报告，智利—与特定农产品有关的综合价格制度和保障措施 WT/DS207/AB/R，2002 年 10 月 23 日通过，DSR 2002：VIII，3045 （Corr. 1，DSR 2006：XII，p. 5473）
智利—综合价格制度	专家组报告，智利—与特定农产品有关的综合价格制度和保障措施，WT/DS207/R，2002 年 10 月 23 日通过，上诉机构报告修正，WT/DS207AB/R，DSR 2002：VIII，p. 3127
智利—综合价格制度 [第 21.3（c）条]	仲裁决定，智利—与特定农产品有关的综合价格制度和保障措施—在 DSU 第 21.3（c）条下仲裁，WT/DS207/13，2003 年 3 月 17 日，DSR 2003：III，p. 1237
智利—综合价格制度 （第 21.5 条—阿根廷）	上诉机构报告，智利—与特定农产品有关的综合价格制度和保障措施—阿根廷引自 DSU 第 21.5 条，WT/DS207/RW，2007 年 5 月 22 日通过，DSR 2007：II，p. 513

续 表

简要标题	案件标题全称及出处
智利—综合价格制度（第 21.5 条—阿根廷）	专家组报告，智利—与特定农产品有关的综合价格制度和保障措施—阿根廷引自 DSU 第 21.5 条，WT/DS207/RW 和 Corr.1，2007 年 5 月 22 日通过，得到上诉机构报告的支持，WT/DS207/AB/RW，DSR 2007：II III，p.613
中国—汽车零部件	上诉机构报告，中国—影响汽车零部件进口的措施，T/DS339/AB/R，WT/DS340/AB/R，WT/DS342/AB/R，2009 年 1 月 12 日通过，DSR 2009：I，p.3
中国—汽车零部件	专家组报告，中国—影响汽车零部件进口的措施，WT/DS339/R，WT/DS340/R，WT/DS342/R 和 Add.1 和 Add.2，2009 年 1 月 12 日通过，得到（WT/DS339/R）支持，由上诉机构报告 WT/DS339/AB/R，WT/DS340/AB/R，WT/DS342/AB/R，DSR 2009：I，p.119- DSR 2009：II，625 修正（WT/DS340/R / WT/DS342/R）
中国—汽车（美国）	专家组报告，中国—对自美国进口的某些汽车实施反倾销和反补贴措施，WT/DS440/R 和 Add.1，2014 年 6 月 18 日通过
中国—肉鸡产品	专家组报告，中国—对自美国的白羽肉鸡产品采取反倾销和反补贴措施，WT/DS427/R 和 Add.1，2013 年 9 月 25 日通过
中国—电子支付服务	专家组报告，中国—影响电子支付服务的措施，WT/DS413/R 和 Add.1，2012 年 8 月 31 日通过，DSR 2012：X，p. 5305
中国—取向电工钢	上诉机构报告，中国—对自美国进口的取向电工钢征收反补贴税和反倾销税，WT/DS414/AB/R，2012 年 11 月 16 日通过，DSR 2012：XII，p. 6251
中国—取向电工钢	专家组报告，中国—对自美国进口的取向电工钢征收反补贴税和反倾销税，WT/DS414/R，2012 年 11 月 16 日通过，上诉机构报告 WT/DS414/AB/R 支持，DSR 2012：XII，p. 6369
中国—取向电工钢［第 21.3（c）条］	仲裁裁决，中国—对自美国进口的取向电工钢征收反补贴税和反倾销税—在 DSU 第 21.3（c）条下的仲裁，WT/DS414/12，2013 年 5 月 3 日
中国—高性能不锈钢无缝钢管（日本） 中国—高性能不锈钢无缝钢管（欧盟）	专家组报告，中国—对日本高性能不锈钢无缝钢管（HP-SSST）征收反倾销税/中国—对欧盟高性能不锈钢无缝钢管（HP-SSST）征收反倾销税，WT/DS454/R / WT/DS460/R / 和 Add.1，2015 年 2 月 13 日向 WTO 成员散发，2015 年 10 月 28 日通过
中国—知识产权	专家组报告，中国—影响知识产权保护和执法的措施，WT/DS362/R，2009 年 3 月 20 日通过，DSR 2009：V，p.2097
中国—出版物和视听产品	上诉机构报告，中国—影响特定出版物和视听产品贸易和分销权的措施，WT/DS363/AB/R，2010 年 1 月 19 日通过，DSR 2010：I，p.3
中国—出版物和视听产品	专家组报告，中国—影响特定出版物和视听产品贸易和分销权的措施，WT/DS363/R 和 Corr.1，2010 年 1 月 19 日通过，上诉机构报告修正，WT/DS363/AB/R，DSR 2010：II，p.261
中国—稀土	上诉机构报告，中国—影响稀土、钨、钼出口的措施，WT/DS431/AB/R / WT/DS432/AB/R / WT/DS433/AB/R，2014 年 8 月 29 日通过
中国—稀土	专家组报告，中国—影响稀土、钨、钼出口的措施，WT/DS431/R / WT/DS432/R / WT/DS433/R / 和 Add.1，2014 年 8 月 29 日通过，由上诉机构报告支持 WT/DS431/AB/R / WT/DS432/AB/R / WT/DS433/AB/R
中国—原材料出口	上诉报告，中国—不同原材料的出口措施，WT/DS394/R，WT/DS395/R，WT/DS398/R，2012 年 2 月 22 日通过，DSR 2012：VII，p. 3295

续 表

简要标题	案件标题全称及出处
中国—原材料出口	专家组报告，中国—不同原材料的出口措施，WT/DS394/R/WT/DS395/R/WT/DS398/R/和 Corr. 1，2012 年 2 月 22 日通过，上诉机构执行修正，WT/DS394/AB/R/WT/DS395/AB/R/WT/DS398/AB/R，DSR 2012：VII，p. 3501
中国—X 射线设备	专家组报告，中国—对从欧盟进口的 X 射线安全检查设备征收最终反倾销税，WT/DS425/R 和 Add. 1，2013 年 4 月 24 日通过
哥伦比亚—港口入境	专家组报告，哥伦比亚—对港口入境的价格限制要求，WT/DS366/R 和 Corr. 1，2009 年 5 月 20 日通过，DSR 2009：VI，p. 2535
哥伦比亚—港口入境［第 21.3（c）条］	仲裁报告，哥伦比亚—对港口入境的价格限制要求—在 DSU 第 21.3（c）条下的仲裁，WT/DS366/13，2009 年 10 月 2 日，DSR 2009：IX，p. 3819
多米尼加—香烟的进口和销售	上诉机构报告，多米尼加—影响香烟进口及国内销售的措施，WT/DS302/AB/R，2005 年 5 月 19 日通过，DSR 2005：XV，p. 7367
多米尼加—香烟的进口和销售	专家组报告，多米尼加—影响香烟进口及国内销售的措施，WT/DS302/R，2005 年 5 月 19 日通过，上诉机构报告修正，WT/DS302/AB/R，DSR 2005：XV，p. 7425
多米尼加—香烟的进口和销售［第 21.3（c）条］	仲裁报告，多米尼加—影响香烟进口及国内销售的措施—在 DSU 第 21.3（c）条下的仲裁，WT/DS302/17，2005 年 8 月 29 日，DSR 2005：XXIII，p. 11665
多米尼加—保障措施	专家组报告，多米尼加—聚丙烯管状织物包装袋进口的保障措施，WT/DS415/R，WT/DS416/R，WT/DS417/R，WT/DS418/R 和 Add. 1，2012 年 2 月 22 日通过，DSR 2012：XIII，p. 6775
欧共体—科托努协议	仲裁决定，欧共体—科托努协议—根据 2001 年 11 月 14 日决定提请仲裁，WT/L/616，2005 年 8 月 1 日，DSR 2005：XXIII，p. 11669
欧共体—科托努协议 II	仲裁决定，欧共体—科托努协议—根据 2001 年 11 月 14 日决定提请仲裁，WT/L/625，2005 年 10 月 27 日，DSR 2005：XXIII，p. 11703
欧共体—生物科技产品批准及营销	专家组报告，欧共体—影响生物科技产品批准及营销的措施，WT/DS291/R，WT/DS292/R，WT/DS293/R，Corr. 1 和 Add. 1，2，3，4，5，6，7，8 和 9，2006 年 11 月 21 日通过，DSR 2006：III—VIII，p. 847
欧共体—石棉	上诉机构报告，欧共体—影响石棉及含石棉产品的措施，WT/DS135/AB/R，2001 年 4 月 5 日通过，DSR 2001：VII，p. 3243
欧共体—石棉	专家组报告，欧共体—影响石棉及含石棉产品的措施，WT/DS135/R 和 Add. 1，2001 年 4 月 5 日通过，上诉机构报告修正，WT/DS135/AB/R，DSR 2001：VIII，p. 3305
欧共体—香蕉 III	上诉机构报告，欧共体—香蕉进口、销售及分销区域，WT/DS27/AB/R，1997 年 9 月 25 日通过，DSR 1997：II，p. 591
欧共体—香蕉 III（厄瓜多尔）	专家组报告，欧共体—香蕉进口、销售及分销区域，厄瓜多尔提出上诉，WT/DS27/R/ECU，1997 年 9 月 25 日通过，上诉机构报告修正，WT/DS27/AB/R，DSR 1997：III，p. 1085
欧共体—香蕉 III（危地马拉和洪都拉斯）	专家组报告，欧共体—香蕉进口、销售及分销区域，危地马拉和 洪都拉斯上诉，WT/DS27/R/GTM，WT/DS27/R/HND，1997 年 9 月 25 日通过，上诉机构报告修正，WT/DS27/AB/R，DSR 1997：II，p. 695

续 表

简要标题	案件标题全称及出处
欧共体—香蕉 III（墨西哥）	专家组报告，欧共体—香蕉进口、销售及分销区域，墨西哥上诉，WT/DS27/R/MEX，1997年9月25日通过，上诉机构报告修正，WT/DS27/AB/R，DSR 1997：II，p. 803
欧共体—香蕉 III（美国）	专家组报告，欧共体—香蕉进口、销售及分销区域，美国上诉，WT/DS27/R/USA，1997年9月25日通过，上诉机构报告修正，WT/DS27/AB/R，DSR 1997：II，p. 943
欧共体—香蕉 III [第21.3（c）条]	仲裁决定，欧共体—香蕉进口、销售及分销区域—在DSU第21.3（c）条下仲裁，WT/DS27/15，1998年1月7日，DSR 1998：I，p. 3
欧共体—香蕉 III（第21.5条—欧共体）	专家组报告，欧共体—香蕉进口、销售及分销区域，墨西哥上诉—欧共体根据DSU第21.5条提出，WT/DS27/RW/EEC和Corr. 1，1999年4月12日，未通过，DSR 1999：II，p. 783
欧共体—香蕉 III（第21.5条—厄瓜多尔）	专家组报告，欧共体—香蕉进口、销售及分销区域—厄瓜多尔根据DSU第21.5条提出，WT/DS27/RW/ECU，1999年5月6日通过，DSR 1999：II，p. 803
欧共体—香蕉 III（第21.5条—厄瓜多尔） 欧共体—香蕉 III（第21.5条—美国）	上诉机构报告，欧共体—香蕉进口、销售及分销区域—厄瓜多尔根据DSU第21.5条第二次提出上诉，WT/DS27/AB/RW2/ECU，2008年12月11日通过，和Corr. 1 欧共体—香蕉进口、销售及分销区域—美国根据DSU第21.5条提出上诉，WT/DS27/AB/RW/USA和Corr. 1，2008年12月22日通过，DSR 2008：XVIII，p. 7165
欧共体—香蕉 III（第21.5条—厄瓜多尔 II）	专家组报告，欧共体—香蕉进口、销售及分销区域—厄瓜多尔根据DSU第21.5条第二次提出上诉，WT/DS27/RW2/ECU，2008年12月11日通过。上诉机构报告修正，WT/DS27/AB/RW2/ECU，DSR 2008：XVIII，p. 7329
欧共体—香蕉 III（第21.5条—美国）	专家组报告，欧共体—香蕉进口、销售及分销区域—美国根据DSU第21.5条提出上诉，WT/DS27/RW/USA和Corr. 1，2008年12月22日通过，得到上诉机构报告的支持，WT/DS27/AB/RW/USA，DSR 2008：XIX，p. 7761
欧共体—香蕉 III（厄瓜多尔）（第22.6条—欧共体）	仲裁判决，欧共体—香蕉进口、销售及分销区域—欧共体根据DSU第22.6条提出仲裁，WT/DS27/ARB/ECU，2000年3月24日，DSR 2000年：V，p. 2237
欧共体—香蕉 III（美国）（第22.6条—欧共体）	仲裁判决，欧共体—香蕉进口、销售及分销区域—欧共体根据DSU第22.6条提出仲裁，WT/DS27/ARB，1999年4月9日，DSR 1999：II，p. 725
欧共体—棉质床单	上诉机构报告，欧共体—对来自印度的进口棉质床单征收反倾销税，WT/DS141/AB/R，2001年3月12日通过，DSR 2001：V，p. 2049
欧共体—棉质床单	专家组报告，欧共体—对来自印度的进口棉质床单征收反倾销税，WT/DS141/R，2001年3月12日通过，上诉机构报告修正，WT/DS141/AB/R，DSR 2001：VI，p. 2077
欧共体—棉质床单（第21.5条—印度）	上诉机构报告，欧共体—对来自印度的进口棉质床单征收反倾销税—由印度根据DSU第21.5条提出，WT/DS141/AB/RW，2003年4月24日通过，DSR 2003：III，p. 965
欧共体—棉质床单（第21.5条—印度）	专家组报告，欧共体—对来自印度的进口棉质床单征收反倾销税—印度根据DSU第21.5条提出，WT/DS141/RW，2003年4月24日通过，上诉机构报告修正，WT/DS141/AB/RW，DSR 2003：IV，p. 1269
欧共体—黄油	专家组报告，欧共体—影响黄油产品的措施，WT/DS72/R，1999年11月24日，未采纳

续 表

简要标题	案件标题全称及出处
欧共体—鸡块	上诉机构报告，欧共体—冷冻无骨鸡块海关分类，WT/DS269/AB/R，WT/DS286/AB/R，和 Corr. 1，引自 2005 年 9 月 27 日，DSR 2005：XIX，p. 9157
欧共体—鸡块（巴西）	专家组报告，欧共体—冷冻无骨鸡块海关分类，巴西上诉，WT/DS269/R，引自 2005 年 9 月 27 日，上诉机构报告修正，WT/DS269/AB/R，WT/DS286/AB/R，DSR 2005：XIX，p. 9295
欧共体—鸡块（泰国）	专家组报告，欧共体—冷冻无骨鸡块海关分类，泰国，WT/DS286/R，2005 年 9 月 27 日通过，上诉机构报告修正，WT/DS269/AB/R，WT/DS286/AB/R，DSR 2005：XX，p. 9721
欧共体—鸡块 [第 21.3（c）条]	仲裁决定，欧共体—冷冻无骨鸡块海关分类—在 DSU 第 21.3（c）条下仲裁，WT/DS269/13，WT/DS286/15，2006 年 2 月 20 日
欧共体—商船	专家组报告，欧共体—影响商船贸易的措施，WT/DS301/R，2005 年 6 月 20 日通过，DSR 2005：XV，p. 7713
欧共体—计算机设备	上诉机构报告，欧共体—特定计算机设备海关分类，WT/DS62/AB/R，WT/DS67/AB/R，WT/DS68/AB/R，1998 年 6 月 22 日通过，DSR 1998 年：V，p. 1851
欧共体—计算机设备	专家组报告，欧共体—特定计算机设备海关分类，WT/DS62/R，WT/DS67/R，WT/DS68/R，1998 年 6 月 22 日通过，上诉机构报告修正，WT/DS62/AB/R，WT/DS67/AB/R，WT/DS68/AB/R，DSR 1998：V，p. 1891
欧共体—芯片的反补贴措施	专家组报告，欧共体—对来自韩国的芯片的反补贴措施 WT/DS299/R，2005 年 8 月 3 日通过，DSR 2005：XVIII，p. 8671
欧共体—糖类出口补贴	上诉机构报告，欧共体—糖类出口补贴，WT/DS265/AB/R，WT/DS266/AB/R，WT/DS283/AB/R，2005 年 5 月 19 日通过，DSR 2005：XIII，p. 6365
欧共体—糖类出口补贴（澳大利亚）	专家组报告，欧共体—糖类出口补贴，由澳大利亚上诉 WT/DS265/R，2005 年 5 月 19 日通过，上诉机构报告修正，WT/DS265/AB/R，WT/DS266/AB/R，WT/DS283/AB/R，DSR 2005：XIII，p. 6499
欧共体—糖类出口补贴（巴西）	专家组报告，欧共体—糖类出口补贴，由巴西上诉，WT/DS266/R，2005 年 5 月 19 日通过，上诉机构报告修正，WT/DS265/AB/R，WT/DS266/AB/R，WT/DS283/AB/R，DSR 2005：XIV，p. 6793
欧共体—糖类出口补贴（泰国）	专家组报告，欧共体—糖类出口补贴，由泰国上诉，WT/DS283/R，2005 年 5 月 19 日通过，上诉机构报告修正，WT/DS265/AB/R，WT/DS266/AB/R，WT/DS283/AB/R，DSR 2005：XIV，p. 7071
欧共体—糖类出口补贴 [第 21.3（c）条]	仲裁决定，欧共体—糖类出口补贴—在 DSU 第 21.3（c）条下仲裁，WT/DS265/33，WT/DS266/33，WT/DS283/14，2005 年 10 月 28 日，DSR 2005：XXIII，p. 11581
欧共体—紧固件（中国）	上诉机构报告，欧共体—对自中国进口的钢铁紧固件实施肯定性反倾销措施，WT/DS397/AB/R，2011 年 7 月 28 日通过，DSR 2011：VII，p. 3995
欧共体—紧固件（中国）	专家组报告，欧共体—对自中国进口的钢铁紧固件实施肯定性反倾销措施，WT/DS397/R 和 Corr. 1，2011 年 7 月 28 日通过，上诉机构报告修正，WT/DS397/AB/R，DSR 2011：VIII，p. 4289
欧共体—荷尔蒙	上诉机构报告，欧共体—肉类及肉制品措施（荷尔蒙），WT/DS26/AB/R，WT/DS48/AB/R，1998 年 2 月 13 日通过，DSR 1998：I，p. 135

续 表

简要标题	案件标题全称及出处
欧共体—荷尔蒙（加拿大）	专家组报告，欧共体—对于肉及肉制品相关措施（荷尔蒙），由加拿大上诉，WT/DS48/R/CAN，1998年2月13日通过，上诉机构报告修正，WT/DS26/AB/R，WT/DS48/AB/R，DSR 1998：II，p.235
欧共体—荷尔蒙（美国）	专家组报告，欧共体—对于肉及肉制品相关措施（荷尔蒙），由美国上诉，WT/DS26/R/USA，1998年2月13日通过，上诉机构报告修正，WT/DS26/AB/R，WT/DS48/AB/R，DSR 1998：III，p.699
欧共体—荷尔蒙［第21.3（c）条］	仲裁决定，欧共体—对于肉及肉制品相关措施（荷尔蒙）—在DSU第21.3（c）条下仲裁，WT/DS26/15，WT/DS48/13，1998年5月29日，DSR 1998：V，p.1833
欧共体—荷尔蒙（加拿大）（第22.6条—欧共体）	仲裁判决，欧共体—对于肉及肉制品相关措施（荷尔蒙），最初由加拿大上诉—由欧共体根据DSU第22.6条提出，WT/DS48/ARB，1999年7月12，日DSR 1999：III，p.1135
欧共体—荷尔蒙（美国）（第22.6条—欧共体）	仲裁判决，欧共体—对于肉及肉制品相关措施（荷尔蒙），最初由美国上诉—溯及欧共体根据DSU第22.6条的仲裁，WT/DS26/ARB，1999年7月12日，DSR 1999：III，p.1105
欧共体—IT产品	专家组报告，欧共体及其成员国—信息技术产品的关税待遇，WT/DS375/R，WT/DS376/R，WT/DS377/R，2010年9月21日通过，DSR 2010：III，p. 933
欧共体—家禽	上诉机构报告，欧共体—影响特定家禽产品进口的措施，WT/DS69/AB/R，1998年7月23日通过，DSR 1998：V，p. 2031
欧共体—家禽	专家组报告，欧共体—影响特定家禽产品进口的措施，WT/DS69/R，1998年7月23日通过，上诉机构报告修正，WT/DS69/AB/R，DSR 1998：V，p. 2089
欧共体—鲑鱼（挪威）	专家组报告，欧共体—对产自挪威养殖鲑鱼采取反倾销措施，WT/DS337/R和Corr.1，2008年1月15日通过，DSR 2008：I，p. 3
欧共体—沙丁鱼	上诉机构报告，欧共体—沙丁鱼贸易描述，WT/DS231/AB/R，2002年10月23日通过，DSR 2002：VIII，p. 3359
欧共体—沙丁鱼	专家组报告，欧共体—沙丁鱼贸易描述，WT/DS231/R和Corr.1，2002年10月23日通过，上诉机构报告修正，WT/DS231/AB/R，DSR 2002：VIII，p. 3451
欧共体—扇贝（加拿大）	专家组报告，欧共体—扇贝贸易描述—由加拿大请求，WT/DS7/R，1996年8月日，未通过，DSR 1996：I，p. 89
欧共体—扇贝（秘鲁和智利）	专家组报告，欧共体—对于扇贝的贸易描述—由秘鲁和智利申请，WT/DS12/R，WT/DS14/R，1996年8月5日，未通过，DSR 1996：I，p.93
欧共体—海豹产品	上诉机构报告，欧共体—限制海豹产品进口及营销的限制措施，WT/DS400/AB/R/WT/DS401/AB/R，2014年6月18日通过
欧共体—海豹产品	专家组报告，欧共体—限制海豹产品进口及营销的限制措施，WT/DS400/R/WT/DS401/R/和Add.1，2014年6月18日通过，由上诉机构报告修正WT/DS400/AB/R/WT/DS401/AB/R
欧共体—特定海关事项案	上诉机构报告，欧共体—客户对特殊规格要求案，WT/DS315/AB/R，2006年12月11日，DSR 2006：IX，p.3791

续 表

简要标题	案件标题全称及出处
欧共体—特定海关事项案	专家组报告，欧共体—客户对特殊规格要求案，WT/DS315/R，2006 年 12 月 11 日，上诉机构报告修正，WT/DS315/AB/R，DSR 2006：IX X，p. 3915
欧共体—关税优惠	上诉机构报告，欧共体—给予发展中国家关税优惠的条件，WT/DS246/AB/R，2004 年 4 月 20 日通过，DSR 2004：III，p. 925
欧共体—关税优惠	专家组报告，欧共体—给予发展中国家关税优惠的条件，WT/DS246/R，引自 2004 年 4 月 20 日，上诉机构报告修正，WT/DS/246/AB/R，DSR 2004：III，p. 1009
欧共体—关税优惠 [第 21. 3（c）条]	仲裁决定，欧共体—给予发展中国家关税优惠的条件—在 DSU 第 21. 3（c）条下仲裁，WT/DS246/14，2004 年 9 月 20 日，DSR 2004：IX，p. 4313
欧共体—商标和地理标识（澳大利亚）	专家组报告，欧共体—对于农产品及粮食商标和地理标识的保护，由澳大利亚上诉，WT/DS290/R，2005 年 4 月 20 日通过，DSR 2005：X，p. 4603
欧共体—商标和地理标识（美国）	专家组报告，欧共体—对于农产品及粮食商标和地理标识的保护，由美国上诉，WT/DS174/R，2005 年 4 月 20 日通过，DSR 2005：VIII，p. 3499
欧共体—管材配件	上诉机构报告，欧共体—对来自巴西的可锻铸铁管路连接件反倾销税，WT/DS219/AB/R，2003 年 8 月 18 日通过，DSR 2003：VI，p. 2613
欧共体—管材配件	专家组报告，欧共体—对来自巴西的可锻铸铁管路连接件反倾销税，WT/DS219/R，2003 年 8 月 18 日通过，上诉机构报告修正，WT/DS219/AB/R，DSR 2003：VII，p. 2701
欧共体和其成员国—大型民用航空器	上诉机构报告，欧共体及其成员国—影响大型民用航空器贸易的措施，WT/DS316/AB/R，2011 年 6 月 1 日通过，DSR 2011：I，p. 7
欧共体和其成员国—大型民用航空器	上专家组报告，欧共体及其成员国—影响大型民用航空器贸易的措施，WT/DS316/R，2011 年 6 月 1 日通过，上诉机构报告修正，WT/DS316/AB/R，DSR 2011：II，p. 685
埃及—钢筋	专家组报告，埃及—对于来自土耳其的钢筋的明确反倾销措施，WT/DS211/R，2002 年 10 月 1 日通过，DSR 2002：VII，p. 2667
欧盟—鞋类（中国）	专家组报告，欧盟—对自中国进口的部分鞋实施反倾销措施，WT/DS405/R，2012 年 2 月 22 日通过，DSR 2012：IX，p. 4585
危地马拉—水泥 I	上诉机构报告，危地马拉—对来自墨西哥的水泥进行反倾销调查，WT/DS60/AB/R，1998 年 11 月 25 日通过，DSR 1998：IX，p. 3767
危地马拉—水泥 I	专家组报告，危地马拉—对来自墨西哥的水泥进行反倾销调查，WT/DS60/R，1998 年 11 月 25 日通过，上诉机构报告修正，WT/DS60/AB/R，DSR 1998：IX，p. 3797
危地马拉—水泥 II	专家组报告，危地马拉—对来自墨西哥的水泥采取反倾销措施，WT/DS156/R，2000 年 11 月 17 日通过，DSR 2000：XI，p. 5295
印度—进口附加税	上诉机构报告，印度—对来自美国的商品征收进口附加税，WT/DS360/AB/R，2008 年 11 月 17 日通过，DSR 2008：XX，p. 8223
印度—进口附加税	专家组报告报告，印度—对来自美国的商品征收进口附加税，WT/DS360/R，2008 年 11 月 17 日通过，上诉机构报告驳回，WT/DS360/AB/R，DSR 2008：XX，p. 8317
印度—农产品	专家组报告，印度—影响某些农产品进口的措施，WT/DS430/R 和 Add. 1，2014 年 10 月 14 日向 WTO 成员散发，2015 年 6 月 19 日通过

续　表

简要标题	案件标题全称及出处
印度—汽车	上诉机构报告，印度—影响汽车部门措施，WT/DS146/AB/R，WT/DS175/AB/R，2002年4月5日通过，DSR 2002：V，p. 1821
印度—汽车	专家组报告，印度—影响汽车部门措施，WT/DS146/R，WT/DS175/R 和 Corr. 1，2002年4月5日通过，DSR 2002：V，p. 1827
印度—专利权（欧共体）	专家组报告，印度—对于药品及农业化学产品的专利保护，由欧共体上诉，WT/DS79/R，1998年9月22日通过，DSR 1998：VI，p. 2661
印度—专利权（美国）	上诉机构报告，印度—对于药品及农业化学产品的专利保护，WT/DS50/AB/R，1998年1月16日通过，DSR 1998：I，p. 9
印度—专利权（美国）	专家组报告，印度—对于药品及农业化学产品的专利保护，由美国上诉，WT/DS50/R，1998年1月16日通过，上诉机构报告修正，WT/DS50/AB/R，DSR 1998：I，p. 41
印度—数量限制	上诉机构报告，印度—对于农产品、纺织品及工业产品进口的数量限制，WT/DS90/AB/R，1999年9月22日通过，DSR 1999：IV，p. 1763
印度—数量限制	专家组报告，印度—对于农产品、纺织品及工业产品进口的数量限制，WT/DS90/R，1999年9月22日通过，得到上诉机构报告支持，WT/DS90/AB/R，DSR 1999：V，p. 1799
印度尼西亚—汽车	专家组报告，印度尼西亚—影响汽车工业的特定措施，WT/DS54/R，WT/DS55/R，WT/DS59/R，WT/DS64/R 和 Corr. 1，2，3 和 4，1998年7月23日通过，DSR 1998：VI，p. 2201
印度尼西亚—汽车 [第21.3（c）条]	仲裁决定，印度尼西亚—影响汽车工业的特定措施—在 DSU 第21.3（c）条下仲裁，WT/DS54/15，WT/DS55/14，WT/DS59/13，WT/DS64/12，1998年，12月7日 DSR 1998：IX，p. 4029
日本—农产品 II	上诉机构报告，日本—影响农产品措施，WT/DS76/AB/R，1999年3月19日通过，DSR 1999：I，p. 277
日本—农产品 II	专家组报告，日本—影响农产品措施，WT/DS76/R，1999年3月19日通过，上诉机构报告修正，WT/DS76/AB/R，DSR 1999：I，p. 315
日本—酒精饮料 II	上诉机构报告，日本—对酒精饮料征税，WT/DS8/AB/R，WT/DS10/AB/R，WT/DS11/AB/R，1996年11月1日通过，DSR 1996：I，p. 97
日本—酒精饮料 II	专家组报告，日本—对酒精饮料征税，WT/DS8/R，WT/DS10/R，WT/DS11/R，1996年11月1日通过，上诉机构报告修正，WT/DS8/AB/R，WT/DS10/AB/R，WT/DS11/AB/R，DSR 1996：I，p. 125
日本—酒精饮料 II [第21.3（c）条]	仲裁决定，日本—对酒精饮料征税—在 DSU 第21.3（c）条下仲裁，WT/DS8/15，WT/DS10/15，WT/DS11/13，1997年2月14日，DSR 1997：I，p. 3
日本—苹果	上诉机构报告，日本—影响苹果进口措施，WT/DS245/AB/R，2003年12月10日通过，DSR 2003：IX，p. 4391
日本—苹果	专家组报告，日本—影响苹果进口措施，WT/DS245/R，2003年12月10日通过，得到上诉机构报告支持，WT/DS245/AB/R，DSR 2003：IX，p. 4481
日本—苹果 （第21.5条—美国）	专家组报告，日本—影响苹果进口措施—由美国根据 DSU 第21.5条提出，WT/DS245/RW，2005年7月20日通过，DSR 2005：XVI，p. 7911
日本—动态存储器（韩国）	上诉机构报告，日本—对产自韩国动态存储器征收反补贴税，WT/DS336/AB/R 和 Corr. 1，2007年12月17日通过，DSR 2007：VII，p. 2703

续 表

简要标题	案件标题全称及出处
日本—动态存储器（韩国）	专家组报告，日本—对产自韩国动态存储器征收反补贴税，WT/DS336/R，2007 年 12 月 17 日通过，上诉机构报告修正，WT/DS336/AB/R，DSR 2007：VII，p. 2805
日本—动态存储器（韩国）［第 21.3（c）条］	仲裁决定，日本—对产自韩国动态存储器征收反补贴税—DSU 第 21.3（c）条下的仲裁，WT/DS336/16，2008 年 5 月 5 日，DSR 2008：XX，p. 8553
日本—胶卷	专家组报告，日本—影响消费冲印胶卷和纸张的措施，WT/DS44/R，1998 年 4 月 22 日通过，DSR 1998：IV，p. 1179
日本—紫菜配额	专家组报告，日本—干紫菜和味付紫菜进口配额 WT/DS323/R，2006 年 2 月 1 日，未通过
韩国—酒精饮料	上诉机构报告，韩国—酒精饮料征税，WT/DS75/AB/R，WT/DS84/AB/R，1999 年 2 月 17 日通过，DSR 1999：I，p. 3
韩国—酒精饮料	专家组报告，韩国—酒精饮料征税，WT/DS75/R，WT/DS84/R，1999 年 2 月 17 日通过，上诉机构报告修正，WT/DS75/AB/R，WT/DS84/AB/R，DSR 1999：I，p. 44
韩国—酒精饮料［第 21.3（c）条］	仲裁决定，韩国—酒精饮料征税—在 DSU 第 21.3（c）条下仲裁，WT/DS75/16，WT/DS84/14，1999 年 6 月 4 日，DSR 1999：II，p. 937
韩国—牛肉（加拿大）	专家组报告，韩国—影响自加拿大进口牛肉和肉制品的措施，WT/DS391/R，2012 年 7 月 3 日未通过
韩国—特定纸张	专家组报告，韩国—对特定来自印度尼西亚进口产品征收反倾销税，WT/DS312/R，2005 年 11 月 28 日通过，DSR 2005：XXII，p. 10637
韩国—特定纸张（第 21.5 条—印度尼西亚）	专家组报告，韩国—对特定来自印度尼西亚进口产品征收反倾销税—由印度尼西亚根据 DSU 第 21.5 条提出，WT/DS312/RW，2007 年 10 月 22 日通过，DSR 2007：VIII，p. 3369
韩国—商船	专家组报告，韩国—影响商船贸易的措施，WT/DS273/R，2005 年 4 月 11 日通过，DSR 2005：VII，p. 2749
韩国—奶制品	上诉机构报告，韩国—进口特定奶制品的明确保障措施，WT/DS98/AB/R，2000 年 1 月 12 日通过，DSR 2000：I，p. 3
韩国—奶制品	专家组报告，韩国—进口特定奶制品的明确保障措施 WT/DS98/R 和 Corr. 1，2000 年 1 月 12 日通过，上诉机构报告修正，WT/DS98/AB/R，DSR 2000：I，p. 49
韩国—政府采购	专家组报告，韩国—影响政府采购措施，WT/DS163/R，2000 年 6 月 19 日通过，DSR 2000：VIII，p. 3541
韩国—牛肉多种措施	上诉机构报告，韩国—影响鲜肉、冷藏肉和冷冻肉的措施，WT/DS161/AB/R，WT/DS169/AB/R，2001 年 1 月 10 日通过，DSR 2001：I，p. 5
韩国—牛肉多种措施	专家组报告，韩国—影响鲜肉、冷藏肉和冷冻肉的措施，WT/DS161/R，WT/DS169/R，2001 年 1 月 10 日通过，上诉机构报告修正，WT/DS161/AB/R，WT/DS169/AB/R，DSR 2001：I，p. 59
墨西哥—稻米反倾销措施	上诉机构报告，墨西哥—对于牛肉和稻米的明确反倾销措施，对于稻米的上诉，WT/DS295/AB/R，2005 年 12 月 20 日通过，DSR 2005：XXII，p. 10853

续 表

简要标题	案件标题全称及出处
墨西哥—稻米反倾销措施	专家组报告，墨西哥—对于牛肉和稻米的明确反倾销措施，对于稻米的上诉，WT/DS295/R，2005年12月20日通过，上诉机构报告修正，WT/DS295/AB/R，DSR 2005：XXIII，p.11007
墨西哥—玉米糖浆	专家组报告，墨西哥—对于来自美国的高果糖玉米糖浆的反倾销调查 WT/DS132/R 和 Corr.1，2000年2月24日通过，DSR 2000：III，p.1345
墨西哥—玉米糖浆（第21.5条—美国）	上诉机构报告，墨西哥—对于来自美国的高果糖玉米糖浆的反倾销调查—由美国根据 DSU 第21.5条提请，WT/DS132/AB/RW，2001年11月21日通过，DSR 2001：XIII，p. 6675
墨西哥—玉米糖浆（第21.5条—美国）	专家组报告，墨西哥—对于来自美国的高果糖玉米糖浆的反倾销调查—由美国根据 DSU 第21.5条提请，WT/DS132/RW，2001年11月21日通过，得到上诉机构报告支持，WT/DS132/AB/RW，DSR 2001：XIII，p.6717
墨西哥—橄榄油	专家组报告，墨西哥—对来自欧共体的橄榄油征收最终反补贴税，WT/DS341/R，2008年10月21日通过，DSR 2008：IX，p. 3179
墨西哥—钢管	专家组报告，墨西哥—对产自危地马拉钢管征收反倾销税，WT/DS331/R，2007年7月24日通过，DSR 2007：IV，p. 1207
墨西哥—非酒精饮料征税	上诉机构报告，墨西哥—对于非酒精饮料及其他饮料的征税措施，WT/DS308/AB/R，2006年3月24日通过，DSR 2006：I，p.3
墨西哥—非酒精饮料征税	专家组报告，墨西哥—对于非酒精饮料及其他饮料的征税措施，WT/DS308/R，2006年3月24日通过，上诉机构报告修正，WT/DS308/AB/R，DSR 2006：I，p.43
墨西哥—电信	专家组报告，墨西哥—影响电信服务的措施，WT/DS204/R，2004年6月1日通过，DSR 2004：IV，p.1537
秘鲁—农产品	专家组报告，秘鲁—某些农产品进口的附加税，WT/DS457/R 和 Add.1，2014年11月27日向WTO成员散发，2015年7月31日通过
菲律宾—蒸馏酒精	上诉机构报告，菲律宾—对蒸馏酒精征税，WT/DS396/AB/R / WT/DS403/AB/R，2012年1月20日通过，DSR 2012：VIII，p. 4163
菲律宾—蒸馏酒精	专家组报告，菲律宾—对蒸馏酒精征税，WT/DS396/AB/R / WT/DS403/AB/R，2012年1月20日通过，上诉机构报告修正，WT/DS396/AB/R / WT/DS403/AB/R，DSR 2012：VIII，p. 4271
泰国—香烟（菲律宾）	上诉机构报告，泰国—对自菲律宾进口香烟的海关和行政措施，WT/DS371/AB/R，2011年7月15日通过，DSR 2011：IV，p. 2203
泰国—香烟（菲律宾）	专家组报告，泰国—对自菲律宾进口香烟的海关和行政措施，WT/DS371/R，2011年7月15日通过，上诉机构报告修正，WT/DS371/AB/R，DSR 2011：IV，p. 2299
泰国—H型钢	上诉机构报告，泰国—对波兰出口的铁或非合金钢的角铁、型材、轧材及H型钢的反倾销税案，WT/DS122/AB/R，2001年4月5日通过，DSR 2001：VII，2 p.701
泰国—H型钢	专家组报告，泰国—对波兰出口的铁或非合金钢的角铁、型材、轧材及H型钢的反倾销税案，WT/DS122/R，2001年4月5日通过，上诉机构报告修正，WT/DS122/AB/R，DSR 2001：VII，p.2741
土耳其—大米	专家组报告，土耳其—影响大米进口的措施，WT/DS334/R，2007年10月22日通过，DSR 2007：VI，p. 2151

续 表

简要标题	案件标题全称及出处
土耳其—纺织品	上诉机构报告，土耳其—对于纺织品及服装进口的限制，WT/DS34/AB/R，1999 年 11 月 19 日通过，DSR 1999 年：VI，p. 2345
土耳其—纺织品	专家组报告，土耳其—对于纺织品及服装进口的限制，WT/DS34/R，1999 年 11 月 19 日通过，上诉机构报告修正，WT/DS34/AB/R，DSR 1999：VI，p. 2363
美国—1916 年法案	上诉机构报告，美国—1916 年反倾销法案，WT/DS136/AB/R，WT/DS162/AB/R，2000 年 9 月 26 日通过，DSR 2000：X，p. 4793
美国—1916 年法案（欧共体）	专家组报告，美国—1916 年反倾销法案，由欧共体上诉，WT/DS136/R 和 Corr. 1，2000 年 9 月 26 日通过，得到上诉机构报告支持，WT/DS136/AB/R，WT/DS162/AB/R，DSR 2000 年：X，p. 4593
美国—1916 年法案（日本）	专家组报告，美国—1916 年反倾销法案，由日本上诉，WT/DS162/R 和 Add. 1，2000 年 9 月 26 日通过，得到上诉机构报告支持，WT/DS136/AB/R，WT/DS162/AB/R，DSR 2000：X，p. 4831
美国—1916 年法案 [第 21.3（c）条]	仲裁决定，美国—1916 年反倾销法案—在 DSU 第 21.3（c）条下仲裁，WT/DS136/11，WT/DS162/14，2001 年 2 月 28 日，DSR 2001：V，p. 2017
美国—1916 年法案（欧共体）（第 22.6 条—美国）	仲裁判决，美国—1916 年反倾销法案，最初由欧共体上诉—由美国根据 DSU 第 22.6 条的仲裁，WT/DS136/ARB，2004 年 2 月 24 日，DSR 2004：IX，p. 4269
美国—反倾销税和反补贴税（中国）	上诉机构报告，美国—对来自中国的产品征收肯定反倾销税和反补贴税，WT/DS379/AB/R，2011 年 3 月 25 日，DSR 2011：V，p. 2869
美国—反倾销税和反补贴税（中国）	专家组报告，美国—对来自中国的产品征收肯定反倾销税和反补贴税，WT/DS379/R，2011 年 3 月 25 日，上诉机构报告修正，WT/DS379/AB/R，DSR 2011：VI，p. 3143
美国—石油国家工业用管的反倾销措施	上诉机构报告，美国—对来自墨西哥石油国家工业用管的反倾销措施，WT/DS282/AB/R，2005 年 11 月 28 日通过，DSR 2005：XX，p. 10127
美国—石油国家工业用管的反倾销措施	专家组报告，美国—对来自墨西哥石油国家工业用管的反倾销措施，WT/DS282/R，2005 年 11 月 28 日通过，上诉机构报告修正，WT/DS282/AB/R，DSR 2005：XXI，p. 10225
美国—PET 包装袋反倾销措施	专家组报告，美国—对自泰国进口的 PET 包装袋采取反倾销措施，WT/DS383/R，2010 年 2 月 18 日通过，DSR 2010：IV，p. 1841
美国—碳钢	上诉机构报告，美国—对来自德国的特殊耐腐蚀碳钢板的反补贴税，WT/DS213/AB/R 和 Corr. 1，2002 年 12 月 19 日通过，DSR 2002：IX，p. 3779
美国—碳钢	专家组报告，美国—对来自德国的特殊耐腐蚀碳钢板的反补贴税，WT/DS213/R 和 Corr. 1，2002 年 12 月 19 日通过，上诉机构报告修正，WT/DS213/AB/R 和 Corr. 1，DSR 2002：IX，p. 3833
美国—碳钢（印度）	上诉机构报告，美国—对源自印度的某些热轧碳钢产品的反补贴措施，WT/DS436/AB/R，2014 年 12 月 19 日通过
美国—碳钢（印度）	专家组报告，美国—对源自印度的某些热轧碳钢产品的反补贴措施，WT/DS436/R 和 Add. 1，2014 年 12 月 19 日通过，由上诉机构报告修正，WT/DS436/AB/R 修正
美国—特定欧共体产品	上诉机构报告，美国—特定从欧共体产品的进口措施 WT/DS165/AB/R，2001 年 1 月 10 日通过，DSR 2001：I，p. 373

续 表

简要标题	案件标题全称及出处
美国—特定欧共体产品	专家组报告，美国—特定从欧共体产品的进口措施，WT/DS165/R 和 Add. 1，2001 年 1 月 10 通过，上诉机构报告修正，WT/DS165/AB/R，DSR 2001：II，p. 413
美国—丁香香烟	上诉机构报告，美国—影响丁香香烟生产和销售的措施，WT/DS406/AB/R，2012 年 4 月 24 日通过，DSR 2012：XI，p. 5751
美国—丁香香烟	专家组报告，美国—影响丁香香烟生产和销售的措施，WT/DS406/R，2012 年 4 月 24 日通过，上诉机构报告修正，WT/DS406/AB/R，DSR 2012：XI，p. 5865
美国—要求取消报复措施	上诉机构报告，美国—欧共体要求取消报复措施—荷尔蒙争端，WT/DS320/AB/R，2008 年 11 月 14 日通过，DSR 2008：X，p. 3507
美国—要求取消报复措施	专家组报告，美国—欧共体要求取消报复措施—荷尔蒙争端，WT/DS320/R 和 Add. 1—Add. 7，2008 年 11 月 14 日通过，上诉机构报告修正，WT/DS320/AB/R，DSR 2008：XI，3891
美国—归零法	上诉机构报告，美国—继续采用归零法则，WT/DS350/AB /R，2009 年 2 月 19 日通过，DSR 2009：III，p. 1291
美国—归零法	专家组报告，美国—继续采用归零法则，WT/DS350/R，2009 年 2 月 19 日通过，上诉机构报告修正，WT/DS350/AB/R，DSR 2009：III，p. 1481
美国—原产地标签	专家组报告，美国—部分原产地标签规定，WT/DS384/R / WT/DS384/AB/R / WT/DS386/AB/R，2012 年 7 月 23 日通过，DSR 2012：V，p. 2449
美国—原产地标签	专家组报告，美国—部分原产地标签规定，WT/DS384/R / WT/DS384/AB/R / WT/DS386/AB/R，2012 年 7 月 23 日通过，上诉机构报告修正，WT/DS384/AB/R / WT/DS386/AB/R，DSR 2012：VI，p. 2745
美国—原产地标签 [第 21. 3（C）条]	专家组报告，美国—部分原产地标签规定—在 DSU 第 21. 3（c）条下仲裁，WT/DS384/24，WT/DS386/23，2012 年 12 月 4 日，DSR 2012：XIII，p. 7173
美国—原产地标签（第 21. 5 条—加拿大和墨西哥）	专家组报告，美国—部分原产地标签规定—加拿大和墨西哥根据 DSU 第 21. 5 条起诉，WT/DS384/RW / WT/DS386/RW / 和 Add. 1，2014 年 10 月 20 日向 WTO 成员散发，2015 年 5 月 29 日通过，WT/DS384/AB/RW，WT/DS386/AB/RW
美国—不锈钢日落复审	上诉机构报告，美国—对来自日本的特殊耐腐蚀碳钢板反倾销税的日落复审，WT/DS244/AB/R，2004 年 1 月 9 日通过，DSR 2004：I，p. 3
美国—不锈钢日落复审	专家组报告，美国—对来自日本的特殊耐腐蚀碳钢板反倾销税的日落复审，WT/DS244/R，2004 年 1 月 9 日通过，上诉机构报告修正，WTDS244/AB/R，DSR 2004：I，p. 85
美国—棉纱	上诉机构报告，美国—对来自巴基斯坦棉纱的过渡期保障措施 WT/DS192/AB/R，2001 年 11 月 5 日通过，DSR 2001：XII，p. 6027
美国—棉纱	专家组报告，美国—对来自巴基斯坦棉纱的过渡期保障措施，WT/DS192/R，2001 年 11 月 5 日通过，上诉机构报告修正，WT/DS192/AB/R，DSR 2001：XII，p. 6067
美国—反补贴和反倾销措施（中国）	上诉机构报告，美国—对自中国的某些产品的反补贴和反倾销措施，WT/DS449/AB/R 和 Corr. 1，2014 年 7 月 22 日通过

续 表

简要标题	案件标题全称及出处
美国—反补贴和反倾销措施（中国）	专家组报告，美国—对来自中国的某些产品的反补贴和反倾销措施，WT/DS449/R 和 Add. 1，2014 年 7 月 22 日通过，由专家组报告修正 WT/DS449/AB/R
美国—对计算机动态随机存取存储器芯片进行反补贴税调查	上诉机构报告，美国—对来自韩国的计算机动态随机存取存储器芯片进行反补贴税调查，WT/DS296/AB/R，2005 年 7 月 20 日通过，DSR 2005：XVI，p. 8131
美国—对计算机动态随机存取存储器芯片进行反补贴税调查	专家组报告，美国—对来自韩国的计算机动态随机存取存储器芯片进行反补贴税调查，WT/DS296/R，2005 年 7 月 20 日通过，上诉机构报告修正，WT/DS296/AB/R，DSR 2005：XVII，p. 8243
美国—反补贴措施（中国）	上诉机构报告，美国—对来自中国的某些产品的反补贴税的措施，WT/DS437/AB/R，2015 年 1 月 16 日通过
美国- 反补贴措施（中国）	专家组报告，美国—对来自中国的某些产品的反补贴税的措施，WT/DS437/R and Add. 1，2015 年 1 月 16 日通过，由上诉机构报告修正 WT/DS437/AB/R
美国—对特定欧共体产品贴税措施	上诉机构报告，美国—对特定欧共体产品贴税措施，WT/DS212/AB/R，2003 年 1 月 8 日通过，DSR 2003：I，p. 5
美国—对特定欧共体产品贴税措施	专家组报告，美国—对特定欧共体产品贴税措施，WT/DS212/R，2003 年 1 月 8 日通过，上诉机构报告修正，WT/DS212/AB/R，DSR 2003：I，p. 73
美国—对特定欧共体产品贴税措施（第 21. 5 条—欧共体）	专家组报告，美国—对特定欧共体产品贴税措施—由欧共体根据 DSU 第 21. 5 条提出，WT/DS212/RW，2005 年 9 月 27 日通过，DSR 2005：XVIII，p. 8950
美国—海关保税指令	专家组报告，美国—对征收反倾销和反补贴产品实行海关保税，WT/DS345/R，2008 年 8 月 1 日通过，上诉机构报告修正，WT/DS343/AB/R，WT/DS345/AB/R，DSR 2008：VIII，p. 2925
美国—计算机动态随机存取存储器芯片	专家组报告，美国—对来自韩国 1 兆或以上的计算机动态随机存取存储器芯片征收反倾销税，WT/DS99/R，1999 年 3 月 19 日通过，DSR 1999：II，p. 521
美国—计算机动态随机存取存储器芯片（第 21. 5 条—韩国）	专家组报告，美国—对来自韩国 1 兆或以上的计算机动态随机存取存储器芯片征收反倾销税—韩国根据 DSU 第 21. 5 条，W 提出 T/DS99/RW，2000 年 11 月 7 日，未通过
美国—出口限制	专家组报告，美国—作为补贴的出口限制措施，WT/DS194/R 和 Corr. 2，2001 年 8 月 23 日通过，DSR 2001：XI，p. 5767
美国—海外销售公司	上诉机构报告，美国— “海外销售公司” 税收待遇，WT/DS108/AB/R，2000 年 3 月 20 日通过，DSR 2000：III，p. 1619
美国—海外销售公司	专家组报告，美国 “海外销售公司” 税收待遇，WT/DS108/R，2000 年 3 月 20 日，上诉机构报告修正，WT/DS108/AB/R，DSR 2000：IV，p. 1675
美国—海外销售公司（第 21. 5 条—欧共体）	上诉机构报告，美国 “海外销售公司” 税收待遇—由欧共体根据 DSU 第 21. 5 条提出，WT/DS108/AB/RW，2002 年 1 月 29 日通过，DSR 2002：I，p. 55
美国—海外销售公司（第 21. 5 条—欧共体）	专家组报告，美国— “海外销售公司” 税收待遇—由欧共体根据 DSU 第 21. 5 条提出，WT/DS108/RW，2002 年 1 月 29 日通过，上诉机构报告修正，WT/DS108/AB/RW，DSR 2002：I，p. 119

续 表

简要标题	案件标题全称及出处
美国—海外销售公司（第21.5条—欧共体II）	上诉机构报告，美国—“海外销售公司”税收待遇，由欧共体根据DSU第21.5条提出，WT/DS108/AB/RW2，2006年3月14日通过，DSR 2006：XI，p.4721
美国—海外销售公司（第21.5条—欧共体II）	专家组报告，美国—“海外销售公司”税收待遇，由欧共体根据DSU第21.5条提出，WT/DS108/RW2，2006年3月14日通过，得到上诉机构报告支持，WT/DS108/AB/RW2，DSR 2006：XI，p.4761
美国—海外销售公司（第22.6条—美国）	仲裁结论，美国—美国“海外销售公司”税收待遇—美国根据DSU第22.6条和SCM协议第4.11条做出的仲裁，WT/DS108/ARB，2002年8月30日，DSR 2002：VI，p.2517
美国—博彩业	上诉机构报告，美国—影响博彩业跨境提供服务的措施WT/DS285/AB/R，2005年4月20日通过，DSR 2005：XII，5663（Corr.1，DSR 2006：XII，p.5475）
美国—博彩业	专家组报告，美国—影响博彩业跨境提供服务的措施，WT/DS285/R，2005年4月20日通过，上诉机构报告修正，WT/DS285/AB/R，DSR 2005：XII，p.5797
美国—博彩业［第21.3（c）条］	仲裁决定，美国—影响博彩业跨境提供服务的措施—在DSU第21.3（c）条下仲裁，WT/DS285/13，2005年8月19日，DSR 2005：XXIII，p.11639
美国—博彩业（第21.5条—安提瓜和巴布达）	专家组报告，美国—影响博彩业跨境提供服务的措施—由安提瓜和巴布达根据第21.5条提出，WT/DS285/RW，2007年5月22日通过，DSR 2007：VIII，p.3105
美国—博彩业（第22.6条—美国）	仲裁决定，美国—影响博彩业跨境提供服务的措施—由美国根据DSU第22.6条提交仲裁，WT/DS285/ARB，2007年12月21日，DSR 2007：X，p.4163
美国—汽油	上诉机构报告，美国—精炼汽油及传统汽油标准，WT/DS2/AB/R，1996年5月20日通过，DSR 1996：I，p.3
美国—汽油	专家组报告，美国—精炼汽油及传统汽油标准，WT/DS2/R，1996年5月20日通过，上诉机构报告修正，WT/DS2/AB/R，DSR 1996：I，p.29
美国—热轧钢	上诉机构报告，美国—对来自日本的热轧薄板卷产品征收反倾销税，WT/DS184/AB/R，2001年8月23日通过，DSR 2001：X，p.4697
美国—热轧钢	专家组报告，美国—对来自日本的热轧薄板卷产品征收反倾销税，WT/DS184/R，2001年8月23日通过，上诉机构报告修正，WT/DS184/AB/R，DSR 2001：X，p.4769
美国—热轧钢［第21.3（c）条］	仲裁决定，美国—对来自日本的热轧薄板卷产品征收反倾销税—在DSU第21.3条下仲裁，WT/DS184/13，2002年2月19日，DSR 2002：IV，p.1389
美国—羔羊	上诉机构报告，美国—对来自新西兰和澳大利亚的新鲜、冷藏和冷冻羔羊肉进口保障措施，WT/DS177/AB/R，WT/DS178/AB/R，2001年5月16日通过，DSR 2001：IX，p.4051
美国—羔羊	专家组报告，美国—对来自新西兰和澳大利亚的新鲜、冷藏和冷冻羔羊肉进口保障措施，WT/DS177/R，WT/DS178/R，2001年5月16日通过，上诉机构报告修正，WT/DS177/AB/R，WT/DS178/AB/R，DSR 2001：IX，p.4107
美国—大型民用航空器（第二次起诉）	上诉机构报告，美国—影响大型民用航空器贸易的措施（第二次起诉），WT/DS353/AB/R，2012年3月23日通过，DSR 2012：I，p. 7

续 表

简要标题	案件标题全称及出处
美国—大型民用航空器（第二次起诉）	专家组报告，美国—影响大型民用航空器贸易的措施（第二次起诉），WT/DS353/R，2012 年 3 月 23 日通过，上诉机构报告修正，WT/DS353/AB/R，DSR 2012：II，p. 649
美国—热轧铅铋碳钢制品案 II	上诉机构报告，美国—对于原产英国的某些热轧铅铋碳钢制品进行反补贴税，WT/DS138/AB/R，2000 年 6 月 7 日通过，DSR 2000：V，p. 2595
美国—热轧铅铋碳钢制品案 II	专家组报告，美国—对于原产英国的某些热轧铅铋碳钢制品进行反补贴税，WT/DS138/R 和 Corr. 2，2000 年 6 月 7 日通过，得到上诉机构报告支持，WT/DS138/AB/R，DSR 2000：VI，p. 2623
美国—直线管	上诉机构报告，美国—对来自韩国的圆焊碳质条形管进口的保障措施，WT/DS202/AB/R，2002 年 3 月 8 日通过，DSR 2002：IV，p. 1403
美国—直线管	专家组报告，美国—对来自韩国的圆焊碳质条形管进口的保障措施，WT/DS202/R，2002 年 3 月 8 日通过，上诉机构报告修正，WT/DS202/AB/，DSR 2002：IV，p. 1473
美国—直线管 [第 21.3（c）条]	仲裁员报告，美国—对来自韩国的圆焊碳质条形管进口的保障措施—在 DSU 第 21.3（c）条下仲裁，WT/DS202/17，2002 年 7 月 26 日，DSR 2002：V，p. 2061
美国—补偿法案 （伯德修正案）	上诉机构报告，美国—2000 年对持续倾销和补贴的补偿法案，WT/DS217/AB/R，WT/DS234/AB/R，2003 年 1 月 27 日通过，DSR 2003：I，p. 375
美国—补偿法案 （伯德修正案）	专家组报告，美国—2000 年对持续倾销和补贴的补偿法案，WT/DS217/R，WT/DS234/R，2003 年 1 月 27 日通过，上诉机构报告修正，WT/DS217/AB/R，WT/DS234/AB/R，DSR 2003：II，p. 489
美国—补偿法案 （伯德修正案） [第 21.3（c）条]	仲裁决定，美国—2000 年对持续倾销和补贴的补偿法案—在 DSU 第 21.3（c）条下仲裁，WT/DS217/14，WT/DS234/22，2003 年 6 月 13 日，DSR 2003：III，p. 1163
美国—补偿法案 （伯德修正案）（巴西） （第 22.6 条—美国）	仲裁决定，美国—2000 年对持续倾销和补贴的补偿法案，最初由巴西上诉—溯及美国根据 DSU 第 22.6 条仲裁，WT/DS217/ARB/BRA，2004 年 8 月 31 日，DSR 2004：IX，p. 4341
美国—补偿法案 （伯德修正案）（加拿大） （第 22.6 条—美国）	仲裁决定，美国—2000 年对持续倾销和补贴的补偿法案，由加拿大上诉—溯及美国根据 DSU 第 22.6 条仲裁，WT/DS234/ARB/CAN，2004 年 8 月 31 日，DSR 2004：IX，p. 4425
美国—补偿法案 （伯德修正案）（智利） （第 22.6 条—美国）	仲裁决定，美国—2000 年对持续倾销和补贴的补偿法案，由智利上诉—溯及美国根据 DSU 第 22.6 条仲裁，WT/DS217/ARB/CHL，2004 年 8 月 31 日，DSR 2004 年：IX，p. 4511
美国—补偿法案 （伯德修正案）（欧共体） （第 22.6 条—美国）	仲裁决定，美国—2000 年对持续倾销和补贴的补偿法案，由欧共体上诉—溯及美国根据 DSU 第 22.6 条仲裁，WT/DS217/ARB/EEC，2004 年 8 月 31 日，DSR 2004：IX，p. 4591
美国—补偿法案 （伯德修正案）（印度） （第 22.6 条—美国）	仲裁决定，美国—2000 年对持续倾销和补贴的补偿法案，最初由印度上诉—溯及美国根据 DSU 第 22.6 条仲裁 WT/DS217/ARB/IND，2004 年 8 月 31 日，DSR 2004：X，p. 4691
美国—补偿法案 （伯德修正案）（日本） （第 22.6 条—美国）	仲裁决定，美国—2000 年对持续倾销和补贴的补偿法案，最初由日本上诉—溯及美国根据 DSU 第 22.6 条仲裁 WT/DS217/ARB/JPN，2004 年 8 月 31 日，DSR 2004：X，p. 4771

续 表

简要标题	案件标题全称及出处
美国—补偿法案（伯德修正案）（韩国）（第22.6条—美国）	仲裁决定，美国—2000年对持续倾销和补贴的补偿法案，最初由韩国上诉—溯及美国根据DSU第22.6条仲裁，WT/DS217/ARB/KOR，2004年8月31日，DSR 2004：X，p.4851
美国—补偿法案（伯德修正案）（墨西哥）（第22.6条—美国）	仲裁决定，美国—2000年对持续倾销和补贴的补偿法案，最初由墨西哥上诉—溯及美国根据DSU第22.6条仲裁，WT/DS234/ARB/MEX，2004年8月31日，DSR 2004：X，p.4931
美国—石油工业用管材日落复审	上诉机构报告，美国—对来自阿根廷石油工业用管材反倾销措施日落复审，WT/DS268/AB/R，2004年12月17日通过，DSR 2004：VII，p.3257
美国—石油工业用管材日落复审	专家组报告，美国—对来自阿根廷石油工业用管材反倾销措施日落复审WT/DS268/R和Corr.1，2004年12月17日通过，上诉机构报告修正，W/DS/268/AB/R，DSR 2004：VIII，p.3421
美国—石油工业用管材日落复审［第21.3（c）条］	仲裁决定，美国—对来自阿根廷石油工业用管材反倾销措施日落复审—在DSU第21.3（c）条下仲裁，WT/DS268/12，2005年6月7日，DSR 2005：XXIII，p.11619
美国—石油工业用管材日落复审（第21.5条—阿根廷）	专家组报告，美国—对来自阿根廷石油工业用管材反倾销措施日落复审—由阿根廷根据DSU第21.5条提出，WT/DS268/RW，2007年5月11日通过，DSR 2007：IX，p.3523
美国—石油工业用管材日落复审（第21.5条—阿根廷）	专家组报告，美国—对来自阿根廷石油工业用管材反倾销措施日落复审—由阿根廷根据DSU第21.5条提出，WT/DS268/RW，2007年5月11日通过，上诉机构报告修正，WT/DS268/AB/RW，DSR 2007：IX X，p.3609
美国—果汁（巴西）	专家组报告，美国—对自巴西进口的果汁采取反倾销行政复审及其他措施，WT/DS382/R，2011年6月17日报告，DSR 2011：VII，p. 3753
美国—家禽（中国）	专家组报告，美国—影响自中国进口家禽的措施，WT/DS392/R，2010年10月25日通过，DSR 2010：V，p.1909
美国—美国版权法第110节第5段	专家组报告，美国版权法第110节第5段，WT/DS160/R，2000年7月27日通过，DSR 2000：VIII，p.3769
美国—美国版权法第110节第5段［第21.3（c）条］	仲裁决定，美国—美国版权法第110节第5段—在DSU第21.3（c）条下仲裁，WT/DS160/12，2001年1月15日，DSR 2001：II，p.657
美国—美国版权法第110节第5段（第25条）	仲裁决定s，美国—美国版权法第110节第5段—在DSU第25条下仲裁，WT/DS160/ARB25/1，2001年11月9日，DSR 2001：II，p. 667
美国—乌拉圭回合农业协议第129（c）节（1）段	专家组报告，美国—乌拉圭回合农业协议第129（c）节（1）段，WT/DS221/R，引自2002年，8月30日DSR 2002：VII，p.2581
美国—综合拨款法第211节	上诉机构报告，美国—1998年综合拨款法第211节，WT/DS176/AB/R，2002年2月1日通过，DSR 2002：II，p.589
美国—综合拨款法第211节	专家组报告，美国—1998年综合拨款法第211节，WT/DS176/R，2002年2月1日通过，上诉机构报告修正，WT/DS176/AB/R，DSR 2002：II，p.683
美国—贸易法的301条款	专家组报告，美国—1974年综合拨款法第211节，WT/DS152/R，2000年1月27日通过，DSR 2000：II，p.815
美国—虾	上诉机构报告，美国—特定虾及虾类产品进口限制，WT/DS58/AB/R，1998年11月6日通过，DSR 1998年：VII，p.2755

续 表

简要标题	案件标题全称及出处
美国—虾	专家组报告，美国—特定虾及虾类产品进口限制，WT/DS58/R 和 Corr. 1，1998 年 11 月 6 日通过，上诉机构报告修正，WT/DS58/AB/R，DSR 1998：VII，p. 2821
美国—虾 （第 21.5 条—马来西亚）	上诉机构报告，美国—特定虾及虾类产品进口限制—由马来西亚根据 DSU 第 21.5 条提出，WT/DS58/AB/RW，2001 年 11 月 21 日通过，DSR 2001：XIII，p. 6481
美国—虾 （第 21.5 条—马来西亚）	专家组报告，美国—特定虾及虾类产品进口限制—由马来西亚根据 DSU 第 21.5 条提出，WT/DS58/RW，2001 年 11 月 21 日通过，得到上诉机构报告支持，WT/DS58/AB/RW，DSR 2001：XIII，p. 6529
美国—虾（厄瓜多尔）	专家组报告，美国—对产自厄瓜多尔虾采取反倾销，WT/DS335/R，2007 年 2 月 20 日通过，DSR 2007：II，p. 425
美国—虾（泰国） 美国—海关保税指令	上诉机构报告，美国—与从泰国进口虾有关的措施/ 美国—对征收反倾销和反补贴的商品实行海关保税指令，WT/DS343/AB/R，WT/DS345/AB/R，2008 年 8 月 1 日通过，DSR 2008：VII，2385 / DSR 2008：VIII，p. 2773
美国—虾（泰国）	专家组报告，美国—与从泰国进口虾有关的措施，WT/DS343/R，2008 年 8 月 1 日通过，上诉机构报告修正，WT/DS343/AB/R，WT/DS345/AB/R，DSR 2008：VII，p. 2539
美国—虾（越南）	上诉机构报告，美国—对源自越南的某些暖水虾的反倾销措施，WT/DS429/AB/R，2015 年 4 月 22 日通过
美国—虾（越南）	专家组报告，美国—对自越南进口虾实施反倾销措施，WT/DS404/R，2011 年 9 月 2 日通过，DSR 2011：X，p. 5301
美国—软木 III	专家组报告，美国—对来自加拿大的特定软木产品的初步裁定，WT/DS236/R，2002 年 11 月 1 日通过，DSR 2002：IX，p. 3597
美国—软木 IV	上诉机构报告，美国—对来自加拿大的特定软木的最后反补贴税决定，WT/DS257/AB/R，2004 年 2 月 17 日通过，DSR 2004 年：II，p. 571
美国—软木 IV	专家组报告，美国—对来自加拿大的特定软木的最后反补贴税决定，WT/DS257/R 和 Corr. 1，2004 年 2 月 17 日通过，上诉机构报告修正，WT/DS257/AB/R，DSR 2004：II，p. 641
美国—软木 IV （第 21.5 条—加拿大）	上诉机构报告，美国—对来自加拿大的特定软木的最后反补贴税决定—由加拿大根据 DSU 第 21.5 条提出，WT/DS257/AB/RW，2005 年 12 月 20 日通过，DSR 2005：XXIII，p. 11357
美国—软木 IV （第 21.5 条—加拿大）	专家组报告，美国—对来自加拿大的特定软木的最后反补贴税决定—由加拿大根据 DSU 第 21.5 条提出，WT/DS257/RW，2005 年 12 月 20 日通过，上诉机构报告驳回，WT/DS257/AB/RW，DSR 2005：XXIII，p. 11401
美国—软木 V	上诉机构报告，美国—对来自加拿大软木的最终倾销判决，WT/DS264/AB/R，2004 年 8 月 31 日通过，DSR 2004：V，p. 1875
美国—软木 V	专家组报告，美国—对来自加拿大软木的最终倾销判决，WT/DS264/R，2004 年 8 月 31 日通过，上诉机构报告修正，WT/DS264/AB/R，DSR 2004：V，p. 1937

续 表

简要标题	案件标题全称及出处
美国—软木 V [第 21.3（c）条]	仲裁员报告，美国—对来自加拿大软木的最终倾销判决—在 DSU 第 21.3（c）条下仲裁，WT/DS264/13，2004 年 12 月 13 日，DSR 2004：X，p. 5011
美国—软木 V（第 21.5 条—加拿大）	上诉机构报告，美国—对来自加拿大软木的最终倾销判决—由加拿大根据 DSU 第 21.5 条提出，WT/DS264/AB/RW，2006 年 9 月 1 日通过，DSR 2006：XII，p. 5087
美国—软木 V（第 21.5 条—加拿大）	专家组报告，美国—对来自加拿大软木的最终倾销判决—由加拿大根据 DSU 第 21.5 条提出，WT/DS264/RW，2006 年 9 月 1 日通过，得到上诉机构报告支持，WT/DS264/AB/RW，DSR 2006：XII，p. 5147
美国—软木 VI	专家组报告，美国—国际贸易委员会对来自加拿大软木的调查，WT/DS277/R，2004 年 4 月 26 日通过，DSR 2004：VI，p. 2485
美国—软木 VI（第 21.5 条—加拿大）	上诉机构报告，美国—国际贸易委员会对来自加拿大软木的调查—由加拿大根据 DSU 第 21.5 条提出，WT/DS277/AB/RW，2006 年 5 月 9 日通过，和 Corr. 1，DSR 2006：XI，p. 4865
美国—软木 VI（第 21.5 条—加拿大）	专家组报告，美国—国际贸易委员会对来自加拿大软木的调查—由加拿大根据 DSU 第 21.5 条提出，WT/DS277/RW，2006 年 5 月 9 日通过，上诉机构报告修正，WT/DS277/AB/RW，DSR 2006：XI，p. 4935
美国—不锈钢（韩国）	专家组报告，美国—对来自韩国的不锈钢卷板和不锈钢条的反倾销措施，WT/DS179/R，2001 年 2 月 1 日 通过，DSR 2001：IV，p. 1295
美国—不锈钢（墨西哥）	上诉机构报告，美国—对来自墨西哥的不锈钢采取最终反倾销措施，WT/DS344/AB/R，2008 年 5 月 20 日通过，DSR 2008：II，p. 513
美国—不锈钢（墨西哥）	专家组报告，美国—对来自墨西哥的不锈钢采取最终反倾销措施，WT/DS344/R，2008 年 5 月 20 日通过，上诉机构报告修正，WT/DS344/AB/R，DSR 2008：II，p. 599
美国—不锈钢（墨西哥）[第 21.3（c）条]	仲裁决定，美国—对来自墨西哥的不锈钢采取最终反倾销措施—第 DSU 21.3（c）条下的仲裁，WT/DS344/15，2008 年 10 月 31 日，DSR 2008：XX，p. 8619
美国—不锈钢（墨西哥）（第 21.5 条）	专家组报告，美国—对来自墨西哥的不锈钢采取最终反倾销措施，墨西哥诉诸 DSU 第 21.5 条，WT/DS344/RW，2013 年 5 月 6 日，未通过
美国—钢板	专家组报告，美国—对来自印度钢板的反倾销及反补贴措施，WT/DS206/R 和 Corr. 1，2002 年 7 月 29 日通过，DSR 2002：VI，p. 2073
美国—钢铁保障措施	上诉机构报告，美国—对于特定钢制品进口的保障措施，WT/DS248/AB/R，WT/DS249/AB/R，WT/DS251/AB/R，WT/DS252/AB/R，WT/DS253/AB/R，WT/DS254/AB/R，WT/DS258/AB/R，WT/DS259/AB/R，2003 年 12 月 10 日通过，DSR 2003：VII，p. 3117
美国—钢铁保障措施	专家组报告，美国—对于特定钢制品进口的保障措施，WT/DS248/R，WT/DS249/R，WT/DS251/R，WT/DS252/R，WT/DS253/R，WT/DS254/R，WT/DS258/R，WT/DS259/R，和 Corr. 1，2003 年 12 月 10 日通过，上诉机构报告修正，WT/DS248/AB/R，WT/DS249/AB/R，WT/DS251/AB/R，WT/DS252/AB/R，WT/DS253/AB/R，WT/DS254/AB/R，WT/DS258/AB/R，WT/DS259/AB/R，DSR 2003：VIII，p. 3273
美国—纺织品原产地规则	专家组报告，美国—纺织品及服装产品原产地规则，WT/DS243/R 和 Corr. 1，2003 年 7 月 23 日通过，DSR 2003：VI，p. 2309

续 表

简要标题	案件标题全称及出处
美国—金枪鱼 II（墨西哥）	上诉机构报告，美国—有关金枪鱼及其产品进口、市场和销售的措施，WT/DS381/AB/R，2012 年 6 月 13 日通过，DSR 2012：IV，p. 1837，墨西哥依据第 21.5 条提请，WT/DS381/AB/RW，2015 年 12 月 3 日通过
美国—金枪鱼 II（墨西哥）	专家组报告，美国—有关金枪鱼及其产品进口、市场和销售的措施，WT/DS381/R，2012 年 6 月 13 日通过，由上诉机构报告修正 WT/DS381/AB/R，DSR 2012：IV，p. 2013
美国—轮胎（中国）	上诉机构报告，美国—影响自中国进口的客车和轻卡车轮胎的措施，WT/DS399/AB/R，2011 年 10 月 5 日通过，DSR 2011：IX，p. 4811
美国—轮胎（中国）	专家组报告，美国—影响自中国进口的客车和轻卡车轮胎的措施，WT/DS399/R，2011 年 10 月 5 日通过，上诉机构报告支持 WT/DS399/AB/R，DSR 2011：IX，p. 4945
美国—内衣	上诉机构报告，美国—对于棉质及人造纤维内衣进口的限制，WT/DS24/AB/R，1997 年 2 月 25 日通过，DSR 1997：I，p. 11
美国—内衣	专家组报告，美国—对于棉质及人造纤维内衣进口的限制，WT/DS24/R，1997 年 2 月 25 日通过，上诉机构报告修正，WT/DS24/AB/R，DSR 1997：I，p. 31
美国—棉花	上诉机构报告，美国—对于棉花的补贴，WT/DS267/AB/R，2005 年 3 月 21 日通过，DSR 2005：I，p. 3
美国—棉花	专家组报告，美国—对于棉花的补贴，WT/DS267/R，和 Corr. 1，2005 年 3 月 21 日通过，上诉机构报告修正，WT/DS267/AB/R，DSR 2005：II，p. 299
美国—棉花 （第 21.5 条—巴西）	专家组报告，美国—对于棉花的补贴—由巴西根据 DSU 第 21.5 条提出，WT/DS267/RW 和 Corr. 1，2008 年 6 月 20 日通过，DSR 2008：III，p. 809
美国—棉花 （第 21.5 条—巴西）	上诉机构报告，美国—对于棉花的补贴—由巴西根据 DSU 第 21.5 条提出，WT/DS267/AB/RW 和 Corr. 1，2008 年 6 月 20 日通过，上诉机构报告修正，WT/DS267/AB/RW，DSR 2008：III，p. 997
美国—棉花 （第 22.6 条—美国 I）	仲裁决定，美国—对于棉花的补贴—由美国根据 DSU 第 22.6 条和《补贴和反补贴协议》第 4.11 条提出，WT/DS267/ARB/1，2009 年 8 月 31 日通过，DSR 2009：IX，p. 3871
美国—棉花 （第 22.6 条—美国 II）	仲裁决定，美国—对于棉花的补贴—由美国根据 DSU 第 22.6 条和《补贴和反补贴协议》第 7.10 条提交仲裁，WT/DS267/ARB/2 和 Corr. 1，2009 年 8 月 31 日通过，DSR 2009：IX，p. 4083
美国—面筋粉	上诉机构报告，美国—对来自欧共体的面筋粉进口的明确保障措施，WT/DS166/AB/R，2001 年 1 月 19 日通过，DSR 2001：II，p. 717
美国—面筋粉	专家组报告，美国—对来自欧共体的面筋粉进口的明确保障措施，WT/DS166/R，2001 年 1 月 19 日通过，上诉机构报告修正，WT/DS166/AB/R，DSR 2001：III，p. 779
美国—羊毛衬衫及女上衣	上诉机构报告，美国—影响从印度进口的羊毛衬衫及女上衣的措施，WT/DS33/AB/R 和 Corr. 1，1997 5 月 23 日通过，DSR 1997：I，p. 323
美国—羊毛衬衫及女上衣	专家组报告，美国—影响从印度进口的羊毛衬衫及女上衣的措施，WT/DS33/R，1997 5 月 23 日通过，得到上诉机构报告支持，WT/DS33/AB/R，DSR 1997：I，p. 343

续 表

简要标题	案件标题全称及出处
美国—归零法（欧共体）	上诉机构报告，美国—计算倾销差额（归零法）的法律、规则及方法，WT/DS294/AB/R，2006年5月9日通过，和Corr.1，DSR 2006：II，p.417
美国—归零法（欧共体）	专家组报告，美国—计算倾销差额（归零法）的法律、规则及方法，WT/DS294/R，引自2006年5月9日，上诉机构报告修正，WT/DS294/AB/R，DSR 2006：II，p.521
美国—归零法（欧共体）（第21.5条—欧共体）	上诉机构报告，美国—计算倾销差额（归零法）的法律、规则及方法—由欧共体根据第21.5条提出上诉，WT/DS294/AB/RW和Corr.1，2009年6月11日通过，DSR 2009：VII，p.2911
美国—归零法（欧共体）（第21.5条—欧共体）	专家组报告，美国—计算倾销差额（归零法）的法律、规则及方法—由欧共体根据第21.5条提出上诉，WT/DS294/RW，2009年6月11日通过，上诉机构报告修正，WT/DS294/AB/RW，DSR 2009：VII，p.3117
美国—归零法（日本）	上诉机构报告，美国—与归零法有关的措施及日落复审，WT/DS322/AB/R，2007年1月23日通过，DSR 2007：I，p.3
美国—归零法（日本）	专家组报告，美国—与归零法有关的措施及日落复审，WT/DS322/R，2007年1月23日通过，上诉机构报告修正，WT/DS322/AB/R，DSR 2007：I，p.97
美国—归零法（日本）[第21.3（c）条]	仲裁报告，美国—与归零法有关的措施及日落复审，WT/DS322/21，2007年5月11日，DSR 2007：X，p.4160
美国—归零法（日本）（第21.5条—日本）	上诉机构报告，美国—与归零法和日落复审有关的措施—由日本根据第21.5条提出上诉，WT/DS322/AB/RW，2009年8月31日通过，DSR 2009：VIII，p.3441
美国—归零法（日本）（第21.5条—日本）	专家组报告，美国—与归零法和日落复审有关的措施—由日本根据第21.5条提出上诉，WT/DS322/RW，2009年8月31日通过，得到上诉机构报告支持，WT/DS322/AB/RW，DSR 2009：VIII，p. 3553
美国—归零法（韩国）	专家组报告，美国—对自韩国进口的产品实施反倾销使用归零法，WT/DS402/R，2011年2月24日通过，DSR 2011：X，p. 5239

● 贸易政策审议（2015）

巴巴多斯贸易政策审议

概述

巴巴多斯受到全球金融危机的严重影响，导致其高度依赖的旅游收入锐减。2009 年巴巴多斯的 GDP 出现严重缩水，自 2010 年以来 GDP 始终处于缓慢增长中。预计在 2014 年其 GDP 将缩水 1% 左右，2015 年将稍有反弹。通货膨胀最近几年的持续下跌也反映了经济的疲软，从 2011 年的 9.4%到 2013 年和 2014 年的不到 2%。

巴巴多斯元继续以 2∶1 的比率盯住美元。尽管已经对现存货币明显高估，权威机构认为这一“盯住美元”政策是保持宏观经济稳定的支柱。投资转移和资本汇款都由中央银行在参照外汇管制法的相关条例下进行规制。外国或者非居民投资者必须在中央银行注册登记其带入巴巴多斯的所有资金。外币资金普遍可以在经常项目交易中自由调回。然而，如果大量的资本收益已经实现，资金调回必须分阶段进行，最长达到 5 年。

巴巴多斯的财政状况存在不稳定性。自从上一次在 2008 年发布贸易政策审议以来，巴巴多斯已经注册登记了逐渐增长而导致公债增加的政府财政赤字。赤字削弱了政府应对外部冲击和危机的政府财政能力。财政赤字从 2007/2008 年占 GDP 的 3.4%增长到 2013/2014 年的 12.7%，在 2011/2012 年，受到增值税率从 15%增长到 17.5%的影响，财政赤字曾短暂下降到占 GDP 的 4.4%。尽管在审议期间财政支出稳定保持在 GDP 的 33%～35%，作为 GDP 一部分的财政收入却有所减少，从 2008/2009 年占 GDP 的 30%减少到 2013/2014 年占 GDP 的 24%。这一减少可以归因于许多因素，比如由金融危机带来的经济放缓，从而导致更低的企业和个人所得税总和、显著的税收减免的流行，以及为了帮助度过危机而做出的税收让步与临时的豁免（估计在 GDP 的 5%以上）。尽管对于税收减让的授权最近已经减少，但它已经造成了对于税基的侵蚀。大量的财政赤字导致债务占国内生产总值的比率增加至超过 126%。

财政稳定项目被认为会带来 2015 年赤字的减少以及帮助恢复财政的稳定性。然而，财政改革不足以解决某些结构性问题。巴巴多斯需要进一步努力来简化持续高额的关税并给予投资者税收减免优惠。尽管权威机构认为受到完全的区域性竞争的影响，这些优惠政策对于吸引投资者来说是必要的，但他们在这个方面没有承担起一个完全的成本利益分析。因为巴巴多斯已经提供给投资者一个稳定的商业环境、良好的基础设施建设，以及受过良好教育的劳动力，所以目前的主要问题仍然是增加货物与服务条款的竞争能力上。

巴巴多斯在贸易政策审议期间保持着外部经常账户持续赤字。在 2013 年，赤字从 2008 年占 GDP 的 9.6%上升到占 GDP 的 11.6%。赤字的恶化反映了服务出口的下降（尤其是旅游收入）以及投资与收入越来越不平衡。由于货物的进口是其出口的 2 倍，巴巴多斯有着一个相当大的货物贸易逆差。巴巴多斯的主要货物类出口产品是燃料、食物以及化学产品。其主要贸易伙伴是美国、欧盟、特立尼达拉岛以及多巴哥岛。

巴巴多斯是加勒比共同体以及共同市场的创始成员，也是单一市场和经济的参与者。通过加勒比共同体，巴巴多斯与哥伦比亚、古巴、哥斯达黎加、多米尼加共和国以及委内瑞拉达成了一系列双边贸易协定。作为加勒比共同体中较为发达的国家，巴巴多斯必须同共同体前四位的国家互换关税减让措施。而巴巴多斯与委内瑞拉的协议是非互换的。

巴巴多斯在WTO中扮演着重要的角色，也是多边贸易体制强有力的支持者。在贸易政策审议期间，巴巴多斯继续积极提议关于小型经济体应对价格与供给波动、产品和市场的高固定成本以及自然灾害的脆弱性。巴巴多斯将WTO视为一个提供多边贸易规则框架以指导所有贸易的组织机构。巴巴多斯认为WTO参与到加勒比共同体当中至关重要，WTO的重要性还体现在其规则框架内双边贸易协定的签署。2008年10月签署并由巴巴多斯在2014年1月进行修订的“加勒比共同体与欧盟的经济伙伴关系协定”具有特殊的经济意义。巴巴多斯构建了一个协调EPA实施的小单元，同时也在做出要求的法律调整进程中。

巴巴多斯的投资政策整体来说是开放的，除了那些中央银行应用的与资本控制相关的方面有一些限定措施。体现在自由的市场准入以及自由的建立条件的盛行，此外对于外国的投资没有特别的限定。政府试图通过提供有利的商业环境以及大量的激励方案来吸引外国投资。总体上看，外国投资者被赋予了国民待遇，然而，除了离岸公司以外，非居民持有在巴巴多斯合并的公司股份需要获得外汇管制许可。并且，巴巴多斯没有一个全面的法律确保外国投资者的市场准入或者是国民待遇。最惠国待遇和国民待遇在加勒比共同体的国民和公司间是有保障的。从2009年起，对于在经济伙伴协定下的欧盟成员国，以及同巴巴多斯签署了不同的双边投资协定的欧盟成员国，都可以获得有保障的最惠国待遇和国民待遇。在投资法案中加入最惠国待遇、国民待遇和投资担保，适用于所有的贸易伙伴，并可在法庭上援引，这将提高投资制度的稳定性和可预测性。

巴巴多斯在适用《贸易便利化协定》方面已经取得了可观的进步。通关可用电子方式实现，预裁定机制和风险评估机制都已经确立，根据货物的风险差异可通过四种引导方式通关，其中包括清关后评估的“蓝色通道”(blue lane)。目前，只有大约10%的进口需要进行实地检查。成交价格使用的主要例外与二手汽车的进口相关，其价值测算主要依赖于汽车使用的折旧。

巴巴多斯在应用加勒比共同体的共同外部关税时有许多例外。工业产品的关税上限是20%，农业产品的关税上限是40%。但是作为共同外部关税的一个例外，巴巴多斯在特定的工业制成品上实施60%的关税。由于这一现象以及一些农业产品的关税峰值高达216%的表现，巴巴多斯在2014年的平均关税为15.9%，高于加勒比共同体的平均关税。巴巴多斯授予自加勒比共同体进口的产品以免税待遇，也给予同加勒比共同体签订特惠贸易协定的国家以优惠，比如哥伦比亚、哥斯达黎加、古巴以及多米尼加共和国。在经济伙伴关系协定下，自2011年起，巴巴多斯已经授予来自欧盟成员国的进口以关税优惠。在2014年，巴巴多斯对欧盟进口产品的平均关税几乎比最惠国平均税率低出30%。增值税率大体上在17.5%，在招待所、旅店以及客栈住宿的增值税率要比平均税率减少7.5%，被认为必要的大量的货物和服务达到零关税水平。

巴巴多斯持续维系着一个双授权的政策，这一政策体制有利于来自其他加勒比共同体的进口。于是，产生了两套关于需要颁发许可证的货物清单安排：一套是针对产自加勒比共同体之外的国家的进口；另一套是针对产自加勒比共同体内的货物的进口。第一套涉及面较广。关于健康和安全、公共道德以及国家安全的产品的进口许可证是非自动颁发的，其他的许可证则是自动颁发的。进口许可的有效期为三个月并且可以通过期满终止进行更新来延长有效期，但是不可以在进口商之间进行许可证的转让。巴巴多斯针对应急措施的国内立法已经过时，在这一领域已经没有有关机关负责调查。

除了认证、合格评定以及计量活动，巴巴多斯的标准机构对标准和技术规则的起草和实施负责。技术规则没有日落条款，但是标准通常是每五年审议一次。技术条款是由商务部部长颁布的义务性标准。这一标准可能是为人类、动植物健康或者一些安全的原因而义务性颁布，用以确保质量或者给消费者提供充足的信息；用以保护经济，避免欺诈；或是用以保护公共利益以及国家安全。技术规则的采用，需要在一个日报上以及在政府公报上发表一个通知公告，并且必须要有不少于 60 天的时期允许公开评论这些通知公告。在 2014 年 11 月份，巴巴多斯共有 44 个技术规则在实施进程中。

巴巴多斯正在建立国家农业健康和食品控制机构以便对卫生和植物检疫措施负责，包括审议现存的法律以确保与国际协议和行为守则的一致性。这将有助于解决现存的缺陷，也即碎片化的或者是过时的法律、多个司法管辖区以及在监视、管理以及实施方面的不足。卫生限制主要在于进口动物和动物产品的进口商必须获得进口许可。肉和肉类产品必须要从批准的国家进口。植物和植物产品也要求进口许可，这些产品的进口要求有出口国家颁布的植物检疫证书，任何植物原材料的进口都会经过详细的检查。

在贸易政策审议期间，巴巴多斯持续实施大量的激励项目，其目标完全或部分在于促进出口。这些项目的其中五个为：财政激励计划；出口津贴计划；研发补贴计划；国际商业激励计划；有限制的社会责任计划。已经告知 WTO，在 2015 年 12 月 31 日前将这些补贴纳入到符合补贴与反补贴措施协定的内部进程也在进行之中。巴巴多斯还在一些项目下授予了大量的其他税收和关税让步。在商业中有许多可用的信贷措施。比如，连接政府和私人部门的企业增长基金主要通过政府提供的资金，为巴贝多的中小企业的产品部门提供贷款以及产业筹资。为了受益，企业必须在巴巴多斯进行整合并且满足特定雇员、资产以及年度销售业绩。企业增长基金提供的贷款有相对较长的偿还期限这一优惠条件。在 2013 年年末，一些主要项目下的未偿还贷款合计约 4500 万美元。此外，通过工业信贷资金，中央银行为生产企业提供贷款。在 2009 到 2012 年期间，垫付款总计 2830 万美元。在巴巴多斯财政整合进程中这些项目一个更为重要的改革目标在于逐渐减少赤字和债务到合适的水平。

自上一次贸易政策审议以来，巴巴多斯始终在通过竞争政策、消费者保护相关活动的执行以及公用事业的监管方面做出努力来支持竞争市场。考虑到其经济总量较小、特定产品和服务的供应商数量有限，为了增强竞争增加消费者福利并吸引外国投资者，在巴巴多斯实行竞争政策规则就显得十分关键。竞争机关已经授予了充足的调查权利以及强大的执行委托授权。在 2008 年到 2014 年期间，共进行了 78 个关于反竞争行为的咨询和调查，其中的 13%导致违反竞争政策立法的决策。进行调查的领域包括电信、分配、海运、金融服务、航空运输、水泥和食品、采矿、垃圾处理以及其他相关领域。在巴巴多斯的竞争政策法律下，并购有可能会导致在巴巴多斯任何市场超出 40%控制的部分需要经过竞争机关的批准。在这种情形下，并购前的告知是强制性要求的，对这些并购的批准在很大程度上取决于在国内市场上拟定的交易对竞争的影响程度。在 2008 年到 2014 年间，共有五起关于电信、海运以及石油工业的公司并购获得批准。

巴巴多斯在进入方面的壁垒较少，保持着一个相对自由的贸易政策。然而，国家主要通过三个方面干预经济：（1）如前所述的激励或者信贷条款；（2）控制特定的价格；（3）在一系列企业中持有股份。在 2014 年末，批发和零售价格的控制被应用于柴油、汽油、煤油、液化石油气、鸡翅、鸡背和鸡脖、火鸡翅以及方糖。此外，公用事业的价格有监管管制。巴巴多斯农业发展和市场合作组织作为独立的国家贸易企业进行家禽和洋葱的贸易。巴巴多斯的国家石油公司是进口汽油和燃料油的唯一的公司，尽管它没有法定的国家贸易权利。此外，巴巴多斯大量的商业公司仍然部分或者全部归国家所有，国家也参与到许多商业活动当中。

政府采购规则在 2011 年进行了修改，对超过 10 万美元的采购合同采取公开招标的形式，低于这一临界值的政府采购可以依据公开招标的数额采取直接出价或是谈判或是通过对利益供应商的书面报价进行检验来进行政府采购。考虑到价格、供应的保证、竞争的时间以及运输成本，采购通常是集中的，合同通常会被授予“最低投标评估”的称号。巴巴多斯的立法不考虑授予国家和地区供应商优惠条件。虽没有预留份额，但政府通过实施一项计划，为小企业提供所需的资金，促使小企业在有利条件下参与到政府采购进程中。针对增强透明度以及效率的新的政府采购法目前正在起草中。新的法案将提升投标门槛并分散政府的采购。该法案还包括采购方式、供应商的注册和资格预审。

在审议期间，巴巴多斯的知识产权立法并没有大的改动。然而，巴巴多斯目前正在审议该立法，以使其能够加入到特定的世界知识产权组织的协定当中。比如《国际承认用于专利程序的微生物保存布达佩斯条约》要求修订巴巴多斯专利法，以及考虑到《工业品外观设计国际注册海牙协定》，这一协议要求对《巴巴多斯工业设计法案》做出变动。巴巴多斯也在考虑更改有关地理标识的法律。

除了为巴巴多斯的主要出口产品朗姆酒提供原材料的制糖业，巴巴多斯的农业在经济中扮演着一个小角色。目前国家正发展农业战略，重点是食品安全以及促进产出和提高生产效率。此外，当局正在考虑将与糖产业相关的产品的范围扩大至包括乙醇与电力能源相关的产品。主要的边境保护工具是关税：巴巴多斯 2014 年在农业产品上的平均关税水平为 33.9%（WTO 的标准）。且不说 BADMC 的国家贸易行为，奶制品市场已被一家公司所控制。巴巴多斯保留了对 36 种产品使用关税配额制度的特殊保障机制的权利。然而，特殊保护目前只能对 24 种产品实施。农业部门可能受益于在农业激励计划下的进口关税让步并享有一系列的特殊激励计划。

尽管巴巴多斯对特定产品实行处置以及强力的关税保护，制造业部门在 2007 年到 2012 年间在总量上缩水 30%。最受影响的部门有纺织品和服装、非金属矿产品、电子元件部门，这些部门的贸易量减少超过 50%；而在食物和烟酒行业，贸易量的减少较低，为 20%左右。制造业贸易量的减少反映了全球经济危机以及巴巴多斯的国内需求疲软，同时较高的产品成本以及实际货币的升值，也是对竞争的侵蚀。

服务业是巴巴多斯的经济支柱。旅游业以及与其相关的活动在很大程度上成为 GDP 的主要贡献者。旅游建设、配送服务、电力、农业以及制造业都有重要的溢出效应。全球金融危机导致游客数量显著下滑，从 2007 年接近 120 万，到 2013 年大约 110 万人，这在很大程度上影响了旅游部门。过夜游客的总支出从 2008 年的 11.4 亿美元下降到 2013 年的 713 万美元。旅游部门可能会从大量激励中受益，包括在 2014 年修订的用于扩大受益人范围以及福利的旅游发展行为。旅游活动也可能受益于所得税的减免以及免征进口税和增值税。此外，投资者有资格通过投资税减免来抵消应纳税额。

金融服务对外国投资者开放：巴巴多斯运营的六家商业银行都是外国所有的。离岸金融部门很大，包含 45 个银行，228 个附属保险公司，12 个控股公司以及 21 个管理公司。此外，有将近 4000 家国际商业公司在巴巴多斯获得许可。金融部门受到 CL 金融集团破产的影响，其破产导致了巴贝多子公司 CIL 的流动性短缺。中央银行提供流动性以支撑 CIL，巴巴多斯的最高法院随后任命一名司法经理来监管相关事务并提供了一些重组建议。然而，像 2014 年 10 月那样，这一问题始终没有得到解决。部分作为对危机的响应，在政策审议期间巴巴多斯提高了其法律、规则和监管框架以使其与 2008 年的金融系统评估项目的建议相一致。最基本的改变是引入了整合的以风险为依据的监管。然而，许多 FSAP 的建议有待实施。

尽管一个单一的电话供应商仍然在固话市场占据主导地位，巴巴多斯的电信行业已经完全自由化并且在所有的细分市场都存在着竞争。电信利率和互连协议由竞争机关管制。格兰特里亚当斯国际机场是巴巴多斯唯一的一家国际化机场，它作为主要的地区枢纽提供服务。然而，机场不符合国际民航组织的第一类条款，这一条款限制了它的潜力，尤其是对于直达美国的航班的限制。国有有限责任公司负责管理和维护机场，然而私人公司可以提供地面服务。尽管没有国内航线，政府在地区航线 LIAT 中依然占有 49.04%的股份。巴巴多斯注册的航线必须主要由巴贝多公民或者加勒比共同体公民所有。一系列的双边航空服务协定已经起草或者签署并且已经在行政上加以应用。

（李婕译，宋懿达校）

文莱贸易政策审议

文莱达鲁萨兰国的经济在石油和天然气方面保持高消费，占出口约2/3，以及商品出口和政府资源的90%以上。这使得文莱在其最终会耗尽的石油资源方面特别脆弱，这也是对国际能源价格波动而产生担心的原因。因此政府正在实现雄心勃勃的多元化战略，并提升其经济中私营部门的参与。

主要由于2008—2013年较低的石油和天然气产量，文莱经济以年均0.2%的速度增长。实际GDP增长5.3%的大型能源项目预计在2014年开始生产。在2035年的国家愿景下，文莱的目标是实现每年实际GDP增长速率在5%～6%，这需要提高整体的生产力，尤其是政府部门（包括国有企业）将成为最大的雇主。

可观的油气出口和多年以来对于国外资产的长期不断积累，给文莱提供了一个良好的收支平衡状态，这也反映了其储蓄和投资之间的大差距。按照GDP的百分比来看，外部账户盈余因石油和天然气出口收入的减少从2008年的48.9%跌落到2013年的31.5%。因此，文莱的贸易收支顺差从2008年的78.67亿美元减少到2013年的69.16亿美元。

石油和天然气在2013年占其商品出口总额的96.5%（2008年为97.8%），剩下的出口是制造业，主要是机械和交通设备。文莱的出口主要面向日本和其他的东亚国家。机械和交通设备是文莱最重要的进口品类，在2013年占整个进口总量的37%（2008年为44%）。其商品进口也主要来自东亚，尤其是马来西亚。文莱越来越成为一个服务的进口国。

对外直接投资的流入在2014年间增加，但在2008—2013年间相对较少，仍保持在6亿美元的平均值。成功吸引更大的对外直接投资流入一直以来都受到邻国经济体加剧的竞争的阻碍。文莱将从其更加完善的商业环境中受益，其对外直接投资政策也将更加透明，特别是关于限制外资参股、合伙要求以及限制外国直接投资的行业。国外投资在许多活动中都存在，除了那些使用自然资源、涉及食品安全并且位于30%最低当地参股的工业场所是必需的。

文莱有八个区域贸易协定，包含16个合作伙伴：东盟的其他9个成员国家，和东盟有谈判协议的6个国家（澳大利亚、新西兰、中国、日本、韩国和印度），在跨太平洋战略经济伙伴关系（TPSEP）背景下的智利。五个区域贸易协定在审议期间生效：四个是在东盟背景下进行的区域贸易协定谈判，另一个是与日本的双边协议。文莱的区域贸易协定已经通知WTO。

文莱是WTO的初始成员，授予其成员最惠国待遇，从未陷入任何的贸易争端。在审议期间，文莱对WTO有一些通知，但仍做得很好，尤其是在农业和进口许可方面。自2008年以来，文莱在商业环境、金融服务、渔业、知识产权和技术性贸易壁垒中采用了新的贸易相关立法。额外的立法标准和竞争正在起草。文莱没有用于应急贸易救济措施的立法，它不参与信息技术协议。

在审议阶段，文莱采取措施进一步促进贸易。例如从2008年开始允许交易者以电子方式提交申请的电子海关，以及开始运作的文莱达鲁萨兰国国家单一窗口，在2014年1月将会允许申请几个贸易程序（例如：原产地证书和进口许可证）。BDNSW在未来预计会集成为一个更广阔的东盟单一窗口系统。文莱没有进出口程序或注册的海关费用。

货物进口到文莱可能实行进口税和消费税（没有增值税）。自从上一次的贸易政策审议后，文莱在酒、烟草、汽车、核反应堆、锅炉、机器、机械电器和医疗或外科器械上引入了新的消费税。当局告知这些新的消费税是基于财政、社会、健康和环境方面考虑被征收的。文莱当局还表示这些货物的消费税并不是捏造出的。

文莱适用相对很低的关税。2012年东盟协调关税命名法被采用后，文莱关税的行数（十位HS编码）从2007年的10 689行减少到2014年的9916行，简单的平均适用最惠国税率从2007年的4.8%下降到2014年的1.7%。具体的关税额度从

2007 年的 131%减少到 2014 年提高了透明度后的 55%。

文莱的关税限制额度范围从 2007 年的 92.8%到 2014 年的 89.1%也是因为 HS 命名法的改变。在整体限制平均值 25.4%和文莱应用最惠国关税削弱可预测性 1.7%之间仍旧有显著的差距。农业的关税平均数是 23.1%，最惠国税率是 0，这两者差距甚至更大。

进出口禁止、限制以及许可要求应用于安全、健康和道德理由方面的各种产品。在某些情况下，文莱对某些商品保持出口限制，例如糖、米、水稻和产品，以确保足够的国内供应和价格稳定。

在 2010 年，隶属于工业和主要资源部的国家标准委员会，在文莱建立了部分负责监控和增强标准以及一致性的活动。文莱没有技术法规。它有 83 个国家标准，主要为建筑和电力相关产品，53 个直接采用国际标准。文莱仍旧向其在 WTO 技术贸易壁垒委员会的咨询点通报。

为了鼓励在重点行业和出口生产上的投资，文莱继续使用广泛的税收和其他优惠政策。在审议阶段内，文莱改变了《所得税法案》来减免企业纳税义务，从事石油活动除外。税收比率从 2008 年的 27.5%减少到 2014 年的 20%，从 2015 年起将会进一步减少到 18.5%。另外，2008 年引入了新的税收门槛以进一步降低企业税负。

从 2008 年以来，创建了三项赠款和贷款计划、两个以上修订计划来帮助微型、小型和中型企业发展、巩固和国际化。三项赠款计划也被用来支持创业和创新。根据第十个国家发展计划（2012—2017 年），文莱分配其 GDP 的 1%（2 亿美元）用来研发和创新，以帮助实现经济多样化。

符合东盟经济共同体下的承诺。从 2011 年起文莱就已经在起草全面的竞争立法。目前，竞争问题由部门与部门之间的基本准则以及各自的监管机构解决。尽管是处于有限的形式，竞争规则仍存在于电信业、金融服务业和能源。

商品价格控制在审议期间大幅上涨。目前，有 19 种产品的最高零售价格已确定（例如米和糖）。住房价格、关税、石油产品、公共事业、医疗保健和电信服务业在文莱依旧是补贴项目。中期内的燃料补贴改革可以提供财政空间，以便维持发展的消费，以及减少可以限制多样化成果的扭曲现象。

公共部门主要是通过国有企业继续对经济产生直接影响。其中一些仍旧在垄断下运行，或在诸如石油和天然气、制造业、银行、电信以及航空运输部分持有专有权。文莱的私有化总体规划即将完成进程。

由于政府是其经济最大的操控者，政府采购在经济中扮演着重要的作用。最近文莱在法律框架上做出了一些变动，包括在不同的采购方法下调整上限。文莱不是“WTO 政府采购协定”这一诸边协定的参与方。

自其上一次贸易政策审议以来，文莱在知识产权方面的主要改变包括重建行政系统，尤其是文莱知识产权办公室的建立，以及在 2011 年推行新的专利法，其中建立新的专利系统显得尤为重要。文莱齐心协力增强知识产权执法，尤其在制止版权侵犯方面做出努力，其主要行为方式包括增加罚金和法律监禁。在审议期间，文莱加入了三个额外的世界知识产权管理相关条约并正在考虑加入其他协定。

在其 2035 年国家愿景下，文莱确定了可能会增加其附加值、出口以及创造就业的以下几个方面：农产品；下游石油和天然气以及能源密集型产业；信息和通信技术；生命科学（药品、化妆品和功能性健康食品以及保健品）；轻工业；服务业（如金融服务和旅游业）；技术驱动型的其他活动。

尽管农业在实际 GDP 中占有的份额相对较小（1%左右），文莱的粮食安全和自给自足的目标使得农业及其相关活动在经济中仍具有重要的作用。作为农产品的净进口国，食品安全主要是通过不应用最惠国关税和优惠关税来实现的。对清真食品日益增长的国内需求以及当局在国际和地区上大力推广“文莱清真品牌”，使得农产品加工业增加了其在农业产品中的参与程度。文莱维持对大米和糖的补贴，以保护消费者免受大宗商品价格上涨的侵害。

能源部门，主要是石油和天然气领域，始终是文莱工业产出和贸易的支柱。然而，石油和天然气产品在 2008 到 2013 年受维修工程的影响，以平均每年－1.8%的比率收缩。由于其控制主要的石油和天然气田，最大的石油和天然气运营商和生产者始终是国有文莱壳牌石油。尽管文莱的壳牌石油公司享有特许经营权，一些新的离岸和在岸产区仍在生产分享的基础上进行勘探和开采。

文莱在所有东盟国家中有着最低的用电率和最高的能源强度。政府每年总能源的补贴大约为 10 亿美元，其中政府每年花费约 4000 万美元在电力补贴上。政府正在一步步采取行动以期在 2035 年以前减少 45%的能源密集度并提升效率。在 2012 年，一项先进的电税结构框架被引入以减少政府权力补贴一半以上。

总的来说，制造业部门的总体表现在最近几年显得疲软，这部分是由于相对较高的做生意成本、熟练和非熟练工人的短缺，以及当地产品缺乏竞争力。为了鼓励更多的私人参与，制造企业有资格获得财政支持，激励措施和其他一些方针政策。政府也主要通过控制制造业的公司 Semaun 控股来进行直接投资。此外，政府正在推广和管理大规模的工业场所，包括迎合下游石化工厂的工业园区。

自其 2011 年建成以来，作为中央银行的法定机构的文莱金融管理局（Autoriti Monetari）就一直负责着金融系统的监督和管理。文莱旨在成为伊斯兰金融服务的地区性金融中心。银行方面在审议期间的主要变化为采用了协调伊斯兰和传统银行监管的《伊斯兰银行法案（2008）》。文莱没有自己的证券交易所，另外其资本市场正处于萌芽阶段。在金融服务方面文莱并没有签署《服务贸易总协定》的第 5 项协议。

文莱正在对电信监管框架进行完整的审议，以期在 2015 年前为电信和广播形成一个整合的监管机构。此外，文莱的第一个特殊竞争代码部门，即电信和广播竞争代码，预期将于 2015 年正式实施。一部新的关税管理实务条例也将被引入，以对电信和广播基础设施和服务的批发和零售关税进行管制。目前，有两大移动运营商，其中国有企业文莱电信持续在固话市场上占有垄断地位。

文莱通过双边、区域和多边协定自由化其国际航空运输市场。文莱签订了 36 个双边航空协定，其中 5 个整合了开放天空协定。自 2009 年以来，3 项区域性开放天空协定生效以期建立东盟单一的航空市场。文莱的大部分国际水上贸易是由外国船只开展的。

（李婕译，宋懿达校）

日本贸易政策审议

自2012年12月以来，日本一直在推行一项雄心勃勃的改革计划，以克服通货紧缩，振兴低迷了十多年的经济形势。该计划包括一个“三箭战略”：货币宽松（主要通过扩大货币基数以期最早实现2%的通胀目标）；财政刺激（2013年1月投入1000亿美元以及2013年12月额外增加530亿美元以促进增长）；以及将需要更长的时间来实施的农业、能源和卫生等领域的结构性改革，尤其是改革需要立法和行政的变革需要时间来准备。

自上次审议以来日本采取了扩张性货币政策和财政政策措施来支持经济，但并不足以实现其强劲的经济增长。的确，2014年日本的实际GDP增长率估计为0.9%（较2012和2013年的1.5%有所下降）。官方认识到，长远的结构性改革对于解决长期存在的结构性问题和实现未来可持续增长是必要的。在这一指导原则下已采取了一些措施，然而更需要的是包括进一步的贸易和投资自由化措施以鼓励民间投资，提高生产力和增强竞争力。

自2011年以来，日本一直保持贸易赤字，这是自可比记录出现以来最长的一次。2013年，日本年度贸易赤字达到了历史最高（1180亿美元）。尽管以美元计量其出口增加，但其进口增长达到了其最高水平。化石燃料进口增加是进口增长的主要因素，继2011年福岛核电站事故和随后关闭其他核电站后，化石能源取代了核能源。

日本的外国直接投资流入继续低于其他主要发达经济体。日本振兴战略目标为2020年的外国直接投资增加一倍。要做到这一点，日本将扩大使用公共和私营资本的合作，在未来十年的项目设想中私营资本将投资在基础设施建设中。在世界上，日本是第二大对外直接投资方，特别是在某些东盟国家，许多日本公司的子公司在汽车和电子等行业经常发挥着主导作用。

日本目前有效的13个区域贸易协定（RTAs）与前一次时审议的协定相同。根据这些协议，日本已将一些敏感的农业及相关产品排除在关税减让之外，特别是肉和肉制品、鱼和鱼制品、乳制品、大米、加工工业、胶合板、皮革制品等产品及鞋类。这些产品中的一部分也被排除在日本普遍优惠制（GSP）的范围之外。

在审议期间，日本与澳大利亚签署了另一个区域贸易协定，也与蒙古国签署了一个大体相同的协议。此外，日本与以下国家或组织正在谈判：加拿大、哥伦比亚、中国、欧盟、海湾合作委员会（GCC）、韩国和土耳其。此外，日本还是跨太平洋伙伴关系协定（TPP）以及综合区域经济伙伴关系协议谈判的成员。日本的目标是将区域贸易协定下的贸易从2013年的19%增加至2018年的70%。

大体上，虽然日本一直积极谈判区域贸易协定，追求国内改革提高竞争力并参与世界贸易组织的工作，但其贸易政策在审议期间保持相对稳定。

由于许多农产品单位价格上升，日本的总体简单平均适用最惠国关税率从2012财年的6.3%下降到了2014财年的5.8%，同时也降低了从价税等值（ad valorem equivalents，AVEs）。因此平均约束税率，农业的简单平均关税（根据世界贸易组织定义）为14.9%（较2012财年的17.5%有所下降），非农产品的为3.7%（与2012财年相同）。

日本约束关税占总税目的98.3%（159个税目未受约束）。2014财年平均约束关税（5.9%）和平均施加关税（5.8%）之间的差异可以忽略不计，这反映了关税的高度可预测性。然而，农产品的平均约束税率（15.2%）与非农业产品（平均约束税率为3.7%）相比仍然很高。

日本相对较少使用应急贸易救济措施。日本未在审议期间使用反补贴或保障措施，且仅有一例针对原产于中国、南非和西班牙的电解锰征收了反倾销税。征税期限延长了5年，将在2019年3月5日到期。2014年日本曾发起过对中国甲苯二异氰酸酯的反倾销调查。

由于种种原因，日本的卫生和植物检疫措施和技术性贸易壁垒的要求往往比国际标准更严格，符合其质量和安全标准的成本很高。在2014年3月31日，有10 525条日本工业标准（JIS），其中

5823 条与国际接轨，97%的日本工业标准与原版或修订的国际标准相一致。为了防止动物疾病的传播，包括疯牛病和禽流感，日本目前对各国牛肉和家禽实施进口禁令。

日本对其政府采购框架做出了一些修整，基本上是从参与公开招标的投标人中排除以下情况：故意低质量地完成工程建设或服务，或曾使用虚假报告合同。最近日本也降低了《政府采购协议(GPA)》中一些商品和服务的门槛。

2013 年 12 月，日本对《反垄断法》进行了修订，其中特别提出：取消对日本公平贸易委员会(JFTC) 行政上诉的听证程序。一旦法案生效，对于公平贸易委员会的决定的任何上诉将受到东京地方法院的管辖，以确保专业知识和提高程序公平。

日本的知识产权（IPR）框架的主要发展体现为：加强数字环境下的著作权保护，引入了非传统商标的商标保护，提高专利制度的效率，以及标准基本专利保护的重要判决。日本还是知识产权保护体制一体化多边论坛的一个积极参与者。

尽管过去几年农业计划发生了变化，与其他国家相比，日本对农业发展的支持和保护力度仍然很高，这些保障是由一套综合性政策所提供的。在政府继续推进收入支持的过程中，其中的主要组成部分是市场价格支持，还有其他针对投入和产出的转移，这可能是最扭曲产出和贸易的支持方式之一。

作为世界上最大的鱼和海鲜的消费地区之一，日本为渔业公司提供了一系列的支持措施。在 2011 年海啸造成的广泛破坏后，日本对渔业部门的预算支持有所增加，目的是在 2015 财年年底前恢复渔船港口的设施。虽然 2014 财年日本对鱼类和鱼类制品的最惠国关税为 6.2%（与 2012 财年相同）但还是对几种鱼授予了进口配额。

在 2011 年福岛核电站事故发生之后，核电站的关闭推动了一个大型重建计划。尽管在过去 20 年中电力部门已逐渐改革，地区公共事业仍然是主要的生产商、传输商、分销商和零售商，而地区之间的交流仍然有限。最近《电子商务法》的修订旨在确保稳定供应电力，最大限度地压低电力价格，扩大消费者选择和提升商业机会。

在金融服务业，日本金融服务局（FSA）已修订了符合国际标准的大型风险规定，该规定自 2014 年 12 月起生效。通过监督指导方针和相关措施，日本金融服务局修订了国际现行银行的最低资本要求，并打算引入其他资本缓冲资金和《巴塞尔协议Ⅲ》中有关流动性的措施。在电信和运输业方面，日本的立法和政策基本上没有改变。

总之，尽管日本在较长一段时间内经济表现相对较弱，近年来又受到了几次严重的经济冲击，日本仍然是一个开放透明的经济体——除了对一些地区（特别是农业）的支持和保护以外。日本经济有很多特点，其中一部分特点使它成为全球第三富裕的国家，而另外一部分则提高了其进口、出口、投资和营商的成本。目前“三箭战略”改革方案的目标就是解决这些增长障碍。因为一旦经济增长率加快到一个更高和可持续的水平上，那么解决这些问题就十分必要。

（高倩译，宋懿达校）

巴基斯坦贸易政策审议

巴基斯坦的经济在困境下展现出了恢复力。在审议期间，平均每年的实际GDP增长接近3.2%，并预计在2014/2015年度超过4%。尽管遭遇诸如严酷的安全环境、全球经济危机和大量自然灾害等逆境，巴基斯坦的经济仍然保持了增长。不过，严峻的挑战仍在继续：这其中包括短缺的能源、疲软的财政状况和不足的投资。

在审议期间，巴基斯坦一直保持着财政赤字，在2011/2012与2012/2013年度，赤字均超过了GDP的8%，但在2013/2014年度跌落到了5.3%。审议期间，总财政收入占GDP的比重于2012/2013年度下降至13%以下。与此同时税收收入占GDP的比重下降至1%以下，这一数值为世界最低。收入上的下降可以归因于若干因素，最明显的是普遍的逃税行为，一系列广泛的税收豁免，以及在扩大税基上的失败。此外，盛行的《法律规范》（SRO）则是可提供以税收、关税豁免和缓解既定利益的可自由支配的条款。这些都造成了财政收入上的大量流失。

支出在2011/2012与2012/2013年度均超过了GDP的21%。支出的上升是由于债务服务偿还的增长，而这又归因于持续不断的财政赤字及融资。一系列巨大的支出涵盖了国有企业的亏损，例如巴基斯坦国家航空公司、巴基斯坦铁路部门和巴基斯坦轧钢厂。政府也为电力行业提供了巨额补助。因此，巴基斯坦现今的处境是收入甚至都无法满足当期支出，并且政府不得不借款以维持运转。执政当局意识到了这种不稳定的财政状况，并已经启动了财政整顿计划以及国有企业的重组或私有化。

货币政策的目标是维持货币稳定和促进经济增长。保持汇率稳定和积累外汇储备上的努力都推动了当期货币政策的实施。但中央银行自主权的缺失阻碍了这些目标的实现。这也导致近年内政府为弥补财政赤字而产生的大量借款以及公共部门企业的借款。据CPI测算的通货膨胀于2008/2009年度达到了17%的峰值。而因为世界范围内初级产品价格的跌落和一些国内管制价格的下降，通货膨胀率在2013/2014年度下降至8.6%。

巴基斯坦的经常账户赤字由2007/2008年度的近140亿美元（占GDP的8.2%）减少至2013/2014年度的30亿美元左右（占GDP的1.2%）。经常账户赤字的增长源于一半以上的服务赤字以及工人汇款的巨额增长。此外，2013/2014年度财政和资本账户也得以反弹。

巴基斯坦的出口继续保持高度集中。2013年，农业、纺织、服装占到了总出口的3/4以上。最大的单笔进口项目仍是燃料。制造业在总进口中的份额有所下降，这是由于低速的投资环境。巴基斯坦最大的出口市场仍旧为欧盟（28），其次是美国和中国。巴基斯坦最大的进口供应商为阿拉伯联合酋长国，其次为中国和欧盟。

2010年4月，议会两院通过了第18次宪法修正案。修正案分散了政治权力，削弱了总统权限，与此同时再平衡了司法部门、政府反对派间的权力。由此，17个联邦部门的职责也转移到了各个省。

在发起于2014年的“愿景2025”中，政府的目标是使巴基斯坦于2025年成为上中产阶级收入国家，并于2047年成为前十大经济体。2013年1月，政府宣布了为期三年的战略性贸易政策框架（2012—2015）。在该框架下，政府设想在三年内增加出口至950亿美元。为实现该目标，政府已经确定了七个焦点领域。它们分别是：区域贸易、加强出口促进的制度框架、监管效率的创立、出口发展项目、增加巴基斯坦欠发达地区的出口、国内商业的促进和加强监测和评估网络。

巴基斯坦对除却印度和以色列以外的所有WTO成员都至少提供了最惠国待遇。从2012年起，印度的进口便在一份负面清单的基础上进行，该清单涉及200件被禁止进口的产品。这种改变源自先前存在的更有约束性的正面清单，将对双边贸易产生巨大的推动。巴方与以色列的贸易则被禁止。该领域内有一些著名的通报，例如动植物卫生检疫措施、技术性贸易壁垒和国内农业扶持计划。

审议期间，巴基斯坦在一件由印度尼西亚发起的有争议性的清算案件中成为被告。该案件是关于反倾销以及巴基斯坦向某些来自印度尼西亚的纸制品征收的反倾销税。在 2014 年，巴基斯坦同样向 WTO 提出请求，希望与欧盟就其对来自巴基斯坦的聚对苯二甲酸乙二醇酯（PET）采取的反倾销措施进行磋商。

巴基斯坦将多边贸易体系视为其贸易政策的基石。巴方同时也认为特惠贸易协定是多边贸易体系的补充。巴基斯坦是南亚自由贸易协定的缔约国。同时，巴方还分别与中国、印尼、伊朗、马来西亚、毛里求斯、斯里兰卡签署了双边自由贸易协定。

在巴基斯坦的投资体制下，在大多数行业中外商直接投资是被 100%允许的。而在军火、烈性炸药、放射性物质、安全印刷、货币铸造、消耗性酒精方面，FDI 则被禁止。在航空业、银行业、印刷业和电子传媒行业，外资股权的份额则有限。凭借着战略性的位置、自然资源和大量熟练劳动力，自由的 FDI 体制使巴基斯坦成为具有吸引力的投资目的地。然而，审议期间 FDI 仍不温不火。这可以归因为不确定的安全形势、能源和天然气的长期短缺以及从事商业活动的过高成本。

政府投资政策的目标是在 FDI 净流入上取得累进增长，即于 2018 年达到 55 亿美元。外商投资策略 2013—2017 规定了改进的便利化程序和项目所关注的 FDI 的促进。后者意味着政府将集中关注的目标部门有：基础设施和通讯、制造业、能源、矿业勘探、建筑业和房地产、汽车和农业部门。战略和政策都试图通过经济特区（SEZs）来实现它们的目标，而 SEZs 也是政府当期投资战略的基石。

自 2008 年上一次审议起，巴基斯坦已经采取了一些谨慎的贸易自由化措施。在 2014/2015 年度，其应用中的平均最惠国关税为 14.3%，这比 2008 年的 14.8%略有下降。但所有 45 条关税细目均为从价税。从 2014 年 7 月起，巴基斯坦不再拥有免税的关税细目。关税显示出了明显积极性的上升。大约 98%的关税细目是有限制的；平均约束税率为 61%。在《法律规范》（SROs）体制下对众多厂商提供监管豁免和让步是造成 MFN 税率有所偏差的重要来源。

巴基斯坦将其他关税和费用限制在 0，但 5%的管制性进口费将实施于 284 种主要农产品上。从巴基斯坦的上一次审议起，政府已经开始实施一项计划，旨在现代化关税程序。除了关税外，进口商品还需缴纳销售税。

尽管总体关税水平居高不下，但谨慎的自由化削弱了生产率的增长，同时也对有效的资源配置和巴基斯坦融入全球价值链的一体化进程造成了阻碍。此外，《法律规范》体制下特别贸易政策工具的使用仍是常见的，并严重损坏了贸易体制的可预测性。与此同时，它也支持了“寻租”文化。与 2015 年年末计划的关税和税收相关的《法律规范》的撤销，显著增加了贸易体制的透明度。

从上一次审议起，巴基斯坦已经发起了 58 起反倾销调查，这导致了 31 项决定性措施的实施。但它并没有采取任何防护性或反补贴措施。基于健康、安全、道德和环境的缘故，进口禁止和限制得以保留。巴基斯坦的标准大多都基于国际标准。一项关于国家食品安全、动物、植物健康的监管机构目前正在建立。从 2000 年 1 月起便不再有 SPS 通知被提交。

生产和出口被广泛的通用部门项目所扶持。这些项目提供了税收豁免或让步、补贴、优惠信贷、退还进口税、农产品价格和其他国内支持。出口商品需缴纳 0.25%的出口发展费。另外，大量农产品在出口时将受到 5%的调节税。

国家干预和所有权仍保持了相当大的比重。在 2013 年 10 月，政府发布了一份关于 32 个公司私有化的全新清单。虽然对一些企业实体的重组以及随后的私有化进程在 20 世纪 90 年代已开始，但是在过去六年里却没有取得任何进展。尤其是，三家最重要的持续亏损的公司的私有化进程一再推迟。国家采购战略于 2013 年发布，旨在使公共采购进程更加有效透明。由于 2010 竞争计划的采纳实施，竞争政策得以大大增强。同时巴基斯坦也在努力推进知识产权的生效执行。

农业部门约占 GDP 的 21%，并且对就业和生计极为重要。政府对农业部门的整体政策目标是实现食品安全和增加部门增长率。巴基斯坦主要的经济作物有小麦、水稻、玉米、棉花和甘蔗。但是在过去的 20 年里，随着畜牧业在农业附加值中的比重显著增长，农业正在逐渐下降。巴基斯坦历来是一个食品净进口国家，但在 2013 年巴基斯坦在食品上实现了贸易顺差。这是许多年来的第一次。水稻是最重要的单个出口产品。棕榈油则是主要的农业进口产品。

巴基斯坦的主要农业政策措施包括关税、投入补贴和价格支持。随着第 18 次宪法修正案的实施，诸多农业政策的制定责任便转移到了省。在《法律规范》下，大量农产品受到了特别措施的管制。某些农产品还遭到了出口禁令的管制。水稻的支持价格得以维持。从 2008 年起巴基斯坦不再向 WTO 提交有关国内援助的通知。

对巴基斯坦经济而言，长期电力短缺和高昂的电费都是严重的问题。发电、输电和配电通常都效率低下。电费经常都无法负担生产成本。关税在设计形式上是为了有效补贴中产阶级。对于电力行业，政府的政策旨在增加能源供给，降低电力生产对化石燃料的依赖，减少价格扭曲和盗窃。

巴基斯坦的制造业活动由食品加工和纺织业主导，纺织生产集中在初加工阶段并由棉纺织、服装和合成纤维占支配地位。纺织和服装在巴基斯坦的商品出口中占 50%以上。在巴基斯坦新的纺织政策下，政府将进一步提升高附加值环节和提高产业的生产率。在汽车制造业上，对制造业的保护尤其高，其关税达到了 100%。因为当地几名装配商间的竞争有限，使得巴基斯坦相对其他国家而言，客车价格更高。

服务业约占巴基斯坦 GDP 的 58%。巴基斯坦是服务贸易协定（TISA）的参与者之一。尽管近年赤字持续下跌，巴基斯坦仍是一个服务业净进口国家。在近乎所有服务业中，强有力的国家参与仍然存在。在充满挑战性的宏观经济环境下，金融服务业展现出恢复力，股票市场尤为明显。电信行业从 2008 年起增长强劲，这主要得益于手机订阅服务。自上次审议以来，巴基斯坦的港口基础设施进步显著。政府正在试图恢复一个最大的机能失调的铁路系统。机票也被撤销管制。巴基斯坦的旅游业遭遇了安全问题，但就其长期而言具有巨大潜力。

（许潇娴译，邓晓虹校）

澳大利亚贸易政策审议

自金融危机和 2011 年的贸易政策审议以来，澳大利亚作为世界上最开放的经济体之一，相对于其他发达经济体来说，在宏观经济政策组合中表现良好。贸易条件的改善使得矿产投资繁荣发展，并在 2011 年达到了历史最高，继一段时期的繁荣后，增长率逐渐放缓至 3%以下。随着资源投资达到顶峰和贸易条件的下降，经济进入了一个过渡期，开始转向矿产生产与出口以及以非生产行业作为更广泛动力的模式。在世界上最具有竞争力的经济体中，澳大利亚逐渐衰落的处境反映出其在平均多要素生产率（MFP）上仅有较小的提升。通货膨胀在 2010/2011 年度达到或略高于中央银行 2%～3%的目标。尽管已逐步从 2010/2011 年度的 5%上升到了 2013/2014 年度的 5.9%，但失业率仍相对较低。

结构性政策改革已经在一些领域持续实施，这一改革旨在提升澳大利亚 MFP 和国际竞争力。为了通过支持国内需求，以促进向非资源行业增长的转型，从 2011 年 11 月起，中央银行已经将政策性利率下调了 225 个基点至 2.5%。在审议期间，财政赤字急剧缩小至 GDP 的 1.5%，但在 2013/2014 年度又再次上升到 2.4%。澳大利亚的预算策略目前包括一个临时预算修复税，并要求新的支出措施能更多地被其他领域开支的减少抵消。

自由浮动汇率对经济发展的反应有助于维护宏观经济稳定和遏制外部脆弱性。这有助于经济在贸易方面大幅增长，而不会导致经济过热和通货膨胀。尽管 2013 年澳元贬值以及随后的贸易条件下降，但澳元仍保持相对高估，损害了澳大利亚产品的出口竞争力。由于结构性储蓄—投资缺口缩小，澳大利亚的经常账户赤字在 2010/2011 年度明显下降，此后逐步上升，并于 2013/2014 年度再次下降。随着大宗商品价格周期达到顶峰，商品贸易账户在 2010/2011 年度和 2011/2012 年度都有所盈余。随后由于商品价格有所缓和，商品贸易账户回归赤字，并在商品生产增长的支持下于 2013/2014 年度回到盈余状态。澳大利亚的国际（外汇）储备已经上升。净外债也有所增长，其大部分都由私营部门持有，尤其是非金融性公司。

尽管澳大利亚经济开放，但国际商品和服务贸易仍仅占 GDP 的 40%。大宗商品（主要交易商品）占商品出口总额中的比重进一步上升。审议期间，国际贸易与外商直接投资（FDI）模式上的发展，进一步反映出中国作为澳大利亚主要的出口市场（尤其是矿产品）与日俱增的重要性。同时欧盟、美国和日本仍是其 FDI 的主要来源。矿产投资有所增加，而受产能过剩和汇率高估的影响，非矿产投资的权重有所降低。澳大利亚在对外国投资保持开放态度的同时，继续对大型投资项目进行筛选，以确保它们符合其国家利益。受到筛选的外国直接投资申请很少被拒绝，但往往有附加条件。外国股权上限仍然存在于机场、民用航空、海上运输和电信领域。对外商直接投资房地产和农业用地的限制也在实施。

虽然制定和实施贸易政策的制度框架几乎没有变化，但 2013 年政府的变化导致许多与贸易有关的领域的政策转变。另外，审议期间，新联邦政府的重点是推进改革，以降低成本，提供更充足有效的政府服务，为企业和公民创造更少的监管环境。政府同时发起有关澳大利亚联邦改革的讨论，以确保其足够有效的运行。

贸易开放，经济增长和提升生活标准之间的密切相关，是澳大利亚贸易政策的基础，其重点是提高国际竞争力和海外市场准入。澳大利亚追求的是一种多边、地区、双边、单边相结合的贸易政策，并且在贸易体制的透明度上具有典范性。澳大利亚是 WTO 的活跃成员并向贸易援助基金提供了大量的政府发展援助金额。澳大利亚保持了良好的通报记录。从 2011 年起，澳大利亚开始以不同方式参与到一些 WTO 争端解决案件中，包括作为五起涉及烟制品的简易包装要求的案件中的被告。与此同时，澳大利亚也在积极追求新的区域贸易协定。在审议期间，澳大利亚与马来西亚、韩国的区域贸易协定已开始生效，与日本的 RTA 已签署，与中国的RTA已达成。澳大利亚同时还在磋商其他三个双边区域贸易协定和四个诸边区域贸易协定。

关税仍然是澳大利亚主要的贸易政策工具之一，尽管是税收的次要来源。随着HS2012税则目录的引进，平均MFN适用关税率略有下降，从2010年的3.1%跌落至2014年的3%。2015年初澳大利亚实行服装和某些成品纺织品的单边裁减。96%的MFN关税率继续保持在0～5%的范围内。尽管对纺织品、服装和鞋类（TCF）和乘用车（PMV）的行业支持持续减少，但对后一种产品（PMV）的应用MFN关税税率仍远高于平均水平。关税结构保持不变。绝大多数关税税率（99.7%）为从价税，这有助于提升关税的透明度。相比之下，很少的非从价税率往往掩盖相对较高的关税税率，特别是二手车的关税税率，尽管这些似乎很少被应用。关税升级模式保持不变，这意味着MFN关税有效保护率远远高于名义保护率。约97%的关税税目受到约束，从而赋予了关税高度可预测性。平均来看，适用MFN税率低于约束关税约7%，而在服装业则高达55%。尽管约束关税与适用MFN税率间的差距为当局提供了相关大的空间，可以在约束关税范围内提高适用关税，但这并没有发生。

审议期间，文件要求一直保持在最低限度，计算机化的通关几乎便利了所有的进出口。贸易便利化上的努力包括简化澳大利亚关税减让方案，加强国际合作，批准WTO《贸易便利化协定》和承诺向该领域的伙伴国提供资金援助。修订海关估价法以确保其与WTO《海关估价协议》保持一致，以及明确转移定价政策。

澳大利亚的进口禁令和限制，仍然以一般严格的检疫或技术要求的形式存在，以保护人类、动植物或植物的生命或健康、环境或国家安全。审议期间，澳大利亚进行了改革，以发展一个现代化的响应系统，它将在促进贸易的同时管理生物安全风险。技术标准和许多其他规定大体上都要进行成本效益分析，SPS措施仍然未适用此方法。国际标准中相同或“修改采纳”的国家标准的比重仍保持在38%（或97%的应用标准）。审议中，有关反倾销和反补贴措施的立法、制度和程序框架都发生了重大变化。澳大利亚的反倾销和反补贴案件一直在增加，2013年前澳大利亚一直是采用相关调查的第四大WTO成员，而且相关的调查和措施都源自亚洲。澳大利亚启动了两项保障措施调查，但并未采取新的保障措施。

公共部门实体实施出口管制或数量限制，以确保某些初级产品和治疗性用品的国内供应充足，且符合标准；但是，小麦出口许可证要求已被废除。新南威尔士州的大米营销委员会是一个出口垄断企业，是在审查期间经营的唯一一家国有贸易实体。出口援助，包括直接赠款（例如通过出口市场发展赠款）和税收优惠（如Tradex出口贸易规划法案），已得到维持，在某些领域集中于亚洲市场。除本地化要求之外，出口信贷尤其以“国家利益”为条件，出口信用条款则与OECD指导方针一致。

通过税收和非税收优惠措施，澳大利亚对国内生产和贸易加大支持，对研发支出加大重视以及对某些活动竞争加强监管限制。一些特定产业项目（例如钢铁、纺织品、服装和鞋类TCF）在审议间被终止或改善。对国内和外国汽车都有影响的特别豪华汽车税已被保留，但似乎进口不成比例地下降。在车辆及零部件、纺织品、服装、鞋类、林业与伐木业方面，联合援助［即关税、预算、农产品定价和（或）监管援助］的有效税率仍然相对较高。政府仍然通过政府贸易企业（GTEs）参与经济，这些企业在关键的基础设施领域（如水、电、港口、铁路、城市交通）提供服务，但并不总是完全以商业为基础。努力简化国家参与联邦政府参与的领域，包括向国家出售公共资产的政府提供“红利”支出，并将其用于基础设施项目。

澳大利亚继续将政府采购作为一项经济政策的工具，旨在促进某些敏感领域的工业发展（例如房地产或住房、研发服务的投入和机动车），这些都是可以免除适用于高于某一采购门槛强制性规则。采购规则得以完善，这尤其体现在重新定义采购方式和调整以适应新的法律术语。至少10%的政府采购源自中小企业（SMEs），以及对本地供应商和本地成分标准的偏好得到维护，但在某些领域有所修订。然而，这符合某些RTA承诺。外国企业参与投标或获得关税减让，需要加入《澳洲行业参与计划》，这也是《法律强化项目计划》下获取税收减免的基本要素。澳大利亚仍然是世贸组织政府采购委员会（GPA）的观察员，并计划启动加入《政府采购协定》的相关工作。澳大利亚签署的

RTAs 中有关政府采购的内容反映了其在政府采购行为中尊重透明度和非歧视原则的承诺。

澳大利亚通过新的立法（被认为是二十年来最大的知识产权制度改革），修订若干领域的现行立法以及扩展相关国际承诺，进一步加强了对知识产权的保护。竞争政策框架仍然保留国家或州际特殊制度和较长的豁免清单。将对 2013 年发布的合规修订和执法政策进行全面审查。最近的一项立法修正案旨在加强在国家一级消费者信贷保护和执法领域的保护。

尽管对国内生产总值（2.4%）的贡献相对较小，但澳大利亚的市场和出口导向型农业仍然对经济至关重要；其 MFP 已经上升，目前正在考虑提高行业竞争力的战略。部门政策发展主要集中在确保可持续，富有成效和有弹性的农业基础上，得到抗旱、水土资源管理、农村金融和乡村研究等措施的支持。该行业（不包括林业）适用的平均 MFN 关税保护水平仍然微不足道，仅为 1.4%，而制造业为 3.3%。然而，一些敏感产品（例如奶酪、某些蔬菜和油脂）仍受到相当高的关税保护，并且还有部分乳酪及凝乳实行关税配额。在生物安全改革进行的同时，严格的检疫制度仍然存在。一些商品的出口或/和生产（例如一些乳制品、谷物、园艺、牲畜、葡萄酒/葡萄）仍在研发环节征税。“单一桌子”安排（即垄断）继续影响大米出口。澳大利亚在以下领域进行了改革：特殊情况安排、出口认证要求、小麦出口安排以及牲畜供应链等。尽管有各种各样的援助计划，但以各种指标衡量的该行业的总体支持水平仍然很低，预算援助的价值约占 GDP 的 0.1%。这种援助继续以非贸易扭曲（绿箱）预算支出的形式提供，并且仍然在澳大利亚 WTO 微量允许的承诺范围内。一系列的倡议和措施继续改善渔业的管理，从而使鱼类资源的可持续性成为该行业的长期生存能力。

采矿业（占国内生产总值的 8.6%）在一个看似竞争激烈的市场环境中继续运作，与其他行业相比，没有明显的行业限制，对外国投资和政府的总体支持也没有什么明显的限制，这对澳大利亚的经济表现至关重要。采矿业的平均 MFP 增长率进一步下跌，但预计未来几年的采矿业产出将强劲增长，这有望提振行业生产率。从 2012 年至 2014 年年末，铁矿石和煤资源适用了矿产资源租赁税，同时石油资源租赁税已经扩展到几乎所有在岸（2012 年开始）和离岸的石油和天然气项目。

审议期间，澳大利亚尤其审核了其未来的能源需求，并通过了一揽子清洁能源提案，包括一个碳定价机制（于 2014 年废除），以及建立强制性的最低能效标准和能源评级标签。澳大利亚正在考虑制定新的全面的能源政策。发电、输电和配电仍然受制于地理和监管的划分。发电能力基本上是由政府拥有或控制的，零售电价的监管适用于除维多利亚州、南澳大利亚和新南威尔士州以外的所有州和地区。关税是由独立的能源监管机构或政府制定的。对电力、天然气、水和废弃物服务行业的预算援助是所有行业中最高的。燃油税减免计划继续降低了某些商业用途的液体、气体和混合燃料的成本；用于运输的乙醇、生物柴油和可再生柴油的国内生产商也继续得到政府补贴，尽管乙醇和生物柴油的补贴将逐步取消。

制造业占 GDP 的 7.1%，制造业政策主要集中在提高企业的多要素生产率，可持续发展和工业增长，以及创造新的高技能岗位等方面。平均每年的 MFP 的增长放缓。工业产品适用的平均 MFN 关税率几乎没有变化。据估计，来自广泛政策工具的预算援助仍占 GDP 的 0.1%，尽管在价值方面有所下降。纺织、服装、鞋类、皮革行业与车辆及零配件业所收到的援助既高且有效，即便有所下降，仍然是制造业中最高的。汽车工业仍旧受到了诸如优惠的政府采购政策、税收政策以及二手车进口限制等机制的庇护。援助主要以特定产业支持的方式实行，并通过增长型基金加以补充，以帮助调整汽车制造业的目标。对纺织品、服装、鞋类和皮革行业的支持大幅削减，目前澳大利亚正在考虑淘汰其余两项计划。

澳大利亚的服务行业是其经济的中流砥柱，分别占其 GDP 的 71%和就业的 77%。尽管审议期间金融服务行业表现亮眼，但最近发布的金融行业调整还是提出诸多建议以期加强和发展该行业，包括消除金融资源有效市场配置的扭曲和竞争阻碍。所有金融机构内超过 15%的投资（包括国内和国外）仍然需要获得批准。自 2011 年进行的银行改革包括：实施新的资本和流动性要求，加强监管，以及逐步取消旨在减轻全球金融危机影响的措施。保险行业的近期发展包括出售一家大型国有私人医疗保险公司和关闭私人健康保险管理委员会。澳大利亚禁止外国公司通过分支机构提供人寿保险，但越来越多的区域贸易协定授予了这一规则的例外。

澳大利亚的信息通信技术（ICT）发展水平很高，并且近期在固定和无线宽带订阅和移动用户数量大幅增长。外国投资限制仍然适用于电信行业的主要参与者澳洲电信，但并不适用于其他供应商。国家宽带网络的推出仍在继续，尽管有一个新的重点是使用一系列不同的宽带技术，而不是在大量光纤到驻地（FTTP）的方式。澳大利亚国家宽带网络计划预计到 2020 年完成。该网络是完全国有的，并将以非歧视和批发方式运营。政府已经采取了各种各样的监管措施，以促进向新政权的过渡，并引入提供普遍服务的新框架。澳大利亚电视广播业受到本地化措施的支持，电影制作继续受益于联邦政府各种形式的财政援助。

交通领域，澳大利亚主要基础设施的运作都是预算拨款。虽然大多数主要的政府拥有的港口和机场由私营部门实体运作，但政府对交通部门的参与仍十分普遍，诸多外商投资限制也被保留。海上运输部门进行改革，以使澳大利亚航运业更具国际竞争力，增加航运规模，促进就业。这些措施包括税收改革，创建国际船舶登记制度，以及执行许可证制度，使国内船只获得首航机会。然而，由于担心成本和效率低下，当前政府正在审查这一政策。航空运输方面，澳大利亚航空公司投资的外国股权限制已被取消，使该航空公司适用与所有其他航空公司一致的外国直接投资限制。审议期间，国际航空旅客人数、与第三国签订的几项新的航空服务协议和加强基础设施建设的计划都有所增加。澳大利亚国内民航市场的客运量远远超过国际市场，且主要由两家公司主导。旅游业完全向投资开放，并受益于政府的少量支持。旅游相关服务仍然是澳大利亚主要的服务出口。

澳大利亚 2015/2016 年度经济增长预计好于预期。尽管澳大利亚经济基本面比较坚挺，但由于矿业部门作用增加所带来的易受贸易条件冲击的脆弱性，以及矿业投资减少和非矿业经济活动增加二者之间的平衡、时机和程度等，都构成了经济前景的下行风险。澳大利亚面临的重大经济挑战，及可能带来贸易政策影响，是制定适当的宏观经济政策和结构政策促进市场导向的调整，以应对贸易条件恶化、澳元升值和人口老龄化增长所带来的影响，并强化除矿业以外的经济多样性的发展。面对这些挑战，澳大利亚需要更快的多要素生产率（MFP）的增长，使其可以增强国际竞争力，并继续实现其经济和福利目标。

（许潇娴译，杨凤鸣校）

印度贸易政策审议

在审议期间，印度继续推进贸易自由化和贸易便利化，例如通过在海关程序中引进自我评估，以及取消对一些农产品的国营贸易要求。印度还进行了进一步的结构改革，包括取消对柴油的价格管制和放松对某些部门外商直接投资（FDI）的限制。尽管如此，关税结构仍然很复杂，简单平均 MFN 关税税率在审议期间也有所上升。

印度的贸易政策在很大程度上基于对国内供应的考量，并且打算实现短期目标，如控制商品价格的波动。这就要求政策的不断微调，例如通过外贸总司（DGFT）、海关的通知来制定不可预测性和相应费用更低的贸易制度。

印度的经济增长在最近几年一直在加速，但仍然低于 2010/2011 年度达到的 10％的增长率。根据 2015 年 1 月发布的新修订的一系列国家报告来看，2013/2014 年的 GDP 实际增长率为 6.9％，并且预计 2014/2015 年增长率将达到 7.4％；这些修正后的数据展现了一个相对之前而言更加积极的趋势和前景。2013 年至 2014 年印度人均 GDP 大约是 1500 美元。2014 年 7 月至 9 月通货膨胀率为 5.9％；虽然最近食品价格有所降低，但仍对整体消费价格存在一定压力。在过去几年，由于石油价格下降，通货膨胀率在一定程度上变得稍微温和一些。印度储备银行最近一直专注于遏制通胀。2015 年 2 月，印度出台了一个新的中期“通货膨胀目标”框架。在审议期间，直到 2015 年 1 月，报告的通胀率增加了几倍，降低了 0.25 个百分点。印度没有公布官方失业率数据；当局表示，印度最大的就业部门是农业。

印度持续推进其财政整顿机制。尽管如此，在整个审议期间，印度仍然持续发布相当大的公共部门赤字。根据印度的规定，2017/2018 年度，政府需要将财政赤字减少到 3％。印度还打算进一步简化税收，包括引入商品及服务税（GST）。

经常项目赤字最近一直在减少，约占 2013/2014 年度国内生产总值的 1.7％，主要是由于商品贸易逆差的减少。在审议期间，商品和非要素服务贸易（出口和进口）占国内生产总值的百分比约为 53％。商品贸易赤字直至 2012/2013 年度一直在增加而在 2013/2014 年度有所下降。服务贸易顺差持续增加，占 2013/2014 年度国内生产总值的 3.9％。以外国直接投资或投资组合方式流入的大量资本，使得经常账户赤字得到了资金弥补。

正如政府所承认的，结构瓶颈仍然是实现高增长的一个障碍。这包括项目审批的延迟、有针对性的补贴、制造业基础和农业生产力低、征地难、交通运输网络和能源供应薄弱、严格的劳动法规和技能不匹配等。通过对基础设施和教育的投资，消除过度监管的环境以简化业务，以及增加贸易和投资体制的可预测性，这些瓶颈正在消除。

印度是世贸组织的原始成员，向所有成员和其他贸易伙伴提供最惠国待遇。印度接受了 GATS 协议的第四项和第五项议定书。印度是多边贸易体制的强烈拥护者，历来很少参与区域贸易协定。然而，尽管印度持保留态度，但区域主义已日益成为其扩大出口市场这一整体贸易政策目标的一部分。这一点在其目前生效的 15 个协议和其他尚处于谈判中的优惠贸易协定中有所体现。

印度的贸易政策目标由其每五年发布一次的对外贸易政策（FTP）所规定，该政策定期通过发布通知的形式修订，以考虑内外部因素变化。新的 2015/2020 年度对外贸易政策（FTP）于 2015 年 4 月 1 日发布，旨在使印度成为一个重要的国际贸易参与者，将使其全球出口份额在 2020 年提高至 3.5％，预期通过以下方式来实现：为外国商品和服务提供一个可持续的稳定的政策环境；相衔接的规则和贸易流程，贸易激励，以及最近印度的其他一些计划，如“印度制造”、“数字印度”和“印度技能”；通过帮助关键部门增强竞争力来促进印度出口的多样化；创建一个与世界主要地区签订协议的印度架构。

吸引外国直接投资（FDI）的措施包括：逐渐增加允许 FDI 的行业数量，并减少行业限制。自上次审议以来，印度一直在持续开放其投资政策，包括提高对一些部门外商的所有权限制，如保险和铁路运输部门。

印度继续简化其海关手续，实施贸易便利化措施。为了促进贸易，印度在2011年海关程序中采用了自我评估的方法，并通过风险管理系统处理了大约97.6%的印度进口商品。尽管采取了这些措施，印度的进口制度仍然是复杂的，尤其是其授权和许可证制度及其关税结构。其关税结构具有多重豁免，而且费率根据产品、用户或特定的出口促进计划的不同而不同。

一般来说，进口商品的价值以交易价值为基础，需要在CIF价值的基础上追加一个1%的着陆费（用于装卸及整理）来计算交易价值。印度采用“关税价值”（参考价格）来计算对进口商品征收的关税，如棕榈油、大豆毛油、罂粟籽、黄铜废料、金、银和槟榔。这些参考价格原则上每两周调整一次，以使其与国际市场价格相一致。

印度的关税在其每年的财政预算中都会公布。不过，个别的关税税率可能会在这一年中改变。除了标准关税外，进口商需支付额外的关税（“反补贴税”）和一个特殊的附加关税来代替地方税。为了确定适用于某一特定产品的“有效”关税率（即基本关税和其他关税），必须考虑单独的关税和消费税清单，这增加了关税的复杂性。印度关税主要由以进口CIF价征收的从价税（大约占关税税目的94%），以及一些选择税或从量税（占所有税目的6.1%）构成。

简单平均最惠国待遇关税税率从2010/2011年度的12%上升到2014/2015年度的13%。这反映了农业关税的上涨，特别是针对谷物制品、油籽、脂肪、糖和糖果等。世贸组织非农业产品的平均关税水平（9.5%）大大低于世贸组织农产品36.4%的平均水平。在2014/2015年度，关税从零到150%不等。关税限制介于5%到10%之间的最大比率为关税税目的71.7%，而10.7%税目的关税税率远大于零但低于5%。免税税目所占比例略有下降，从总量的3.2%下降到2.7%。

非从价税税率适用700个税目。其中，3项是具体税率，697项是影响纺织品和服装以及天然橡胶制品的可变税率，之前没有使用过。与从价税等值的非从价税不可用。

印度的WTO约束关税水平远高于适用关税水平，特别是许多农产品。这些差距使得印度政府可以通过修改关税税率来应对国内和国际市场情况，但同时，减少了关税的可预测性。

印度对一些农产品和原油使用关税配额制度。这些配额由外贸总局分配给作为国营贸易实体的合格进口商。

进口商品也有可能受到包括禁令、许可证和限制，以及包装、质量、卫生要求在内的非关税壁垒的影响。进口限制可能是出于健康、安全、道德和安保方面的原因，也可能是出于自给自足和国际收支方面的原因而施加。2012年，印度中止了对一些曾被认为是敏感商品的进口商品的监测。2014年，印度对11种农产品进口享有的专有权被取消。尽管如此，印度依然对大理石和类似石材以及檀香木实施进口配额。国营贸易也被用来作为一个政策工具，适用于某些农产品、尿素和某些石油，特别是用以确保在农民、粮食安全、化肥供应，以及国内价格支持系统的运转方面回归“公平”。

印度是世界贸易组织成员中实施反倾销措施最活跃的成员之一；在审议期间印度对23个贸易伙伴发起了超过80个反倾销调查。在同一时期，印度的反倾销立法发生了重大变化，包括界定了被认为是代表规避反倾销的情况的新规则，并提供反规避调查来解决这样的规避。印度在此期间发起了一次反补贴调查；没有实施明确的反补贴措施。从上一次审议后，印度还发起了18项保障措施调查。

自印度的上一次审议以来，其动植物卫生与检疫和贸易技术壁垒法规没有显著的变化。印度已提交的措施通报引发了一些贸易问题。

如同进口商品的情况一样，出口禁令和限制主要是用于确保特定商品的国内供应，因而这些措施可能会在情况允许的时候被取消和应用。为了减少在印度的进口和间接税收体制中固有的反对出口偏见，印度实施了许多税收减免计划来促进出口。投资者也可以通过出口加工区和出口导向单位获得免税期。

印度向各行业提供直接和间接援助。大多数中央政府补贴是指定提供给农业的。其他主要补贴包括对化肥和石油行业的补贴，适用于包括液化石油气、天然气、煤油和农产品等商品的价格管制，主要旨在为农民和贫困线下的人口提供补贴。2012年，为了确保“基本药物”的可获得性，新的药品价格管制被引入。

自上次审议以来，印度已对其竞争政策法律做了几次修订，特别是对有关公司并购和罚款处分的恢复。印度是世贸组织政府采购协议遵守者。其采购系统一直是分散的，由不同层级政府（包括许多中央公共部门企业）的多重实体构成，印度已经开始在中央一级政府采购中使用电子采购门户。公共采购被认为是一个重要的政府政策工具，并被用于获取一定的社会经济目标。因此，印度政府保留了保护和价格优惠措施作为采购系统的一部分。不过，来自外国供应商的竞争通常是允许的。

印度自上次审议以来，已采取了多项措施来实现其知识产权管理的现代化，并持续努力加强知识产权管理。2012 年，印度对版权法进行了修订，同时还专门对生物材料的专利签发了《世界知识产权组织版权条约（1996）》及其准则。2012 年 3 月，印度针对一些抗癌药物颁发了第一个也是唯一一个强制许可证。

提高农业生产力一直是政府的主要政策目标之一。自 2011 年以来，该部门对 GDP 的贡献一直保持在 18%左右，占总劳动力（包括非工会劳动人口）的 56%左右。而且农业也对实现粮食安全和价格稳定这些政府目标非常关键。对这一部门的关税支持和保护仍然大于其他部门。因此，农业的平均关税保护水平（36.4%）大大高于非农业产品（9.5%）。印度通过 2013 年国家粮食安全法案启动了一个新的支持计划，其目的是向约 2/3 的人口以补贴价格提供由政府采购的粮食食品。这很可能对政府提供的整体补贴产生重大影响。

在审议期间，制造业占国内生产总值的比重略有下降，约占国内生产总值的 13%。在该部门的低生产力的背景下，政府在 2011 年发布了一个新的制造业政策，其目的是将该部门在 GDP 中所占份额提高到 25%。2014 年，政府还推出了“印度制造”活动，以强化该部门，吸引投资。

服务业占印度 GDP 的一半以上，是经济增长的主要驱动力。一些监管政策的改革（特别是在金融服务、电信和传输行业）被提出，如建立一个计划全资子公司，将外资保险限额提高至 49%，修改主要证券立法，采用 2012 年的国家电信政策，允许外商对铁路运输的直接投资（除铁路运营外）。

（邵欣楠译，宋懿达校）

加拿大贸易政策审议

加拿大已从金融危机中恢复良好，在2011—2014年每年审议期间其GDP平均增长率为2.4%。2011年持续增长率为3%，但在2012—2014年放缓至2%，主要是由于出口增长和投资放缓。尽管这期间的增长并不能与危机前的水平相比，且仍低于其潜在的速度，但加拿大经济普遍表现出抵御外部冲击的能力。就业增长滞后于GDP增长，失业率约为6.9%，仍然高于危机前的水平。这也反映了过去落后的劳动生产率的提高。尽管拥有丰富的自然资源，加拿大的经济十分多元化，服务业和制造业也是其经济的重要贡献者。矿业和能源部门在后危机时期下降最多，但已逐渐回升并表现出强劲的增长，特别是2013年之后。

自2009年起，加拿大实施了经济行动计划(EAP)。这些计划确定了要采取的政策行动，以克服可能存在的缺点，并旨在帮助刺激经济、创造就业机会，促进繁荣。2014年的经济行动计划致力于平衡预算，支持就业和经济增长、资源开发责任以及支持家庭和社区。

作为一个审慎的财政政策的结果，加拿大公布了全球金融危机前的联邦业务盈余。在危机期间，加拿大实施了一个临时刺激计划，旨在培育增长点。2015—2016年刺激不再必要后，致力于平衡和消除赤字。再平衡战略的要点是：控制计划支出，出台提高税收制度公平性的措施，并设置允许经济增长的合理条件。2013年，总营业结余赤字下降，约占国内生产总值的0.2%。

加拿大传统上一直在国际收支平衡的经常项目上保持盈余，但自从金融危机以来，这项盈余在审议期间已经变成了占国内生产总值3%左右的赤字。2011和2012年，由于进口的扩大比出口更迅速，货物净出口额和服务业对国内生产总值增长的贡献是消极的。这一现象在2013年和2014年发生了逆转，进口增长减弱，带来了经常项目赤字的缩小。

在审议期间，加拿大的贸易表现为商品和服务进出口稳步增长，特别是2014年商品出口大幅增加，使商品贸易平衡由前两年的消极局面转向积极局面。加拿大的商品进出口贸易额是服务业规模的5倍。加拿大在贸易上存在一些漏洞，因为它严重依赖美国作为其主要市场，出口产品基础狭窄，主要是能源和矿物产品、运输和车辆。尽管尝试了向美国多样化出口，事实上审议期间这些产品的出口份额仍然有所增加，从占商品总出口的74%增加到77%，从美国进口的份额也从总进口额的50%增加到54%。

加拿大的经济长期依赖于其自然资源和矿产财富。采矿能源部门不仅对加拿大经济（在国内生产总值和就业等方面）十分重要，也对出口有十分重要的贡献，并对国际收支平衡有着积极的影响。在审议期间，主要由于能源价格的波动，自然资源部门对贸易和经济产生了显著的影响。能源产品的生产和出口在此期间普遍稳步上升，部分补偿了较低的价格，但是天然气的出口量略有下降，反映了其唯一出口地美国的市场情况。为了分散天然气的出口，加拿大已启动有待监管部门批准的几项建议，用于发展液化天然气出口设施。审议期间，该部门的政策发展包括增加政府间的合作、加强向原住民社区的咨询，以及有关透明度和报告要求的新立法。

在2007年全球商业战略成功的基础上，加拿大于2013年推出了它的全球市场行动计划(GMAP)，作为一个战略计划来优先安排市场，支持贸易中的企业获得成功。特别是，全球市场行动计划设置了优先事项、贸易措施的目标和贸易促进活动，并包含一个支持贸易和投资的计划。此外，它优先处理加拿大具有较强竞争优势的22大行业并计划制定发展策略，以帮助这些部门成长。

在贸易领域，加拿大一直专注于扩大其业务市场的政策，主要通过互惠自由贸易协定的谈判，包括优先有重要经济影响的自由贸易协定，以及更新现有的自由贸易协定。在审议期间，与韩国、哥伦比亚、洪都拉斯、约旦和巴拿马签订的五个新的自由贸易协定已经生效。另一项与欧盟的协议已于

2014年年中完成但尚未生效。大多数加拿大的贸易是在优惠方案下实施的：根据自由贸易协定，约61%的加拿大年进口额得到了优惠待遇。北美自由贸易区的伙伴国占据了绝大多数的自由贸易区进口，而其他10个协议一共占据了不到2%的自贸区进口。

加拿大外商直接投资的框架在审议期间大致保持不变，1985年的加拿大投资法案仍然是主要的投资管理法规。该法案要求对外国投资进行通知或审议，以评估他们是否能为加拿大带来好处，并且不会对国家安全造成威胁。法案在审议期间发生的变化主要集中在与国有企业（SOEs）有关的规定，特别是国有企业的定义和在该法案下如何评估国有企业的行为准则。某些投资限制在一些部门仍然生效，包括渔业、采矿、油砂、空气运输、出版、广播、电影发行和电信等。在审议期间，一些限制有所放宽，如"电信法修正案"对占10%或10%以下市场份额的电信公司开放了部分外商投资限制。根据GMAP可以看出，加拿大偏重于追求更多促进和保护外国投资的协议，这些协议有利于经济增长和加拿大投资者的利益。尽管努力改善了该框架以鼓励更多的直接投资，但审议期间的FDI流入量仍保持温和增长，被FDI流出量超过。

在海关手续方面，自2011年以来，货物清关方面的法律和制度没有发生任何重大变化，但一些有关货物扣押的规定和商业信息推进（ACI）程序的进一步发展除外。不过，加拿大已采取措施，通过其"放行之前付款"的程序更快地实现货物放行，进一步促进贸易，并通过其他程序，允许合格进口商从更有效的边境手续中获益，比如保护合作伙伴（PIP）、海关自我评估（CSA），以及自由和安全交易（FAST）程序。

自上次审议以来，加拿大的重要进口关税制度几乎保持不变，在此期间农产品适用的平均关税税率为22.5%，而非农产品平均关税从2.5%小幅下降至2.4%。超过三分之二税目的商品实施零关税；非零税率的应用集中在少数领域，包括农业，特别是乳制品，以及服装和鞋类。在审议期间，加拿大经历了一个关税简化的过程，协调了在三个关税范围内的许多职责，包括消除占比不到5%的公害关税。此外，一些自主自由化举措在某些部门实施，如机械和设备、婴儿服、运动器材和海上钻井装置。

在审议期间，加拿大持续加快步伐使用反倾销和反补贴税措施，期间共实施了43起反倾销调查，其峰值出现在2013年，达17起；同期还实施了21起反补贴调查，其峰值出现在2014年，达12起。调查涉及的大多数国家来自亚洲。在审议期间，加拿大反倾销和应急措施调查的立法没有重大变化。同时加拿大保持着安全保障立法，在审议期间，其法律框架没有任何变化，也没有展开调查。

在该地区的卫生与植物卫生措施（SPS）方面有几个关键的变化，包括食品和药品法（FDA）以及新的加拿大食品安全法案（SFCA）修正案。食物和药品法修订案对食品中特定物质（例如食品添加剂）的使用和在一定条件下对食物的健康/营养要求给予了授权。并提供一个扩大的权力，以在营销授权或食品药物法规中纳入技术和非技术的标准、方法、准则或其他文件。加拿大2012年的食品安全法案（SFCA）旨在加强食品安全规则和更一致有效的检查，并对不遵守行为加强了处罚。它将合并和取代现有的除FDA以外的食品立法，它的全面生效仍因为实施条例的发布而有待决定。

加拿大政府采购包括联邦和省级采购，省购买量约为每年200亿美元，略高于每年150亿美元的联邦购买量。审议期间加拿大联邦政府采购框架已经有了一些变化，包括某些联邦机构的新的合同限制、新的报告措施，以及根据自由贸易区规定的门槛限制的更新。2014年4月，修订后的加拿大政府采购协议生效。在联邦层面上，加拿大的政府采购计划没有实质性的改变，然而在各省份和地区的子联邦层面发生了重大变化，并且10个联邦政府的公司现在都包括在内。

加拿大有一个发达的知识产权保护（IP）制度。在审议期间，许多知识产权都在其国内立法活动以及国际贸易政策中得以发展。自2011年以来，加拿大已批准了两个，并开始正式加入五个国际知识产权条约，并已通过或介绍了一些立法上的变化，也已经在其知识产权保护制度的立法中采用或引入了一些变化。特别是2012年的著作权现代化法案。此外，还有一些法院审理的涉及知识产权的案件，包括加拿大最高法院对版权的一些判决。审议期间国民和外国人对加拿大IP系统的使用一直保持稳定。

加拿大坚持全面开放经济但不以对联邦、省和地方各级补贴和激励的形式提供支持。一些755支持计划以补助金、贷款担保、退税和信用证以及工资补贴的形式为企业提供协助。特别融资方案由加拿大商业发展银行和加拿大工业的某些部门，包括航空航天、国防和小企业提供。加拿大已在其向世贸组织提供的最新补贴报告中报告了58项补贴计划。加拿大的国有企业也参与了计划，该企业被称为皇冠公司，由联邦或省级政府所有；它们的运营是有意义的，联邦政府的公司约占国内生产总值的0.7%，省级皇冠公司占国内生产总值的2.7%。此外，加拿大保留着3个联邦和13个省级国有贸易企业。

加拿大保留了软木和未盖戳国产烟草产品的出口关税，以及对一系列管制货物的许可，主要是军事和战略物资。此外，对某些市场出口的某些产品可能会受到限制或需要牌照，如某些未加工的林业产品在加拿大被限制进一步加工。

加拿大的农业和农业食品部门仍然是其经济的一个关键部门，2012年占国内生产总值的6.2%。加拿大庞大的农业生产超过了国内需求，因此国际贸易是至关重要的，加拿大是农业产品的重要贸易者，特别是大田作物如小麦、大麦、油籽。加拿大持续对22组产品使用关税率配额，主要是在乳品、谷物和肉类子行业。审议期间关税配额的使用和管理已经是相对恒定的了。国内政策和方案由目前的政策框架所指导，远期发展2号框架协议覆盖了2013—2018年，其中包括联邦、省和地方政府的一笔30亿加元的投资，重点关注那些促进创新、竞争力和市场发展的项目。加拿大的世贸组织出口补贴减少承诺适用于11个产品组，销售额从2011年8月至2012年7月急剧下降了2.3%，下降到8830万美元，约占农产品出口的0.14%。

加拿大金融业保持强劲增势，并被认为有助于加拿大从全球经济危机中迅速崛起。银行业相对集中于六大银行，约占加拿大联邦监管机构之间总资产的90%。外国金融服务商必须在加拿大建立商业存在，以便开展业务。加拿大在2012年修订了资本充足率要求准则，以实施巴塞尔Ⅲ框架，在2014年初，加快巴塞尔Ⅲ资本规则的全面实施，并在国际时限之前实现了杠杆比率。此外，加拿大银行仍保持着高于监管目标的资本比率。

服务业往往占据着加拿大经济的骨干地位，在2011—2014年期间占国内生产总值的70%。旅游业是一个重要的服务业部门，约占国内生产总值的2%和加拿大总投资的1.4%，它对就业特别是对中小企业有着显著贡献。2013年，来自外国游客的164亿美元的旅游收入使旅游业成为加拿大最重要的服务业出口部门。2011年，加拿大创造了一个联邦旅游战略，以政府各部门开展合作的方式扶植旅游业，将其定位为一个可长期增长并具备竞争力的行业。环境服务是加拿大另一个重要的服务部门，2012年环境服务的销售金额达23亿美元，其中环境咨询服务占据最大部分。加拿大已经认识到环境和可持续发展的技术部门的重要性，将其在GMAP下放于优先地位，并根据环境货物贸易谈判寻求在这个领域的进一步贸易自由化。

（邵欣楠译，宋懿达校）

智利贸易政策审议

虽然智利的经济未摆脱全球经济危机的影响，但基于较高的矿产价格、稳健的金融体系，智利的经济得以很快恢复；同时，也由于其谨慎的经济政策管理，为其带来了财政盈余和较低水平的借贷。2009—2014 年，智利实际 GDP 年均增速为 3.6%。在经历了 2010—2012 年的高速增长之后，智利经济在 2013 年出现放缓，尤其是在 2014 年，实际 GDP 增速仅为 1.9%。为应对经济放缓，当局加大扩张性货币政策力度来降低利率并允许比索贬值。尽管智利的经济性能较好，但生产率的增长一直较为温和。尽管近期出现了复苏迹象，但企业在研发领域的投入仍不大，人才短缺。智利采取了重大举措来提高生产力，包括贸易自由化政策，同时还对投资的监管框架做出了调整，通过了更具深远意义的竞争法。与此同时，也在努力改善教育体系。

智利在收支结构的平衡政策方面有一定的灵活性，该政策旨在确保中期的财政稳定，使其在经济增长缓慢的时期能够使用反周期措施。虽然盈余目标在大多数审议期间为 0～1.8%，但在 2013 年和 2014 年出现了赤字，所以自 2014 年以来智利一直试图恢复中期结构平衡。此外，智利《税收改革法》的实施也旨在提高税收效率与公平，增加税收在 GDP 中的比重至 3 个百分点。这有助于智利对教育改革及其他社会保障政策提供财政支持，并有助于恢复中央政府的收支结构平衡。税制改革将逐步推行并开展四年，涉及降低某些税率等，以实现更大程度的税收公平。

智利有公共储蓄机制，经济和社会稳定基金每年收到财政盈余扣去向退休金储备基金的投入的剩余部分。经济和社会稳定基金可以用于弥补未来的财政赤字，偿还公共债务以及稳定支出水平。截至 2014 年 12 月，该基金的规模达到 146.89 亿美元，低于其在 2008 年达到的峰值的 27%，部分是为应对金融危机的取款。

智利经常账户国际收支的特点是传统商品贸易盈余，服务和投资赤字。国际收支整体的平衡很大程度取决于贸易收支的规模，其在出口方面受铜价波动的高度影响，在进口方面受国内需求的影响。在审议期间，经常账户从 2009—2010 年之间盈余到 2011 年开始赤字，由于 2009—2010 年间国内需求旺盛以及比索实际升值引起商品进口大幅增加。后来在 2013 年经常账户赤字规模上升到 GDP 的 3.7%，但在 2014 年主要由于进口下降造成更大的贸易盈余使经常账户赤字回落到 GDP 的 1.7%。

2009—2014 年，智利的商品进口增长（69%）快于出口增长（38.2%），其中智利出口的主要是矿产品和农产品。尽管铜价上涨，2009—2014 年，矿产品在智利的出口总额中的比重小幅降至 56.8%。尽管如此，智利的出口继续严重依赖于矿业，尤其是铜，2014 年铜的出口占其出口总额的 50.1%。农产品在智利的出口总额中的占比从 2009 年的 25.9%增至 2014 年的 28.8%。其中在 2014 年，中国是智利的主要出口市场，吸收了其 24.6% 的出口，其后是欧盟（14.5%）、美国（12.2%）和日本（10%）。2014 年，中国超过美国成为智利的主要进口来源国，占其进口总量的 20.9%，其后是美国（19.8%）、欧盟、巴西和阿根廷。

在外商直接投资方面，审议期内，智利继续接收了大量的外国直接投资（FDI）。2009—2013 年，流入智利的外国直接投资额达到 1008.56 亿美元，是 2003—2008 年的近 6 倍。这些外国直接投资主要流向采矿业（约 45%），其余则流向金融服务业、电力、燃气和水行业，以及制造业。2009—2013 年，智利的对外投资活动也较为活跃。

此次审议期内，智利继续加强其基于缔结贸易协定的开放贸易战略。事实上，智利是与贸易伙伴签署了最多贸易协定的成员之一。自 2009 年以来，智利分别与以下国家缔结了自由贸易协定：加拿大、中国（服务和投资）、中国香港地区、马来西亚、泰国、土耳其、越南。目前，智利正在进行跨太平洋伙伴关系协定（TPP）的谈判。智利积极参与太平洋联盟谈判，并继续在经合组织（APEC）框架下进行自由贸易。2010 年，智利成为经济合作与发展组织（OECD）成员之一，并对其法律与实践展开了一系列影响深远的改革。

虽然关于智利外商投资的法律框架在审议期间没有任何显著变化，但事实上，过去几年中智利已准备放弃《外国投资法》（第600号法令），选择《中央银行外汇管理条例》第十四章，作为吸引资本进入智利的机制。大部分智利的自由贸易协定包括投资这一章。在2015年1月，智利政府公布一个法律草案，该草案定义了新的外商投资的法律框架。

智利在审议期间继续实施贸易便利化措施。例如，智利将一些海关的海关程序标准化，预计将在2017年为最终产品的进口设置单一窗口。自2014年以来SIBEX出口模型开始生效。现已采取措施来确保裁决的公正性，由于在国家海关总署设立税务和海关法院（TTA）解决此类问题之前的投诉。TTA是独立的法院，它的出现结束了海关在海关纠纷中既是法官又是当事人的局面。同时，当进口货物通关价值达到＄1000时，进口商仍需要海关代理商提供的清关服务。海关代理必须是智利公民。

2014年，平均最惠国关税率为6%，与2009年相同。不考虑价格带系统，智利只有两种税率：0和6%。禽肉的税率12.5%在2012年降低到了6%。2012年智利的关税结构几乎是单一的，因为有99.6%的税目适用6%的税率，仅有35个税目包括机械和运输设备适用于零税率。智利仍然适用基于国际参考价格的小麦、面粉和糖的进口价格带系统。据有关部门介绍，价格带在大部分的审议期间导致零利率。虽然在此期间的综合价格制度的应用并没有带来更大的保障，其存在是潜在出口商的不确定因素，它降低了智利关税政策的透明度。

智利在其签署的区域贸易协定和其他优惠协定下适用原产地规则，并给予单边优惠。一个协议与另一个协议之间原产地规则不同，包括通用和特定的规则，其复杂性也取决于协议。在某些情况下，它们可以阻止优惠准入，特别是6%的最惠国关税相当低。

智利的反倾销和反补贴税法规并不是非常严格的贸易限制。在审议期间相继出台多项法律修正案，通过缩短进行调查的最长期限，来进一步限制使用反倾销和反补贴措施。这是除了智利的反倾销和反补贴措施外的另一个重要方面，即措施可能只持续一年，不得延期。智利的保障立法也做出该改变，但它们朝相反的方向，延长可能的适用和更新周期，从一年到两年。虽然这样的限制仍然低于在WTO协定下的保障措施。智利签署的一些区域贸易协定实施WTO框架的全球保障措施免除当事人（的责任），但在最近的区域贸易协定中则没有这样的例外。

技术法规、标准和合格评定程序的起草和应用的法律框架是透明和发展的。这些措施的起草是在无歧视原则和透明度原则基础上，在大多数情况下诉诸国际标准。监管机构被要求在其网站上发布所有技术法规和有效的合格评定程序。智利还拥有技术法规网关，意在集中这些信息。2009年1月和2014年12月期间，智利向世贸组织提交了209条技术法规新通报。作为一般规则，对进口和国产产品投放市场后其是否符合技术法规得到验证。然而对于进口食品、饮料、药品、武器、放射性物质、电子产品和燃料，其验证发生在边境。智利政府没有单一的法律管理卫生与植物体系，制度和卫生和植物检疫（SPS）措施的起草和应用程序是一些主管部门的责任。卫生和植物检疫措施草案由技术委员会起草，一般基于相关的国际标准。卫生和植物检疫草案会进行公开咨询，并同时向世贸组织通报。在2009—2014年期间，智利向WTO的卫生和植物检疫委员会提交了201项通报（不含增编）。

智利有两套出口退税系统：一个是通用的，一个是简化的。根据简化系统，主要是供小型出口商使用，非传统出口有资格报销出口货物3%的离岸价的价值。针对临时入境的进口加工制度（DATPA）允许生产出口产品的企业进口原材料、半成品和零部件，并且从国外进口的零部件无须支付进口关税或增值税。智利经济发展机构（CORFO）应对未付款的风险，对出口商实行着一个银行贷款担保方案（COBEX），在2010年扩张并为微型、中小型进出口企业提供投资和运营资金。在审议期间由CORFO提供的覆盖率增加，可以达到60%。

目标为区域发展的三个项目作为补贴通报世界贸易组织：在某些省份投资税收抵免；在免费区税收豁免；促进偏远地区发展的基金。智利有针对本国偏远的北部和南部地区的支持计划以促进就业，给有兴趣在这些地区投资的中小型企业提供无偿资助。此外，还有一些中小企业支持计划，其中大部分通过 CORFO 来管理。中小企业还可以获得担保基金的担保，通过金融机构寻求贷款。

在审议期间，智利出台措施加强其监管机构的权力，以及它们的独立性。目前，智利的竞争政策是为了防止滥用市场支配地位，竞争管理当局的行动意在重点打击国际卡特尔，在此方面已大获成功。然而，智利仍然缺乏要求合并提前通报或通报的立法，这方面已通过一个半自愿通报系统控制。当局试图通过发布业务职能弥补缺乏约束力的规定，但这不是强制性的。为了填补这一空缺，智利已起草一个新的竞争草案，加强政府的权利以及控制合并的审议。

智利有一个透明、高效的政府采购系统，利用电子采购平台采购商品和服务。智利政府采购和合同制度于 2003 年推出，基于最佳实践机制，为国家储蓄产生了巨大作用。超过 900 家生产商在中央和地方政府参加 ChileCompra（智利政府公共采购系统）招标程序。国有企业采购和公共工程由各自的法规规定。不过，国有企业可以自由使用 ChileCompra。没有条款规定偏好国有供应商，根据生源地歧视产品、服务和供应商。在政府采购方面，智利是世界贸易组织委员会的观察员。

智利一直保持其完善知识产权体系的目标，来实现权利和义务之间的平衡：一方面给予创作者和发明家足够的保护；另一方面，在公共领域保障用户的利益。智利已改革立法，完善知识产权制度，完成其国际承诺。在某些情况下，其立法比 TRIPs 协议下的义务更进一步，例如，在关于著作权和知识产权的某些领域。这反映了智利已完成了区域贸易协定的承诺。

在审议期间，智利农业政策的重点在促进竞争和创新，其中包括小规模的农业。忽略综合价格制度的保护，对所有农产品的关税保护维持在 6%左右。糖有最惠国待遇和优惠关税配额。在已签订的贸易协定内容中，智利已协商其他关税配额产品如牛肉、小牛肉、禽肉、猪肉和乳制品。农业部门已经进行一系列项目，为小规模家庭农户和中小企业提供融资便利，同时还提供技术援助和培训。智利以补助 50%农业保险保费的形式（若是谷物则提供 75%）向农民提供援助，并设置了每逢农忙时的人均援助上限。

智利有四种制度准予进入渔业资源行业。每种制度有不同的捕捞许可证：一般进入制度捕捞许可，充分利用渔业制度许可证，以及为恢复和初期渔业制度授予特别许可。一般情况下，如果申请人是自然人，则一定是智利人或有永久居住权的外国人；如果申请人是法人，则必须依法设立在智利。水产养殖部门对智利十分重要，因为它是智利的主要出口产业之一。水产养殖许可授予 25 年为一周期，而且可以转让。这方面没有国籍的限制。

采矿业占智利国内生产总值的 11%以上，并且是智利的主要出口部门和外国投资的主要目标。虽然矿山不能私有，但矿山可以被私人开发并给予国内外投资者平等对待。国家在矿产生产上发挥了优势作用，尤其如铜矿开采，是通过两家国有企业，即国家铜业公司和国家矿业公司。除了基本的税收制度，智利法律规定了在开采和生产操作方面的特定矿业税。税率是可变的，取决于年销售总额。

智利是能源进口国。私人公司，无论国内或国外，有权参与所有能源部门活动并且没有限制。实际情况是，国有企业 ENAP 主导大部分油气开采、生产和提炼。政府继续推行价格系统稳定一些燃料的国内价格。当前的燃料价格稳定机制创建于 2014 年 7 月，通过增加和减少某些燃料（汽油、柴油、压缩天然气和液化石油气）的特定燃油税来稳定价格。与之前的系统相比，其目的是防止短暂的价格上涨并缓冲永久增长的影响；但不像之前的系统，它不是完全针对防止价格增长转嫁给消费者，相反从价格增长处由一个综合价格制度逐步传导。

智利有一个多元化的金融部门，具有高水平的金融中介和国际一体化。在审议期间，智利提出一系列建议使其银行规则适用巴塞尔协议Ⅲ标准，但这些标准的全面实施需要立法修订。智利金融业在一个监管框架下运行，这一框架被认为适合于这一经济规模，即使该资产超过国内 GDP 的 200%。金融部门外资参与水平显著，无论是在银行、保险或养老金。虽然在某些情况下会强加一些条件和要求，但进入这些市场是不受限制的。例如，出于国家利益的考虑，要求超过 10%的银行资本需要提出申请。同样，外国保险公司可以直接出售国际海上运输保险、国际商业航空保险和过境货物保险，但前提是它们建立在与智利有国际条约并允许此类保险生效的国家。

电信通则提供免费和平等使用无线电频谱的机会。通过优惠、许可或许可证获取使用权。电信网络的平等接入体现在公共电信服务和连接服务所有人向访问者授权的义务。于2010年修改电信法涉及互联网用户的权利和互联网的义务。

智利民航政策确立的自由进入市场、自由定价和最低官方干预的原则，旨在为所有对智利的航空运输系统有兴趣的公司之间建立竞争的最佳条件。其结果是，外国公司拥有访问智利航空运输市场的权限，只要其符合技术要求。2012年，相继出台了加强沿海运输的相关政策，包括允许外国公司在非互惠的条件下自由进入。然而，互惠原则适用于外国公司进入国际航空运输市场。外国投资者在机场许可的参与上没有任何限制。智利的海上运输政策基于互惠原则，在实际中，智利在国际海上货物运输上适用更灵活和务实的标准。同样，虽然原则上沿海运输预留给在智利登记的船舶，但实际上存在例外。在智利注册一个商船要求大部分资本必须由智利自然人或法人持有。目前有10家国家港口企业直接经营，或者通过港口许可或租赁协议在经营。

（张宇译，戴臻校）

新西兰贸易政策审议

因其上一次审议（2009 年），新西兰一直处在世界上最开放的经济体系之中。2008/2009 年度至 2013/2014 年度之间，实际 GDP 年均增长率 2.1%，主要是由私人消费拉动。虽然之后在审议期间有所增长，主要是由固定资本总额形成（与 2010—2011 年坎特伯雷地震后重建有关）。新西兰出口商品的高国际价格也有助于经济增长。

在审议期的大部分时间之内，宽松的货币政策有助于在 2008 年经济危机的影响后支持其经济复苏。CPI 指数膨胀在大部分审议年中都在新西兰储备银行的目标范围内（1%～3%）。随着国内需求回升和通胀压力开始抬高（部分由于高房价），新西兰储备银行在 2014 年 3 月开始收紧货币政策。2013 年 10 月以来在一些地方，限制高贷款估价比率的按揭房贷，有助于住房价格趋于稳健。政府致力于巩固财政，其经营的平衡赤字已经减少（在 2013—2014 年 GDP 为 1.3%左右），预计将在 2015—2016 年回到盈余。

新西兰传统上经常账户赤字，反映了有海外借款的国内储蓄持续短缺。由于强贸易条件的支持，赤字在 2013—2014 年缩小到 GDP 的 2.6%。净对外债务逐渐下降，但在 2014 年 3 月仍然维持较高水平，占 GDP 的 65.6%左右。

虽然新西兰经济近几年发展动力集聚，但它也面临着重要挑战，包括较高的私人国外负债、一些贸易伙伴需求下降、国际商品价格波动、强劲的汇率、农业部门高负债。此外，新西兰的劳动生产率和人均收入继续落后于经合组织平均值。

在 2013/2014 年度，新西兰货物和服务的对外贸易强度相当于 GDP 的 56.7%，反映了因为其经济规模小而相对较弱的贸易强度，这可部分由该国地理上偏远于世界市场来解释。基于主要生产部门的产品在商品出口中仍占主导地位（增加至 76%），主要由于国际大宗商品价格高昂；而进口集中在制造业（主要是资本货物）和原材料。随着中国成为其最大的单一贸易伙伴，在审议期间新西兰的商品贸易方向有所改变。出口服务，尤其是旅游服务，仍然是外汇收入的重要来源。

自上次审议以来新西兰的贸易和投资框架没有显著改变。多边贸易体系仍然是新西兰的主要工具，来向本国出口商提供贸易条件，并应对其作为一个小型偏远国家的地理位置的挑战。尽管如此，新西兰已经越来越多地参与区域贸易协定，以协助其更好地参与到世界贸易组织中去。它现参与十个区域贸易协定，其中四个在审议期间生效（即与中国台北、马来西亚、中国香港、中国；和东盟—澳大利亚—新西兰自由贸易新区）。新西兰正在继续完成其他区域贸易的谈判。在审议期间，海湾合作理事会与朝鲜缔结了新的区域贸易协定。新西兰给予最不发达国家免税免配额进口权限，并提供给发展中国家普惠制下的优惠关税。新西兰积极提供贸易援助，向太平洋岛屿国家提供了具体的支持措施来提高其贸易的能力。

新西兰定期完成世贸组织通知的要求。在审议期间，它在一个 WTO 争端解决案件中作为投诉人参与进来。

对外直接投资（FDI）是新西兰获取资金的重要方式，也是其获得外国技术、专有技术和全球市场的方式之一。在 2014 年 3 月新西兰的外国直接投资存量共计 974 亿新西兰元（占国内生产总值的 42%），一半以上投资在金融业和制造业。2014 年 3 月新西兰股票国外的外国直接投资总额为 232 亿新西兰元，大部分投资在制造业。总体而言，新西兰有开放的外国投资制度。然而，通过审议程序，它在有关键利益的几个领域进行限制，即某些敏感类型的土地，“重要的企业资产”（而非土地）以及捕鱼配额。

新西兰适用的最惠国税率一般是 2.4%（2015 年），其半数以上的税目是免税的，虽然高关税仍适用于鞋类和纺织产品。2013 年 10 月，政府决定将目前的最惠国关税水平至少保持到 2017 年 6 月 30 日。其关税审议将在 2016 年进行以考虑是否需要对 2017 年后的关税做任何改变。

自 2009 年的贸易政策审议起，新西兰实施贸易便利化项目就开始建立一个“联合边境管理系统”。作为其中的一部分，贸易单一窗口和修订后的进口电子数据报关单已落实到位。

在审议期间，新西兰继续对其贸易相关立法进行现代化改造。例如，反倾销和反补贴法进行了重大修订，包括一项新规定即允许进口商可以申请退还超过倾销幅度的反倾销税。此外，为了支持坎特伯雷地震后的重建活动，在住宅建筑材料上反倾销措施被暂停。新的贸易（保障措施）法在2014年通过，允许保障行动及时实施和在实施保障措施时列入“公众利益”标准。在审议期间发起了四个反倾销调查，结果对其中两个实施了最终措施；未强加反补贴或者保障措施。

技术条例及卫生和植物检疫措施（SPS）旨在反映世贸组织的规定。当制定相关标准时，现有的国际标准被考虑在内，并展开与利益相关者的咨询工作，为了生物安全相对严格的卫生和植物检疫措施适用于进口的植物和动物产品。在世贸组织技术性贸易壁垒委员会，一些成员对新西兰在2012年建议烟草产品采用朴素包装增加关注，而另一些成员则支持它。新西兰与一些主要贸易伙伴有相互承认协议。最全面的是与澳大利亚联邦政府、州和地区政府签订的《跨塔斯曼相互承认协议》。

新西兰继续推进几个业务援助和出口促进方案。主要出口促进机构新西兰贸易发展局为新出口商提供战略咨询、研究和市场情报，及支持已经建立的出口公司。出口信用保险也是供出口公司选择的。其他一些激励机制尚在落实，主要是为了鼓励创新和能力建设。

新西兰有一个全面的竞争政策法律和制度框架。商务委员会负责执行商业法的一般规定以及竞争成员的特定行业的法律。委员会与海外竞争机构进行国际合作。在国际比较中，虽然新西兰的竞争制度被视为一般表现较好，但一些研究发现，该国的市场小和地处偏远导致了一些服务业（如零售、金融、保险、房地产、专业服务）相对水平较低的竞争。由此可能导致这些部门生产力水平降低和高成本，这不利于某些新西兰企业和消费者。竞争法的提议修正案，包括对核心卡特尔的刑事制裁和国际货运运输部门适用的《商业法》，目前已经提交议会。

只有一个国营贸易企业拥有出口猕猴桃的特权。政府在关键经济部门例如能源和运输的几家企业中持有股权。近年来，在这些企业中政府的参与水平一直在下降。

新西兰在2012年政府采购达到约占GDP的20%。政府采购的新规则在2013年生效。政府打算推动开放竞争性采购做法给予国内供应商无差别待遇。新西兰加入世界贸易组织政府采购协定的条款已于2014年10月29号通过。议会条约审议进程正在进行中，以批准该国加入。

新西兰知识产权制度旨在确保权利所有者的利益和整个社会之间的平衡。在审议期间发生了几个立法方面的变化。新专利法案在2013年生效，除其他外，申请专利面临更严格的审核，并从专利排除“计算机软件等”。版权法被修订以便于打击侵犯共享文件的执法行动。商标法修订了几次以适应国际标准。地理标志法律保护继续通过1986年公平交易法提供。地理标志（葡萄酒及烈酒）登记法于2006年奠定了葡萄酒和烈酒地理标志注册制度，但尚未生效。

初级部门对新西兰的经济有着关键的作用。受益于大宗商品价格高企，2014年农业产品贡献了70%的商品出口总额。农业是一个高生产力的部门，且有着最少的政府干预。针对农业产品的关税继续下降，并没有进口配额或许可证。国内支持仅限于生物安全边界控制害虫和疾病以及针对气候灾难救济。2010—2013年新西兰的生产者支持估计（PSE）小于1%（在经合组织国家之中为最低）。生产者组织已更换所有以前的法定营销委员会，国营贸易企业仍将垄断大部分市场的猕猴桃出口。乳品行业进一步改革，以提高透明度和促进奶原料市场进入者的进入。新西兰是最大的乳制品出口商，恒天然合作社集团所持有的独家出口牌照在2010年年底被逐步淘汰。商业捕鱼是个繁荣的出口部门，出口占其所有捕鱼量的90%。然而，对捕鱼配额的海外投资有限制。挂有外国国旗的渔船从2016年5月1日起将禁止在新西兰水域捕鱼。

在电力部门国家参与力度依然很大，尽管已采取措施来进一步向私人投资者开放。三家国有企业生产占近2/3的电力，而电力的运输由另一个国有企业掌握，国家出售其49%的股份。电力是在自由市场交易，对批发和零售价格不进行监管，而传输公司和最大的分销公司受价格质量控制。2010

年电力行业法案创建了一个独立的监管机构，放宽了对分销、零售和发电企业所有权的限制。2013年，石油监管制度做出改变以吸引投资，包括简化勘探许可证的程序。

制造业仍然是推动经济发展的重要因素，但其在GDP、就业和出口中的份额在审议期间持续下降。食品和其他资源型产业占制造业产出的大部分。制成品适用的简单平均最惠国关税为2.5%。2015年以来，制造业面临挑战，包括需求疲软与技术和研发短缺。政府已制订若干方案协助业务部门（不专门针对行业），主要表现在资金支持、技术咨询和研发资金上。

服务是新西兰经济主要部门，占货物和服务出口总额的25%。服务贸易制度是相对自由的，尽管在电信和运输部门存在几项对外国直接投资的限制。新西兰对服务贸易总协定155个部门中的90个做出了《服务贸易总协定（GATS）》的承诺。

新西兰的金融部门近期监管政策的变化包括加强对银行和其他金融机构（保险公司和非银行存款者）的审慎监管框架。外资所有权较高的银行业，需要符合资本审慎监管要求，包括巴塞尔协议Ⅲ中的资本充足率门槛。尽管如此，负债累累的家庭及农场部门及其对外国资金的严重依赖，仍是金融部门的主要挑战。已采取宏观审慎措施应对这种挑战及提高系统的抗灾能力。

电信部门已经做出重大的监管变革，包括2011年现任运营商的分拆。互联网宽带已经快速普及，但价格仍相对高于经合组织的标准。目前，政府正在实施其倡议，到2020年将超快速宽带光纤网络普及到人口的75%。新西兰没有为进入市场和控制零售价格到最低而制定发牌要求。电信企业的外商投资须遵守通用海外投资规则，未经事先的官方书面批准，任何对前任批发运营商的海外投资比例都不得超过49.9%的上限。

新西兰有一个开放的国际航空运输政策，并与超过60个伙伴保持航空服务关系。新西兰国家航空公司，52.3%的股权由新西兰王室所有，海外个人未经官方事先书面同意不得持有10%或以上有投票权的股份。三个主要国际机场由私人或公共所有，须遵守商业法信息披露的规定。对机场规则的审议，包括竞争问题目前正在进行之中。

几乎所有的新西兰海外贸易都是按体积，经由海运进行的。航运政策的目的是确保新西兰出口商与托运人已经达到航运公司竞争的条件。目前一项提交议会的法案，如果获得通过，将会取消国际航运协定中的垄断价格。在新西兰过境卸载进口或装载出口的船舶、由新西兰企业经营或控制的海外注册船只允许运载沿海货物。14个港口中的大多数均由港口公司管理，归地方当局所有。港口生产力的增加将有助于新西兰公司降低贸易成本。旅游业是重要的外汇收入和就业机会的创造者，有大量的公共投资为该部门提供支持。

（张宇译，戴臻校）

欧盟贸易政策审议

总体而言，欧盟仍然是一个开放且透明的经济体，而且作为世界上最大的经济体和贸易集团之一，在多边贸易体系中发挥着至关重要的作用。2013年7月，克罗地亚成为欧盟的第28个成员方。尽管各个成员国在影响贸易和投资的几个领域（如税收方面），有着不同的权限，欧盟在贸易和投资上有专属权利，且欧盟作为一个高度集成的经济体，同时也具有单一市场功能。欧盟境外的贸易对其经济的发展至关重要，商品和服务贸易总额相当于欧盟2013年GDP的35%。自2009年以来，名义出口和实际出口均有持续增长。另一方面，2013年的进口额相对2012年有所下降。

自上次（2013年）贸易政策审议以来，欧盟的发展仍以低且脆弱的增长以及欧元区货币危机的逐步发展为主，其GDP在2013年没有增长，2014年实现了1.3%的增长。大多数成员国主要的宏观经济指标有所改善，但一些成员国只实现了细微的进步。此外，失业率仍然很高，投资一直处于停滞状态，某些时期通货膨胀转变为通货紧缩。因此在2015年年初，欧洲中央银行进入一段货币宽松时期，通过扩大已扩展至包括欧元区中央政府、机构和欧洲机构发行的债权在内的资产购买计划，月资产购买总额已达到200亿欧元，计划将至少持续到2016年9月。该计划旨在2015—2017年间为战略投资（如基础设施建设）调动额外的3150亿欧元。在成员国层面上，劳动力市场改革对改善就业已初见成效，这也是造成某些成员国收入较低的部分原因。

欧盟政策的重心一直是宏观经济发展，贸易及与贸易相关的政策也在不断改进。欧盟与一些贸易伙伴，尤其是美国和日本，正在进行贸易磋商，并且已经同包括加拿大在内的其他国家完成了贸易谈判。欧盟也将继续对发展中国家实行普惠制（GSP）和普惠制加（GSP+）计划，对最不发达国家实行“除武器外一切商品”计划。各种已经到位或者正在谈判中的优惠协定的累积效应意味着，只有少数国家和地区将同欧盟在最惠国待遇框架下进行贸易（虽然GSP并不涵盖所有受益人的全部产品）。此外，欧盟的全面深入贸易协定和经济伙伴协议超出了货物和服务贸易的基本条款，包括投资、非关税壁垒以及知识产权等领域的贸易相关政策。

一直以来欧盟都是世界贸易组织中最活跃的成员之一，而且多次阐述了其结束多哈回合的承诺。欧盟同成员国一起，为贸易提供了巨额援助，欧盟贸易便利化协定的批准程序也于2015年3月开始推进。

各成员国在进出口所需的时间和成本上存在显著差异，但这主要是由于非关税因素的差异造成的（如基础设施），而不是由海关程序和要求造成的。此外，欧盟正在实施一项电子关税倡议，其中包括一个自动进口/出口系统和单一窗口制度，这将有助于进一步减少所需的时间。此外，经认证的经营者系统在不断扩大，经认证经营者的相互承认协议现已纳入了中国。另一方面，欧盟同其他贸易伙伴间的优惠贸易协定和计划的数量不断增加，在原产地规则方面将需要一个相当大的法律体系。

欧盟的最惠国关税分布近两年内未发生变动，由单位价格变动引起的从价税等值的非从价税的变化反映在简单平均关税的微小变动上。因此，平均关税维持在6.5%，不同产品类别之间存在较大差异，近1/4的关税税目是免税的，而农产品平均保护水平较高，不同关税税目之间的差别也更大。

截至2014年11月底，欧盟共实施了108项反倾销和14项反补贴措施；同时，自2008年起欧盟未实施过保障措施。然而，虽然2016年反补贴调查的数量基本与前两年相同（16起），2016年审议期间发起的反倾销调查数目达到了前两年总数的一半（6起）。

欧盟标准和技术要求的统一仍在进行中，2014年2月通过了包含8个指令在内的一揽子协定，其中包括电压电器设备和电磁兼容性指令。此外，2013年和2014年采纳的其他法规涵盖了其他领域的标准和协调方案，包括无线电设备和娱乐工艺。

虽然在卫生和植物卫生措施方面没有较大变动，委员会采纳了一项一揽子措施的提议，该措施将会对农产品供应链产生影响。

出口信贷及其他由成员国提供的服务和行业支持均遵循欧盟的国家援助规则。虽然有利于个别企业或特定商品生产的国家援助原则上是被欧盟运行的相关条约所禁止的，但对一般经济利益服务存在一定数量的豁免、例外和具体规则。基于国家援助现代化委员会的通报，这些国家援助正处于改进当中，旨在简化规则，使其更有针对性，以提升其执行力度。尽管国家援助的总量仍然显著，超过620亿欧元（不含运输），但是近几年国家援助的整体水平呈现下降趋势。除了常规的国家援助之外，与2008年开始的金融危机相关的国家援助在2013年和2014年仍在使用当中，相关规则在欧盟委员会2013年银行业通报中进行了修订。危机相关援助的有效使用比委员会通过的数量少得多：授权担保达到38 930亿欧元；未结担保于2009年达到峰值，即8358亿欧元；仅2014年10月，担保申请就达310亿欧元。

直接税很大程度上由各成员国自行负责。所得税、公司税和社会贡献的税率和体系在各国也各有不同。总的来讲，雇主们所提供的与利润相关的高水平的社会贡献可能会限制就业机会的创造。尽管在增值税上有通用体系和最低标准的税率，但在“预防欧盟内部实行统一的增值税体系”的规则和减损条款上，仍然存在较大的灵活性。

欧盟内部存在现行的政府采购方面的通用规则，但成员国提供的数据存在差异，想要得出各成员国间支出比较的结论比较困难。2014年通过的一系列新的指令改革了法律框架。指令中的条款正在逐步转化成各成员国的国家法律。这一揽子指令旨在提高透明度和执法力度并简化程序。在其他变动中，该系列协定强化了对低于最低值的采购合同整体的规则，引入了包括环境外部性在内的生命周期成本计算的概念，同时对特惠合同实行特定的规则。

知识产权对欧盟经济非常重要，是经济增长的主要驱动力，并且受到包含欧盟和成员国两个层面在内的一个广泛的法律体系的管辖。从欧盟层面讲，在《知识产权蓝图（2011）》、《研究和创新框架计划（2014—2020）》以及其他官方文件下，法律的审查及现代化仍在进行当中，有几项指令正在被转化成各成员国的国内法律。此外，对欧盟商标制度的审议和对保护商业秘密的建议指令的审议进展顺利。欧盟司法法院继续在知识产权的几个关键领域完善其法律体系，包括规定了人体干细胞的可专利化。

欧盟对《公共农业政策》进行了重大改革，采纳了几项指令并且实施了包括对农业生产者的直接支付、市场措施和农村发展在内的规则。同时，全部农产品的出口退税自2013年7月起降至0。尽管公共农业政策的改革可能会改善欧盟内部的生产扭曲，农业和农村发展的资金总额将保持在每年500亿欧元之上。此外，在早期改革之下，包括关税、关税配额在内的市场准入措施以及特殊农业保障的使用没有直接受到影响，因此农业生产者将继续免受国际价格变动的影响。

受全球金融危机余波的影响，影响金融业尤其是审慎措施的法律改革仍在三大支柱下进行，三大支柱分别指：全球银行规则，以建立更加安全、更能促进经济增长的金融部门为目标的规则，以完善银行业联盟和强化欧元为目标的规则。并且根据委员会的提议，每一个支柱规则下还引入了几项指令和法规。

在电信业，如此前审议中所述，其监管框架到国家法律的转换已经完成，相关的规则已被欧盟层面采纳。委员会于2012年9月提出了连接大陆一揽子协定框架下进一步的法规变革，现正处于议会与委员会的讨论之中。

分销服务是欧盟最大的服务部门之一，批发和零售贸易占GDP的11%以上，提供了欧盟内部约15%的就业岗位。该部门以提高集中度和垂直整合为特点。分销服务很大程度上是由成员国通过法律组合来管理的，包括与劳动、竞争以及企业相关的那些法律。不过，包括服务指令在内的几项欧盟层面的法律也是适用的，这些法律也承认了分销服务对于欧盟经济以及内部市场政策实施的重要性。进一步的欧盟政策目前正在制定当中。

视听服务连同其他的创意产业，贡献了欧盟国内生产总值的2.6%，管理该部门的主要规则是《视听媒体服务指令》和欧盟委员会对公共广播公司的援助以及对电影和其他试听作品给予支持的两项通报。

先前的贸易政策审议指出，欧盟是一个高度集成的经济体，有着包含大部分贸易相关领域的共同政策和法律。此外，一体化程度有所提高。尽管宏观经济和财政问题影响了一些成员国，就整体而言，欧盟的贸易和投资制度是开放且透明的。然而经济复苏依旧脆弱，28 个成员国在某些政策领域仍然存在显著差异，包括直接税、国有企业以及政府采购在内，所有这些都将影响其贸易和投资。

（刘颖译，宋懿达校）

马达加斯加贸易政策审议

马达加斯加正从 2009 年爆发的社会政治危机中逐渐恢复过来，2013 年 12 月的总统选举结束了这场危机。大量的水稻种植以及诸如镍、钴和钛等重金属的提取和随后的出口，促使经济自 2014 年开始好转。贸易改革，特别是在贸易便利化领域的改革，也起到了重要的作用。

自上一次（2008 年）对马达加斯加的贸易政策进行审议以来，其货物贸易结构经历了深远的变化。该国已成为镍及其他矿物矿石的主要出口国。农产品出口变得更加多元化，反映了马达加斯加的土地及专有技术非常繁荣。考虑到旅游业的重要性，服务出口也有所增加，占有近 14 亿美元的市场。成衣出口是传统的马达加斯加出口类别，因 2014 年 6 月恢复的非洲增长和机遇方案（AGOA）下美国偏好的结束而走向没落。

总的来说，因马达加斯加在 20 年内才能从其第四次社会政治危机中恢复过来，因此其在 2009—2014 年期间的经济增长（平均每年不到 1%）仍远低于其潜力。这些经常性的危机已经阻碍了外部的合作并导致人口骤入严重贫困：超过 90%的国民（相比不到 2005 年的 70%）每天生活在不到两美元的日子里，并且许多人营养不良。马达加斯加将无法在 2015 年实现其大部分的千年发展目标（MDGs），虽然在最近这些危机之前，这些目标被认为是可以实现的。

危机及其多方面的后果（包括基础设施的破败状态，尤其是交通、能源和水，国家治理问题的恶化以及随后各种形式外国援助的枯竭），导致了政府收入的急剧下降。运营费用居高不下，公共财政赤字本应确保在投资预算中被削减。即便如此，2015 年 5 月，财政赤字（包括补助）总计达到 GDP 的 3.5%。按照其章程，中央银行为预算赤字融资做出了贡献，其他国内银行机构也为此做出贡献。由此产生的挤出效应，连同鼓舞人心却少有信心的司法环境（包括对于银行担保的实现），有助于将贷款利率维持在接近 50%的一个非常高的水平上。

马达加斯加的通货膨胀，其主要决定因素包括当地市场农产品（特别是食品）价格及进口石油产品的价格，由于对进口实行平行优惠汇率形式的国家补贴（国家货币阿里亚里估值过高）的结果，同时伴随多个成功的水稻生长季，通货膨胀从 2007 年的 10.3%逐渐降到最近的 6%。然而，对于石油产品的进口补贴，有助于减少该国的国际储备（相当于 2008 年至 2013 年之间平均水平 2.9 个月的货物及非要素服务进口），致使再度激发需求，部分出口收入返归并转换成阿里亚里。国家货币有所波动，总的趋势是对汇率的有效升值，因此导致了较少竞争的国内经济。总的来说，货物和服务的进出口剧烈减少，在 2008 年至 2014 年间，由占 GDP 的 80%下降到不到 70%。尽管矿产品出口有所增加，但在其他方面上，马达加斯加的贸易重要性略有下降。

矿业部门将其良好的业绩归功于对两个采矿项目的外国直接投资，尽管该国政治不稳定。自从 2013 年运营开采镍、钴、钛及其他重金属以来，马达加斯加的经济基本以矿业为主，现在有 1/3 的出口收入由这些产品获得。尽管如此，矿业部门对 GDP 的贡献仅为 4%，因为出口的产品一般都是未加工的，同时黄金和宝石提取和出口的最重要部分建立在非正式的基础上。目前马达加斯加尚不具备基础设施发电供矿物加工工业日常所需。

2008 年，重组电力运营商 JIRAMA 和升级国家电力供应早在此前的审议中就被列为是马达加斯加的当务之急。这些问题一直受到重视，此外该国人均电力消费量低于非洲平均消费量的 10%。尽管该部门在法律上允许竞争，但事实上电力销售价格被国家固定在低水平上（低于生产成本）并不鼓励新运营商的加入。一些运营商不得不租用昂贵且污染的发电机来自己发电。

在石油行业，国家也介入了许多与贸易相关的领域，如价格设置、关税和税收的暂停，以及一个平行的优惠汇率。一些服务，特别是石油产品的沿海航运以及航空燃料的供应，目前被供应商所垄断。在这一联系中，2014年全球价格的下降应敦促政府在国内市场恢复这些产品的价格并进行部门改革。矿物及能源产品的平均关税为7%，最高可达20%。

自2010年以来，马达加斯加的农业经历了十分困难的几年，审议期内几乎为零增长并且在2013年急剧下降，水稻和玉米的收获被成群的蝗虫、飓风、洪水和干旱所破坏。不像非洲一些欠发达国家，在过去十年中，马达加斯加似乎已经不能采取所需手段给粮食生产带来真正的增加；在2013年，人均粮食净生产量回落至2004年的水平。因此自2008年以来，粮食产品进口呈现大幅增长。

通过一系列细分商品，例如丁香、香草、荔枝、蜂蜜、鹅肝酱、花生、可可酱以及未经焙烧的咖啡，农业部门展现出了巨大的出口潜力。马达加斯加仍有大量可用于发展生产但尚未被开发的潜在耕地，但土地问题也是该国投资目前面临的主要挑战之一。自2005年开始的大范围的土地法改革，对财产所有权更加安全有着显著作用。扩大这一改革是明智的，将进入房地产市场的外国人包括在内，可能会被重新审查或被公布在网上。尽管外国人只能以长期租赁的方式租赁被命名的国有土地，但许多文献中包含有外国人“收购”土地这一说法，许多公司通过改变国籍或提名候选人达成这一目的。

马达加斯加有巨大的渔业及水产养殖业潜能，其虾蟹出口十分重要。然而，马达加斯加的深海捕鱼业在有利于外国公司的贸易条件下开展，在此条件下没有最大捕捞量的限制。为了实现资源的可持续管理及渔业收入最大化，改革是必需的。森林管理因严重滥用遭到破坏，尽管在濒危野生动植物种国际贸易公约做出承诺，当局尚未阻止名贵木材（黑黄檀和红木）以及鳄鱼和其他野生物种的出口。农业部门的平均保护水平（包括植物、动物、渔业和林业生产）为14.1%，略高于2008年的13.9%。

适当的政策，为制造业提供了良好的机会，尤其是在农产品及手工艺品领域。马达加斯加有丰富的植物群及动物群、充足的水资源及马达加斯加人丰富的专有技能。这些领域的增长很大程度上可能来自于小规模的中小企业，只要国家废除这些目前阻碍其脱离非正规经济的过度的、复杂的、不够透明的税收。工业，尤其是那些以出口为导向的，受到对企业的高税收及繁琐的劳动立法的不利影响，除此之外还有获得外汇购买输入的困难以及后者的高税率，长期拖延支付增值税退款，较高的海关控制及质量控制成本，繁琐的出口文件要求。最后，这部分收益要转换为本国货币并汇回国内。

自由区企业制度下，一大批已注册的企业（有许多情况下为虚拟的）对问题提供了部分解决办法。没有这一制度，大量的工业投资就不会在马达加斯加开展。这一制度给予投资者巨大的利益，原则上，其生产的95%都被允许出口。然而，由于该制度被广泛滥用，因此成为深远改革的首要候选，以期能与日常法律制度更好地整合。

在审议期间，贸易改革方面取得了重大进展，特别是关于贸易便利化。马达加斯加至少继续给予其贸易伙伴最惠国待遇。它从未以原告或被告的身份参与到WTO的争端解决过程中。马达加斯加最近在更新WTO通知上做出了巨大的努力，因此，WTO参考中心投入运营，当地参与WTO远程培训课程显著增加。马达加斯加是一包括近50个贸易伙伴的贸易协议的一方，该协议包括南部非洲发展共同体和东南非共同市场，该协议作为欧盟与东部和南部非洲国家之间的临时经济伙伴关系协议于2012年生效。在非互惠的基础上，马达加斯加得以免税进入所有东部和南部非洲共同市场及南部非洲发展共同体合作伙伴市场。该经济伙伴关系协议下的关税削减自2014年1月开始。

现在已有一些关税削减，基本上是在农业投入上，这使得马达加斯加的简单平均（主要为从价税）最惠国待遇率由2008年的13%下降为2015年的12.2%。然而，不到1/3的关税定额是受限制的，有一部分适用税率超过了这一约束水平，还有不到6%的适用税率为零税率。通过降低海关税率，马达加斯加能够更好地抵制其从进出口量中通过增加其他关税税率获取税收收入的诱惑，例如最新执行的进口车辆关税。进口税（国内和入境）占其税收收入的一半以上，是政府预算的主要部分，阻碍了国际贸易税收的取消。

马达加斯加自2005年以来一直在努力提高海关服务。据报道，自2015年3月起，最低进口量不再被用于海关估价。电子口岸单一窗口取得显著进展，无纸化通关手续进展接近完成。MIDAC系统，单一窗口中主要部分，现在被要求批准进出口交易的多个控制机构向海关发送其各自的电子授权。然而，还要做相关工作以确保费用能实际反映所提供的服务。技术和财政援助被用以提高标准和技术法规的立法和制度框架，如卫生及动植物卫生检疫措施，似乎是必不可少的，特别是为了提高马达加斯加的出口。

2009 年政府采购量大幅下降，可能是由于社会政治危机。2013 年，来源于国外的供给仅占政府采购量的 0.6%。马达加斯加不是 WTO 主持下政府采购诸边协议的成员或观察员。不过，该国已做出巨大努力通过在网上公布自动化政府采购管理系统来实现透明化。

马达加斯加当局意识到，如果没有社会政治制度改进的支持，任何贸易政策的改革都将是无效的。这就包括，特别是加强政治与宪法的稳定以及法治的保障，加强对人的法律保护，加强包括许多国有企业在内的房地产所有权和完善治理。如果这些改革得以实现，那么在过去七年中见证过大部分社会经济指标下降的马达加斯加人，将重新变得乐观起来。

（高媛译，孙靓莹校）

多米尼加共和国贸易政策审议

多米尼加共和国是一个中等收入经济体，2014年人均收入约为6500美元。它已经相对成功地克服了全球危机。尽管在2009年GDP有所下降，由于扩张性的货币及财政政策，2010年经济得以恢复。在过去几年中，一个谨慎的政策方针意味着在需要情况下，当局有更大的空间实施更为广泛的削减。总的来说，多米尼加经济在2008年至2014年期间增长迅速，年均增长率达到4.4%。2012年后出台的税制改革有助于遏制财政赤字，使得财政政策更具限制性。公共债务占2014年GDP的38%。2012年1月中央银行正式通过了一个以通货膨胀为目标的计划作为其货币政策策略。通胀随后降低，并分别在2012年及2013年保持低于其设立的下界的水平，2014年略高于约束水平。多米尼加共和国采用的是没有预先宣布目标的有管理的浮动汇率制度。

多米尼加的国际收支经常账户反映出一个结构性赤字，该赤字自2011年以来有所下降，部分原因是出口的急剧增长。2014年，赤字下降至占GDP的3.1%。服务贸易传统的顺差自2010年以来一直增长，主要是由于旅游收入的增加，使其可能抵消关于运费、保险及其他项目的开支。投资收益在审议期间一直是赤字，这反映了利润遣返的增加。多米尼加侨民的家庭汇款是经常账户融资的重要来源，同时也为国内消费提供主要支持，因此，总需求与GDP同步增加。

多米尼加共和国有一个开放的经济，其货物及服务贸易量约占GDP的2/3。其货物贸易的主要伙伴是美国、欧盟、加拿大及海地。制成品，特别是纺织品、服装和金属制品，占其出口额的50%以上，而汽车是其主要的进口货物。2009至2014年间，总货物出口的平均增长率为12.4%，主要由矿产品出口，特别是黄金所驱动。国内出口（即不包括自由区出口）以年均名义增长率22.1%的速度蓬勃发展，相较2009年的31.2%，达到2014年总出口的47.1%。这首先反映了矿业出口强有力的复苏。同时，自由区出口有所缩水，相较于2009年的2/3，只占了2014年总出口的一半多一些，在2009年到2014年期间年均增长率为6.7%。

该国中长期经济政策的关键指导方针包括贸易政策，包含在《国家发展战略2030》中。该战略的目的主要是促进出口，推动更高水平的高附加值投资以及创造就业活动，巩固和监督国家签署的贸易条约及协议网络，发展一个规范的环境来确保促进有竞争力的商业环境。多米尼加共和国贸易政策的制定和实施在各部委及相关机构间密切协调。这有助于提高透明度，使多米尼加共和国发展和谐的政策及状态能反映各机构间的共识。

多米尼加共和国目前参与了四个自由贸易协定（FTAs）：中美洲自由贸易协定、欧盟与加勒比成员国之间的经济合作协定（EPA），以及与加勒比共同体及中美洲之间的自由贸易协定。它还与巴拿马有一个局部范围协议，对有限数量的货物给出了关税优惠。中美洲自由贸易协定可能是多米尼加共和国最重要的协定，因为它涉及其最大的贸易伙伴美国，其实施意味着在一些领域里的立法修改，例如政府购买及知识产权。多米尼加当局目前正在探索与智利签署一项贸易协定的可能性，并与巴拿马会谈以扩大局部范围协议的覆盖范围。

外国投资者普遍享受国民待遇。对于外国投资无需事先批准，但一旦投资就必须注册，利润再投资也必须注册。多米尼加共和国不适用外汇管制。一般情况下，所有活动均对外国投资开放，除了那些与有毒、有害或放射性废物产生的管理有关的领域、公共卫生、环境和武器生产。在部门层面，对采矿、广播、能源及航空运输部门及一些专业服务也有限制。

过去六年中，多米尼加共和国已经采取措施促进贸易，其中包括改进其风险管理系统，引入一个计算机化的进口通关程序并消除已确定的授权要求。2014年7月，多米尼加共和国提交了WTO《贸易便利化协定》下的A类措施通报。自2012年4月起，可能只能从互联网通过整合的海关管理系统（SIGA）提交进口文件。海关管理系统还将包括对外贸易的单一窗口，计划逐步引入该窗口并向货物进出口及运输程序提供服务。2014 年 11 月，一个 VUGE 试点项目被启动以取代在 2012 年就停止运行的出口单窗口。

多米尼加共和国只应用优惠的原产地规则。这些在其每一个贸易协议中都有所规定，并确定了原产地产品的划分标准，因此能够受益于优惠关税待遇。多米尼加共和国签署的所有协议都包含一个最低规定，如果所有非原产地输入的价值都用来生产该产品，但不符合相关原产地规则且不超过该产品价值的一定比例，则该产品可被视为原产地产品。

在审议期间内，多米尼加关税变化不明显，事实上最显著的变化可追溯到 2005 年。关税依然相对较低，2014 年平均最惠国税率为 7.8%。对于 54%的税目，税率为 0。2014 年，对于农产品（WTO 定义）的平均最惠国税率为 14.2%，制造业为 6%。多米尼加共和国只采用从价税，税率从 0 到 40%共有七个等级，除去配额申请产生的关税，税率从 56%到 99%另有五个等级。除去 63 个税目，所有的适用关税均低于相应的约束税率。2014 年 12 月，多米尼加共和国给予来自 48 个国家的进口关税优惠。这些变化取决于合作伙伴和部门。2014 年自由贸易协定下平均优惠税率为 0.5%到 4.2%，巴拿马局部范围协议下为 7.2%。

在 2008 年至 2014 年期间，多米尼加共和国发起了两项关于钢棒的反倾销调查，五项保障措施调查，没有发起任何补贴调查。两起反倾销调查分别于 2011 年及 2014 年结束。在这两个事例中除最惠国待遇关税外的关税强制征收 5 年。五项保障措施调查中有四项是在保障措施协议下发起的，另一项是根据中国加入 WTO 议定书。所有的调查在这期间内得出结论，其中三例征收限定的反补贴税，到 2014 年 12 月期满。

2012 年，多米尼加共和国在其技术法规和标准以及合格评定程序的起草及管理方式上取得了实质性的变化。根据新的法律，技术法规的制定与实施不同部门的责任不同。技术法规必须尽可能依照国家或国际标准。新的法律还没有完全实施，因为它的实施所包括的制定技术法规的程序尚未开始。截至 2014 年 12 月，共有 169 项技术法规生效。当局现在正在准备一个技术法规数据库。在 2008 年至 2014 年期间，多米尼加共和国共向 WTO 的技术性贸易壁垒委员会提交了 77 项通知。

对于人类、动物、植物、水产及森林的健康有风险的进口产品都必须符合无异议许可或技术法规中规定的卫生、植物检疫、动物健康措施，且必须有进口许可证。关于动植物健康的法律原则是旧的，当局已表示需要起草一些法律来更新它们。每一个相关当局也有成倍的责任。在 2008 年至 2014 年期间，多米尼加共和国向 WTO 的卫生与植物卫生措施委员会提交了 82 项通知。

多米尼加共和国有自由区制度，以及对自由区外的公司其他形式的出口支持。自由区自 1969 年来一直在运作，即使近几年来一定程度上失去了活力，但自由区继续在多米尼加贸易中起主导作用。2014 年自由区出口占总出口的 52.9%，而在 2007 年占比为 63%。自由区对 GDP 的贡献也有所下降。自上次审议以来，自由区内进行的生产活动变化不大。主要部门依旧是纺织品，其次是医疗及制药产品、电气产品及烟草。审议期内一个重要的发展是 2013 年修订了自由区的立法以消除出口表现的需求。这些要求意味着关税减让和税收优惠都取决于出口至少占总产量的 80%。地方内容中的要求也被废除了。伴随着这些立法的变化，国内市场上来自自由区产品的销量不再受限，但要受到一个额外的“补偿”税。该补偿税初始税率为 2.5%，2012 年 11 月增长到现在的 3.5%。当局将这视为一种推定所得税。

在自由区制度后，由 PROINDUSTRIA 建立和管理的制度是多米尼加工业推广及发展的最重要的项目。其中包含一个针对出口部门的部分，但总的来说是为了制造业部门，提高国家的工业竞争力。经 PROINDUSTRIA 认证的出口商可以退还一定比例的国内税，等同于在给定时期内出口占总销售额的百分比。公司不得同时在 PROINDUSTRIA 和自由区制度下运营。除了这些制度，对于中小企业另有支持计划及区域支持计划。

竞争政策是需要更加努力的一个领域。2009 年成立了一个竞争机构，但截至 2014 年 12 月尚未运营。竞争机构在现有法律下只具有有限的权力，法律中没有实施规定，因此无法监督不公平的竞争。

多米尼加共和国不参与政府采购协议。它修改其政府采购程序以符合中美洲自由贸易协定的要求。因此该过程已经变得越来越透明，且大多数政府采购是在竞争基础上进行的。尽管没有给予国内供应商任何优惠幅度，但是2013年的新立法规定政府合同的20%必须给予多米尼加的中小微型企业。在公共工程合同的情况下，外国自然人或公司只有在与多米尼加国有企业合营或者有资本的共同投入时才能够参与。多米尼加共和国会给予外国参与者与本国供应商在其各自国家关于招标、条款、要求和程序相同的待遇。

多米尼加共和国的知识产权立法在很大程度上反映了与贸易有关的知识产权协定以及中美洲自由贸易协定下的承诺，并且在某些情况下，后者超越了“与贸易有关的知识产权协定”中的规定。例如，对于超过“与贸易有关的知识产权协定”中规定的最低限期（10年而不是7年）的，多米尼加共和国给予商标权、印刷权以及相关权利（终身加70年而非终身加50年）。对于药品及农业化学品也有特别的规定，对于临床试验数据中的未公开信息给予保护，药品为5年，农业化学品为10年。

多米尼加共和国对其农业部门提供有限的保护，保护方法主要是高于平均关税。2012年，多米尼加共和国改变了其分配WTO关税配额许可证的方式，许可证现在以公开拍卖的方式进行分配。在国内支持方面，主要项目仍然针对水稻生产商，并且包含了与农民贷款相关的仓储及财务成本，例如利息及保险。水稻价格取决于生产者建立的参考价格水平。

多米尼加共和国的制造部门分为两种不同的类别：一个是地方制造部门，主要面向国内市场；另一个是在自由区制度下运作的部门，主要是面向国外市场。地方制造业是相当多元化的，主要是饮料和烟草，其次是乳制品、各种食品、涂料、油漆、橡胶和塑料制品、水泥、钢铁和棒材钢。在自由区的部门有略超过1/3的生产集中在纺织品及服装。制造业通过关税和奖励获得支持。制造业立法旨在促进制造业竞争发展，鼓励多样化并与国际市场接轨。

多米尼加共和国面临的一个主要挑战是由于该国对发电用化石燃料进口的严重依赖所导致的电力供应危机；因无法支付成本而冻结电费；对补贴的依赖；缺乏投资以及高功率损耗。为了使电力行业更加现代化，过去几年里起草了许多计划。目前的《电力部门行动指南》针对2010年至2015年制订了指导方针，特别是关税制度及补贴合理化的简化以及更加灵活的运用。多米尼加共和国也正在努力通过激励方式增加可再生能源的生产。

无论是国内或是国外，多米尼加金融体系的监管框架都没有设立任何特殊条件或对设立金融中介实体进行限制。外资银行提供相同的服务并且同国内同行一致遵守相同的运营规则及审慎规则。在国内投资者及国外投资者两种情况下，投资占实缴资本的3%到30%之间，取决于银行业监督管理机构的“无异议”，收购超过30%的实缴资本必须由货币委员会授权。金融体系的审慎监管指标仍保持在合理水平，特别是偿债能力比率适度地超过了法定最低限度。立法使得可以通过建立国际金融区（ZFL）提供境外金融中介服务。该项立法包括了防止洗钱及其他金融犯罪的机制，但尚未实施。

旅游及相关活动，例如运输，是国内生产总值的重要贡献者。旅游及运输对建筑、电力、农业及制造业有着重大的影响。旅游业受益于一些计划及激励。电信市场遵守自由与公平竞争的规则，对于同等的服务运营商禁止应用不平等的条件，使得其竞争对手相较他人处于劣势地位。

（高媛译，孙靓莹校）

圭亚那贸易政策审议

圭亚那在接受贸易政策审议期间，继续大力促进贸易自由化和便利化，其中包括：启动海关程序中的风险管理操作；取消对非制成品的出口关税；以及和多个贸易伙伴谈判签订或修订新的（更自由化的）双边航空服务协议。同时，圭亚那还降低了公司税率，采用了新的动植物卫生检疫（SPS）措施法。

自 2009 年的贸易政策审议以来，圭亚那的经济表现有所改善，这主要归功于外国直接投资和私营部门信贷扩张的支持。GDP 持续稳健增长；2014 年实际 GDP 预计增长 5.6%左右。据估计，圭亚那人均 GDP 由 2009 年的 2360 美元左右上升为 2014 年的将近 4000 美元；近年来该国的通货膨胀水平也逐步缓和。

目前圭亚那货币政策的重点是实现价格稳定，并为信贷扩张和经济增长提供足够的流动性。圭亚那 91 天国库券的基准贴现率从 2009 年的 4.2%左右降到了 2014 年的 1.6%左右。

2014 年上半年圭亚那的公共财政情况有所改善，由于中央政府财政收入增加和资本开支较低，总收支呈盈余状态。2014 上半年公共债务占 GDP 的 56%左右，比 2009 年的 67%有所下降。审议期间，国有企业的财务绩效表现优劣参半，在实现连续两年的盈余之后，2014 年上半年的绩效却出现了恶化。

圭亚那的经济在很大程度上依赖于初级产品的出口，包括糖、黄金、铝、虾、木材和水稻。审议期内，2014 年圭亚那的经常账户赤字进一步恶化，估计已达到其 GDP 的大约 15%。这主要是大额商品贸易赤字造成的。服务贸易账户赤字在审议期内略有下降，据估计，2014 年赤字约占 GDP 的 5.6%。转账，特别是来自圭亚那工人的海外汇款，对经常账户有着重要的积极贡献。

持续的经济增长要求圭亚那继续实施稳健的宏观经济政策，加强治理并实施结构性改革，特别是在电力和运输领域。

政府拟鼓励外商直接投资。除某些采矿业务外，国民待遇适用于所有的经济活动。在审议期内，政府采取了行动，以改善商业环境，如降低公司税率，调整产权登记费，建立信用报告制度。外商直接投资的优惠政策包括所得税免税期、关税和增值税（VAT）豁免等。

圭亚那是原 WTO 成员，它承诺至少为所有贸易伙伴提供最惠国待遇。圭亚那没有参加服务贸易总协定在金融服务和电信领域的扩展谈判。圭亚那认为，多边贸易体制是小型发展中经济体的最佳保障，并主张应保持并加强对小型经济体的发展必要的关注，尤其是特殊和差别化待遇方面。

2003 年，圭亚那确定继续实施其国家贸易战略，重点是增强圭亚那出口市场准入。圭亚那的贸易政策由其外交部制定，并在加勒比共同体（CARICOM）中进行了协调。在审议期间，圭亚那及其贸易伙伴没有达成新的区域贸易协定（RTAs），而加勒比共同体（CARICOM）与加拿大正在进行区域贸易协定（RTA）谈判。

圭亚那的关税结构相对简单：所有关税均从价计征，且未设置关税配额。所有税目均有关税约束。2014 年，简单平均最惠国待遇适用关税税率为 12.1%，而同年平均约束税率为 58.3%。最惠国待遇适用关税税率的范围介于 0～100%之间。其中，免税税目占 9.5%；税率介于 0～5%的税目比例最高，达 52.2%；而关税税率介于 15%～20%的税目占比为 18.7%。2014 年 WTO 项下非农产品简单平均适用关税税率（10%）明显低于 WTO 项下的农产品（22.7%）。

增值税和消费税适用于某些国产或进口货物；对其中的部分产品，零增值税税率仅适用于国内生产的产品，而不适用于进口产品。2013 年，对进口产品征收的关税和其他税收收入占圭亚那总税收的 45.2%。2012 年，圭亚那出口到欧盟和多米尼加共和国的非制成品关税被取消。

圭亚那继续简化海关程序，并在审议期内实施贸易便利化措施。由于海关自 2009 年起已开始了风险管理操作，对每批进出口货物（除了对美国和英国的出口货物外）已不再需要实物检验，这减少了海关程序所需要的时间。2015 年 4 月，圭亚那成立了一个国家委员会，专门负责协调 WTO 下贸易便利化协定的执行情况。圭亚那还没有向 WTO 提交其贸易便利化协定的 A 类措施通报。

圭亚那坚持进口禁令/限制，主要是出于对公共卫生、公共安全和国际义务的考虑。受到进口禁令/限制的产品已在海关法和相关法律中列出。圭亚那对这一系列产品执行进口许可证制度。在这些产品中，水稻、糖和武器弹药都服从非自动许可要求。源自其他加勒比共同体（CARICOM）成员国的货物则不受进口许可要求的限制。

圭亚那糖业公司（GuySuCo）和圭亚那黄金委员会（Guyana Gold Board）分别是糖和黄金的法定国营贸易企业。食糖的进出口（除精炼糖的进口外）专门由圭亚那糖业公司负责；其他公司精制糖的进口都服从非自动许可。个人/公司也可能获得授权销售或出口黄金。

2011 年，圭亚那采纳了新的卫生和植物检疫法。同年，圭亚那将国家农业研究和推广机构设为 WTO 卫生和植物检疫问题的国家咨询点。新的法律规定，动物和动物产品的进口不再需要来自既定的国家，而可能来自任何被世界动物卫生组织（OIE）测定为无疫病的地区。

截至 2015 年 3 月底，圭亚那有 531 项国家标准。官方表明，圭亚那 80%的标准与国际标准一致。2014 年，22 项技术法规已经生效，其中大部分是对商标的要求。

圭亚那政府采购制度在审议期内基本保持不变；国家采购和招标管理委员会仍负责圭亚那的公共采购。竞争和消费者事务委员会进行了重组，并于 2011 年投入运营，以执行圭亚那的竞争政策。官方表示，这两个领域需要技术援助，以确保体制的进一步完善。

圭亚那大部分知识产权法可追溯至 1966 年之前。为了加快进程、处理积压事务，圭亚那于 2014 年 5 月成立了一个新的商业登记局，负责知识产权管理。根据加欧经济伙伴协定，圭亚那充分履行了其有关知识产权的国际义务。

圭亚那的主要农产品是糖和水稻。种糖业由完全国有的圭亚那糖业公司所主导。水稻是由私人生产，其中绝大多数是小规模的农民。圭亚那还生产各种各样的“非传统”农产品（如水果和蔬菜）。为应对欧盟始于 2006 年的对食糖进口的政策改变，圭亚那的糖市场和整个行业一直努力降低生产成本，并使产品多元化。政府主要以延伸服务、各种免税政策等方式对农民和农业进行支持，补助和优惠贷款（除水稻产业外）一般是有限制的。2012 年该国发布了修订后的国家原木政策，因为 2012—2014 年圭亚那对某些品种的出口原木产品上调了佣金比例。

采矿和采石业占圭亚那 GDP 的比重从 2009 年的 14.2%上升到 2013 年的 18%；由于此前对圭亚那的审议，相关立法部门变化很小。圭亚那仍然几乎完全依赖于进口的燃料油发电：柴油和重油燃料油产生了 95%的电力，5%的电力是利用甘蔗渣进行联产得到的。目前圭亚那没有水力发电。官方维持其对阿迈拉瀑布的水电项目（AFHP）的承诺，并希望该项目的融资能够在 2015 年得到解决。2013 年，制造业（包括食品加工）占该国 GDP 的 6.7%。圭亚那在很大程度上依赖进口制成品。

2013 年圭亚那的服务业占其 GDP 的 60.4%。在国民经济统计中确定的主要子行业有：物流、交通和通信、工程建设，以及政府服务。审议期内，圭亚那对监管领域进行了改革，尤其是金融服务业和航空运输业。2010 年，圭亚那通过了信用报告法，并建立了信用报告制度。2014 年，圭亚那完成了与几个贸易伙伴之间有关双边航空服务协议的谈判。最近，政府还尝试重新谈判关于向事实上的固话垄断供应商颁发许可证的问题。

（宋懿达译，李雪峰校）

安哥拉贸易政策审议

概述

自从 2006 年，安哥拉接受其第一次贸易政策审议开始，到 2008 年，该国经济以两位数的速度大幅扩张，这是由攀升的油价和该国在撒哈拉以南非洲地区的第二大石油生产商地位所决定的。但由于 2008 年石油价格暴跌和全球性的金融危机，安哥拉 2009 年经济增速骤降至 2.4%，此后的经济增速在 2013 年逐步恢复到 6.8%，在 2014 年又降到 3.9%。这种表现使安哥拉的贫困率从 2001 年的 62%降低到了 2009 年的 37%。2012 年安哥拉估计人均收入 5706 美元，相比于 2001 年的 1000 美元有大幅提升，就在安哥拉 2002 年的社会和政治危机发生之前。因为存在显著的不平等，社会指标并未明显改善。

事实上，在 2014 年联合国开发计划署的人类发展指数排名中，安哥拉在 187 个国家中排名 149，并且在 221 个拥有最高婴儿死亡率的国家中位居前十名。在资本密集的海上采油业的带动下，安哥拉的经济增长未能创造就业机会，失业率仍保持在 25%左右。安哥拉目前正努力多元化发展，因为石油产品仍占其 GDP 的 40%，产生了 75%以上的出口收入，以及 95%的政府收入。提高农业生产是当务之急——尽管农业雇用了该国一半以上的劳动力，但农业产值仍仅占 GDP 的 5%。安哥拉在 1975 年获得独立之前是自给自足的，并有巨大潜力来迎接这一挑战。制造业（占 GDP 的 4%）的发展依靠的是农业和对矿产资源的加工业（占 GDP 的 1%）——这里主要指的是钻石，而安哥拉是非洲的第二大钻石生产商。服务业（占其 GDP 的 22%，创造了 39%的就业）正在扩张中，尽管该国在服务业方面仍然是一个净进口国。

由国际货币基金组织支持的稳定计划（2009 年 11 月至 2012 年 3 月）的继续实施，使安哥拉 2014 年的消费者价格指数（CPI）降到了 7.3%，这也是二十年来的最低水平。改革是为了提高经济竞争力，因为该经济体的价格长期居高不下——近年来安哥拉对基础设施的投资很可能是价格过高的一个诱因。贸易政策［主要涵盖的是贸易部（MINCO）和其他部委、国家机关及某些特殊的私营企业］支持着发展多样化经济体中快速消费品的目标（尤其是食品）。石油收入的持续下降和进口的收缩，促进了安哥拉的贸易发展，使得贸易占 GDP 的比重从 2011 年的 100%下降到了 2013 年的 77%左右——上述改变需要通过多样化来实现，同时多样化也有助于缓解长期以来的贫困。安哥拉正寄希望于多哈发展议程所带来的市场空缺。现在，安哥拉的主要供应国是葡萄牙、中国、韩国和巴西，而出口产品（以石油为主）的目的地主要是中国、欧盟、美国和印度。

1996 年 11 月 23 日，安哥拉正式成为世界贸易组织成员，但它不是诸边协议即《政府采购协议》和《民用航空器协议》的签约方。安哥拉承诺至少给予所有的贸易伙伴最惠国待遇。尽管积极地参与了《贸易便利化协定》谈判，安哥拉尚未批准该协定，也未提交该协定的 A 类承诺。受到非洲联盟认可的区域经济共同体有八个，安哥拉是其中两个共同体——即中部非洲国家经济共同体（ECCAS）和南部非洲发展共同体（SADC）的成员。安哥拉既没有批准南共体贸易协议，也没有签署南部非洲发展共同体服务贸易协议草案。安哥拉于 2007 年退出了东部和南部非洲共同市场（COMESA）。安哥拉已经完善了双边贸易协定网络，其框架或合作协议从原来的 30 个增加到现有的 38 个。安哥拉作为南部非洲发展共同体集团的一员，参加了经济伙伴关系协定（EPA）的谈判，但没有签署这项欧盟和其他六名成员在 2014 年 7 月达成的协议。在普惠制方案覆盖的国家中，安哥拉作为最不发达国家，是美国《非洲增长与机遇法案（AGOA）》的受益者。在全球发展中国家贸易优惠制度（GSTP）下，安哥拉进行了与莫桑比克和古巴的谈判。但目前安哥拉还没有达成任何贸易优惠制度。

一项 2011 年出台的法律规定了对国内外投资者的平等待遇。石油、天然气、钻石和金融机构部门都要接受这一制度，其中包括税收和关税优惠。安哥拉与13个国家签署了关于促进和互相保护投资的协议，它也是联合国多个保证外国投资者的权利的公约缔约方。安哥拉还是多边投资担保机构（MIGA）的成员，但不是国际投资争端解决中心（ICSID）的会员。投资者通过协商与当局逐例签订合同，并且在该合同符合法律规定的各种标准的情况下（尤其是不同地域和部门的标准），就有资格享受到税收优惠、关税优惠和外汇管理便利。作为对上述优惠和便利的回报，私人投资的公司和企业需要雇用安哥拉工作人员，为他们提供必要的职业培训，以及与资历相匹配的薪酬和福利。

2011年颁布的一项法律提出了公私合作（PPP）模式。这一模式覆盖了此前专为国家保留的一些领域，特许权制度下的投资和私人管理在这些领域中被认为有利于基础设施的快速发展。所有的地产均归国有，但国家会以特许权或长期租赁的方式分配土地使用权。

据联合国贸易和发展会议（UNCTAD）的数据显示，安哥拉是2014年整个非洲接受外国直接投资第二多的国家，外国直接投资流入总额达160亿美元，同比上年上升了五位。尽管如此，同年安哥拉在世界银行营商环境排行榜的189个国家中仅排名181。

企业法人必须在贸易部（MINCO）管辖下的进出口商登记处注册。从2011年起，价值在5000美元以上的进出口货物必须获得进出口许可证。从2012年3月起，进出口和再出口许可证已实现电子化管理。所有通过安哥拉港口的进出口货物必须有货物追踪单；相关费用会因载货量而不同。无论进口还是出口，只要总额超过AOA 475 288，所有海关均会要求进行报关。通关申报只能由经过批准的报关代理人（或运输代理）提交，且该代理人必须是安哥拉国民。

为处理报关流程，安哥拉引入了风险管理机制，此外还引入了控制延迟机制——即直到关税和税款的金额支付为止，货物控制才可能会被撤回；只有石油业运营商才可为转移货物起见设置安全岗。审议期内，安哥拉暂停了装运前检验系统，主要海关邮政都已计算机化，并将所有税务局合并为税务总局（AGT）。对已授权的（即信任的）运营商提供一个快速通关程序，该程序也同样适用于那些由属性决定、需要优先通关的货物。

为使经济多元化，安哥拉采取了若干进口替代措施。关税税率（特别是农产品）大幅上升，并在2%～50%的范围内下降，平均关税水平为10.9%（2005年为7.4%）。因此，对31个税目实施的最惠国税率往往超过绑定税率35个百分点。即使安哥拉将税率绑定在0.1%，进口产品也还需要缴纳很多其他税（往往是从价税）。一些进口或国内生产的产品还需缴纳消费税，其税率通常是10%（在某些情况下可能高达30%）。这种税有一个连锁效应，既损害竞争又损害消费者。水泥仍然受到进口禁令的限制，各种农产品如今可以通过配额制度进口，该项制度正待实施。

安哥拉给予部分商品或经营者关税和税收优惠。进出口关税的减让，导致2009—2014年间海关每年的税收收入损失了24.7%～40.9%不等。关税豁免主要是针对石油和天然气产业中的进口产品。

除了一个总体框架外，安哥拉没有针对反倾销、反补贴或保护立法，也从未采取此类措施。动植物卫生和检疫措施（SPS）和技术性贸易壁垒（TBT）制度还不协调。例如，一些进口产品受到不同机构的多次检查，这些机构还会收取相关费用。因为口蹄疫的原因，安哥拉目前已暂停了对纳米比亚牛科动物的进口。如果食品和消费品的保质期剩余不到原保质期的1/4，则不得进口到安哥拉；进口药品和化妆品的准入门槛则是剩余保质期不得少于原保质期的1/2，即至少6个月。

出口关税是对某些产品的支付，包括以原始状态、按离岸价格出口的矿产。货物在陆上过境时必须护送。据官方规定，国家不得涉及出口融资，不得给予任何出口补贴。据报道，上述正在进行的活动是为了建立国家出口促进机构（ANPEX），制定出口促进战略。

安哥拉尚未根据关税与贸易总协定第十七条规定将其国营贸易企业名单提交给世界贸易组织。国家在经济中的参与度依旧十分广泛——国有企业几乎活跃在各个经济领域，特别是石油、钻石和电力等行业，这些行业中的大多数仍被国企垄断。某些产品会发放消费者补贴，包括燃料、电力和水，同时它们也受到价格管制。2010年年底出台的一项新的政府采购管理框架声明了对在安哥拉境内生产的产品、由安哥拉国民或安哥拉供应商提供的服务的采购偏好。迄今为止，还没有一个竞争政策被采纳，安哥拉的知识产权制度可以追溯到 1992 年。

年轻化且不断增长的人口、适宜农业生产的广袤土地和丰富的水力资源，使安哥拉有可能再次成为主要的农业生产国和出口国。但据估计，农业（包括林业和渔业）仅占 2013 年 GDP 的 5.4%，它要成为国民经济多元化和反贫困的驱动力还有待时日。工业捕鱼权（金枪鱼、虾蟹）作为一种特权，保留给了安哥拉的船只、租赁给安哥拉的外国船只，以及与安哥拉共有的外国船只。安哥拉在农产品方面仍是一个净进口国。

小规模的家庭农场仍在安哥拉的农业中占据主导地位，低水平机械化限制了许多部门的生产力。基础设施和营销平台的缺乏导致了国内市场的碎片化，这又往往会降低生产者的利润率。外延服务仍处于起步阶段，法律框架的缺乏抑制了农业协会和合作社的建立。此外，导致本国货币升值的货币政策会削弱农业的竞争力，因为大多数的投入和设备都是进口的。

农业和食品加工受到国家最高级别的关税保护。农产品适用的 23.3%的平均关税水平（世界贸易组织规定）是 2005 年的两倍以上，也是非农业和非石油产品在 2015 年的平均关税水平（9.1%）的两倍以上。基于国际标准工业分类法（二次修订版）的定义，农业仍然是最受保护的行业，享有 23.8%的平均关税率。此外，如果某些产品一旦被列入“基本篮子”或在国内市场处于短缺状态，它们可能会被豁免进口税和消费税。国内对农业的支持可能采取各种形式，包括对信贷、材料设备贷款、牵引动力、灌溉成本等的补贴，以及为小生产者提供免费的兽医服务。官方表示，农业方面的支出不到国家预算的 5%。

石油业仍然是安哥拉的支柱产业，尽管在 2014 年该产业对经济造成了负面冲击。安哥拉的天然气生产的测试始于 2013 年，并在 2015 年年底实现全面投产。作为唯一一家特许经营的国有企业，安哥拉国家燃料公司（Sonangol）控制了与石油和天然气有关的所有活动。2013 年，安哥拉国家燃料公司持有 165 家企业的股权，经营石油业一家纵向一体化的大型企业，并且在其他几个领域也十分活跃。国内成品油的需求主要通过进口满足；安哥拉国家燃料公司还通过其子公司持有石油产品（除润滑油外）的独家进口权。

安哥拉的底层土富含各种各样的矿产资源，还未被探明和评估。安哥拉最近的矿产勘探和开采都集中在钻石业，而安哥拉是世界领先的钻石生产商之一。采矿业还面临着一些问题：包括缺乏适当的基础设施，仍然存在杀伤性地雷；地质和采矿活动必需的国内投入和服务的供应都非常有限，安哥拉矿业市场仍然缺乏配套的融资和信用机制。作为对授予采矿权的交换，国家通过合资企业可以获得部分收益，并且国企须持有该合资企业至少 10%的股权，和（或）在整个生产周期分担不同的生产比例。一部新的采矿法已于 2011 年 9 月起施行，法律提出了外商作为大股东（最多掌控 90%的股权）的合资企业开采战略性矿产的可能性：要求采用标准的投资合同，还要求（所有战略性矿产）通过公开竞争授予采矿权。

安哥拉国家钻石公司（ENDIAMA）是一家国有企业，在安哥拉拥有独家钻石开采权。它负责代表国家授予相关权利，并协调勘探和开采。ENDIAMA 持有几个公司的股份，并从事钻石行业的多项业务活动，包括营销，以及工业安全、航空运输、酒店和医疗服务等。

大量的国家投资使得电力产量稳定增长，特别是火力发电行业。水力和天然气储量及其他可再生能源的潜力还未得到充分开发。尽管取得了一定进展，30%的电气化率仍然低于非洲国家的平均水平，另外偶发的断电现象仍是一个主要问题。电力输送比较分散且局限，还不能覆盖整个国家。为吸引私人投资，一个重组电力行业的方案从 2013 年开始就已取得了进展，但国家仍对电力传输保持垄断。

基础设施不足和熟练劳动力的匮乏抑制了产业活力。安哥拉目前仍是一个制造业的净进口国，进口产品主要包括机械和车辆、非电气机械和其他半成品。通过有效利用现有资源以及与其他经济部门间的紧密联系，安哥拉制造业高增长和多样化的巨大潜力将会被更好地发掘出来，特别是农业和采掘行业。

安哥拉有 4 个固定电话和 2 个移动电话供应商。固定电话的份额可以忽略不计，而移动电话正繁荣发展。其历史上的运营商——安哥拉电信现在仍然是完全国有，并且根据一项授予其自治权的计划进行了重新注资。现在安哥拉电信已被一个国有资产占多数的私营移动电话运营商超越。安哥拉正计划颁发第三个移动电话运营牌照。最近安哥拉监管框架已被全面修正，并在很大程度上实现了自由化。无线本地环路系统、有线调制解调器、固定的无线宽带和国际网络关口仍处于被垄断的状态中。

银行服务是三大类服务业之一，此外还有旅游娱乐服务和文化体育服务，这些行业包含在安哥拉对《服务贸易总协定》的承诺之中。随着内战平息以及随之而来的石油繁荣，安哥拉的银行系统发展迅猛，如今在撒哈拉以南非洲地区排名第三。同样，从刚开始的少数几家国有银行，到如今市场上的银行数量已达到24家，其中只有3家是国有银行，其他的都属于地方私有，或者比如说，其中9个银行就是外国所有。这个国家在很大程度上缺乏银行，贷款主要是短期的，并且利率相对较高。外资银行不允许在安哥拉设立子公司。自2009—2012年的危机以来，央行已针对安哥拉金融系统的结构缺陷采取了广泛的监管，并将其与国际标准进行匹配。

安哥拉在2000年开始放宽保险业，已从单一的国有保险公司（ENSA）扩张到了17家保险公司，其中大部分是私有的。2014年保险行业较为集中，三大保险公司占据了83%的市场份额（即ENSA占38%，AAA Seguros占23%，GA Seguros占21%）。但该行业普及率仍然很低（0.8%），这表明还有巨大的发展空间。保险公司必须采取有限公司的法律形式，本国资本至少占比30%。本质上说，安哥拉大型工业企业退休员工的储蓄金是由养老基金管理的，尤其是（但不仅限于）石油行业。

尽管有一个用来推广安哥拉船运的复杂的货物分担方案，大部分的进口集装箱和出口石油产品仍然是由第三方国家的船东运送的。在实际工作中，有意愿的外国船东必须到安哥拉国家船运委员会登记，并提供支付过费用的货物追踪记录。在安哥拉的六个主要港口中，两个港口的集装箱码头是由一家拥有20年特许权的私有的安哥拉—丹麦合资公司运营的。尽管受到基础设施、成本和通关时间的限制，货运量仍然大幅上升。

航空运输方面，安哥拉航空公司仍是完全国有的，但已与阿联酋航空公司签订了10年的管理协议。总体来说，安哥拉签署的航空运输协议类似于比较严格的“百慕大2号”协议。主要的机场由一家国有企业管理，但部分的机场服务已被外包。罗安达（安哥拉首都）正在修建一个新的国际机场。自行处理和互相协助是不允许的，但也有独立于机场管理者和国家航空公司的第三方供应商。

安哥拉的铁路网络仍在翻修中。一个宏伟的计划即将展开——包括实现现有三家铁路网的互联、与周边国家的互通；合并现有的三个国企，对铁路运输管理公司和基础设施管理公司的分拆；以及出让铁路的特许经营权。该计划尚待实施。

公路运输行业的发展由于正在进行的基础设施翻新工作而受阻。该行业一个现代的监管框架已被采纳，其中涉及颁发以质量为标准的无配额许可证。安哥拉正在与邻国谈判道路运输协议。

安哥拉旅游业的发展仍然受制于运输服务问题（特别是基础设施建设）、当地的高昂的生活成本，以及残留的社会政治危机的影响（例如遗留的杀伤性地雷）。

（宋懿达译，李雪峰校）

佛得角共和国贸易政策审议

佛得角共和国位于大西洋佛得角群岛，由九个岛屿组成，是欧洲南部、非洲、美洲和加勒比海贸易的十字路口。佛得角大约有 50 万常住居民，移民有 100 多万，主要生活在美国和葡萄牙。葡萄牙和西班牙是佛得角最重要的货物贸易伙伴。佛得角货币埃斯库多（CVEsc）与欧元挂钩在一个固定的汇率，即 1 欧元=110.265 埃斯库多。

佛得角于 2008 年 1 月 1 日脱离最不发达国家（LDC）行列。目前，其年人均 GDP 达 2800 欧元，步入中低收入发展中国家之列。佛得角资源贫乏，每年其商品的进口（特别是燃料和食品），通常超过出口的十倍（或更多）。外汇主要由旅游业产生（2014 年有 3 亿欧元），其次是空中导航服务。侨汇也是其外汇的主要来源。

实际 GDP 长期增长率为平均每年 7.7%（1990 年至 2013 年），旅游业是经济增长的主要引擎。全球金融危机导致佛得角的经济相对温和缓慢的衰退。经济在 2010 年恢复温和增长（增长率为 1.5%），在 2011 年经济增长 4%，部分原因是旅游收入较高及以外部融资为主的公共投资计划出台。因此债务的可持续性成为关键。在 2014 年，经济增长达到 2.7%。佛得角的发展模型多依靠投资建设和旅游业，其当前的改革旨在扩大经济基础。佛得角的能源政策的目标是促进可再生能源，减少对进口燃料的依赖。

佛得角与萨赫勒地区纬度相近且有类似的干旱气候。由于自然条件不利，传统的农业生产在很大程度上不能满足国内对食物的需求。政府将重大公共投资分配到水坝建设上，以促进灌溉。渔业部门很小（占 GDP 不到 1%），但能产生重要的出口收入。制造业主要迎合国内小市场。服务业占 GDP 的比重约为 60%。海上和航空运输与旅游业的联系较大，因此是优先发展领域。

自 1975 年从葡萄牙独立后，佛得角采用基于政府引导发展的经济政策，其次是一个时期的经济自由化。虽然自 20 世纪 90 年代初以来政府在佛得角经济发展的作用已大幅减弱，但 14 个公共企业和 15 个准公共企业仍占据重要地位，特别是在公用事业、能源、电信、运输领域。其中一部分企业的财务要求对政府具有重要意义。这些企业的经济表现也不佳，妨碍了私有化的进程。如今的佛得角视政府为以创新为主的私营部门主导的经济调节器。其四个监管机构创建于 2004 年，分别是在食品安全（ANSA）、制药和食品生产（ARFA）、通信（ANAC）和一般经济调控（ARE）领域。ANSA 和 ARFA 于 2013 年合并。

2015 年是佛得角第一次接受贸易政策审议，佛得角在 2008 年 7 月加入 WTO 时还有一些过渡性安排，这是当佛得角还是一个欠发达国家时商定的。这些安排如今大部分已经失效，剩下的部分将于 2018 年失效。佛得角将所有税目的关税都约束在在 0 到 55%。最终简单平均税率分别为农业 19.3%、工业产品 15.4%和整体 15.9%。佛得角在服务贸易总协定做出了实质承诺，包括开放的非歧视性的制度，尤其是为企业服务、分配、教育、环境服务、道路运输和“部分”重要商业金融服务、电信、建筑、海上运输做出的承诺。有关 WTO 各领域的通知已经公布，包括农业出口补贴、SPS、海关立法、进口许可、反倾销、国营贸易和服务贸易总协定。佛得角的知识产权立法尚未通过 WTO 服务贸易理事会审查。

佛得角应用的最惠国关税低于约束水平，平均农业品关税为 12%，工业品关税为 10%。所有税率都是从价税，设置在 0、5%、10%、20%、30%、40%和 50%。最高平均关税影响服装、饮料、烈酒、烟草、鱼和渔业产品。

佛得角是非洲联盟的创始成员，并与安哥拉、巴西、几内亚比绍、莫桑比克、圣多美和普林西比、葡萄牙通过葡萄牙语国家共同体（CPLP）保持密切关系。该共同体不包括共享贸易优惠。佛得角于 1976 年加入西非国家经济共同体（ECOWAS），并参与其内部结构政策，如共同农业政策（ECOWAP），但这并不是八个西非国家经济共同体成员之间的经济货币同盟（WAEMU）。

西非国家经济共同体和欧洲联盟（EU）之间的谈判已达成一项经济伙伴关系协议（EPA），并将在签署和批准后生效。

建立一个对外关税相同对内自由贸易的关税同盟一直是西非国家经济共同体的长期目标。虽然错过了很多截止期限，与欧盟为经济伙伴关系协议做的准备为西非国家经济共同体确定对外共同关税提供了新的动力。对外共同关税没有于2015年1月1日在佛得角按原计划实施，但可能会在延迟约一年后实施。据佛得角当局表示，已考察过政府关税收入的影响。全面实施对外共同关税后，目前简单平均关税从10.3%上升到12.3%。虽然关税仍远远低于佛得角的平均约束水平，但是佛得角对外共同关税超过WTO约束关税的税目超过500个。此外，佛得角将“其他税费”（ODCs）绑定在0.5%，反映出西非国家经济共同体当前的征税水平。若该税率上升到1.5%，佛得角的其他税费也将需要重新谈判。西非国家经济共同体秘书处表示，非常乐意协助其成员，包括佛得角，与其他世贸组织成员的谈判。

关税是佛得角政府财政收入的重要来源。在2013年，海关当局征收了超过54亿埃斯库多（约5000万欧元）的进口关税。不过，增值税（VAT）是政府收入的最重要来源，2013年有115亿埃斯库多，2014年有近130亿埃斯库多。增值税制度于2013年进行改革，消除了旅游业的较低税率部分，有效去除退税，来对某些基本商品和服务实行价格管制（石油产品、电力、水、电信服务和海上货物运输），使增值税提高了15%。除了关税和增值税以外，政府收入还来自间接税，如特殊的消费税（酒精饮料、烟草和石油产品）、包装的生态税、印花税和旅游税（自2013年5月1日起生效）。

非自动许可适用于进口商品实行检疫要求、安全措施或法律规定的其他强制性限制措施。所有其他进口均属于自动进口许可，除非货物完全豁免许可要求（如没有商业价值的货物、过境货物、临时进口、再出口等）。虽然佛得角同意重新审查其许可进口制度来确保在2008年底WTO协议完全接受进口许可程序，但是该制度在其加入WTO后一直保持不变。2013年，佛得角采用了新的法律框架管理动植物检疫措施。佛得角不使用关税配额管理进口。

佛得角在2010年引入了新的海关法。该法律规定交易价值为海关估价的重要依据，但由于长期估价不足和声明价值文件的遗漏与缺失，也经常使用替代估价法。2013年佛得角引进了进出口统计税来资助海关清关实现电子化。5000埃斯库多报关的基本费征收的到岸价格为海关使用费最高进口值的1.04%。海关使用费的水平和结构是入世谈判过程中一个主题，目前还在考虑中。佛得角不征收出口税。

2012年，佛得角引入了新的投资法，该法规定了权利的基本框架，保障一般开放和非歧视性的投资制度。适用于投资者的财政优惠措施在2013年出台的财政效益法中进行了概述。该法规定给予一般税收优惠和特殊制度，如国际商务中心和旅游实用法则下的场所。财政效益法旨在提供一个统一的投资激励制度，开创大型投资项目。在这种情况下，权利和义务可由部长理事会批准单独协商建立的协议中阐明。以赠款形式提供补贴是十分罕见的，但在2013年补贴金额超过1亿埃斯库多（低于100万欧元）。通过比较，在税收和进口关税的优惠，估计收入损失在同一年超过32亿5000万埃斯库多。

佛得角既不是WTO《政府采购协议》的成员，也不是其观察员。根据政府预算，2014年，37.7亿埃斯库多被政府资助实体用于购买商品和服务。新的公共采购法在2015年初获得通过，该法于2015年10月15日生效，以取代现行的于2007年通过的采购法（2009年）。监管机构（ARAP）成立于2008年，旨在制定公共采购指南和标准，监督采购流程并监督合同的执行。新法规的既定目的是要明确管理、监督和采购实体之间的责任，减轻管理负担，简化采购过程，促进小型和中小型企业的参与。

佛得角已在金融领域促进法律框架现代化和加强制度监督方面开展显著的改革。有一个比较大的离岸银行部门。体制和法律改革还推出了现代化的海事和港口制度。目前正努力改善整体商业环境包括网上营业登记手续（自2010年以来），建立投资的单一窗口（自2014年7月），转型为无纸化清关（2015年）以及正在整合海关、港口和贸易信息系统来建立国际贸易单一窗口。

在长期，佛得角的经济增长潜力很可能是通过以下途径来确定：(i) 公共部门提高效率；(ii) 国有企业提高经济绩效；(iii) 私营部门更加强盛。佛得角有一个进行中的国家和公共行政改革方案，由中央机构领导（Unidade de Coordenação da Reforma do Estado，UCRE）在总理的直接监督和协调辅导下进行。该方案设想的政府结构合理化，共影响了约 114 个部门。

鉴于其弱点和缺点，如远离国外市场以及相对较少的人口分散在广大地区，自 20 世纪 90 年代初以来佛得角的经济表现非常好。经济对自然灾害的脆弱性最近一次的体现是 2014 年底福戈岛火山的爆发。然而，最重要的是多年来逐渐转移政策重点，佛得角向政治多元化和稳定化发展。这是进一步提升改革力度和支撑佛得角经济发展的基础。

（王晓旭译，薛艳校）

摩尔多瓦贸易政策审议

摩尔多瓦共和国于2001年7月成为世界贸易组织的第142个成员。这次是它的第一次贸易政策审议。自1991年独立以来，摩尔多瓦共和国开始着手一项雄心勃勃的改革计划，旨在将中央计划经济改变为充分运行的市场经济，并恢复宏观经济的稳定。在很大程度上它已经完成这些目标，创建了一个外向型经济，很好地融入了全球化进程。在它2001年加入WTO过程中履行的承诺以及加入欧盟的目标驱使下的贸易和投资自由化，成为这一过程中的主要特点。尽管如此，国内及其一些主要贸易伙伴的政局紧张带来了巨大的风险。

尽管在2009年开放了多瑙河上的朱朱列什蒂港口，获得了间接的海上通道，摩尔多瓦仍是一个小型的内陆经济。它自然资源稀少，并且几乎完全依赖于从俄罗斯联邦进口能源来满足对初级能源的需求。根据在GDP中所占份额（几乎60%），服务业构成了最重要的部门。农业起着重要的作用，因为它占GDP的13%并且占商品出口总量的近一半。尽管近几年贫困率快速下降，摩尔多瓦共和国仍是欧洲最穷的国家之一，2014年人均GDP估计为2233美元。

2010年到2014年实际GDP增长率平均为5.4%，在这一地区是最高的，很大程度上这是良好的宏观经济政策和结构性改革的结果。其失业率从在2010年达到的峰值7.4%，降低到2013年的5.1%。然而，气候以及地缘政治条件造成增长不稳定，具有易损性；预计在2015年经济活动会收缩1%～2%。摩尔多瓦共和国前景的一些主要威胁涉及海外工人汇款（占GDP的22%）以及捐助支持（大约为政府支出的10%）的波动。此外，由于所有通往独联体国家的陆上路线均经过乌克兰，并且摩尔多瓦共和国几乎完全依赖俄罗斯经由乌克兰管道运输的天然气，贸易路线以及天然气供应的可能中断会严重地影响其经济。

摩尔多瓦共和国汇率制度被归为浮动汇率制。摩尔多瓦中央银行（NBM）干预本国银行间外汇市场旨在消除摩尔多瓦列伊（MDL）对美元汇率的剧烈波动。这套汇率制度为价格稳定提供了可靠保障，2009年至2014年年平均通货膨胀率为4.9%。然而，由于过去几年中公用事业费用未曾发生变化，通货膨胀被人为地包含进去。此外，一些产品/服务还受到管制价格的影响。

在2015年上半年，摩尔多瓦列伊对主要国家货币显著贬值，部分是由于出售三家特殊管理下的摩尔多瓦银行的交易。这种贬值可能导致通货膨胀压力，并对贸易平衡产生积极的影响。

摩尔多瓦共和国降低了其总体预算赤字，除财政资助之外，从2009年占GDP的8.5%降低到2014年的占5.4%，这是由于采取了增强财政政策结构的措施以及2009—2014年大部分时间内GDP大幅增长带来的税收增长。尽管如此，总体财政赤字（除了赠款）预计会增长到GDP的6.6%，带来最低工资和退休金的增长、新的特别税收收益以及更加疲软的经济活动。为了将预算赤字降到即使没有特殊情况下的捐助支持也可以维持的水平，采取进一步的措施很有必要，比如改革社会保障、医疗体系以及加强私有化。

尽管受到全球经济危机和其他外部冲击的影响，摩尔多瓦共和国降低了其经常账目赤字，按其占GDP的百分比来算，从2009年占GDP的8.2%降低到2014年占GDP的5.7%，这一比例在2011年时曾达到峰值11%。汇率的灵活性和为进行中的对出口产生积极影响的贸易自由化做出的努力是其对外部门增长的主要因素。摩尔多瓦共和国的经济高度依赖于国际贸易（进出口额对GDP的比率在2013年达到135%）。其贸易在地理上也非常集中。2014年对欧盟和独联体的出口占其商品出口总额的86%，同时81%的进口也来自这些国家。

贸易政策的制定和评估由经济部（ME）全权负责，并与其他部门及与贸易相关的机构合作。经济部也对WTO事务、谈判和实施区域贸易协定（RTAs）以及促进贸易和投资负责。经济部在制定贸易政策时会与私营部门进行协商，包括组织关于区域贸易协定谈判的情况通报会。

摩尔多瓦共和国正在融入世界经济的努力体现在：取消从苏联遗留下来的限制性贸易制度，加入、参与及坚持各种多边、区域和双边贸易计划。摩尔多瓦共和国授予其所有贸易伙伴至少是最惠国的待遇。

摩尔多瓦共和国坚定地致力于多边贸易体系。近年来摩尔多瓦减少了提交给 WTO 的未完成的通知数量，并且在加入 WTO 过程中广泛履行了承诺（约束 100%的关税细目并在服务贸易总协定中做出了广泛的具体承诺）。摩尔多瓦共和国不是信息技术协定（ITA）成员，在民航机贸易方面也不是诸边协议成员。迄今为止，摩尔多瓦已卷入两起 WTO 争端解决机制案件中。

同其他中欧和东欧国家一样，摩尔多瓦共和国的经济和贸易政策的方向在很大程度上由加入欧盟的目标所指引。在这方面，摩尔多瓦共和国的目标是在 2017 年之前获得欧盟候选人的地位以及 2020 年之前获得欧盟成员资格。2014 年 6 月，摩尔多瓦共和国与欧盟签署相关协议，该协议有三个主要组成部分：签证自由化（2014 年 4 月已开始实施）、增强政治合作，以及深入全面的自由贸易区（DCFTA）。

2008 年 3 月 1 日以来，摩尔多瓦共和国受益于目前与 DCFTA 共存的欧盟自主贸易优惠（ATP）计划。ATP 适用到 2015 年 12 月 31 日，使企业在 ATP 和 DCFTA 之间的过渡期更易适应。摩尔多瓦共和国还与加拿大、日本、挪威、瑞士、土耳其和美国实行普惠制度（GSP）。

摩尔多瓦共和国已实行的 14 个区域贸易协定涵盖 45 个合作伙伴：阿尔巴尼亚、亚美尼亚、阿塞拜疆共和国、白俄罗斯、波斯尼亚和黑塞哥维那、欧盟 28 国、格鲁吉亚、哈萨克斯坦、联科特派团/科索沃、吉尔吉斯共和国、马其顿共和国、黑山、俄罗斯联邦、塞尔维亚、塔吉克斯坦、土库曼斯坦、乌克兰和乌兹别克斯坦。2014 年，与区域合作伙伴的商品贸易占摩尔多瓦进口总额的 86%和出口总额的 76%。2014 年 9 月，摩尔多瓦共和国还与土耳其签署了一项自由贸易协议，该协议目前尚未生效。

摩尔多瓦共和国的外国投资制度是相当自由的，大多数商业活动对国内外的自然人和法人都是开放的。此外，宪法为外国投资者提供担保。不过，大约 48 个活动只有拥有许可证才能进行投资。这些活动包括：制造除葡萄酒以外的酒精饮料、采矿业务、银行和外汇、保险和旅游业等。外国投资者可租赁农业用地长达 99 年。尽管目前采取了一些措施来吸引更多外国直接投资流入并改善其商业环境，但摩尔多瓦共和国的外国直接投资受到政府政策不稳定以及融资机会有限的抑制。

摩尔多瓦共和国关于贸易便利化协定做出了 A 类承诺。2014 年，摩尔多瓦海关引进了授权经营（AEO）方案以简化清关程序及促进合法贸易。到目前为止，摩尔多瓦共和国并没有对 AEO 达成双边认可安排，但经欧盟认证的一个试点项目，已于日前正式推出。某些通关手续需要费用，而海关估价主要是根据交易价值进行评估的。

进口到摩尔多瓦共和国的货物可能会收取海关关税、增值税和消费税。关税是比较简单的，尽管非从价税的税目（从量税、混合税及其他）占总量的 4.5%。简单平均关税从 2001 年（摩尔多瓦共和国加入 WTO 时）的 4.5%到 2009 年的 5.3%，再到 2015 年的 6.3%。消费税是主要的非从价税，但香烟、酒精和燃料的税率将逐步提高，于 2025 年底达到欧盟的最低标准。增值税按三个税率征收：20%（标准利率）、8%（例如某些农产品）和 0（特别是商品和服务的出口）。

摩尔多瓦共和国将所有关税税目的最终简单平均税率约束在 7.7%。农产品（按 WTO 定义）关税最终简单平均率约束在 14.4%（简单平均适用于最惠国税率为 13.5%）。非农产品最终简单平均税率为 5.9%，而适用于最惠国的简单平均税率为 4.4%。对于其中 27 个税目，基于 2013 年进口数据，适用最惠国待遇关税的税率超过约束税率。

欧盟的自由贸易协议对所有产品平均优惠幅度为 0.8%（农业产品为 2.7%和非农业产品为 0.3%）。除此之外，其他摩尔多瓦共和国的区域贸易协定都是免税。

摩尔多瓦共和国对非关税壁垒的使用有一定限制。它用许可要求来调节一些商品，如酒精饮料、烟草制品和化肥。摩尔多瓦共和国既没有启动也没有发起任何反倾销或反补贴措施，只有在 2004 年应用于食糖进口的最终保障措施。

在过去几年里，摩尔多瓦共和国已与欧盟共同体调整了其法律框架，在某些特定领域达成统一，特别是技术性贸易壁垒、卫生和植物检疫、竞争、国家援助、政府采购、知识产权、能源、电信和民航领域。

摩尔多瓦共和国是WTO政府采购协定（GPA）的观察者，旨在于2015年加入该协定。为此，摩尔多瓦共和国一直调整其立法与全球最佳做法看齐。自2013年，现代电子采购系统已经就位。这些改革使得公开招标程序有所增加，特别是电子采购。

虽然摩尔多瓦共和国已建立了一个运转中的市场经济，国家仍继续对经济和社会提供援助。除了直接成本预算，还有因为放弃收入带来的间接成本，例如：税收减免、国家补助、管制价格和激励机制。

在过去几年里，摩尔多瓦共和国的贸易制度还主要集中在促进出口，特别是通过自由经济区和工业园区。政府提供各种激励措施，包括关税和税收优惠及国家援助。2014年，在FEZs生产的产品和服务的近80%用于出口，达到摩尔多瓦总出口的9%。与成立于FEZs的企业和工业园区不同，摩尔多瓦共和国对注册企业（本国和外国）有一定的物质奖励，如减少应纳所得税额或税收减免。

国有企业（SOEs）私有化计划自1993年实施以来，已成为以市场为导向的经济过渡期的一部分。有关私有化的新条款在2007年由公共财产管理和私有化法批准，以2008年实施的公私合作关系（PPP）为法律框架。然而，2014年年底，仍然有363家国有企业（2001年年底有551家）由国家控股71%。

由于土地肥沃，农业历来是摩尔多瓦经济的重要支柱。摩尔多瓦共和国是农产品和食物产品的净出口国，2014年占出口总收入的46.2%。然而，农业部门面临一些挑战，包括：土地细碎化、基础设施匮乏、覆盖面有限且灌溉系统条件差、卫生和植物检疫框架脆弱、农村劳动力流失且老龄化。

农业中的非特定产品的国内支持在2009至2010年低于最低门槛，在2011年至2013年为零。“绿箱”政策的预算支出在2130万与3780万SDR之间，且没有出口补贴。自2010年以来，对农业生产者的支出交由单一公共机构管理——农业干预和支付机构。

2009年，摩尔多瓦共和国建立了国家粮食储备，以防可能出现的市场短缺，确保国家的粮食安全。据当局称，补充库存会在市场价格和市场竞争的基础上进行，储备规模（约60 000吨）被认为很小，不足以影响摩尔多瓦的市场价格。

虽然在2009年和2014年间扩大了制造业产出，但由于机械及运输设备、化学品的进口具有持续活力，摩尔多瓦共和国仍然是一个工业品净出口国。食品和饮料行业在制造业中占据主导地位，占2014年行业总产量的43%，占工业产品全部出口的45.1%。制造业面临的挑战包括：融资渠道有限、固定资产折旧、能源成本高昂、创新水平低下和新技术推广缓慢。制造业国内支持主要以工业园区和自由经济区内授予奖励的形式。

摩尔多瓦共和国需进口大部分能源，化石燃料占据了主要的基础能源供应源。尽管采取了一些措施来促进供应多元化，但仍然强烈依赖于从俄罗斯进口天然气，其他供应方面的风险是内部和地区经济政治局势紧张。虽有所改善，但摩尔多瓦共和国的能源效率仍然被认为是欧洲最低的。

摩尔多瓦共和国在2010年5月成为能源共同体条约的缔约方，承诺将逐步使能源部门符合欧盟的规则。将天然气市场转变为欧盟规则已经推迟到2020年1月1日。许多立法障碍和技术上的限制，仍然存在于天然气和电力分部。

摩尔多瓦金融体系还不发达，非银行金融机构十分薄弱，这妨碍了国内经济的增长。大约存款总额的一半和各项贷款的40%仍然以外币计价。许多法律和监管框架的弱点尚未得到解决。在与欧盟联合协议的背景下，摩尔多瓦共和国已承诺在十年内，对金融服务的立法逐步接近欧盟监管框架。

银行仍然处于金融体系的主导地位，在2014年，占总资产的93.7%，占所有贷款的93.5%，占所有存款的99.3%。为了保护银行体系的完整性，摩尔多瓦国家银行授予一些银行有利的信用额度，最近一次干预是在2014年第四季度，对三家银行实行特殊管理并叫停其信用活动。

公司成立并授权开展与欧盟管辖权证券相关的投资可能会通过“接受人”的地位加快摩尔多瓦市场准入，免除其需要的许可证要求。保险市场企业的准入限制是在摩尔多瓦成立并正式授权的股份公司。

2009 年至 2014 年间，摩尔多瓦共和国的电子通信市场稳步扩大，增长最具活力的是宽带数据传输领域。大多数电子通讯领域仍集中在审核期间，反映出法律规定执行的滞后和引入额外促进竞争措施的领域。电子通信监管机构的执法权也可以进一步加强。

渐进地（自愿地）开放电子通信市场，作为摩尔多瓦法律和监管框架向欧盟看齐的补充。摩尔多瓦共和国尚未落实其对邮政服务的一些具体承诺。

由于资金不足，摩尔多瓦交通基础设施自 20 世纪 80 年代末以来普遍衰落，但努力扭转这种趋势的想法在近年来愈演愈烈。为了解决相对较高的运输成本和较低的运输速度，改善安全生产条件，还需进一步改革及加大投资。

公路和铁路仍然是摩尔多瓦共和国运输的主要方式。不过，自 2012 年起，通过逐渐融入欧洲共同航空区，空中交通一直在加强。此外，2009 年摩尔多瓦开放了多瑙河间接海上接入端口，促进了货物装卸量的稳步增长。两个战略基础设施，即 Giurgiulesti 国际自由港（GIFP）和默尔库莱什蒂国际自由机场（MIFA），被授予特别奖励，大致与菲斯机场的适用设施类似。

（王晓旭译，薛艳校）

南部非洲关税同盟贸易政策审议

自上次2009年审议以来，南部非洲关税同盟（SACU）的五个国家，博兹瓦纳、莱索托、纳米比亚、南非和斯威士兰，综合（合计）国内生产总值增长率呈下滑趋势，有记录以来最高的增长率出现在2011年，为3.4%，最低的出现在2009年，为1.7%。自2012年以来，年均增长率为2.5%，这一表现很大程度上源于全球经济危机及其对矿业和制造业部门的影响。南部非洲关税同盟内部经济发展是不平衡的，其整体表现很大程度上取决于南非，因为南非的国民生产总值占整个地区国民生产总值的91%。

2009年，南非国家分别记录了各自的最低经济增长率，其中博兹瓦纳和南非为负增长，分别为-7.8%、-1.5%；而纳米比亚和斯威士兰虽涨势较弱但仍为正增长，分别为0.6%和1.3%；莱索托和纳米比亚同期年国民生产总值增长率分别为3.4%~7.8%、0.6%~6%，是南部非洲关税同盟中仅有的两个经受住经济危机的国家，其国民生产总值中未曾出现负增长。博兹瓦纳和纳米比亚的增长率在其2009年的不良表现之后快速回弹且至今仍稳定在较高水平上；同期，斯威士兰的经济表现也呈现适度的正向增长。

因此，南部非洲关税同盟国家的社会经济特征自2009年至今未发生显著变化，其经济仍由本国相对较大的服务部门（约占其综合国内生产总值的60%）主导。然而国家间以及国家内部的发展不平衡问题依然存在，并且仍将是今后政策制定的关键点。博兹瓦纳和南非仍为中高收入国家，现如今纳米比亚也加入了此行列；斯威士兰为中低收入国家，而莱索托为最不发达国家。与同地区其他国家的单一经济相比，南非的经济高度多元化：博兹瓦纳和纳米比亚是钻石和其他矿物，莱索托是纺织品和服装，斯威士兰是糖。面对失业和贫穷的共同挑战，南部非洲关税同盟内的国内发展不平衡问题是世界最严重之一。由于货币贬值，食品和油价高居不下，审议期间实行的相对较高的通货膨胀以及博兹瓦纳增值税的提高皆于事无补。

南部非洲关税同盟协定不提供宏观政策的协调，然而莱索托、纳米比亚和斯威士兰凭借共同货币区（CMA）的成员国身份，将本国货币与南非兰特挂钩，货币政策很大程度上向南非储备银行（SARB）推行的政策看齐。

南部非洲关税同盟国家中13%的进口来源于联盟内部，并在同一范围内出口。作为区域内最大的经济体，南非是其他国家的主要投资者，同时也主导着地区贸易，关税联盟内95%的商业商流都以南非为目标或源头。联盟范围内的进口主要源于欧洲、中国以及美国，这些国家也是南部非洲关税同盟主要的出口市场。欧盟各国、美国和中国同时还是该地区的主要投资者。

所有的关税同盟国家皆是南非发展共同体的成员，同时也是其贸易协议的签署国。它们同欧洲自由贸易协会（EFTA）的成员之间有区域贸易协定，还同南方共同市场的国家签订了16项互惠贸易协定（目前尚未生效）。2008年，关税同盟成员国同美国签订了贸易、投资和发展合作协议（TIDCA），签署后立即生效。关税同盟关于南非发展共同体与欧盟的经济伙伴协议（EPA）的谈判于2014年7月已完成。

一些关税同盟国家仍保留着双边贸易协定，它们作为一个整体与第三方国家谈判的共识并没有制约它们同某些国家（独自同第三方国家）落实双边贸易谈判。斯威士兰是东非—南非共同市场（COMESA）成员国中唯一一个南部非洲关税同盟国家，在东非—南非共同市场中享受单边的市场准入优惠。南部非洲关税同盟成员国在普惠制（GSP）框架下继续享受非互惠性的优惠待遇。除斯威士兰之外（自2015年1月起），南部非洲关税同盟成员国在美国的“非洲增长与机遇方案”（AGOA）框架下也享受非互惠性的优惠待遇。

现行的最惠国待遇（MFN）关税、消费税、关税和税收减让（税收折扣、退款和退税）、关税估价、原产地规则和应急贸易救济措施仍在南部非洲关税同盟内部协调使用，在区域主体机构缺失的当下，暂时由南非的国际贸易管理委员会（ITAC）负责管理南部非洲关税同盟的共同对外关税（CET）。它也被授权推荐所有的税收折扣、退款及退税。南部非洲关税同盟内部仍在不断地做出努力，通过进一步简化海关手续及文件来促进贸易。

现行 MFN 关税中 2015 年的关税税率的简单平均数（南部非洲关税同盟共同对外关税）为 8.3%，与 2009 年的 8.1%相比有少量增长。关税核算构成依旧复杂，涵盖从价税、粮食税、混合关税、公式（可变）关税以及上述核算方式的组合。非从价税占全部关税税目的 3.8%（从 2009 年的 3.2%起）。从 0～624%（一种从价等值），关税税率表现出相对较高的散布。模型税率（应用最频繁）为 0，且该税率适用于约 57.5%的关税税目，尤其是活体动物、动物源性产品、矿石、肥料、软木制品、木浆、丝绸、一些矿物（如镍、铅、锌）和其他贱金属。最高的从价税率（96%）被用于 14 种关税税目，主要以乳制品为主，而最高的从价等量税率（624%）被用于服装和纺织品。

农业（WTO 定义）仍旧是受关税保护最多的部门（平均税率 9.9%，略低于 2009 年的 10.1%），而对于非农产品，关税保护税率为 8%（略高于 2009 年的 7.8%）。在 ISIC（第二版）框架下，制造业是受关税保护最多的部门（8.7%，略高于 2009 年的 8.5%），其次是农业（3.5%，略低于年 2009 年的 3.7%）和采矿业（0.1%，明显低于 2009 年的 0.8%）。关税升级的出现预示着对加工产品更高的有效保护。

纳米比亚、南非和斯威士兰有着相同的约束性承诺（全部关税细目的 96.6%），而莱索托（全部关税细目的 100%）和博兹瓦纳（全部关税细目的 96.6%）则不同。南部非洲关税同盟成员国的所有关税约束皆按从价税进行核算，因此其共同对外关税（CET）框架下非从价税的征收不保证与承诺保持一致。与其他南部非洲关税同盟国家不同，南非的市场准入承诺包括对 53 种产品实施关税配额，这 53 种产品进入国境时采用配额内税率。

与消费税相反，增值税的核算与南部非洲关税同盟体系内不一致，且其基准和税率也不同：在莱索托、南非、斯威士兰为 14%，博兹瓦纳为 12%，而纳米比亚为 15%。纳米比亚是南部非洲关税同盟中唯一一个对特定产品（例如未加工的矿石、生皮、兽皮、山羊皮）征收出口税的国家。

除了南部非洲关税同盟协议规定的关税和税收减让（税收折扣、退款、退税）之外，博兹瓦纳、莱索托、纳米比亚和斯威士兰（BLNS）还对小麦和乳制品采取特定的国家退税制度。审议期间，汽车生产发展计划取代了汽车工业发展计划，纺织服装产业发展计划被中止，国内法律也对 BLNS 内以经济和出口多样化、促进出口、解决南非社会问题等为目标的投资刺激做出了规定。

截至 2014 年底，南非（代表南部非洲关税同盟）保留了对 13 个世界贸易组织（WTO）成员进口的反倾销措施。2012 年 11 月，国际贸易委员（ITAC）发起对冷冻薯条的保障调查措施，据此，南非于 2013 年 7 月实施了临时保障措施，于 2013 年 12 月 11 日实施了一项明确的保障措施。

审议期间，博兹瓦纳和斯威士兰完整实施了其国家竞争机制。除莱索托之外，南部非洲关税同盟国家的国家竞争政策到目前为止皆已就位。不过，区域竞争机制尚未被采纳。尚未有南部非洲关税同盟国家参与到世界贸易组织的政府采购诸边协议中去，各国的政府采购法律规定对本地生产者或者产品提供价格优惠。除纳米比亚于 2012 年通过了一项工业产权法案之外，南部非洲关税同盟内各国有关知识产权的国家机制未发生明显变动。

尽管 2002 年的南部非洲关税同盟协定呼吁农业及工业政策的统一化，但相关决议至今仍未成形。因此，除海关关税相关事宜外，部门政策依旧停留在国别范围之内。

在博茨瓦纳，部门政策的目标是通过私营部门的多元化生产来实现可持续的经济增长，预计在一个更具竞争力的环境中将发挥更大的作用。然而多元化的努力并没有成功，因为博茨瓦纳很大程度上仍依赖于采矿业，特别是钻石出口（2013 年占出口总额的 82.3%，包括转口贸易）。此外，国家对博茨瓦纳经济的干预仍然显著。例如，博茨瓦纳的两个主要出口产品（钻石和牛肉）皆由国有企业进行交易。事实上，德比斯瓦纳，钻石开采公司（50%国有），在毛坯钻石的出口上被认为是拥有实际垄断权的，而博茨瓦纳肉类委员会（BMC），作为完全的国有企业，对牛肉出口拥有法定垄断。农业仍然是最重要的经济活动之一。即使该部门对 GDP 的贡献从 1966 年的 40%下降到了 2014 年的

2.4%，它仍然是农村经济的支柱，是生活开支的主要来源，因此在减少贫困的过程中发挥了重要作用。此外，畜牧业对出口的贡献是巨大的，肉类和肉类产品占全国农产品出口的70.3%。农业继续以粮食安全为由（据官方）受到高度保护（以关税和非关税措施），这是该国的主要社会经济目标之一。

莱索托的经济支柱是服装业（占出口总量的59%）和农业，它们是主要用人部门。矿业、电力和旅游业已经被政府定义为面临巨大挑战、但仍有着巨大增长潜力的部门。因此审议期间，莱索托制定了许多新的法律，以充实相关制度和法律框架以及其他事物如电信、电力和金融服务的现代化，且多数已在实行之中。2010年，莱索托改革了土地制度，允许外国人在一定条件下持有土地所有权。在采矿业（钻石占主导地位），政府保留了在任何大型矿山获得至少20%所有权的权利。目前，所有的矿井都是由国家和一家外国公司共同拥有的，国家的参与比重从20%到30%不等。虽然莱索托水资源相对丰富而有巨大的发电潜力，但它有义务从莫桑比克和南非进口电力，且其目前的基础设施也是非常有限的。由于不良甚至不存在的基础设施、品牌形象差和有限的营销传播策略，旅游业表现仍然疲弱。

纳米比亚的经济高度依赖于矿业产品的出口，尤其是钻石。牲畜和鱼类也是其外汇的重要收入来源。在农业部门，纳米比亚旨在刺激下游农业产业，提高农业产业竞争力，增加本地产品的国内市场份额和农业对国民经济的贡献。基于愿景2030，以产业政策促进价值增加：它概述了按结构和标准来指导制造业的具体原则和目标。纳米比亚响应需求的增长，自2008年起不断更新其信息和通信技术框架。电话的普及率已经翻了一倍多，增长主要来源于移动电话。虽然局限性明显，但纳米比亚的金融系统是非洲最发达之一。纳米比亚是世界上增长最快的旅游目的地之一，旅游业对其GDP和就业做出了很大的贡献。

在非洲，南非拥有最先进的技术和多元化的经济，一个大的服务部门主要开放给外国投资。农业的特点是它的双重性，即一个发达的出口导向系统和一个自给自足的生产系统的共存。自上次审议以来，南非的矿业政策并没有改变，该部门的表现主要受到了工人反复罢工的负面影响。汽车和纺织品是主要的制造业，吸收了大部分政府的激励。同盟共同对外关税的结构升级进一步保护了制造业。然而，最近的频繁停电对该部门乃至整个经济都是一个挑战。南非保持了可靠且相对稳定的金融服务业的界别分组。旅游业是其主要的外汇来源。

在斯威士兰，糖和以糖为基础的产品几乎占据了出口商品的50%。该国是食品、燃料和服务的净进口国。农业仍在为80%的人口提供生计。政府寻求确保粮食安全，提高生产力、多样化和加强农业商业化的措施。土地碎片化、投入成本高、基础设施差和可获信贷不足仍然是农业面临的主要挑战。斯威士兰是一个能源净进口国，且电力比任何其他同盟国都贵。由于新的铁矿石生产和煤炭生产的改善，矿业在过去几年不断扩大，从而导致了矿产出口的增加。根据2011年通过的矿业和矿产法，一个50%上限适用于采矿活动中的外国投资。制造业仍然专注于增值糖制品（糖果和软饮料）。在电信部门，2013年通过了新的立法，成立了一个独立的监管机构。这将使新进入者获得市场准入，因而也促进了竞争和降价。

（刘颖译，张上冉校）

约旦贸易政策审议

2008 年 11 月的贸易政策审议时，约旦正遭受伊拉克持续动荡和全球金融危机的影响，自 2011 年以来，它一直受到叙利亚内战的影响。这些因素的共同作用破坏了贸易，减少了投资，并大大增加了约旦国内难民的数量。然而，尽管这些问题存在，约旦的经济一直很有弹性且年平均经济增长率近 3.5%；2008 至 2014 年间，商品和服务的进出口皆有所增加。

2014 年约旦出口 84 亿美元，进口 227 亿美元，货物贸易上存在赤字，但服务贸易存在盈余，再加上国外工作者的海外汇款，经常账户赤字降至 24 亿美元，汇款贸易盈余，尽管这种波动从当年持续到下一年。约旦的主要出口产品是化工产品（主要是磷肥），主要服务相关的流入是工人的汇款和旅行资金。

在过去的 7 年里，约旦一直在积极努力提高其与加拿大和土耳其的区域贸易协定网络，且分别在 2012 年和 2011 年生效。此外，还有几项协议在 2008 年已完成全面实施（欧洲自由贸易联盟 2014，欧盟 2013，新加坡 2014、和美国 2010）。然而，由于约旦的出口货物集中在一个相对狭窄的范围内，这些协议最初带来的利益有限。

为了简化业务流程，改善投资环境，约旦对大量的贸易和投资的相关立法进行了修订或修改，包括海关法（2012 年修正），投资法（2014 年）、所得税法（2014 年）、竞争法（2011 年）以及公私伙伴关系法（2014 年）。特别是，根据 2014 年投资法 30 条，所有负责不同方面投资的政府机构都被纳入一个机构，这就简化了投资程序。不过，尽管国内外投资者在大多数情况下有着相同的待遇，但差别依然存在，在土地所有权的限制、最低资本要求以及其他某些部门都对国外股权有 49%～50% 的限制（包括建筑、批发和零售贸易、国际贸易以及几个服务部门）。此外，外商投资在一些领域（包括公路运输和房地产服务）是被禁止的。

海关手续自 2008 年起已经有了明显改变，2009 年开始引入单一窗口程序，2010 年全面实施海关数据自动化系统（ASYCUDA WORLD），改进优先操作系统。因此，进口和出口的时间和成本（实质上）已经减少了。另一方面，自 2008 年以来，现行关税并没有大幅度的改变，2015 年的简单平均税率为 10%，尽管仍然维持在简单平均约束税率 16%之下。农产品有最高的关税（平均 17%）和最大的变化（标准偏差 27），特别高的高达 200%的税率用于饮料、烈酒和烟草类的一些产品上。进口禁令和非自动许可主要用于健康、安全或环境的原因之上，以实施联合国安理会决议，或维护公众秩序和道德，以及自然资源的保护。

审议期间，有关标准、技术法规和合格评定程序的法律没有改变，尽管截至 2015 年 8 月底，修正案正在等待参议院的批准。这些修订旨在澄清经济经营者的责任，并引入一个合格标准。只有约 50%的约旦标准等同于国际标准，虽然在某些情况下是由于没有适用的国际标准。

约旦是政府采购协议的观察员。不同的政府采购制度适用于不同的政府机构，受到多种法律规定的约束，这使得政府采购工作的整体情况复杂化。此外，对建筑和承包公司的国外股权限制的实施也适用于限制政府采购合同。

出口费用应用于一系列的采矿业产品、制造业产品和农产品的出口。出口限制只适用于符合国际义务的产品。截至 2015 年，针对出口所得利润的所得税减免被淘汰，但约旦提出延长淘汰时间的要求，工业部门需要更多的时间来调整，以适应当前已经影响到经营成本的区域性的危机。

自由区、开发区和工业区的复杂体系在 2010 年得到了改善，这得益于 2010 年对开发区法律的修正，以及将这些区域的管理机构合并为单一的机构，即约旦投资委员会。而亚喀巴经济特区仍然保留在单独的机构下。不同的区域提供了各种各样的投资激励措施，包括减少财政和海关的要求以及放宽所有权限制。合格工业园区的使用已降低至残余水平。合格工业园区的设置旨在支持在约旦和以色列生产的货物出口到美国，但制造商们现在发现，在约旦—美国自由贸易协定下，更容易将货物出口到美国市场。

自2011年以来，约旦政府已放开大部分烘焙产品的价格。然而，工业、贸易与供给部负责进口和采购供应给国内面包店的小麦和大麦。制作面包的面粉按照补贴价格卖给面包店，由该面粉制成的面包按固定价格出售给消费者。价格管制也适用于电力、水、汽车保险、邮政服务和公共交通服务。

在2000年的私有化法条约下，许多国有企业已经实现了私有化。2014年该法律被上诉，并被公私合作法所替代。一批企业仍然保持在公有产权下，其中一些是公用事业企业，如国家电力公司(NEPCO)，这造成重大损失的同时也增加了财政赤字。

约旦在2008年提交了其接受修改TRIPs协定的议定书，并于2013年通知了立法实施，将第6段的系统纳入国内法。自2008年以来，约旦已修改了一些与知识产权相关的法律法规，如那些与商标和版权有关的法律。虽然约旦有一套综合的知识产权法，但法律的执行是公认的，也是通过培训和公众意识活动一直在强调的问题。

农业是约旦经济的一个相对较小的部门，面临着与气候干燥、灌溉水缺乏、农场规模小有关的许多限制。尽管政府政策强调了有效利用水资源的重要性，但农业灌溉在约旦水资源使用中的占比超过了2/3，且对农业生产者的供水价格低于供应成本。小麦和大麦生产也是通过一年间不断变化的最低价格来支撑，而绵羊和山羊的生产商通过以大麦为饲料来获得补贴。

埃及天然气供应的结束影响了约旦的80%的电力生产，这部分电力被高价位的石油所取代。国家通过对几家发电厂部分或者全部的股权持有，广泛地渗透到电力部门之中，完全国有的新英格兰电力公司拥有并操控着传输网络。2014年新英格兰电力公司以0.20美元/千瓦时的均价购买电力，同时按0.15美元/千瓦时的价格出售，共计高达46亿美元的损失，由政府承担。针对这些损失，政府一项新的策略是检修电价体系、寻求更廉价的能源、限制用电需求、降低线路损耗。

约旦的主要出口产品是钾肥及与钾肥相关的产品，如肥料。约旦多数国有磷酸盐矿公司拥有开采磷酸盐的独家权利，国有石油公司拥有天然气和原油的独家权利，部分国有的阿拉伯钾盐公司拥有从死海开采、制造和交易矿石资源的独家权利。其他领域的勘探和开采权是开放给私人公司的，包括外国人可通过与自然资源管理局签订协议来开采。2014年之后，也可与能源和矿产管理委员会签订协议。

尽管有邻国的动荡和影响，对约旦经济而言，金融部门仍然保持了稳定、高效和盈利。此外，国内竞争加剧，有三家新银行在2009年被授予牌照。与此同时，约旦中央银行继续制定法规，提高审慎性要求。

作为许多宗教和文化遗址的家园，旅游业对约旦经济和就业都是非常重要的。2011年至2014年间，旅游业的收入虽然有一定程度的增长，但同期旅游人数略有下降。此外，由于叙利亚和伊拉克危机不断升级，这两项指标在2015年第一季度都急剧下降。

在审议之前以及审议期间，约旦受到了严重的外部冲击，大量难民逃往约旦，扰乱了贸易线路，并影响到外来投资。尽管存在这些问题，约旦仍然保持着开放的经济，商品和服务贸易（进口和出口）的价值大于GDP的增长，改革仍在继续，以改善贸易和投资环境。虽然在20世纪90年代和21世纪初，许多国有企业被私有化后，国家仍然继续保有或控制着几个重要企业，其中一些造成了一些损失，尤其是电力和自来水公司。这些损失以及面包补贴的成本，对财政负担造成了一定的影响。约旦当局正在采取措施，以减轻负担，提高对低收入家庭的有效支持；并且已经在其他领域，通过直接收入支持代替燃料补贴做出了一定支持。其他值得注意的领域，包括影响不同行业的投资的外国所有权、投资限制和股权要求，可能会造成外国投资的减少。

（刘颖译，张上冉校）

泰国贸易政策审议

自 2011 年贸易政策审议以来，泰国的强劲基本面和适当的政策组合有助于保持其宏观金融稳定性和确保其经济活力，尽管有些内生和外来挑战减缓了全球金融危机复苏的步伐。由于国内消费强劲，2012 年泰国国内生产总值（GDP）增长了 7.3%，其后增速逐渐下降，2014 年降至 0.9%；货币和财政刺激措施预计将有助于提高 2015 年和 2016 年的 GDP 增长。泰国在世界上最具竞争力经济体排名的进展，反映了其全要素生产率的轻微提高，而且有些正在进行或考虑进行改革的领域内依然存在薄弱环节。2014 年整体通胀率逐步降至 1.9%（2011 年水平的一半），失业率几乎没有变化（0.8%）。

审议期间有限的贸易和与贸易相关的结构性改革（例如大米和能源价格）正在进行。在诸如税收、竞争政策、交通基建、国企管理、创新推动和高附加值产业等领域，期待已久的旨在刺激生产率，从而提高泰国国际竞争力和强化经济增长的改革正在酝酿。为了促进经济复苏，泰国正在实施刺激性的货币和财政政策。具体如泰国央行在 2013 年 4 月份逐渐将政策利率由 2.75%下调至 1.5%，财政赤字一直呈上升趋势，以容纳包括基础设施的投资在内的额外的政府开支。

管理浮动汇率对经济发展的反应，有助于保持宏观经济的稳定，有效缓冲对国际收支平衡的冲击。名义汇率略有贬值（2013 年除外），而有效汇率有升值，这主要是由于国内政治形势、全球经济前景的不确定性、一些主要央行货币政策操作上的差异、美国和欧元区经济体的经济发展以及流入该地区债券和股票市场中的资本的波动。经常项目顺差（2011 年）转为赤字且不断上升（2012 年，2013 年），这主要是由于黄金的净进口和外国企业利润和股息汇回。然而，2014 年由于经济增长放缓导致的进口下滑以及年底油价下滑，大大抵消了大米和橡胶等出口商品价格下跌的影响，而使经常项目回归盈余。泰国的官方外汇储备下降主要是由于估值的变化。外部债务总额增加。

泰国的贸易开放度和融入世界经济一体化的程度体现在其货物和服务贸易总额（进出口）占 GDP 的比重，2014 年达到 131.8%，这一比重非常高但略有下降。尽管中国、美国、欧盟和日本仍然是泰国的主要贸易伙伴和外商投资合作伙伴，但国际贸易和外国直接投资趋势反映了亚洲作为泰国主要的区域市场和供应商的重要性。泰国与柬埔寨、老挝、缅甸、越南和中国贸易与投资关系的密切是显著的。由于商品价格下跌和国内大米政策措施的影响，商品贸易在很大程度上仍然依赖于制造业，但是影响泰国国际竞争力的结构性制约开始显现。泰国对外国直接投资的政策保持不变。外国直接投资限制涉及以下几个部门，包括：媒体、农业、林业、渔业、运输、矿业、与艺术、手工艺和文化有关的业务、金融服务、电信和旅游业。在各种其他的分部门中，外资进入需要官方的批准。

自从上次审议以来，政治议题继续主导泰国的国家议程。2014 年发生军事政变后，根据临时宪法，新的行政和立法机构已经就位，而新宪法正在准备之中。泰国与秘鲁之间的新的区域贸易协定（RTA）已经生效，泰国与智利之间的区域贸易协定也已经签订。各种新的和原有区域贸易协定的修订正在谈判中。2015 年打造单一的东盟经济共同体的目标已经取得了重大进展。自 2015 年 4 月以来，泰国已为最不发达国家（LDCs）提供了免关税和免配额的市场准入。在美国，欧盟和土耳其市场，泰国享有的普惠制优惠被终止，这尤其对泰国的汽车工业带来不利影响。自 2012 年以来，泰国未以起诉方或应诉方参与到任何新的 WTO 争端解决案件中。

关税仍然是泰国主要贸易政策工具之一，虽然呈下降趋势，但却是重要的税收来源。泰国在 2014 年对某些海鲜产品进行单方面最惠国关税削减，并考虑在 2015 年进一步削减以简化其关税结构。然而，由于引入 HS2012 税则目录（新增了 1258 个税目），适用较高的从价税率，泰国平均适用的最惠国关税税率从 2011 年的 11.2%升至 2014

年的13.4%。相较于农产品（WTO定义）34.7%的税率，非农产品适用的关税依然非常低，平均为10.1%。41%的适用最惠国关税税率在0至5%的范围内。从价税峰值高达218%（配额外关税，洋葱种子）和80%（机动车）。由于减少了适用最惠国税率的种类，2014年为100种（42类从价税，13类特别关税，45类选择性关税），降低了关税结构的复杂性。越来越多的税目（74.6%）适用从价税，这有助于提高关税的透明度。然而，众多非从价税率往往掩盖其他税目较高的关税税率，特别是罗望子的税率（从价税等值为1091 .9%）。对于大多数产品而言，大多保持关税升级模式，这意味着关税有效保护率远远高于名义保护率。事实上，73.6%的关税税目受到约束（截至2011年），这必然赋予关税一定程度的可预测性。然而，约束的最惠国关税的简单平均值大大超过适用的最惠国关税的简单平均水平（约23个百分点），这为当局在约束范围内提升约束关税提供了操纵空间。适用HS 2012税则目录，涉及大约600个税目的税率上升，25个税目的税率减少；然而，泰国的关税减让表仍然是基于《2002年商品名称及编码协调制度》，几乎不可能使其约束关税完全对接HS 2012税则，因此，完成这一对接变得较为紧迫。22个农产品的关税配额依然存在。

审议期内，贸易便利化方面的改进包括将授权经济经营者项目（AEO）扩展至进口商从而取代代表进口商利益的"金卡"制度。泰国2015年6月成为修订后的《京都公约》的缔约方，并于2015年底完成批准WTO《贸易便利化协定》的内部程序。海关估价和原产地规则没有发生变化。

审议期间，特别是泰国因经济原因（幼稚产业保护论）所实施的进口许可证和进口禁令基本保持不变。泰国汽车轮胎进口施加了新的进口要求，并在其生效之时向WTO通报。与国际标准相同或类似的国家标准的份额仍为32.3%。泰国于2013年修订其农产品中的农药残留的最高标准。审议期间，一些WTO成员就泰国的部分与标准和标签相关的措施（例如，肉类、食品检验费、酒精饮料、橡胶充气轮胎和瓷砖）提出了特别贸易关注(STCs)。泰国仍然较少使用反倾销措施，且仅采取反倾销税的形式，其中大部分针对原产于亚洲的货物。泰国没有启动任何反补贴调查或适用任何反补贴措施。然而，泰国诉诸保障措施的情况愈演愈烈。如一些影响到钢铁产品的保障措施。

对几种商品（锯木及其制品和兽皮）实施相对较高的法定出口税和其他恢复的可能性，将继续有利于这些商品的下游加工产业，因此扭曲了竞争和资源配置，并进而给泰国的贸易和投资制度带来不确定性。泰国的出口禁令、限制或许可证制度没有改变。泰国维持了几项旨在促进出口的计划，包括保税仓库、出口退税、"税收和关税补偿"，以及在泰国工业园区管理局和海关免税区下的税收和非税收优惠。自负盈亏的国有泰国进出口银行（进出口银行），与商业银行一起在竞争环境下提供金融服务，该银行为中小企业（SME）出口商推出了五种新的信贷措施。

通过几个相对复杂的税收和非税收优惠政策支持对优先领域和偏远地区的投资，但其成本效益是值得商榷的，并且没有经过严格或系统的评估。泰国尤其加强了对中小企业的支持，而且，利用大量免税计划来提升其相关机构。审议期间，一些成员重点关注了泰国任意调高酒精饮料和汽车进口环节的消费税问题。尽管进行了持续的改革，泰国尤其对农业（如"水稻认捐计划"）和能源给予了有显著预算影响的具体支持，这两个领域仍然有消费补贴和广泛的交叉补贴（约相当于GDP的1.7%）。泰国政府所涉及的九大经济部门（农业和自然资源、能源、制造、金融、电信、交通、基础设施、社会和技术，以及其他服务活动），公共企业持续亏损，私有化的努力陷入停滞，"公司化"计划正在进行或考虑。

泰国继续将政府采购作为经济政策的重要工具，给予国内供应商7%的价格优惠。泰国的电子拍卖方式作为政府电子化采购系统的一部分（e-GP），截至2014年已全面实施。政府正在计划立法以管理该领域的腐败风险。泰国尚未加入WTO《政府采购协议》，但于2015年6月成为世界贸易组织政府采购委员会的观察员。

审议期间，泰国继续考虑通过新的立法或法律修正案来加强保护知识产权，尤其是将其立法框架对接尚未签署的若干国际条约的规定（包括世界贸易组织强制许可）。尽管有一个针对艾滋病病毒/艾滋病药物的扩展许可证有效期至2016年，但是至今没有发布新的强制性许可。虽然在立法和制度上有了完善，但泰国有效的知识产权保护执法仍然是一个问题。虽然泰国正在考虑拟议的修订案特别是扩大其立法范围，但公共行政、国有企业或农民合作社的竞争政策框架仍保持不变，执法仍然稳健。许多商品和服务仍然受到不同程度的价格控制/监测。泰国相对完善的公司治理框架和在一些关键领域与国际标准的高度合规仍然不变。

泰国仍然是全球主要的农产品和加工食品生产国和出口国，并在这些领域保持贸易顺差。泰国继续奉行成本高昂和有争议的大米价格干预计划，直到 2014 年被临时政府叫停。虽然在 2014 至 2015 年泰国采取了各种短期的支持措施，但是尚未完全确定水稻部门的长期战略。在 118 个税目上实行关税配额，但有些税率已经很低。一项新的渔业法于 2015 生效，该法调整了渔业资源管理措施，以便更符合国际渔业法律和标准，以及适应新的渔业技术。泰国的林业部门规模比较小，但是政府正采取激励措施以促进该部门增长，并且防止非法采伐。

尽管有很好的能源禀赋和能源政策，并专注于成为能源独立的国家，但是泰国仍然是一个不断增长的能源净进口国，这反映出其强劲的国内需求。泰国正在提供各种奖励以支持可再生能源产品。国家资本在电力部门占据重要地位，垄断了电力的传输和分配。泰国正在进行天然气领域的改革，改革旨在促进竞争，并确保在使用天然气管道服务方面适用非歧视性待遇。泰国制定了调整能源价格的政策框架和指导方针，以反映实际成本。因此，泰国不再补贴已经非常昂贵的柴油和液化石油气的消费。截至 2015 年中期，只有乙醇混合汽油 E20 和 E85 以及车用压缩天然气保有补贴。

泰国不同的制造部门受到财政支持，部分产品包括完全组装的摩托车和汽车受高关税的保护。审议期间，泰国制造业受到日本大地震的影响，破坏了供应链活动，同时还遭受严重的洪水冲击。泰国制造业面临的挑战包括成本上升，部分原因是 2013 年的最低工资制，泰国制造商生产的高科技产品受限，以及该地区其他经济体的竞争加剧。2014 年，在供应过剩和国际价格下降的情况下泰国政府批准了一项发展橡胶行业的指导方针。各种各样的支持措施包括建立天然橡胶缓冲库存来稳定价格，以及向农民提供软贷款。

泰国的服务业持续增长。泰国政府通过公司股权或国有企业的经营，在银行、电信和运输业保持了重要地位。审议期间，银行业保持强劲和稳定的发展，泰国银行对国有事业金融机构（SFIS）的监管授权也在不断加强。银行服务已经有所开放；在银行和保险业，法律的灵活性扩大了这些部门的外资参与。在通信方面，随着拍卖过程的推迟，3G 服务的推出也大大增加采用移动和无线宽带服务。移动领域三大关键参与者之间的竞争导致零售价格下滑。泰国正在起草旨在促进数字经济的 8 项法案。航空运输部门，泰国面临的主要挑战解决最近国际民航组织报告中强调的安全问题，以及解决主要机场的容量问题。政府正在积极推动将泰国发展为飞机维修和翻修服务的中心。主要的海事法正在审查中；一项货载保留政策保持不变，这一政策要求政府机构或公共企业进口到泰国的货物在泰国船只可用时必须由泰国船只运送。旅游业仍然是泰国的主要外汇来源。泰国继续为各种旅游相关的活动提供财政奖励，以及努力将其建设为亚洲的医疗中心。

泰国的经济增长预计将在 2015 年回升，2016 年进一步上升。尽管泰国经济基本面较为稳健，但特别是可能的政策不力，弱于预期的国内消费和私人需求，高新技术产品生产能力的限制和政治不确定性（尽管有所改善），使经济的下行风险仍然存在。由于对全球经济增长的外部冲击，与国际贸易、大宗商品价格和金融动荡等的风险规避，使泰国经济依然十分脆弱。

泰国经济面临的重大经济挑战，以及可能带来的贸易政策影响，是制定适当的宏观经济政策，并进行全要素生产率的结构性改革，以解决（尤其是）人口的迅速老龄化、资源从农业向高附加值部门重新分配的停滞以及政府支出相关的扭曲（如补贴和国有企业亏损）等问题。这些相关的改革将增加泰国经济的灵活性，提升其应对外部竞争的能力，从而使泰国能够继续实现其经济和福利目标。

（莫伟达译，杨凤鸣校）

海地贸易政策审议

自2010年1月大地震以来，海地经济一直在缓慢复苏，在几年稳健的宏观经济管理后，该国的经济前景得到了改善。然而，社会政治问题和自然灾害使海地仍然是世界上最贫穷的国家之一。大约有55%的人口生活在1.25美元一天的极端贫困线以下。据估计，290万的劳动力中有190万在非正规部门工作。

事实上，在目前的水平，税收收入虽然已达到国内生产总值的30%，但依然不足以维持公共开支。为了面对这种情况，海地政府已经实施了一系列措施，以增加收入和减少支出水平。海地古德汇率由市场决定，经济严重美元化。

多年来海地一直保持着一个巨大的贸易逆差。生活在国外的海地工人的汇款是国内经济中外汇的主要来源。从离散的私人转让的年度金额估计，约占海地的国内生产总值的1/4。年度因私人转移的损失估计为海地GDP的近1/4。2009和2011年之间，海地加入重债穷国减债计划。

海地的主要出口产品是纺织品和服装。食品、纺织品和机械是主要的进口商品。美国和多米尼加共和国是海地的最大贸易合作伙伴。自2010年以来，外商直接投资不断增加，并且在2013年达到了历史最高水平。

海地的宪法规定立法、司法机构和行政权力分离原则。它在2012年进行了修订，纳入有关设立宪法委员会的规定；建立一个高级司法委员会；承认多重国籍；并引进女性配额的原则。

海地政府的贸易政策立足于其经济和社会政策的总体框架，它的目的是减少贫困和创造就业。贸易和工业部负责制定、实施和评估贸易和工业政策。一般来说，海地的贸易和投资法都比较古老。涉及政府采购、银行和金融机构的法律于2003年在审议该国的贸易政策后通过。

海地授予其所有的贸易伙伴最惠国待遇。它没有签署任何WTO多边协议。海地属于加勒比共同体，修订条约已经批准但尚未生效。在普惠制（GSP）下，海地在一些发达国家中受到非互惠的待遇。

关税仍然是海地的主要贸易政策工具，以及作为一个重要的收入来源，因为海关收入占每年财政收入的1/3左右。所适用的关税基于2007版本的协调制度（HS）。这个基础命名法是六位数的协调制度，即使关税被分解为八位的水平。除了一种有特定税率以外，关税都是从价税，从价税率范围从0（税目44.3%）～40%（适用于十几个税号）。在2015年简单平均适用率为4.9%。约44.3%的税条是免税的（相比2002年的67.1%）。关税修订主要涉及对某些产品征收5%的关税，以前它们是免税的。如果考虑许多其他费用，在边境的保护是严重的，但是关税率似乎相当低。

海地的海关程序采用世界海关数据系统。海关系统的计算机化有助于简化程序，但处理时间仍然是该区域中最长的。海地尚未批准世界贸易组织关于贸易便利化协定。一个关于货运的优化信息计划在2013年引入。

离岸价格在5000美元以上的货物在装运前需强制接受检验。进口货物的到岸价格的5%是代表国家征收的，并不一定需要反映所提供的服务的成本，而且这也显著增加了进口货物的实际关税。用以验证货物在装运前的一致性的项目自2013年1月起已开始运作。海地继续采用布鲁塞尔海关定义来估价。

乌拉圭回合上，海地对所有农产品（世界贸易组织定义）和一些非农业产品规定征收进口关税。其关税和费用的范围从16%到21%不等。在实践中，如二手车项目受到额外征税，将会导致高于规定税率。国内税包括：营业税（以营业额或进口到岸价值10%的税率征收）；消费税（对某些进口酒精饮料比其国内生产的饮料征收更高的税）；预交企业所得税；以及对当地社区管理的基金的捐赠。

自上次贸易政策审议以来，海地的出口制度没有发生重大的变化。海地将极大地受益于促进出口的流程，特别是简化了对文件的要求。大部分的禁令和限制来自海地作为成员国的国际条约。政府不保证给予任何出口补贴。激励制度会导致国家收入的极大损失（2010—2011 财政年，减免约占 GDP 的 4.1%）。奖励主要是根据投资法、工业园区和自由贸易区的法律。

海地没有关于竞争、标准化或应急贸易措施的立法。在标准和技术法规方面，海地标准化局和计量实验室于 2012 年 12 月创建。自 2012 年以来，产品合格性认证计划已开始运作。在 2010 年地震之后，政府对采购法进行了修订，并大幅提高了授予合同的门槛。

在知识产权领域，通过对著作权及相关权利的立法，海地迈出了重要的一步，即符合贸易有关的知识产权协议（TRIPs）中规定的最低条件的保护条款。保护制度仍然薄弱，商标经常被侵犯。

农业部门继续在食品安全和就业中发挥关键作用。100 多万个家庭拥有自己的生存物资。主要农作物有咖啡、可可和大米。海地 50%的热量需求依赖进口。农业主要依靠雨水。自然资源的退化，特别是汇水盆地，对海地的农业是一个严重的挑战。土地权利受法律保护，提供小额贷款有利于农业生产。

矿业部门对 GDP 做出的贡献相对较小，尽管它有相当大的潜力。到目前为止，法律的不确定性已经使得任何中等或大规模的采矿活动都不可实行。只有一小部分地区供应电力，因此成本仍然很高。

制造业对国内生产总值的贡献在近几年保持相对稳定，在 8%左右。制造品占了该国出口的大部分，其中主要是纺织品。制造的产品有优先权进入美国市场，美国是海地制造品出口的主要地区。政府认为，以出口为导向的制造业和再出口是创造就业的有效手段。工业园区和自贸区是促进国家产业发展的关键工具。

服务业占 GDP 的 56%。国家将继续发挥其在行业生产活动中的重要存在，特别是在电信和运输部门。在服务贸易总协定（GATS）下，海地在一系列产业上存在限制，涉及教育、金融、建筑及相关工程、酒店和餐馆，兽医服务。其他类型提供的服务措施并未受限。

金融服务仍然只对 GDP 做出了一个微薄的贡献，虽然银行机构的财富近年来迅速增加了。陆地运输是运输货物和旅客的主要手段。港口服务的费用仍然很高。其两个港口处理了海地约 90%的国际贸易。移动电话服务蓬勃发展。旅游业在出口增长和多元化战略中起着关键作用。在 2013 年，海地第一次接待了 100 多万名游客。

（莫伟达译，黄满盈校）

第三篇　中国与 WTO

● 中国WTO事务综述（2015年）

中国在国际贸易中地位举足轻重，已成为全球货物贸易第一大国和服务贸易第二大国。2015年，中国把握经济全球化和世界变革大势，推进全球贸易自由化便利化，倡议构建开放型世界经济。中国在世贸组织中发挥建设性引领作用，推动内罗毕世贸组织第十届部长级会议取得成果，《信息技术协定》扩围谈判达成协议，《环境产品协定》谈判取得进展。同时，充分利用世贸组织各项机制维护自身利益，处理贸易争端，加强政策透明度和贸易政策合规，并践行大国责任，利用促贸援助帮助最不发达国家融入多边贸易体制。

一、发挥建设性引领作用，推动内罗毕部长级会议取得成果

12月15日至19日，世贸组织第十届部长级会议在肯尼亚内罗毕举行，会议肯定了世贸组织成立二十年来取得的成就，就多哈回合农业出口竞争和最不发达国家议题达成共识，各方承诺全面取消农产品出口补贴，并就出口融资支持、棉花、国际粮食援助等议题达成了新的多边纪律，同时在优惠原产地规则、服务豁免机制、棉花等方面给予最不发达国家优惠待遇。此外，会议正式批准阿富汗和利比里亚加入世贸组织，进一步扩大了多边贸易体制的代表性。

中国商务部部长高虎城率领由商务部、外交部、发展改革委、财政部、农业部、海关总署、中国进出口银行和常驻世贸组织代表团组成的中国代表团出席了会议。中国代表团在会议中促和、促谈、促成，中方高举多边主义旗帜，坚持发展目标，提出中国方案，为会议成功做出了重要贡献。针对各方在多哈回合授权及谈判未来上的分歧，中方强调多哈回合是解决全球发展不平衡的重要契机，中方愿意与其他各方加强沟通与合作，求同存异，凝聚共识，落实内罗毕会议成果，共同维护多边贸易体制。中国还按时批准《贸易便利化协定》，为其他世贸组织成员做出了表率。

此外，中国还利用二十国集团（G20）、亚太经合组织（APEC）、金砖国家等多边机制，阐述了中方支持继续推进多哈发展议程的立场。

二、认真参与各项诸边谈判，促成《信息技术协定》扩围谈判结束

中国将参与诸边贸易谈判作为推动国内产业发展升级的重要渠道。中国支持信息技术产品贸易自由化，并参加了《信息技术协定》（ITA）扩围谈判。

ITA扩围谈判自2012年5月启动，谈判历时3年半，经过近20轮磋商，共有24个参加方、53个世贸组织成员参加，参加方扩围产品全球贸易额达1.3万亿美元，约占相关产品全球贸易额的90%。

中国政府高度重视可持续发展，决定参加《环境产品协定》（EGA）谈判，以促进国内环境保护、推动产业升级。2015年，中国相关部门加强调研分析，把握谈判节奏，与主要成员保持密切沟通，推动谈判取得积极进展。

此外，继续积极稳妥地开展中国加入《政府采购协定》谈判工作，做好中国出价情况的解释说明，寻求参加方理解和支持。

三、积极参与世贸组织贸易政策审议和监督，利用例会机制维护自身利益

2015年，中国继续利用世贸组织贸易政策审议机制，参与了20多个世贸组织成员的贸易政策审议，评估了相关成员贸易政策变化对多边贸易体

制的影响；广泛征求产业和学界意见，积极派团参与日本、巴西、印度、欧盟等主要贸易伙伴的审议；全面启动了世贸组织对华第六次贸易政策审议准备工作，并组织 28 个部门与世贸组织秘书处专家进行了 21 场会谈，全面介绍中国在过去两年经贸体制方面的新变化和新举措。

为推动构建稳定、可预见的国际贸易环境，中国还积极参与世贸组织贸易政策监督工作，及时向世贸组织通报贸易领域相关措施，对其他成员的贸易限制措施表达关注。利用亚太经合组织、二十国集团等多边场合，推动各方承诺反对各种形式的贸易保护主义。

例会是世贸组织各机构日常运作的主要平台，也是维护国家和产业利益的重要渠道。2015 年，中国全面参与世贸组织总理事会、货物贸易理事会、服务贸易理事会、知识产权理事会、农业委员会、技术性贸易壁垒委员会、卫生与植物卫生措施委员会等机构例会，提出多项贸易关注，并澄清解释中国的相关措施，维护了稳定的多双边经贸关系。

四、利用世贸组织规则维护产业利益，妥善处理贸易争端

中国已成为世贸组织争端解决机制的主要用户，积极利用世贸组织规则维护产业利益，妥善处理贸易纠纷。2015 年，积极推进中方诉美反倾销措施案、诉欧盟紧固件反倾销措施案和禽肉关税配额案，敦促美方执行中方诉美反补贴措施案和诉美反倾销反补贴措施案世贸裁决，力争使企业从胜诉结果中切实获益。

同时，妥善应对美方诉中方外贸转型升级示范基地和公共服务平台措施案、取向电工钢反倾销反补贴措施案，欧日诉中方无缝钢管反倾销措施案，加拿大诉中方浆粕反倾销措施案，墨西哥诉中方纺织品和服装补贴案等，维护了国家和产业利益。做好美诉中方电子支付措施案，美、欧、日诉中方稀土、钨、钼相关产品出口管理措施世贸组织争端案等执行工作。此外，认真参与世贸争端第三方案件，为中国产品出口营造有利的法律环境。

五、增加贸易政策透明度，推进贸易政策合规工作

透明度是世贸组织成员的重要义务，也是建设法制化营商环境的基本要求。2015 年，中国向世贸组织提交数量限制通报（2010—2014 年）、国营贸易通报（2003—2014 年）、补贴通报（2009—2014 年中央政策部分），全年向世贸组织通报 464 项贸易政策。特别是完成并提交了若干迟滞通报，跻身部分重要通报更新最及时成员之列，受到世贸成员广泛欢迎。商务部还联合法制办报请国务院办公厅下发《国务院办公厅关于做好与贸易相关部门规章翻译工作的通知》，为更好履行世贸义务创造了制度条件。

与此同时，贸易政策合规工作顺利推进，以提升与世贸规则的一致性，推进法治化营商环境的建设。推动 17 个省发布合规工作落实办法，开展两期全国培训，编写《贸易政策合规工作手册（试行）》，提高了各部门合规评估工作能力。2015 年迄今完成了 670 项政策合规评估，妥善处理了其他世贸成员提出的多项合规关注。

六、高度重视世贸组织发展工作，向最不发达国家提供力所能及的援助

2015 年，中国参加世贸组织第五次促贸援助全球审议，介绍中国在推进一带一路建设、发展南南贸易方面采取的措施，宣传中国在促贸援助领域开展的工作。中国政府在贸易领域采取措施，支持联合国 2030 年可持续发展议程，通过支持非洲和最不发达国家工业化等，减少全球发展不平等和不平衡，使各国人民共享世界经济增长成果，促进全球包容性发展。

2015 年，中国仍是最不发达国家的第一大出口市场，并向建交的最不发达国家 97%的税目提供零关税进口待遇，受到了广大最不发达国家的好评。同时，中国还积极考虑向世贸组织贸易便利化基金捐款，帮助最不发达国家实施《贸易便利化协定》，并及时向世贸组织通报给予最不发达国家服务贸易优惠待遇。内罗毕会议前夕，中方资助肯尼亚政府和世贸组织秘书处共同举办了最不发达国家加入世贸组织圆桌会议，肯尼亚总统肯雅塔出席圆桌会议高层论坛，对中非合作、中肯友好关系，以及中国在“促贸援助”方面的工作给予了高度评价。

（商务部世界贸易组织司）

● 贸易争端与救济措施

中国参与世贸组织争端解决情况

2015年，世贸组织成员新发起争端解决案件共计13起。其中，中国作为当事方的案件3起（起诉1起，被诉2起），占当年全部新发起案件的23%。以下就2015年中国作为当事方参与的世贸组织争端解决案件情况做一简要介绍。

一、中国作为起诉方参与世贸组织争端解决案件新情况

（一）中国诉欧盟碳钢紧固件反倾销措施案（DS397）

1. 涉案措施与主要诉求

本案涉案措施是欧盟对原产于中国的碳钢紧固件产品反倾销措施的复审决议。

中国认为，欧盟为执行诉欧盟紧固件反倾销措施案裁决所采取的措施违反了《关于实施1994年关税与贸易总协定第6条的协定》（《反倾销协定》）和《1994年关税与贸易总协定》（《1994年关贸总协定》）的诸多条款，包括：

（1）《反倾销协定》第6.4条和第6.2条，因为欧盟未及时向利害关系方提供机会，使其了解与其案件陈述有关的、不属于第6.5条规定的机密性质、且主管机关在反倾销调查中使用的特别是与印度生产商销售的产品有关的所有信息，因而未向利害关系方提供为其利益进行辩护的充分机会。

（2）《反倾销协定》第6.5条，因为欧盟在无正当理由的情况下认定印度生产商销售的产品相关的信息为“保密”信息；以及《反倾销协定》第6.5.1条，因为欧盟未要求印度同类生产商就在保密基础上提供的信息提供足够详细的非保密摘要，以便能够合理了解以保密形式提交的信息的实质内容。

（3）《反倾销协定》第2.4条，因为欧盟未向所涉各方指明为保证进行公平比较所必需的信息，特别是欧盟未提供确定正常价值时使用的、印度同类生产商销售的产品信息，并且未向当事方指明主张调整所需的信息。

（4）《反倾销协定》第2.4条，因为欧盟未保证中国出口生产商所生产的标准紧固件的出口价格未与特殊紧固件的正常价值进行比较。

（5）《反倾销协定》第2.4条和《1994年关贸总协定》第6.1条，因为欧盟未对影响价格可比性的差异进行调整。

（6）《反倾销协定》第2.1条、第2.4条、第2.4.2条和第9.3条及《1994年关贸总协定》第6.1条和第6.2条，因为欧盟未根据所有可比的出口交易计算倾销幅度并且在此基础之上征收反倾销税。

（7）《反倾销协定》第4.1条和第3.1条，因为欧盟在重新定义国内产业时仅仅使用了原审《立案公告》第6条（b）项（i）规定的截止日之前登记的欧盟生产商的数据，因而未纠正该方法所造成的自我选择过程。

2. 争端进程

2009年7月31日，就欧盟对中国碳钢紧固件产品采取反倾销措施，中国对欧盟提起世贸组织争端解决机制项下的磋商请求。2009年10月23日，专家组设立。2010年12月3日，世贸组织公布专家组报告。欧盟和中国分别于2011年3月25日和

30日提起上诉。2011年7月15日，世贸组织公布上诉机构报告。2011年7月28日，世贸组织争端解决机构（DSB）通过了本案专家组报告和上诉机构报告。

2012年3月6日，欧盟对原产于中国的碳钢紧固件产品的反倾销仲裁措施进行复审。2012年9月3日，欧盟公布第765/2012号条例修改了《欧盟理事会关于防范非欧盟成员国进口产品倾销的第384/96号条例》第9（5）条，于2012年9月6日起开始实施。中国认为欧盟的复审决定仍涉嫌违反世贸组织规则，遂于2013年10月30日按照《关于争端解决规则与程序的谅解》（DSU）第21.5条的规定将欧盟的执行措施起诉至世贸组织。2014年2月18日，执行专家组设立。2015年8月7日，世贸组织公布执行专家组报告。2015年9月9日，欧盟提出上诉。2015年9月14日，中国提出交叉上诉。上诉机构报告于2016年1月18日公布，2月12日通过。欧盟于2月26日撤销反倾销措施。

3. 执行专家组主要裁决

欧盟依据从错误定义的国内产业中获取的数据得出的损害认定违反了《反倾销协定》。欧盟在原审和复审调查中，将有关信息视为保密信息，没有提供机会让中国出口商查阅信息，导致中方无法为其利益进行充分辩护，以及欧盟在为中国企业计算倾销幅度时，仅考虑了部分出口交易，违反了《反倾销协定》的相关程序规定。

4. 上诉机构主要裁决

欧盟对中国紧固件反倾销复审措施在公平比较、倾销幅度计算、国内产业界定、利害关系方和信息披露等方面违反《反倾销协定》等世贸规则。支持专家组裁决，裁定欧盟计算倾销幅度必须涵盖所有出口交易。采用替代国价格或成本数据计算中国产品的正常价值时，必须对影响价格可比性的产品差异进行必要调整，以确保调整后的产品具有价格可比性。应向中国出口商说明公平比较所必需的信息。替代国企业必须有正当理由，并且提供非保密摘要，才能对有关信息进行保密处理，否则其提供的信息不得被调查机关使用。

（二）中国诉美国反补贴措施案（DS437）

1. 涉案措施与主要诉求

本案涉案措施包括：（1）美国对中国22类输美产品发起的反补贴调查；（2）美国商务部认定“公共机构”时适用的“可反驳推定”，即美国商务部认为，一家企业所有权的多数由政府持有这一事实即足以认定该企业为《补贴与反补贴措施协定》（《补贴协定》）第1.1条意义上的“公共机构”，除非一方能够证明政府持有多数所有权并不导致对企业的“控制”。

中国认为，美国下列措施违反了《1994年关贸总协定》和《补贴协定》有关条款：

（1）美国声称中国通过国有企业以低于充分回报的价格提供原材料产品，将其视为补贴并发起反补贴调查，违反《补贴协定》第1.1条、第2条、第11.1条至第11.3条和第14条（d）项。

（2）美国声称中国以低于充分回报的价格提供土地使用权，并将其认定为补贴，违反《补贴协定》第2条。

（3）美国声称中国维持出口限制，将其视为补贴并发起反补贴调查，违反《补贴协定》第1.1条（a）项（1）以及第11.1条至第11.3条。

（4）使用“可获得不利事实”做出不利推断，违反《补贴协定》第12.7条。

（5）适用“可反驳推定”认定“公共机构”，违反《补贴协定》第1.1条、第10条和第32.1条以及《1994年关贸总协定》第6条。

2. 争端进程

2012年5月25日，中国就涉案措施对美国提起世贸组织争端解决机制项下的磋商请求。2012年9月28日，世贸组织争端解决机构正式设立了专家组，澳大利亚、巴西、加拿大、欧盟、印度、日本、韩国、挪威、俄罗斯、土耳其、越南和沙特阿拉伯共12个世贸组织成员保留各自的第三方权利。

2014年7月14日，世贸组织公布专家组报告。2014年8月22日，中国提起上诉。2014年8月27日，美国提起交叉上诉。上诉机构报告于2014年12月18日发布，2015年1月16日通过。6月26日，中方请求就合理执行期进行仲裁。10月9日，仲裁员裁决合理执行期为14个月16天，至2016年4月1日止。2016年5月13日，中国提出执行之诉磋商请求。7月8日，提出设立专家组请求，本案正在执行专家组审理阶段。

3. 专家组主要裁决

专家组认为，美国商务部将国有企业推定为公共机构的做法以及在涉案反补贴措施中的适用违反《补贴协定》第1.1条。美国认定补贴事实专向性应考虑因素、土地专向性认定、基于出口限制反补贴立案的做法违反《补贴协定》第2.2条、第2.4条和第11.3条。专家组未支持中方关于补贴专向性、外部基准及使用可获得不利事实等方面的主张。

4. 上诉机构主要裁决

(1) 针对外部基准问题，上诉机构推翻了专家组关于外部基准的裁决，并裁定美国商务部在涉案反补贴调查中拒绝采用国内私营部门的价格作为计算利益的基准价格的做法违反了美国在《补贴协定》第14条(d)项和第1.1条(b)项下的义务。

(2) 针对补贴专向性问题，上诉机构维持了专家组关于美国商务部仅依据第2.1条(c)项分析专向性符合《补贴协定》的认定；推翻了专家组关于中国未能证明美国商务部未指明"补贴计划"的做法违反了美国在《补贴协定》第2.1条下的义务的认定；但是，上诉机构认为专家组未审查关于补贴计划是否存在的大部分证据，双方也未就此问题展开充分抗辩，故而裁定其无法完成对此的法律分析；上诉机构推翻了专家组关于中国未能证明美国商务部未指明"授予机关"的做法违反了美国在《补贴协定》第2.1条义务的认定；但是，上诉机构认为专家组已经认定美国商务部未考虑第2.1条(c)项最后一句规定的两项要素即"授予机关管辖范围内经济活动的多样性"与"实施补贴计划的持续时间"违反了该条款，该认定与美国商务部指明"授权机关的管辖范围"相关联。由此，上诉机构认为其完成法律分析对于解决双方争端并无助益，因此未完成对此的法律分析。

(3) 针对使用可获得不利事实问题，上诉机构推翻了专家组关于中国未能证明美国商务部未采用在案可获得事实的做法违反了美国在《补贴协定》第12.7条下的义务的认定；但是，上诉机构认为其已经认定专家组违反了《争端解决谅解》第11条，争端各方未就可获得事实有关问题充分发表意见，在此情况下完成法律分析将有损正当程序；同时，就此问题完成法律分析对解决双方争端并无助益，因为中国所挑战的42处使用可获得不利事实的情形是美国商务部用以支持其公共机构、利益、专向性和出口限制等方面的裁定，而对于这些裁定，专家组和上诉机构已经分别做出违反认定，且美国对专家组的认定并未提出上诉，故而上诉机构无须完成对此的法律分析。

(三) 中国诉美国关税法修订案世贸争端案(DS449)

1. 涉案措施与主要诉求

本案的涉案措施包括：(1) 2012年3月13日公布的美国《1930年关税法》修订案(GPX立法)；(2) 2006年11月20日至2012年3月13日，美国对中国24类产品发起的反倾销和反补贴调查以及相关后续行动。

中国认为，美国上述措施违反了《1994年关贸总协定》《补贴协定》和《反倾销协定》有关条款：

(1) GPX立法第1节规定美国《1930年关税法》中的反补贴条款可以追溯性地适用于2006年11月20日或之后发起的所有反补贴调查以及相关后续行动，违反《1994年关贸总协定》第10条。

(2) 对于2006年11月20日至2012年3月13日期间发起的反倾销和反补贴调查或复审，美国商务部缺乏识别和避免双重救济的法定权力，事实上也没有调查并避免这些调查或复审中的双重救济，违反《1994年关贸总协定》第6条、《补贴协定》第10条、第15条、第19条、第21条、第32条以及《反倾销协定》第9条和第11条。

2. 争端进程

2012年9月17日，中国就涉案措施对美国提起世贸组织争端解决机制项下的磋商请求。2012年11月30日，中国请求设立专家组。2012年12月17日，世贸组织争端解决机构设立了专家组。澳大利亚、加拿大、欧盟、日本、土耳其和越南6个世贸组织成员保留各自的第三方权利。

2014年3月27日，世贸组织公布专家组报告。2014年4月8日，中国提出上诉。2014年4月17日，美国提出交叉上诉。上诉机构报告于2014年7月7日公布，7月22日通过。合理执行期为12个月2周，至2015年8月5日。

3. 专家组主要裁决

专家组的主要裁决如下：

(1) 美国商务部在2006年至2012年间对华发起的25起反倾销反补贴调查中，同时征收反倾销税(基于"非市场经济"方法)和反补贴税，未能进行避免双重救济的税额调整，违反了《补贴协定》第 10 条、第 19.3 条和第 32.1 条。

（2）专家组多数意见认为，美国 GPX 立法不违反《1994 年关贸总协定》第 10 条规定。

4. 上诉机构主要裁决

上诉机构的主要裁决为：美商务部在 2006 年至 2012 年间对华发起的 25 起双反调查中，同时征收反倾销税（基于“非市场经济”方法）和反补贴税，却未进行避免重复征税的税额调整，构成“双重救济”，违反了世贸规则。专家组在分析美国 GPX 立法是否符合《1994 年关贸总协定》第 10 条时，适用了错误的法律解释，但由于专家组基于错误的法律解释未能审查美国反补贴法所有相关要素，上诉机构无法完成分析。

（四）中国诉欧盟及其特定成员国光伏补贴措施案（DS452）

1. 涉案措施与主要诉求

本案的涉案措施为意大利、希腊的光伏补贴措施。意大利、希腊有关法律规定，如果光伏发电项目的主要零部件原产于欧盟国家或欧洲经济区国家，该项目生产的电力即可获得一定金额或比例的上网电价补贴。

中国认为，上述补贴措施违反了世贸组织协定关于国民待遇（《1994 年关贸总协定》第 3 条、《与贸易有关的投资措施协定》第 2 条）和最惠国待遇（《1994 年关贸总协定》第 1 条）的规定，构成了世贸组织协定禁止的进口替代补贴［《补贴协定》第 3.1 条（b）项］，并严重影响中国光伏产品出口，损害了中国作为世贸组织成员的正当权益。

2. 争端进程

2012 年 11 月 5 日，中国就涉案措施对欧盟提起世贸组织争端解决机制项下的磋商请求。目前，本案仍处于磋商阶段。

（五）中国诉美国反倾销措施案（DS471）

1. 涉案措施与主要诉求

本案的涉案措施为美国对中国铝型材、铜版纸、非公路用轮胎、石油管材、金刚石锯片等 13 种产品采取的反倾销措施。

中国认为，美国上述措施违反了《1994 年关贸总协定》和《反倾销协定》有关条款：

（1）美国在某些涉及“目标倾销”指控的反倾销调查中，为确定产品整体的倾销幅度，将每笔交易计算的加权平均正常价格与交易价格的比较结果进行叠加，并采用“归零法”（以下简称目标倾销方法）；同时，扩大目标倾销方法的适用范围，违反《反倾销协定》第 2.4.2 条。

（2）在行政复审中使用目标倾销方法，违反《反倾销协定》第 9.3 条和《1994 年关贸总协定》第 6.2 条。

（3）在与进口自被美国认为是非市场经济国家的产品有关的反倾销程序中，美国推定所有生产商和出口商构成一个受该国政府普遍控制的单一实体，并对该实体裁定一个单一的倾销幅度或一个单一的反倾销税率，违反《反倾销协定》第 6.10 条、第 9.2 条、第 9.4 条。

（4）美国在计算单一倾销幅度或反倾销税率中，未要求生产商和出口商提供必要信息，未提供抗辩权，并在此基础上使用可获得事实，违反《反倾销协定》第 6.1 条、第 6.8 条、第 9.4 条和附件 2 相关规定。

（5）美国在反倾销调查中使用可获得不利事实，违反《反倾销协定》第 6.8 条和附件 2 相关规定。

2. 争端进程

2013 年 12 月 3 日，中国就涉案措施对美国提起世贸组织争端解决机制项下的磋商请求。2014 年 1 月，中美双方在日内瓦进行了磋商。2014 年 3 月 26 日，世贸组织争端解决机构设立了专家组。2016 年 10 月 19 日，世贸组织公布专家组报告。11 月 18 日，中方提起上诉。

（六）中国诉欧盟禽肉管理措施案（DS492）

1. 涉案措施与主要诉求

本案涉案措施为欧盟对禽肉产品的关税减让修改和配额分配措施。

2006 年 6 月 7 日，欧盟对世贸组织成员方发出通告，表示将对 021099 39、1602 31 和 1602 3219 三个税号的禽肉产品的关税减让进行修改。随后，欧盟依据《1994 年关贸总协定》第 28 条，与巴西、泰国进行了谈判，并于 2006 年底达成协议。欧盟将绝大部分关税配额分配给巴西、泰国，而包括中国在内的其他世贸成员方只能分享很少量的关税配额，配额外税率远远超过修改前的约束税率。

2009 年 6 月 11 日，欧盟再次对世贸组织成员方发出通告，表示将对1602 2010等八个税号的禽肉产品的关税减让进行修改。随后，欧盟依据《1994年关贸总协定》第28条，与巴西、泰国进行了谈判，并于2012年6月达成协议。欧盟再次将绝大部分关税配额分配给巴西、泰国，而包括中国在内的其他世贸成员方只能分享很少量的关税配额，配额外税率远远超过修改前的约束税率。

欧盟认为中国在两次谈判中均不具有主要或实质供应利益，未与中国进行谈判。

中方认为，上述措施违反了《1994年关贸总协定》第1.1条、2.1条、2.2条、13条及28条。

2. 争端进程

2015年4月8日，中国就涉案措施对欧盟提起世贸组织争端解决机制项下的磋商请求。5月26日，中欧双方举行磋商，但未能实现和解。6月8日，中方向世贸组织争端解决机构提交了设立专家组的请求。7月20日，专家组正式设立。2016年12月2日，专家组向当事方散发最终报告。

二、中国作为被诉方参与世贸组织争端解决案件新情况

（一）美国诉中国取向性硅电钢反倾销和反补贴措施案（DS414）

1. 涉案措施与主要诉求

本案涉案措施为中国对从美国进口的取向性硅电钢继续征收反倾销税和反补贴税的措施（商务部2013年第51号公告及其附件）。

美国认为，中国上述措施违反了相关协定的下列条款：

（1）《反倾销协定》第3.1条和第3.2条，以及《补贴协定》第15.1条和第15.2条，因为中方没有基于对案卷材料的客观审查和肯定性证据，认定倾销和补贴进口产品大幅压低价格或者在很大程度上抑制了在其他情况下本应发生的价格增长。

（2）《反倾销协定》第3.1条、第3.4条和第3.5条，以及《补贴协定》第15.1条、第15.4条和第15.5条，因为（a）中国对被调查进口产品和国内产业损害之间所谓的因果关系分析没有基于对案卷材料的客观审查和肯定性证据，包括对调查机关获得的所有有关证据的审查，以及对除倾销和补贴进口产品以外其他同时损害国内产业的任何已知因素的审查；以及（b）中国没有遵守不得将其他因素造成的损害归因于倾销和补贴进口产品的义务。

（3）《反倾销协定》第6.9条以及《补贴协定》第12.8条，因为中国未能披露再裁定所依据的“基本事实”。

（4）《反倾销协定》第12.2条和第12.2.2条，以及《补贴协定》第22.3条和第22.5条，因为中国没有详细提供调查机关就其认为重要的所有事实问题和法律问题所得出的调查结果和结论，以及接受或拒绝有关论据或请求事项的理由。

（5）由于上述对《反倾销协定》的违反，所以违反了《反倾销协定》第1条。

（6）由于上述对《补贴协定》的违反，所以违反了《补贴协定》第10条。

（7）由于上述对《反倾销协定》和《补贴协定》的违反，所以违反了《1994年关贸总协定》第6条。

2. 争端进程

2010年9月15日，美国就中国对自美国进口的取向性硅电钢采取的反倾销反补贴措施对中国提起世贸组织争端解决机制项下的磋商请求。2011年3月25日，专家组设立。2012年6月15日，世贸组织公布专家组报告。2012年7月20日，中国提起上诉。2012年10月18日，世贸组织公布上诉机构报告。2012年11月16日，世贸组织争端解决机构通过了本案专家组报告和上诉机构报告。

2012年11月30日，中国在世贸组织争端解决机构会议上通报了执行意向。2013年2月8日，美国请求就合理执行期进行仲裁。2013年5月3日，仲裁员裁决合理执行期至2013年7月31日止。7月31日，中国公布再调查公告，依据世贸裁决对涉案措施进行了调整。2014年1月13日，美国将中国执行措施诉诸世贸执行专家组。3月17日，执行专家组组成。2015年8月31日，世贸组织争端解决机构通过执行专家组报告。中方已于4月10日终止涉案措施。

3. 执行专家组主要裁决

中国涉案措施对被调查产品的价格影响、因果关系认定及对平行价格趋势和销售阻碍的信息披露违反了《反倾销协定》和《补贴协定》的相关规定，但驳回了关于中国未提供国内价格的非保密摘要违规的诉求。

（二）美国诉中国白羽肉鸡反倾销和反补贴措施案（DS427）

1. 涉案措施与主要诉求

本案涉案措施为中国对原产于美国的白羽肉鸡继续征收反倾销税和反补贴税的措施（商务部2014年第44号公告及其附件）。

美方认为，中国上述措施违反了《1994年关贸总协定》《反倾销协定》和《补贴协定》的有关条款：

（1）《反倾销协定》第3.1条和第3.2条，以及《补贴与反补贴协定》第15.1条和15.2条，因为中国商务部对被调查进口产品的价格影响分析没有基于对案件材料的客观审查，并且不是建立在肯定性证据的基础上。

（2）《反倾销协定》第3.1条和第3.4条，以及《补贴与反补贴协定》第15.1条和15.4条，因为中国商务部没有对所有相关经济指标和有关该产业状况的指标进行客观评估，就做出被调查进口产品对国内产业造成不利影响的裁定。

（3）《反倾销协定》第3.1条和第3.5条，以及《补贴与反补贴协定》第15.1条和15.5条，因为中国商务部对被调查进口产品对国内产业造成损害的认定并不是建立在对所有相关证据审查的基础上，包括被调查进口产品的数量并没有替代国内产业而增长，大部分被调查进口产品由未造成损害的产品构成，以及该认定是建立在中国商务部的有瑕疵的价格和影响分析的基础上的。

（4）《反倾销协定》第6.4条和第6.5条，以及《补贴与反补贴协定》第12.3条和12.4条，因为再调查过程中，中国商务部没有及时向利害关系方提供所有与其案件相关的所有非保密信息，且调查机关使用了这些信息，以及中国商务部对信息的保密缺乏正当理由。

（5）《反倾销协定》第6.1条，以及《补贴与反补贴协定》第12.1条，因为再调查过程中，中国商务部没有就所要求的信息进行通告，也没有给予利害关系方充分机会以书面形式提出其认为相关的所有证据。

（6）《反倾销协定》第6.9条，以及《补贴与反补贴协定》第12.8条，因为中国商务部没有将所考虑的、构成实施最终措施决定所依据的基本事实通告利害成员国和利害关系方。

（7）《反倾销协定》第12.2条和12.2.2条，以及《补贴与反补贴协定》第22.3条和22.5条，因为中国商务部没有详细提供其认为重要的、有关所有事实和法律问题所得出的裁定和结论，没有详细提供所有导致最终措施的事实问题、法律问题及理由的相关信息，以及接受或拒绝相关抗辩或请求的理由。

（8）《反倾销协定》第2.2条和2.2.1.1条，因为中国商务部不适当地计算了美国生产商的生产成本，没有以美国被调查生产商保存的记录为基础计算成本，且没有考虑有关成本适当分摊的所有可获得证据。

（9）《反倾销协定》第9.4条，因为中国商务部对未被抽样的生产商和出口商的进口产品征收的反倾销税，超过了被抽样的出口商或生产商所确定的加权平均倾销幅度。

（10）《反倾销协定》第6.8条及附件二（包括但不限于第3段、第5段和第6段），因为中国商务部在可获得事实的基础上做出其裁定，拒绝了再调查过程中出口商或生产商适当提交的、可证实的事实，且没有解释拒绝这些出口商或生产商提交的证据或信息的理由。

（11）由于违反了《反倾销协定》的上述条款，因此违反了《反倾销协定》第1条。

（12）由于违反了《补贴与反补贴协定》的上述条款，因此违反了《补贴与反补贴协定》第10条。

（13）由于违反了《反倾销协定》和《补贴与反补贴协定》的上述条款，因此违反了《1994年关贸总协定》第6条。

2. 争端进程

2011年9月20日，美国就中国对原产于美国的白羽肉鸡征收反倾销税和反补贴税的措施，对中国提起世贸组织争端解决机制下的磋商请求。2012年1月20日，专家组设立。专家组报告于2013年8月2日公布，9月25日通过。合理执行期为9个月14天，至2014年7月9日止。7月9日，中国公布了再调查裁决公告。

美国于2016年5月10日按照《关于争端解决规则与程序的谅解》（DSU）第21.5条的规定将中方执行措施起诉至世贸组织。6月22日，执行专家组设立。目前，本案正在执行专家组审理阶段。

（三）美国、欧盟、日本诉中国稀土、钨、钼出口管理措施案（DS431/432/433）

1. 涉案措施与主要诉求

本案涉案措施主要包括：

(1) 中国对于稀土、钨和钼相关产品征收的出口税。

(2) 中国对于稀土、钨和钼相关产品采取的出口配额等数量限制措施。

(3) 中国对稀土和钼出口企业施加的出口业绩和注册资本要求。

起诉方指控中国上述措施违反了：

(1)《1994年关贸总协定》第11条；

(2)《中国加入世贸组织议定书》第11.3条以及被并入到该《议定书》的《中国加入世贸组织报告书》第83段、第84段、第162段和第165段。

2. 争端进程

2012年3月13日，美国、欧盟和日本分别就涉案措施对中国提起世贸组织争端解决机制下的磋商请求。2012年7月23日，世贸组织争端解决机构设立了单一专家组审理本案。巴西、加拿大、哥伦比亚、印度、韩国、挪威、阿曼、沙特阿拉伯、中国台北、越南、阿根廷、澳大利亚、秘鲁、俄罗斯、印度尼西亚和土耳其16个世贸组织成员保留各自的第三方权利。

世贸组织于2014年3月26日公布了专家组报告。美国于4月8日提出上诉。中国于4月17日对美提出交叉上诉，于4月25日对欧盟、日本提出上诉。8月7日，世贸组织公布上诉机构报告。8月29日，世贸组织争端解决机构通过了专家组报告和上诉机构报告。合理执行期为8个月零3天，至2015年5月2日。中方已取消涉案措施。

3. 专家组主要裁决

专家组认为，中国对稀土、钨、钼相关产品采取的出口关税、出口配额措施以及对稀土、钼相关产品出口配额的管理和分配措施不符合《1994年关贸总协定》和《中华人民共和国议定书》相关规定，且不符合《1994年关贸总协定》规定的例外情形。

同时，专家组驳回了欧盟关于中国对申请钼出口配额企业的“出口业绩”要求歧视外国企业的主张。

4. 上诉机构主要裁决

上诉机构支持了中方对《1994年关贸总协定》第20条的部分法律解释，维持了专家组关于中方涉案产品的出口关税、出口配额措施不符合世贸组织规则和中方加入世贸组织承诺的裁决。

（四）墨西哥诉中国服装与纺织品案（DS451）

1. 涉案措施与主要诉求

本案的涉案措施为中国对服装与纺织品生产商和出口商以及棉花和化纤产业供应商的多种补贴措施。具体包括以下类型：(1) 免除某些企业的税收；(2) 减免和退还某类企业以及特定地区企业所购买的设备的进口税和增值税；(3) 低于充分对价提供土地使用权和电价；(4) 国有银行向某些产业提供低息贷款；(5) 棉花和化纤生产、销售和运输环节扶持措施；(6) 政府提供的现金支付。

墨西哥认为上述措施涉及禁止性补贴和可诉补贴，后者正在通过替代和阻碍墨西哥产品进入美国，在同一市场造成显著价格削减、价格抑制、价格压低以及销售损失，对墨西哥利益造成严重损害或者严重损害威胁。墨西哥认为涉案措施违反了：

(1)《补贴协定》第3.1条（a）项和（b）项、第5条（c）项、第6.3条（b）项和（c）项、第6.4条和第6.5条；

(2)《1994年关贸总协定》第3.4条；

(3)《农业协定》第3条、第9条和第10条；

(4)《议定书》第Ⅰ部分第1.2段并入的《报告书》相关条款。

2. 争端进程

2012年10月15日，墨西哥就涉案措施对中国提起世贸组织争端解决机制项下的磋商请求。欧盟、澳大利亚、危地马拉、巴西、秘鲁、美国、洪都拉斯、哥伦比亚8个世贸组织成员先后请求加入磋商。2013年6月4日，双方开始磋商。目前，案件仍处于磋商阶段。

（五）日本、欧盟诉中国无缝钢管反倾销措施案（DS454/DS460）

1. 涉案措施与主要诉求

本案涉案措施是中国对自日本、欧盟进口的无缝钢管采取的反倾销措施。

日本认为，中方涉案措施违反了《1994年关贸总协定》和《反倾销协定》的有关条款：

(1) 中国未依据肯定性证据客观审查数量影响

和价格影响、对国内产业影响和因果关系等，违反《反倾销协定》第 3.1 条、第 3.2 条、第 3.4 条和第 3.5 条。

（2）未满足保密信息披露要求，违反《反倾销协定》第 6.5 条和第 6.5.1 条。

（3）不恰当地依据可获得事实计算其他所有日本公司的倾销幅度，违反《反倾销协定》第 6.8 条和附件 2 第 1 段。

（4）未能向所有利害关系方充分披露相关基本事实，违反《反倾销协定》第 6.9 条。

（5）临时措施实施超过 4 个月，违反《反倾销协定》第 7.4 条。

（6）未详细提供调查结果和结论以及实施最终反倾销措施所依据的事实和法律的有关信息，违反《反倾销协定》第 12.2 条和第 12.2.2 条。

（7）以上不符措施违反《反倾销协定》第 1 条和《1994 年关贸总协定》第 6 条。

欧盟认为，中国上述措施违反了《1994 年关贸总协定》和《反倾销协定》的有关条款：

（1）未依据相关数据确定生产成本等，违反《反倾销协定》第 2.2 条。

（2）未基于公平比较证明倾销幅度的存在，违反《反倾销协定》第 2.4 条和第 2.4.2 条。

（3）未依据肯定性证据客观审查数量影响和价格影响、对国内生产者产生的影响和因果关系等，违反《反倾销协定》第 3.1 条、第 3.2 条、第 3.4 条和第 3.5 条。

（4）未向所有利害关系方披露所有信息，违反《反倾销协定》第 6.4 条。

（5）未满足非保密信息披露要求，违反《反倾销协定》第 6.5 条和第 6.5.1 条。

（6）拒绝考虑在实地核查期间提供的信息，违反《反倾销协定》第 6.7 条和附件 1 第 7 段。

（7）未考虑可核实的、与倾销幅度裁定有关的所有信息，违反了《反倾销协定》第 6.8 条和附件 2 第 3 段。

（8）不适当地使用可获得的事实裁定所有其他欧盟企业的倾销幅度，违反《反倾销协定》第 6.8 条和附件 2 第 1 段。

（9）未通知所有利害关系方实施最终反倾销措施所依据的基本事实，违反《反倾销协定》第 6.9 条。

（10）临时措施实施超过 4 个月，违反《反倾销协定》第 7.4 条。

（11）未详细提供调查结果和结论以及实施最终反倾销措施所依据的事实和法律的有关信息，违反《反倾销协定》第 12.2 条和第 12.2.2 条。

（12）以上不符措施违反《反倾销协定》第 1 条和《1994 年关贸总协定》第 6 条。

2. 争端进程

2012 年 12 月 20 日，日本就中国对自日本进口的无缝钢管采取的反倾销措施对中国提起世贸组织争端解决机制下的磋商请求。2013 年 1 月 18 日欧盟作为第三方加入磋商。5 月 24 日，专家组设立。

2013 年 6 月 13 日，欧盟就相同涉案措施对中国提起世贸组织争端解决机制下的磋商请求。8 月 30 日设立专家组。两案由同一专家组程序进行审理。2015 年 2 月 13 日，专家组报告散发。2015 年 5 月 20 日，中方提出上诉（DS460），日本于同一天提出上诉（DS454）。10 月 14 日，世贸组织公布上诉机构报告。本案合理执行期至 2016 年 8 月 22 日止，中方已撤销反倾销措施。

3. 专家组主要裁决

专家组在使用可获得事实、损害裁定、充分披露相关事实方面驳回了欧盟的请求，在终裁公告或单独报告中是否充分详细地说明处理方法，及是否根据正常贸易过程中生产和销售同类产品的实际数据裁定相应费用方面支持了欧盟的诉求。

4. 上诉机构主要裁决

上诉机构在损害裁定、事实披露方面推翻了专家组的裁决，裁定通过进口价格和国内价格之间存在价差从而认定存在价格削减，将价格削减结论延伸到国内同类产品整体，合理审查对国内产业产生影响的积极因素和消极因素等方面违反了《反倾销协定》相关规定。

（六）加拿大诉中国浆粕反倾销措施案（DS483）

1. 涉案措施与主要诉求

本案涉案措施是中国对原产于加拿大的浆粕实施的反倾销措施。

加拿大认为，中国涉案措施与《1994 年关贸总协定》和《反倾销协定》下列条款项下的义务不符：

（1）《反倾销协定》第 3.1 条和第 3.2 条，因为中国对损害的确定未能依据肯定性证据进行，也未能对倾销进口产品的数量和倾销进口产品对国内市场同类产品价格的影响进行客观审查。中国没有适当地考虑是否存在以下情形：

(a) 倾销进口商品是否大幅增加；

(b) 与国内同类产品的价格相比，倾销进口产品是否大幅削低价格，或此类进口产品的影响是否是大幅压低价格，或是否是在很大程度上抑制了在其他情况下本应发生的价格增加。

(2)《反倾销协定》第3.1条和第3.4条，因为中国对损害的确定未能依据肯定性证据进行，未能对倾销进口产品对国内同类产品生产商产生的影响进行客观审查，且未能适当评估所有影响产业状况的有关经济因素和指标。

(3)《反倾销协定》第3.1条和第3.5条，因为中国未能：

(a) 通过依据肯定性证据进行的客观审查证明倾销进口产品与对国内产业损害之间存在因果关系；

(b) 依据肯定性证据客观审查除倾销进口产品外的、同时正在损害国内产业的任何其他已知因素，并且不恰当地将这些其他因素造成的损害归因于倾销进口产品。

(4)《反倾销协定》第3.1条和第4.1条，因为中国做出的损害裁定不恰当地界定了国内产业，导致未能在依据肯定性证据对生产同类产品的国内产业进行客观审查的基础上做出裁定。

(5) 中国对原产于加拿大的浆粕实施的反倾销措施由于违反了上述《反倾销协定》条款，进而违反了《反倾销协定》第1条和《1994年关贸总协定》第6条。

2. 争端进程

2014年10月15日，加拿大就涉案措施对中国提起世贸组织争端解决机制项下的磋商请求。2015年2月12日，加拿大提出设立专家组请求。3月10日，世贸组织争端解决机构宣布设立专家组。2016年12月16日，专家组向当事方散发最终报告。

（七）美国诉中国外贸示范基地案（DS489）

1. 涉案措施与主要诉求

本案涉案措施包括：中国“外贸转型升级示范基地”（“示范基地”）和“公共服务平台”项目。美国认为，中国指定特定产业集群组成示范基地，向示范基地中的企业提供出口补贴。

美国认为，中国上述措施违反了《1994年关贸总协定》第22.1条以及《补贴协定》第4条和第30条的有关规定。

2. 争端进程

2015年2月11日，美国就中国外贸示范基地与公共服务平台，对中国提起世贸组织争端解决机制下的磋商请求。4月22日，专家组设立。

（八）美国诉中国国产飞机税收优惠措施案（DS501）

1. 涉案措施与主要诉求

本案涉案措施为中国就部分国产飞机销售提供税收优惠的措施。

美国认为，中国上述措施违反了相关协定的下列条款：

(1)《1994年关贸总协定》第3.2条和第3.4条，因为这些措施使得对进口至中国领土的产品直接或间接征收超过同类国产品直接或间接征收的任何种类的国内税或其他国内费用，因这些措施使得进口至中国的产品所享受的待遇低于同类中国国产品所享受的待遇。

(2)《1994年关贸总协定》第10.1条，因未迅速公布上述所列1至4项文件，以使各国政府和贸易商能够知晓。

(3)《议定书》第1部分第2段（C）(1)和(2)，因正在执行的上述所列1至4项文件有关或影响货物贸易，而中国未公布或未使其他世贸组织成员、个人和企业可易于获得上述文件。同时，未在上述所列1至4项文件在官方刊物公布之后、实施之前提供一段提出意见的合理时间。

(4)《议定书》第1部分1.2段（在已并入其中的《报告书》第334段范围内），因未将上述所列1至4项文件译成一种或多种世贸组织正式语言，使世贸成员可获得这些文件。

2. 争端进程

2015年12月8日，美国就中国国产支线飞机免征销售环节增值税对中国提起世贸组织争端解决机制下的磋商请求。

（商务部条约法律司）

中国贸易救济工作概况

2015年，面对全球贸易增长显著放缓、贸易保护主义盛行的挑战，商务部贸易救济调查局积极探索贸易救济工作的新途径新方法，在营造良好外贸环境、维护国内产业发展、深度参与规则谈判、提升公共服务质量等方面取得了积极成效。

一、积极妥善应对贸易摩擦

2015年，其他世贸组织成员对中国发起贸易救济调查87起，其中反倾销68起，反补贴9起，保障措施10起，涉案金额81.5亿美元。中国产品遭遇337调查10起。贸易救济调查局会同有关部门、地方、商协会及企业，综合运用政府交涉、法律抗辩、行业合作等多种方式积极应对，努力营造良好外部环境，力争保持中国出口市场稳定。2015年，我国应对贸易摩擦重点工作如下：

一是突出重点，做好重大案件的应对工作。在光伏系列贸易摩擦中，中方与美国举行15轮政府间谈判，稳步推进谈判进程；澳大利亚终止“双反”调查；印度放弃采取反倾销措施；欧盟光伏价格承诺执行平稳；加拿大裁定中国企业适用较低税率，中国产品对加出口实现正增长。在钢铁系列贸易摩擦中，贸易救济调查局以保市场、保份额为目标务实应对，在韩国H型钢反倾销调查中，达成了价格承诺安排；在欧盟不锈钢冷轧薄板案中实现了反补贴无税结案（终止调查）；成功化解马来西亚对中国螺纹钢反补贴预警，实现该产品反倾销无税结案（终止调查）；成功化解巴基斯坦对中国连铸方坯反补贴预警案。

二是妥善处理与发展中国家贸易摩擦。成功化解埃及对中国PET反倾销和反补贴调查；有效应对秘鲁对华服装项下276个税号产品的大规模反倾销调查，秘方取消全部反倾销税；实现巴西等新兴市场国家对中国发起的20多起案件无措施结案；推动务实交流，积极与土耳其、巴西等国政府商谈，推动业界就手机、陶瓷、瓷砖、鞋类产品展开对话合作，化解土耳其陶瓷保障措施案，确保与墨西哥达成的鞋类产品双边协议顺利执行。在贸易壁垒应对方面，通过深入交涉和沟通，阿尔及利亚调整了部分监管汽车最新法规内容，保障中国积压在其港口的近万辆汽车顺利通关。

三是充分利用各种多双边场合，加深交流和合作。成功举办与美国、欧盟、加拿大、韩国、泰国、巴西、摩洛哥、阿根廷、墨西哥等双边贸易救济合作机制会议，参加首尔贸易救济国际论坛、第二届和第三届金砖国家贸易救济国际研讨会、欧洲大学学院反倾销培训研讨会、巴西调查机构成立二十周年国际研讨会。通过与有关国家贸易救济调查机构的沟通交流，阐述中方立场，提出个案关注，增信释疑，不断扩大交流合作。

二、依法开展贸易救济调查

2015年，贸易救济调查局先后对未漂白纸袋纸、取向电工钢、腈纶和铁基非晶合金带材等产品发起反倾销调查11起。积极维护国内市场的公平竞争环境和国内产业的合法权益。调查产品中不少是高科技产品，例如，取向电工钢是全球钢铁制造业公认的“皇冠上的明珠”，只有少数钢铁企业能够制造。非晶合金带材是变压器减少空载耗损的核心材料，属于高效能、绿色环保产品。贸易救济调查的发起有利于保护国内产业在上述产品领域的自主生产研发能力，助力企业转型升级。

三、深度参与多双边谈判

积极参加世贸组织反倾销、反补贴和保障措施委员会会议，深度参与世贸组织贸易救济规则谈判，认真履行通报义务，发出中国声音，提出中国方案，阐明中方立场，维护中国在多边主导的全球贸易投资自由化进程中负责任的大国形象，提升中国话语权和影响力。配合自贸区战略，密集参加自贸区谈判，利用规则谈判机会，纠正歧视性做法，在部分自贸协定谈判中提出禁用替代国数据做法的条款，力争维护公平合理的贸易规则环境。

四、不断完善贸易救济调查制度

一是借鉴其他国家实践，完善调查方法，修订相关法规，就《反倾销和反补贴调查听证会规则》《倾销及倾销幅度期中复审规则》和《反倾销问卷调查规则》的修订深入征询意见。二是研究建立贸易调整援助制度的可行性，与贸易救济制度形成有效互补，共同保障国内产业安全和发展。三是加强研究跨境电子商务领域存在的贸易壁垒问题。

五、切实强化公共服务职能

继续为行业企业应对贸易摩擦提供信息培训等公共服务。一是及时提供信息服务，编写发布年度《全球贸易摩擦研究报告》《国别贸易投资环境信息》（半月刊）、《应对贸易摩擦动态》（月刊）等刊物。二是提供培训服务，加强商协会、企业应对贸易摩擦的能力建设。利用商务人才培训公共服务项目，继续对企业、商协会人员进行培训。全年举办涉及贸易摩擦应对、贸易救济调查与维护产业安全、贸易壁垒与337调查等内容的境内外培训8次，参训人员500余人。通过坚持开展培训，全面提升企业界、商协会、政府相关部门应对贸易摩擦的能力。

（商务部贸易救济调查局局长　王贺军）

全球及中国反倾销措施情况

在经济全球化及区域经济一体化发展过程中，国际竞争日益激烈，贸易摩擦日益增多，贸易救济措施案件数量居高不下。其中，反倾销措施运用最为频繁。根据 WTO 数据统计，1995 年至 2015 年间，各成员发起的反倾销调查已有 4987 起，发起反倾销调查最多的为印度、美国和欧盟，分别为 770 起、569 起和 480 起。

一、2015 年 WTO 成员反倾销调查立案情况

根据 WTO 数据，2015 年世贸成员共发起反倾销调查案件 230 起，其中美国、印度和巴西发起最多，分别为 42 起、30 起和 23 起；从被调查国家/地区来看，中国、韩国以及印度涉案最多，分别为 71 起、17 起和 13 起。

二、与中国有关的反倾销措施情况

根据 WTO 数据，中国已连续 20 年成为遭受反倾销调查最多的国家。2010—2015 年，中国遭受反倾销调查数量分别为 44 起、51 起、60 起、72 起、63 和 71 起，遭遇调查数量居高不下。2015 年，中国共对外发起反倾销调查 11 起，产品涉及未漂白纸袋纸、取向电工钢、腈纶和铁基非晶合金带材。

三、全球反倾销实践动向

在传统的关税和非关税措施被限制和取消之后，反倾销已成为贸易保护的有效手段而被广泛应用。除发达国家外，发展中国家对反倾销措施的使用亦日趋频繁。2011—2015 年，WTO 成员发起反倾销调查数量分别为 165 起、209 起、283 起、236 起和 230 起。其中，巴西和印度使用最为频繁，分别为 175 起和 137 起。另外，各国采取反倾销措施的力度亦不断加大，如通过日落复审，某些反倾销措施可持续十余年甚至数十年。同时，近年来一些国家频繁发起“双反”调查，即对一产品同时进行反倾销反补贴调查，叠加使用以增加贸易救济的力度。

随着实践的深入，如何严格反倾销措施的使用纪律，防止反倾销措施沦为贸易保护主义的手段，逐渐成为国际贸易领域的重要议题。由于多哈回合规则谈判处于停滞状态，世贸组织争端解决机制成为目前反倾销规则澄清的重要手段。2015 年，成员国之间发起的涉及反倾销措施的争端案件共 5 起，专家组和上诉机构对因果关系、损害分析以及调查程序的透明度等规则都做出了进一步澄清。

（商务部贸易救济调查局）

全球及中国反补贴措施情况

目前，反补贴调查的发起者主要集中在发达国家。1995—2015年间，WTO成员共发起反补贴调查案件410起，其中，美国、欧盟和加拿大发起措施最多，分别为178起、76起以及52起，合计占全球反补贴调查案件发起数量的75%；被调查成员主要为发展中成员，其中中国和印度遭受反补贴调查最多，分别为99起和70起。

一、2015年WTO成员反补贴调查立案情况

根据WTO统计数据，2015年WTO成员共发起反补贴案件30起，其中美国发起调查最多，占比73%；中国涉案最多，占比30%。

二、与中国有关的反补贴措施情况

2003年以前，中国从未遭受国外反补贴调查。2004年4月13日起，加拿大在不到半年的时间内连续对中国出口烧烤架、碳钢及不锈钢紧固件和复合地板发起反倾销和反补贴调查。这三起案件开启了国外对中国出口产品发起反补贴调查并征收反补贴税的历史。2015年，中国遭遇反补贴调查9起，占全球反补贴案件发起总量的三成，已连续10年成为全球反补贴调查的最大目标国。

三、全球反补贴实践动向

近年来，全球经济复苏乏力，反补贴措施使用频率居高不下。根据WTO统计数据，2011年至2015年，全球反补贴调查案件数量分别为25起、23起、33起、45起和30起，中国、印度等发展中国家是反补贴调查的主要对象。2015年，美国和澳大利亚是全球反补贴调查的最主要使用国，共发起反补贴调查25起，占全球反补贴调查总数的80%以上。

（商务部贸易救济调查局）

全球及中国保障措施情况

除反倾销和反补贴调查外，不少 WTO 成员也频繁使用保障措施。据统计，1995 年至 2015 年间，WTO 各成员发起的保障措施调查共 311 起，使用最为频繁的为印度、印尼和土耳其，分别为 41 起、27 起和 21 起。

一、2015 年 WTO 成员保障措施调查立案情况

根据世贸组织统计，2015 年 WTO 成员共发起 17 起保障措施调查。发起成员以发展中成员为主，其中智利发起 4 起，埃及、印度、越南各发起 2 起。

二、与中国有关的保障措施情况

2015 年，WTO 成员共发起 10 起涉及中国的保障措施调查，其中印度 2 起、马来西亚、印尼、土耳其、乌克兰、越南、赞比亚、智利、埃及各 1 起。2015 年，中国未发起保障措施调查。

三、全球保障措施实践动向

与针对不公平进口的反倾销、反补贴措施相比，保障措施是可以针对正常贸易下进口所采取的措施，保护力度强，对贸易的负面影响大，故《保障措施协定》为保障措施的实施设定了更高的门槛和更高的要求，因此各国对保障措施的使用一般持谨慎态度。然而近年来，保障措施的使用亦呈大幅上升趋势。据世贸组织统计，2008—2015 年间，世贸组织成员共发起保障措施调查 148 起，占世贸组织有统计数据（1995 年）以来保障措施发起数量的 40%以上，发起保障措施调查的成员主要为发展中国家。

（商务部贸易救济调查局）

● 贸易政策审议

2015年贸易政策审议工作情况

一、世贸组织对华第六次贸易政策审议准备工作

世贸组织将于2016年7月20至22日对中国进行第六次贸易政策审议。5月19日，世贸组织致函我常驻世贸组织俞建华大使，请中国提供秘书处撰写报告所需政策信息，第六次审议应对工作正式启动。此次审议在中国“十三五”规划的开局之年，也是中国经济进入“新常态”背景下举行，世贸组织成员对此高度关注，将在审议中集体评价两年来中国经贸体制和政策走向。中国将按照利用审议契机，充分宣传“创新、协调、绿色、开放、共享”的发展理念以及进一步推动贸易投资自由化的决心与举措，树立开放、合规、履约的良好形象的原则，积极开展相关准备工作。

自5月启动审议以来，中国商务部在贸易政策审议部际工作组成员单位支持下，已向世贸组织秘书处工作组提交了十余万字的书面材料，协助其撰写《中国贸易政策报告》。2015年9月21至25日，世界贸易组织秘书处贸易政策审议司司长威利·阿尔法罗率工作组访华，并就其重点关注的问题与中国相关部门进行了密集会谈。9月22日，商务部王受文副部长会见威利·阿尔法罗。王受文表示，中国高度重视世贸组织对中国贸易政策审议，这一透明度程序不仅有助于其他成员了解中国经贸体制和最新政策进展，也是一次自我检验，有利于中国深化改革、扩大开放、推进市场经济建设的整体进程。阿尔法罗表示，秘书处期待与中方密切合作，撰写一份事实准确、质量较高的秘书处报告，为第六次审议顺利进行打下良好基础。年底，秘书处工作组完成了《中国贸易政策报告》初稿，中方各有关部门认真研读和审阅了初稿中与主管业务相关的全部内容，进行了必要的修改和澄清，努力争取报告基调正面、评价客观、事实准确、数据无误。

二、参与对其他成员的审议

深入参与对日本、欧盟、印度、澳大利亚、加拿大、新西兰、智利、南部非洲关税同盟、泰国、巴基斯坦、文莱、塞拉利昂、智利、摩尔多瓦等21个成员的审议，提交了书面问题和关注近千条。通过深入参与对这些成员的审议，加深了对其经贸政策的全面了解，并通过审议机制和平台反映了中国企业在开展双边经贸合作中的诉求与关注，为企业走出去保驾护航做出贡献。

世贸组织对日本第十二次贸易政策审议
中国常驻世贸组织代表团俞建华大使发言

2015 年 3 月 9 日

感谢主席。

我愿和其他同事一道，对日本驻日内瓦代表团副团长、经济事务公使宇山志哉（Tomo Uyama）先生率领的日本代表团表示欢迎，对 Yoich 先生领导的日本驻日内瓦代表团的努力和准备表示感谢。我要对秘书处进行的审议工作和所出的审议报告表示赞赏。我还要感谢让-保罗·图伊利尔（Jean-Paul Thuillier）先生，作为讨论引导人，他为我们描绘了一幅非常全面清晰的日本最近经济发展和贸易政策的全景。

日本依然是世界上最大的经济体之一，也是世贸组织的主要成员。自上次审议以来，日本政府实施了扩张性的财政政策和货币政策。这些政策在短期内促进了日本的经济增长，同时亦引起一些令人担忧的问题。例如，2013 年日本公共债务在国内生产总值中所占的份额已高达 240%，居发达国家第一。此外，日元汇率急剧波动引发的溢出效应也不容忽视。

我们注意到，日本政府认为现行政策不足以支撑强劲的经济增长，有必要通过结构性改革来解决结构性问题。我们期望日本政府采取有效政策，以加快经济增长，为区域和全球经济复苏做出积极贡献。

日本是世贸组织的重要成员。日本在其政府声明中说，将努力执行《贸易便利化协定》（TFA）。我们希望日本政府能够以 TFA 为动力，进一步开放贸易投资，为多哈回合的达成做出贡献。

关于日本贸易和投资的监管措施，我们希望强调中国工业最关心的问题，即日本 TBT 和 SPS 标准。与其他发达成员相比，日本所采纳的国际标准相对较低。日本工业标准（JIS）只有大约一半是基于现行国际标准，其国内的一些标准比国际惯例要严格得多，这给贸易带来了不利影响。根据《技术性贸易壁垒协议》和《实施卫生与植物卫生措施协议》的规定，我们期望日本以国际标准为其技术标准制定的依据，或者以充分、合理和科学的依据，在保护消费者安全的同时消除国际贸易中不必要的障碍。

中日两国是彼此重要的贸易和投资伙伴。自 2007 年以来中国一直都是日本最大的贸易伙伴，2013 年日本成为中国第二大贸易伙伴。然而，双边经贸合作中仍然存在一些不利的问题。借此机会，我们想提请大家注意这些问题。

第一是关于日本对中国的出口管制。近年来，日本引入了所谓的全面控制制度（CATCH-ALL），甚至出口管制清单以外的一些产品也受到这一新制度的制约。目前，日本将 17 个中国实体纳入其出口管制清单。这种做法在很大程度上影响到这些中国企业与日本同行进行商业往来。这些措施也不利于双边经贸关系的长期发展，我们敦促日本撤销这种单边适用制度。

第二是商务签证的便利化。对于在日本工作的中方投资企业的员工，其赴日签证申请手续尤其是多次签证手续非常复杂，申请门槛高，限制了中国对日本投资的增长。我方强烈建议日本扩大对这些企业员工的商务身份证的便利化，以营造更有利的营商环境。

我们感谢日本代表团对中方问题单所做的答复，我们将认真研究。

最后，衷心感谢 Mariam Salleh 先生作为贸易政策审议机构主席的这一年卓有成效的工作和伟大贡献。

希望世贸组织对日本的第十二次贸易政策审议取得圆满成功。

（以原英文发言为准，中文译文仅供参考）

世贸组织对澳大利亚第七次贸易政策审议中国常驻世贸组织代表团俞建华大使发言

2015年4月21日

感谢主席。

中国很高兴参加澳大利亚第七次贸易政策审议。让我和其他同事们一起欢迎由帕特里夏·福尔摩斯（Patricia Holmes）大使率领的代表团。我要感谢秘书处在这次审议中的辛勤工作。我也要感谢杨碧筠（Irene Young）作为讨论者具有启示意义的评论和问题。

澳大利亚奉行贸易和投资自由化政策。自上次审议以来，澳大利亚在发达经济体中经济表现优异。中国赞赏澳大利亚持续努力地开放市场，促进贸易投资自由化。

澳大利亚一直是多边贸易体制的重要成员和坚定的支持者，麦高乐（Hamish McCORMICK）大使及其驻日内瓦团队发挥了积极作用。我们注意到澳大利亚加快了《贸易便利化协定》的国内批准手续的进程。我们希望澳大利亚能够与其他世贸组织成员一起，加紧努力及时完成“后巴厘”工作议程，推动《贸易便利化协定》的生效以进一步开放贸易和投资，并尽快为多哈回合的达成以及加强和发展多边贸易体制做出贡献。关于诸边谈判，中国高度赞扬澳大利亚环境产品谈判（EGA）主席所发挥的协调和引导作用。我们期待着与澳大利亚和其他各方推进谈判，争取早日实现贸易、环境与发展的三赢目标。

中澳两国是彼此重要的贸易和投资伙伴。审议期间，双边经贸合作继续快速健康发展。中国目前是澳大利亚最大的贸易伙伴，最大的进出口市场来源，也是其海外游客的主要来源地。中国已成为澳大利亚最重要的能源矿产品和农产品出口目的地。澳大利亚政府报告指出，澳大利亚在过去十年曾受益于中国强劲的经济增长和需求。2014年11月17日，习近平主席和阿博特总理联合宣布，实质性结束中澳自由贸易协定谈判。该协定于2015年2月起计，并将在完成法律审查后正式签署。实施这一全面优质的自由贸易协定将有助于挖掘两国经济优势互补互利的巨大潜力，势必促进双边贸易投资合作的持续多样化发展。中国和澳大利亚也参与了RCEP谈判的富有成效的协作与对话，以及APEC和G20等机制。

同时，我们也在关注澳大利亚在审议期间的政策变化，例如实施了《2013年工作法》《2012年知识产权法修正案》、税收改革，及其对中国企业的影响。我们希望这些政策是积极的。我们还就国内产业所关注的问题提出了疑问，包括澳大利亚外国投资管理委员会（FIRB）筛选流程的透明度、当地成分要求、进口风险评估、部分部门的补贴和关税高峰，以及建立中医药（TCM）生产和进口的法律制度等。我们感谢澳大利亚代表团对中国问题的回应，我们将会仔细研究。

最后，我要祝贺保加利亚大使帕扎里奥夫（PAPARIZOV）担任政策审议机构的主席。您可以依靠我们大家的全力支持。

最后，希望世贸组织对澳大利亚的第七次贸易政策审议取得圆满成功。

（以原英文发言为准，中文译文仅供参考）

世贸组织对印度第六次贸易政策审议
中国常驻世贸组织代表团俞建华大使发言

2015 年 6 月 2 日

感谢主席。

我愿和其他同事一道，对 Rajeev Kher 先生率领的印度代表团表示欢迎，对印度驻日内瓦代表团的努力和准备表示感谢。我要对秘书处进行的审议工作和所出的审议报告表示感谢和赞赏。我也要感谢埃斯坦邦·科内霍斯（Esteban B. Conejos）先生作为讨论引导人的贡献，他为我们提供了一个非常全面清晰的印度近期经济发展和贸易政策的全景介绍。

印度是世贸组织的创始成员，一直是多边贸易体制的坚定支持者，积极参与多哈发展议程谈判，大力推进发展目标，以建立更加公平公正的国际贸易体制。值得注意的是，尽管印度自身发展面临挑战，但一直对最不发达国家提供免关税和免配额待遇，我们认为这是非常值得赞扬的。

我们高兴地看到，近年来印度经济一直保持强劲增长，这种增长进程已经惠及全社会和全体人民。这并非易事，因为自 2011 年审议以来，印度经济在全球经济放缓中经历了相当多的挑战。

我们赞扬印度为推动整体增长和贸易投资自由化和便利化而采取的一系列改革措施。如在海关程序中引入自我评估，消除一些农产品的国营贸易要求和取消柴油价格控制等。中国欢迎印度采取吸引外国直接投资的措施，包括最近的举措，如“印度制造”（make in India），在保险和铁路运输等领域提高外资所有权上限。

2013—2014 年印度双边商品贸易额达到了 7600 亿美元，占 GDP 的 44.1%。贸易在印度经济发展中发挥着重要作用，最终目的是为了获得国际贸易的利益，以满足国家发展的需要。

作为两个最大的发展中国家，中印两国是彼此的战略合作伙伴，发展与增长过程相辅相成。中国是印度最大的贸易伙伴，印度则是中国在南亚最大的贸易伙伴。审议期间，双边经贸合作继续快速健康发展，双边贸易和投资流动快速增长。2015 年 5 月印度总理访华期间，双方签订了价值 220 亿美元的商业协议，重点是基础设施建设领域，进一步巩固了双边经贸合作关系。双方同意采取必要措施，消除对双边贸易和投资的障碍，扩大彼此的市场准入，进一步加强贸易和投资交流。

随着经济合作的迅速发展，我们的工商界也有一些担忧，我们需要以友好的态度来关注和处理。其中包括频繁使用反倾销措施、复杂的进口制度、对外国电信设备进口以及港口、通信和机场等基础设施实施严格的安全审查等。我们真诚希望印度能够在这些方面进行适当的制约，并增强透明度和可预测性。

今年是世贸组织成立二十周年。中国期待与印度等世贸组织成员及时完成“后巴厘”工作计划，并尽快为结束多哈回合做出贡献。

感谢印度代表团对中国所提问题的答复，我们将认真予以研究。

最后，希望世贸组织对印度的第六次贸易政策审议取得圆满成功。

（以原英文发言为准，中文译文仅供参考）

世贸组织对欧盟第十二次贸易政策审议
中国常驻世贸组织代表团俞建华大使发言

2015年7月6日

感谢主席。

请允许我向安杰洛斯（Angelos）和他的日内瓦团队表示衷心的感谢，感谢他们在过去几年为加强多边贸易体制所做的努力和建设性工作。

作为人口超过5亿的全球最大的经济体，欧盟占世界GDP的17%以上，在当今世界政治和经济领域处于重要地位。审议期间，为了应对后金融危机，欧盟采取了宽松货币政策、加强财政政策、“欧洲投资计划”等一系列重要措施。然而，欧盟及其成员仍面临一系列挑战和不确定性因素，如复苏的脆弱、失业率走高、投资停滞和公共债务巨大等。当然，最大的挑战就是希腊昨天说“不”的全民公投。

2015年是中欧建交40周年。通过我们的共同努力，中欧关系已经成为世界上最重要、最稳定和最富建设性的伙伴关系之一。上周，中国国务院总理李克强首次正式访问欧盟，并出席第十七届中欧领导人会议，与欧盟领导人进行了新一轮会晤。双方决定将中国的“丝绸之路经济带倡议”与欧盟“欧洲投资计划”进行战略性衔接，为中欧经贸关系和产业能力合作提供新动力，最终促进中欧双边和平、增长、改革、文明的伙伴关系。

如今，欧盟是中国最大的贸易伙伴和最大的进口来源国，中国是欧盟最大的进口来源国，也是欧盟第二大贸易伙伴和出口市场。2014年双边贸易额稳步增长，达6000亿美元，同比增长7%。同期双边投资大幅增长，其中中国对欧盟的投资额从36.2亿美元增长到98.5亿美元。

中欧双边投资协定正在密切磋商。到目前为止，已经进行了六轮谈判，以期实现全面、平衡和高标准的投资协定。同时，中国呼吁早日开展中欧自由贸易协定联合可行性研究，这有助于打击保护主义，进一步推动经贸交流。我们坚信，这些努力将有助于把中欧全面战略伙伴关系提升到一个新的高度。

正如秘书处的报告所指出的那样，虽然欧盟总体上是一个开放透明的经济体，但仍然存在一些壁垒。中国想提请大家注意我们的关切，即欧盟广泛使用反倾销措施、较高的农业补贴、对出口至中国的高科技产品进行严格管制，特别是来自中国的家禽产品实施关税配额。

感谢欧盟代表团对中国所提问题的回应，我们将会仔细研究。

谢谢主席。

（以原英文发言为准，中文译文仅供参考）

世贸组织对南部非洲关税同盟第四次贸易政策审议
中国常驻世贸组织代表团俞建华大使发言

2015 年 11 月 4 日

谢谢主席。

首先，我将热烈欢迎南部非洲联盟关税同盟（SACU）代表团，并感谢南部非洲关税同盟驻世贸组织代表团的努力和贡献。

我还要感谢秘书处提供的全面的报告和为本次审议所做的努力。我也要感谢讨论引导人阿尔贝托·佩德罗·达洛托（Alberto Pedro D'alotto）大使关于南部非洲关税同盟的经济发展和贸易政策的深刻见解。

自上次审议以来，由于全球经济危机，SACU 的五个国家经济有些波动，但我们高兴地看到，博茨瓦纳和纳米比亚的经济在 2009 年表现疲软之后大幅反弹，自那时以来一直保持高位增长。SACU 国家拥有丰富的自然资源和巨大的经济潜力，应鼓励他们进一步通过持续的经济改革和自由化，以充分发挥其潜力。

在这方面，我们赞赏 SACU 成员国通过协调其最惠国关税、消费税、税收减免、海关估价、原产地规则和应急贸易补救措施，以及进一步简化海关程序和 SACU 内的文件等，来推进其贸易和投资便利化的努力。我们相信，共同的统一的经济贸易政策将有助于 SACU 国家融入世界经济。中国也欢迎博茨瓦纳、纳米比亚和斯威士兰引入国家竞争制度，欢迎莱索托为推进其制度框架的现代化而采取的措施，以及允许外国人在某些条件下拥有土地所有权的规定。

自上次审议以来，SACU 与中国的经济合作一直保持强劲势头。中国是 SACU 最大且增长最快的出口目的地，2013 年中国自 SACU 的进口额达到 489 亿美元。中国的需求在推动 SACU 国家出口方面发挥了越来越大的作用，有助于改善 SACU 国家的生活水平并减少贫困。虽然双边贸易在 2014 年略有下降（约 7%），但中国认为双边经济合作的基础依然良好。

中非合作论坛峰会将于今年 12 月在南非举行，我们希望能为中国与非洲，包括与 SACU 国家在内的合作注入新的活力。中国愿借此机会与我们的非洲朋友共同努力，扩大在贸易、投资和产能合作领域的关系。

虽然我们与 SACU 的经济合作正在健康发展，但事实上，我们的商界仍有一些关切问题，例如复杂的共同对外关税（CET），适用于进口的服装和可穿的纺织品的最高的从价税率（624%），SACU 国家特定的农业和产业政策，以及近来南非某些钢铁产品的进口关税的增加等。这些问题都包含在我们的书面问题单内，中国期待收到 SACU 的答复。

中国和南部非洲关税同盟国家长期以来一直是多边贸易体系的坚定支持者，也是多哈发展议程谈判（DDA）的积极参与者。作为发展中成员，中国高度评价 SACU 国家对 DDA 的支持，并期待与 SACU 国家及其他世贸组织成员携手合作，为 WTO 第十届部长级会议（MC10）达成可信和有意义的成果做出贡献，以达成发展导向的、平衡和成功的 DDA。

希望世贸组织对南部非洲同盟的第四次贸易政策审议取得圆满成功。

感谢主席。

（以原英文发言为准，中文译文仅供参考）

世贸组织对泰国第七次贸易政策审议
中国常驻世贸组织代表团余本林公使发言

2015年11月24日

感谢主席。

首先，让我和其他同事一起欢迎由桑塔康·康瓦尔克吉（Sunanta Kangvalkulkij）女士领导的泰国代表团，感谢她对泰国自2011年上次审议以来经贸政策发展情况所做的详尽全面的声明。我们也向讨论引导人韦恩·麦库克（Wayne McCook）先生具有启示意义的评论表示感谢，同时感谢秘书处为本次审议所做的准备。

审议期间，泰国的经济战胜了一些内生和外来的挑战，保持了稳定和韧性，这要归功于其强大的经济基本面和适当的政策组合。为了提高国际竞争力和促进增长，泰国已经或正在考虑采取经济结构改革措施。泰国仍然是主要的农产品生产国和出口国，其服务业也在持续增长。与此同时，制造业流入的外国直接投资的增加反映出泰国作为投资目的地的持续吸引力。中国赞扬泰国与其区域伙伴的商业合作的发展，正如“秘书处报告”所指出的那样，“泰国与周边东盟成员及中国的贸易和投资关系的加强是值得注意的”。中国还欢迎“报告”中介绍的泰国基础设施计划，如曼谷大规模快速铁路线路和县级双轨铁路线路，我们认为这将帮助泰国成为东盟地区的交通枢纽，并促进其旅游业发展和农产品出口。

秘书处的报告指出，对泰国政策仍然存在一些担忧。例如，泰国关税结构依然复杂、价格控制的广泛使用、与政府支出有关的扭曲已经加深等。我们鼓励泰国采取进一步措施来解决这些问题，改善经营环境，实现经济目标。

在双边方面，我们非常高兴泰国与中国之间的传统友谊和强大持久互利的贸易和商业关系。审议期间，中国已成为泰国最大的贸易伙伴和出口目的地。同时泰国也是中国在东盟最重要的贸易伙伴之一。根据中方统计，2014年双边贸易额达到726.7亿美元，双边投资也在蓬勃发展。今年是中泰两国建交四十周年，泰中经济合作迎来了全面、深化和快速发展的新阶段。我们正在努力使双边关系更加多元化。

在多边方面，泰国是多边贸易体制的坚定支持者，也是多哈发展议程谈判（DDA）的积极参与者。中国高度赞扬泰国作为发展中成员向最不发达国家提供免关税免配额待遇，为它们提供优惠的市场准入。中国还注意到，泰国已通报其A类条款，并表示愿意在今年年底前批准《贸易便利化协定》。我们认为，包括泰国在内的所有成员都希望即将到来的第十次部长级会议取得重大而有意义的成果，并在未来达成以发展为导向的、平衡的和成功的DDA。

感谢泰国代表团对中国问题单的回应，我们将会认真研究。

希望世贸组织对泰国的第七次贸易政策审议取得圆满成功。

（以原英文发言为准，中文译文仅供参考）

● WTO/TBT 与 SPS

2015 年 WTO/TBT、SPS 工作情况

一、TBT 通报总体情况

（一）通报数量

2015 年，成员共提交 1465 件新技术法规与合格评定程序通报（包括 27 个修订），还有 476 件通报补遗以及 47 件通报的勘误。自 1995 年《协定》生效以来，截至 2015 年 12 月 31 日，128 个成员共提交通报 25 390 件（图 1）。

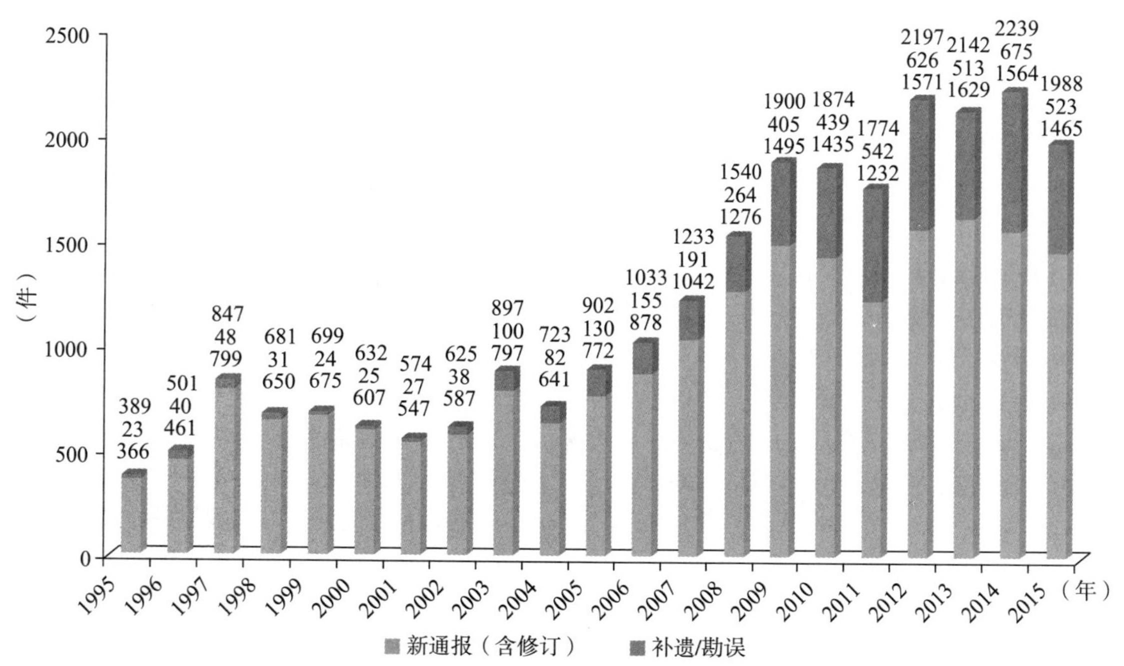

图 1　1995—2015 年 TBT 通报总计

2015 年，共有 73 个成员提交了 TBT 通报。

提交新通报数量位列前十位的成员依次是：美国、厄瓜多尔、巴西、中国、乌干达、沙特阿拉伯、韩国、欧盟、埃及、阿拉伯联合酋长国（表 1）。

（二）制定通报文件的目标和理由

在 2015 年收到的 1465 份新通报中，各成员提到了下述目标和理由：保护人类健康安全，防止欺诈行为，质量要求，环境保护，消费者信息、保护动植物生命或健康等。其中保护人类健康或安全的目标最为常见，其次为防止欺诈行为、消费者保护、质量要求，以及环境保护（图 2）。

表1 2015年通报数量居前10位的成员通报情况

位次	成员	2015年通报数量
1	美国	283
2	厄瓜多尔	126
3	巴西	115
4	中国	106
5	乌干达	100
6	沙特阿拉伯	83
7	韩国	80
8	欧盟	79
9	埃及	63
10	阿拉伯联合酋长国	54

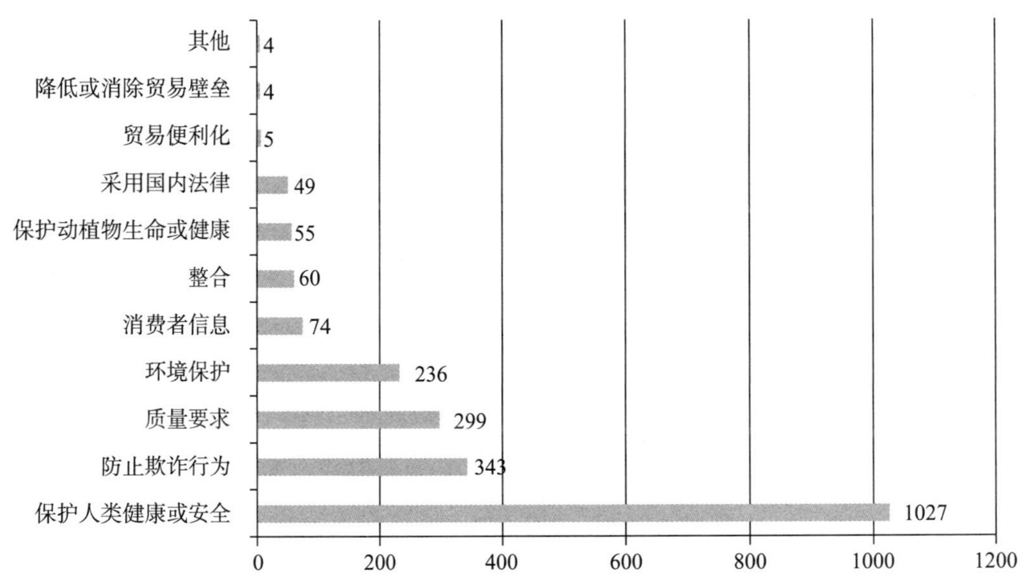

图2 2015年陈述各种理由的TBT通报

（三）通报涉及的类型和领域

通报中涉及最多的产品领域是食品及相关产品，计315件次，占通报件次的25.02%。这说明在各国的技术法规中与食品相关的内容占很大比例，食品始终是各国政府重点管理的产品。其次为农产品和医药卫生技术领域，这两类通报较去年均有明显增长，说明政府越来越重视农业及卫生行业的发展（图3）。

（四）中国TBT通报和外方评议

2015年，中国通过WTO向各成员发布通报TBT措施106项，通报数量在所有WTO成员中列第4位。截至2015年12月31日，中国的TBT通报编号已编制1161号。

通报发出后，中国TBT国家通报咨询中心收到来自美国、欧盟、日本、韩国、印度以及境外企业、行业协会的评议意见36件，涉及16项通报措施。中国政府有关部门对这些评议意见进行了认真研究考虑，并给予了回复。

二、SPS概况

（一）SPS通报数量

2015年，有60个成员向WTO提交了1682件SPS通报。排在前10位的成员分别是：中国341件，美国166件，加拿大156件，秘鲁106件，巴西 105 件，菲律宾 64 件，日本 57 件，台澎金马单独关税区 53 件，沙特阿拉伯、欧盟各 52 件，墨西哥 48 件。前 10 位成员的通报数量（1200 件）占全部通报的 71.3%。2015 年，发展中成员通报的数量（1205 件）超出发达成员的通报数量（477 件）约 152.6%。2015 年，多哥、突尼斯、中非、布基纳法索等成员第一次发布 SPS 通报。中国第一次位列通报数量第一位。(见图 4)。

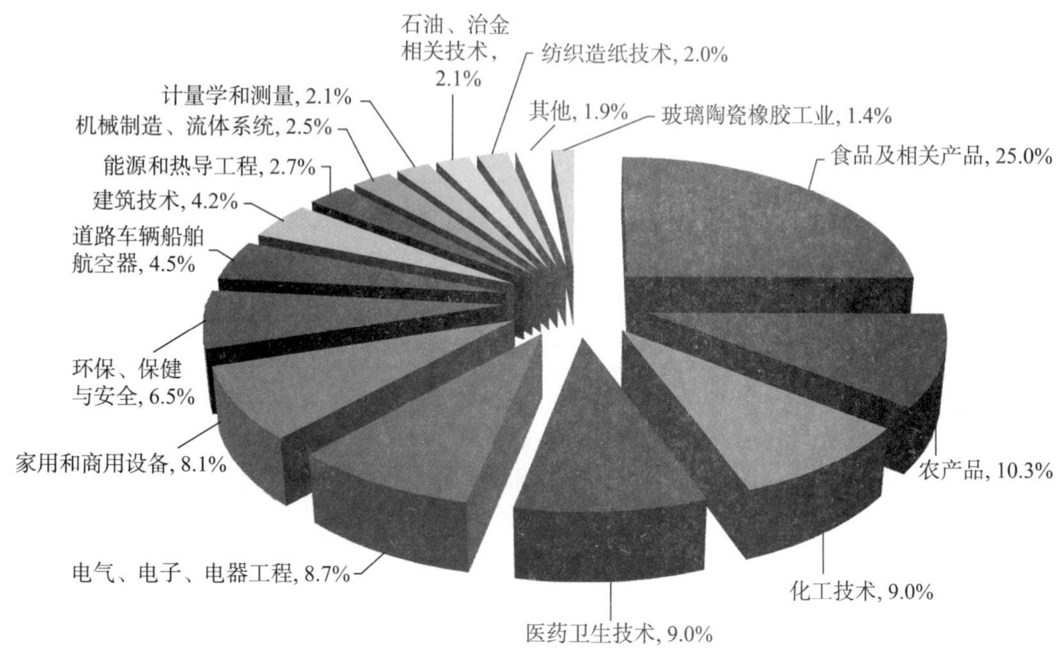

图 3　2015 年 TBT 通报涉及产品的分类

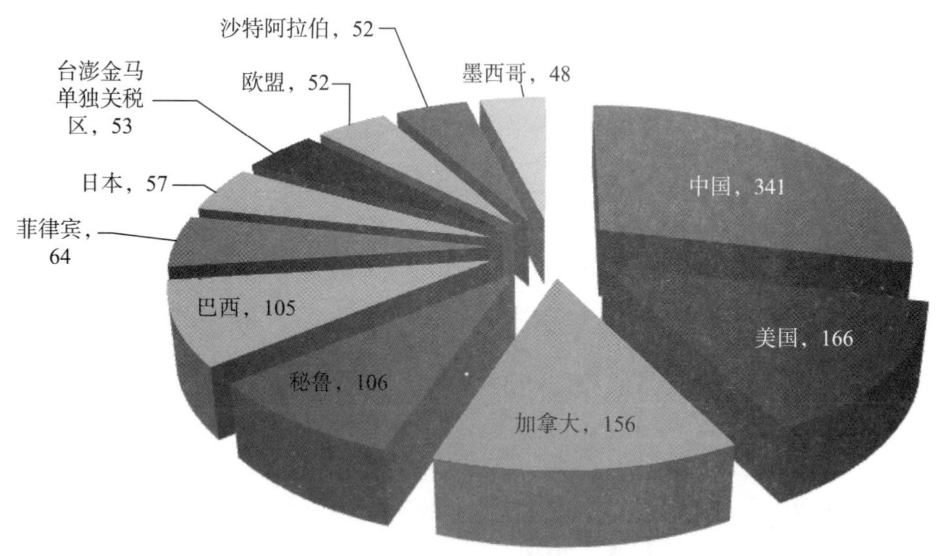

图 4　各成员通报情况

（二）SPS 通报目标和内容

通过对 2015 年各成员发布的 1168 件常规通报中“涉及产品”和“内容摘要”栏目的分析发现：

(1) 在涉及食品安全的通报中，食品添加剂标准最多，有 328 件；其次是农兽药残留限量，有 255 件；食品的产品标准，104 件；食品中污染物的限量及检测等，38 件；食品生产卫生规范 28 件；食品接触材料标准 15 件，食品标签 7 件等。

（2）在涉及动物健康的通报中，防止动物疫病传入的卫生措施最多，19 件；其次是活动物进口检疫要求，有 14 件；宠物食品、动物饲料和饲料添加剂，8 件；动物副产品的进口要求，7 件，等。

（3）在涉及植物保护措施的通报中，植物繁殖材料的进口卫生要求最多，有 71 件；其次是水果进口要求，有 20 件；其他为防止有害生物、植物疫病的传入，16 件；有害生物名单，12 件等。

（三）SPS 通报类型和领域

2015 年发布的 1682 件通报中，常规措施通报为 1168 件，约占通报总数的 69.4%（其中修订通报 15 件）；紧急措施通报 114 件，约占通报总数的 6.8%（其中修订通报 2 件）；补遗通报 387 件，约占通报总数的 23.0%；勘误通报 12 件，约占通报总数的 0.7% ；翻译的可用性通报 1 件。(见图 5)。

就通报措施在 SPS 三大领域的分布情况而言，对常规和紧急措施通报中“目的和理由”一栏的分析表明，2015 年，涉及食品安全的通报数量 924 件，涉及动物健康 192 件，植物保护 196 件，保护国家免受有害生物的其它危害 71 件，保护人类免受动/植物有害生物的危害 15 件（见图 6）。

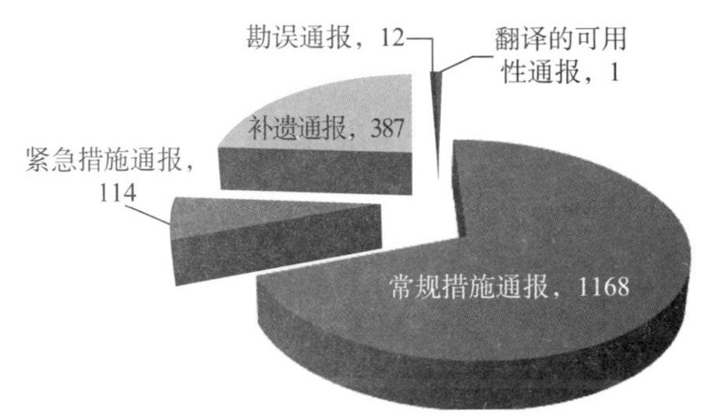

图 5　通报类型（单位：件）

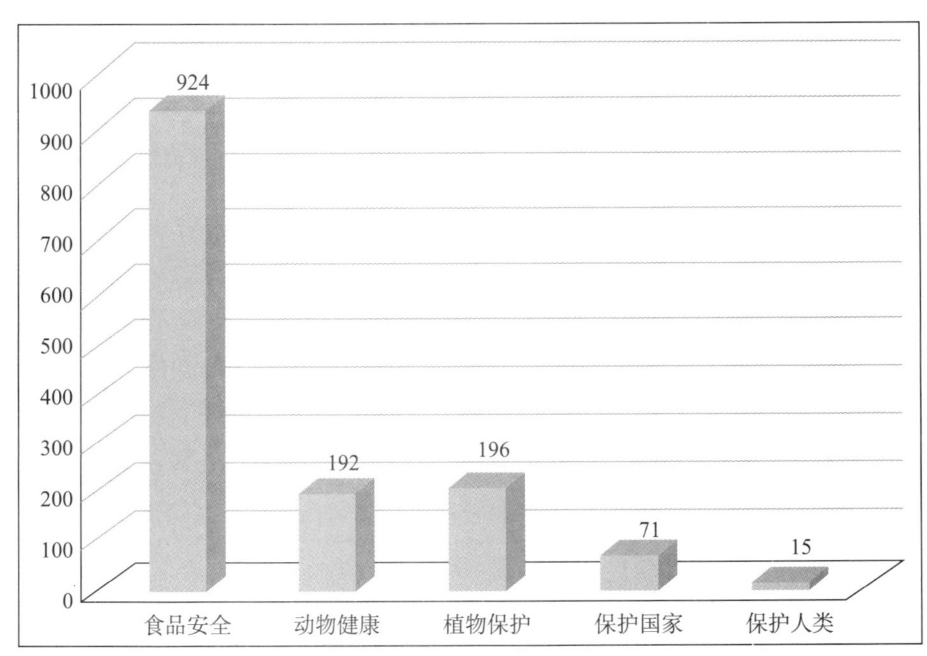

图 6　通报领域（单位：件）

（四）中国 SPS 通报和外方评议

2015 年，中国向 WTO 发布了 341 件通报，其中 340 件为新通报，1 件补遗通报，编号为 CHN/703-1041。主要以卫生计生委发布的食品安全国家标准为主，包括食品添加剂标准 273 件，食品产品标准 11 件等；食品营养强化剂标准 10 件，食品接触材料标准 13 件，食品生产卫生规范 23 件；农业部发布了食品中农药最大残留限量和转基因生物安全评价管理办法；质检总局发布了关于进出境粮食检验检疫监督管理办法。2015 年，中国也通报了食品安全法的修订案。美国、欧盟、阿根廷等成员对中方 119 件通报提出了 46 项评议意见，其中进出境粮食管理办法、转基因食品安全评价办法、鲜畜禽产品标准受到的关注较多。

（五）中国对其他成员 SPS 通报的评议

2015 年，中国对澳大利亚、巴西、加拿大、欧盟、印度尼西亚、日本、韩国、墨西哥、新西兰、卡塔尔、沙特阿拉伯、泰国、美国、越南等成员的通报进行了评议，内容涉及农兽药最大残留限量、木质包装材料的监督和植物卫生检验、食品接触塑料材料和产品的法规、进口渔业产品的质量控制和安全法规、水生动物出口证书、畜产品标签法规修订案、进口食品安全控制法案、食品和药物测试实验室评估法规修订案、酒精饮料卫生规范、植物及植物产品的进境检疫要求、食品企业注册法规修订草案、水生动物及水生动物产品检疫程序草案等。2015 年，中方对外提交评议意见 55 件，目前收到答复意见 16 件。在答复意见中，韩国、泰国、日本等成员接受了中方的评议意见。

（国家质量监督检验检疫总局国际合作司）

2015年世贸组织有关《TBT协定》和《SPS协定》的争端解决案件综述

自1995年1月1日世贸组织成立以来，截至2016年12月30日，世贸成员诉诸争端解决机制的案件共517件。其中，涉及《技术性贸易壁垒协定》(《TBT协定》)案件共52件，占案件总数的10.1%；涉及《卫生和植物卫生措施协定》(《SPS协定》)案件共44件，占案件总数的8.5%。总体而言，世贸组织有关《TBT协定》和《SPS协定》的争端解决案件数量不多，但具有重要地位和影响。

2015年，世贸成员提起的涉及《TBT协定》的争端有1件，为乌克兰诉俄罗斯铁路设备及零部件进口措施案（DS499)，目前该案专家组已经设立，但尚未组成。2015年，世贸组织成员提起的涉及《SPS协定》的争端有1件，为日本诉韩国放射性核物质进口限制、检测和认证要求措施案(DS495)，目前该案正在专家组审理程序中，预计专家组将在2017年6月做出裁决。

2015年世贸组织共散发涉及《TBT协定》及《SPS协定》的1份原审专家组报告、1份执行之诉专家组报告、1份原审上诉机构报告和2份执行之诉上诉机构报告。4月14日，世贸组织专家组发布了墨西哥诉美国金枪鱼和金枪鱼产品进口措施案（DS381）执行之诉专家组报告。5月15日，世贸组织上诉机构发布了加拿大和墨西哥诉美国肉类产品原产地标签（COOL）案（DS384/DS386）执行之诉上诉机构报告。6月4日，世贸组织上诉机构发布了印度诉美国农产品进口限制措施案(DS430）上诉机构报告。7月24日，世贸组织专家组发布了阿根廷诉美国牛肉及其他肉类产品进口限制措施案（DS447）专家组报告。11月20日，世贸组织上诉机构发布了墨西哥诉美国金枪鱼和金枪鱼产品进口措施案（DS381）执行之诉上诉机构报告。与此同时，世贸组织专家组和上诉机构还在审理其他多起涉及《TBT协定》和《SPS协定》的案件。现就有关案件进展情况介绍如下：

一、加拿大和墨西哥诉美国肉类产品原产地标签（COOL）案（DS384/DS386）

（一）原审和执行阶段情况

加拿大、墨西哥分别于2008年12月1日和2008年12月17日请求与美国就美国原产地标签措施进行磋商（DS384/386)。

在磋商未果的情况下，加拿大、墨西哥于2009年10月9日向争端解决机构请求设立专家组审理此案。阿根廷、澳大利亚、巴西、中国、哥伦比亚、欧盟、危地马拉、印度、韩国、日本、新西兰、秘鲁、中国台北作为争端第三方参与了专家组程序的审理。

2011年11月18日，世贸组织专家组就该案做出裁决，认为COOL措施给予进口牲畜的待遇低于国内同类牲畜的待遇，因而违反了《TBT协定》第2.1条；同时，COOL措施未满足美国为消费者提供肉品原产地信息的合法目标，违反了《TBT协定》第2.2条。

2012年3月23日，美国向争端解决机构提出上诉请求。3月28日，加拿大和墨西哥也提出上诉请求。2012年6月29日，上诉机构向成员国散发了其报告，维持了专家组关于COOL措施违反《TBT协定》第2.1条的裁决，但裁决的理由有所变化，推翻了专家组做出的该措施违反《TBT协定》第2.2条的裁决。

世贸组织争端解决机构在2012年7月23日的例会上，正式通过了本案上诉机构报告和经上诉机构报告修订的专家组报告。

在报告通过后，加拿大和墨西哥要求根据DSU第21.3(c)条确定合理执行期，仲裁人最后确定的合理执行期为10个月，截止日为2013年5月23日。

为了执行裁决，2013年5月23日，美国农业部（以下简称“USDA”）发布了《关于牛肉、猪肉、羊肉、鸡肉、山羊肉、野生和饲养鱼类和贝类、易腐农产品、花生、山核桃、人参和澳大利亚坚果强制性原产国标签的最终规则》（以下简称《2013 最终规则》），作为新 COOL 措施的一部分。因此，新 COOL 措施包括：（1）COOL 法案——经《2002 年农场安全与农村投资法》和《2008 年食物、环境保育与能源法》修订的《1946 年农业销售法》；(2)《2009 最终规则（AMS)》——《关于牛肉、猪肉、羊肉、鸡肉、山羊肉、野生和饲养鱼类和贝类、易腐农产品、花生、山核桃、人参和澳大利亚坚果强制性原产国标签的最终规则》；(3)《2013 最终规则》——《关于牛肉、猪肉、羊肉、鸡肉、山羊肉、野生和饲养鱼类和贝类、易腐农产品、花生、山核桃、人参和澳大利亚坚果强制性原产国标签的最终规则》；（4）上述法规的修订或修正案。根据新 COOL 措施，对于在美国境内屠宰的动物肉块产品，必须标明其每一生产工序发生地，即出生、饲养和屠宰地。并且，该最终规则不再允许对来源地不同的肉块产品进行混装，产品所有的原产地信息都必须注明。

在 2013 年 5 月 24 日的世贸组织争端解决机构会议上，美国通知争端解决机构其已在 5 月 23 日通过了修改 COOL 标签要求的最终规则，认为该最终规则已经符合裁决和建议。但是，加拿大和墨西哥认为美国并未完全执行裁决。

（二）执行之诉专家组审理

2013 年 8 月 2 日，美国与墨西哥达成了《DSU 第 21 条和第 22 条程序约定》，根据约定，墨西哥在要求设立第 21.5 条程序项下的专家组前无须与美国进行磋商。

2013 年 11 月 14 日，墨西哥提出根据 DSU 第 21.5 条程序设立专家组的请求。

2014 年 1 月 22 日争端解决机构会议上，专家组设立，争端解决机构要求在可能的情况下由原审专家组进行审查。中国、欧盟、危地马拉、日本、韩国、挪威和泰国保留作为第三方参与执行之诉专家组程序的权利。

2014 年 10 月 20 日，专家组向全体成员散发了其报告。专家组主要裁定新 COOL 措施依然不符合《GATT 1994》第 3.4 条和《TBT 协定》第 2.1 条的规定，但是驳回了加拿大和墨西哥在《TBT 协定》第 2.2 条项下提出的主张。具体如下：

关于《TBT 协定》第 2.1 条。首先，专家组认定涉案措施属于《TBT 协定》附件第 1.1 条定义的“技术法规”，同时认定加拿大牛和美国牛、墨西哥牛和美国牛属于“同类产品”，并且加拿大猪和美国猪也属于第 2.1 条意义上的“同类产品”。并且由于新 COOL 措施增加了实践中的区分和记录需要，并且增加了使用国产牲畜的动机，因此，新 COOL 措施增加了美国企业选择国产牲畜而不是进口牲畜的实际需要，并加重了对进口牲畜在美国市场上竞争机会方面的不利影响。构成了违反第 2.1 条所需要确定的三个因素。但是由于在美国—丁香烟案中，上诉机构认为《TBT 协定》第 2.1 条项下的低国民待遇分析，需要审查对进口产品竞争机会的不利影响是否仅仅是由合法的管理区分所造成的，若是由合法的管理区分造成，则不构成对第 2.1 条的违反。专家组认为，新 COOL 措施加重了记录负担但提供的信息仍然可能是不准确的，并且其继续豁免很大一部分的肉块产品，因此新 COOL 措施仍然存在任意性和不合理性。因此，新 COOL 措施所造成的不利影响并不仅仅是由合法的管理区分所造成的。综上，专家组认为，新 COOL 措施加重了原 COOL 措施对进口牲畜的竞争机会所造成的不利影响，并且这种不利影响不仅仅是由合法的管理上的区分所造成的，从而导致新 COOL 措施向进口牲畜提供的待遇低于美国牲畜的待遇，因此，新 COOL 措施违反了《TBT 协定》第 2.1 条的规定。

关于《TBT 协定》第 2.2 条。第 2.2 条项下的分析首先应当考虑以下几个因素：涉案措施可实现的合法目标的程度；措施对贸易的限制；以及相关风险的性质和不实现相关目标的后果。并且，除上述三个要素外，在多数情况下第 2.2 条项下的分析还需要与替代措施进行比较。根据分析，专家组认为新 COOL 措施追求的目标合法，但仅部分地实现其追求的目标，并且新 COOL 措施在很大程度上加重了对贸易的限制；此外，专家组也确定了目标无法实现会造成的风险的性质以及后果，但是其无法确认后果的严重程度。之后专家组进行了替代措施比较分析，因起诉方未能初步证明存在任何替代措施以证明新 COOL 措施对贸易的限制超过了必要的限度，专家组认为，起诉方未能初步证明新 COOL 措施违反了《TBT 协定》第 2.2 条的规定。

关于《1994 年关税与贸易总协定》第 3.4 条，

专家组认为起诉方已经初步证明涉案措施满足了《1994年关税与贸易总协定》第3.4条法律分析的三项要素，即进口产品和国产品属于“同类产品”；涉案措施是一项影响涉案产品“国内销售、标价出售、购买、运输、分销或使用的……法律、法规和规定”；以及进口产品享受的待遇低于同内同类产品的待遇。因此，新COOL措施违反了《1994年关税与贸易总协定》第3.4条的规定。

专家组裁定，美国执行措施违反了《1994年关税与贸易总协定》第3.4条；同时对于起诉方基于《1994年关税与贸易总协定》第23.1条（b）项提出的非违反之诉的诉请适用司法经济。

（三）执行之诉上诉机构审理

对于执行之诉专家组裁决，美国于2014年11月28日提出了上诉；2014年12月12日，加拿大和墨西哥提出了交叉上诉。2015年5月18日，上诉机构公布了执行之诉上诉机构报告。上诉机构对于大多数主张都维持了专家组的认定，依然认定新COOL措施违反了《TBT协定》第2.1条和《1994年关税与贸易总协定》第3.4条。关于《TBT协定》第2.2条，虽然上诉机构认定专家组在该条项下做出的总体结论存在错误，但是上诉机构认为其并没有足够的事实就原告提出的第一项和第二项替代措施完成第2.2条项下的分析，具体如下：

关于《TBT协定》第2.1条，上诉机构驳回了美国关于《TBT协定》第2.1条的上诉请求，上诉机构维持了专家组关于新COOL案措施加重了记录负担的认定，驳回了美国关于专家组的结论是基于“不正确的假设”做出的观点。上诉机构维持了专家组关于新COOL措施可能造成记录不准确，并且其继续豁免很大一部分的肉块产品的认定，维持了专家组关于第2.1条的裁决，即新COOL措施加重了原COOL措施对进口牲畜的竞争机会所造成的不利影响，并且这种不利影响不仅仅是由合理的管理上的区分所造成的，从而导致新COOL措施向进口牲畜提供的待遇低于美国牲畜的待遇。

关于《TBT协定》第2.2条，上诉机构认为，在审查实现目标的程度是否相同时还需要考虑涉案技术法规的性质、追求的目标的性质以及可获得的证据的性质、数量和质量。上诉机构认为，替代措施可以通过不同于涉案技术法规的方式来实现与其相同程度的目标。为了审查实现目标的程度是否相同，需要关注的是技术法规实现目标的整体程度，而不是某一单独的方面或因素。同时，由于专家组在认定其无法确定新COOL措施的目标无法实现时后果的严重性存在错误，而专家组又以此为理由认定其无法确定第一项和第二项替代措施实现目标的程度是否达到了新COOL措施的水平，因此，上诉机构认为专家组在做出原告未能初步证明新COOL措施违反了《TBT协定》第2.2条的总体结论时存在错误，推翻了专家组做出的加拿大和墨西哥未能初步证明新COOL措施违反了《TBT协定》第2.2条的结论。

上诉机构维持了专家组有关《1994年关税与贸易总协定》第3.4条的分析。

WTO争端解决机构在2015年5月29日的例会上，正式通过了本案执行之诉上诉机构报告和经上诉机构报告修改后的专家组报告。

（四）报复水平仲裁

2015年6月4日，加拿大、墨西哥根据DSU第22.2条向争端解决机构申请报复授权。2015年6月16日和6月22日，美国对加拿大和墨西哥提出的报复水平表示反对。2015年6月17日和6月22日，争端解决机构将此事项提交DSU第22.6条项下的仲裁。报复水平仲裁程序由原审专家组继续审理。

2015年12月7日，仲裁报告散发给各成员，裁定加拿大可以向争端解决机构申请每年不超过1 054 729 000加元的报复额，墨西哥可以向争端解决机构申请每年不超过227 758 000美元的报复额。经申请，2015年12月21日，争端解决机构授权加拿大和墨西哥按仲裁额度停止减让。

二、美国诉印度农产品进口限制措施案（DS430）

（一）磋商请求

2012年3月6日，美国就印度对于美国各种农业产品采取的进口禁令，向印度提出磋商请求。据称该措施是为保护国内禽肉生产商免受禽流感影响而遭受损失。本案被诉措施为：《印度家畜进口法案（1898）》；若干由印度政府农业部（畜牧、制酪、渔业司）根据上述法案发布的命令，其中最新发布的命令为 S. O. 1663（E）；以及任何修正案、相关措施或其实施条例。美国指称，印度的措施不符合印度承担的 WTO 协定义务，包括：《SPS 协定》第 2.2 条、第 2.3 条、第 3.1 条、第 5.1 条、第 5.2 条、第 5.5 条、第 5.6 条、第 5.7 条、第 6.1 条、第 6.2 条、第 7 条和附件 B 第 2 款、第 5 款、第 6 款；以及《1994 年关税与贸易总协定》第 1 条和第 9 条。

2012 年 5 月 11 日，美国请求设立专家组。2012 年 5 月 24 日，WTO 争端解决机构宣布推迟设立专家组。

（二）专家组审理

2012 年 6 月 25 日，WTO 争端解决机构正式设立专家组。中国、哥伦比亚、厄瓜多尔、欧盟、危地马拉、日本、越南、阿根廷、澳大利亚和巴西保留作为第三方参与案件的权利。2013 年 2 月 18 日，WTO 总干事组成了专家组。2014 年 10 月 14 日，专家组向当事方散发最终报告。

本案主要涉及印度制定的针对从需要向世界动物卫生组织报告禽流感疫情的国家进口有关农产品的限制措施，包括《印度家畜进口法案（1898）》；若干由印度政府农业部（畜牧、制酪、渔业司）根据上述法案发布的命令，其中最新发布的命令为 S. O. 1663（E）；和任何修正案、相关措施或其实施条例。美国认为，印度的措施不是根据相关国际标准制定，也没有在进行科学的风险评估的基础上制定。

在专家组报告中，专家组裁定印度涉案农产品进口限制措施违反《SPS 协定》第 3.1 条，因为其既不是依据相关国际标准（即世界动物卫生组织所制定的陆生动物卫生法典第 10.4 条）制定的，也不是《SPS 协定》第 3.2 条规定的符合相关国际标准的 SPS 措施。

专家组裁定印度涉案农产品进口限制措施违反《SPS 协定》第 5.1 条、第 5.2 条和第 2.2 条，因为其没有以风险评估为基础进行制定。

专家组裁定印度涉案农产品进口限制措施违反《SPS 协定》第 2.3 条，因为该措施的实施在情形相同或相似的成员之间构成了任意或不合理的歧视，构成了对国际贸易的变相限制。

专家组裁定印度涉案农产品进口限制措施违反《SPS 协定》第 5.6 条和第 2.2 条，认为该措施对贸易的限制超过了陆生动物卫生法典第 10.4 条规定的适当保护水平，必然超过了保护人类和动物生命和健康所必需的限度。

专家组裁定印度涉案农产品进口限制措施违反《SPS 协定》第 6.2 条和 6.1 条，因为印度未认识到非疫区和低度流行区的概念，且没有使其措施适应这些不同区域的卫生特点。

专家组裁定印度违反《SPS 协定》第 7 条、附件 B（2）及附件 B（5）（a）（b）（d）项，因为其未履行一系列的通知和公布义务。

因专家组已认定印度措施违反《SPS 协定》的上述条款，对于美国的关于《SPS 协定》第 5.5 条和《1994 年关税与贸易总协定》第 11 条的诉请，专家组适用了司法经济。专家组同时裁定美国没有初步证明涉案措施违反《SPS 协定》附件 B（5）（c）项。

（三）上诉机构审理

2015 年 1 月 26 日，印度提出上诉。2015 年 6 月 4 日，上诉机构散发上诉机构报告，上诉机构做出了如下裁定：

关于《SPS 协定》第 2.2 条、第 5.1 条及第 5.2 条，上诉机构支持了专家组关于印度相关措施违反第 5.1 条和第 5.2 条的裁定，但是上诉机构认为，由于专家组没有考虑印度提出的关于从低致病禽流感区域进口新鲜猪肉和蛋的科学依据，所以专家组错误地裁定了印度禁止从低致病禽流感区域进口相关产品的措施违反《SPS 协定》第 2.2 条，但是上诉机构对此不能完成法律分析。

关于《SPS 协定》第 3.1 条及第 3.2 条，上诉机构认为专家组就陆生动物法典的含义咨询世界动物卫生组织并未违反《SPS 协定》第 11.2 条及《关于争端解决规则与程序的谅解》（DSU）第 13.2 条，驳回了印度关于认定专家组未尽 DSU 第 11 条进行客观全面审查义务的请求，并支持了专家组有关《SPS 协定》第 3.1 条及第 3.2 条的裁决，即认定印度相关措施既非基于国际标准制定，也与国际标准不符。

关于《SPS 协定》第 6 条，上诉机构认定专家组没有错误地解释第 6.1 条和第 6.3 条的关系，同时认可了专家组将《家畜进口法案》和 S. O. 1663（E）同时进行考虑。因印度措施排除了从非疫区进口相关产品的可能性，上诉机构支持了专家组对印度相关措施违反第 6.1 条和第 6.2 条的裁定。同时，驳回了印度基于 DSU 第 11 条所提出的请求。

关于《SPS 协定》第 5.6 条和第 2.2 条，上诉机构认为专家组对美国已指明有其他替代措施达到同样保护水平的认定没有错误，支持了专家组关于印度措施违反第 5.6 条的裁定，同时，认为没有必要再考察专家组关于第 2.2 条的裁决。

关于《SPS 协定》第 2.3 条，上诉机构认定印度没有证明专家组就低致病禽流感是否对印度有害咨询有关专家，要求印度提供证据违反 DSU 第 11 条。同时，上诉机构认为印度相关措施的实施在情形相同或相似的成员之间造成了任意或不合理的歧视，支持了专家组关于印度有关措施违反《SPS 协定》第 2.3 条第一句的裁决。

WTO 争端解决机构在 2015 年 6 月 19 日例会上，正式通过了本案上诉机构报告和经上诉机构报告修改的专家组报告。

（四）执行情况

2015 年 7 月 13 日，印度在争端解决机构会议上表明了执行意向。2015 年 12 月 8 日，印度和美国向争端解决机构通报其对合理执行期达成一致，即合理执行期为 12 个月，截至 2016 年 6 月 19 日。

2016 年 7 月 7 日，美国认为印度未在合理执行期内履行执行义务，根据 DSU 第 22.2 条向争端解决机构申请报复授权。2016 年 7 月 18 日，印度对美国申请的报复水平表示反对，并申请 DSU 第 22.6 条项下的仲裁。2016 年 7 月 19 日，争端解决机构同意其申请。

2016 年 7 月 18 日，印度表示其已通过必要的措施履行执行义务。2016 年 9 月 22 日，印度通知争端解决机构其采取了进一步的执行措施，认为自身完全履行了执行义务，并请求美国终止仲裁程序。

三、阿根廷诉美国牛肉及其他肉类产品进口限制措施案（DS447）

（一）磋商请求

2012 年 8 月 30 日，阿根廷就美国对进口阿根廷动物、肉类及其他肉类产品实施的限制措施，向美国提出磋商请求。本案被诉措施为：

1. 美国动物卫生检查局（APHIS）做出临时或最终裁决，决定对阿根廷新鲜牛肉（冷藏或冷冻）采取进口禁令并修改了美国联邦法规的规定；

2. 美国未承认阿根廷的某些领土为非口蹄疫疫区；

3. 阿根廷认为美国在确定一个地区内的动物健康水平方面存在不正当的迟延，或在批准上述地区所产的动物或动物产品的出口方面存在不正当的迟延，而这两种迟延类型均是在美国联邦法规（CFR）规定的程序下产生的；而且阿根廷认为 2009 年美国《综合法案》第 737 条规定了进口附加条件。阿根廷称，美国的措施不符合其承担的 WTO 协定义务，包括：《1994 年关税与贸易总协定》第 1.1 条、第 3.4 条和第 11.1 条；《SPS 协定》第 1.1 条、第 2.2 条、第 2.3 条、第 3.1 条、第 3.3 条、第 5.1 条、第 5.2 条、第 5.6 条、第 6.1 条、第 6.2 条、第 8 条、附件 C.1 和第 10.1 条；以及《WTO 协定》第 16.4 条。

（二）专家组审理

2013 年 1 月 28 日，WTO 争端解决机构正式设立专家组。澳大利亚、中国、欧盟、印度和韩国保留作为第三方参与案件的权利。2013 年 8 月 8 日，WTO 总干事组成了专家组。2015 年 7 月 24 日，专家组报告散发给各成员。专家组主要裁定如下：

美国涉案措施违反《SPS 协定》第 3.1 条，因为美国的进口禁令并非基于世界动物卫生组织的国际标准。

因美国在审查阿根廷的牛肉进口申请以及将巴塔哥尼亚地区认可为非口蹄疫区的申请时存在不当迟延，也没有通知阿根廷程序所进行的阶段或解释迟延发生的原因，因此违反了《SPS 协定》第 8 条及附件 C.1.（a）（b）项。

由于进口禁令的维持未能基于风险评估，因此其不符合《SPS 协定》第 5.1 条和第 2.2 条；

因进口禁令超出了实现适当的卫生与植物卫生保护水平的需要，因此其不符合《SPS 协定》第 5.6 条；

美国允许从乌拉圭进口牛肉、允许从智利进口动物产品，却禁止从阿根廷进口，构成任意或不合理的歧视，因此美国涉案措施不符合《SPS 协定》第 2.3 条；

因进口禁令未能适应巴塔哥尼亚地区的卫生特

点，因此美国涉案措施不符合《SPS 协定》第 6.1 条等。

因美国没有在合理期限内寻求获得更加客观地进行风险评估所必需的额外信息来审议其采取的措施，因此其措施不属于《SPS 协定》第 5.7 条的豁免范围。

因《SPS 协定》第 5.4 条中规定的“在确定适当的卫生与植物卫生保护水平时，应考虑将对贸易的消极影响减少到最低程度的目标”中不包含有强制义务，因此美国涉案措施并未构成对该条的违反。

阿根廷没有提出初步证据证明美国未考虑作为发展中成员的阿根廷的特殊需要而制定该涉案措施，因此美国未违反《SPS 协定》第 10.1 条。

因为上述分析，美国涉案措施违反《SPS 协定》第 1 条和第 3.3 条。

同时，因专家组已裁定美国涉案措施违反《SPS 协定》的上述条款，专家组对阿根廷基于《1994 年关税与贸易总协定》第 1.1 条（最惠国待遇）和第 11.1 条（数量限制）所提出的请求及美国基于《1994 年关税与贸易总协定》第 20 条（b）项提出的抗辩采用了司法经济原则。

WTO 争端解决机构在 2015 年 8 月 31 日的例会上，正式通过了本案专家组报告。

四、墨西哥诉美国金枪鱼和金枪鱼产品进口措施案（DS381）

（一）原审和执行阶段情况

2008 年 10 月 24 日，墨西哥就下列措施请求与美国进行磋商：（1）《海豚保护消费者信息法》；（2）“海豚安全标签标准”和“东部热带太平洋海域通过大型围网渔船捕获金枪鱼的海豚安全要求”；（3）美国第九巡回上诉法院在 Earth Island Institute v. Hogarth 案中做出的判决。墨西哥认为，美国上述措施不符合《1994 年关税与贸易总协定》第 1.1 条、第 3.4 条，以及《TBT 协定》第 2.1 条、第 2.2 条和第 2.4 条。

在磋商未果的情况下，墨西哥于 2009 年 3 月 9 日向争端解决机构请求设立专家组审理此案。2009 年 4 月 20 日，专家组正式设立。2009 年 12 月 14 日，专家组组成。阿根廷、澳大利亚、中国、厄瓜多尔、欧盟、危地马拉、日本、韩国、新西兰、中国台北、土耳其、巴西、加拿大、泰国、委内瑞拉和玻利维亚保留作为第三方参与本案的权利。

2011 年 11 月 18 日，世贸组织专家组就该案做出裁决。专家组认为美国的海豚安全标签规定构成了《TBT 协定》下的“技术法规”，但不构成对墨西哥金枪鱼产品的歧视，因此不违反《TBT 协定》第 2.1 条。因美国海豚安全标签规定对贸易的限制超过了为实现合法目标所必需的限度，因此美国海豚安全标签规定违反了《TBT 协定》第 2.2 条。因为相关国际标准不能恰当或有效地实现美国追求的目标，所以美国海豚安全标签规定未违反《TBT 协定》第 2.4 条。对于墨西哥关于《1994 关税与贸易总协定》第 1.1 条和第 3.4 条提出的诉讼请求，专家组适用司法经济原则未予裁决。

2012 年 1 月 20 日，美国提出上诉。2012 年 1 月 25 日，墨西哥提出交叉上诉。2012 年 5 月 15 日，世贸组织发布上诉机构裁决，推翻了专家组关于美国“海豚安全”标签条款未违反《TBT 协定》第 2.1 条的裁定，也推翻了专家组关于涉案措施不符合《TBT 协定》第 2.2 条的裁定，认同专家组关于涉案措施未违反《TBT 协定》第 2.4 条的结论，但认为《国际海豚养护方案协定》框架下的“海豚安全”定义和证明不属于相关国际标准。对于专家组对 GATT 第 1.1 条和第 3.4 条提出的诉讼请求适用司法经济原则，上诉机构裁定专家组违反了《争端解决谅解》第 11 条的规定。

世贸组织争端解决机构在 2012 年 6 月 13 日的例会上，正式通过了本案上诉机构报告和经上诉机构报告修订的专家组报告。

2012 年 9 月 17 日，美国和墨西哥通过协商确定的合理执行期为 13 个月，截止日为 2013 年 7 月 13 日。2013 年 7 月 23 日，美国宣称其修改了相关海豚安全标签规则，已经完成了执行义务。

（二）执行之诉专家组

美国对原措施进行了部分修改，要求不论其被捕捉地点或捕鱼船的国籍，所有进入美国的具有海豚安全标签的金枪鱼，必须通过以下确认：（1）在金枪鱼捕获区域没有故意架设捕捉海豚的渔网；（2）在金枪鱼捕获区域没有海豚被杀死或严重受伤。但是，其他的文件和记录认证要求仍因金枪鱼捕获区域不同而有所差异。另外，通过追逐海豚获得的有海豚安全标签的金枪鱼仍然不允许进入美国。修改后的措施和原《海豚保护消费者信息法》及美国第九巡回上诉法院在 Earth Island Institute v. Hogarth 案中做出的判决，共同构成了“修改后的金枪鱼措施”。

2013 年 11 月 14 日，墨西哥请求设立执行之诉专家组，指称美国未履行执行义务，新金枪鱼措施违反了《TBT 协定》第 2.1 条、《1994 年关税与贸易总协定》第 1.1 条和第 3 条。2014 年 1 月 27 日，执行之诉专家组设立。加拿大、中国、欧盟、危地马拉、日本、韩国、挪威、泰国、澳大利亚、新西兰保留作为第三方参与案件的权利。

2015 年 4 月 14 日，执行之诉专家组报告散发给各成员。专家组主要裁定如下：

对于不同的金枪鱼捕捞地点实行不同的认证、追踪和确认条件，违反了《TBT 协定》第 2.1 条的规定。因为这些不同的条件实质上给墨西哥的金枪鱼和金枪鱼产品造成了更重的负担，属于歧视性待遇。

新金枪鱼措施对于东赤道太平洋海域的经围捕打捞的金枪鱼，如需获得海豚安全标签，施加了更多条件。因此，该措施本身违反了《1994 年关税与贸易总协定》第 1.1 条的规定。

因新金枪鱼措施改变了墨西哥金枪鱼和金枪鱼产品在美国市场上的竞争条件，因此违反了《1994 年关税与贸易总协定》第 3.4 条的规定。

因新金枪鱼措施构成了歧视，因此不满足《1994 年关税与贸易总协定》第 20 条帽段的要求，美国不能援引第 20（g）条进行抗辩，专家组对美国 20（b）条项下的诉请行使了司法经济原则。

（三）执行之诉上诉阶段

2015 年 6 月 5 日，美国提出上诉。2015 年 6 月 10 日，墨西哥提出交叉上诉。2015 年 11 月 20 日，上诉机构报告散发给各成员。上诉机构主要裁决如下：

关于《TBT 协定》第 2.1 条，上诉机构推翻了专家组关于禁止通过追逐海豚获得的金枪鱼进入美国，对墨西哥金枪鱼产品造成了歧视，进而违反《TBT 协定》第 2.1 条的裁决。同时推翻了不同的认证、追踪和确认条件违反了《TBT 协定》第 2.1 条的裁决。上诉机构进一步完成了法律分析，认为新金枪鱼措施导致大多数墨西哥金枪鱼产品无法获得海豚安全标签，而美国和其他国家的同类产品可以附条件获得海豚安全标签，改变了墨西哥金枪鱼产品在美国市场上的竞争条件。专家组未对东赤道太平洋区域内外的海豚遭遇的危险进行合理评估，因此上诉机构无法判断差异是否是由“合法的管理区分”造成的。但是，由于在东赤道太平洋区域外围网捕鱼时，当符合海豚安全要求的金枪鱼被捕捞上来时，需要一个观察员来最终确定是否完全符合海豚安全要求，上诉机构注意到该“观察员最终确认”的要求未对所有高风险区域都实施，因此认为美国的政策目标最终无法达到。所以，上诉机构认定新金枪鱼措施违反《TBT 协定》第 2.1 条的规定。

关于《1994 年关税与贸易总协定》第 1.1 条、第 3.4 条和第 20 条，上诉机构推翻了专家组关于新金枪鱼措施中的三项要求分别违反第 1.1 条、第 3.4 条和第 20 条帽段的规定。上诉机构进一步进行法律分析，认定新金枪鱼措施作为一个整体，改变了墨西哥金枪鱼产品的竞争条件，违反了第 1.1 条和第 3.4 条。因上诉机构认定“观察员要求”的设计导致了歧视，因此新金枪鱼措施不符合第 20 条帽段的要求。

2015 年 12 月 3 日，争端解决机构通过了执行之诉上诉机构报告和经过修改的专家组报告。

（四）报复阶段

2016 年 3 月 10 日，墨西哥根据 DSU 第 22.2 条向争端解决机构申请报复授权。2016 年 3 月 22 日，美国对墨西哥提出的报复水平表示反对，并申请将此事项提交 DSU 第 22.6 条项下的仲裁。2016 年 3 月 23 日，争端解决机构同意对该事项进行报复水平仲裁。

（五）美国提起执行之诉

2016 年 4 月 11 日，美国请求设立执行之诉专家组。2016 年 5 月 9 日，执行之诉专家组设立。澳大利亚、巴西、加拿大、中国、厄瓜多尔、欧盟、危地马拉、印度、日本、韩国、新西兰、挪威保留作为第三方参与案件的权利。2016 年 11 月 18 日，专家组主席通知争端解决机构，因案件复杂程度较高，同时报复水平仲裁正在进行且执行之诉专家组成员是仲裁员，因此执行之诉专家组报告将于 2017 年 5 月中旬发布。

（六）墨西哥提起第二次执行之诉

2016 年 5 月 13 日，墨西哥提出 DSU 第 21.5

条项下的磋商请求，指称美国未完成执行义务，且 2016 年金枪鱼措施不符合美国在 WTO 协定项下的义务。

2016 年 6 月 22 日，争端解决机构设立执行之诉专家组。澳大利亚、巴西、加拿大、中国、厄瓜多尔、欧盟、危地马拉、印度、日本、韩国、新西兰、挪威保留作为第三方参与案件的权利。2016 年 7 月 11 日，执行之诉专家组设立。2016 年 11 月 18 日，专家组主席通知争端解决机构，因案件复杂程度较高，同时报复水平仲裁正在进行且执行之诉专家组成员是仲裁员，因此执行之诉专家组报告将于 2017 年 5 月中旬发布。

五、其他涉及《TBT 协定》争端解决案件进展情况

（一）加拿大和挪威诉欧盟海豹案（DS400/DS401）

1. 磋商请求

2009 年 11 月 2 日和 5 日，加拿大和挪威分别就欧盟影响海豹产品销售的某些措施，向欧盟提出磋商请求。涉案措施为：2009 年 9 月 16 日通过的调整海豹产品贸易的《欧洲议会和欧盟委员会第 1007/2009 号条例》（简称“基本条例”）；以及 2010 年 8 月 10 日通过的基本条例的实施细则《欧盟委员会第 737/2010 号条例》（简称“实施细则”）（此为补充磋商请求中涉及的措施），上述两项条例统称为“欧盟海豹制度（EU Seal Regime）”。起诉方主张，欧盟的海豹制度禁止所有海豹产品在欧盟市场的进口和销售。而且，欧盟海豹制度中的例外条款带有歧视性，使起诉方国内的海豹产品无法与原产于欧盟或某些特定国家的海豹产品公平竞争，且该制度包含的证明海豹产品符合欧盟规定的进口、销售条件的规定，存在歧视和贸易限制的嫌疑。同时针对这项证明要求，欧盟海豹制度中并未规定足够详细的评估程序。加拿大和挪威指称，欧盟的上述措施不符合欧盟承担的 WTO 协定义务，包括：《TBT 协定》第 2.1 条（DS400 案）、第 2.2 条、第 5.1.2 条、第 5.2.1 条；以及《农业协定》第 4.2 条（DS401 案）；《1994 年关税与贸易总协定》第 1.1 条、第 3.4 条、第 11.1 条、第 20 条（a）项（b）项、第 23.1 条（b）项［加拿大附条件地提起该项诉求，仅当欧盟的被诉措施被判定并未违反《TBT 协定》或《1994 年关税与贸易总协定》（《1994 年关贸总协定》）时，才提起该项诉求。但最终专家组在该项诉求的审理中行使了司法经济原则］。

2. 专家组审理

2011 年 2 月 11 日和 3 月 14 日，加拿大和挪威先后请求设立专家组。2011 年 3 月 25 日，WTO 争端解决机构决定设立专家组，审理加拿大提起的争端。4 月 21 日，WTO 争端解决机构决定设立专家组，审理挪威提起的争端，根据 DSU 第 9.1 条的规定，在存在多个起诉方的情况下，WTO 争端解决机构同意 2011 年 3 月 25 日设立的专家组亦对挪威提起的争端进行审理。阿根廷、加拿大（DS401 案中）、中国、哥伦比亚、厄瓜多尔、冰岛、日本、墨西哥、纳米比亚（DS401 案中）、美国、俄罗斯和挪威（DS400 案中）保留作为第三方参与案件的权利。2012 年 10 月 4 日，WTO 总干事组成了专家组。在与争端方协商后，专家组制定了工作时间表。2013 年 11 月 25 日，专家组报告向成员散发。

本案主要涉及欧盟的海豹制度。该制度规定，欧盟禁止在其市场上销售海豹产品，除非该产品满足以下任意一项例外规定的要求：（1）海豹产品是由因纽特人或土著人猎杀的（IC 例外）；（2）海豹产品的取得源自基于海洋资源管理目的而猎杀的海豹（MRM 例外）；（3）在特定情况下，旅行者可以携带海豹产品进入欧盟（旅行者例外）。加拿大和挪威主要指称欧盟海豹制度禁止了所有海豹产品在欧盟市场上的进口和销售，且其例外规定带有歧视性。

专家组首先判断欧盟海豹制度是否构成《TBT 协定》下的“技术法规”。在此方面，专家组做出肯定性结论。专家组对《TBT 协定》附件 1 第 1 段中列明的三个标准进行分析（专家组着重分析了第二个标准，这也是当事方在此问题上的争议焦点）后，认为欧盟海豹制度是一项“技术法规”。专家组接下来对起诉方根据《TBT 协定》第 2.1 条、第 2.2 条、附件第 1.3 条、第 5.1.2 条和第 5.2.1 条提起的诉讼请求进行了分析。

关于《TBT 协定》第 2.1 条，专家组认为欧盟海豹制度，特别是其中的 IC 例外和 MRM 例外，违反了《TBT 协定》第 2.1 条的规定。专家组认

为，被欧盟海豹制度禁止进口的海豹产品与符合其例外规定而可以进口和销售的海豹产品属于同类产品。确定为同类产品之后，专家组进一步分析欧盟海豹制度是否给进口产品的竞争条件带来了有害影响，且该制度是否属于一种合理的差别规定。对于前者，专家组给予了肯定性回答。对于后者，由于欧盟无法证明IC例外和MRM例外给加拿大海豹产品带来的歧视性影响源于一种合理的差别对待，因此，IC例外和MRM例外并未给予进口海豹产品不低于国内同类产品或来自任何其他国家同类产品的待遇，违反了第2.1条。

关于《TBT协定》第2.2条，专家组认为欧盟海豹制度并未违反《TBT协定》第2.2条，因为加拿大和挪威未能证明欧盟海豹制度对贸易的限制超过了为实现合法目标所必需的限度。考虑到替代方案是否存在及其无法落实的风险，欧盟关于海豹福利这一公共道德的合法目标并不能被其他对贸易限制更小的方案所替代。

关于《TBT协定》附件第1.3条，专家组认为，如上所述，欧盟海豹制度属于一项"技术法规"，而且，欧盟海豹制度中"实施细则"第3条、第5条、第6条的规定，确立了判定某一海豹产品是否符合欧盟海豹制度中具体要求的程序，因此这些规定构成了满足《TBT协定》要求的"合格评定程序"。

关于《TBT协定》第5.1.2条，专家组认为欧盟海豹制度违反了第5.1.2条的规定。专家组认为，欧盟海豹制度中的"合格评定程序"具有对国际贸易产生非必需障碍的效果，因此违反了第5.1.2条中第一句话的规定。而专家组驳回了加拿大和挪威根据该条第二句话的规定而提出的主张，因为起诉方并未能证明存在替代的"合格评定程序"，得以在同等水平上保证合规性评定的可信度。

关于《TBT协定》第5.2.1条，专家组驳回了起诉方的指称。专家组认为，没有足够的理由证明欧盟海豹制度中的"合格评定程序"没有做到尽快进行并完成评定。

此外，专家组拒绝就挪威根据《农业协定》第4.2条提出的诉讼请求做出裁决。专家组还判定，IC例外和MRM例外分别违反了《1994年关税与贸易总协定》第1.1条和第3.4条的规定。而且，尽管欧盟海豹制度中的例外规定符合《1994年关税与贸易总协定》第20条（a）款的规定，但是它们并不满足第20条前言的要求。

3. 上诉机构审理

2014年1月24日，加拿大和挪威提起上诉。2014年1月29日，欧盟提起上诉。2014年5月22日，上诉机构报告向成员散发。

加拿大和挪威的上诉涉及专家组就《TBT协定》第2.1条和第2.2条，以及《1994年关税与贸易总协定》第20条做出的裁决。欧盟就《TBT协定》附件第1.1条、《TBT协定》第2.1条和《1994年关税与贸易总协定》第20条提起上诉。而且，争端当事方也对专家组审查时存在的与DSU第11条规定不符的问题，提出了上诉。

上诉机构首先推翻了专家组认定欧盟海豹制度规定了产品特征的裁决。上诉机构认为，欧盟海豹制度中未规定产品特征。上诉机构认为，应该将欧盟海豹措施中的"禁止性条款"和"允许性条款"结合起来审查。本案被诉措施并非意在禁止在欧盟市场上销售海豹产品，而是在于为在欧盟市场上销售海豹产品的活动设定条件，这些条件主要是根据猎人身份或海豹产品的捕猎类型、捕猎目的相关的标准来确定的。这才是该措施的主要性质。上诉机构并不认为整体上的欧盟海豹制度规定了产品特征。

由于专家组对于欧盟海豹制度属于《TBT协定》第1.1条规定的"技术法规"的认定，主要是基于其中间裁定，即欧盟海豹制度规定了产品特征，上诉机构基于上述分析最终从整体上推翻了欧盟海豹制度构成"技术法规"的专家组裁决。但是上诉机构拒绝完成该项法律分析，因此其并未对欧盟海豹制度是否规定了"相关工艺和生产方法"做出判定。据此，上诉机构裁定专家组报告涉及《TBT协定》第2.2条、第5.1.2条、第5.2.1条的相关裁决均没有法律效力。

此外，上诉机构维持了专家组根据《1994年关税与贸易总协定》第1.1条和第3.4条做出的裁决。

针对《1994年关税与贸易总协定》第20条，上诉机构首先维持了专家组对于欧盟海豹制度所涉及的公共道德的合理目标的认定。接着，上诉机构维持了专家组认定欧盟海豹制度满足《1994年关税与贸易总协定》第20条（a）款中"必需"要求的裁决。最后，上诉机构推翻了专家组涉及第 20 条前言的裁决，因为后者错误地将其适用在《TBT 协定》第 2.1 条的同样的法律标准，适用在对《1994 年关税与贸易总协定》第 20 条前言的审查上，而并未对欧盟海豹制度是否满足第 20 条前言的具体条款和要求进行独立分析。随后，上诉机构完成了该法律分析，但其最终结论与专家组裁决相同，即欧盟并未证明其海豹制度满足第 20 条前言的要求。

WTO 争端解决机构在 2014 年 6 月 18 日例会上正式通过了本案上诉机构报告和经上诉机构报告修改的专家组报告。

4. 执行阶段

在 2014 年 7 月 10 日争端解决机构会议上，欧盟通报了其执行意向。2014 年 9 月 5 日，加拿大和欧盟向争端解决机构表明其对合理执行期达成了一致，即合理执行期为 16 个月，截至 2015 年 10 月 18 日。

（二）乌克兰、洪都拉斯、多米尼加、古巴、印尼诉澳大利亚平装烟草措施案（DS434/435/441/458/467）

乌克兰、洪都拉斯、多米尼加、古巴、印尼分别在 2012 年 3 月 13 日、2012 年 4 月 4 日、2012 年 7 月 18 日、2013 年 5 月 3 日和 2013 年 9 月 20 日，就澳大利亚在烟草产品及其包装上限制使用商标以及其他平装要求的相关法律法规，向澳大利亚提出磋商请求。

涉案措施为澳大利亚的《烟草平装法案（2011）》和其实施条例《烟草平装实施条例（2011）》；《商标法修正案（烟草平装）2011》；以及任何澳大利亚为了实施前述两项关键措施而进一步通过的法规、相关法案、政策或实践，指称澳大利亚的上述措施，尤其是从澳大利亚整体烟草监管制度的背景看，不符合澳大利亚承担的 WTO 协定义务，包括：《与贸易有关的知识产权协定》（《TRIPS 协定》）第 1 条、第 1.1 条、第 2.1 条、第 3.1 条、第 15 条、第 16 条、第 20 条和第 27 条；《TBT 协定》第 2.1 条、第 2.2 条；以及《1994 年关税与贸易总协定》第 3.4 款。近 40 个成员保留作为第三方参与上述案件的权利。

乌克兰、洪都拉斯、多米尼加、古巴、印尼分别在 2012 年 8 月 14 日、2012 年 10 月 15 日、2012 年 11 月 9 日、2014 年 4 月 4 日、2014 年 3 月 3 日请求设立专家组。2014 年 5 月 5 日，WTO 总干事指定由同一专家组审理上述案件。

2015 年 5 月 28 日，乌克兰根据 DSU 第 12.12 条请求中止 DS434 案的专家组程序。2015 年 6 月 2 日，专家组同意乌克兰中止程序的请求。2016 年 5 月 30 日，因专家组的工作已中止 12 个月，DS434 案专家组程序终止。

DS435、DS441、DS458、DS467 案仍在专家组审理程序中。

（三）阿根廷诉欧盟生物柴油进口和销售措施案（DS459）

2013 年 5 月 15 日，阿根廷就影响生物柴油进口、销售以及支持其生物柴油产业的相关措施，向欧盟及其成员国提出磋商请求，涉案措施为：欧盟为推广对可再生能源的利用、引进控制和减少温室气体排放机制的相关措施；欧盟对其生物柴油产业出台的支持计划。阿根廷指称，欧盟的措施不符合其承担的 WTO 协定义务，包括：《TBT 协定》第 2.1 条、第 2.2 条、第 5.1 条和第 5.2 条；《1994 年关税与贸易总协定》第 1.1 条、第 3.1 条、第 3.2 条、第 3.4 条和第 3.5 条；《SCM 协定》第 1.1 条、第 2.3 条、第 3.1（b）条、第 3.2 条、第 5（b）条、第 5（c）条和第 6.3 条（a）；《TRIMs 协定》第 2.1 条、第 2.2 条；《马拉喀什建立世界贸易组织协定》（《WTO 协定》）第 16.4 条。本案目前仍在磋商阶段。

（四）日本诉俄罗斯关于机动车辆“回收费用”措施案（DS463）

2013 年 7 月 24 日，日本就俄罗斯关于机动车辆的“回收费用”措施，向俄罗斯提出磋商请求。日本认为，俄罗斯对进口和国内机动车辆征收回收费用，但规定了两种征税例外：（1）在俄罗斯登记的企业生产的车辆；（2）承诺在俄罗斯进行车辆生产的企业生产的车辆，包括在俄罗斯、白俄罗斯和哈萨克斯坦领土范围内存在的某些具体生产制造业务。日本指称俄罗斯的涉案措施不符合其承担的 WTO 协定义务，包括：《1994 年关税与贸易总协定》第 1.1 条、第 2.1（a）条、第 2.1（b）条、第 3.2 条和第 3.4 条；《TRIMs 协定》第 2.1 条、第 2.2 条；以及《TBT 协定》第 2.1 条、第 2.2 条。本案目前仍在磋商阶段。

（五）乌克兰诉俄罗斯铁路设备及零部件进口措施案（DS499）

2015年10月21日，乌克兰就俄罗斯联邦关于铁路设备及零部件的进口措施，向俄罗斯提出磋商请求。乌克兰认为，俄罗斯的措施不符合俄罗斯承担的WTO协定义务，包括《1994年关税与贸易总协定》第1.1条、第3.4条、第10.3（a）条、第11.1条、第13.1条和《TBT协定》第2.1条、第2.2条、第2.5条、第5.1.1条、第5.2.2条、第5.2.3条和第5.2.6条。

2016年11月10日，乌克兰请求设立专家组。在2016年11月23日的例会上，争端解决机构推迟了专家组的设立。

六、其他涉及《SPS协定》争端解决案件进展情况

（一）阿根廷诉美国柠檬进口措施案（DS448）

2012年9月3日，阿根廷就美国对阿根廷西北部地区的新鲜柠檬实施的进口限制措施，向美国提出磋商请求。本案被诉措施为：

（1）美国过去11年维持的一系列措施，阿根廷认为这构成了对柑橘类水果的一项进口禁令，影响了原产于阿根廷西北部地区的新鲜柠檬的进口；

（2）美国未批准从阿根廷西北部地区进口新鲜柠檬；

（3）美国针对阿根廷西北部地区的新鲜柠檬实施的进口批准程序存在不正当的迟延。

阿根廷指称，美国的措施不符合美国承担的WTO协定义务，包括：《1994年关税与贸易总协定》第1.1条、第3.4条、第10.1条、第10.3条和第11.1条；《SPS协定》第1.1条、第2.2条、第2.3条、第3.1条、第3.3条、第5.1条、第5.2条、第5.4条、第5.6条、第7条、附件B、第8条、附件C和第10.1条；以及《WTO协定》第16.4条。

2012年12月6日，阿根廷请求设立专家组。2012年12月17日，WTO争端解决机构宣布推迟设立专家组。

（二）欧盟诉俄罗斯生猪及其遗传物质、猪肉、猪肉产品以及部分其他产品进口限制措施案（DS475）

1. 磋商请求

2014年4月8日，欧盟就俄罗斯影响生猪及其遗传物质、猪肉、猪肉产品以及部分其他产品从欧盟进口的相关措施，向俄罗斯提出磋商请求。欧盟指称，俄罗斯的措施不符合俄罗斯承担的WTO协定义务，包括：《SPS协定》第2.2条、第2.3条、第3.1条、第3.2条、第3.3条、第5.1条、第5.2条、第5.3条、第5.4条、第5.5条、第5.6条、第5.7条、第6.1条、第6.2条、第6.3条、第7条、第8条、附件B和C。

2. 专家组审理

2014年7月22日，专家组设立。澳大利亚、中国、印度、日本、韩国、挪威、中国台北、美国、巴西、南非保留作为第三方参与案件的权利。2014年10月23日，世贸组织总干事指定专家组成员，专家组组成。

2016年8月19日，专家组报告散发给各成员。专家组主要裁定如下：

俄罗斯禁止从爱沙尼亚、拉脱维亚、立陶宛和波兰进口相关产品的措施，不符合相关国际标准，进而违反《SPS协定》第3.2条。同时禁止进口欧盟产品的措施不是根据现有的国际标准制定，违反了《SPS协定》第3.1条。

因俄罗斯认识到了非洲猪瘟在病虫害非疫区和低度流行区的概念，因此针对欧盟的禁止措施和针对欧盟成员的禁止措施不违反《SPS协定》第6.2条。

因俄罗斯未保证其措施适应产品的产地特点和非洲猪瘟的特点，也没有评估产品产地的卫生与植物卫生特点，所以针对欧盟的进口禁止措施和针对爱沙尼亚、拉脱维亚、立陶宛和波兰的进口禁止措施违反《SPS协定》第6.1条。

俄罗斯的批准程序所需要的信息超过了必要程度，并且有不正当的拖延，因此违反了《SPS协定》第8条和附件C.1.（a）和（c）项的规定。

俄罗斯的措施不属于《SPS协定》第5.7条规定的临时措施。

俄罗斯的涉案措施未经过风险评估，不符合《SPS协定》第5.1条和第5.2条项下的义务。

因俄罗斯未进行风险评估，未在评估非洲猪瘟的进入和传播时考虑《SPS协定》列举的相关因素，针对欧盟的进口禁止措施和针对欧盟成员国的进口禁止措施违反《SPS协定》第5.3条。

因涉案措施对贸易的限制超过了适当的保护水平，因此实施针对欧盟的进口禁止措施和针对欧盟

成员国的进口禁止措施违反了《SPS 协定》第 5.6 条的规定。

因涉案措施在相同或相似条件的成员间造成了歧视，同时对国际贸易造成了变相的限制，因此违反了《SPS 协定》第 2.3 条的第一句和第二句。

专家组对欧盟关于《SPS 协定》第 5.5 条的诉请行使了司法经济，同时因欧盟未对透明度诉请建立初步证据而未对透明度问题做出裁决。

2016 年 9 月 23 日，俄罗斯提出上诉。2016 年 9 月 28 日，欧盟提出交叉上诉。目前，本案正在上诉审理阶段。

（三）巴西诉印度尼西亚鸡肉及鸡类产品进口限制措施案（DS484）

2014 年 10 月 16 日，巴西就印度尼西亚对于特定家禽肉及其制品采取的进口限制措施，向印度尼西亚提出磋商请求。巴西指称印度尼西亚的涉案措施不符合其承担的 WTO 协定义务，包括：《SPS 协定》第 2.2 条、第 2.3 条、第 3.1 条、第 5.1 条、第 5.2 条、第 5.5 条、第 5.6 条、第 8 条及附件 C；《TBT 协定》第 2.1 条、第 2.2 条、第 2.4 条、第 5.1 条及第 5.2 条；《农业协定》第 4.2 条及第 14 条；《进口许可程序协定》第 1.3 条、第 3.2 条及第 3.3 条；《装运前检验协定》第 2.1 条及第 2.15 条；GATT1994 第 3.4 条、第 10.1 条、第 10.3 条及第 11.1 条。

2015 年 10 月 15 日，巴西提交了设立专家组请求。2015 年 12 月 3 日，专家组设立。阿根廷、澳大利亚、加拿大、智利、中国、欧盟、印度、日本、韩国、新西兰、挪威、阿曼、巴拉圭、卡塔尔、俄罗斯、泰国、中国台北、越南和美国保留作为第三方参与案件的权利。2016 年 2 月 22 日，巴西请求总干事指定专家组成员。2016 年 3 月 3 日，专家组组成。目前该案仍在专家组审理阶段。

（四）日本诉韩国放射性核物质进口限制、检测和认证要求措施案（DS495）

2015 年 5 月 21 日，日本就韩国对放射性核物质的进口限制、检测和认证要求措施，向韩国提出磋商请求。日本指称韩国在 2011 年 3 月福岛核电站事故后对日本特定食品的进口禁令、对特定核物质附加的测试和认证要求以及《SPS 协定》项下的透明度义务的不作为，违反了《SPS 协定》第 2.2 条、第 2.3 条、第 4 条、第 5.1 条、第 5.2 条、第 5.5 条、第 5.6 条、第 5.7 条、第 5.8 条、第 8 条及附件 B 第 1 段和第 3 段、附件 C 第 1（a）段、第 1（c）段、第 1（e）段和第 1（g）段，及《1994 年关税与贸易总协定》第 23.1 条。

2015 年 8 月 20 日，日本请求设立专家组。2015 年 9 月 28 日，专家组设立。中国、欧盟、危地马拉、印度、新西兰、挪威、俄罗斯、中国台北和美国保留作为第三方参与案件的权利。

2016 年 1 月 27 日，日本请求总干事指定专家组成员。2016 年 2 月 8 日，专家组组成。目前本案仍在专家组审理阶段。

（商务部条约法律司）

中国参加WTO/TBT和SPS例会简况

2015年，中国参加世贸组织技术性贸易壁垒委员会（WTO/TBT）和卫生与植物卫生措施委员会（SPS）共6次例会。

一、主动应对，加强对国外技术性贸易措施的交涉力度

深入研究，运用WTO规则，对其他成员“美国变更鲶鱼进口监管机构”、“欧盟信息安全领域通用准则认证（CC认证）”等技术性贸易措施提出了12次具体贸易关注，要求制定措施的成员对不符合WTO规则的内容进行修改和调整，取得了一定效果。

二、协调一致，就其他成员对中国技术性贸易措施的关注做好增信释疑工作

加强相关部门之间的沟通，认真分析并解释和回应了WTO其他成员对我“关于应用安全可控信息技术加强银行业网络安全和信息化建设的指导意见”、“因疯牛病对牛肉及产品进口禁令”等技术性贸易措施提出的39次具体贸易关注，尽量消除外方误解，减少贸易摩擦，努力创造良好的外部营商环境。

三、积极参加公共议题的讨论

中国积极参加TBT委员会“良好规制实践”、SPS委员会“私营标准”等公共议题的讨论。提出平衡推动TBT和SPS两个委员会关于两个议题一揽子解决的建议，推动新规则的谈判。首次提出举办“能效标准研讨会”的建议，主动发出中国声音。

四、大力宣传中国负责任大国形象

2015年11月，TBT委员会举办了纪念WTO成立20周年的研讨会。WTO总干事阿泽维多到会致辞。商务部世贸司刘统骅商务参赞应邀做主题发言，介绍了中国从2001年加入WTO初期全面培训规则，到变为最活跃成员之一的历程，分享了中方的应对工作经验，呼吁进一步加强对发展中成员的特殊差别待遇和参与委员会工作的支持。中方发言得到WTO秘书处和成员的广泛好评。

（商务部世界贸易组织司）

第四篇　中国大陆与港、澳、台

与香港、澳门 WTO 事务

1995 年 1 月 1 日，世界贸易组织成立。香港、澳门作为关贸总协定缔约方，成为其创始成员。2001 年 12 月，中国内地以国家主体身份加入了世界贸易组织。从多边层面看，在世界贸易组织框架下，内地与港澳是平等的成员；从国内层面看，内地与港澳地区之间的经贸关系是国家主体与其单独关税区之间的关系。

2001 年底，在内地正式成为世界贸易组织成员之初，香港特区政府即提出，希望在内地与香港之间建立自由贸易区，以便香港能够充分借助中国内地“入世”后的过渡期，先行进入内地市场。2002 年 1 月，内地与香港就建立内地与香港自由贸易区在北京进行了首次磋商，将两地未来的合作模式定位为更紧密经贸关系安排。

2003 年 6 月 29 日，《内地与香港关于建立更紧密经贸关系的安排》（CEPA，以下简称《安排》）及其 6 个附件在香港签署。同年 10 月，内地与澳门也签署了《安排》。2004 年 1 月 1 日，《安排》正式实施。此后的 2004—2013 年，内地又分别与香港、澳门相继签署了十个《安排》补充协议。内地与香港、澳门《关于建立更紧密经贸关系的安排》的内容主要包括货物贸易、服务贸易、贸易投资便利化和加强经济技术合作。在货物贸易领域，自 2006 年 1 月 1 日起，内地与港澳已经全面实现了自由化，即内地对原产于港澳的产品全部实行零关税。在服务贸易领域，截至《〈关于建立更紧密经贸关系的安排〉补充协议十》，内地对香港、澳门在服务贸易领域累积采取的开放措施分别达 403 和 383 项。

2014 年 12 月 18 日，内地与香港、澳门分别签署《〈安排〉关于内地在广东与香港基本实现服务贸易自由化的协议》和《〈安排〉关于内地在广东与澳门基本实现服务贸易自由化的协议》（以下简称《广东协议》）。这是内地首次以准入前国民待遇加负面清单的方式开放服务贸易领域的自由贸易协议，由以往完全的正面清单转变为以负面清单为主、以正面清单为辅的开放模式，开放模式有了根本性的改变。内地通过《广东协议》在《安排》框架下进一步对香港、澳门扩大开放，将香港、澳门经济纳入国家发展全局中谋划。广东省对香港、澳门探索建立健全与负面清单管理模式相适应的相关配套制度，在落实好广东对香港、澳门基本实现服务贸易自由化的同时，也为内地进一步深化改革、通过开放促进自身体制机制改革探路。

2015 年 11 月底，内地与港澳分别签署了《〈安排〉服务贸易协议》，这是内地首次在全境范围内以准入前国民待遇加负面清单为主要方式（个别领域为正面清单）全面开放服务贸易领域的自由贸易协议，标志着内地全境与港澳基本实现服务贸易自由化。《〈安排〉服务贸易协议》在总结《广东协议》先行先试经验的基础上，在内地全境进一步扩大对港澳服务业的开放，主要有以下特点：

一是开放力度大、水平高。内地对港澳开放服务部门均达到 153 个，涉及世界贸易组织 160 个服务部门的 95.6%，其中 62 个部门实现国民待遇。使用负面清单的领域，限制性措施仅 120 项，且其中的 28 项限制性措施进一步放宽了准入条件。跨境服务、文化、电信等使用正面清单的领域，对港澳分别新增开放措施 28 项和 20 项，其中对港澳累计开放个体工商户行业均达 135 个。

二是明确在内地全境给予港澳最惠待遇，即今后内地与其他国家和地区签署的自由贸易协定中，只要有优于《安排》的市场准入措施均将适用于港澳。

三是进一步建立健全与负面清单模式相适应的配套管理制度，除了《〈安排〉服务贸易协议》保留的限制性措施及电信、文化领域的公司，金融机构的设立及变更外，港澳服务提供者在内地投资《〈安排〉服务贸易协议》开放的服务贸易领域，其公司设立及变更的合同、章程审批改为备案管理，以更加便利港澳业者进入内地市场。

《安排》是中国国家主体与其单独关税区之间建立的具有自由贸易区性质的经贸安排，也是内地对外签署、全面实施并接受世界贸易组织审议的最早的自由贸易协议之一。既遵循“一国两制”方针，也符合世界贸易组织规则。《安排》的实施，逐步减少了内地与港澳在经贸交流中的体制性障碍，加速了相互间资本、货物、人员等要素的便捷流动，对内地的改革开放、港澳经济的发展以及内地与港澳的经贸交流起到了积极促进作用；推动了内地经济建设和现代服务业发展，促进了内地与港澳经济互动；有利于充分发挥“两制”的优势，推动内地与港澳共同开拓国际市场。《安排》还为内地商签其他自由贸易协议起到了示范和借鉴作用。

（商务部台港澳司）

与中国台北 WTO 事务

2001 年 12 月 11 日，中国大陆正式加入世界贸易组织，成为其第 143 个成员。2002 年 1 月 1 日，台湾地区以“台澎金马单独关税区”（简称“中国台北”）的名义加入世界贸易组织。两岸由此在世贸组织框架下开启了相关问题的协商与互动，台先后三次参与了世贸组织对我贸易政策审议，我参与了两次世贸组织对台贸易政策审议。

2010 年 6 月 29 日，海峡两岸关系协会与台湾海峡交流基金会在重庆签署了《海峡两岸经济合作框架协议》（ECFA，简称《框架协议》）。《框架协议》包括序言和 5 章 16 条及 5 个附件，基本涵盖了两岸间的主要经济活动，是遵循世界贸易组织规则和平等互惠原则，并结合两岸经济发展的实际状况和特点而签署的综合性、具有两岸特色的经济合作协议。

2011 年 1 月 1 日，《框架协议》早期收获全面实施，大陆对 539 项原产于台湾的产品逐步降低或取消关税，在 11 个服务行业对台实施更加开放的政策措施；台对 267 项原产于大陆的产品实施降税，在 9 个服务行业对大陆进一步放开。2011 年 5 月 6 日，中国大陆和台湾分别致函世贸组织秘书处，就《框架协议》向世贸组织进行了早期通告。

《框架协议》签署后，两岸陆续启动了货物贸易、服务贸易、投资保护、争端解决这四个后续协议的磋商工作。2012 年 8 月 9 日，海协会与海基会在台北签署了《海峡两岸投资保护和促进协议》（简称《投保协议》）。从实体权益看，两岸《投保协议》规定了一般投保协议通常包括的重要实体条款，包括投资定义、投资待遇、征收、损失补偿、代位、转移等，同时还就投资者人身安全保护和第三地转投资做了专门规定。从程序权利看，两岸《投保协议》为两岸投资者设计了一套行之有效的争端解决体系，这也是该协议的最大亮点之一。具体体现在如下方面：一是特别纳入了投资商事争议仲裁条款；二是为投资者与投资所在地一方的争端解决设计了多层次、多渠道的五种争端解决方式，包括争端双方友好协商解决、协调机制协调解决、投资争端协处机制协助解决、提交两岸投资争端解决机构通过调解方式解决、通过行政复议或司法程序解决等。《投保协议》有利于保护两岸投资者权益，逐步减少投资限制，创造公平的投资环境，促进两岸双向投资。作为《框架协议》生效后第一个完成商谈并成功签署的后续协议，它对两岸经贸领域制度化合作具有承前启后的重要作用。

2013 年 6 月 21 日，海协会与海基会在上海签署《海峡两岸服务贸易协议》（以下简称《服贸协议》），这也是《框架协议》生效后第二个完成商谈并成功签署的后续协议。《服贸协议》旨在逐步减少或消除两岸间的服务贸易限制性措施，促进两岸间服务贸易自由化，扩大两岸民众的受惠面，是两岸间签署的首个服务贸易自由化协议。服贸协议中，大陆方对台方开放涵盖 40 多个行业，共 80 条措施，其中 78 条（占总出价条数的 97.5%）超出大陆入世承诺水平。台方对大陆方开放共 64 条措施，其中 20 条（占 31%）超出其入世承诺水平，实现了自由化；23 条（占总出价条数的 36%）达到其入世承诺水平，实现了正常化；21 条（占 33%）低于其入世承诺水平，未实现正常化。但由于台湾岛内人为阻挠，《服贸协议》至今未通过台“立法院”审议，尚未生效实施。

（商务部台港澳司）

与港、澳、台经贸关系

（一）内地与港澳经贸关系

1. 内地与港、澳经贸交流情况

（1）货物贸易

2015 年，内地与香港贸易额为 3443.4 亿美元，同比减少 8.3%；其中，内地对香港出口为 3315.7 亿美元，同比减少 8.7%；自香港进口为 127.7 亿美元，同比上升 1.2%。香港是内地第四大贸易伙伴和第三大出口市场。

2015 年，内地与澳门贸易额为 47.8 亿美元，同比增长 25.1%。其中，内地对澳门出口为 45.9 亿美元，同比增长 27.4%；自澳门进口为 1.9 亿美元，同比减少 12.7%。

（2）服务贸易

2015 年，内地与香港服务贸易额 1225.6 亿美元，香港是内地第一大服贸伙伴。其中，内地对香港出口 551.6 亿美元，香港是内地第一大服贸出口目的地；内地自香港进口 674 亿美元，香港是内地第二大服贸进口来源地。

2015 年，内地与澳门服务贸易额 237.6 亿美元，澳门是内地第七大服贸伙伴。其中，内地对澳门出口 37.1 亿美元，澳门是内地第十一大服贸出口目的地；自澳门进口 200.5 亿美元，澳门是内地第五大服贸进口来源地。

（3）内地吸收港澳投资情况

截至 2015 年年底，内地累计批准港资项目 386 213 个，实际利用港资 8333.3 亿美元。按实际使用外资统计，港资在内地累计吸收境外投资中占 50.7%，香港是内地吸收境外投资的最大来源地。内地累计批准澳资项目 14398 个，实际利用澳资 127.9 亿美元，澳资在内地累计吸收境外投资中占 0.8%。

（4）内地赴港澳投资情况

截至 2015 年底，内地对香港非金融类累计直接投资为 4059.6 亿美元，占内地对外非金融类累计直接投资存量总额的 53.1%。香港是内地最大的境外投资目的地，内地累计对澳门非金融类直接投资 17.2 亿美元。

2. 对港、澳经贸领域成就

成功签署内地与香港、澳门《安排》及十个补充协议、《安排〈服务贸易协议〉》，内地与港澳基本实现服务贸易自由化，取得积极成果。

2003 年，内地与香港、澳门特区政府分别签署了内地与港、澳《安排》，开启了两地经贸往来的新篇章。此后的 2004—2013 年，两地又陆续签署了十个《安排》补充协议，形成了对港澳较为系统的开放体系，2014 年 12 月签署了《内地与香港（澳门）CEPA 关于内地在广东与香港（澳门）基本实现服务贸易自由化的协议》，并于 2015 年 11 月底，签署了内地与港澳《〈安排〉服务贸易协议》，这是内地首次在全境范围内以准入前国民待遇加负面清单为主要方式（个别领域为正面清单）全面开放服务贸易领域的自由贸易协议，标志着内地全境与港澳基本实现服务贸易自由化。

在货物贸易领域，据中国海关统计，2015 年，《安排》项下内地进口香港零关税货物 10.4 亿美元，同比下降 12.6%；关税优惠 6.1 亿元人民币，同比下降 3.2%。截至 2015 年年底，内地累计进口香港《安排》项下货物 95.1 亿美元，关税优惠 52.8 亿元人民币。截至 2015 年年底，香港共签发 134 860 份原产地证书，货物离岸价总值为 748.5 亿港元。

据中国海关统计，2015 年，《安排》项下内地进口澳门零关税货物 1298.6 万美元，同比下降 17.5%；关税优惠 511.2 万元人民币，同比下降 20.3%。截至 2015 年年底，累计进口澳门《安排》项下受惠货物 9578.6 万美元，关税优惠 4929.5 万元人民币。截至 2015 年年底，澳门共签发 3787 份原产地证书，总出口额 6.7 亿澳门元。

在服务贸易领域，截至 2015 年年底，香港工贸署共签发香港服务提供者证明书 2970 份。其中运输服务及物流服务共签发证明书 1369 份，占核发总数的 46.1%。

截至 2015 年年底，澳门经济局核发 592 张“澳门服务提供者证明书”，主要涉及货代、物流、运输、仓储、会议及展览等领域。

在金融领域，截至2015年底，香港共有225家银行开办人民币业务，香港人民币存款总额8511亿元。

截至2015年年底，澳门共有23家银行开办人民币业务；澳门人民币存款总额633.2亿元。

在个体工商户方面，截至2015年底，内地注册香港个体工商户7766户，从业人员21 778人，资金数额7.2亿元。

截至2015年年底，内地共注册澳门个体工商户1219户，从业人员3042人，资金数额9595.1万元。

在个人游方面，2015年，内地赴港“个人游”旅客2794.2万人次，占内地赴港旅客61%。2003年7月至2015年12月底，内地赴港“个人游”旅客累计1.9亿人次，占内地赴港旅客的61.4%（同期内地赴港旅客为3.1亿人次）。

2015年，内地赴澳“个人游”旅客951.9万人次，占内地游客总数的46.6%。2003年7月至2015年12月底，内地赴澳“个人游”旅客累计达8209万人次，占内地游客总数的42.9%（同期内地赴澳旅客为1.9亿人次）。

（二）大陆与台湾经贸关系

1. 大陆与台湾经贸交流情况

（1）货物贸易

据海关统计，2015年两岸贸易额为1885.6亿美元，同比下降4.9%。其中，大陆对台出口449亿美元，同比下降3.0%；自台湾进口为1436.6亿美元，同比下降5.5%；大陆对台逆差987.6亿美元。台湾是大陆第七大贸易伙伴和第六大进口来源地，大陆是台湾最大的贸易伙伴和贸易顺差来源地。

（2）服务贸易

2015年，大陆与台湾服务贸易额209.6亿美元，台湾是大陆第十一大服贸伙伴。其中，大陆对台湾出口131.7亿美元，台湾是大陆第六大服贸出口目的地；自台湾进口77.9亿美元，是大陆第十大服贸进口来源地。

（3）大陆吸收台资情况

截至2015年年底，按投资者注册地统计，大陆累计批准台资项目9.5万个，实际使用台资626.9亿美元。台湾是大陆第七大境外投资来源地。按实际使用外资统计，台资占大陆累计实际吸收境外投资总额的3.8%。若加上台商经第三地的转投资，大陆累计实际使用台资约1100多亿美元。

（4）大陆赴台投资情况

自台湾2009年6月30日开放陆资入岛起计算，截至2015年年底，经商务部批准，大陆已有309家非金融企业赴台设立了公司或代表机构，投资金额9.4亿美元。

2. 对台经贸领域的成就

《海峡两岸经济合作框架协议》由海峡两岸关系协会与台湾海峡交流基金会于2010年6月29日在重庆签署，是两岸遵循世界贸易组织规则，结合两岸经济发展的实际状况和特点，按照平等、互惠原则签署的特殊的经济合作协议。《框架协议》早期收获于2011年1月1日全面实施。早期收获实施的覆盖面广，效果明显，普遍惠及两岸民众。

货物贸易领域，截至2015年年底，自台进口方面，大陆对台累计减免关税约177.0亿元人民币；对台出口方面，大陆对台出口享受的减免关税约为3.1亿美元。大陆对台减免关税与台对大陆减免之比为9∶1。

服务贸易领域，截至2015年年底，共有49家台湾金融企业和396家台湾非金融企业利用早期收获优惠政策在大陆提供服务，并已核准引进27部台湾电影片，上映23部。

（商务部台港澳司）

第五篇　与 WTO 主要成员经贸关系

中国与美国的经济贸易关系

中美经贸关系是中美关系的重要组成部分。作为世界上最大的发展中国家和最大的发达国家，中美两国在自然以及人力资源、市场、资金、技术等方面具有很强的互补性。2015年，中美经贸合作继续深化发展，两国间高层经贸对话频繁，贸易和投资继续保持增长，双边经贸合作的领域不断拓宽，双方从经贸领域推动构建新型大国关系的努力取得了新的进展。

一、两国元首会晤和高层经贸对话引领中美经贸合作方向

2015年9月，习近平主席对美国进行了成功的历史性访问，两国元首一致同意继续努力构建基于相互尊重、合作共赢的中美新型大国关系，为双边经贸关系发展指明方向。年内，双方先后成功举行了第七轮中美战略与经济对话和第26届中美商贸联委会，就重点经贸关注深入沟通，达成了诸多共识。这些高层经贸对话和交流，确保中美经贸合作在正确的轨道上健康稳定发展。

二、两国贸易投资规模继续扩大

（一）双边贸易

据中方统计，2015年，中美贸易额5583.9亿美元，同比上升0.6%。其中，中国自美进口1487.4亿美元，同比下降6.5%；对美出口4096.5亿美元，同比上升3.4%；中方顺差2609.1亿美元，同比增长10.1%。2015年，美国是我第二大贸易伙伴、第一大出口市场、第四大进口来源地。

据美方统计，2015年，中美货物贸易额6188.8亿美元，同比上升1.4%。其中，美自华进口额5026.9亿美元，同比上升3.4%；对华出口额1161.9亿美元，同比下降6.1%；美对华贸易逆差额3865亿美元，同比上升6.6%。2015年，中国首次成为美国第一大贸易伙伴，并保持美第三大出口市场，第一大进口来源地的地位。

（二）双向投资

多年来，中美在投资领域进行了卓有成效的合作。2015年，中国新批设立美资企业1241家，较上年同期上升5.5%，占中国当年新批外资企业数的4.7%；实际使用美资金额20.9亿美元，较上年同期下降11.9%（以上数据不含美国通过自由港对华投资的数据），占中国当年实际使用外资金额的1.7%。美国是中国主要外资来源地之一，在中国外资来源地中居第六位，列中国香港、英属维尔京群岛、新加坡、韩国和日本之后。

与此同时，中国在美国的投资保持快速增长的势头。2015年，中国企业在美非金融类直接投资83.9亿美元，同比增长60.1%，占同期中国对外非金融类直接投资（1180.2亿美元）的7.1%。截至2015年底，中国企业在美累计非金融类直接投资316.5亿美元，占中国累计对外非金融类投资金额的3.7%。中国企业在美累计直接投资466.2亿美元，占中国累计对外直接投资金额的4.6%。2015年当年，美国居中国对外直接投资流向的第三位。

三、两国经贸合作日益深入，领域继续拓宽

2015年，中美省州经贸合作取得新进展，商务部会同相关省（市）与美国密歇根州、华盛顿州建立贸易投资合作联合工作组；两国商务部签署关于建立促进中美地方贸易投资合作框架的谅解备忘录。中国商务部和美国国际发展署签署关于中美发展合作及建立交流沟通机制的谅解备忘录，提升了两国在国际发展领域的交流与合作的水平，丰富了中美双边关系的内涵。在多边领域，两国在全球治理和国际贸易新规则制定方面共同发挥引领作用，推动在内罗毕举行的世贸组织第10次部长级会议取得多项成果，成功结束《信息技术协定》扩围谈判，并在《环境产品协定》谈判中保持密切协调。双方在共同应对气候变化、推动IMF份额改革和人民币“入篮”等多个领域协调立场、保持沟通，树立了大国合作的范例。

四、合作共赢仍是中美经贸关系的主流

2015 年美方对中国《国家安全法》《反恐怖主义法》《境外非政府组织管理法》等涉及国家安全的法律法规，以及银监会、保监会等部门出台的信息技术政策、农业生物技术审批、反垄断执法等表达了关注。中方则在出口管制、平等对待中国企业赴美投资、取消反倾销调查中的“替代国”做法等问题上要求美方推动解决。总体看，中美两国在发展阶段和经济结构上的互补性，决定了双方经贸合作互利共赢的本质。中美经贸关系共同利益大于分歧的格局不会改变，两国在经贸领域合作不断深化、利益更加融合的趋势不会改变。双方应相向而行，共同努力管控分歧，扩大共同利益，促进双边经贸关系稳定健康发展，推动“不冲突、不对抗、相互尊重、合作共赢”的新型大国关系不断取得新的进展。

（商务部美大司）

中国与加拿大的经济贸易关系

2015年，中加经贸关系稳步发展。双方高层互访频繁，各层级交流不断增多。2015年11月，习近平主席同加拿大总理特鲁多在土耳其安塔利亚会见，两国领导人在经贸领域达成一系列重要共识。

一、双边贸易稳步增长

据中方统计，2015年，中加双边贸易额556.9亿美元，同比增长0.9%。其中，中国对加出口294.4亿美元，自加进口262.5亿美元，同比分别下降1.9%和增长4.2%。中国对加出口的主要商品为：机械设备、电器及电子产品、计算机及通信技术产品、服装、家具、电话机、纺织品和农产品；中国从加进口的主要商品为：农产品、机电产品、纸浆、锯材、电子产品、铁矿砂、铜矿砂。

据加方统计，2015年，加中贸易额780亿加元，同比增长10%，占同期加对外贸易总额的8.1%。其中，加自华进口656.5亿加元，同比增长12%。加对华出口202.2亿加元，同比增长4.4%。中国是加拿大的第二大贸易伙伴、第二大进口来源地和第二大出口市场。

二、双向投资持续发展

加拿大是中国外资的重要来源地之一。2015年，加拿大在华投资新设立企业378家，实际使用外资金额2.2亿美元。截至2015年底，加拿大累计在华投资设立企业约1.4万家，累计实际使用外资金额98.8亿美元。加拿大在华投资项目在沿海发达地区、中部地区和西部地区均有分布。投资的行业主要有：旅游、通信、电力、矿业和房地产等。

2015年，中国企业对加拿大非金融类直接投资11亿美元。截至2015年年底，中国企业对加拿大直接投资累计88.9亿美元。涉及的行业主要有采矿业、金融业、租赁和商务服务业、制造业、批发和零售业等。

（商务部美大司）

中国与拉美国家的经济贸易关系

2001年12月11日，中国正式成为世界贸易组织成员后，中国和拉美地区国家经贸合作进入快速发展阶段。目前，中拉经贸合作的规模持续扩大、领域不断拓宽，已形成了相互倚重、共同发展的经贸关系格局。中拉经贸合作已经成为推动中拉关系发展的最重要的推动力之一。

2016年是中国入世第十五周年，中拉经贸关系呈现以下特点：

一、中拉经贸关系进入整体合作新阶段

2014年7月，习近平主席访问拉美期间，与拉美和加勒比国家领导人会晤，共同宣布建立中拉平等互利、共同发展的全面合作伙伴关系，同时宣布建立中拉论坛。2015年1月，中国—拉美和加勒比国家在北京召开中拉论坛首届部长级会议，标志着中拉关系进入整体合作的新阶段。

中拉论坛下设若干分论坛。商务部牵头发起了中拉基础设施合作论坛，每年在澳门举办。第二届中拉基础设施合作论坛于2016年6月在澳门成功举办，来自国内外政府部门、金融机构、行业协会以及企业界人士逾700人参加了论坛。

二、中国对拉美地区国家的高层访问巩固了双方政治互信，夯实了中拉经贸合作的基础

2014年习近平主席访问拉美期间，中方倡议共同构建“1+3+6”合作新框架，即以一个《中国与拉美和加勒比国家合作规划》，以贸易、投资和金融合作为三大引擎，以能源资源、基础设施建设、农业、制造业、科技创新、信息技术六大领域为合作重点，推进中拉产业对接。2015年5月，李克强总理对拉美国家进行了访问，提出中拉产能合作“3×3”模式，即：共同建设物流、电力、信息三大通道；实现企业、社会、政府三者良性互动的合作方式；拓展基金、信贷、保险三条融资通道。

在上述两次访问期间，中方还宣布了一系列包括基金、优惠性贷款、基础设施专项贷款等共计约850亿美元的金融举措，它们将推动中拉在各领域特别是经贸领域的合作发展。

三、中拉贸易保持发展，中国已成为拉美许多国家的重要贸易伙伴

进入21世纪以来，中拉贸易快速发展。2000年，中拉贸易仅100多亿美元，2007年就超过了1000亿美元，2011年又快速攀升到2000亿美元。但是，从2012年开始，受国际市场需求下降和大宗产品价格下降的影响，中拉贸易增速有所放缓。2015年出现负增长，当年中拉贸易额为2365亿美元，同比下降10.3%。2016年1月至7月，中拉贸易额为1199.7亿美元，同比下降11.7%，预计全年仍将有两位数的负增长。

按照2015年统计，拉美地区（不含加勒比建交国家）的12个建交国中，中国是其第一大贸易伙伴的有4个：巴西、智利、乌拉圭、秘鲁；中国是其第二大贸易伙伴的有7个：墨西哥、委内瑞拉、阿根廷、哥伦比亚、厄瓜多尔、哥斯达黎加、古巴；中国是玻利维亚第四大贸易伙伴。

四、中国对拉美国家投资和工程承包业务持续增长，成为中拉经贸合作发展的重要推动力量

中国在拉美国家的投资和工程承包业务呈现了持续增长势头。截至2014年年底，中国在拉美的直接投资存量首次超过1000亿美元。根据初步估算，截至2016年上半年，中国对拉美直接投资将会达到1400亿美元左右。中方企业在拉美投资的方式日益多元，投资领域不断扩大。

同时，由于拉美国家认识到基础设施对本国经济发展的促进和带动作用，近年来纷纷加大了对基础设施领域的投入。中国企业拥有成熟的设备、技术和管理经验等优势，在拉美工程承包领域取得了不俗的成绩。截至2015年年底，中国对拉美地区工程承包业务累计签订合同额1292.5亿美元，同

比增长16.3%；完成营业额839.9亿美元，同比增长24.3%。但是与亚洲和非洲地区相比，中国在拉美地区的工程承包业务的规模仍有较大差距。

五、自贸协定的签署促进了双边经贸关系的发展

中国加入世界贸易组织以来，中国与拉美地区国家在多边贸易体制框架下的经贸关系发展迅速。同时，中国本着开放的态度积极与拉美国家商签自贸协定。截至目前，中国已与秘鲁、智利和哥斯达黎加签署了自由贸易协定。中国正与哥伦比亚就何时启动自贸协定的可行性研究进行探讨。

（商务部美大司）

中国与智利的经济贸易关系

一、双边经贸关系概况

中智经贸合作基础良好。智利是第一个与中国建交的南美国家，也是第一个同中国签署关于中国加入世贸组织双边协议、第一个宣布承认中国完全市场经济地位、第一个与中国签署自贸协定和第一个设立人民币离岸结算中心的拉美国家。

两国迄今签有的经贸类政府间协议主要有：政府贸易协定（1971 年 4 月）、关于鼓励和相互保护投资协定（1994 年 3 月）、关于中国加入世贸组织的双边协定（1999 年 11 月）、自由贸易协定（2005 年 11 月）、自由贸易协定关于服务贸易的补充协定（2008 年 4 月）、自由贸易协定关于投资的补充协定（2012 年 9 月）、避免双重征税协定（2015 年 5 月）等多项经贸协定。

二、双边贸易

智利是中国在拉美的重要贸易伙伴。自 2006 年中智自贸协定实施以来，双边贸易关系日益密切，中国已稳居智利第一大贸易伙伴地位。

近年来，受世界经济不景气和大宗商品价格下跌等因素影响，中智双边贸易增长势头有所放缓。据中国海关统计，2015 年双边贸易总额 318.8 亿美元，同比下降 6.4%。其中，中方出口 132.9 亿美元，同比增长 2.1%；进口 185.9 亿美元，同比下降 11.7%。

中国对智利主要出口机电产品、纺织品、钢材和家电等商品，主要进口铜、铁矿砂、纸浆、鱼粉、水果和葡萄酒等商品。智利是中国铜矿砂及其精矿的第一大进口来源国，鲜、干水果及坚果的第二大进口来源国，饲料用鱼粉和葡萄酒的第三大进口来源国以及纸浆的第五大进口来源国。

三、双边经济合作

（一）相互投资

根据商务部统计，截至 2015 年年底，智利累计在华投资项目 173 个，实际使用外资金额 1.42 亿美元，主要涉及航运、服装、化工、建材、食品和金属加工等领域。

根据中国对外直接投资统计公报，截至 2014 年年底，对智利直接投资存量 1.96 亿美元。2015 年中国对智利非金融类直接投资 727 万美元。中国对智利投资主要涉及采矿业、租赁和商务服务业、信息传输/软件/信息服务业、住宿和餐饮业等行业。

（二）承包工程合作

根据商务部统计，截至 2015 年年底，中国企业在智利累计签订承包工程合同额 13.8 亿美元，完成营业额 10.5 亿美元。主要涉及水电、交通基础设施建设、住房、城市排水、通信等项目。

四、中智经贸混委会

根据 1971 年中智两国政府签订的贸易协定，双方成立了经贸混委会机制，迄今已举行 20 次会议。商务部是该机制的中方牵头单位。中智经贸混委会框架下设有中智自贸区委员会和中智企业家委员会。

五、中智自由贸易协定

中智自贸协定于 2005 年 11 月签署，2006 年 10 月开始实施，主要覆盖货物贸易合作等。随后，双方又分别于 2008 年 4 月和 2012 年 9 月先后签署并实施了关于服务贸易的补充协定和关于投资的补充协定。

目前，中智自贸协定已完成所有降税安排，中方取消了 97%的产品关税，智方取消了 98%的产品关税。

（商务部美大司）

中国与秘鲁的经济贸易关系

一、双边经贸关系概况

自1971年建交以来，中秘双边经贸关系发展顺利。迄今为止，秘鲁是唯一一个与中国既建有“全面战略伙伴关系”，又签有一揽子自贸协定的拉美国家。目前，秘鲁是中国在拉美的前五大贸易伙伴之一，中国是秘鲁全球第一大贸易伙伴、第一大出口市场和第一大进口来源国。

1994年6月，两国签署关于鼓励和相互保护投资协定。2004年12月，秘宣布承认中国市场经济地位。2009年4月，中秘签署双边自贸协定，2010年3月，双边自贸协定正式生效。2013年4月，中秘正式建立全面战略伙伴关系。

二、双边贸易

近年来，双边贸易稳定增长。2015年，秘鲁是中国在拉美的第五大贸易伙伴。据中国海关统计，2015年中秘贸易总额144.7亿美元，同比增长1.1%，其中中国向秘鲁出口63.5亿美元，同比增长4.2%；进口81.2亿美元，同比下降1.2%。中国向秘鲁主要出口机电产品、高新技术产品、钢铁板材等产品；中国自秘鲁主要进口铜精矿、农产品和鱼粉等。

三、双边经济合作

（一）双向投资

秘鲁是中国在拉美地区的重要投融资对象国。根据中国对外直接投资统计公报，截至2014年年底，中国对秘鲁直接投资存量为9.08亿美元。2015年中国对秘鲁非金融类直接投资6969万美元。中国对秘鲁投资主要分布在采矿业（占97.3%）、批发和零售业（占1.5%）、农林牧渔业（占0.5%）、科学研究和技术服务业（占0.2%）、金融业（占0.2%）等行业。目前，中国已成为秘鲁最大矿业投资来源国。

根据商务部业务统计，2015年秘鲁在华投资新项目10个，实际投入金额约28万美元。截至2015年年底，秘鲁在华投资项目183个，实际投资4376万美元，涉及电子、房地产、汽车零部件等行业。

（二）承包工程合作

秘鲁是中国在拉美地区的重要工程承包市场。2015年，中国企业在秘鲁新签承包工程合同额5.70亿美元，完成营业额6.26亿美元。截至2015年年底，中国在秘鲁签署承包工程合同额24.78亿美元，完成营业额27.46亿美元，主要涉及水电、交通基础设施建设、住房、城市排水、通信等项目。

四、经贸混委会机制

根据1988年签订的中秘两国政府经济技术合作基础协定，双方建立经贸混委会机制。该机制为副部或司局级。截至目前，中秘经贸混委会共召开过7次会议。最近一次于2015年4月在利马举行。

五、中秘自贸协定

中秘自贸协定于2009年4月28日签署，2010年3月1日开始实施，是中国在拉美继中智自贸协定后开始实施的第二个自贸协定。

中秘自贸协定覆盖领域广、开放水平高，是中国与拉美国家签订的第一个全面的自贸协定。在货物贸易方面，双方对各自90%以上的产品分阶段实施零关税。在服务贸易方面，双方共计100多个部门实现开放。在投资方面，双方相互给予对方投资者及其投资以准入后国民待遇、最惠国待遇和公平公正待遇，建立了以投资者—东道国仲裁为特色的投资争端解决机制。此外，双方还在原产地规则及与原产地有关的操作程序、海关程序及贸易便利化、贸易救济、卫生与植物卫生措施、技术性贸易壁垒、知识产权、合作等领域达成广泛共识。

（商务部美大司）

中国与欧盟的经济贸易关系

中国是世界上最大的发展中国家，欧盟是世界上最大的经济体，中欧互为重要的贸易伙伴。2015年是中欧建交40周年，在高层互访引领下，中欧进入了全面合作的新时期，贸易与投资蓬勃发展，金融合作深度融合，第三方和国际产能合作互利共赢，地方合作深耕细作，中欧经贸关系取得了丰硕成果，进一步充实了中欧全面战略伙伴关系的内涵。

一、双边贸易

据中方统计，欧盟连续多年保持中国第一大货物贸易伙伴、第一大进口来源地。受全球大宗商品价格大幅下降等多种因素影响，2015年中欧双边货物贸易额5648.5亿美元，下跌8.2%，与中国对外贸易整体发展势头基本一致。其中，中国对欧盟出口3559.7亿美元，下降4%；自欧盟进口2088.8亿美元，下降14.5%。中国顺差1470.9亿美元，扩大16.2%。德国、英国、荷兰、法国和意大利是中国在欧盟内的主要贸易伙伴，中国与这5个国家的贸易额约占中欧双边贸易总额的70%。

2015年中国出口欧盟的主要货物为机电产品、高新技术产品、服装和衣着附件、自动数据处理设备、电话机等商品，中国自欧盟进口的主要货物为机电产品、高新技术产品、汽车、农产品、医药品等商品。

二、双向投资

中欧互为重要的投资伙伴，双向投资潜力巨大。中欧投资协定谈判于2013年11月正式启动，2015年，双方完成了第4轮至第8轮谈判，实现了领导人设定的“在2015年年底前就协定范围达成一致，并形成合并文本”的目标。

（一）欧盟对华投资

自2015年起，欧盟超越日本，成为中国累计第三大实际投资来源地。据中方统计，截至2015年底，欧盟对华累计投资项目39 598项，实际投资966.3亿美元。2015年，欧盟对华投资项目1704个，同比增长13.7%；实际投资65.1亿美元，增长4.6%。从国别来看，2015年德国、英国、荷兰、法国、意大利为欧盟在华投资的主要国家。欧盟对华投资以制造业为主，主要集中在化学原料及化学品制造业、通信设备（含电子计算机和电子设备）、通用设备和专用设备制造等领域。

（二）中国对欧盟投资

近年来，中国企业对欧盟投资日渐活跃。据中方统计，截至2015年年底，中国对欧盟累计直接投资614.2亿美元。2015年，中国对欧盟非金融类直接投资72.2亿美元，下降26.3%。从国别看，2015年中国对欧盟投资主要分布在荷兰、卢森堡、德国、英国、瑞典等国。

三、技术引进

欧盟是中国累计最大技术引进来源地。截至2015年年底，中国累计自欧盟引进技术50 456项，合同金额1887.4亿美元。其中2015年，中国自欧盟引进技术2095项，合同金额75.2亿美元。

四、对话机制

中欧对话机制健全，交流渠道畅通。1979年中欧建立正部级经贸混委会，下设经贸、环保、能源和信息社会对话4个工作组及科技指导委员会，2015年双方举行了第29次经贸混委会。近年来，双方又相继建立了贸易与投资政策、竞争政策、知识产权等对话机制。

2007年，双方领导人达成共识，建立副总理级中欧经贸高层对话机制，迄今已成功举行5次对话。多层次、宽领域的对话和磋商机制为双方协调立场、处理分歧、促进合作提供了重要平台。

五、贸易摩擦

中国是欧盟贸易救济调查的重要目标。2012年以来，欧方对华动用贸易救济措施势头快速上升、影响范围不断扩大。2015年，欧盟对华共发起6起贸易救济调查，涉案金额约7.3亿美元，数量与往年基本持平，贸易摩擦总体得到有效管控。

六、其他领域合作

（一）金融合作

2015年，中欧金融合作进一步深化。英、法、德等17个欧洲国家相继加入亚洲基础设施投资银行，欧洲国家支持人民币纳入国际货币基金组织特别提款权货币篮子，欧洲复兴开发银行接纳中国为正式成员。

（二）第三方和国际产能合作

2015年，中欧第三方和国际产能合作取得积极进展。中法发表第三方市场合作联合声明，中广核与法国电力合作开发英国欣克利角核电项目，三峡集团、葡萄牙电力和德国福伊特在巴西共建水电项目。

（三）地方合作

2015年，中欧地方合作成果丰硕。中国商务部与英国商业、创新和技能部签署地方贸易投资合作谅解备忘录，设立联合工作组，启动中国与欧洲国家地方经贸合作机制。中德（太仓）企业合作基地吸引德国中小企业近300家。中国与德国、瑞士、奥地利、法国、意大利、芬兰生态园区项目稳步推进。

七、重要经贸往来

2015年1月，第4轮中欧投资协定谈判在布鲁塞尔举行。

2015年1月，第8次中欧贸易与投资对话在北京举行。

2015年3月，第5轮中欧投资协定谈判在北京举行。

2015年3月，第18次中欧经贸工作组会议在北京召开。

2015年6月，第6轮中欧投资协定谈判在布鲁塞尔举行。

2015年6月，第17次中欧领导人会晤及第10届中欧工商峰会在布鲁塞尔举行，提出将中国“一带一路”倡议和国际产能合作与欧洲投资计划对接，开创了中欧经贸关系发展的新局面。

2015年6月，中欧知识产权对话机制10周年纪念活动在布鲁塞尔举行。

2015年9月，第7轮中欧投资协定谈判在北京举行。

2015年9月，第5次中欧经贸高层对话在北京举行，双方就“一带一路”倡议与欧洲投资计划对接、中欧投资协定谈判和数字经济合作等达成广泛共识。

2015年10月，第29次中欧经贸混委会在布鲁塞尔召开。

2015年10月，第10次中欧竞争政策对话在北京举行。

2015年11月，第7次中欧贸易救济工作组会议在北京举行。

2015年12月，第8轮中欧投资协定谈判在布鲁塞尔举行。

（商务部欧洲司）

中国与英国的经济贸易关系

据中国海关统计，2015年中英双边贸易额为785.2亿美元，同比下降2.9%，其中中国向英国出口595.8亿美元，增长4.3%；自英国进口189.4亿美元，下降20.2%。主要进口产品有汽车、医药品、计量检测分析自控仪器及器具、原油、废金属、农产品、废纸、汽车零配件、集成电路、阀门等；主要出口产品有服装及衣着附件、自动数据处理设备及其部件、鞋类、家具及其零件、电话机、纺织纱线、织物及制品、灯具、照明装置及零件、塑料制品、箱包及类似容器等。

据中国商务部统计，截至2015年年底，英国在华投资项目8106个，实际投入197亿美元，中国对英累计实际投资166.3亿美元。2015年，英国在华新增投资项目342个，实际投入4.96亿美元。

截至2015年年底，中国自英技术引进累计合同金额达114.4亿美元。2015年，中国自英技术引进合同金额为4.1亿美元。

截至2015年年底，中国在英国承包工程合作项目累计合同额59.7亿美元，完成营业额41.4亿美元。2015年，中国在英国新签项目合同额17.2亿美元，完成营业额8.6亿美元。

截至2015年年底，中英经贸联委会已举行了11次会议。2014年5月，中国商务部部长高虎城与英国商业、技能和创新部大臣坎布尔在北京共同主持了第11次会议。

2015年中国与英国的高层互访主要有：10月，习近平主席访英。

中国与英国经贸合作中的主要问题是：加强中英地方贸易投资合作，加强中英第三方合作，推动中欧自由贸易区可行性研究，放宽欧盟对华高技术产品出口限制，促进对英投资便利化，加强服务贸易和知识产权保护领域合作，加强中英核电、高铁合作。

（商务部欧洲司）

中国与德国的经济贸易关系

近年来，中德双边关系发展进入加速期，两国高层交往频繁。2014 年 3 月，习近平主席访德期间，中德建立了全方位战略伙伴关系；同年 10 月，李克强总理访德期间，两国发布了《中德合作行动纲要》。2015 年默克尔总理、2016 年高克总统访华期间，两国领导人就打造中德合作“全面升级版”，特别是推动智能制造领域对接和第三方市场合作达成了重要共识。2016 年 6 月，两国总理在京共同主持第四轮中德政府磋商，对两国各领域合作发挥了重要规划引领和统筹推进作用。

一、双边贸易

目前，德国是中国在欧洲最大和全球第六大贸易伙伴。2015 年，中德贸易额为 1567.8 亿美元，同比下降 11.8%。其中，中国对德国出口 691.6 亿美元，下降 4.9%；自德国进口 876.2 亿美元，下降 16.6%。

中国对德国出口商品主要包括自动数据处理设备及其部件、服装及衣着附件、纺织纱线及织物制品、家具及其零件、鞋类、电话机、文化产品、农产品、汽车零配件、灯具、照明装置及零件等；自德国进口商品主要包括汽车零件、汽车、计量检测分析控仪器及器具、医药品、通断保护电路装置及零件、金属加工机床、农产品、飞机及其他航空器、集成电路等。

据德方统计，2015 年德中贸易额为 1627.3 亿欧元，增长 5.5%。其中，德国对华出口 712.1 亿欧元，下降 4.2%；自华进口 915.2 亿欧元，增长 14.7%；德方逆差 203.1 亿欧元。2015 年，中国退居德国第四大贸易伙伴、第五大出口目的国，超越荷兰成为德国第一大进口来源国。

二、双向投资

（一）德国对华投资

德国累计对华实际投资额居欧盟国家之首。据中国商务部统计，截至 2015 年底，中国累计批准德国企业在华投资项目 9002 个，德方实际投入 254.7 亿美元。2015 年，中国新批德国对华投资项目 425 个，增长 10.7%；德方实际投入 15.6 亿美元，下降 24.8%。德国对华投资项目主要集中在化工、汽车、金融、电子电气、制药和零售等领域。

（二）中国对德投资

据中国商务部统计，截至 2015 年年底，中国累计在德国非金融类投资额为 66.1 亿美元。2015 年，中国对德国非金融类投资额为 8.2 亿美元。中国对德国投资集中在机械制造、运输、汽车零配件、新能源、电信和贸易等领域。主要项目包括：潍柴动力收购凯傲集团，卓郎收购欧瑞康，中国银行在法兰克福设立分行，联想收购麦迪龙等。

三、技术合作

据中国商务部统计，截至 2015 年年底，中国共批准自德国技术引进合同 21 939 项，合同金额 716.9 亿美元。2015 年，中国新批自德国技术引进合同 969 项，合同金额 36.1 亿美元。项目主要涉及交通运输、通信、电子电气、机械制造、金属加工和化工制药等领域。

四、中德经济合作联委会

1979 年 10 月，中德两国政府在波恩签署经济合作协定，并据此成立中德经济合作联合委员会（正部级）。1980 年 8 月，联委会在京举行首次会议，迄今共召开了 15 次会议。2012 年 8 月，联委会第 15 次会议在北京召开，时任中国商务部国际贸易谈判代表高虎城和时任德国副总理兼经济和技术部部长罗斯勒共同主持了会议。目前，联委会下设标准化委员会及煤炭、法律、服务领域合作和生态园 4 个工作组。

五、中德经济顾问委员会

中德经济顾问委员会（以下简称经顾委）是中国与世界主要经济体建立的首个双边经济合作顾问机制，旨在建立领导人与经济界直接对话的渠道，为中德企业、商协会、智库等向两国领导人建言献策、共谋合作提供平台。2012 年 8 月，第二轮中德政府磋商期间，中国商务部与德国经济和技术部签署《关于建立中德经济顾问委员会的联合声明》。2013 年 5 月李克强总理访德期间，"经顾委" 正式成立，并被李总理称为与中德政府磋商并行、旨在推动两国经贸合作的 "第二轨道"。"经顾委" 中方秘书处设在中国商务部欧洲司，德方秘书处设在德国经济和能源部对外经济政策司。

附表　　中国加入 WTO 以来中德贸易数据（中方统计）　　单位：亿美元

年度	总额	中方对德方出口	中方自德方进口	中方顺/逆差
2001	235.3（+19.5%）	97.5（+5.1%）	137.7（+32.3%）	−40.2
2002	278.0（+18.2%）	113.7（+16.6%）	164.3（+19.3%）	−50.6
2003	418.8（+50.7%）	175.4（+54.2%）	243.4（+48.3%）	−68.0
2004	541.2（+29.7%）	237.5（+36.2%）	303.7（+25%）	−66.1
2005	632.5（+16.9%）	325.3（+36.9%）	307.2（+1.2%）	+18.1
2006	782.0（+23.6%）	403.2（+23.9%）	378.8（+23.3%）	+24.4
2007	941.1（+20.4%）	487.2（+20.8%）	453.9（+19.8%）	+33.3
2008	1 150.1（+22.2%）	591.7（+21.5%）	558.4（+23.0%）	+33.3
2009	1 057.3（−8.1%）	499.2（−15.7%）	558.1（0%）	−58.9
2010	1 423.9（+34.8%）	680.5（+36.3）	743.4（+33.4%）	−62.9
2011	1 691.5（+18.9%）	764.3（+12.3%）	927.2（+24.9%）	−162.9
2012	1 611.3（−4.7%）	692.2（−9.4%）	919.1（−0.9%）	−226.9
2013	1 615.6（+0.3%）	673.6（−2.7%）	942（+2.5%）	−269
2014	1 777.5（+10.1%）	727.1（+8.0%）	1 050.4（+11.5%）	−323.3
2015	1 567.8（−11.8%）	691.6（−4.9%）	876.2（−16.6%）	−184.6

（商务部欧洲司）

中国与法国的经济贸易关系

据中国海关统计，2015年中法双边贸易额为514.1亿美元，同比下降7.8%；其中中国出口264.5亿美元，同比下降6.8%；中国进口246.6亿美元，同比下降8.9%。中国对法国出口主要商品是：服装及衣着附件、自动数据处理设备、家具及零件、鞋类、电话机、纺织纱线及织物、箱包、灯具、塑料制品、农产品等。中国自法国进口主要商品是：飞机、农产品、医药品、酒类、汽车零件、计量检测分析自控仪、美容化妆品及护肤品、通断保护电路装置及零件、乳品、钢材等。

据中国商务部统计，截至2015年年底，法国在华投资项目4997个，实际投资148.6亿美元。2015年，法国在华新增项目208个，同比增长30.8%；实际投资12.24亿美元，同比增长71.9%。法国在华投资涵盖电力、汽车、航空、通信、化工、水务、医药等各大领域。

截至2015年年底，中国对法国直接投资存量为57.2亿美元。2015年，中国对法国直接投资流量为3.28亿美元。中国对法国投资主要分布在化工、电子信息、电信、物流、贸易、金融、农产品加工、旅游等领域。

截至2015年年底，中国自法国引进技术5866个，合同金额达241.95亿美元。2015年，中国自法国引进技术189项，合同金额6.74亿美元。

截至2015年年底，中国在法国承包工程累计签订合同额97.5亿美元，完成营业额88.8亿美元。2015年中国在法新签工程承包合同额20.1亿美元，完成营业额18.4亿美元。

2015年中国与法国的高层互访主要有：6月，李克强总理访法；11月，奥朗德总统访华；11月，习近平主席赴法国出席气候变化巴黎大会期间会见奥朗德总统。

2015年5月15日，中法经贸混委会第23次会议在北京举行。

中国与法国经贸合作中的主要关注是：放宽欧盟对华高技术产品出口限制，促进对法投资便利化，共同反对贸易保护主义，促进中法农产品贸易等。

（商务部欧洲司）

中国与俄罗斯的经济贸易关系

一、经贸关系总体评价

乌克兰危机以来，俄罗斯外交和经济发展空间受到严重挤压。加之原油等国际大宗商品价格持续走低，俄罗斯经济陷入严重衰退，全年 GDP 下降 3.7%，卢布汇率大幅波动，联邦财政捉襟见肘。

与此同时，受全球性贸易萎缩与两国各自经济调整等因素影响，2015 年中俄贸易出现大幅度下滑。据中国海关统计，2015 年中俄贸易额为 680.6 亿美元，同比下降 28.6%。其中中国对俄罗斯出口 348 亿美元，同比下降 35.2%；自俄罗斯进口 332.6 亿美元，同比下降 20%。

尽管中俄经贸合作面临一定困难，但双边经贸关系中仍有不少亮点。

（一）投资合作稳中有进

截至 2015 年年底，中国对俄罗斯累计非金融类直接投资 100.3 亿美元，据俄方统计，中国对俄罗斯累计投资（含对俄提供贷款）约 340 亿美元，是俄罗斯第四大外资来源地。一批在俄投资合作项目取得积极进展：力帆集团在利佩茨克州投资的汽车生产厂项目顺利开工；紫金矿业集团在图瓦共和国投资的多金属矿开发项目一期建成投产；海尔集团在鞑靼斯坦共和国投资建设冰箱生产基地的项目取得重大进展；上海海外联合投资股份有限公司投资建设的圣彼得堡“波罗的海明珠”项目进展顺利。

（二）电商合作繁荣发展

2015 年中俄跨境电商贸易额达 27 亿美元，占俄跨境电商贸易总额的 80%。俄罗斯成为中国跨境电商的第二大出口目的国。阿里巴巴、京东等企业已陆续在俄罗斯市场开展合作。黑龙江俄速通公司在俄设立的首个海外仓正式投入运营；京东网上商城在俄建立售后服务网点；阿里全球速卖通在俄开通手机支付服务并开设线下体验店。总体来看，跨境电商作为新兴贸易模式，给俄罗斯消费者带来物美价廉的商品和新的购物体验，为促进双边贸易增长发挥了积极作用。

（三）大项目合作不断推进

战略性大项目是中俄务实合作的“压舱石”，也是衡量中俄战略协作水平的重要标杆。2015 年两国高层会晤频繁，中俄经济合作战略性项目高级别监督工作组高效运转，指导和推动两国战略性大项目取得积极突破。双方在能源、核能、航空、航天、高铁、跨境基础设施、农业等领域的合作均取得了不同程度进展。

（四）地方合作迈上新台阶

双方不断完善地方间合作机制和平台，合作地域范围不断拓宽，取得显著成效：一是推动成立了副总理级的中国东北和俄罗斯远东地方合作理事会并召开首次会议，重点加强在资源开发、装备制造、现代农业、运输物流、基础设施建设等领域的互利合作。二是围绕重点展会活动，推动两国企业和地方间交流合作。7 月，中国以主宾国身份，组织 10 大重点行业的 130 余家龙头企业和 7 个省份参加叶卡捷琳堡第六届国际创新工业展。10 月，第二届中俄博览会在哈尔滨成功举办，成为促进双边经贸关系发展、加强两国地方和企业交流合作的重要平台。

（五）金融合作不断深化

西方制裁导致俄国际融资和结算渠道受阻，对人民币业务需求陡增，双边贸易中本币结算量大幅增长。2015 年我国内地同俄罗斯办理跨境人民币实际收付业务 238.5 亿元，同比增长 130.4%。俄罗斯以第三大股东、域内创始成员国身份加入我国倡导建立的亚洲基础设施投资银行；两国央行和财政部分别签署金融和财金领域合作谅解备忘录；双方正在探讨在对方国家发行主权债券，开展支付系统合作等。

2015 年，两国领导人加大会晤频率，强化顶层设计，就双边关系重大问题及时对表，为全面深化两国务实合作指明方向。年内，习近平主席与普京总统 5 次会晤；李克强总理与梅德韦杰夫总理举行中俄总理第 20 次定期会晤；张德江委员长、张高丽副总理、汪洋副总理与俄方领导人多次会晤。双方一致认为，中俄经贸关系经过二十余年的快速发展，目前已进入调整结构和转变方式的战略窗口期，合作发展仍是大势和主流，但也面临不少困难和问题。双方商定将共同采取措施，加快实现从规模速度型向质量效益型转变，力争尽早实现双边贸易发展目标，进一步扩大投资规模，推动战略性大项目合作取得新突破，不断强化其“压舱石”和“推进器”作用。

二、双边贸易简况

中俄两国自1992年建交以来，双边贸易总体保持平稳较快增长态势，中俄互为主要贸易伙伴，中国连续五年成为俄罗斯第一大贸易伙伴。

2015年，受国际大宗商品价格下跌，卢布大幅贬值，及两国各自经济调整等因素影响，中俄贸易额降幅明显，但中国继续保持俄罗斯第一大贸易伙伴地位，在俄外贸中的比重为12.1%。据中国海关统计，2015年，中俄贸易额为680.6亿美元，同比下降28.6%。其中，中国对俄罗斯出口348亿美元，同比下降35.2%；自俄罗斯进口332.6亿美元，同比下降20%。对俄贸易顺差15.4亿美元。据俄罗斯海关统计，2015年俄中贸易额为635.5亿美元，同比下降28.1%，对华贸易逆差63.3亿美元。

贸易结构方面，2015年，中国对俄罗斯主要出口机械设备、电子产品、轻纺产品（服装、鞋、纱线等）、农产品、玩具、钢材等。机电和高新技术产品在出口中的比重各达44%和14%。中国自俄罗斯进口商品仍以能源和原材料等初级产品为主，位居前列的商品分别为原油、成品油、矿产品、原木、锯材、冻鱼等。机电产品在俄罗斯对华出口中占比约4%，商品结构失衡问题有所改善。

三、投资合作简况

（一）中国对俄罗斯投资

截至2015年年底，中国对俄罗斯累计非金融类直接投资100.3亿美元。其中2015年，中国对俄罗斯非金融类直接投资为7.4亿美元，同比下降6.3%。投资主要分布在能源资源、农林开发、建筑和建材生产、贸易、轻纺、家电、通信、服务等领域。

据俄方统计，截至2015年年底，中国已对俄罗斯累计投资（含对俄提供贷款）超过340亿美元，成为俄罗斯第四大投资来源国。

（二）俄罗斯对中国投资

截至2015年年底，中国累计实际使用俄罗斯直接投资9.2亿美元。其中，2015年中国实际使用俄直接投资1312万美元，同比下降67.9%。俄罗斯对华投资集中在制造业、建筑、交通运输等领域。

四、中俄劳务及工程承包合作简况

截至2015年年底，中俄双方累计签署工程承包合同金额197.4亿美元，完成营业额132.7亿美元。其中，2015年中俄签署工程承包合同金额20.8亿美元，同比增长6.1%；完成营业额17.1亿美元，同比增长47.4%；期末在外人数12 781人。中国对俄罗斯劳务合作集中在俄远东、西伯利亚地区，主要从事农业种植、建筑、森林采伐、木材加工、制衣、医疗及其他服务行业。

五、边境贸易简况

2015年，中俄边境贸易额62.8亿美元，同比下降40.9%，占同期双边贸易额的9.2%。其中中国对俄罗斯出口22.3亿美元，同比下降56.8%；自俄罗斯进口40.5亿美元，同比下降25.9%。中国对俄罗斯边贸出口商品主要是轻纺、农产品和小家电等；进口以原木、原油、化肥、钢材、纸浆等初级产品为主。

（商务部欧亚司）

中国与东盟的经济贸易关系

近年来，中国—东盟友好合作持续稳定发展，经贸合作成效显著，贸易投资合作进一步发展，中国—东盟自贸区升级谈判、区域经济全面经济伙伴关系（RCEP）谈判稳步推进，区域经济一体化不断加深。2016 年是中国—东盟建立对话关系 25 周年，中国—东盟战略伙伴关系正步入起点更高、内涵更广、合作更深的发展阶段。

一、双边贸易

自 2009 年起，中国已连续 7 年成为东盟第一大贸易伙伴。东盟已连续 5 年成为中国第三大贸易伙伴，东盟是中国第四大出口市场和第二大进口来源地。2015 年，中国与东盟进出口总额 4721.6 亿美元，占中国对外贸易总额的 11.9%，下降 1.7%。其中，中国出口 2774.8 亿美元，增长 2.1%，进口 1946.8 亿美元，下降 6.6%；中方顺差 828.1 亿美元，增长 29.9%。

中国对东盟整体顺差有所扩大，由上年的 634.6 亿美元增至 828.1 亿美元。在东盟国家中，除对老挝（3.3 亿美元）、马来西亚（93.1 亿美元）为逆差外，对其余 8 国均为顺差，排名前三位的是越南（362.8 亿美元）、新加坡（244.5 亿美元）和印尼（144.5 亿美元）。

2016 年 1—7 月中国东盟双边贸易额为 2457.2 亿美元，同比下降 8.2%，占中国对外贸易份额提高至 12.1%。其中，中国出口 1445.4 亿美元，同比下降 7.8%；进口 1011.8 亿美元，下降 8.9%。

二、双向投资

中国是东盟第四大外资来源地，是老挝、柬埔寨、缅甸的第一大外资来源地。新加坡连续 3 年成为中国第一大外资来源国。近十年来，东盟是中国对外投资增长最快的地区之一，2015 年中国对东盟投资（94.5 亿美元，增长 60.8%）超过东盟对中国投资（76.6 亿美元，增长 21.6%），双向投资进一步趋向平衡。

中方统计，截至 2016 年 7 月，中国与东盟双向投资额累计达 1654.2 亿美元。其中，中国企业累计在东盟国家直接投资总额 622.4 亿美元；2016 年 1—7 月，新增直接投资 51.5 亿美元，下降 18.5%。东盟国家来华累计实际投资 1031.8 亿美元，占中国吸引外资的 6%；2016 年 1—7 月新增直接投资 37.9 亿美元，下降 5.5%。

三、承包工程与劳务合作

东盟国家是中国重要的海外承包工程市场和劳务合作市场。截至 2016 年 7 月底，中国企业累计在东盟国家签订承包工程合同总金额 2501.7 亿美元，完成营业额 1798.2 亿美元。其中，2015 年签订合同额 358.6 亿美元，增长 34.5%；完成营业额 267 亿美元，增长 19.3%。2016 年 1—7 月，新签合同额 155.3 亿美元，完成营业额 127 亿美元。2016 年 7 月末，中国在东盟国家各类技术劳务人员共约 17.6 万人。新加坡、印尼、越南、马来西亚和缅甸是中国在东盟国家开展承包劳务合作的主要国家。

四、中国—东盟自贸区升级

中国—东盟自贸区是中国对外建立的第一个自贸区。2002 年 11 月，中国与东盟 10 国在金边签署《中国—东盟全面经济合作框架协议》，正式启动建立自贸区的进程。2004 年 1 月，中国—东盟自贸区框架下的早期收获计划开始实施。2004 年 11 月，双方在老挝签署《货物贸易协议》。2005 年 7 月起，中国与东盟 6 个成员（新加坡、马来西亚、泰国、印尼、文莱、菲律宾）开始相互降税。2007 年 1 月，双方在菲律宾签署《服务贸易协议》，并于 7 月生效。2009 年 8 月，双方在泰国签署《投资协议》。

2010 年 1 月 1 日，中国—东盟自贸区全面建成，中国对东盟平均进口税率为 1.0%。中国对自东盟 10 国进口的 90%以上的产品实行零关税。2015 年起，东盟所有成员国实现对中国 90%以上的产品进口零关税。

经中方倡议，2014 年 8 月，中国—东盟经贸部长会议正式宣布启动自贸区升级谈判。2015 年 11 月，双方在吉隆坡正式签署中国—东盟自贸区升级谈判成果文件——《中华人民共和国与东南亚国家联盟关于修订〈中国—东盟全面经济合作框架协议〉及项下部分协议的议定书》，内容涵盖货物贸易、服务贸易、投资、经济技术合作等领域。议定书已于 2016 年 7 月 1 日正式生效。

五、中国—东盟博览会

中国—东盟博览会由中国商务部、东盟国家经贸主管部门和东盟秘书处共同主办，广西壮族自治区人民政府承办，从 2004 年起每年在中国南宁举办，现已举办 12 届，共有 57 位中国和东盟国家领导人出席，参展参会客商 45.4 万人。第 13 届中国—东盟博览会于 2016 年 9 月 11—14 日在广西南宁举行。

（商务部亚洲司）

中国与新加坡的经济贸易关系

一、双边贸易

据中方统计，2015年双边贸易额为795.7亿美元，下降0.1%，其中中国出口520.1亿美元，增长6.5%；进口275.6亿美元，下降10.5%。2015年，在东盟国家中，新加坡是中国第三大贸易伙伴（仅次于马来西亚、越南）。

2016年1—7月，双边贸易额为397.5亿美元，下降12.7%，其中中国出口256.7亿美元，进口140.8亿美元，分别下降11.3%和15.3%。

二、双向投资

据中方统计，新加坡是中国在东盟最大的投资目的国。截至2016年7月底，中国企业累计对新加坡直接投资金额为280亿美元。2015年，新增直接投资49.6亿美元，同比增长120%。2016年1—7月，新增直接投资24亿美元，同比下降39.6%。

截至2016年7月底，新加坡在华累计投资项目数22 882个，累计投资金额826.3亿美元。其中，2015年新增实际对华投资69亿美元，同比增长18.5%。2016年1—7月，新增实际对华投资34亿美元。2013—2015年，新加坡连续三年成为中国最大的外资来源国（按外资来源地划分，2015年新加坡为第三大外资来源地，仅次于香港和英属维尔京群岛）。

三、承包劳务

截至2016年7月底，中国企业在新加坡累计签订承包工程合同金额313.3亿美元，完成营业额300亿美元。其中，2015年，中国在新加坡新签承包工程合同额为16.8亿美元，完成营业额35.4亿美元。2016年1—7月，新增合同额13.9亿美元，完成营业额20亿美元。新加坡是中国在海外第二大劳务派遣市场，目前在新加坡各类劳务人员约10.5万人。

四、第三个政府间项目合作

2014年7月，张高丽副总理与新加坡张志贤副总理继中新苏州工业园、天津生态城之后，在中国西部地区建立中新第三个政府间项目达成重要共识，并分别指定中国商务部和新加坡贸工部牵头推进相关事宜。2015年11月，习近平主席访新期间，中新两国政府就建设中新（重庆）战略性互联互通示范项目签署框架协议及补充协议，正式启动合作。这是两国政府在中国西部开展的第一个战略性合作项目，主题是现代互联互通和现代服务经济，将形成网络，起到示范和催化作用，推动中国西部经济社会发展。项目以重庆市为运营中心，以金融服务、航空、运输物流和信息通信技术为项目的四个重点合作领域，后续阶段将在达成一致的基础上，积极推进新加坡方与中国西部其他城市继续开展合作。

（商务部亚洲司）

中国与日本的经济贸易关系

2015年，中日关系呈现回稳态势，两国领导人在国际会议场合多次会晤，双边各领域交流逐步恢复，人员往来显著增加。中日经贸合作持续低迷，双边贸易与日本对华投资双双下降，但日本保持中国第二大贸易伙伴国和累计利用外资最大来源国地位，仍为中国重要的经贸合作伙伴。

一、双边贸易情况

（一）中日贸易统计

2015年，中日贸易延续下滑势头，降幅进一步扩大。据中国海关统计，2015年中日贸易总额2786.6亿美元，同比下降10.8%，占中国外贸总额的7.0%。其中，中国对日出口1356.7亿美元，同比下降9.2%，占出口总额比重为6.0%；中国自日进口1429.9亿美元，同比下降12.3%，占进口总额比重为8.5%；中方逆差73.2亿美元。按国别排名，日本是中国第二大贸易伙伴国，进口排在韩国、美国之后，出口排在美国之后。

2015年人民币小幅贬值，以人民币计价的贸易统计与以美元计价的数据差别不大。据中国海关统计，2015年中日贸易总额17 306.3亿元，同比下降9.9%。其中，中国对日本出口8424.9亿元，同比下降8.3%；中国自日本进口8881.4亿元，同比下降11.4%；中方逆差456.5亿元。

据日本财务省统计，2015年日中贸易总额为32.65万亿日元，同比增长0.3%。其中，日本自中国进口19.43万亿日元，同比增长1.3%；对中国出口13.22万亿日元，同比下降1.2%；日方逆差6.21万亿日元。中国仍为日本第一大贸易伙伴和最大进口来源地，仅次于美国为日本第二大出口市场。

2015年日元持续大幅贬值，以美元计价的贸易统计与以日元计价的数据有较大差距。据日本贸易振兴机构换算的美元统计，2015年日中贸易总额为2699.5亿美元，同比下降12.7%，占日本对外贸易总额的21.2%。其中，日本对中国出口1092.7亿美元，同比下降14.0%，占日本出口总额的17.5%；自中国进口1606.8亿美元，同比下降11.8%，占日本进口总额的24.8%；日方逆差514.1亿美元。

（二）主要进出口商品情况

2015年，中国对日本货物贸易结构进一步优化。从出口商品类别看，机电产品对日本出口731.8亿美元，同比下降9.0%，占中国对日本出口总额比重升至53.9%；高新技术产品出口358.5亿美元，同比下降9.8%，占比为26.4%；传统大宗的轻纺类产品、农产品和化工类产品分别出口316.1亿美元、102.0亿美元和70.8亿美元，同比下降9.8%、8.4%和5.5%，占比分别为23.3%、7.5%和5.2%。其中，对日本出口主要商品包括：服装及衣着附件出口173.0亿美元，同比下降12.2%，占比为12.8%；汽车零部件出口41.4亿美元，同比增长1.1%，占比为3.1%；自动数据处理设备及其部件出口89.8亿美元，同比下降24.7%，占比为6.6%；电子元器件83.5亿美元，同比下降12.5%，占比为6.2%；家电及电子类消费产品80.2亿美元，同比下降16.0%，占比为5.9%；电工器材出口70.0亿美元，同比下降10.9%，占比为5.2%；手持式无线电话机出口65.8亿美元，同比增长4.8%，占比为8.0%；液晶显示板出口56.7亿美元，同比下降14.8%，占比为6.9%；存储器出口55.2亿美元，同比增长13.0%，占比为6.7%；太阳能电池出口35.3亿美元，同比下降25.8%，占比为4.3%；纺织纱线、织物及制品出口43.4亿美元，同比下降9.5%，占比为3.2%。

从进口商品类别看，机电产品自日本进口961.7亿美元，同比下降11.1%，占中国自日本进口总额比重升至67.3%；高新技术产品进口463.2亿美元，同比下降6.3%，占比升至32.4%；化工产品自日本进口144.6亿美元，同比下降14.2%，占比为10.1%；贱金属及其制品进口135.5亿美元，同比下降18.1%，占比降至9.5%；塑料及其制品自日本进口87.0亿美元，同比下降12.8亿美元，占比为 6.1%。其中，自日本进口商品主要包括：集中电路及微电子组件进口 127.5 亿美元，同比增长 3.8%，占比为 8.9%；汽车零部件进口 76.0 亿美元，同比下降 19.8%，占比为 5.3%；汽车进口 69.2 亿美元，同比下降 19.8%，占比为 4.8%；钢材进口 52.3 亿美元，同比下降 21.3%，占比为 3.7%；存储器进口 50.8 亿美元，同比增长 11.7%，占比为 3.6%；计量检测分析自控仪器及器具进口 46.9 亿美元，同比下降 15.6%，占比为 3.3%；液晶显示板进口 44.6 亿美元，同比下降 13.9%，占比为 3.1%；通断电路保护装置进口 13.9 亿美元，同比下降 6.7%，占比为 3.1%；半导体器件进口 41.2 亿美元，同比下降 12.3%，占比为 2.9%。

（三）中日技术贸易情况

2015 年，中国与日本签订技术引进合同 1836 份，同比下降 7.3%，合同总金额 53.8 亿美元，同比增长 0.6% ，占中国技术引进合同总金额的 19.1%，较上年上升 2.1 个百分点。日本是中国第二大技术引进来源地，仅次于美国。中国自日本引进技术主要集中在交通运输设备制造业，通信设备、计算机及其他电子设备制造业，通用设备制造业，专用设备制造业，电气机械及器材制造业等。中国自日本技术引进方式主要包括专有技术的许可或转让、技术咨询、技术服务、专利技术的许可或转让等。

二、中日资金合作情况

（一）日本企业对华直接投资

2015 年，日本对华投资延续下滑态势，但降幅有所收窄。据中国商务部统计，2015 年日本在华新设企业 643 家，同比下降 1.5%，实际到位金额 31.9 亿美元，同比下降 26.1%，占中国吸引外资总额的 2.5%。除香港及自由港以外，日本在中国当年吸收外资国别排名中位列第三，仅次于新加坡、韩国。截至 2015 年底，日本累计在华投资设立企业 49 840 家，实际到位金额 1018.2 亿美元，占中国吸引外资总额的 6.2%，是中国累计利用外资最大来源国。

从投资地区分布看，2015 年日本对我国东部、中部和西部地区实际投资额分别为 28.7 亿美元、2.6 亿美元和 0.7 亿美元，比重分别为 89.8%、8.1%和 2.1%。从投资行业分布看，日本对华投资仍主要集中在制造业，实际到位金额为 21.6 亿美元，房地产、批发、零售、租赁服务等非制造业为 10.3 亿美元，农林牧渔业为 0.03 亿美元，比重分别为 67.7%、32.2%和 0.1%。

（二）中国企业对日直接投资

据中国商务部统计，2015 年中国对日本非金融类直接投资额 21 723 万美元，同比下降 7.0% 。截至 2015 年年底，中国对日本直接投资存量为 27.6 亿美元，主要涉及制造业、进出口贸易、金融及能源矿产等领域。

（三）中日政府资金合作

根据 2005 年中日双方达成的协议，日本对华提供的日元贷款和大规模无偿援助于 2008 年基本结束。截至 2015 年年底，中国利用日元贷款协议金额 30 499 亿日元，累计提款 26 886 亿日元，累计还本 13 054 亿日元，累计付息 7634 亿日元，债务余额 13 832 亿日元。截至 2011 年年底，中国累计接受日本无偿援助 1423.45 亿日元，用于 148 个项目建设，涉及环保、教育、扶贫、医疗等领域。自 2012 年起，唯一保留的人才培养奖学金项目也已不再使用政府无偿援助资金。

三、中日工程承包和技能实习生合作情况

2015 年，中国企业在日本承包工程新签合同额 41 295 万美元，完成营业额 44 346 万美元。截至 2015 年年底，中国企业在日本承包工程累计新签合同额 33.4 亿美元，累计完成营业额 35.2 亿美元。

日本是中国第一大海外劳务市场。2015 年，中国向日本新派出技能实习生 42 252 人，同比下降 12.6%。截至 2015 年年底，中国在日本技能实习生总数 15.4 万人，占中国在外劳务人员总数的 25.0%，主要分布在日本的中小企业，涉及制造业、农林牧渔和建筑业等。

四、中日主要经贸往来（2015）

1 月 16 日，王受文部长助理在日本东京出席中日韩自贸区第六轮谈判首席谈判代表会议。

3 月 30 日，中国商务部与日本经济产业省司局级政策交流会议机制第一次会议在北京召开，双

方就宏观经济形势、双边经贸合作、区域及多边合作等各自关注问题充分交换了意见。

4月13日，高燕副部长会见以河野洋平会长为团长的日本国际贸易促进协会访华团，双方就当前形势下的中日经贸合作、《外国投资法》起草情况、反垄断审查及促进两国双向投资等议题交换了意见。

4月14日，高虎城部长陪同李克强总理会见以河野洋平会长为团长的日本国际贸易促进协会访华团，双方就中日关系、中日经贸合作等交换了意见。

4月22—24日，高燕副部长率团访日，其间与日本经济产业省石黑宪彦经济产业审议官共同主持召开两部门第16次副部级定期磋商，就各自宏观经济形势、贸易投资合作、区域及多边合作等有关问题坦率深入交换意见；会见日本外务省长岭安政外务审议官，就中日经贸合作、中日经济高层对话以及中日经济伙伴关系磋商等交换意见；与日中经济协会会长张富士夫、九州经济联合会会长麻生泰、东海日中贸易中心会长深谷紘一等座谈交流。

5月11日，第四次中日知识产权工作组会议在北京召开，双方就知识产权制度发展、知识产权战略、网络假冒盗版问题的应对及其他关注问题进行了交流和探讨。

7月20日，高燕副部长会见日本经济产业副大臣高木阳介，双方就中日经贸合作有关问题交换了意见，共同出席中国国际贸易促进委员会与日本贸易振兴机构共同举办的对日投资商务论坛并致辞。

7月27日，第10次中日经济伙伴关系磋商司局级会议在北京举行，双方就世界经济和各自宏观经济形势、双边经济合作问题以及地区和多边议题广泛深入交换意见，并就中日经济伙伴关系磋商副部级会议和中日经济高层对话进行沟通。

7月31日，高燕副部长与日本驻华大使木寺昌人进行工作交流，双方就两国经济形势、中日关系与经贸合作等问题广泛交换意见。

8月27日，高燕副部长在京会见日本日中经济协会名誉顾问张富士夫与新任会长宗冈正二，双方就中日经贸合作等有关问题交换意见。

8月31日，房爱卿副部长在长春会见来华出席中国—东北亚博览会的日本经济产业省经济产业审议官上田隆之，双方就中日经贸合作交换了意见。

9月24日，王受文副部长在北京主持中日韩自贸区第八轮谈判首席谈判代表会议。

9月25日，高燕副部长会见来华出席中日韩自贸区第八轮谈判的日本外务省外务审议官长岭安政，就中日关系和经贸合作、中日经济伙伴关系磋商、中日经济高层对话以及两国经济形势等议题交换意见。

10月30日，钟山国际贸易谈判代表（正部长级）在韩国首尔与韩国产业通商资源部长官尹相直、日本经济产业大臣林干雄共同主持第十次中日韩经贸部长会议，三方就共同关心的经贸议题交换了意见。

11月1日，高虎城部长陪同李克强总理访韩，出席第六次中日韩领导人会议，并陪同李总理应约会见日本首相安倍晋三。

11月4日，高虎城部长出席商务部与2015年度日本经济界大型代表团座谈会并做主旨演讲，该团以日中经济协会会长宗冈正二为团长、日本经济团体联合会会长榊原定征、日本商工会议所会头三村明夫为最高顾问。

11月4日，高虎城部长陪同李克强总理会见以日中经济协会会长宗冈正二为团长、日本经济团体联合会会长榊原定征、日本商工会议所会头三村明夫为最高顾问的2015年度日本经济界大型代表团，双方就中日关系及中日经贸合作等交换意见。

11月29日，高燕副部长赴日出席第九届中日节能环保综合论坛并做主旨发言，与高木阳介经济产业副大臣举行双边会见，并与日中经济协会副会长小泽哲、理事长冈本严工作交流。

12月11日，高燕副部长在京与日本外务省长岭安政外务审议官共同主持召开了第10次中日经济伙伴关系磋商副部级会议，就中日宏观经济形势、双边经济合作问题、区域及多边合作和中日经济高层对话等交换了意见。

12月11日，王受文副部长会见日本外务省外务审议官长岭安政。

（商务部亚洲司）

中国与韩国的经济贸易关系

韩国是东北亚新兴经济体，是中国的重要经贸伙伴。1992 年 8 月，中韩两国正式建立外交关系。建交二十多年来，双边经贸关系迅速发展，2015 年双边贸易额达 2758 亿美元，双向投资累计近 640 亿美元。2015 年 6 月 1 日，双方签署中韩自贸协定。2015 年 12 月 20 日，中韩自贸协定正式生效。

一、中韩双边贸易

据中国海关统计，2015 年，中韩双边贸易 2758.15 亿美元，同比减少 5.1%。其中，中国对韩出口 1012.96 亿美元，同比增加 0.9%；自韩进口 1745.2 亿美元，同比减少 8.3%。中国是韩国第一大贸易伙伴国和第一大出口、进口市场，韩国是中国第三大贸易伙伴国。

二、韩对华投资

2015 年，韩国对华投资 1958 个项目，同比增长 25. 7%，中国实际使用韩资 40.3 亿美元，同比增加 1.7%。截至 2015 年年底，韩累计对华投资项目数 59 740 个，实际投资额 639.46 亿美元。韩是中国第二大外资来源国，中国是韩国第二大投资对象国。

三、中国对韩投资

2015 年，中国对韩非金融类直接投资 5.09 亿美元，同比增加 21.4%。截至 2015 年年底，中国累计对韩直接投资 32.8 亿美元。

四、中韩自贸区情况

2010 年 5 月，中韩正式完成历时 6 年的双边自贸区官产学联合研究，2012 年 5 月双方正式宣布启动谈判。经过 14 轮谈判，2014 年 11 月，习近平主席与韩国时任总统朴槿惠在北京共同宣布结束中韩自贸区实质性谈判。2015 年 6 月 1 日，双方签署中韩自贸协定。2015 年 12 月 20 日中韩自贸协定正式生效并实施第一次降税，2016 年 1 月 1 日实施第二次降税。中韩自贸协定实现了“全面、高水平、利益大体平衡”的目标。协定范围涵盖货物贸易、服务贸易、投资和规则等共 17 个领域，包含了电子商务、竞争政策、环境等新议题。

（商务部亚洲司）

中国与印度的经济贸易关系

2015年，中印高层互访频繁，李源潮副主席对印度进行正式访问，印度总理莫迪成功访华，推动两国关系进一步走向深入。双方工商界积极落实两国领导人达成的共识，推动中印在贸易、投资等领域的互利合作取得积极进展。印度已成为中国在南亚地区的第一大贸易伙伴、第一大出口市场、第二大投资目的地和海外主要工程承包市场，中国是印度第一大贸易伙伴、最大的进口来源和第四大出口市场。目前，中印两国在基础设施、信息技术、产业园区等领域的合作不断推进。

一、双边贸易

货物贸易方面：印度是中国在南亚最大贸易伙伴。据中国海关统计，2015年，中印贸易额716.2亿美元，同比增长1.4%；其中中国出口582.4亿美元，同比增长7.4%；进口133.8亿美元，同比下降18.2%；中方顺差448.6亿美元，同比增长18.5%。印度为中国全球第九大出口市场。

中国主要出口商品为机电产品、高新技术产品、肥料、纺织纱线与织物及制品、钢材等，主要进口商品为纺织纱线与织物及制品、未锻轧铜及铜材、农产品等。

服务贸易方面：据中方统计，2015年，中印服务进出口额为32.4亿美元，同比增长11.0%。其中，中国对印度服务出口16.7亿美元，同比增长22.8%；进口15.7亿美元，同比基本持平。旅行和运输是中印服务贸易的两个主要领域。

二、工程承包

据中国商务部统计，2015年，中国企业在印度新签工程承包合同额18.1亿美元，同比增长15.6%；完成营业额26.7亿美元，同比增长5.5%。截至2015年年底，中国在印度累计签订承包工程合同额657.8亿美元，完成营业额440.1亿美元，签约项目主要集中于火力发电和通信领域。2006至2011年，印度曾连续6年居中国海外工程承包市场之首。由于印经济增长放缓、融资难度增大等因素，近年中国对印工程承包合作大幅下滑，2012年印度在中国海外工程承包市场排名降至第二，2013年后已跌到前十名之外。

三、中国对印投资

印度是中国在南亚第二大投资对象国，仅次于巴基斯坦。据中国商务部统计，2015年，中国对印度非金融类直接投资流量1.43亿美元，同比下降28.4%；截至2015年年底，中国在印度累计直接投资接近35.5亿美元。中国对印度投资集中在重型机械、通信、汽车、电子等领域，重点分布在泰米尔纳德邦金奈、马哈拉施特拉邦浦那、安得拉邦海德拉巴、卡纳塔克邦班加罗尔、古吉拉特邦艾哈迈德巴德和巴罗达等地。投资规模较大的企业有北汽福田、特变电工、三一重工、中兴通讯和华为技术有限公司等。

四、印度对华投资

据中国商务部统计，2015年，印度在华投资新设企业140家，同比增长62.79%；外资实际到位金额8080万美元，同比增长59.21%。截至2015年年底，印度累计来华直接投资项目1092个，实际投资6.44亿美元。印度在华投资领域覆盖金融、软件、高等教育、制药、贸易、钢铁、化工、清洁能源等。其代表性企业包括塔塔咨询、印孚瑟斯、马恒达多用途车辆等。

五、中印边境贸易

1991年12月、1993年9月和2006年7月，中印两国分别开通强拉（利普勒克）山口（中方在西藏的普兰开辟边境贸易市场）、什布奇拉山口和乃堆拉山口边境贸易通道（中方在西藏的亚东县仁青岗，实际在洞青岗开辟边境贸易市场），且以亚东乃堆拉边贸通道最为重要。2015年，经亚东的边民互市贸易额已达1.52亿元人民币，同比增长52%。但一直以来，印度单方面制定边贸商品清单，对边贸市场的进出口商品品种做出限制，严重阻碍和限制了边民互市贸易的健康发展，也影响了边贸市场贸易功能的充分发挥。

六、孟中印缅经济走廊

自 1999 年以来，中、印、缅、孟四国在“孟中印缅地区经济合作论坛（BCIM)”框架下开展次区域合作，并于 2011 年 BCIM 第九次会议上就推动构建“昆明—曼德勒—达卡—加尔各答经济走廊”达成共识。2013 年 5 月李克强总理访问印度期间，中印双方共同倡议建设孟中印缅经济走廊。四方于 2013 年建立孟中印缅走廊四国联合工作组，迄今已举行两次会议。

根据设想，该走廊以中国昆明为东端，印度加尔各答为西端，以缅甸曼德勒、孟加拉国达卡为中间节点，连接中国西部和西南部地区、印度东部和东北部地区、缅甸和孟加拉国全境，形成促进沿线及周边地区发展的经济带，实现互利合作、共同发展。该走廊的建设拟主要包括基础设施互联互通、经贸合作、人文交流和地方政府合作等。

（商务部亚洲司）

中国与巴基斯坦的经济贸易关系

巴基斯坦是中国在南亚地区的第一大投资目的地、第二大贸易伙伴和海外主要工程承包市场，中国是巴基斯坦第一大贸易伙伴、第一大进口来源地和第二大出口目的地。目前，中巴两国在基础设施建设、能源、水利、农业、矿产、电信等领域的合作不断推进。

2015 年 4 月，习近平主席对巴基斯坦进行国事访问。此访系习主席当年首次出访，也是中国国家主席时隔 9 年再次访巴，对推进未来中巴关系发展具有重大意义，极大提升了中巴全天候友谊和全方位合作，双方宣布建立全天候战略合作伙伴关系，中巴关系进入新的历史阶段。习近平主席指出，要“以中巴经济走廊建设为中心，以瓜达尔港、交通基础设施、能源、产业合作为重点，形成 1+4 合作布局，让发展成果惠及巴基斯坦全体人民，进而惠及本地区各国人民”。这为中巴经贸合作指明了方向。以习近平主席对巴基斯坦的国事访问为契机，中巴经济走廊建设的一系列优先推进的重点项目迈出了重要步伐。

2015 年，双方在贸易、投资等领域的互利合作取得了积极进展。

一、双边贸易

据中国海关统计，2015 年中巴双边贸易额 189.3 亿美元，同比增长 18.2%；其中中国出口 164.5 亿美元，同比增长 24.2%；进口 24.8 亿美元，同比减少 10.3%。中国对巴出口主要商品为纺织品、钢材、文化产品、服装等，自巴进口主要商品为棉纱线、农产品、粮食、铜及其制品等。

据巴方统计，2014—2015 财年（2014 年 7 月至 2015 年 6 月），中巴双边贸易额 93.2 亿美元，其中巴出口 23.2 亿美元，进口 70.0 亿美元。

二、对巴投资

根据商务部投资台账报告，截至 2014 年年底，中国对巴基斯坦各类投资存量 60.8 亿美元，其中直接投资 33.5 亿美元（占 55.1%），通过第三地转移投资和境外融资等方式实现的再投资 27.3 亿美元（占 44.9%）。对巴基斯坦投资主要分布在信息传输、软件和信息技术服务业（26.6 亿美元，占 43.8%）、采矿业（22.6 亿美元，占 37.2%）、建筑业（5.1 亿美元，占 8.4%）、电力/热力/燃气及水的生产和供应业（1.6 亿美元，占 2.6%）等行业。迄今中国在巴共设立中资企业 109 家，其中中央企业 52 家，地方企业 54 家，金融企业 2 家，个人投资 1 家；年末从业人员 34 607 人，其中外籍员工 28 514 人（占 82.4%）。2015 年，中国对巴新增非金融类直接投资 20 997 万美元。

另据巴基斯坦中央银行 2014 年 7 月发布的 2014—2015 财年统计，该财年来自中国的直接投资流量为 2.55 亿美元。

三、工程承包

截至 2015 年年底，中国企业在巴累计签订工程承包合同额 454.5 亿美元，完成营业额 330.8 亿美元。2015 年，中国企业在巴新签承包工程合同额 121.8 亿美元，同比增长 377.6%；完成营业额 51.6 亿美元，同比增长 21.6%。中国企业在巴完成的工程项目主要有恰希玛核电站一期和二期、喀喇昆仑公路、瓜达尔港等，在建的主要项目包括恰希玛核电站三期和四期、尼勒姆—杰勒姆水电站、卡拉奇核电站二期和三期、白沙瓦至卡拉奇高速公路项目苏库尔至木尔坦段、喀喇昆仑公路二期升级改造项目赫韦利扬至塔科特段等。

四、中巴经济走廊

2013 年 5 月李克强总理访问巴基斯坦期间，中巴双方发表联合声明，同意由中国国家发展改革委和巴基斯坦计划委员会就中巴经济走廊成立联合委员会，共同研究制定远景规划。该走廊北起中国新疆喀什，南至巴基斯坦瓜达尔港，覆盖以沿线主要城市和周边地区为关键节点的广大区域。双方将通过加快交通、能源和通信等多种方式的互联互通和产业园区建设，推动相互投资和贸易往来，扩大人文交流，以形成促进沿线地区发展的充满活力的经济带。2013 年 8 月，中巴双方召开了中巴经济走廊联合合作委员会第一次会议。随后，双方又分别召开了交通基础设施、能源、综合规划和瓜达尔港工作组会议。迄今，中巴经济走廊联合合作委员会共召开四次会议。2015 年 4 月习近平主席访巴期间，双方确定了以中巴经济走廊为中心，以瓜达尔港、能源、交通基础设施、产业合作为重点的"1+4"合作布局。

（商务部亚洲司）

中国与澳大利亚的经济贸易关系

中国和澳大利亚同为亚太地区的重要国家，经济互补性强，具有广泛的共同利益。近年来，中澳经贸关系发展良好，澳大利亚成为中国重要的能矿资源合作伙伴，两国工商界人士来往日益频繁，各种经贸交流机制不断增多，中澳经贸合作已形成了全方位、多层次、宽领域的良好互动格局。

据中方统计，2015年中澳双边贸易额达1139.7亿美元，同比减少16.8%。其中，中国对澳出口403.2亿美元，同比增长3.1%；从澳进口736.4亿美元，同比下降24.7%。目前，澳大利亚是中国第八大贸易伙伴、第九大出口市场和第七大进口来源地。过去十年，双边贸易额年均增长率超过20%。

据澳方统计，2015年澳中货物贸易额为1429.9亿澳元，同比增长1.1%，占澳货物贸易总额的26.9%。其中，澳对华出口813亿澳元，同比下降9.1%；澳从华进口616.9亿澳元，同比增长18.7%。中国为澳大利亚第一大货物贸易伙伴，第一大进口来源地和第一大出口目的地。对华贸易为澳大利亚货物贸易的增长和平衡发挥了重要作用。

澳大利亚是中国重要的外资来源地。截至2015年年底，澳大利亚累计在华设立外商投资项目11 010个，累计实际对华投资80.58亿美元。中国对澳投资近年来增长较快，澳大利亚已成为中国重要的海外投资目的国。据中方统计，截至2015年年底，中国企业累计对澳大利亚各类投资为792亿美元，其中非金融类投资为264亿美元。

据澳大利亚外资审查委员会（FIRB）统计，2014—2015财年，中国连续二年成为获准投资澳大利亚金额最多的国家，约为465亿澳元，大大超过了排名第二的美国251亿澳元。中国赴澳投资申请中，房地产（243亿澳元）为第一大行业，矿业开发（98亿澳元）位列第二，制造业（53亿澳元）位列第三。

中国是澳大利亚矿产品和农产品第一大出口市场，同时也是澳大利亚第一大服务贸易出口市场。中国是澳大利亚最大的海外留学生来源国和人均消费最高的游客来源地。对华经贸合作给澳大利亚带来了广泛、巨大的经济利益。

中澳经贸合作的前景十分广阔。中澳经济高度互补是推动中澳经贸关系不断稳定发展的基础。澳大利亚各类资源十分丰富，契合中国经济快速发展的需要。中国未来的城镇化进程，也将为澳大利亚能矿资源和优质农产品提供广阔的市场机遇。

经过10年21轮谈判，2015年6月17日，商务部高虎城部长与澳大利亚时任贸易投资部长罗布分别代表两国政府在堪培拉正式签署《中澳自由贸易协定》。协定于2015年12月20日生效并进行第一次降税；2016年1月1日，第二次降税实施。协定实现了“全面、高质量和平衡”的谈判目标，既为两国经济增长注入强劲动力，也为充实中澳两国全面战略伙伴关系发展提供了重要内容。

（商务部美大司）

中国与新西兰的经济贸易关系

2015年中国和新西兰经贸关系发展顺利。

据中方统计，2015年中国和新西兰双边贸易额达115.1亿美元，同比下降19.2%。其中，中国自新西兰进口65.8亿美元，同比下降30.7%；中国对新西兰出口49.2亿美元，同比增长3.9%。

据新方统计，2015年，中国继续保持新西兰第一大货物贸易伙伴和第一大出口市场，并连续五年为新西兰第一大进口来源地。2015年，新中贸易额128.9亿新元，同比下降15%。中国主要出口商品为机械设备、服装及衣着附件、电器及电子产品；主要进口商品为奶制品、木材和羊毛。

另据中方统计，2015年，新西兰在华投资新设企业68家，同比增长10%，实际使用外资金额2247万美元，同比下降52.7%。截至2015年年底，新西兰累计在华投资设立企业1859家，累计实际使用新资13.8亿美元。2015年，中国企业对新西兰非金融类投资为3亿美元。截至2015年年底，中国企业对新西兰非金融类直接投资存量12.6亿美元。

（商务部美大司）

中国与非洲国家的经济贸易关系

2015年，在全球经济复苏乏力，大宗商品价格低迷的背景下，中非经贸关系抵御住外部环境变化带来的下行压力，在中非合作论坛机制的引领和推动下，开启了全面战略合作的新征程。

一、中非合作论坛再树合作丰碑

2015年是中非合作论坛成立15周年，中非合作论坛约翰内斯堡峰会暨第六届部长级会议于12月在南非成功召开。在峰会开幕式上，习近平主席代表中国政府宣布将中非新型战略伙伴关系提升为全面战略合作伙伴关系，与非洲在工业化、农业现代化、基础设施、金融、绿色发展、贸易和投资便利化、减贫惠民、公共卫生、人文、和平和安全等领域共同实施“十大合作计划”，得到广大非洲国家乃至国际社会的高度评价和热烈响应，开启了中非务实合作的新蓝图，激发了中非命运共同体的新活力，铸就了中非关系和中非经贸合作史上又一重要里程碑。

二、高层互访增强合作动力

2015年，习近平主席访问津巴布韦、南非，并与13国领导人在多边场合会晤，张平副委员长、杨洁篪国务委员等分别对乍得、阿尔及利亚等6国进行了访问。安哥拉、苏丹、刚果（金）等13国领导人和非盟委员会主席访华，南非、埃及、埃塞俄比亚等10国领导人来华出席有关活动。通过访问，中非双方进一步巩固政治互信、增进传统友谊、对接发展战略、深化互利合作，为中非经贸合作全面升级注入了强劲动力。

三、政府间合作机制助力合作升级

年内，中国与赞比亚、喀麦隆等10国和西共体召开了新一届经贸联（混）委会；召开了中南（非）联合工作组中期评估会议、中安（哥拉）经贸合作指导委员会首次会议，协调推动双边经贸合作中的重大问题。商务部还在中阿（尔及利亚）双边经贸联委会机制下建立了产能合作机制，并与发展改革委共同促成中埃（及）双方签署产能合作政府间框架协议，为中非产能合作搭建了新的平台。

四、对非出口实现逆势增长

受全球大宗商品价格阶段性走低影响，2015年中国与非洲贸易额为1790亿美元，同比下降19%，但中国对非洲出口额逆势上扬，达到1087亿美元，同比增长2%，高于同期出口总体增速5个百分点，机电产品成为拉动中国对非洲出口的重要引擎。与此同时，中国自非洲进口的能矿资源产品和特色农产品的在数量上并未减少，部分产品还有所增加。由此可见，中非贸易互补性还在不断增强，结构日益优化，未来发展潜力巨大。

五、对非投资积蓄发展后劲

2015年，中国对非洲地区非金融类直接投资流量29亿美元，同比下降28%。尽管投资增速有所放缓，但不少对非投资重大项目取得积极进展，中国企业投资的非洲重卡项目和加纳燃气联合发电厂项目二期于4月先后启动，总投资规模分别达3亿和6亿美元。中国企业在埃塞俄比亚投资的轻工业园项目和在埃及投资的苏伊士经贸合作区拓展区项目均稳步推进。在这些重大投资项目的带动下，中非投资合作正蓄势待发，在未来一个时期内有望重拾升势，再上新台阶。

六、承包工程保持平稳增长

2015年，中国在非洲国家新签承包工程合同额762亿美元，同比增长1%，完成营业额548亿美元，同比增长3%，占同期中国对外承包工程营业总额的三分之一。其中，跨国跨区域基础设施项目成为合作中的一大亮点。中国企业打破了以往仅参与工程建设的单一合作模式，通过综合贸易、投资和工程等多种方式，积极参与非洲轨道交通、港口、电站等项目的规划、设计、建设、管理和维护，不仅为非洲互联互通发展做出了重要贡献，也带动中国技术、装备、标准和服务加快走进非洲。

七、航空合作取得积极进展

2014 年 5 月，李克强总理在访问非盟总部期间倡议实施“中非区域航空合作计划”。2015 年，各项后续落实工作扎实推进，取得积极进展。中国与安哥拉、埃塞俄比亚、津巴布韦、佛得角、赤道几内亚、刚果（布）6 国和西非国家经济共同体签署航空合作备忘录。商务部与民航局共同举办了中非区域航空合作论坛和市场推介及政策宣讲会，建立了由政府、企业、金融机构参与的对非区域航空合作信息平台。海航集团联合中非发展基金继续拓展加纳合资航空公司的运营航线，客座率超过七成，本地市场份额达 40%。南航和国航分别开通了广州至内罗毕、北京至约翰内斯堡和亚的斯亚贝巴的直航航线。

（商务部西亚非洲司）

第六篇　与 WTO 有关的政策与管理措施（2015）

● 贸易政策与管理措施

依法行政和法治政府建设情况

深入推进依法行政，加快建设法治政府，是全面落实依法治国基本方略的重要内容。多年来，中国政府采取一系列措施切实推进依法行政，建设法治政府。2015年，中国继续全面深化改革，围绕全面依法治国关于建设中国特色社会主义法治体系、建设社会主义法治国家的总目标，科学民主立法、严格执法、依法行政，积极推进各项政府事务的规范化、法治化。

一、印发《法治政府建设实施纲要（2015—2020年）》

2015年，中国依法行政和法治政府建设取得了新的成绩，特别是中共中央、国务院印发了《法治政府建设实施纲要（2015—2020年）》（以下简称《纲要》），意义重大。《纲要》对法治政府建设做出了全面部署，明确了今后一个时期建设法治政府的总体目标、基本原则、任务措施和保障落实机制。《纲要》提出，到2020年基本建成职能科学、权责法定、执法严明、公开公正、廉洁高效、守法诚信的法治政府。《纲要》围绕政府职能依法全面履行依法行政制度体系完备，行政决策科学民主合法，宪法法律严格公正实施，行政权力规范透明运行，人民权益切实有效保障，依法行政能力普遍提高等衡量标准，提出了相关任务和措施。

在依法全面履行政府职能方面，《纲要》提出，要进一步深化行政审批制度改革，大力推行权力清单、责任清单、负面清单制度并实行动态管理，优化政府组织结构，完善宏观调控，加强市场监管，创新社会治理，优化公共服务，强化生态环境保护。

在完善依法行政制度体系方面，《纲要》提出，要完善政府立法体制机制，加强重点领域政府立法，提高政府立法公众参与度，加强规范性文件监督管理，建立行政法规、规章和规范性文件清理长效机制。

在推进行政决策科学化、民主化、法治化方面，《纲要》提出，要健全依法决策机制，增强公众参与实效，提高专家论证和风险评估质量，加强合法性审查，坚持集体讨论决定，严格决策责任追究。

在坚持严格规范公正文明执法方面，《纲要》提出，要改革行政执法体制，完善行政执法程序，创新行政执法方式，全面落实行政执法责任制，健全行政执法人员管理制度，加强行政执法保障。

在强化对行政权力的制约和监督方面，《纲要》提出，要健全行政权力运行制约和监督体系，自觉接受党内监督、人大监督、民主监督、司法监督，加强行政监督和审计监督，完善社会监督和舆论监督机制，全面推进政务公开，完善纠错问责机制。

在依法有效化解社会矛盾纠纷方面，《纲要》提出，要健全依法化解纠纷机制，加强行政复议工作，完善行政调解、行政裁决、仲裁制度，加强人民调解工作，改革信访工作制度。

在全面提高政府工作人员法治思维和依法行政能力方面，《纲要》提出，要树立重视法治素养和法治能力的用人导向，加强对政府工作人员的法治教育培训，完善政府工作人员法治能力考察测试制度，注重通过法治实践提高政府工作人员的法治思维能力和依法行政能力。

二、稳步推进政府立法

2015 年，国务院共制定、修改行政法规 8 件（其中 7 件为单独制定或修改，1 件为一并修改 66 部行政法规）。国务院各部门共制定并发布部门规章 167 件。各级地方政府共制定并发布地方政府规章 504 件。

2015 年 1 月，国务院公布《中华人民共和国政府采购法实施条例》，自 2015 年 3 月 1 日起施行。该条例以立法形式确定了当前政府采购实践中一些行之有效、取得广泛共识的规范，对当前和今后一段时间政府采购面临的突出问题做出了规定，并明确了电子化政府采购制度。

2 月，国务院公布了《博物馆条例》，自 2015 年 3 月 20 日起施行。该条例明确了博物馆的非营利组织性质，规定了博物馆的设立、变更与终止条件，明确了博物馆日常活动应遵循的基本管理规范，明确规定博物馆应向社会提供服务，并对博物馆、各级政府文物主管部门和博物馆行业组织以及接受博物馆服务的公众应遵守的基本规范做出了规定。

2 月，国务院公布《存款保险条例》，自 2015 年 5 月 1 日起施行。该条例规定，存款保险是投保机构向存款保险基金管理机构交纳保费，形成存款保险基金，存款保险基金管理机构依照规定向存款人偿付被保险存款，并采取必要措施维护存款以及存款保险基金安全的制度。存款保险实行限额偿付，最高偿付限额为人民币 50 万元。

6 月，为了更好地保障台海两岸人员往来、促进各方交流，国务院对 1991 年 12 月施行的《中国公民往来台湾地区管理办法》进行了修改，自 2015 年 7 月 1 日起施行。修改的主要内容包括：取消了涉及台湾居民往来大陆办理签注以及与签注管理相关的规定；简化了台湾居民申请台胞证所需办理的手续。

6 月，国务院对 2000 年 9 月施行的《建设工程勘察设计管理条例》进行了修改，对勘察、设计单位未依据项目批准文件、城乡规划、专业规划、国家规定的建设工程勘察和设计深度等要求编制建设工程勘察、设计文件的，责令限期改正并规定了相应的法律责任。

10 月，为了促进新型城镇化健康发展、推进城镇基本公共服务和便利常住人口全覆盖，国务院公布《居住证暂行条例》，自 2016 年 1 月 1 日起施行。该条例突出了居住证的赋权功能，增加了政府及其相关部门的服务职能，明确了居住证的性质和申领条件，规定了居住证持有人享有的基本公共服务和便利措施。

11 月，国务院公布《地图管理条例》，自 2016 年 1 月 1 日起施行。该条例做出了有利于进一步丰富地图产品、促进地理信息产业发展、提高服务水平的相关规定，明确了地图编制的主体、标准和要求，对互联网地图服务安全、保密方面的内容做了规定。

2015 年，为了依法推进简政放权、放管结合、优化服务改革，国务院对涉及取消和调整行政审批项目、价格改革以及实施普遍性降费措施的行政法规进行了清理。经过清理，国务院决定对包括《中华人民共和国企业法人登记管理条例》《中华人民共和国电信条例》《中华人民共和国国境卫生检疫法实施细则》《中华人民共和国增值税暂行条例》等在内的 66 部行政法规的部分条款进行了修改。《国务院关于修改部分行政法规的决定》自 2016 年 2 月 6 日起施行。

三、深入开展依法行政各项工作

关于政府信息公开，在政府各部门认真执行《政府信息公开条例》的基础上，2015 年 4 月，国务院办公厅印发《2015 年政府信息公开工作要点》，提出要着重推进关于行政权力清单、公共资源配置、重大建设项目、财政资金、公共服务、环境保护、食品药品安全、国有企业、社会组织和中介机构等信息的公开。

关于行政复议，2015 年，全国各级行政复议机关共收到行政复议申请 167 744 件，受理 148 396件，办结 142 139 件。国务院共收到行政复议申请 5069 件（含上一年度结转 2856 件），通过合并审理、跨处联合办案、集中听证等方式，全年共办结 2367 件。国务院还不断加大对地方行政复议案件的指导和监督，对不依法受理案件的地方政府及其部门进行约谈并限期纠正。行政复议在化解行政纠纷、监督行政机关依法行政、维护人民群众合法权益等方面发挥了重要作用。

关于法规规章备案，2015年，有立法权的地方人大及其常委会共制定并报送国务院备案地方性法规、经济特区法规、自治条例和单行条例591件；国务院部门和有立法权的地方政府共制定并报送国务院备案规章671件，其中地方政府规章504件、国务院部门规章167件。对于根据2015年修改后的立法获得立法权的设区的市和自治州，国务院法制办还专门发文，要求这些地方及时、准确、规范地向国务院报送规章备案。此外，约有15 000件省政府部门和市政府制定的规范性文件报送各省级政府法制机构备案。

关于国务院文件、行政法规的清理，国务院要求自2015年起，用3年时间对国务院文件进行全面清理，清理结果向社会公布；2017年年底前，有关部门和地方政府要完成对现行规范性文件的清理，清理结果向社会公布。根据这一要求，2015年，国务院着手进行清理工作，全面梳理了现行有效的242件法律、615件行政法规中涉及行政检查和公民出具证明方面的规定，重点清理了不利于民间资本投资、不利于权力清单和责任清单制定、不利于相对集中行政许可权试点、不利于城市执法体制改革等方面的文件。

（国务院法制办秘书行政司综合处）

中国海关管理制度

进入21世纪以来，中国海关不断创新管理模式，以适应新时期全球贸易形势的发展。2001年，中国海关以现代化为主线，不断推进管理创新，实施建设现代海关制度“两步走”发展战略。2009年，中国海关启动海关大监管体系建设，重点推进实施“三查合一”，将企业稽查、保税中后期核查和减免税核查统一归口管理，海关风险式管理思想进一步确立，综合监管模式逐渐形成。

2011年，国家“十二五”规划拉开帷幕，中国海关主动适应经济社会发展要求，在海关改革实践的基础上，积极探索海关管理新思路，与时俱进地进行理念创新，先后形成了“把好国门、做好服务、防好风险、带好队伍”的“四好”总体要求，“学习型、服务型、法治型、创新型、廉洁型”的“五型”海关和“爱国、厚德、增信、创新、奉献”的海关核心价值观。

五年来，海关监管基石作用有效发挥，共监管进出口货物182.06亿吨、总值124.88万亿元人民币，比“十一五”时期增长43.09%、48.64%。加强固体废物监管等专项行动成效明显。行李、寄递物品监管更加严密，“水客”综合治理成果不断巩固。“三查合一”扎实推进，风险实战能力全方位提升，后续监管更加到位。知识产权海关保护不断加强。

五年来，海关税收为中央财政收入做出重要贡献，共征收税款净入库82 724.9亿元，比“十一五”时期增长85.6%，办理减免税款2854亿元。主动参与国家进出口税收政策研究制订，提出关税调整建议199项，被采用131项。贯彻国家自贸区战略部署，圆满完成中瑞、中韩等5个自贸协定原产地和贸易便利化议题谈判，实施关税优惠1417亿元。

五年来，海关打击走私战果丰硕，共侦破走私违法犯罪案件10 185起，案值2126.8亿元，比“十一五”时期分别增长63%和2倍。严厉打击“洋垃圾”和涉毒、涉枪、涉爆走私，五年共查获毒品21.84吨。“网上缉私”和“缉私战区”作战模式实战效果突出。北仑河等非设关地走私势头得到遏制，整体态势向好。2015年是“十二五”收官之年，全国海关同心协力、攻坚克难，圆满完成了以下各项任务：

一、落实“三互”推进大通关，推进口岸治理现代化

（一）加快推进国际贸易“单一窗口”建设

按照国务院印发的《落实“三互”推进大通关建设改革方案》和国务院口岸工作部际联席会议确定的任务分工，海关总署积极完善“三互”大通关推进协调机制，加快推进国际贸易“单一窗口”建设，把传统的“串联式”口岸通关流程变为同步化的“并联式”流程，实现企业一次性申报、执法结果统一反馈。2015年6月，上海国际贸易“单一窗口”1.0版成功上线，形成货物与运输工具申报、税费结算、企业资质办理、贸易许可申请和信息查询等6大模块，参与单位包括海关、检验检疫、海事、边检、商务、国税、外汇等17个部门，使用企业达1000余家，反响良好。截至2015年年底，沿海地区“单一窗口”已全部实现系统上线运行，国务院部署任务按期圆满完成。广西国际贸易“单一窗口”上线运行标志着“单一窗口”建设跨进向沿边内陆地区拓展的新阶段。

（二）大力推进“一站式作业”

关检合作“三个一”目前已全面推广到全国所有直属海关和检验检疫部门，关检协同推进通关一体化和检验检疫一体化改革。探索跨部门联合执法，会同中央编办启动珠海口岸查验机制创新试点，在珠澳口岸旅检通道实施前后台分离查验试点。指导大连、珠海、东莞、厦门等口岸统筹资源，整合监管场所，共用监管设施，实施运输工具联合登临检查。全国旅检现场实现“一机双屏”（X光机），在有条件的邮递、快件监管现场推进“一机双屏”工作。

（三）积极推进信息共享

推动口岸相关部门共同研究起草数据共享和使

用管理办法，奠定“信息互换”的制度化基础。推动跨部门联网综合应用项目的上线运行，发展改革委、海关总署等12个成员单位，国家密码管理局等3个部门，以及23家商业银行通过中国电子口岸实现了联网信息交换，日均交换单证140万笔，基本实现了口岸大通关核心环节信息共享。破除“信息孤岛”，牵头建设的进出口企业综合资信库在电子口岸上线运行，截至2015年年底已实现550万条企业信息共享使用。

（四）促进国际物流大通道建设

加强国际海关合作，促进国际物流大通道建设，参与国际规则制定，提升国际影响力。2015年5月，在西安举办“一带一路”海关高层论坛，通过《西安声明》等3项互联互通海关合作成果。大力推进“经认证的经营者”（AEO）互认、中欧“安全智能贸易航线试点”、中俄绿色通道及特定商品监管结果互认，中哈、中塔、中吉等农产品快速通关“绿色通道”，中哈、中蒙联合监管等。截至2015年年底，已与131个国家和地区开展了交往，对外签署了166个合作文件。其中，与89个国家和地区开展了信息互换合作，与40个国家和地区开展了监管互认合作，与71个国家和地区开展了执法互助合作。

此外，海关总署大力推动口岸安全联防联控，推进立体化和系统化防控，与公安部、税务总局、质检总局、工商总局就反恐、反偷渡、打击骗退税、查处逃避检验检疫等方面，继续深化监管执法互助机制合作；协调各口岸管理相关部门，积极做好口岸相关管理信息的对接融入；与口岸管理相关部门共同开展联合惩戒和激励，实现差别化通关管理，积极打造更加高效的口岸通关模式。

二、加快整合优化，完善海关特殊监管区域政策和功能

2015年8月，海关牵头起草的《加快海关特殊监管区域整合优化方案》经国务院办公厅正式发布。方案提出“四整合、四优化”的改革举措（整合类型、整合功能、整合政策、整合管理，优化产业结构、优化业务形态、优化贸易方式、优化监管服务），通过创新制度、统一类型、拓展功能、规范管理，推动区内企业开拓国内市场、延伸产业链价值链，培育外贸竞争新优势，逐步实现加工制造单一发展向保税制造、物流、研发、服务等联动发展。9月，在重庆组织召开全国海关特殊监管区域现场会，贯彻落实《加快海关特殊监管区域整合优化方案》。会后，海关总署积极会同有关部门有序推进落实会议精神。截至2015年年底，海关特殊监管区域已从先后批准设立的160个整合为124个。与此同时，年内在苏州、重庆等地海关特殊监管区域开展了贸易多元化改革试点，在符合条件的海关特殊监管区域，开展高技术高附加值项目境内外检测维修业务，积极推动区内企业开拓国内市场、延伸产业链价值链、培育外贸竞争新优势，取得了良好成效。

三、改革海关监管管理体制，全力推进全国通关一体化改革

2014年以来在京津冀、长江经济带和广东地区开展的区域通关一体化改革是全国通关一体化改革的先行先试。在此基础上，2015年5月将区域通关一体化扩展到“泛珠”四省、丝绸之路经济带及东北地区海关，实现全国42个直属海关全覆盖。7月，启动了区域通关一体化“区区联动”改革，实现5大板块海关可跨区进行通关一体化。同时，对内，从完善海关内部协作、互认共享等机制入手，不断深化改革。企业除了可自主选择申报、纳税、验放地点，还推动实施报关企业“一地注册、全国报关”，企业的商品预审价、预归类、原产地预确定等海关专业认定跨关区互认，许可证件签注口岸、企业税款保函、电子支付担保文书同样可跨关区通用等。对外，全力支持检验检疫部门相继在京津冀、长江经济带等区域开展检验检疫一体化改革，协同推进改革，发挥改革综合效应。下一步，将推动实现全国通关一体化。

四、加快职能实现方式转变，提升把关服务水平

（一）推进简政放权、放管结合、优化服务

着眼“管、减、简、便”，大幅减少审批事项，降低企业制度性交易成本。2015年继续加大简政放权力度，取消下放行政审批事项15项、内部核批事项52项，压缩管理层级95项。同时加强事中事后监管。针对自由裁量空间较大、与行政相对人权益密切相关的20项裁量权，包括货物物品查验、

行政处罚等，制定裁量基准和规制措施，规范统一执法，做到放管结合、放管并重，营造法治化、国际化、便利化的营商环境。创新政务公开方式，充分发挥“12360”海关服务热线作用，打造“阳光海关”。

（二）创新自贸试验区海关监管服务

2015年5月，海关总署出台了支持和促进中国广东、天津、福建3个新设自贸试验区建设发展的措施和海关监管方案。截至2015年年底，海关已经在上海自贸试验区推出31项海关监管创新制度，其中14项创新制度已在全国推广（如先进区后报关、区内自行运输、保税展示交易、工单式核销、境内外维修、期货保税交割、批次进出集中申报、简化统一进出境备案清单、智能化卡口验放等）。在总结评估上海、广东、天津、福建自贸试验区海关监管创新制度经验基础上，在全国范围内分步、分类复制推广“仓储货物按状态分类监管”、“一次备案、多次使用”等25项海关监管创新制度。

（三）推行“双随机”抽查机制

2014年9月，李克强总理在天津海关视察，充分肯定了海关检查工作中“双随机”工作机制。2015年7月，国务院办公厅印发了《关于推广随机抽查规范事中事后监管的通知》（国办发［2015］58号）。海关总署认真贯彻落实李克强总理指示精神和国务院文件要求，大力推进“双随机”机制在海关通关监管中的应用。截至2015年年底，全国海关随机布控率达到79.6%，随机派员查验达到100%，执法更加公平、廉洁、高效。

（四）推进全流程无纸化通关

2015年年初，海关总署提出推进从申报到放行的全流程无纸化通关（即报关单及随附单证无纸化）。5月1日起，海关与税务等部门联网，取消签发纸质出口退税报关单证明联，改由海关向相关部门传输电子数据。8月1日起，海关总署和商务部进一步扩大自动进口许可证通关作业无纸化试点。试点海关扩展至天津、上海、南京、宁波、福州、厦门、广州、深圳、拱北、黄埔海关共10个海关。截至2015年年底，无纸化通关已覆盖所有通关现场和业务领域，无纸化率已达94%以上。

（五）促进新型贸易业态发展

支持全国8个城市开展跨境电子商务监管创新试点（上海、杭州、宁波、郑州、重庆、广州、深圳、天津）。自2015年5月起，对跨境贸易电子商务实行“全年（365天）无休日、货到海关监管场所24小时内办结海关手续”。研究建立与跨境电子商务发展相适应的监管模式，开发零售进口统一版系统。制订实施了中国（杭州）跨境电子商务综合试验区海关监管方案。为跨境电子商务建立了配套的信息化平台，增设了监管代码，实现了汇总申报。大力支持外贸综合服务平台、市场采购等新业态发展。开展贸易多元化试点工作，鼓励融资租赁、汽车平行进口等新型外贸模式发展。

（六）支持企业减负增效

取消企业信用评定的规模门槛，降低出口查验率。坚决持续全面清理规范进出口环节收费，海关目前已无行政性收费项目，大幅精简经营服务性收费项目，降低标准，切实减轻企业负担。在广东、上海开展对查验没有问题的外贸企业免除吊装、移位、仓储等费用试点，从联合调研情况看，部分外贸企业已得到实惠。

五、加强基础管理，提升全面履职能力

一是积极参与国家“十三五”规划编制，谋划海关“十三五”时期发展，明确实施创新强关、改革强关、法治强关、人才强关的强关战略，构建大开放、大安全、大通关、大协同的“四大”格局的发展思路，进一步推进管理思想、管理制度、管理方法和管理手段的现代化。

二是全面落实从严治党要求。在全国海关处级以上领导干部中扎实开展了“三严三实”专题教育。持续正风肃纪，严格落实中央八项规定精神，持续聚焦“四风”查找整改违规接待、公款吃喝、办公用房超标等问题，加强廉政教育，党员干部的党员意识、纪律意识、规矩意识、法治意识进一步增强。

三是加强执法规范化建设，完善海关行业标准体系。建立海关权力清单、责任清单。扎实推进执法统一性建设，出台规范行政裁量权意见，制定裁量标准和规制措施，保障重点环节执法行为有法可依、执法统一。

四是扎实推进准军事化海关纪律部队建设，深入开展岗位练兵和技能比武，进一步树形象、强素质、练精兵。

五是继续推进“瘦上强下”改革，精简机关人

员1950人，机关人员比例由27.2%降至19.57%，基层一线执法人员占基层人员的比例由79.2%提高到84.4%，一线执法力量得到有效增强。

六是加强海关科技创新。金关工程二期进入全面实施阶段，信息化管理水平不断提高，对重点改革项目的支持保障作用明显。大型监管查验设备配备得到加强，新增和更新H986设备101套，有力发挥科技装备的支撑作用。

（海关总署）

中国关税政策

中国关税政策包括进出口征税政策和减免税政策。2015年，中国海关共征收进出口关税2560.8亿元，进口环节税12 533.3亿元，分别下降9.9%和13.1%。

进口关税设置最惠国税率、协定税率、特惠税率、普通税率、关税配额税率等税率；出口关税设置出口税率。对进出口货物在一定期限内可以实行暂定税率。

对进口货物需采取反倾销、反补贴、保障措施的，按照有关法律、行政法规的规定适用其税率。另外，对国家决定征收报复性关税的进口货物，适用报复性关税税率。

有关关税政策如下：

一、履行入世承诺，约束性降税已完成

2001年中国加入WTO后，即履行降税承诺，经过几年的约束性降税，我国进口关税水平（最惠国税率算术平均税率）大幅降低，全部完成了入世承诺的降税义务。目前进口关税依据《中华人民共和国进出口税则》征收。税则共分为21类，97章，共计8285个税号。2015年我国关税总水平为9.8%，其中农产品平均税率为15.1%，工业品平均税率为8.9%。

二、发挥税收调节作用，自主实施暂定税率

暂定税率是国家对部分进出口货物实行的一种临时性进出口关税税率。一般根据国民经济发展的实际需要和进出口关税税率的总体调整情况，对部分进出口货物实行暂定税率，以更有效地发挥关税在提高国内竞争能力、促进企业技术进步、保障经济运行等方面的作用。2015年对749个8位税号商品实行进口暂定税率。

三、发挥关税保护作用，抵制不正当竞争，主动实施特保措施

反倾销税、反补贴税、保障措施关税、报复性关税等贸易救济措施是进口国在遭遇贸易冲击时或遭受歧视性贸易待遇时所采取的世界贸易组织允许的贸易保护手段。2015年中国海关共实施涉及反倾销和反补贴的贸易救济措施27个，主要涉及化工、造纸、光伏、钢铁等行业。

四、促进对外经济、外交关系发展，开展多边贸易合作，实行协定税率和特惠税率

我国目前已与28个国家（地区）签署了贸易或关税优惠协定，对有关国家或地区实施协定税率。同时，主动对《中国—东盟自贸协定》下的老挝、柬埔寨和缅甸3国，对《亚太贸易协定》下的老挝、孟加拉2国，以及对与中国建交的苏丹等非洲31国、也门等亚太9国，总共40个联合国认定的最不发达国家，实施了《中国—东盟自贸协定》《亚太贸易协定》和最不发达国家零关税待遇措施等特惠税率。

（海关总署）

中国关税政策

2015年，中国关税政策紧紧围绕改革发展和对外开放两个大局，坚持稳中求进工作总基调，主动适应经济发展新常态，完善关税税收制度，优化进口税收政策体系，推动经济平稳运行和提质增效。2015年，受进口需求下降、国际大宗商品市场价格下行等因素影响，全国征收关税和进口环节税15 072亿元，比2014年下降12.7%。其中，征收关税2555亿元，同比下降10.2%；征收进口环节税12 517亿元，同比下降13.2%。进出口税收约占中央一般公共财政收入的21.8%。

一、有效发挥关税调控作用，支持稳增长调结构

（一）着眼调结构，促进实体经济创新发展

2015年，关税调整工作继续秉承创新驱动发展的理念，坚持鼓励国内急需的先进设备、关键零部件和能源原材料进口的政策导向，在满足国内需求的同时，推进国内自主创新和产业结构优化升级，着力提高发展质量和效益。2016年1月1日起，对780多项商品实施低于最惠国税率的进口暂定税率，包括有利于提升装备制造水平的高速电力机车牵引变流器等关键零部件，有利于促进节能环保的纯电动或混合动力汽车用电机控制器总成等设备及材料，有利于促进产业可持续发展的天然和浓缩铀等能源资源类产品。

（二）助力稳增长，在世贸组织规则框架内发挥关税对国内相关产业发展的支持作用

一是对部分商品关税税率进行动态调整。根据国内产业发展、技术进步、投资和市场等情况，及时采取税率调整措施，支持国内扩大生产和供给。2016年1月1日起，相应调整40多项产品的进口税率，如对自动络筒机等商品，恢复实施最惠国税率；对滑动轴承等商品，适当提高暂定税率水平。二是动态调整重点产业免税商品清单。研究完善促进重大技术装备、集成电路等重点产业发展的进口税收政策，动态调整纳入政策范畴的免税商品清单，适时增加产业进步所需的先进技术设备、关键零部件、能源原材料等商品，并根据国内生产满足需求情况，剔除部分商品，扩大国内需求，促进产业结构调整。三是继续调整出口关税政策。为充分发挥市场对资源配置的决定性作用，根据国内产业结构变化情况，结合中国入世承诺，自2015年5月1日起，取消了钢铁颗粒粉末、铝加工材等10项具有一定加工深度商品的出口关税；自2016年1月1日起，进一步取消了磷酸、氨和氨水等商品的出口关税，适当降低生铁、钢坯等商品的出口关税。

（三）研究采取有关措施，缓解财政收入压力

面对经济下行压力，为缓解财政收支矛盾，本着符合财政改革长远目标、以促进口带动增税收的原则，研究可行的增收措施。一是适度降低龙虾、冻带鱼等水产品的进口关税，规范进口秩序，引导有关产品通过正常贸易渠道入境，增加进口数量。二是配合国内政策调整，自2015年9月1日起恢复征收化肥进口环节增值税。三是配合消费税改革，2015年1月13日起提高汽油、柴油、石脑油等成品油的进口环节消费税；2015年2月11日起对电池、涂料征收进口环节消费税。

二、加强制度建设，调整完善关税法规政策

（一）规范税收制度，研究调整进境物品税收政策

一是制定跨境电子商务零售进口税收政策。为营造公平竞争的市场环境，促进跨境电子商务零售进口健康发展，在认真研究、深入调研的基础上，按照有利于拉动国内消费、公平竞争、促进发展和加强进口税收管理的原则，会同有关部门研究制定了跨境电子商务零售进口税收政策方案并上报国务院。二是研究调整行邮税政策。为适应我国居民海外购物消费及跨境电子商务迅猛发展的形势要求，本着规范税制、维护税负公平、堵塞漏洞等原则，与跨境电子商务零售进口税收政策相协调，研究制订了行邮税调整方案，经国务院关税税则委员会审

议通过后上报国务院。

（二）落实税收法定原则，做好相关立法工作

一是稳步推进《船舶吨税法》立法工作。按时启动《船舶吨税法》立法工作，制订立法工作计划，成立立法工作小组，专题调研了解《船舶吨税暂行条例》实施过程中存在的问题，认真听取相关部门、地方及航运企业的建议，最终形成了《船舶吨税法》（送审稿草案）及其说明。二是组织开展《关税法》立法预研究工作。根据税收法定工作安排，《关税法》立法工作于 2016 年启动，2017 年提请全国人大常委会审议。为夯实立法工作基础，进行国际比较研究，组织翻译美国、欧盟、日本、韩国等主要国家或地区的关税法律文本，并邀请法学专家加强对国外关税法律和国际惯例的研究分析；开展基础研究工作，邀请北京大学等院校的专家就涉及关税的法律理论、基本问题、制度框架等问题开展研究。

（三）提高政策规范性，研究整合进口税收政策

按照深化财税体制改革要求，为建立公平统一、调节有力的进口税收政策体系，更好地发挥关税在支持经济社会发展中的职能作用，在对“十二五”末到期进口税收政策及其执行情况进行全面梳理评估的基础上，研究制订“十三五”进口税收政策方案，加强进口税收政策的整合优化，提高政策执行的规范性、有效性和针对性。

三、合理增加一般消费品进口，丰富国内消费者购物选择

（一）试点降低部分消费品的进口关税

为发挥关税的导向作用，扩大国内消费和满足百姓消费升级需求，2015 年 6 月 1 日和 2016 年 1 月 1 日，分两批对我国居民在境外消费较为集中、进口关税税率相对较高、进口需求弹性较大，同时对国内相关产业影响较小的部分商品降低进口关税，包括箱包、服装、纸尿裤、真空保温杯、太阳镜等，平均降幅为 50%。

（二）增设和恢复口岸进境免税店

为满足国内消费需求，丰富国内消费者购物选择，方便国内消费者在境内购买国外产品，决定在 19 个口岸增设和恢复口岸进境免税店。

（三）研究调整海南离岛旅客免税购物政策

为适应商品贸易经营业态的快速发展变化，在全面总结政策实施效果的基础上，自 2015 年 3 月 20 日起，调整海南离岛旅客免税购物政策，将婴儿配方奶粉等 17 种消费品纳入免税商品范围，并适当放宽化妆品、服装服饰等 10 种热销商品的单次购物数量限制，以进一步发挥政策效应，促进海南国际旅游岛建设。

四、充分发挥进口税收政策作用，支持经济社会发展

（一）培育战略性新兴产业，支持产业结构转型升级

为贯彻创新驱动理念，及时落实重大技术装备、新型显示器件、进口航材等进口税收政策，鼓励进口先进设备及关键零部件、原材料，提升国内产业核心竞争力和自主创新能力。修订科教用品和科技开发用品进口税收政策，会同有关部门明确了非医药类院校、专业和非医药类科研机构免税进口医疗检测分析仪器及其附件的优惠政策。落实民口科技重大专项免税政策，会同有关部门发布了科技重大专项 2015—2017 年免税进口物资清单，并印发了新一代宽带无线移动通信网等科技重大专项免税进口物资 2015—2017 年度实施方案。

（二）促进节能减排，支持清洁能源开发利用

为促进清洁能源供应和鼓励能源勘探开发，发挥税收政策对保证我国能源安全和节能减排的重要作用，继续实施进口天然气返税、石油天然气煤层气勘探开发进口物资等方面的税收政策。落实 2012 年亚太经合组织（APEC）第二十次领导人非正式会议承诺，自 2016 年 1 月 1 日起，把 APEC 54 项环境产品的实施关税降到 5%或以下，包括污泥干燥机等 27 项实施税率高于 5%的产品，平均降税幅度达 42%。

（三）增进国民福利，加大力度支持社会事业发展

为推进社会事业改革创新，继续实施残疾人专用品、抗艾滋病病毒药物、科教图书等进口税收政策。为支持慈善事业，发挥扶贫济困积极作用，会同有关部门研究出台《慈善性捐赠物资免征进口税收暂行办法》，进一步放宽接收免税进口物资的受赠人范围，调整免税进口物资范围。为促进国际合作与交流，积极配合亚洲基础设施投资银行、金砖国家新开发银行的成功建立，拟订政府间协定、东

道国协定涉及的机构和人员的进口税收豁免政策，参与相关文本磋商，推动上述多边开发机构顺利运营；拟订中亚区域经济合作学院、中国—保加利亚文化中心、大图们倡议等国际组织的进口税收政策；研究我国驻外使领馆工作人员离任回国携带自用车辆进境的税收政策。

（四）支持“三农”发展，加快转变农业发展方式

为推动建设优质高效农业，保障粮食安全，继续实施种子种源、中央储备粮油、部分饲料及化肥等进口税收政策，加大对农业领域的支持力度，稳步促进农业农村发展。落实国务院取消部分非行政审批事项的决定，会同有关部门研究调整了进口种子种源政策的执行方式。

（五）发挥关税调节功能，促进区域协调发展

“十三五”期间，将整合中国—东北亚投资博览会等4项留购展品政策，对中国—东北亚投资博览会等7个展会在展期内销售的合理数量的进口展览品免征进口关税，继续支持中西部地区进出口贸易发展。

五、支持区域协调发展，调整规范区域税收政策

（一）积极推动自由贸易试验区相关工作

一是牵头拟订了广东、天津、福建自贸试验区总体方案以及上海自贸试验区扩展区域方案中的具体税收政策内容；二是会同有关部门印发了广东、天津、福建自贸试验区进口税收政策执行文件。

（二）研究促进海关特殊监管区域健康发展

一是参与研究起草《加快海关特殊监管区域整合优化方案》。二是密切跟踪选择性征税关税政策以及苏州、重庆贸易多元化试点的实施情况。

（三）研究促进加工贸易创新发展

参与研究起草《关于促进加工贸易创新发展若干意见》。对现行加工贸易限制类目录及限制措施、钢材等产品的加工贸易政策问题进行了深入研究。

六、加强多双边及区域经贸合作

（一）加快实施自由贸易区战略和对最不发达国家实施零关税待遇，促进双边经贸合作

一是在中韩、中澳自贸协定于2015年6月正式签署后，积极推动2015年12月20日实施第一步降税，2016年1月1日实施第二步降税。二是落实内地与港澳关于建立更紧密经贸关系的安排（CEPA）协定，继续扩大CEPA零关税产品范围。三是从2015年12月10日起，对原产于科摩罗联盟等9个最不发达国家的97%税目产品实施零关税。

（二）依法实施贸易救济措施，维护公平贸易环境

一是对原产于韩国和泰国的进口精对苯二甲酸在反倾销措施期终复审期间继续征收反倾销税。二是对原产于美国的白羽肉鸡做出在反倾销、反补贴期终复审期间继续征税的决定。三是对美国、欧盟、俄罗斯和台湾地区进口的锦纶6切片，对欧盟进口的碳钢紧固件反倾销措施，做出期终复审期间继续征税的决定。

（财政部关税司）

中国海关商品归类制度

一、中国海关与《协调制度》

（一）《协调制度》介绍

《商品名称及编码协调制度》（简称《协调制度》，又称“HS”），是指世界海关组织（WCO）主持制定的商品分类目录体系，是顺应国际贸易实践的需要而产生的一种国际公约性质的商品分类标准，被称为国际贸易商品分类的一种“标准语言”。《协调制度》是《中华人民共和国进出口税则》制定的基础。

1983年中国成为海关合作理事会的成员国。中国海关于1987年将《协调制度》译成了中文，并开始着手将原中国海关的税则目录根据《协调制度》进行转换。1992年1月1日，中国海关加入了《协调制度》公约。同年，正式采用《协调制度》，使商品归类工作成为中国海关最早实现与国际接轨的执法项目之一。二十多年来，中国海关作为协调制度目录的主管部门，为目录在我国的推广、应用做了大量工作。

（二）《协调制度》在中国的应用

1.《协调制度》目录应用

《协调制度》公约第三条“缔约方的义务”第三款规定“本条规定不影响缔约各国在本国的税则目录或统计目录中，增列比《协调制度》目录更为详细的货品分类细目，但这些细目必须在本公约附件所规定的6位数级目录项下增列和编号。”因此，中国海关采用的《协调制度》分类目录，前6位数是协调制度国际标准编码，第7、8两位是根据我国关税、统计和贸易管理的需要加列的本国子目，同时，还根据代征税、暂定税率和贸易管制的需要对部分税号增设了第9、10位附加代码。随着进出口贸易的不断发展和商品种类的日益繁多，我国海关10位商品编号的数量也从1992年采用《协调制度》之初的6250个增加到了2016年的13 205个。

此外，世界海关组织为使各缔约国能够统一理解、执行《协调制度》，编制了《商品名称及编码协调制度注释》，我国也将其完全翻译过来并据此制定了《进出口税则商品及品目注释》；在此基础上，我国还针对本国增列的子目逐步编制了《中华人民共和国进出口税则本国子目注释》，二者共同构成了对《税则》的有效补充。

2.《协调制度》目录转版

为了适应国际贸易和现代科技发展的需要，协调制度每4～6年都要做一次大的转版升级。到目前为止，我国海关先后组织完成了1992年版、1996年版、2002年版、2007年版、2012年版《协调制度》的翻译，并组织完成了我国《进出口税则》的修订转换以及1992年版、1996年版、2002年、2007年、2012年版《协调制度注释》的翻译工作，极大地推动了协调制度在我国的普及和应用。

现行2012年版的《协调制度》不仅成为海关征收关税和编制海关统计的基本工具，同样也成为国家发展改革委、财政部、商务部、科技部、税务总局等部门制订相关经济和贸易政策时的一项基本政策工具。目前，正在积极开展2017版《协调制度》及《协调制度注释》翻译转换工作，准备于2017年1月1日在我国如期实施。

二、中国海关商品归类依据

（一）中华人民共和国进出口税则

中国海关完全采用《协调制度》的分类方式和6位数编码，并在此基础上根据本国贸易特点，增列了第7、8位本国子目，形成了8位数的编码体系，形成《中华人民共和国进出口税则》。

根据国际和国内贸易发展情况，因技术的发展，贸易方式的改变、公共安全及环境保护的需要、贸易统计、国内行业的需求等原因，本国《税则》中的子目每年修订一次，经国务院批准，每次修订的《税则》在下一年度实施。中国海关是中国国务院关税税则委员会成员单位，每年向税委会提出修订意见。

（二）中国海关归类主要依据

中国海关归类主要依据《海关法》《关税条例》以及《归类管理规定》开展。归类的法律依据主要包括《税则》《协调制度注释》《本国子目注释》以及以公告形式对外公布的归类决定、归类行政裁定。

归类工作的战略目标是建立一个守法便利的通关环境，减少通关环节归类原因造成的延误。以此为目标，中国海关加强自身建设，加强信息化与法制化建设，取得了较好的成效。中国海关不断公开归类决定，通过网络公开归类信息，全国海关化验结论实现联网，努力营造良好贸易环境。目前中国海关对外公布作为归类依据的本国子目注释共 321 项，以公告形式对外公布的归类决定 3383 项，其中对外公布的世界海关组织归类决定 1007 项，公布我国归类决定 2376 项，为归类业务的开展奠定了法律基础。

三、中国海关商品归类组织框架

中国海关归类工作是以世界海关组织协调制度为基础的进出口商品属性的认定工作，其目标就是在《协调制度》的框架下，确保进出口商品归类的准确性与一致性，保证税收及贸易管制等海关执法的进行，保证国际贸易便利化的有效开展，确保海关统计的准确性。

（一）中国海关商品归类组织结构

中国海关商品归类职能部门为海关总署关税征管司，负责规划、指导、税则立法建议、协调、数据库维护、争议解决、组织培训等工作。1998 年机构改革后成立归类处，主管海关进出口商品的归类工作。经过近几年的发展，归类工作已经有较大的发展。目前，全国海关归类由关税司归类处主管，设有北京归类办，天津、大连、上海、广州归类分中心和化验中心，青岛、重庆化验中心。

北京海关商品归类办公室，上海、广州、天津、大连的 4 个商品归类分中心，为总署归类职能的外设机构，各负责部分全国海关的归类职能管理。同时在上海、广州、天津、大连、重庆、青岛设有海关化验中心。

各个直属海关的关税部门负责本关区的具体归类管理，如遇到归类问题，可按照分管商品向商品归类分中心提交归类申请。

（二）中国海关商品归类委员会制度

目前中国海关成立了 2 个商品归类委员会，分别是协调制度商品归类技术委员会和协调制度管理委员会。

协调制度商品归类技术委员会成立于 1999 年，主要由海关归类业务专家组成，研究和解决具体的商品归类疑难问题。归类技术委员会参照世界海关组织模式，下设一个顾问组，4 个分委会（分别为审议分委会、政策分委会、科学分委会、数据分委会），4 个专业组（分别为商品组、国际业务组、法规组、网络组）。其中，审议分委会负责税则和国家政策的研究，提出税则的修订和调整建议；政策分委会主要对商品归类工作的制度体系和业务规划进行系统性和前瞻性的研究；科学分委会主要由海关化验专家组成，为归类技术委员会提供技术支持和科学保障；数据分委会是归类化验数据的管理机构，负责对归类化验数据进行维护。各专业小组根据工作安排，完成总署分配的任务。归类技术委员会一年召开两次，研究海关面临的具体归类问题以及讨论涉及的法律、法规方面的问题，寻求解决途径。

协调制度管理委员会于 2006 年 6 月成立，由海关总署牵头其他 14 个部委和 20 余个行业协会组成，为海关与这些机构在归类事务上的沟通搭建了平台。协调制度管理委员会一年召开一次，由海关总署组织召开，各成员单位参与，主要是通报海关的重大措施以及征求相关意见等。

四、中国海关商品归类管理

（一）中国海关商品归类工作模式

归类业务具有专业性强、业务链条长、涉及领域广的特点，受到中国海关的重视。中国海关归类业务实行垂直、三级管理，即海关总署（归类分中心）—直属海关—隶属海关。遇到问题逐级请示，各层级有不同的处理权限。

归类业务涉及通关前、通关中及清关后三个阶段。

通关前：收发货人或者其代理人依据海关发布的归类依据和原则确定进出口商品归类。收发货人或者其代理人有义务按照上述归类规定如实正确确定进出口商品的海关商品编码。

通关中：海关依据风险管理模式，依靠技术平台，依法对收发货人或者其代理人申报的进出口货物商品的归类进行审核。

通关后：海关通过后续数据核查、风险评估进行后续监控以及维护风险数据，维护归类一致性和准确性。

（二）中国海关化验

中国海关分别在大连、天津、上海、广州、青岛和重庆设立了海关化验室，承接各直属海关报送的进出口商品化验任务。

1999 年 3 月，广州海关化验中心成为全国海关第一家通过国家认证的实验室，也是亚洲海关实验室中最早通过国际认证的实验室。2002 年 10 月，上海海关化验中心通过国家实验室认可委评审。上海海关化验中心首次将非标方法纳入认证项目并通过国家认可委评审。2002 年 12 月，大连海关化验中心通过国家实验室认可委评审。成为全国首家以电子化的质量管理体系通过评审的单位。2003 年 6 月，天津海关化验中心通过国家实验室认可委评审，并建立了全国唯一一个纸张检测专业实验室。各实验室通过 LIMS 系统实现联网，方便化验结果的查询。2014 年 4 月，重庆海关化验中心通过国家实验室认可委评审。2015 年 12 月，青岛海关化验中心通过国家实验室认可委评审。至此，全国海关系统 6 个化验中心已全部通过国家实验室认可委评审。

中国海关化验于 2014 年 11 月首次正式对外公布第一批 69 项海关化验标准，并利用中国海关化验信息管理系统（LIMS）成功实现海关化验数据全国联网，实现海关化验标准化和信息化。

海关化验中心自 1991 年陆续成立以来，共受理送检样品近 23 万宗，补税及罚没近 13 亿元。查获涉嫌逃避进出口许可证管制货物近 3000 批，查获毒品约 160 批共计 9300 多公斤，取得了显著的经济效益和社会效益。

（三）中国海关商品预归类制度

1. 海关预归类

根据《中华人民共和国海关进出口货物商品归类管理规定》，在海关注册登记的进出口货物经营单位，可以在货物实际进出口的 45 日前，向直属海关申请就其拟进出口的货物预先进行商品归类。规定在海关预归类的申请、受理、制发决定书等各个环节，从制度上给予保障，实现海关预归类工作的有法可依。

2. 归类行政裁定

根据《中华人民共和国海关行政裁定管理暂行办法》，海关行政裁定包括进出口商品的归类行政裁定，海关行政裁定的申请人，应当在货物拟作进口或出口的 3 个月前向海关总署或者直属海关提交书面申请。目前，对各自由贸易试验区内在海关注册登记的进出口货物经营单位，试点实施海关行政裁定制度。海关总署授权全国海关进出口商品归类中心天津、大连、上海、广州分中心就各自分管商品做出归类行政裁定。

（海关总署）

中国海关估价制度

中国于2001年12月11日正式成为世界贸易组织（WTO）的第143个成员。中国入世给海关带来的最直接影响就是《WTO估价协定》的全面实施。2001年以来，中国海关根据《WTO估价协定》要求，从估价理念到估价方法、程序等方面进行了全方位、深层次的改革，已实现了与国际惯例的接轨。

一、海关估价法律体系

中国目前的审价立法可以划分为三个层次：

第一个层次是《中华人民共和国海关法》第55条，“进出口货物的完税价格，由海关以该货物的成交价格为基础审查确定。成交价格不能确定时，完税价格由海关依法估定。”在法律层次上已经实现了和《WTO估价协定》的衔接。

第二个层次是《中华人民共和国关税条例》（以下简称《关税条例》）。2004年开始实施的新《关税条例》作为《海关法》的配套法规，对估价定义、估价方法、估价程序等均根据《WTO估价协定》要求进行了修订。

第三个层次是《中华人民共和国海关审定进出口货物完税价格办法》（以下简称《审价办法》）。《审价办法》是《WTO估价协定》在中国估价法律体系中最直接的体现，它完整准确地体现了《WTO估价协定》的有关规定。

二、海关估价原则

（一）以货物的成交价格为估价准则

货物的成交价格是中国海关估价的基本准则。进口货物的成交价格估价方法是《WTO估价协定》所规定的六种估价方法中的第一种，也是最重要最基本的一种估价方法。它是建立在进口货物实际交易价格基础上的一种估价方法，也是在估价实践中使用率最高的一种估价方法。

确定进口货物成交价格的步骤依次是：审查构成成交价格的各种要素是否成立（销售、实付应付、该货物），审查进口货物是否符合4项条件（限制、不确定因素、转售收益、特殊关系），审查是否有必要根据销售情况对有关价格因素进行合理调整。

（二）其他估价方法

中国海关的估价方法与《WTO估价协定》一致，除成交价格方法外，其他依次适用的估价方法有：

1. 相同或类似货物成交价格方法

相同货物成交价格方法是指海关无法按成交价格方法确定进口货物完税价格时，将以被估货物同时或大约同时向中华人民共和国境内销售的相同货物的成交价格为基础确定该进口货物完税价格的估价方法。这是按顺序使用的第二种估价方法。

类似货物成交价格方法是指海关无法按成交价格方法和相同货物成交价格方法确定进口货物完税价格时，将以被估货物同时或大约同时向中华人民共和国境内销售的类似货物的成交价格为基础确定该进口货物完税价格的估价方法。这是按顺序使用的第三种估价方法。

2. 倒扣方法

倒扣方法是以进口货物、相同或类似进口货物在被估货物进口时或大约同时，按进口时的状态在境内第一销售环节，以最大总量单位售予境内无特殊关系方的单价为基础估定完税价格，这是第四种估价方法。采用倒扣方法估价通常的步骤：一是确定倒扣方法的基础价格，即确定转售价格；二是扣除有关的税费。

3. 计算方法

计算方法是指在普遍接受的会计原则下利用有关资料，将进口货物生产商的生产成本加上从出口国出口销售到进口国通常发生的利润及一般费用，并在此基础上计算得到的价格作为对货物估价的方法。这是第五种估价方法，其计算基础不是货物的成交价格或转售价格，而是生产成本。

4. 合理方法

合理方法是第六种估价方法。所谓合理方法，实际上不是一种具体估价方法，而是规定了使用方法的范围和原则。也就是说，海关在使用合理方法时，应当根据公平、统一、客观的估价原则，且不得使用 6 种禁止使用的价格估价。

三、海关与进口商的权利与义务

中国海关估价法律法规体系不但规定了海关审定货物完税价格的程序，还赋予了海关与进出口商在估价过程中的权利和义务。

海关权利包括：

查阅复制权：查阅、复制与进出口有关的书面资料和电子数据；

询问权：向进口商及相关企业调查与进出口货物价格有关的问题；

查验、送验权：对进出口货物进行检验和化验；

检查权：检查进出口货物相关的场所；

查询权：查询进出口货物相关付汇或缴纳国内税情况。

海关义务包括：

保密义务：保守进出口商的商业秘密；

举证责任：海关履行估价程序必须向进口商举证；

书面告知的义务：据进出口商申请就如何确定进出口货物完税价格做出书面说明；

具保放行货物的义务：未做出估价决定前，进出口商提供担保后先放行进出口货物。

进口商的权利：

要求具保放行货物的权利；

估价方法的选择权：选择倒扣价格方法和计算价格方法的适用次序；

知情权：要求海关估价透明公开；

申诉权：对海关估价决定不服的，可以向上一级海关申报复议和向法院提起诉讼的权利。

进口商的义务：

如实申报的义务：向海关如实申报进出口货物的成交价格，提供相关的资料和电子数据；

举证责任：举证证明申报价格的真实性和准确性或举证交易价格没有受到买卖双方特殊关系影响。

四、海关审价工作流程

进出口货物向海关申报后，对其成交价格的审查从程序上通常可以分为：区域审单中心审价、通关现场验估、关税价格职能部门专业认定等。

（1）区域审单中心电子审核申报价格：进出口货物报关单电子数据首先经过区域审单中心对其申报价格进行电子审核，区域审单中心的审价主要是以价格信息资料为基础并结合企业信息等其他部门所掌握的相关信息对企业的申报价格真实性进行初步判断。经审核认为申报价格合理的给予审结放行，对于判断风险值高的申报则转由其他审价环节通过更丰富的资料和手段进行判断。

（2）现场海关书面审核：现场海关要在区域审单中心电子审核申报价格的基础上，对区域审单中心提示重点做进一步审核的报关单或者现场海关分析认为存在风险需重点审核的，通过对书面报关数据与随附单证及相关信息的核对和审核，以及对货物的实际验估，确定进出口货物的完税价格。

（3）职能部门专业认定：当区域审单中心和现场海关经过电子审核和书面审核，仍无法确定进出口货的完税价格时，可以向上级关税职能部门提交估价专业认定申请。专业认定就是要发挥职能部门的专业优势，在掌握充分价格资料的基础上，通过企业进一步提供的更加充分的贸易单证对企业申报的价格进行验证，从而对企业申报价格的真实性和完整性做出判断。

从对具体货物的估价程序看，分为价格质疑、价格磋商以及价格核查等。

价格质疑：是指海关对进出口货物的申报价格的真实性和准确性有疑问时，应当书面将怀疑的理由告知进出口商，要求进出口商做进一步说明，提供相关资料或其他证据，证明其申报价格是真实准确的。

价格磋商：是指海关采用相同、类似货物成交价格资料或者采用倒扣价格方法、计算价格方法确定进口货物完税价格时，由海关与进出口商交流与进口货物有关的贸易状况、交易情况，相同或类似进口货物的成交价格，市场价格行情、成交数量、商业水平、运输方式、运输距离等信息，以及使用倒扣价格方法、计算价格方法估价时所需资料的过程。

价格核查：价格核查是海关审定完税价格的一种手段，是海关经过必要的审价程序后仍无法确定其完税价格时，依法通过审查单证、核实数据、核对实物及相关账册等方法，对进口货物申报成交价格的真实性、准确性进行的审查。

（海关总署）

中国海关原产地管理制度

一、中国海关原产地管理制度概述

我国对进出口货物原产地的管理分为非优惠原产地管理和优惠原产地管理。经过多年实践，初步形成了我国非优惠和优惠原产地管理体系。截至2015年年底，海关总署颁布实施原产地相关署令25个、公告90余个。2015年，制定下发《中华人民共和国海关〈中华人民共和国政府和澳大利亚政府自由贸易协定〉项下进出口货物原产地管理办法》和《中华人民共和国海关〈中华人民共和国政府和大韩民国政府自由贸易协定〉项下进出口货物原产地管理办法》等2个署令和17个公告。

二、中国非优惠原产地管理

（一）法制框架

中国非优惠原产地管理是以《中华人民共和国进出口货物原产地条例》和《关于非优惠原产地规则中实质性改变标准的规定》为基本法制框架，连同海关总署颁布的各项原产地管理规章和进出口原产地管理操作规程，形成了我国的非优惠原产地管理体系。

1.《原产地条例》

2004年9月，国务院颁布了《原产地条例》（国务院令第415号），自2005年1月1日起施行。《原产地条例》共27条，分别就立法宗旨、适用范围、原产地规则、原产地证书签发、海关监管及核查、法律责任等做了明确规定。该条例适用于进口税率的适用、贸易统计、最惠国待遇、反倾销和反补贴、保障措施、原产地标记管理、国别数量限制、关税配额等非优惠性贸易措施的实施，以及政府采购时对进出口货物原产地的确定。

《原产地条例》建立了判定进出口货物原产地的共同标准，实现进出口货物原产地规则的统一，明确了海关在进出口货物原产地管理上的主导地位，对进出口收发货人的权利和义务做出规范，对签证机构和签证程序提出要求，是我国实施非优惠原产地管理的根本法律依据。

2.《实质性改变标准规定》

依照《原产地条例》的有关规定，海关总署会同商务部、国家质检总局于2004年12月发布了《关于非优惠原产地规则中实质性改变标准的规定》，与《原产地条例》同时实施。《实质性改变标准规定》共9条，主要包含了实质性改变标准条款和产品特定原产地标准清单两部分。

（二）进出口货物原产地管理

1. 进口货物原产地管理

货物申报进口时，进口货物收货人应当按照海关的申报规定，填制进口货物报关单，申明进口货物的原产地，并随附有关单证。海关对进口报关单进行审核。

为确定货物原产地是否与进口货物收发货人提交的原产地证书及其他申报单证相符，海关可以对进口货物进行查验。

海关对进口货物收货人或者其代理人提交的原产地证书的真实性、货物原产地的准确性存在怀疑时，可请求出口方原产地主管机构对进口货物的原产地进行核查，或对进口货物收货人或其代理人及其进口货物进行核查。

2. 出口货物原产地管理

出口货物发货人可以向签证机构申请领取出口货物原产地证书。出口货物发货人办理申请手续时，应当如实申报出口货物的原产地，并提供出口货物的原产地相关资料。

货物申报出口时，出口货物发货人或者其代理人应当按照海关的申报规定填制出口货物报关单，申明出口货物的原产地。

为确定出口货物的原产地是否与申报相符，海关可以对出口货物进行查验。

海关对出口货物发货人或者其代理人提交的原产地证书的真实性、货物原产地的准确性存在怀疑时，也可根据有关规定，对出口货物发货人或者其代理人及其出口货物进行核查。

对货物所进行的任何加工或者处理，是为了规避中华人民共和国关于反倾销、反补贴和保障措施等有关规定的，海关在确定该货物的原产地时可以不考虑这类加工和处理。

进口货物的原产地标记与依照《原产地条例》所确定的原产地不一致的，海关有权责令进口人予以改正。

3. 原产地行政裁定与预确定

2001 年 12 月 7 日，海关总署发布《中华人民共和国海关行政裁定管理暂行办法》（海关总署令第 92 号）。在海关注册登记的进出口货物经营单位可在货物拟做进口或出口的 3 个月前提出书面申请，请求海关对有关货物预先做出原产地的行政裁定。海关做出的原产地行政裁定具有海关规章的同等效力，对与实际进出口原产地相关事务具有普遍约束力，自公布之日起在中华人民共和国关境内统一适用。

为规范进口货物原产地预确定管理，便利合法进口，提高通关效率，海关总署制定下发了《进口货物原产地预确定暂行规定》，于 2012 年 4 月 1 日起实施。进口货物的收货人及与进口货物直接相关的其他人，在有正当理由的情况下，可以在货物实际进口前提出书面申请，请求货物进口地直属海关对有关货物的原产地进行预确定。

三、中国优惠原产地管理

（一）法律框架

《原产地条例》第 2 条明确规定，实施优惠性贸易措施的进出口货物原产地规则及其管理办法，依照我国缔结或者参加的国际条约、协定的有关规定另行制定。

截至 2015 年年底，我国已对外签署并实施了 15 个优惠贸易协定，分别是《亚太贸易协定》、中国—东盟自由贸易协定（FTA）、中国—巴基斯坦 FTA、中国—智利 FTA、中国—新西兰 FTA、中国—新加坡 FTA、中国—秘鲁 FTA、中国—哥斯达黎加 FTA、中国—冰岛 FTA、中国—瑞士 FTA、中国—澳大利亚 FTA、中国—韩国 FTA、《内地与香港关于建立更紧密经贸关系安排（CEPA）》、内地与澳门 CEPA、《海峡两岸经济合作框架协议》（ECFA），以及对台农产品优惠措施和对最不发达国家特惠措施这 2 个优惠贸易安排。原产地规则作为这些协定的组成部分，对确保各项优惠政策的有效实施起着不可或缺的重要作用。中国海关依据上述协定项下的原产地规则，分别制定了相应的优惠原产地管理办法，并以海关总署令的形式对外发布，完成从国际法向国内法的转换，作为优惠贸易项下进出口货物原产地管理的法律依据。

为加强我国进出口货物优惠原产地的统一管理，海关总署制定了《中华人民共和国海关进出口货物优惠原产地管理规定》（海关总署令第 181 号），自 2009 年 3 月 1 日起施行。该《优惠原产地管理规定》共 31 条，就优惠贸易项下普遍适用的原产地规则、签证机构及签证程序、进出口申报规范、货物查验及原产地标记、原产地核查等做了统领性规定。

《优惠原产地管理规定》连同各项优惠贸易协定项下的原产地管理办法，形成了我国优惠原产地管理的基本法律框架。

（二）优惠原产地规则

由于各个优惠贸易协定的对象国（地区）不同，谈判条件和结果各异，所达成的各项条款互有差异。总体来说包括以下内容：

（1）原产地标准。对于完全在一国（地区）获得或者生产的货物，适用完全获得标准；对于非完全在一国（地区）获得或者生产的货物，适用实质性改变标准。

（2）完全获得。对于符合完全获得标准的动物产品、植物产品、渔获产品、废碎料等产品范围进行界定。

（3）实质性改变。非完全在一国（地区）获得或者生产的货物，按照相应的自贸协定或优惠贸易协定规定的税则归类改变标准、区域价值成分标准、制造加工工序标准或者其他标准确定其原产地。

（4）累积规则。原产于优惠贸易协定缔约一方的货物或者材料，在另一方境内用于生产另一货物，并构成另一货物组成部分的，该货物或者材料应当视为原产于另一方境内。

（5）微小加工。为便于装载、运输、储存、销售而进行的加工、包装、展示等微小加工或者处理，不影响货物原产地确定。

（6）包装。运输期间用于保护货物的包装材料及容器不影响货物原产地的确定。

（7）中性成分。在货物生产过程中使用，本身不构成货物物质成分，也不成为货物组成部件的材料或者物品，其原产地不影响货物原产地的确定。

（8）直接运输。优惠贸易项下进口货物，应当从缔约一方直接运输至我国境内；经过第三方境内运输至我国境内的，不论在运输途中是否转换运输工具或者做临时储存，只要同时符合各协定规定的条件，可以视为“直接运输”。

（三）签证程序

依照国家法律、行政法规规定有权签发出口货物原产地证书的机构，可以签发优惠贸易协定项下出口货物原产地证书。签证机构应依据相应优惠贸易协定项下的原产地规则签发出口货物原产地证书。

出口商或生产商应向签证机构提出书面申请，由签证机构对其出口货物的原产地资格进行核实。出口货物的发货人及其代理人应向签证机构书面申领原产地证书，并提交相关证明文件。签证机构有权在货物出口前采取任何适当的措施审核产品是否具有原产地资格。

（四）通关管理措施

1. 进口申报要求

货物申报进口时，进口货物收货人或者其代理人应当按照海关的申报规定，填制进口货物报关单，申明适用协定税率或者特惠税率，同时提交货物的有效原产地证书正本或相关优惠贸易协定规定的原产地声明，以及货物的商业发票正本、运输单证等其他商业单证。货物经过第三方境内运输或临时储存的，应当提交证明符合直运规则的证明文件。一份报关单对应一份原产地证书；一份原产地证书或原产地声明对应同一批次的进口货物。

货物申报进口时，进口货物收货人虽已申明适用有关优惠贸易安排的协定税率，但未能提供有效原产地证书正本以及相关文件的，海关应当按照规定收取保证金后放行货物。海关可以申请在保证金收取的期限内，根据进口货物收货人按规定提供的材料退还保证金。

2. 出口申报规范

出口货物申报时，出口货物发货人应当按照海关的申报规定填制出口货物报关单，并向海关提交原产地证书电子数据或者原产地证书正本的复印件。货物出口后，出口货物发货人向签证机构申请补发优惠原产地证书的，出口货物发货人应向原出口地海关补交原产地证书正本复印件。

3. 货物查验及原产地标记

为确定货物原产地是否与进出口货物收发货人提交的原产地证书及其他申报单证相符，海关可以对进出口货物进行查验。优惠贸易协定项下进出口货物及其包装上标有原产地标记的，其原产地标记所标明的原产地应当与海关按照有关规定确定的货物原产地相一致。

4. 原产地核查

海关对进口货物收货人或者其代理人提交的原产地证书的真实性、货物原产地的准确性存在怀疑时，可以请求出口方原产地主管机构对自贸协定或优惠贸易协定项下进口货物原产地进行核查。必要时，海关可以进行跨境核查访问。

应优惠贸易协定缔约一方的请求，或者海关认为必要时，可以对有关出口货物原产地进行核查，以确定其原产地。

在核查期间，海关可以按照该货物适用的其他种类税率征收相当于应缴税款的等值保证金后放行货物。核查结束后，海关应当根据核查结果，立即办理退还保证金手续或者办理保证金转为进口税款手续。

5. 原产地预确定与行政裁定

进出口货物收发货人可以依照《中华人民共和国海关行政裁定管理暂行办法》的有关规定，向海关申请原产地行政裁定；进口货物的收货人可以依照《进口货物原产地预确定暂行规定》，向海关申请原产地预确定。

6. 原产地电子信息交换系统

为便利和简化原产地证书签发核查手续，推进原产地证书的电子化和无纸化通关进程，截至2015年，海关已完成香港 CEPA、澳门 CEPA 和 ECFA 项下原产地电子信息交换系统的开发建设，正在积极推进中国—韩国 FTA、中国—巴基斯坦 FTA、中国—新西兰 FTA 项下原产地电子信息交换系统的磋商。

（海关总署）

中国货物进出口许可证制度

一、货物进出口许可证制度和国际通行做法

货物进出口许可证制度是指一国为维护国家安全或者保护人的健康或安全、保护动植物生命或健康，或者出于维护环境安全、产业安全、市场安全以及维护公共利益、维护正常贸易秩序、履行国际条约与协定等目的，规定某些货物需经本国有关主管部门许可后，方可进口或出口的制度。其中，进口许可证是由进口经营者依法定条件提出申请，经本国有关主管部门审查批准并发放的准予进口属于进口许可证管理范围内货物的许可证明；出口许可证是由出口经营者依法定条件提出申请，经本国有关主管部门审查批准并发放的准予出口属于出口许可证管理范围内货物的许可证明。进出口经营者凭进出口许可证，向海关办理报关验放手续。

对进出口货物实行许可证管理，是世界各国在对外贸易管理实践中普遍采用的一种行政管理手段，同时也是世界贸易组织（以下简称世贸组织）协定允许成员方在一定条件下使用的非关税措施。由于许可证管理具有一定的强制性，各国通常通过立法来进行调整和规范，形成了涵盖许可证申请、受理、审查、签发、期限、变更、撤销、废止等诸多环节的法律制度。这些法律制度的建立和实施，使得许可证管理呈现出主体明确、程序规范、规则透明等特性，并在经贸政策实施、贸易统计监测和维护正常贸易秩序等方面发挥着重要作用。

二、我国的货物进出口许可证制度

加入世贸组织以来，为适应经济全球化进程和推动对外贸易持续健康发展，我国按照世贸组织协定和对外谈判承诺，以非歧视、公平贸易和透明度为基本原则，完成了对相关法律、行政法规的修订，形成了一套法律完备、程序规范、与多边贸易体制相协调的进出口许可证制度。目前，我国的进出口许可证制度以对外贸易法、行政许可法、货物进出口管理条例、消耗臭氧层物质管理条例等法律、行政法规为上位法，确立了进出口许可证管理的法律地位；并以《货物进口许可证管理办法》《货物出口许可证管理办法》和《重点旧机电产品进口管理办法》等规章，明确了进出口许可证管理的制度框架和具体程序。

（一）货物进口许可证制度

为保护环境，保护人的健康和安全，保护动植物生命和健康，依据对外贸易法及有关国际条约、协定，我国对消耗臭氧层物质和部分重点旧机电产品实行进口许可证管理。

为维护国家安全和社会公共利益，根据有关国际条约、协定，对监控化学品、易制毒化学品和放射性物质等实施两用物项和技术进口许可证管理。

2015年，我国对化工设备、金属冶炼设备、工程机械等13种货物（详见《2015年进口许可证管理货物目录》）实行进口许可证管理。

（二）货物出口许可证制度

2015年，我国对活畜禽、消耗臭氧层物质、部分金属及制品等48种货物（详见《2015年出口许可证管理货物目录》）实行出口许可证管理。

实行出口配额和许可证管理的货物是：活牛（对港澳出口）、活猪（对港澳出口）、活鸡（对港澳出口）、小麦、玉米、大米、小麦粉、玉米粉、大米粉、甘草及甘草制品、蔺草及蔺草制品、磷矿石、镁砂、滑石块（粉）、锡及锡制品、锑及锑制品、煤炭、原油、成品油、锯材、棉花、白银、铟及铟制品。出口上述货物的，需按规定申请取得配额（全球或国别、地区配额），凭配额证明文件申领出口许可证。其中，出口甘草及甘草制品、蔺草及蔺草制品、镁砂、滑石块（粉）的，需凭配额招标中标证明文件申领出口许可证。

实行出口许可证管理的货物是：活牛（对港澳以外市场）、活猪（对港澳以外市场）、活鸡（对港澳以外市场）、冰鲜牛肉、冻牛肉、冰鲜猪肉、冻猪肉、冰鲜鸡肉、冻鸡肉、天然砂（含标准砂）、矾土、氟石（萤石）、稀土、钨及钨制品、钼、钼制品、焦炭、石蜡、部分金属及制品、硫酸二钠、碳化硅、消耗臭氧层物质、柠檬酸、维生素C、青霉素工业盐、铂金（以加工贸易方式出口）、摩托

车（含全地形车）及其发动机和车架、汽车（包括成套散件）及其底盘。其中，对矾土、氟石（萤石）、稀土、钨及钨制品、钼、焦炭、碳化硅的许可证管理仅限于统计与监测的目的，出口经营者凭货物出口合同申领出口许可证。

（三）货物进出口许可证管理

按照现行法律制度，商务部是全国进出口许可证的归口管理部门，负责制定许可证管理办法及规章制度，监督、检查许可证管理办法的执行情况，处罚违规行为。商务部会同国务院有关部门，制定、调整和发布年度进出口许可证管理货物目录。商务部负责制定、调整和发布年度进出口许可证管理货物分级发证目录。

商务部委托商务部配额许可证事务局（以下简称许可证局）管理、指导全国各发证机构的进出口许可证签发工作。许可证局、商务部驻有关地方特派员办事处（以下简称特办）和各省、自治区、直辖市、计划单列市、新疆生产建设兵团及有关省会城市商务主管部门（以下简称地方商务主管部门）为进出口许可证发证机构，依法签发进出口许可证。

按照现行制度，出口许可证的签发由许可证局、特办和地方商务主管部门负责。其中，许可证局负责签发小麦、玉米、棉花、煤炭、原油、成品油等货物的出口许可证；特办负责签发活牛、活猪、活鸡、大米、小麦粉、玉米粉、大米粉等货物的出口许可证；地方商务主管部门负责签发牛肉、猪肉、鸡肉、矾土、焦炭、石蜡等货物的出口许可证。在北京的属于国务院国资委管理的企业申请的出口许可证由许可证局签发（详见年度出口许可证管理货物分级发证目录）。

进口许可证的签发由许可证局和地方商务主管部门负责。其中，许可证局负责签发重点旧机电产品进口许可证；地方商务主管部门负责签发消耗臭氧层物质进口许可证。在北京的属于国务院国资委管理的企业申请的进口许可证由许可证局签发（详见年度进口许可证管理货物分级发证目录）。

三、我国货物进出口许可证制度的作用和发展趋势

（一）货物进出口许可证制度对经济和贸易发展的作用

1. 货物进出口许可证管理是保护资源环境和产业安全的重要手段。现行属于进出口许可证管理的货物，既有原油、成品油、煤炭等基础资源性商品，也有粮食、棉花等关系国计民生的大宗商品，还有事关生命安全、环境安全和公共利益的重点旧机电产品、消耗臭氧层物质等敏感商品。依法对这些商品实行许可证管理，有利于切实维护能源资源粮食安全，有利于实现能源资源充分有效利用，也有利于维护市场安全和产业安全，维护国家和消费者的利益。

2. 货物进出口许可证管理是应对国际贸易摩擦的重要环节。我国已连续多年成为遭遇贸易摩擦最多的国家，依托进出口许可证管理，可以实时收集掌握监控商品的进出口动态，为政府、行业和企业共同做好贸易摩擦应对工作提供重要信息。同时，进出口许可证管理也是规范贸易秩序的有效政策工具，对预防和化解贸易摩擦、规避市场风险有积极作用。

3. 货物进出口许可证管理在加强进出口监测预警、维护经济安全等方面日益发挥重要作用。许可证数据的生成早于海关统计，是企业开拓国际国内两个市场、组织生产经营活动的趋势的反映，是观察进出口运行的一种先行指标和研判宏观经济运行的重要视角。通过研究分析许可证发证数量、金额、价格和国别等数据信息变动趋势，可以为宏观决策提供依据。

（二）发展趋势

货物进出口许可证制度是对外贸易管理政策体系的重要组成部分。依法完善进出口许可证管理和相关制度，对于推进外贸转型升级和创新发展、培育外贸竞争新优势，具有重要意义。下一步，要在继续发挥许可证已有作用的基础上，学习借鉴国外先进的管理经验和立法实践，同时结合我国实际情况、多边贸易规则和新的形势对许可证制度的要求，推动许可证管理创新。充分发挥许可证管理的监测预警功能，为有效应对贸易摩擦和加强宏观调控提供参考。在法定条件和对外谈判承诺范围内，进一步简化环节、优化流程，最大限度压缩许可时限，提供优质服务。依托现代计算机和互联网技术，打造规范有序、高效便利、安全可靠的许可证在线申领签发管理平台。持续提升贸易便利化水平，改善通关便利化的技术条件，推动许可证货物通关无纸化，激发市场主体活力，促进对外贸易持续健康发展。

（商务部外贸司）

中国关税配额制度

一、关于关税配额的定义

关税配额是指进口国对商品进口在一定时期内总的数量不加限制，但设定一个数量界限，对该数量界限以内的进口产品适用较低的关税税率，对超过数量界限的进口适用较高的关税税率。这一设定的数量界限即称为关税配额。关税配额准入量是市场准入机会，而不是最低购买义务。按进口商品的来源，关税配额可分为全球关税配额和国别关税配额。

二、我国加入世贸组织时关于关税配额管理的承诺

（一）实施进口关税配额管理的商品

根据《中国加入世贸组织议定书》，我国对小麦、玉米、大米（包括中短粒米和长粒米，下同）、豆油、棕榈油、菜籽油、食糖、棉花、羊毛、毛条、化肥（包括磷酸氢二铵、尿素和氮磷钾复合肥，下同）进口实施关税配额管理。其中，对小麦、玉米、大米、豆油、棕榈油、菜籽油、食糖、棉花和化肥进口实行国营贸易管理。

按照加入世贸组织承诺，自 2006 年 1 月 1 日起，我国取消了对豆油、棕榈油和菜籽油进口的关税配额和国营贸易管理。

（二）基本管理原则

1. 关税配额数量、配额内税率、国营贸易比例和实施期限按照中国加入世贸组织议定书减让表的有关规定执行。

2. 任何配额持有者可通过国营贸易企业和（或）通过国营贸易企业以外的其他拥有贸易权的企业进口，拥有贸易权的配额持有者也可自行进口。

3. 每一产品的关税配额将在每年 1 月 1 日启用。除非另有规定，关税配额分配量在该日历年度内有效。

4. 配额按如下要求分配：（1）申请关税配额的具体条件将于申请期前 1 个月公布，申请期为每年 10 月 15 日至 10 月 30 日（先来先领分配方式除外）。（2）全部关税配额量在每年 1 月 1 日前分配给最终用户。（3）配额将根据申请者的申请数量和以往生产能力、进口实绩、其他相关商业标准或根据先来先领的方式进行分配，分配量应按商业上可行的装运量确定，并允许关税配额分配量分船装运。贸易条款，包括产品规格、定价、包装等，仅由进出口商决定，同时充分考虑最终用户的需求。（4）关于关税配额分配情况的质询，管理机关应在 10 个工作日内提供有关信息。

配额持有者在每年 9 月 15 日前交还的未使用完的关税配额数量将进行再分配。

5. 应任何世贸组织成员请求，中国应就关税配额的管理与该成员磋商，以保证关税配额以透明、公平和非歧视的方式进行分配，并保证配额得到充分使用。

6. 实施期结束后的配额量将有待进一步磋商。除非议定新的配额量，否则实施期末的数量将继续适用。

7. 2006 年 1 月 1 日以后，向一种实行关税配额管理的化肥产品提供的关税配额量增长率，应向所有实行关税配额管理的其他化肥产品提供。

三、我国现行关税配额管理政策

（一）进口关税配额管理暂行办法

为有效实施进口关税配额管理，根据加入世贸组织承诺、《中华人民共和国对外贸易法》《中华人民共和国海关法》《中华人民共和国货物进出口管理条例》《中华人民共和国进出口关税条例》，我国分别于 2002 年和 2003 年制定并颁布了《化肥进口关税配额管理暂行办法》（国家经贸委、海关总署 2002 年 27 号令）和《农产品进口关税配额管理暂行办法》（商务部、发展改革委 2003 年 4 号令）。根据上述办法，我国按以下规定对进口关税配额实施管理：

1. 管理口径。我国进口关税配额为全球配额。相关商品所有贸易方式的进口均纳入关税配额管理范围。《农产品进口关税配额证》和《化肥进口关

税配额证明》（以下统称“配额证明”）适用于一般贸易、加工贸易、易货贸易、边境小额贸易、援助、捐赠等贸易方式进口。由境外进入保税仓库、保税区、出口加工区的产品，免于领取配额证明。

2. 管理部门。小麦、玉米、大米和棉花进口关税配额由发展改革委会同商务部分配，并通过其授权机构受理企业申请、接受咨询、向经过批准的申请者发放《农产品进口关税配额证》。食糖、羊毛、毛条、化肥进口关税配额由商务部分配，并通过其授权机构受理企业申请、接受咨询、向经过批准的申请者发放配额证明。

3. 配额申请、分配和调整。（1）进口关税配额申请期为每年10月15日至30日（先来先领分配方式除外）。（2）商务部、发展改革委分别于申请期前1个月公布每种商品下一年度进口关税配额总量、关税配额申请条件等情况。（3）商务部、发展改革委各自授权机构根据公布的条件，受理申请者提交的申请及有关资料，并于11月30日前将申请转报商务部、发展改革委（先来先领分配方式除外）。（4）每年1月1日前，商务部、发展改革委通过各自授权机构向用户发放相应的进口关税配额。（5）持有进口关税配额的最终用户当年无法将已申领到的全部配额量签订进口合同或已签订进口合同无法完成，须在当年9月15日前将无法完成的配额量交还原发证机构。（6）进口关税配额再分配量的申请期为每年9月1日至15日（先来先领分配方式除外）。商务部、发展改革委分别于申请期前1个月公布再分配量的申请条件，并由各自授权机构受理申请者的申请。（7）每年9月30日前，商务部、发展改革委将进口关税配额再分配量分配到最终用户。

4. 配额执行。（1）小麦、玉米、大米、食糖、棉花、化肥进口关税配额分为国营贸易配额和非国营贸易配额。国营贸易配额须通过国营贸易企业进口。非国营贸易配额可通过完成对外贸易经营者备案的任何企业进口（化肥非国营贸易关税配额除外）。（2）国营贸易配额需在相应的配额证明上注明。（3）配额证明实行一证多批制，即最终用户需分多批进口的，凭配额证明可多次办理通关手续。最终用户须如实填写配额证明上“最终用户进口填写栏”，填满后，需持该证到原发证机构换领未办理通关部分的配额证明。（4）最终用户完成配额证明上标注配额量最后一批次进口报关后，于20个工作日内将海关签章的配额证明第一联（收货人办理海关手续联）原件交原发证机构。

5. 执行期限。（1）年度进口关税配额于每年1月1日开始实施，并在公历年度内有效。《农产品进口关税配额证》自每年1月1日起至当年12月31日有效，实行先来先领分配方式的《农产品进口关税配额证》《化肥进口关税配额证明》有效期，按公布的实施细则执行。（2）当年12月31日前从始发港出运，需在下一年到货的进口关税配额农产品，最终用户需持配额证明及有关证明单证到原发证机构申请延期，但延期最迟不得超过下一年2月底。

6. 罚则。（1）最终用户于当年未能完成分配其全部进口关税配额量进口，截至9月15日又未将当年不能实现进口的配额量交还原发证机构的，其下年度分配的关税配额量将按未完成的比例相应扣减。（2）最终用户连续两年未能完成分配其全部进口关税配额量进口，并在该两年内每年9月15日前将当年不能使用的关税配额量交还原发证授权机构的，其下年度分配的关税配额量将按其最近一年未完成的比例相应扣减。（3）最终用户未在规定时间将海关签章的配额证明第一联（收货人办理海关手续联）原件交原发证机构的，视同未完成进口，相应扣减其下年度关税配额量。

（二）2015年进口关税配额实施细则

2015年，各商品进口关税配额申请条件如下：

1. 基本条件。企业需在规定时限前完成在工商行政管理部门登记注册，并进行了年度报告公示；具有良好的财务状况、纳税记录和诚信情况；严格执行粮食流通统计制度，遵守粮食经营者最低最高库存规定；近年在海关、外汇、工商、税务、质检、社保、环保、粮食流通、行业自律等方面无违规记录，无不良贷款信用记录；履行了与业务有关的社会责任；没有违反关税配额管理规定。

2. 对不同商品企业需满足如下具体条件：（1）小麦。国营贸易企业；2014年有进口实绩（不包括代理进口）的企业；2013年或2014年小麦用量10万吨以上的面粉生产企业；2013年或2014年面粉用量5万吨以上的食品生产企业；2014年无进口实绩，但具有进出口经营权并由所在地商务部门出具加工贸易生产能力证明，以小麦或面粉为原料从事加工贸易的企业。(2) 玉米。国营贸易企业；2014 年有进口实绩（不包括代理进口）的企业；2013 年或 2014 年玉米用量 5 万吨以上的饲料生产企业；2013 年或 2014 年玉米用量 15 万吨以上的其他生产企业；2014 年无进口实绩，但具有进出口经营权并由所在地商务部门出具加工贸易生产能力证明、以玉米为原料从事加工贸易的企业。(3) 大米。国营贸易企业；2014 年有进口实绩（不包括代理进口）的企业；具有粮食批发零售资格，2013 年或 2014 年大米销售额 1 亿元人民币以上的粮食企业；2013 年或 2014 年大米用量 5 万吨以上的食品生产企业；2014 年无进口实绩，但具有进出口经营权并由所在地商务部门出具加工贸易生产能力证明、以大米为原料从事加工贸易的企业。(4) 棉花。国营贸易企业；2014 年有进口实绩（不包括代理进口）的企业；纺纱设备 5 万锭以上的棉纺企业。(5) 食糖。国营贸易企业；具有国家储备职能的中央企业；持有 2014 年食糖关税配额且有进口实绩的企业；日加工原糖 600 吨以上（含 600 吨）、注册资金 1000 万元以上（含 10 万元）、食糖年销售额 4.5 亿元以上（含 4.5 亿元）的制糖企业；以食糖为原料从事加工贸易的企业。(6) 羊毛和毛条。持有 2014 年羊毛、毛条关税配额且有进口实绩的企业或新建成投产且羊毛、毛条年加工能力在 500 吨以上的企业。(7) 化肥。实行凭合同先来先领的分配方式。凡是在工商行政管理部门登记注册的企业，在其经营范围内均可申请化肥进口关税配额。

2015 年关税配额管理商品有关情况表

品　种	关税配额数量（万吨）	关税配额税率（%）	国营贸易比例（%）
小麦	963.6	1～10 不等	90
玉米	720	1～10 不等	60
稻谷和大米	532	1～9 不等	50
食糖	194.5	15	70
棉花	89.4	1	33
羊毛	28.7	1	—
毛条	8	3	—
磷酸氢二铵	690	1	55
尿素	330	1	90
氮磷钾复合肥	345	1	51

（商务部外贸司）

中国与进出口有关的其他税收制度

2015年，为了发展对外贸易、促进国内经济、完善税制和税收管理，中国在与进出口有关的其他税收制度方面采取了一系列的积极措施，取得了良好的效果。这里所说的与进出口有关的其他税收制度，主要包括进口环节征收的增值税、消费税（简称进口环节税），出口环节退还的增值税、消费税（简称出口退税），以及与进出口有关的增值税、营业税、企业所得税等税收和税收管理制度。

一、宏观决策和重大改革

1月15日，经中共中央批准，中共中央办公厅发布《中央全面深化改革领导小组2015工作要点》。要点中提出了有关税收的措施，涉及营业税改征增值税（以下简称“营改增”）、消费税、资源税、个人所得税和税收征管法。

3月5日，国务院总理李克强在第十二届全国人民代表大会第三次会议上所做的《政府工作报告》中肯定了2014年税收工作的成绩，提出了2015年税收工作的主要任务：积极的财政政策要加力增效。继续实行结构性减税和普遍性降费，进一步减轻企业特别是小微企业负担。推动财税体制改革取得新进展。力争全面完成“营改增”，调整完善消费税政策，扩大资源税从价计征范围。提请修订税收征管法。推出个人税收递延型商业养老保险。完善出口退税负担机制，自2015年起增量部分由中央财政全额负担。采取财政贴息、加速折旧等措施，推动传统产业技术改造。落实财税、土地、价格等支持政策和带薪休假等制度，大力发展旅游、健康、养老、创意设计等生活和生产服务业。落实和完善企业研发费用加计扣除、高新技术企业扶持等普惠性政策，鼓励企业增加创新投入。做好环保税立法工作。上述会议批准了以上报告。

同日，财政部部长楼继伟在上述会议上所做的《关于2014年中央和地方预算执行情况与2015年中央和地方预算草案的报告》中肯定了2014年工作的成绩，提出了2015年税收工作的要求：实行结构性减税和普遍性降费，加强对实体经济的支持。结合税制改革，在清理规范税收等优惠政策的同时，力争全面完成“营改增”任务，进一步消除重复征税。调整出口退税增量分担机制，从2015年起，出口退税增量由中央财政全额负担，同时对地方不再实行消费税1∶0.3增量返还。按照落实税收法定原则的计划安排，配合做好房地产税、环境保护税和船舶吨税等的立法工作，积极推动将现行税收暂行条例上升为法律。做好税收征管法修改工作。完善并实施好相关财税政策，促进信息消费，推动养老、健康、文化创意和设计等产业发展。抓好清理规范税收等优惠政策、中期财政规划管理和改革完善转移支付制度等的落实工作。力争将“营改增”范围扩大到建筑业、房地产业、金融业和生活服务业等领域，并将新购入不动产、租入不动产的租金纳入进项抵扣，相应简并增值税税率。继续调整完善消费税征收范围、税率，适当后移征收环节。组织实施煤炭资源税费改革，制订除原油、天然气和煤炭外其他品目资源税费改革方案。研究提出综合与分类相结合的个人所得税改革方案。结合“营改增”、消费税等税制改革，研究调整中央与地方收入划分。坚持依法征收、应收尽收，严禁收取过头税、过头费，严禁采取“空转”等方式虚增财政收入。上述会议批准了以上报告。

3月13日，中共中央、国务院发布《关于深化体制机制改革加快实施创新驱动发展战略的若干意见》，其中提出了下列有关税收的措施：

（1）加快推进资源税改革，逐步将资源税扩展到占用各种自然生态空间，推进环境保护费改税。

（2）坚持结构性减税方向，逐步将国家对企业技术创新的投入方式转变为以普惠性财税政策为主。统筹研究企业所得税加计扣除政策，完善企业研发费用计核方法，调整目录管理方式，扩大研发费用加计扣除优惠政策适用范围。

（3）按照税制改革的方向与要求，对包括天使投资在内的投向种子期、初创期等创新活动的投资，统筹研究相关税收支持政策。

（4）研究扩大促进创业投资企业发展的税收优

惠政策，适当放宽创业投资企业投资高新技术企业的条件限制，并在试点基础上将享受投资抵扣政策的创业投资企业范围扩大到有限合伙制创业投资企业法人合伙人。

（5）高新技术企业和科技型中小企业科研人员通过科技成果转化取得股权奖励收入的时候，原则上在5年以内分期缴纳个人所得税。结合个人所得税制改革，研究进一步激励科研人员创新的政策。

（6）对开展国际研发合作项目所需付汇，实行研发单位事先承诺，商务、科技和税务部门事后并联监管。

为了落实上述文件，11月2日，根据企业所得税法及其实施条例，财政部、国家税务总局和科技部发布《关于完善研究开发费用税前加计扣除政策的通知》，自2016年1月1日起执行。

5月5日，中共中央、国务院发布《关于构建开放型经济新体制的若干意见》。该文件中提出：积极解决电子商务在境内外发展的技术、政策问题，在标准、支付、物流、通关、检验检疫和税收等方面加强国际协调，参与相关规则制定；结合“营改增”，对服务出口实行增值税免税或者零税率；进一步完善出口退税制度，优化出口退税流程。

5月8日，国务院批转发展改革委报送的《关于2015年深化经济体制改革重点工作的意见》。意见中提出：落实财税改革总体方案，推动财税体制改革取得新进展。力争全面完成“营改增”，将“营改增”范围扩大到建筑业、房地产业、金融业和生活服务业等领域。进一步调整消费税征收范围、环节和税率。组织实施煤炭资源税费改革，制订原油、天然气和煤炭外其他品目资源税费改革方案，研究扩大资源税征收范围。研究提出综合与分类相结合个人所得税改革方案。推进环境保护税立法。推动修订税收征管法。

5月10日，国务院发出《关于税收等优惠政策相关事项的通知》，其中规定：

（1）国家统一制定的税收等优惠政策，要逐项落实到位。

（2）各地区、各部门已经出台的优惠政策，有规定期限的，按照规定期限执行；没有规定期限又确需调整的，由地方政府和相关部门按照把握节奏、确保稳妥的原则设立过渡期，在过渡期以内继续执行。

（3）各地与企业已经签订合同中的优惠政策，继续有效；已经兑现的部分，不溯及既往。

（4）各地区、各部门今后制定出台新的优惠政策，除了法律、行政法规已有规定事项以外，涉及税收或者中央批准设立的非税收入的，应当报国务院批准以后执行；其他由地方政府和相关部门批准以后执行，其中安排支出一般不得与企业缴纳的税收或者非税收入挂钩。

（5）2014年11月27日国务院发出的《关于清理规范税收等优惠政策的通知》规定的专项清理工作，待今后另行部署。

8月24日，中共中央、国务院发布《关于深化国有企业改革的指导意见》。意见中提出：完善和落实国有企业重组整合涉及的资产评估增值、土地变更登记和国有资产无偿划转等方面税收优惠政策。

8月31日，国务院发布《促进大数据发展行动纲要》，其中提出了下列有关税收的措施：

（1）充分运用大数据，不断提升信用、财政、金融、税收、农业、统计、进出口、资源环境、产品质量、企业登记监管等领域数据资源的获取和利用能力。

（2）到2018年，中央政府层面实现数据统一共享交换平台的全覆盖，实现金税、金关、金财、金审、金盾、金宏、金保、金土、金农、金水和金质等信息系统通过统一平台进行数据共享和交换。

（3）到2018年，开展政府和社会合作开发利用大数据试点，完善金融、税收、审计、统计、农业、规划、消费、投资、进出口、城乡建设、劳动就业、收入分配、电力及产业运行、质量安全、节能减排等领域国民经济相关数据的采集和利用机制。

（4）在全面实行工商营业执照、组织机构代码证和税务登记证“三证合一”、“一照一码”登记制度改革中，积极运用大数据手段，简化办理程序。

9月21日，新华社报道：近日中共中央、国务院发布《生态文明体制改革总体方案》，其中提出了下列有关税收的措施：

（1）主要运用价格和税收手段，逐步建立农业灌溉用水量控制和定额管理、高耗水工业企业计划用水和定额管理制度。

（2）落实并完善资源综合利用、促进循环经济发展的税收政策。

（3）完善地价形成机制、评估制度，健全土地等级价体系，理顺与土地相关的出让金、租金和税费关系。

（4）加快资源环境税费改革。理顺自然资源及其产品税费关系，明确各自功能，合理确定税收调控范围。加快推进资源税从价计征改革，逐步将资源税扩展到占用各种自然生态空间，在华北部分地区开展地下水征收资源税改革试点。加快推进环境保护税立法。

10 月 12 日，中共中央、国务院发布《关于推进价格机制改革的若干意见》，其中提出了下列有关税收的措施：

（1）价格改革要与财政税收、收入分配和行业管理体制等改革相协调，合理区分基本与非基本需求，统筹兼顾行业上下游、企业发展和民生保障、经济效益和社会公平、经济发展和环境保护等关系，把握好时机、节奏和力度，切实防范各类风险，确保平稳有序。

（2）统筹运用环保税收、收费和相关服务价格政策，加大经济杠杆调节力度，逐步使企业排放各类污染物承担的支出高于主动治理成本，提高企业主动治污减排的积极性。

（3）加快自然资源及其产品价格、财税制度改革，全面反映市场供求、资源稀缺程度、生态环境损害成本和修复效益。推进水资源费改革，研究征收水资源税，推动在地下水超采地区先行先试。

10 月 29 日，中国共产党第十八届中央委员会第五次全体会议通过了《中共中央关于制定国民经济和社会发展第十三个五年规划的建议》。建议中提出：深化财税体制改革，建立健全有利于转变经济发展方式、形成全国统一市场、促进社会公平正义的现代财政制度，建立税种科学、结构优化、法律健全、规范公平、征管高效的税收制度。建立事权和支出责任相适应的制度，适度加强中央事权和支出责任。调动各方面积极性，考虑税种属性，进一步理顺中央和地方收入划分。完善企业研发费用加计扣除政策，扩大固定资产加速折旧实施范围，推动设备更新和新技术应用。构建普惠性创新支持政策体系，加大金融支持和税收优惠力度。完善以财政政策、货币政策为主，产业政策、区域政策、投资政策、消费政策和价格政策协调配合的政策体系，增强财政、货币政策协调性。完善反洗钱、反恐怖融资和反逃税监管措施，完善风险防范体制机制。加快建立综合和分类相结合的个人所得税制。完善鼓励回馈社会、扶贫济困的税收政策。

11 月 8 日，国务院发出《关于编制 2016 年中央预算和地方预算的通知》。通知中提出：继续推进“营改增”试点，将建筑业、房地产业、金融业和生活服务业纳入“营改增”范围，力争全面完成“营改增”任务。进一步实施消费税改革，调整征收范围、环节和税率。研究制定综合与分类相结合的个人所得税改革方案。积极推进资源税费改革，全面实施资源税从价计征，清理、规范相关收费、基金。加快推进环境保护税立法，研究推进调节收入分配、保护环境和实现财政可持续发展的税收措施。加强税费征管，堵塞收入漏洞。

11 月 19 日，国务院发布《关于积极发挥新消费引领作用　加快培育形成新供给新动力的指导意见》。该文件在《全面改善优化消费环境》部分中提出：加快出台增设口岸进境免税店的操作办法。扩大 72 小时过境免签政策范围，完善和落实境外旅客购物离境退税政策。

《创新并扩大有效供给》部分中提出：健全进口管理体制，完善先进技术和设备进口免税政策，积极扩大新技术引进和关键设备、零部件进口；降低部分日用消费品进口关税，研究调整化妆品等品目消费税征收范围，适度增加适应消费升级需求的日用消费品进口。积极解决电子商务在境内外发展的技术、政策等问题，加强标准、支付、物流、通关、计量检测、检验检疫和税收等方面的国际协调，创新跨境电子商务合作方式。

《优化政策支撑体系》部分中提出：完善地方税体系，逐步提高直接税比重，激励地方政府营造良好生活消费环境、重视服务业发展。落实小微企业、创新型企业税收优惠政策和研发费用加计扣除政策。适时推进医疗、养老等行业“营改增”试点，扩大增值税抵扣范围。严格落实公益性捐赠所得税税前扣除政策，进一步简化公益性捐赠所得税税前扣除流程。按照有利于拉动国内消费、促进公平竞争的原则，推进消费税改革，研究完善主要适用企业对企业交易的跨境电子商务零售进口税收政策，进一步完善行邮税政策和征管措施。

11 月 29 日，中共中央、国务院发布《关于打赢脱贫攻坚战的决定》。决定中提出：国家开发银行、中国农业发展银行分别设立扶贫金融事业部，依法享受税收优惠；吸纳农村贫困人口就业的企业，按照规定享受税收优惠、职业培训补贴等就业支持政策；落实企业、个人公益扶贫捐赠所得税税前扣除政策。

12 月 18 日至 21 日，中央经济工作会议在北京举行。会议提出：2016 年积极的财政政策要加大力度，实行减税政策，阶段性提高财政赤字率，在适当增加必要的财政支出和政府投资的同时，主要用于弥补降税带来的财政减收，保障政府应该承担的支出责任。

关于化解产能过剩，会议提出：要提出和落实财税支持、不良资产处置、失业人员再就业和生活保障以及专项奖补等政策。

关于帮助企业降低成本，会议提出：要降低企业税费负担，进一步正税清费，清理各种不合理收费，营造公平的税负环境，研究降低制造业增值税税率。要降低社会保险费，研究精简归并“五险一金”。

关于改革，会议提出：要加快财税体制改革，抓住划分中央和地方事权和支出责任、完善地方税体系、增强地方发展能力、减轻企业负担等关键性问题加快推进。

12 月 28 日，财政部在北京召开全国财政工作会议。财政部部长楼继伟在谈到做好 2016 年及今后一个时期财政工作的重点时提出了下列税制改革措施：全面推进“营改增”，将建筑业、房地产业、金融业和生活服务业纳入试点改革范围；积极推进综合与分类相结合的个人所得税改革，推进消费税改革。

二、重要税收政策和税收措施

1 月 1 日，中共中央、国务院发布《关于加大改革创新力度 加快农业现代化建设的若干意见》，其中提出了下列有关税收的措施：

（1）加强农业面源污染治理，深入开展测土配方施肥，大力推广生物有机肥、低毒和低残留农药，开展秸秆、畜禽粪便资源化利用和农田残膜回收区域性示范，按照规定享受相关财税政策。

（2）完善粮食、棉花和食糖等重要农产品进出口和关税配额管理，严格执行棉花滑准税政策。

（3）完善支持农业对外合作的投资、财税、金融、保险、贸易、通关和检验检疫等政策。

（4）研究制定促进乡村旅游休闲发展的用地、财政和金融等扶持政策，落实税收优惠政策。

（5）落实定向减税和普遍性降费政策，降低创业成本和企业负担。

（6）确保如期完成“十二五”农村饮水安全工程规划任务，推动农村饮水提质增效，继续执行税收优惠政策。

（7）制定鼓励社会资本参与农村建设目录，研究制定财税、金融等支持政策。

同日，2014 年 12 月 27 日国家税务总局公布的《个体工商户个人所得税计税办法》开始施行。

1 月 6 日，国务院发布《关于促进云计算创新发展培育信息产业新业态的意见》。意见中提出：将云计算企业纳入软件企业、国家规划布局内重点软件企业、高新技术企业和技术先进型服务企业的认定范畴，符合条件的可以按照规定享受相关税收优惠。

1 月 12 日，财政部、国家税务总局发出《关于继续提高成品油消费税的通知》。通知中规定：自 1 月 13 日起，汽油、石脑油、溶剂油和润滑油的消费税税额标准从每升 1.4 元提高到每升 1.52 元；柴油、航空煤油和燃料油的消费税税额标准从每升 1.1 元提高到每升 1.2 元，航空煤油继续暂缓征收。

1 月 26 日，经国务院批准，财政部、国家税务总局发出《关于对电池、涂料征收消费税的通知》。通知中规定：自当年 2 月 1 日起，在生产、委托加工和进口环节对电池、涂料征收消费税，适用税率均为 4%。无汞原电池、金属氢化物镍蓄电池、锂原电池、锂离子蓄电池、太阳能电池、燃料电池、全钒液流电池和施工状态下挥发性有机物含量每升 420 克以下的涂料，免征消费税。当年 12 月 31 日以前，铅蓄电池缓征消费税。

2 月 3 日，根据 2013 年 9 月 6 日国务院发布的《关于加快发展养老服务业的若干意见》，民政部、发展改革委、财政部、人社部和卫生计生委等 10 个单位发布《关于鼓励民间资本参与养老服务业发展的实施意见》，其中提出了下列有关税收的措施：

（1）民办养老机构提供的育养服务，免征营业税。养老机构在资产重组过程中涉及的不动产、土地使用权转让，不征收增值税和营业税。

（2）符合条件的小型微利养老服务企业，按照相关规定给予增值税、营业税和所得税优惠。

（3）家政服务企业由员工制家政服务员提供的老人护理等家政服务，在政策有效期以内按照规定免征营业税。

（4）符合条件的民办福利性、非营利性养老机构取得的收入，按照规定免征企业所得税。

（5）民办福利性、非营利性养老机构自用的房产、土地，免征房产税、城镇土地使用税。经批准设立的民办养老院内专门为老年人提供生活照顾的场所，免征耕地占用税。

（6）个人通过非营利性的社会团体和政府部门向福利性、非营利性的民办养老机构的捐赠，可以在缴纳个人所得税前扣除。

2月9日，根据《中华人民共和国企业所得税法》及其实施条例和国务院的有关规定，财政部、国家税务总局、发展改革委、工业和信息化部发出《关于进一步鼓励集成电路产业发展企业所得税政策的通知》。通知中规定：符合条件的集成电路封装、测试企业和集成电路关键专用材料生产企业、集成电路专用设备生产企业，2017年以前获利的，自获利年度起，第一年至第二年免征企业所得税，第三年至第五年按照25%的法定税率减半征收企业所得税；2017年以前没有获利的，自2017年起计算优惠期。

3月13日，经国务院批准，财政部、国家税务总局发出《关于小型微利企业所得税优惠政策的通知》。通知中规定：自2015年至2017年，年应纳税所得额不超过20万元的小型微利企业，其所得减按50%计入应纳税所得额，按照20%的税率缴纳企业所得税。9月2日，经国务院批准，财政部、国税总局发出《关于进一步扩大小型微利企业所得税优惠政策范围的通知》。通知中规定：自当年10月1日至2017年12月31日，年应纳税所得额20万元至30万元的小型微利企业，其所得减按50%计入应纳税所得额，按照20%的税率缴纳企业所得税。

3月31日，根据2014年3月7日国务院发布的《关于进一步优化企业兼并重组市场环境的意见》，财政部、国家税务总局发出《关于进一步支持企业、事业单位改制重组有关契税政策的通知》，其主要内容如下：

（1）企业按照公司法整体改制，包括非公司制企业改制为有限责任公司或者股份有限公司，有限责任公司变更为股份有限公司，股份有限公司变更为有限责任公司，原企业投资主体存续并在改制（变更）以后的公司中所持股权（股份）比例超过75%，且改制（变更）以后公司承继原企业权利、义务的，改制（变更）以后公司承受原企业土地、房屋权属，免征契税。

（2）事业单位按照国家规定改制为企业，原投资主体存续并在改制以后企业中出资（股权、股份）比例超过50%的，改制以后企业承受原事业单位土地、房屋权属，免征契税。

（3）两个以上的公司依照法律规定、合同约定合并为一个公司，且原投资主体存续的，合并以后公司承受原合并各方土地、房屋权属，免征契税。

（4）公司依照法律规定、合同约定分立为两个以上与原公司投资主体相同的公司，分立以后公司承受原公司土地、房屋权属，免征契税。

（5）企业依照有关法律、法规实施破产，债权人（包括破产企业职工）承受破产企业抵偿债务的土地、房屋权属，免征契税；非债权人承受破产企业土地、房屋权属，凡按照劳动法等法律、法规妥善安置原企业全部职工，与原企业全部职工签订服务年限不少于3年劳动用工合同的，其承受所购企业土地、房屋权属，免征契税；与原企业超过30%的职工签订服务年限不少于3年劳动用工合同的，减半征收契税。

（6）承受县级以上人民政府或者国有资产管理部门按照规定进行行政性调整，划转国有土地、房屋权属的单位，免征契税。同一投资主体内部所属企业之间土地、房屋权属的划转，包括母公司与其全资子公司之间，同一公司所属全资子公司之间，同一自然人与其设立的个人独资企业、一人有限公司之间土地、房屋权属的划转，免征契税。

（7）经国务院批准实施债权转股权的企业，债权转股权以后新设立的公司承受原企业的土地、房屋权属，免征契税。

（8）以出让方式或者国家作价出资（入股）方式承受原改制重组企业、事业单位划拨用地的，不属上述规定的免税范围，应当按照规定对承受方征收契税。

(9) 在股权（股份）转让中，单位、个人承受公司股权（股份），公司土地、房屋权属不发生转移，不征收契税。

上述规定的执行期限为2015年至2017年。上述规定发布以前，企业、事业单位改制重组过程中涉及的契税尚未处理，符合上述规定的，可以按照上述规定执行。

4月2日，国务院发布《水污染防治行动计划》。计划中提出：依法落实环境保护、节能节水和资源综合利用等方面税收优惠政策，国内企业为生产国家支持发展的大型环保设备必须进口的关键零部件和原材料免征关税，加快推进环境保护税立法、资源税税费改革等工作，研究将部分高耗能、高污染产品纳入消费税征收范围。

4月8日，国务院发布《中国（广东）自由贸易试验区总体方案》《中国（天津）自由贸易试验区总体方案》《中国（福建）自由贸易试验区总体方案》和《进一步深化中国（上海）自由贸易试验区改革开放方案》，其中分别提出了有关税收的措施。

上述第一个方案中提出：加强粤港澳会展业合作，在严格执行货物进出口税收政策前提下，允许在海关特殊监管区域设立保税展示交易平台。鼓励融资租赁业创新发展，注册在自贸试验区海关特殊监管区域的融资租赁企业进出口飞机、船舶和海洋工程结构物等大型设备涉及跨关区的，在确保有效监管和执行现行相关税收政策前提下，按照物流实际需要，实行海关异地委托监管。支持在海关特殊监管区域开展期货保税交割、仓单质押融资等业务。充分利用现有中资“方便旗”船税收优惠政策，促进符合条件的船舶在自贸试验区落户登记。推进企业依托海关特殊监管区域开展面向国内外市场的高技术、高附加值的检测维修等保税服务业务。扶持和培育外贸综合服务企业，为中小企业提供通关、融资、退税和国际结算等服务。抓紧落实现有相关税收政策，充分发挥现有政策的支持促进作用。上海自由贸易试验区已经试点的税收政策原则上可以在广东自贸试验区试点，其中促进贸易的选择性征收关税、其他相关进出口税收等政策在自贸试验区的海关特殊监管区域试点。自贸试验区的海关特殊监管区域实施范围、税收政策适用范围维持不变。深圳前海深港现代服务业合作区、珠海横琴税收优惠政策不适用于自贸试验区的其他区域。此外，在符合税制改革方向和国际惯例、不导致利润转移和税基侵蚀前提下，研究完善适应境外股权投资、离岸业务发展的税收政策。结合上海试点实施情况，在统筹评估政策成效基础上，研究实施启运港退税政策试点问题。符合条件的地区可以按照政策规定申请实施境外旅客购物离境退税政策。

上述第二个方案中提出：按照公平竞争原则，发展跨境电子商务，并完善与之相适应的海关监管、检验检疫、退税、跨境支付和物流等支撑系统。在总结期货保税交割试点经验基础上，鼓励国内期货交易所在自贸试验区的海关特殊监管区域开展业务，扩大期货保税交割试点品种，拓展仓单质押融资等功能，推动完善仓单质押融资所涉及的仓单确权等工作。在执行现行税收政策前提下，提升超大超限货物的通关、运输和口岸服务等综合能力。扶持和培育外贸综合服务企业，为从事国际采购的中小企业提供通关、融资、退税和国际结算等服务。依法合规开展大宗商品现货交易，探索建立与国际大宗商品交易相适应的外汇管理和海关监管制度。在严格执行货物进出口税收政策前提下，允许在海关特殊监管区域设立保税展示交易平台。充分利用现有中资“方便旗”船税收优惠政策，促进符合条件的船舶在自贸试验区落户登记。符合条件的地区可以按照政策规定申请实施境外旅客购物离境退税政策。注册在自贸试验区海关特殊监管区域的融资租赁企业进出口飞机、船舶和海洋工程结构物等大型设备涉及跨关区的，在确保有效监管和执行现行相关税收政策前提下，按照物流实际需要，实行海关异地委托监管。结合上海试点实施情况，在统筹评估政策成效基础上，研究实施启运港退税试点政策。加强海关、质检、工商、税务、金融监管和外汇等部门协作，依托地方政府主导的电子口岸等公共电子信息平台，整合监管信息，实现相关监管部门信息共享，共同提高维护经济社会安全的服务保障能力。上海自由贸易试验区已经试点的税收政策原则上可以在天津自贸试验区试点，其中促进贸易的选择性征收关税、其他相关进出口税收等政策在自贸试验区的海关特殊监管区域试点。自贸试验区的海关特殊监管区域实施范围、税收政策适用范围维持不变。此外，在符合税制改革方向和国际惯例、不导致利润转移和税基侵蚀前提下，研究完善适应境外股权投资、离岸业务发展的税收政策。

上述第三个方案中提出：按照公平竞争原则，发展跨境电子商务，完善与之相适应的海关监管、检验检疫、退税、跨境支付和物流等支撑系统。在严格执行货物进出口税收政策的前提下，允许在海关特殊监管区域设立保税展示交易平台。符合条件的地区可以按照规定申请实施境外旅客购物离境退税政策。允许境内期货交易所开展期货保税交割试点。加快国际船舶登记制度创新，充分利用现有中资“方便旗”船税收优惠政策，促进符合条件的船舶在自贸试验区落户登记。试行企业自主报税、自助通关、自助审放和重点稽核的通关征管作业。允许海关特殊监管区域的企业生产、加工并内销的货物试行选择性征收关税政策。自贸试验区抓紧落实好现有相关税收政策，充分发挥现有政策的支持促进作用。上海自贸试验区已经试点的税收政策原则上可以在福建自贸试验区试点，其中促进贸易的选择性征收关税、其他相关进出口税收等政策在自贸试验区的海关特殊监管区域试点。自贸试验区内的海关特殊监管区域实施范围、税收政策适用范围维持不变。平潭综合实验区税收优惠政策不适用于自贸试验区其他区域。此外，在符合税制改革方向和国际惯例、不导致利润转移和税基侵蚀前提下，研究完善适应境外股权投资、离岸业务发展的税收政策。

上述第四个方案中提出：探索实行工商营业执照、组织机构代码证和税务登记证“多证联办”或“三证合一”登记制度。鼓励企业参与“自主报税、自助通关、自动审放、重点稽核”等监管制度创新试点。加快国际船舶登记制度创新，充分利用现有中资“方便旗”船税收优惠政策，促进符合条件的船舶在上海落户登记。符合条件的地区可以按照规定申请实施境外旅客购物离境退税政策。研究完善促进投资和贸易的税收政策。自贸试验区的海关特殊监管区域实施范围、税收政策适用范围维持不变。在符合税制改革方向和国际惯例、不导致利润转移、税基侵蚀前提下，调整完善对外投资所得抵免方式；研究完善适用于境外股权投资、离岸业务的税收制度。

4月25日，中共中央、国务院发布《关于加快推进生态文明建设的意见》。意见中提出：健全价格、财税和金融等政策，激励、引导各类主体积极投身生态文明建设；将高耗能、高污染产品纳入消费税征收范围；推动环境保护费改税；加快资源税从价计征改革，清理取消相关收费基金，逐步将资源税征收范围扩展到占用各种自然生态空间；完善节能环保、新能源和生态建设的税收优惠政策。

4月27日，国务院发布《关于进一步做好新形势下就业创业工作的意见》，其中提出了下列有关税收的措施：

（1）加强财税、金融、产业和贸易等经济政策与就业政策的配套衔接，建立宏观经济政策对就业影响评价机制。

（2）落实支持小微企业发展的税收政策。

（3）坚决推行工商营业执照、组织机构代码证和税务登记证“三证合一”，年内出台推进“三证合一”登记制度改革意见和统一社会信用代码方案，实现“一照一码”。

（4）落实科技企业孵化器、大学科技园的税收优惠政策，符合条件的众创空间等新型孵化机构适用科技企业孵化器税收优惠政策。

（5）运用财税政策，支持风险投资、创业投资、天使投资等发展。

（6）实施更加积极的促进就业创业税收优惠政策，将企业吸纳就业税收优惠的人员范围由失业1年以上人员调整为失业半年以上人员。高校毕业生、登记失业人员等重点群体创办个体工商户、个人独资企业的，可以依法享受税收减免政策。

（7）抓紧推广中关村国家自主创新示范区税收试点政策，将职工教育经费税前扣除试点政策、企业转增股本分期缴纳个人所得税试点政策、股权奖励分期缴纳个人所得税试点政策推广至全国范围。

（8）支持农民工返乡创业，发展农民合作社、家庭农场等新型农业经营主体，落实定向减税和普遍性降费政策。

（9）调整完善促进军队转业干部、随军家属就业税收政策。

同日，经国务院批准，财政部、国家税务总局发出《关于调整铁矿石资源税适用税额标准的通知》。通知中规定：自当年5月1日起，将铁矿石资源税由减按规定税额标准的80%征收，调整为减按规定税额标准的40%征收。

4月30日，经国务院批准，财政部、国家税务总局发出《关于实施稀土、钨、钼资源税从价计征改革的通知》。通知中规定：自当年5月1日起实施稀土、钨、钼资源税清费立税、从价计征改革：轻稀土的适用税率，内蒙古自治区为11.5%，四川省为9.5%，山东省为7.5%；中重稀土的适用税率为27%；钨的适用税率为6.5%；钼的适用税率为11%。

5月4日，国务院发布《关于大力发展电子商务加快培育经济新动力的意见》，其中提出了下列有关税收的措施：

（1）从事电子商务活动的企业，认定为高新技术企业的，依法享受高新技术企业相关优惠政策，小微企业依法享受税收优惠政策。

（2）加快推进“营改增”，逐步将旅游电子商务、生活服务类电子商务等相关行业纳入“营改增”范围。

（3）积极推进跨境电子商务通关、检验检疫、结汇和缴纳进口税等关键环节“单一窗口”综合服务体系建设。

（4）逐步推行电子发票和电子会计档案，完善相关技术标准和规章制度。

5月7日，经国务院批准，财政部、国家税务总局发出《关于调整卷烟消费税的通知》。通知中规定：自当年5月10日起，将卷烟消费税批发环节从价税税率从5%提高到11%，并按照每支0.005元加征从量税。纳税人兼营卷烟批发、零售业务的，应当分别核算批发、零售环节的销售额和销售数量；没有分别核算批发、零售环节销售额和销售数量的，按照全部销售额、销售数量计征批发环节消费税。

同日，根据车船税法及其实施条例，经国务院批准，财政部、国家税务总局、工业和信息化部发出《关于节约能源、使用新能源车船税优惠政策的通知》。通知中规定：自当日起，节约能源车船，减半征收车船税；使用新能源车船，免征车船税。

6月9日，经国务院批准，财政部、国家税务总局发出《关于高新技术企业职工教育经费税前扣除政策的通知》。通知中规定：自2015年起，高新技术企业发生的职工教育经费支出，不超过工资、薪金总额8%的部分，可以在计算企业所得税应纳税所得额的时候扣除；超过的部分，可以在以后纳税年度结转扣除。

6月16日，国务院发布《关于大力推进大众创业万众创新若干政策措施的意见》，其中提出了下列有关税收的措施：

（1）落实扶持小微企业发展的各项税收优惠政策。

（2）落实科技企业孵化器、大学科技园、研发费用加计扣除和固定资产加速折旧等税收优惠政策。符合条件的众创空间等新型孵化机构，适用科技企业孵化器税收优惠政策。

（3）按照税制改革方向、要求，对包括天使投资在内的投向种子期、初创期等创新活动的投资，统筹研究相关税收支持政策。

（4）修订完善高新技术企业认定办法，完善创业投资企业享受70%应纳税所得额税收抵免政策。

（5）抓紧推广中关村国家自主创新示范区税收试点政策，将企业转增股本分期缴纳个人所得税试点政策、股权奖励分期缴纳个人所得税试点政策推广至全国范围。

（6）落实促进高校毕业生、残疾人、退役军人和登记失业人员等创业就业税收政策。

6月22日，经中共中央、国务院批准，国务院办公厅转发中国银监会报送的《关于促进民营银行发展的指导意见》。意见中提出：投资入股银行业金融机构的民营企业应当满足依法具有良好的社会声誉、诚信记录和纳税记录等条件。

8月1日，国务院发布《全国海洋主体功能区规划》。规划中提出：在专属经济区和大陆架开采油气的企业，可以按照国家规定享受有关税收优惠政策。

8月7日，国务院发布《关于促进融资担保行业加快发展的意见》。意见中提出：落实好融资担保机构免征营业税和准备金税前扣除等相关政策。

8月18日，经中央领导批准，中共中央办公厅、国务院办公厅发布《深化科技体制改革实施方案》，其中提出了下列有关税收的措施：

（1）注重财税、金融、投资、产业、贸易和消费等政策与科技政策的配套。坚持结构性减税方向，逐步将国家对于企业技术创新的投入方式转变为以普惠性财税政策为主。

（2）加快推进资源税改革，逐步将资源税扩展到占用各种自然生态空间。

（3）推进环境保护费改税。

（4）统筹研究企业所得税加计扣除政策，完善企业研发费用计核方法，调整目录管理方式，扩大研发费用加计扣除政策适用范围；国家自主创新示范区实行的科技人员股权奖励个人所得税试点政策推广工作。

（5）按照税制改革的方向、要求，对于包括天使投资在内的投向种子期、初创期等创新活动的投资，统筹研究相关税收支持政策。

（6）研究扩大促进创业投资企业发展的税收优惠政策，适当放宽创业投资企业投资高新技术企业的条件限制，并在试点基础上将享受投资抵扣政策的创业投资企业范围扩大到有限合伙制创业投资企业法人合伙人。

8 月 29 日，第十二届全国人民代表大会常务委员会第十六次会议通过修订以后的《中华人民共和国促进科技成果转化法》《中华人民共和国大气污染防治法》。

促进科技成果转化法第三十四条规定："国家依照有关税收法律、行政法规规定对科技成果转化活动实行税收优惠。"

大气污染防治法第五十条中规定："国家采取财政、税收、政府采购等措施推广应用节能环保型和新能源机动车船、非道路移动机械，限制高油耗、高排放机动车船、非道路移动机械的发展，减少化石能源的消耗。"

8 月 31 日，经国务院批准，国务院办公厅发布《关于加快融资租赁业发展的指导意见》。意见中提出：落实融资租赁相关税收政策，促进行业健康发展。开展融资租赁业务（含融资性售后回租）签订的融资租赁合同，按照其所载明的租金总额，比照借款合同税目计税贴花。12 月 24 日，财政部、国家税务总局据此发出《关于融资租赁合同有关印花税政策的通知》。通知中规定：开展融资租赁业务签订的融资租赁合同（含融资性售后回租），统一按照其所载明的租金总额、借款合同税目和万分之零点五的税率计税贴花；在融资性售后回租业务中，承租人、出租人由于出售租赁资产和购回租赁资产签订的合同，不征收印花税。该通知自印发之日起执行；此前没有处理的事项，按照该通知执行。

9 月 7 日，经国务院批准，财政部、国家税务总局和中国证监会发出《关于上市公司股息、红利差别化个人所得税政策有关问题的通知》。通知中规定：自当年 9 月 8 日起，个人从公开发行和转让市场取得的上市公司股票，持股期限超过 1 年的，股息、红利所得暂免征收个人所得税；持股期限在 1 个月以内的，股息、红利所得全额计入应纳税所得额；持股期限超过 1 个月至 1 年的，股息、红利所得暂减按 50％计入应纳税所得额。

9 月 17 日，根据国务院常务会议的决定，财政部、国家税务总局发出《关于进一步完善固定资产加速折旧企业所得税政策的通知》。通知中规定：轻工、纺织、机械和汽车 4 个领域重点行业的企业当年 1 月 1 日以后购进的固定资产，可以选择缩短折旧年限，或者采取加速折旧的方法。上述行业的小型微利企业当年 1 月 1 日以后购进的研发和生产、经营共用的仪器、设备，单位价值不超过 100 万元的，允许一次性计入当期成本费用，在计算企业所得税应纳税所得额的时候扣除，不再分年度计算折旧；单位价值超过 100 万元的，可以选择缩短折旧年限或者采取加速折旧的方法。

9 月 18 日，经国务院批准，国务院办公厅发布《关于推进线上线下互动加快商贸流通创新发展转型升级的意见》。意见中提出：营造线上线下企业公平竞争的税收环境。线上线下互动发展企业符合高新技术企业或者技术先进型服务企业认定条件的，可以按照规定享受有关税收优惠。积极推广网上办税服务和电子发票应用。

9 月 29 日，经国务院批准，财政部、国家税务总局发出《关于减征 1.6 升及以下排量乘用车车辆购置税的通知》。通知中规定：2015 年 10 月 1 日至 2016 年 12 月 31 日，购置 1.6 升以下排气量的乘用车，减按 5％的税率征收车辆购置税。

10 月 23 日，根据国务院常务会议的决定，财政部、国家税务总局发出《关于将国家自主创新示范区有关税收试点政策推广到全国范围实施的通知》，其中规定：

（1）自当年 10 月 1 日起，有限合伙制创业投资企业采取股权投资方式投资未上市的中小高新技术企业满 2 年的，该有限合伙制创业投资企业的法人合伙人可以按照其对未上市中小高新技术企业投资额的 70％抵扣该法人合伙人从该有限合伙制创业投资企业分得的应纳税所得额；当年不足抵扣的，可以在以后纳税年度结转抵扣。

（2）自当年 10 月 1 日起，居民企业转让 5 年以上非独占许可使用权取得的技术转让所得，纳入享受企业所得税优惠的技术转让所得范围。

（3）自 2016 年 1 月 1 日起，中小高新技术企业以未分配利润、盈余公积和资本公积向个人股东转增股本的时候，个人股东一次缴纳个人所得税确有困难的，可以根据实际情况自行制定分期缴税计划，在不超过 5 个公历年度以内分期缴纳。

个人股东获得转增的股本，按照利息、股息和红利所得征收个人所得税，适用 20%的税率。

在股东转让该部分股权以前，企业依法宣告破产，股东进行相关权益处置以后没有取得收益，或者收益小于初始投资额的，税务机关对其尚未缴纳的个人所得税可以不予追征。

（4）自 2016 年 1 月 1 日起，高新技术企业转化科技成果，给予本企业相关技术人员的股权奖励，个人一次缴纳税款有困难的，可以根据实际情况自行制订分期缴税计划，在不超过 5 个公历年度以内分期缴纳。

技术人员在转让奖励的股权以前企业依法宣告破产，技术人员进行相关权益处置以后没有取得收益和资产，或者取得的收益和资产不足以缴纳其取得股权尚未缴纳的应纳税款的部分，税务机关可以不予追征。

12 月 14 日，经国务院批准，财政部、国家税务总局和中国证监会发出《关于内地与香港基金互认有关税收政策的通知》，自当年 12 月 18 日起执行。

（1）内地投资者通过基金互认买卖香港基金份额的所得税

① 内地个人投资者通过基金互认买卖香港基金份额取得的转让差价所得，自 2015 年 12 月 18 日至 2018 年 12 月 17 日，暂免征收个人所得税。

② 内地企业投资者通过基金互认买卖香港基金份额取得的转让差价所得，计入其收入总额，依法征收企业所得税。

③ 内地个人投资者通过基金互认从香港基金分配取得的收益，由该香港基金在内地的代理人按照 20%的税率代扣代缴个人所得税。

④ 内地企业投资者通过基金互认从香港基金分配取得的收益，计入其收入总额，依法征收企业所得税。

（2）香港市场投资者通过基金互认买卖内地基金份额的所得税

① 香港市场投资者（包括企业和个人）通过基金互认买卖内地基金份额取得的转让差价所得，暂免征收所得税。

② 香港市场投资者（包括企业和个人）通过基金互认从内地基金分配取得的收益，由内地上市公司向该内地基金分配股息、红利的时候按照 10%的税率代扣所得税；或者发行债券的企业向该内地基金分配利息的时候对香港市场投资者按照 7%的税率代扣所得税。该内地基金向投资者分配收益的时候，不再扣缴所得税。

（3）内地投资者通过基金互认买卖香港基金份额和香港市场投资者买卖内地基金份额的营业税

① 香港市场投资者（包括单位和个人）通过基金互认买卖内地基金份额取得的差价收入，暂免征收营业税。

② 内地个人投资者通过基金互认买卖香港基金份额取得的差价收入，按照现行规定暂免征收营业税。

③ 内地单位投资者通过基金互认买卖香港基金份额取得的差价收入，按照现行规定征免营业税。

（4）内地投资者通过基金互认买卖香港基金份额和香港市场投资者通过基金互认买卖内地基金份额的印花税

① 香港市场投资者通过基金互认买卖、继承和赠予内地基金份额，按照内地现行税制规定，暂不征收印花税。

② 内地投资者通过基金互认买卖、继承和赠予香港基金份额，按照香港特别行政区现行印花税税法规定执行。

12 月 18 日，国务院发布《关于新形势下加快知识产权强国建设的若干意见》。该文件中提出：落实研究开发费用税前加计扣除政策，对符合条件的知识产权费用按规定实行加计扣除。

12 月 23 日，经国务院批准，财政部、海关总署和国家税务总局公布《慈善捐赠物资免征进口税收暂行办法》，自 2016 年 4 月 1 日起实施。办法中规定：中国境外捐赠人无偿向受赠人捐赠的直接用于慈善事业的物资，免征进口关税和进口环节增值税。

三、进出口税收、跨国投资税收和国际税收关系

1 月 1 日，2013 年 1 月 21 日中国政府与厄瓜多尔政府签订的关于避免对所得双重征税和防止偷漏税的协定开始执行。

同日，2013 年 5 月 31 日中国政府与荷兰政府签订的新的关于避免对所得双重征税和防止偷漏税的协定开始执行。

同日，经国务院批准，财政部、国家税务总局提高部分高附加值产品、玉米加工产品和纺织品服装的出口退税率，取消含硼钢的出口退税。

1 月 6 日，根据 2014 年 8 月 9 日国务院发布的《关于促进旅游业改革发展的若干意见》，经商海关总署、国家税务总局，财政部发布《关于实施境外旅客购物离境退税政策的公告》。即日起，财政部、海关总署和国家税务总局开始受理符合条件的地区的备案，并及时发布纳入离境退税范围的地区名单和实施日期。6 月 2 日，经商财政部、海关总署同意，国家税务总局据此发布《境外旅客购物离境退税管理办法（试行）》。

1 月 6 日，国家税务总局发布关于《中华人民共和国政府和瑞士联邦委员会对所得和财产避免双重征税的协定》及议定书生效执行的公告。上述协定及议定书自 2014 年 11 月 15 日起生效，适用于 2015 年 1 月 1 日以后取得的所得。

1 月 28 日，国务院发布《关于加快发展服务贸易的若干意见》。该文件中提出：结合全面实施“营改增”，对服务出口实行零税率或者免税，鼓励扩大服务出口。

同日，国家税务总局发布关于《中华人民共和国政府和法兰西共和国政府对所得避免双重征税和防止偷漏税的协定》和议定书生效执行的公告。上述协定和议定书自 2014 年 12 月 28 日起生效，并适用于 2015 年 1 月 1 日以后取得的所得。

2 月 12 日，国务院发布《关于加快培育外贸竞争新优势的若干意见》，其中提出了下列有关税收的措施：

（1）促进贸易平衡，继续对最不发达国家部分进口产品实施零关税待遇。

（2）培育一批外贸综合服务企业，加强其通关、物流、退税、金融和保险等综合服务能力。

（3）完善外贸政策协调机制，加强财税、金融、产业和贸易等政策之间的衔接和配合。

（4）优化通关、质检、退税和外汇管理方式等，加快海关特殊监管区域整合优化，支持跨境电子商务、外贸综合服务平台、市场采购贸易等新型贸易方式发展。

（5）进一步优化进出口关税结构。

（6）逐步实施国际通行的退税政策，进一步完善出口退税分担机制。

2 月 16 日，国务院发出《关于完善出口退税负担机制有关问题的通知》。通知中规定：自当年 1 月 1 日起，出口退税全部由中央财政负担；中央对地方消费税不再实行增量返还，改为以 2014 年消费税返还数为基数定额返还。

3 月 17 日，中国国务院副总理马凯和德国联邦财政部部长沃尔夫冈·朔伊布勒、德意志联邦银行行长延斯·魏德曼共同主持首次中德高级别财金对话。双方在对话中就税收问题达成以下共识：双方将加强双边和多边税收领域的合作，共同应对和打击跨境逃避税，包括继续以税收透明度和情报交换全球论坛为平台，推进双方在税收透明度和情报交换方面的合作，进一步加强在 G20 框架下的应对 BEPS 移行动计划方面的沟通与合作，尊重和支持彼此关切，共同推动全球税收治理体系的建立，构建良好的国际税收环境。

3 月 20 日，为了充分利用 OECD 的智力资源，深化双方在财税领域的合作关系，推进中国的财税改革，财政部与 OECD 在北京签署合作谅解备忘录，财政部部长楼继伟、OECD 秘书长安吉尔·古利亚出席签字仪式，并就下一步合作前景、财税改革等问题进一步交换意见。

3 月 23 日，财政部部长楼继伟与国际货币基金组织（IMF）总裁克里斯蒂娜·拉加德在北京签署合作备忘录。据此，双方将在未来三年围绕中期财政规划、政府财务报告和国库管理、公共债务管理与财政可持续性、中央与地方政府之间的财政关系、支出政策、税收政策、国内外宏观经济研究和国际财金政策等重点领域，开展技术援助、能力建设、人才培养和经验共享等全方位的合作。

4 月 1 日，国务院发布《关于改进口岸工作支持外贸发展的若干意见》，其中提出了下列 税收的措施：

（1）研究取消纸质出口货物报关单（出口退税

专用)，税务部门可以凭海关电子数据为企业办理出口退税手续，提高企业出口退税速度。

（2）完善免税店政策，优化口岸免税店空间布局，促进免税业务健康发展。

（3）统筹推进全国一体化通关改革，实现全国海关报关、征税、查验和放行通关全流程的一体化作业。

5月13日，国务院发布《关于推进国际产能和装备制造合作的指导意见》，其中提出了下列有关税收的措施：

（1）完善与有关国家在投资保护、金融、税收、海关和人员往来等方面合作机制，为国际产能、装备制造合作提供全方位支持和综合保障。

（2）加快与有关国家商签避免双重征税协定，实现重点国家全覆盖。

（3）鼓励行业协会、商会和中介机构发挥积极作用，为企业"走出去"提供市场化、社会化和国际化的法律、会计、税务、投资、咨询、知识产权、风险评估、认证等服务。

5月25日，中国政府与智利政府在圣地亚哥签署《中华人民共和国政府和智利共和国政府对所得避免双重征税和防止逃避税的协定》及议定书，中国国务院总理李克强、智利总统米歇尔·巴切莱特·赫里亚出席签字仪式，中国国家税务总局局长王军、智利财政部部长罗德里戈·巴尔德斯分别代表本国政府签字。

6月6日，中国财政部部长楼继伟和日本副首相兼财务大臣麻生太郎在北京主持第五次中日财政部部长对话，双方认为该对话平台有助于深化两国在宏观经济形势和政策方面的沟通，加强两国在财金领域的合作，强调进一步加强在预算、税收、社保体系改革、公共债务管理和关税政策等方面的交流。

6月16日，经国务院批准，国务院办公厅发布《关于促进跨境电子商务健康快速发展的指导意见》。意见中提出：继续落实现行跨境电子商务零售出口货物增值税、消费税退税或者免税政策。关于跨境电子商务零售进口税收政策，由财政部按照有利于拉动国内消费、公平竞争、促进发展和加强进口税收管理的原则，会同海关总署、国家税务总局另行制定。

7月1日，第十二届全国人民代表大会常务委员会第十五次会议决定：批准经2010年5月27日《〈多边税收征管互助公约〉修订议定书》修订、2013年8月27日中国政府代表在巴黎签署的《多边税收征管互助公约》，同时就有关问题做出声明。这是全国人大常委会批准的中国政府签署的第一个税收国际公约，意义重大。

同日，国务院发布《关于积极推进"互联网＋"行动的指导意见》。意见中提出：创新跨境电子商务管理，促进信息网络畅通、跨境物流便捷、支付及结汇无障碍、税收规范便利、市场及贸易规则互认互通。9月28日，国家税务总局据此发布《"互联网＋税务"行动计划》。

7月9日，金砖国家领导人第七次会晤在俄罗斯乌法举行，中国国家主席习近平出席。会议发表了《金砖国家领导人第七次会晤乌法宣言》。宣言第二十六项如下：

"金砖国家重申，将参与制定国际税收标准并就遏制税收侵蚀和利润转移现象加强合作，强化税收透明度和税收情报交换机制。

我们对逃税、有害实践以及造成税基侵蚀的激进税收筹划表示深切关注。应对经济活动发生地和价值创造地产生的利润征税。我们重申通过相关国际论坛就二十国集团/经合组织税基侵蚀和利润转移行动计划和税收情报自动交换问题继续开展合作。我们将共同帮助发展中国家增强税收征管能力，推动发展中国家更深入地参与税收侵蚀和利润转移项目和税收信息交换工作。金砖国家将分享税收方面的知识和最佳实践。"

7月22日，经国务院批准，国务院办公厅发布《关于促进进出口稳定增长的若干意见》。该文件中提出：对部分国内需求较大的日用消费品开展降低进口关税试点，适度增设口岸进境免税店，合理扩大免税品种，增加一定数量的免税购物额。

8月11日，经国务院批准，国务院办公厅发布《关于进一步促进旅游投资和消费的若干意见》。该文件中提出：推进邮轮旅游产业发展，支持符合条件的企业设立保税仓库；支持有条件的旅游企业探索互联网金融，推动境外消费退税便捷化；适度增设口岸进境免税店；符合条件的地区要加快实施境外旅客购物离境退税。

8月31日，经国务院批准，财政部、国家税务总局发出《关于继续实施物流企业大宗商品仓储设施用地城镇土地使用税优惠政策的通知》。通知中规定：自 2015 年至 2016 年，物流企业自有（包括自用和出租）的大宗商品仓储设施用地，减按所属土地等级适用税额标准的 50%计征城镇土地使用税。

9 月 4 日至 5 日，G20 财政部部长和中央银行行长会议在土耳其举行，中国财政部部长楼继伟和中国人民银行行长周小川率领中国代表团出席。会议承诺建立一个全球性的公平且现代化的国际税收体系，期待于当年 10 月完成关于 BEPS 的全部 15 项行动计划，并提交安塔利亚 G20 峰会。

9 月 18 日，中国国务院副总理马凯与法国财政和公共账户部部长米歇尔·萨班在北京共同主持第三次中法高级别经济财金对话。对话期间，双方就有关税收问题达成下列共识：

（1）双方同意继续密切合作，采取措施应对跨境逃税和避税。双方继续支持 G20 关于促进税收透明度和信息自动交换的承诺，呼吁所有辖区在承诺的时间框架内实施税收透明度和信息交换国际标准。双方同意继续加强沟通和合作，落实 G20 和 OECD“应对 BEPS 行动计划”，认为该计划的有效性将取决于其应用程度和持续落实情况。双方呼吁 OECD 与对此感兴趣的非 G20 国家特别是发展中国家一道，在 2016 年初之前制订落实该计划的框架。双方承诺将通过多种形式共同帮助发展中国家特别是低收入国家加强税收政策和征管能力建设。

（2）双方重申落实 G20 受益所有权透明度高级原则，并期待取得进一步进展，以确保反腐败、金融和税务部门在内的有关部门能掌握公司的所有者、控制者和诸如信托等其他法律安排情况。

9 月 21 日，中国国务院副总理马凯和英国首席大臣兼财政大臣乔治·奥斯本在北京共同主持第七次中英经济财金对话。双方同意继续密切合作，采取措施应对跨境逃税和避税，支持 G20 关于促进税收透明度和信息自动交换的承诺，加强在《G20/OECD 应对 BEPS 项目行动计划》项目下的沟通合作。双方将继续加强税制改革和税收政策研究领域的交流与合作。双方期待由英方任主席将于 2016 年 5 月在北京举行的税收管理论坛大会取得成功。为 2016 年中方担任 G20 主席工作做好相应准备，双方同意在税收议题方面充分沟通和协调。

10 月 30 日，根据国务院的部署，财政部、国家税务总局发出《关于影视等出口服务适用增值税零税率政策的通知》。通知中规定：自当年 12 月 1 日起，境内单位和个人向境外单位提供下列应税服务，适用增值税零税率：广播影视节目（作品）的制作、发行服务，技术转让服务、软件服务、电路设计和测试服务、信息系统服务、业务流程管理服务、合同标的物在境外的合同能源管理服务，离岸服务外包业务。

11 月 15 日至 16 日，G20 领导人第十次峰会在土耳其举行，中国国家主席习近平出席。峰会 16 日发表的公报中宣布：为在全球范围内实现公平、现代化的国际税收体系，我们核准《G20/OECD 应对 BEPS 项目行动计划》中的一系列措施。广泛、持续地落实行动计划是确保 BEPS 项目取得成效的关键，特别是在跨境税收裁定的情报交换方面。因此，我们强烈敦促按时落实 BEPS 项目，并鼓励包括发展中国家在内的所有国家和辖区参与。为在全球监测 BEPS 项目的落实情况，我们呼吁 OECD 在 2016 年年初前建立一套包容性框架，该框架将在平等参与的基础上纳入感兴趣并致力于实施 BEPS 项目的非 G20 国家和辖区，包括发展中经济体。我们欢迎 IMF、OECD、联合国和世界银行集团为感兴趣的发展中经济体提供适当的技术援助，帮助其应对国内资源动员方面的挑战，也包括 BEPS 方面的挑战。我们认识到，感兴趣的非 G20 发展中国家实施 BEPS 行动计划的时机可能与其他国家不同，期待 OECD 和其他国际组织能够确保该框架适当考虑发展中国家的情况。我们在加强税收体系透明度方面不断取得进展，我们重申此前承诺，将于 2017 年或 2018 年年底同各成员国和其他国家就税收情报开展应要求交换和自动交换。我们邀请其他辖区共同参与。我们支持提高发展中经济体在国际税收议程中的参与度。

12 月 1 日，中国政府与津巴布韦政府在哈拉雷签署《中华人民共和国政府和津巴布韦共和国政府对所得避免双重征税和防止偷漏税的协定》，中国国家主席习近平、津巴布韦总统罗伯特·加布里埃尔·穆加贝出席签字仪式，中国国家税务总局局长王军、津巴布韦财政部部长帕特里克·齐纳马萨分别代表本国政府签字。

12 月 4 日，中国政府发布《中国对非洲政策文件》，其中提出了下列有关税收的措施：

（1）引导、鼓励和支持中国企业在非洲共同建设经贸合作区，作为推进中非产能合作的重要平台，吸引更多中国企业到非洲投资，建立生产和加工基地并开展本土化经营，增加当地就业、税收和创汇，促进产业转移和技术转让。

（2）创新双方在投资保护、金融、税收、海关、签证、移民和警务人员往来等方面合作机制，帮助非洲国家增强执法能力建设和提高管理服务水平。

（3）支持更多非洲产品进入中国市场，根据履行双边换文手续情况，继续对原产于与中国建交的最不发达国家97%税目产品实施零关税。

12月16日，国家税务总局局长王军在北京会见OECD税收政策与管理中心主任帕斯卡一行。双方就G20国际税制改革、共同帮助发展中国家进行税收征管能力建设以及中国承办第十届税收征管论坛（FTA）大会等议题交换了意见。

国家税务总局总经济师范坚与帕斯卡签署了《中华人民共和国国家税务总局、经济合作与发展组织关于在中国实施多边税务中心多边税务项目的谅解备忘录》等合作文件。根据合作文件，双方将在中国建立第一个位于非OECD国家的多边税务中心，发挥各自优势资源，为亚洲的发展中国家和地区税务官员提供税收业务培训，共同帮助发展中国家建设提升税收征管能力的平台。在过去合作的基础上，双方制定并签署了2016—2018年合作谅解备忘录，将在税收政策、税收征管、国际税收等19个领域开展税务培训、立法咨询和高层政策对话等多种形式的合作。

12月19日，经中央领导批准，中共中央办公厅、国务院办公厅发布《关于加强外国人永久居留服务管理的意见》。意见中提出：结合信用体系建设，加强对于永久居留外国人在华工作、学习、纳税和参加社会保险等情况的监督管理。

12月24日，国务院发布《关于支持沿边重点地区开发开放若干政策措施的意见》，其中提出了下列有关税收的措施：

（1）修订完善《边民互市进口商品不予免税清单》，严格落实国家规定范围以内的免征进口关税和进口环节增值税政策。

（2）国家在沿边重点地区鼓励发展的内外资投资项目，进口国内不能生产的自用设备及配套件、备件，继续在规定范围以内免征关税。

（3）根据跨境经济合作区运行模式和未来发展状况，适时研究适用的税收政策。

（4）加强与相关国家磋商，积极稳妥推进避免双重征税协定的谈签和修订工作。

据财政部统计，2015年，随着中国进出口贸易的变化和进出口税制的调整，增值税、消费税进口环节的征税额从2014年的14 425.3亿元减少到12 533.4亿元，下降了13.1%；出口退税额从2014年的11 356.5亿元增加到12 867.2亿元，增长了13.3%。

四、税收法制和税收管理

1月5日，国务院法制办公室发出通知，公布国家税务总局、财政部起草的《中华人民共和国税收征收管理法修订草案（征求意见稿）》及其说明，征求社会各界的意见。

2月1日，2014年12月2日国家税务总局公布的《一般反避税管理办法（试行）》和修订以后的《重大税务案件审理办法》《车辆购置税征收管理办法》，2014年12月28日国家税务总局发布的《全国税务机关出口退（免）税管理工作规范（1.0版）》开始施行。

2月24日，国务院发布《关于取消和调整一批行政审批项目等事项的决定》，其中取消了对财政有影响的临时特案减免税审批、对增值税一般纳税人资格认定审批、申请开具红字增值税专用发票审核、拍卖行拍卖免征增值税货物审批、营改增后随军家属优惠政策审批、营改增后军队转业干部优惠政策审批、营改增后城镇退役士兵优惠政策审批、消费税税款抵扣审核、成品油消费税征税范围认定、主管税务机关对非居民企业适用行业及所适用的利润率审核等14个税收审批项目。

2月27日，根据2014年10月23日中共中央发布的《关于全面推进依法治国若干重大问题的决定》，国家税务总局发布《关于全面推进依法治税的指导意见》。5月5日，国家税务总局发布《关于坚持依法治税更好服务经济发展的意见》。

3月15日，第十二届全国人民代表大会第三次会议通过《全国人民代表大会关于修改〈中华人民共和国立法法〉的决定》。决定中规定：第八条增加一项作为第六项："（六）税种的设立、税率的确定和税收征收管理等税收基本制度。”

3月16日，经国务院批准，国务院办公厅发出《关于做好与贸易相关部门规章英文翻译工作的通知》。上述规章中，包括涉及关税、影响进口的间接税、出口税、出口退税、加工贸易税收减让和税收优惠的部门规章。

3月25日，新华网报道，全国人大常委会法工委牵头起草的《贯彻落实税收法定原则的实施意见》已经中共中央审议通过，该委负责人就实施意见的有关情况回答了新华社记者的提问。

4月10日，国家税务总局发布《全国税收征管规范（1.0版）》，自当年5月1日起试行。

4月24日，第十二届全国人民代表大会常务委员会第十四次会议通过《全国人民代表大会常务委员会关于修改〈中华人民共和国港口法〉等七部法律的决定》，其中修改了《中华人民共和国税收征收管理法》第三十三条，简化了关于纳税人办理减税、免税的规定。

5月10日，国务院发布《关于取消非行政许可审批事项的决定》。决定中取消了财政部、国家税务总局和民政部关于公益性捐赠税前扣除资格确认的审批，国家税务总局关于外出经营报验核准、偏远地区简并征期认定和出口退（免）税资格认定等19个审批事项。

5月25日，中国人大网公布2014年12月15日第十二届全国人民代表大会常务委员会第三十六次委员长会议原则通过、2015年4月10日第十二届全国人民代表大会常务委员会第四十五次委员长会议修改的《全国人大常委会2015年立法工作计划》。修改税收征收管理法，制定环境保护税法、房地产税法列为预备项目，由有关方面抓紧调研和起草工作，视情在2015年或者以后年度安排全国人大常委会审议。（笔者注：除了税收征收管理法个别条款修改以外，当年上述其他项目的执行情况未见公布）

6月1日，中共中央批准并转发中共全国人大常委会党组报送的《关于调整〈十二届全国人大常委会立法规划〉的请示》。规划中列入第一类项目条件比较成熟、任期以内拟提请审议的法律草案包括环境保护税法、增值税法、资源税法、房地产税法、关税法、船舶吨税法、耕地占用税法和税收征管法（修改）8项。8月3日，中国人大网公布调整以后的《十二届全国人大常委会立法规划》。

6月8日，为了落实国务院行政审批制度改革的要求，进一步做好减免税管理有关工作，国家税务总局发布修订以后的《税收减免管理办法》，自当年8月1日起施行。

6月10日，国务院法制办公室发出通知，公布财政部、国家税务总局和环境保护部起草的《中华人民共和国环境保护税法（征求意见稿）》及其说明，征求社会各界的意见。

6月10日，国家税务总局发布《国家税务局、地方税务局合作工作规范（1.0版）》，自当年7月1日起试行。12月30日，国家税务总局发布《国家税务局、地方税务局合作工作规范（2.0版）》，自2016年1月1日起施行。

6月11日，国务院批转发展改革委、中编办、民政部、财政部、人民银行、税务总局、工商总局和质检总局报送的《法人和其他组织统一社会信用代码制度建设总体方案》。

6月16日，国务院发布《推进财政资金统筹使用方案》。方案中提出：3年内逐步取消一般公共预算中以收定支的规定。新出台的税收收入和非税收入政策，一般不得规定以收定支、专款专用。加大各类收入统筹使用的力度，进一步理顺税费关系，清理、整合和规范政府性基金和专项收入，逐步建立税收收入为主导、非税收入适当补充的收入体系。

6月23日，经国务院批准，国务院办公厅发布《关于加快推进“三证合一”登记制度改革的意见》。“三证合一”登记制度，指将企业登记时依次申请，分别由工商行政管理部门核发工商营业执照、质量技术监督部门核发组织机构代码证和税务部门核发税务登记证，改为一次申请、由工商行政管理部门核发一个营业执照的登记制度。8月7日，工商总局、中编办、发展改革委、税务总局、质检总局和国务院法制办发出关于贯彻落实国务院办公厅上述文件的通知。9月10日，根据上述两个文件，国家税务总局发出《关于落实“三证合一”登记制度改革的通知》。通知中规定：新设立企业、农民专业合作社（以下统称企业）领取由工商行政管理部门核发加载法人和其他组织统一社会信用代码（以下称统一代码）的营业执照以后，无须再次办理税务登记，不再领取税务登记证。企业办理涉税事项的时候，在完成补充信息采集以后，加载统一代码的营业执照可以代替税务登记证使用。9月22日，全面推进“三证合一、一照一码”登记制度改革工作全国电视电话会议在北京召开，中共中央政治局常委、国务院总理李克强为此做出重要批示，国务委员王勇出席会议并讲话。

6月24日，经国务院批准，国务院办公厅发布《关于运用大数据加强对市场主体服务和监管的若干意见》，其中做出了下列有关税收的规定：

（1）在注册登记、市场准入、政府采购、政府购买服务、项目投资、政策动态、招标投标、检验检测、认证认可、融资担保、税收征缴、进出口、市场拓展、技术改造、上下游协作配套、产业联盟、兼并重组、培训咨询、成果转化、人力资源、法律服务和知识产权等方面主动提供更具针对性的服务。

（2）全面实行工商营业执照、组织机构代码证和税务登记证“三证合一”、“一照一码”登记制度改革，以简化办理程序、方便市场主体和减轻社会负担为出发点，做好制度设计。

（3）建立国家统一的信用信息共享交换平台，整合金融、工商登记、税收缴纳、社保缴费、交通违法、安全生产、质量监管和统计调查等领域信用信息，实现各地区、各部门信用信息共建共享。

（4）充分发挥行政、司法、金融和社会等领域的综合监管效能，在市场准入、行政审批、资质认定、享受财政补贴和税收优惠政策、企业法定代表人和负责人任职资格审查、政府采购、政府购买服务、银行信贷、招标投标、国有土地出让、企业上市、货物通关、税收征缴、社保缴费、外汇管理、劳动用工、价格制定、电子商务、产品质量、食品药品安全、消费品安全、知识产权、环境保护、治安管理、人口管理、出入境管理、授予荣誉称号等方面，建立跨部门联动响应和失信约束机制。

（5）在宏观管理、税收征缴、资源利用与环境保护、食品药品安全、安全生产、信用体系建设、健康医疗、劳动保障、教育文化、交通旅游、金融服务、中小企业服务、工业制造、现代农业、商贸物流、社会综合治理和收入分配调节等领域实施大数据示范应用工程。

7月30日，国家税务总局、中国银监会发出《关于开展“税银互动”助力小微企业发展活动的通知》。“银税互动”，指在依法合规的基础上，由税务机关、银监会派出机构和银行业金融机构通过协商，共享区域内小微企业纳税信用评价结果，助力小微企业健康发展。

8月10日，经国务院批准，国务院办公厅发布《整合建立统一的公共资源交易平台工作方案》。方案中提出：建立由发展改革委牵头，工业和信息化部、财政部、国家税务总局等部门参加的部际联席会议制度，统筹指导和协调全国公共资源交易平台整合工作，适时开展试点示范。12月29日，经国务院批准，国务院办公厅发出《关于同意建立公共资源交易平台整合工作部际联席会议制度的函》。

8月25日，海峡两岸关系协会会长陈德铭与台湾海峡交流基金会董事长林中森在福州市签署《海峡两岸避免双重课税及加强税务合作协议》，上述协议将在双方履行必要程序以后生效执行。

8月25日，根据当年7月29日经国务院批准、国务院办公厅发出的《关于推广随机抽查规范事中事后监管的通知》，国家税务总局发布《推进税务稽查随机抽查实施方案》。

9月2日，国务院网站公布当年4月13日经国务院批准、国务院办公厅发布的《国务院2015年立法工作计划》。其中，列为全面深化改革和全面依法治国急需的项目中包括环境保护税法、税收征管法（修订），增值税暂行条例（修订）、消费税暂行条例（修订）和资源税暂行条例（修订）。此外，做好多边税收征管互助公约审核工作。（笔者注：除了税收征收管理法个别条款修改以外，当年上述其他项目的执行情况未见公布）

9月23日，国务院发布《关于加快构建大众创业万众创新支撑平台的指导意见》。意见中提出：适应新业态发展要求，建立健全行业标准规范和规章制度，明确众创、众包、众扶和众筹（以下统称“四众”）平台企业在质量管理、信息内容管理、知识产权、申报纳税、社会保障和网络安全等方面的责任、权利和义务；加快推广使用电子发票，支持“四众”平台企业、采用众包模式的中小微企业和个体经营者按照规定开具电子发票，并允许将电子发票作为报销凭证；业务规模较小、处于初创期的从业机构符合现行小微企业税收优惠政策条件的，可以按照规定享受税收优惠政策。

同日，国务院发布《关于国有企业发展混合所有制经济的意见》。意见中提出：完善支持国有企业混合所有制改革的政策，其中包括工商登记、财税管理、土地管理和金融服务等政策。

9月29日，根据国务院的部署，财政部、发展改革委发出《关于取消和暂停征收一批行政事业性收费有关问题的通知》，其中规定取消税务部门收取的注册税务师执业资格考试、考务费。

10月10日，根据2014年6月9日国务院办公厅发出的《关于进一步加强贸易政策合规工作的通知》，国家税务总局发布《税收政策合规工作实施办法（试行）》。

10月11日，国务院发布《关于第一批取消62项中央指定地方实施行政审批事项的决定》，其中取消了吸纳下岗失业人员达到规定条件的服务型、商贸企业和下岗失业人员从事个体经营减免税的审批等29项地方税务机关审批事项。

10月13日，国务院发布《关于“先照后证”改革后加强事中事后监管的意见》。意见中提出：2016年年底前，要建立健全跨部门联动响应机制和失信惩戒机制，在经营、投融资、取得政府供应土地、进出口、出入境、注册新公司、招投标、政府采购、获得荣誉、安全许可、生产经营许可、从业任职资格和资质审核等工作中，将信用信息作为重要考量因素，对列入经营异常名录、严重违法失信企业名单、重大税收违法案件当事人名单、失信被执行人名单和行贿犯罪档案等失信主体依法限制或者禁入。

10月26日，经国务院批准，国务院办公厅发出《关于加强互联网领域侵权假冒行为治理的意见》。意见中提出：充分发挥税务机关在案件查办中线索发现、协助核查等职能作用。

11月2日，根据国务院有关文件取消注册税务师职业资格许可和认定的要求，人社部、国家税务总局发布《税务师职业资格制度暂行规定》《税务师职业资格考试实施办法》。

11月23日，经中央领导批准，中共中央办公厅、国务院办公厅发布《深化国税、地税征管体制改革方案》。12月24日，新华社发布上述方案的主要内容。上述改革的目标是：2020年建成与国家治理体系、治理能力现代化匹配的现代税收征管体制，降低征纳成本，提高征管效率，增强税法遵从度和纳税人满意度，确保税收职能作用有效发挥，促进经济健康发展和社会公平正义；改革的主要任务包括理顺征管职责划分、创新纳税服务机制、转变征管方式、深度参与国际合作、优化税务组织体系和构建税收共治格局。

11月26日，国家税务总局发布《关于推行通过增值税电子发票系统开具的增值税电子普通发票有关问题的公告》。自2016年1月1日起，全国统一使用增值税电子发票系统开具增值税电子普通发票。

同日，根据车船税法及其实施条例和有关法律、法规，国家税务总局发布《车船税管理规程（试行）》，自2016年1月1日起施行。

12月17日，经国务院批准，国务院办公厅发布《国家标准化体系建设发展规划（2016—2020年）》。规划中提出：完善信贷、纳税、合同履约和产品质量等重点领域信用标准建设。

12月27日，十二届全国人大常委会十八次会议通过全国人民代表大会法律委员会报送的《关于第十二届全国人民代表大会第三次会议主席团交付审议的代表提出的议案审议结果的报告》。报告中说：按照党的十八届三中全会决定关于“落实税收法定原则”的要求，报经党中央同意的《贯彻落实税收法定原则的实施意见》明确提出：开征新税种的，应当通过全国人大及其常委会制定相应的税收法律；对现行15个税收条例修改上升为法律或者废止的时间做出了具体安排，力争在2020年前全部完成；待全部税收条例上升为法律或废止后，提请全国人民代表大会废止相关授权决定。目前，环境保护税法、增值税法、资源税法、房地产税法、关税法、船舶吨税法、耕地占用税法、税收征收管理法（修改），已列入调整后的十二届全国人大常委会立法规划一类项目。法律委员会、法制工作委员会将按照立法法的相关规定，积极做好相关税收立法工作。制定环境保护税法、房地产税法、船舶吨税法、烟叶税法和修改税收征收管理法已列入全国人大常委会2016年立法工作计划。

同日，新华社播发中共中央、国务院发布的《法治政府建设实施纲要（2015—2020年）》。纲要中提出：健全发展规划、投资管理、财政、税收和金融等方面法律制度。进一步推进工商注册登记制度便利化，2015年年底前实现工商营业执照、组织机构代码证和税务登记证“三证合一”、“一照一码”。

12 月 28 日，经国务院批准，国务院办公厅发出《关于印发国务院部门权力和责任清单编制试点方案的通知》。方案中提出：根据部门职责特点，确定在国家发展改革委、民政部、司法部、文化部、海关总署、国家税务总局和中国证监会开展试点。

12 月 28 日，国家税务总局发布《关于修改〈税务行政复议规则〉的决定》《关于修改〈车辆购置税征收管理办法〉的决定》，均自 2016 年 2 月 1 日起施行。

据财政部统计，2015 年全国税收收入 124 922.2 亿元，比上年增长了 4.8%；税收收入占财政收入的比重为 82.0%，比上年下降了 2.9 个百分点。按照国家统计局初步统计的当年全年生产总值计算，税收收入占国内生产总值的比重为 18.2%，比上年下降了 0.3 个百分点。

（中国税务报社　刘　佐）

中国出入境检验检疫制度

中华人民共和国国家质量监督检验检疫总局（以下简称国家质检总局）是国务院主管全国质量、计量、出入境商品检验、出入境卫生检疫、出入境动植物检疫和认证认可、标准化等工作，并行使行政执法职能的正部级直属机构。

与国家质检总局职能关系密切的有两个协定，即世贸组织的《技术性贸易壁垒协定》（TBT协定）和《实施卫生与植物卫生措施协定》（SPS协定）。中国自入世以来，积极遵循WTO相关规则的规定，制定修订并实施出入境检验检疫法律法规、规章、标准，形成了比较完善的出入境检验检疫制度，在保护人类健康和安全、保护动物或者植物的生命和健康、保护环境、防止欺诈行为、维护国家安全等方面发挥了积极作用。在WTO《贸易便利化协定》实施以前，质检总局未雨绸缪，对照《协定》相关内容，提前做好实施准备，进一步提升检验检疫通关便利化水平。

一、法律法规依据

出入境检验检疫主要履行"四法三条例"法律法规职责：

（1）《商检法》及其实施条例。1989年2月21日，第七届全国人民代表大会常务委员会第六次会议通过《中华人民共和国进出口商品检验法》。2002年4月28日第九届全国人民代表大会常务委员会第二十七次会议修订，共6章41条。

《商检法》明确，为了加强进出口商品检验，保证商品质量，维护对外贸易有关各方的合法权益，促进对外经济贸易关系顺利发展，对进出口商品实施品质等检验。商检法是进出口商品检验和监督管理的法律依据，规定国家商检部门根据保护人类健康和安全、保护动物或者植物的生命和健康、保护环境、防止欺诈行为、维护国家安全的原则，制定、调整并公布实施必须实施检验的进出口商品目录，列入目录的进口商品未经检验不准销售、使用；列入目录的出口商品未经检验合格的不准出口。对目录外的进出口商品，商检法规定商检机构根据国家规定实施抽查检验。目前，对法检目录实施动态调整制度，逐步取消了一般工业产品的出口检验。

（2）《动植物检疫法》及其实施条例。1991年10月30日，第七届全国人民代表大会常务委员会第二十二次会议通过《中华人民共和国进出境动植物检疫法》，共8章50条。

《动植物检疫法》是进出境动植物检疫和监督管理的法律依据，明确了进出境的动植物、动植物产品和其他检疫物，装载动植物、动植物产品和其他检疫物的装载容器、包装物，以及来自动植物疫区的运输工具，应接受动植物检疫机关的检疫和监管。输入动物、动物产品、植物种子、种苗及其他繁殖材料的，必须事先办理检疫审批手续，并在进境时接受检疫；检疫合格的，准予入境。输出动植物、动植物产品和其他检疫物，由动植物检疫机关实施检疫，经检疫合格或者经除害处理合格的，准予出境。来自动植物疫区的船舶、飞机、火车抵达口岸时，由动植物检疫机关实施检疫。

（3）《卫生检疫法》及其实施细则。1986年12月2日，第六届全国人民代表大会常务委员会第十八次会议通过《中华人民共和国国境卫生检疫法》。2007年12月29日第十届全国人民代表大会常务委员会第三十一次会议修订，共6章28条。

《卫生检疫法》是国境卫生检疫和监督管理的法律依据，明确了入境、出境的人员、交通工具、运输设备以及可能传播检疫传染病的行李、货物、邮包等物品，都应接受检疫，经国境卫生检疫机关许可，方准入境或者出境。入境的交通工具和人员，必须在最先到达的国境口岸的指定地点接受检疫。出境的交通工具和人员，必须在最后离开的国境口岸接受检疫。国境卫生检疫机关对入境、出境的人员实施传染病监测，并且采取必要的预防、控制措施，对国境口岸的卫生状况和停留在国境口岸的入境、出境的交通工具的卫生状况实施卫生监督。

（4）《食品安全法》及其实施条例。2009年2

月28日，第十一届全国人大常委会第七次会议通过《中华人民共和国食品安全法》，共10章104条。2009年7月20日，国务院颁布《食品安全法实施条例》，共10章64条。

《食品安全法》明确规定了出入境检验检疫机构在食品进出口环节的职责。进口的食品应当经出入境检验检疫机构检验合格，出口的食品由出入境检验检疫机构进行监督、抽检。向我国境内出口食品的出口商或者代理商应当向国家出入境检验检疫部门备案。向我国境内出口食品的境外食品生产企业应当经国家出入境检验检疫部门注册，出口食品生产企业和出口食品原料种植、养殖场应当向国家出入境检验检疫部门备案。国家出入境检验检疫部门收集、汇总进出口食品安全信息，并及时通报相关部门、机构和企业。国家出入境检验检疫部门建立进出口食品的进口商、出口商和出口食品生产企业的信誉记录，并予以公布。对有不良记录的进口商、出口商和出口食品生产企业，加强对其进出口食品的检验检疫。

其他与出入境检验检疫相关的法律法规还有《中华人民共和国认证认可条例》《中华人民共和国农产品质量安全法》等，以上的法律法规共同构成了我国出入境检验检疫的法律体系。

二、国家质检总局检验检疫方面的职责和机构设置

质检总局在出入境检验检疫方面的职责主要是：组织起草有关检验检疫方面的法律、法规草案，研究拟订检验检疫工作的方针政策，制定和发布有关规章、制度；组织实施与检验检疫相关的法律、法规，指导、监督检验检疫的行政执法工作等。

拟订出入境检验检疫综合业务规章、制度；负责口岸出入境检验检疫业务管理；负责商品普惠制原产地证和一般原产地证的签证管理。

组织实施出入境卫生检疫、传染病监测、卫生监督工作；管理国外疫情的收集、分析、整理，提供信息指导和咨询服务。

组织实施出入境动植物检疫和监督管理；管理国外重大动植物疫情的收集、分析、整理，提供信息指导和咨询服务；依法负责出入境转基因生物及其产品的检验检疫工作。

组织实施进出口食品和化妆品的安全、卫生、质量监督检验和监督管理；管理进出口食品和化妆品生产、加工单位的卫生注册登记和备案，管理出口企业对外卫生注册工作。

组织实施进出口商品法定检验和监督管理；监督管理进出口商品鉴定和外商投资财产价值鉴定；管理国家实行进口许可制度的民用商品的入境验证工作；审批法定检验商品免验和组织办理复验；组织进出口商品检验检疫的前期监督和后续管理；管理出入境检验检疫标志（标识）、进口安全质量许可、出口质量许可，并负责监督管理。依法审批并监督管理涉外检验、鉴定机构（含中外合资和合作的检验、鉴定机构）。

管理与协调质量监督检验检疫方面的国际合作与交流；代表国家参加与质量监督检验检疫有关的国际组织或区域性组织，签署并负责执行有关国际合作协定、协议和议定书，审批与实施有关国际合作与交流项目；按规定承担技术性贸易壁垒协议和卫生与植物卫生措施协定的实施、通报和咨询工作。

为履行出入境检验检疫职能，国家质检总局在全国31省（自治区、直辖市）共设有35个直属出入境检验检疫局，海陆空口岸和货物集散地设有近300个分支局和200多个办事处，共有检验检疫人员5万余人。质检总局对出入境检验检疫机构实施垂直管理。

三、中国出入境检验检疫工作的主要内容

出入境检验检疫工作的基本原则，是保护人类健康和安全、保护动物或者植物的生命和健康、保护环境、防止欺诈行为、维护国家安全。国家质检总局依法制定《出入境检验检疫机构实施检验检疫的进出境商品目录》（以下简称《目录》），对出入境货物、交通工具和人员实施检验检疫通关管理，在口岸对出入境货物实行“先报检，后报关”的检验检疫货物通关管理模式。在非口岸，实施产地检验、口岸查验、换证放行通关管理模式。

（一）防止疫病疫情传播

通过对出入境人员、货物、交通工具等实施检验检疫，防止各种严重传染病及其传播媒介的传播。其中对出境人员实行健康体检，预防接种，确

保出境人员健康；对入境人员查验健康证书，实施健康监测，及时发现染疫人员，采取相应措施。经过多年实践，出入境检验检疫机构形成了查验体温、疑似病例报告、染疫人员应急处理以及口岸值班制度、紧急情况报告制度等口岸卫生查验体系，完善突发事件紧急处置机制，形成了设施齐全、功能齐备、运转高效、反应灵敏、应对有力的口岸突发事件防御体系。

（二）防止有害生物传入传出

通过对出入境动植物及其产品和运输工具、集装箱、木制包装物等的检验检疫，防止有害生物和动植物疫病疫情传入传出。其中对出入境的动植物及其产品需经过风险分析、双边市场准入、强制隔离检疫、检疫处理，对来自疫区的入境运输工具和集装箱进行消杀灭处理，对查出疫情的产品予以退回、销毁或无害化处理。我国基本建立了严格科学的防止有害生物入侵体系，并在全国进行了大范围的疫情监测，以切实保证农业生产、生态安全和经济安全。

（三）防止有毒有害物质入境

针对入境货物携带有毒有害物质，检验检疫部门加大对有毒有害物质的防范力度，加强了对进口废物原料供货企业的管理，全面实施了装运前检验和到岸查验制度，对不符合我国环保要求的废物原料一律实行退运处理。与有关部门联合加强对废旧机电产品进口的管理，实施废旧机电产品到岸逐一检查制度，对未经审批和不符合规定的废旧机电产品禁止入境，严厉打击非法入境行为。

（四）防止进出口商品质量安全事件发生

实施出入境检验检疫制度，一方面确保出口商品的质量，维护国家形象；另一方面防止不合格商品进入我国，保护国家利益和消费者健康安全。为提高进出口商品质量，特别是保证高风险的农产品、食品质量安全，保证大宗原料质量和保证我国急需的重要设备质量，分别实行了强制性认证、卫生注册、生产过程监管、口岸查验、境外预检、风险预警、驻厂检验检疫等措施。各级检验检疫机构还帮助企业完善质量管理，提高生产工艺，积极采用先进标准，建立健全企业自检体系。同时积极向企业提供国外有关规定、国际市场信息，促使企业严格按照国外标准进行生产，提高质量。

四、2015年检验检疫主要数据

2015年，全国出入境检验检疫部门共检验检疫货物942.2万批，货值9630.67亿美元（同比分别下降5.13％和19.96％），批次不合格率5.66％，货值不合格率12.32％，不合格率同比分别上升0.97个百分点和1.22个百分点；共抽检货物407.79万批，货值6205.24亿美元，批次和货值抽检率分别为43.28％和64.43％，共检出不合格货物53.36万批，货值1186.89亿美元，批次和货值抽检不合格率分别为13.09％和19.13％。共查验出入境人员52 909.18万人次（同比上升5.57％）；监测体检116.04万人次（同比下降5.84％）；截获进境有害生物5955种（同比增长6.32％）；受理集装箱报检数8070.49万标箱（同比增长0.13％）；检疫交通工具2538.71万辆（节、艘、架）次（同比下降1.71％）。

（国家质量监督检验检疫总局通关司
综合处处长　张　东）

中国进出口信贷制度

2015 年，世界经济增长低于普遍预期，发达经济体增速回升势头减缓，新兴市场与发展中经济体增速加速下滑，全球经济增长率较 2014 年有所下降。在国际经济形势复杂严峻，国际市场不景气，全球贸易额呈负增长的大背景下，尽管我国的货物贸易总值较 2014 年有所下降，但出口增速仍好于其他主要经济体和新兴市场国家。我国作为全球第一货物贸易大国和第一出口大国的地位进一步稳固，占全球市场份额稳中有升，贸易结构持续优化，外贸发展的质量和效益进一步提高。面对复杂严峻的国内外经济金融形势，中国的银行业金融机构紧密围绕国家"十三五"发展大局，加大进出口信贷制度建设力度，积极支持进出口融资，推进"走出去"、"一带一路"、国际产能和装备制造合作等国家重大战略实施，为我国扩大对外经济合作，促进国民经济持续健康发展发挥了积极的作用。

一、进出口信贷业务蓬勃开展

2015 年，中国的银行业金融机构助力经济发展和转型升级，推动外贸优进优出，进出口信贷坚持稳中求进的工作总基调，主动适应经济发展新常态，为实体经济的发展提供了强有力的支持。

（一）出口信贷

出口信贷包括出口货物贷款和出口服务贷款。出口货物贷款和出口服务贷款都可再划分为出口买方信贷和出口卖方信贷。其中，出口卖方信贷是我国银行为了支持我国低技术含量和一般机电产品、成套和高技术含量产品、船舶以及农产品、文化产品等货物和服务的出口，给予出口商的中长期融资便利。出口买方信贷是我国银行为了支持我国产品、技术和服务的出口，给予进口商或进口商银行的中长期融资便利。出口卖方信贷的借款人是出口国的国内出口商，出口买方信贷的借款人通常为贷款行认可的进口商、进口方银行或进口国主权级借款人（如财政部、中央银行等）。

出口货物贷款方面，中国进出口银行 2015 年年末贷款余额 3486.2 亿元，比年初增加 274.42 亿元。出口服务贷款方面，中国进出口银行 2015 年年末贷款余额 196.26 亿元，比年初增加 17.85 亿元。

（二）进口信贷

进口信贷是指我国银行为保障国民经济发展所需的商品、服务和技术进口，向境内外借款人提供的贷款。进口信贷包括进口货物贷款和进口服务贷款。随着我国经济的快速发展，部分企业积极向供应链上游延伸，从国际市场进口先进的设备、技术、服务以及原材料等，以降低企业生产成本，提高企业的市场竞争能力，为进口信贷的发展拓宽了空间。

进口货物贷款方面，中国进出口银行 2015 年年末贷款余额 5148.25 亿元，比年初增加 603.36 亿元。进口服务贷款方面，中国进出口银行 2015 年年末贷款余额 83.17 亿元，比年初增加 5.3 亿元。

二、2015 年我国的进出口信贷政策及规则

2015 年，一方面，我国施行"一带一路"、国际产能和装备制造合作及境内对外开放等战略，为进出口贸易的发展提供了广阔空间；另一方面，我国的进出口贸易也面临全球贸易增速连年放缓、大宗商品价格持续低位运行和贸易保护主义抬头的重大挑战。在这种情况下，国务院办公厅于 2015 年 7 月 22 日和 10 月 23 日先后发布了《国务院办公厅关于促进进出口稳定增长的若干意见》（国办发［2015］55 号，以下称《关于促进进出口稳定增长的意见》）和《国务院办公厅关于加强进口的若干意见》（国办发［2014］49 号，以下称《关于加强进口的意见》）。《关于促进进出口稳定增长的意见》提出了坚决清理和规范进出口环节收费、保持人民币汇率在合理均衡水平上基本稳定、加大出口信用保险支持力度、加快推进外贸新型商业模式发展、继续加强进口工作、进一步提高贸易便利化水平和切实改善融资服务七项措施。其中"切实改善融资

服务”一项，明确提出了支持进出口贸易的诸多信贷举措，具体包括加大对有订单、有效益企业的融资支持。鼓励采取银团贷款、混合贷款、项目融资等方式支持企业开拓国际市场，开展国际产能合作，推动中国装备“走出去”。支持金融机构开展出口退税账户托管贷款等融资业务。鼓励商业银行按照风险可控、商业可持续原则开展出口信用保险保单融资业务等举措。《关于加强进口的意见》中提出了继续鼓励先进技术设备和关键零部件等进口、稳定资源性产品进口等八项措施，其中明确提出要鼓励银行业金融机构加大进口信贷支持力度，积极支持融资租赁和金融租赁企业开展进口设备融资租赁业务。

上述文件，体现了“有导向、有依托，培育进出口信贷新优势”的工作要求。“有导向”，即以金融服务作为国际产能合作、中国装备“走出去”等重要国家战略的助推器，大力支持成套设备、高新技术、“两自一高”等优势产品出口，重点支持装备制造产品及相关技术、服务和标准出口，积极扩大先进技术和关键设备等产品进口，推动外贸稳定增长和结构优化；“有依托”，即鼓励银行在风险可控的前提下，以出口退税账户托管贷款、出口信用保险保单融资等创新性的融资方式为依托支持进出口贸易发展。

三、进一步加强对绿色信贷的支持力度

从2015年起，银监会每年组织国内主要银行业金融机构开展绿色信贷自评价，督促全面对照标准自查绿色信贷工作中的缺陷。中国银行业《2015年度中国银行业社会责任报告》显示，截至2015年年底，我国银行业金融机构绿色信贷余额8.08万亿元，其中21家主要银行业金融机构绿色信贷余额达7.01万亿元，较年初增长16.42%，占各项贷款余额的9.68%。

在监管机构的引导下，2015年，各银行业金融机构进一步加强绿色信贷理念，并将其作为自身经营战略的重要组成部分，进一步完善了绿色信贷制度，特别是对“两高一剩”行业的授信政策、授信指导意见及实施细则等，细化了信贷审批条件，明确了准入和退出制度。将节能环保等绿色信贷要求嵌入业务全流程，在客户准入、贷前调查、授信审批、合同签订、贷款支付及贷后管理等方面均细化落实绿色信贷相关要求，将节能、环保、安全与社会风险纳入客户及项目风险的重要评价内容，确保项目节能环保方面的合规性、完整性和相关程序的合法性。在提升对节能环保领域信贷支持力度的同时，还加大了对“两高一剩”、落后产能企业和项目贷款的控制和管理力度。各机构从严制定“两高一剩”等高风险行业的准入标准和授信条件，实施名单制管理和限额管理，逐步压缩和退出国家产业政策明令限制、淘汰的落后产能项目，禁止介入不符合国家政策、环保不达标、审批手续不齐全的项目。

在监管机构的指导下，各银行业金融机构在有效控制风险和商业可持续的前提下，推动绿色信贷产品和服务创新。在排放权金融方面，为推动国内碳排放权、排污权交易体系健康发展，为试点地区交易所开发碳排放权、排污权交易清算系统，在有效控制风险和商业可持续的前提下，探索国内碳排放权、排污权抵（质）押融资业务，发行低碳信用卡业务等。在能效金融方面，通过信贷风险损失分担等模式，加强与国际领先金融机构合作，提高我国银行机构绿色信贷的意识和能力。开展合同能源管理未来收益权质押融资业务，中国银行业监督管理委员、国家发展和改革委员会于2015年印发了《能效信贷指引》，指导更多银行机构更加规范地开展能效信贷业务。在拓宽绿色信贷资金来源方面，2015年以来，银监会先后批准多家银行在境内外发行绿色金融债、绿色信贷资产证券化产品等。截至2015年年底，银行业金融机构绿色信贷余额8.08万亿元；其中，21家主要银行业金融机构绿色信贷余额达7.01万亿元，较年初增长16.42%，占各项贷款余额的9.68%。

四、开展出口信贷规则国际谈判，积极应对出口信贷面临的挑战

2015年，随着我国出口的持续增长，美欧等国对我国出口信贷的关注和质疑不断加深，反补贴逐渐成为美欧等国对华贸易壁垒的重要手段，个别发展中国家也针对我国展开了反补贴调查。2015年，国外对华启动了8起反补贴调查，同比减少6起，降幅为42.9%。我国为解决美国商务部对我方银行提供的出口买方信贷进行“不利事实推定”并适用10.54反补贴税率问题，积极探索应对机制和

措施。

2015年2月10日，美国商务部对进口自中国等五国的无涂层纸进行反倾销和反补贴立案调查，这也是我国无涂层纸首次遭遇反补贴调查。2015年5月，土耳其对原产自中国的无缝钢管发起反补贴调查，这是发展中国家针对中国发起的第一例反补贴调查。

随着我国应对国际反补贴调查经验的积累，我国企业在调查中的被动局面也有所改善。在反补贴调查中相当一部分内容涉及出口信贷，我相关银行金融机构对有关问卷内容做出了回答。自2014年5月起，历时一年多的美国对华集装箱双反案出现“大逆转”，美国国际贸易委员会于2015年5月19日最终否决了之前美国商务部对中国53英尺内陆干货集装箱征收高额反倾销和反补贴关税的决定，认定中国输美产品未对美国国内产业的建立造成实质阻碍。这是近年来为数不多的中资企业作为抗辩主体取得案件胜诉的成功案例。

WTO规则是一个跨学科、跨领域的庞大的法律规则体系，在出口信贷与反补贴方面，利益的争夺与博弈正在越来越多地转化为规则和法律的争执。目前，我国与美国、欧盟、金砖国家以及一些发展中国家有关出口信贷规则的国际谈判还在继续。2015年，我国参加了出口信贷国际工作组第七次、第八次、第九次全体会议。在谈判中，积极宣传我国的发展理念与观点，维护发展中国家利益，获得了南非、俄罗斯、土耳其等发展中国家的响应和支持，取得了良好效果。

（中国进出口银行　高小吉）

中国政府采购制度

2015年，我国继续深化政府采购制度改革，稳步推进政府采购市场开放谈判。

一、不断推进政府采购制度改革

2015年，政府采购制度改革围绕贯彻党的十八届四中全会精神和财政“十二五”发展改革目标，着力构建有利于结果导向的政府采购管理体制机制、推进放管结合的政府采购监管模式，不断提升政府采购透明度，各项工作取得了积极成效。2015年全国政府采购规模为21 070.5亿元，占全国财政支出比重为12%。

（一）建立健全政府采购制度体系

2015年年初，《政府采购法实施条例》正式颁布实施，弥补了政府采购行政法规的空白，进一步完善了我国政府采购制度管理体系。为切实贯彻落实条例，在抓好宣传培训工作的同时，推动开展《政府采购货物和服务招标投标管理办法》《政府采购供应商投诉处理办法》的修订和《关于加强政府采购活动内部控制管理的指导意见》的制定工作，印发《关于做好政府采购信息公开工作的通知》，建立起从采购预算到采购过程及采购结果的全过程信息公开机制。

（二）持续推动各项改革工作

规范公共资源交易平台建设，明确了平台建设过程中政府采购资源整合、完善交易规则、健全采购运行机制等方面的问题。继续做好政府购买服务、政府与社会资本合作（PPP）工作，研究推进政府购买服务改革试点工作，赴上海、浙江、青岛三地对5个PPP示范项目进行调研督导。稳步推进公务机票购买管理改革工作，所有中央部门及所属京内预算单位、绝大部分省级预算单位均实施了改革，地市级预算单位改革逐步推进。2015年全年，销售公务机票356.84万张，采购金额52.90亿元，节约财政资金约4.39亿元。

（三）持续完善政府采购政策

不断延展政府采购政策功能，更好地发挥政府采购制度在实现经济社会发展目标、提供优质高效公共服务、提高政府治理能力等方面的积极作用。扩大政府绿色采购范围，新增服务器、扫描仪、商用开水器、照明光源、水泥5种优先采购的节能环保产品，对拟新增的政府优先采购产品类别实施预公示制度。启动创新政策研究工作，按照深化科技体制改革、推动大众创业万众创新整体部署，研究制定促进创新的政府采购政策实施工作方案。完善中小企业政策，开展分行业研究，探索适合由中小企业承担的项目类型。

（四）强化政府采购监督检查

规范政府采购投诉处理工作，依法处理政府采购投诉举报案件，主动公开政府采购投诉及监督检查处理结果。建立常态化的监督检查工作机制。2015年，中央、省、市、县四级财政部门联动，对1337家社会代理机构进行检查，依法对其中1083家做出行政处理、188家做出行政处罚。强化政府采购信用管理，建立政府采购严重违法失信行为信息记录名单，集中曝光了60家采购代理机构和362家供应商的失信记录；签署21部委《关于对重大税收违法案件当事人实施联合惩戒措施的合作备忘录》，对税收违法失信行为实施多部门联合惩戒。

二、积极开展政府采购各项谈判和对外交流

我国从2007年启动加入WTO《政府采购协定》（GPA）谈判已历时8年。2015年，财政部以加入GPA谈判为主线，积极稳妥推进多双边机制下政府采购议题的谈判和对外交流，取得了明显进展。

（一）加入GPA谈判取得预期进展

与GPA参加方开展30多场多双边谈判，表明中方立场，就我国加入GPA第6份出价和参加方关切进行解释说明，达到了预期效果。加强与欧盟合作，财政部刘昆副部长会见了来访的欧盟内部市场、工业、创业和中小企业总司戴尔索副总司长，双方就中国加入GPA交换了意见，并达成共识：

由中欧工作层就包括国企出价在内的中国加入GPA问题制订工作方案，并积极推进。为落实共识，中欧工作层联合召开研讨会并进行三次磋商，争取了欧盟对我扩大出价面临困难的理解。

（二）统筹推进多双边机制谈判

积极参与双边投资协定政府采购谈判，在中美投资协定谈判中，实现了既定谈判目标。努力推进自贸区政府议题谈判，顺利完成中韩、中澳自贸区政府采购案文的核对和文本会签工作。在《内地与香港、澳门〈关于建立更紧密经贸关系的安排〉服务贸易协议》谈判中，首次按国际惯例确立了政府采购的定义，为我国政府采购制度改革和相关谈判确立了依据。统筹中日韩和全面经济伙伴关系（RCEP）自贸区政府采购议题谈判，积极开展中国—智利、中国—新西兰自贸区政府采购谈判升级研究。

（三）扎实做好国内出价研究和部署工作

根据新的谈判形势，全面安排国内出价工作。分别向中央部门、地方政府、军事机构和有关国有企业部署出价工作任务。多次举办培训和座谈，指导相关部门和地区开展出价具体工作。选取GPA谈判中凸显的重大问题开展课题研究，为企业“走出去”和有关政策制定积极建言献策。

（四）积极开展国际交流活动

接待美国商务部、世界银行、韩国计划财政部等有关部门和国际组织来访，介绍中国政府采购最新进展，宣传我国政府采购制度改革成果。组团赴新西兰学习其加入经验和谈判技巧。陪同加拿大使馆相关人员赴地方开展政府采购调研。按时完成WTO对华贸易政策审议政府采购相关问题。参与世界银行、APEC、经合组织、WTO政府采购研讨会，学习国际政府采购先进经验和做法，加强政府采购国际交流。

（财政部国库司）

中国的自由贸易区建设

一、2015年中国自贸区谈判新进展

加快实施自由贸易区战略是我国新一轮对外开放的重要内容。党的十八大提出加快实施自由贸易区战略，党的十八届三中、五中全会进一步要求以周边为基础加快实施自由贸易区战略，形成面向全球的高标准自由贸易区网络。2015年12月，国务院出台了《关于加快实施自贸区战略的若干意见》，是我国开启自贸区建设进程以来的首个战略性、综合性文件，对我国自贸区建设做出了“顶层设计”，提出了具体要求，为我们加快推进自贸区建设指明了方向。截至2015年，我国已经签署并实施的自贸协定有14个，涉及22个国家和地区；正在谈判的自贸区有8个，涉及26个国家。

（一）亚太地区双边自贸区谈判取得突破

（1）中国—韩国自贸协定成功签署并实施。2015年6月1日，中国商务部部长高虎城与韩国产业通商资源部部长尹相直在韩国分别代表两国政府正式签署中韩自贸协定。中韩自贸协定于2015年12月20日正式生效并实施第一次降税，于2016年1月1日实施第二次降税。中韩自贸区是我国与东北亚国家建成的第一个自贸区，是我国迄今为止对外商谈的覆盖领域最广、涉及国别贸易额最大的自贸区。

（2）中国—澳大利亚自贸协定成功签署并实施。2015年6月17日，中国商务部部长高虎城与澳大利亚贸易与投资部长安德鲁在澳大利亚分别代表两国政府正式签署中澳自贸协定，并已于2015年12月20日正式生效。中澳自由贸易协定是我国与亚太地区重要经济体完成的一个全面、高水平的自贸区谈判。

（3）中国—东盟自贸区升级《议定书》成功签署。2015年11月22日，中国商务部部长高虎城与东盟十国部长分别代表中国政府与东盟十国政府，在吉隆坡正式签署升级《议定书》。这是我国在现有自贸区基础上完成的第一个升级协议，是对原有自贸协定的丰富、完善、补充和提升，体现了中国和东盟深化和拓展经贸合作关系的共同愿望和现实需求。

（二）全方位参与周边区域贸易安排谈判

2015年，《区域全面经济伙伴关系协定》密集举行了4轮谈判和2次部长级会议。RCEP谈判已从程序磋商进入实质性出要价磋商阶段，各方在货物关税减让和服务、投资的开放模式等方面进行了广泛而深入的磋商。

2015年，中日韩自贸区谈判共举行了3轮。三方主要就货物贸易降税模式、服务贸易和投资的开放方式等议题展开磋商，并就协定范围和领域深入交换了意见，总体进展良好。

（三）推进“一带一路”沿线自贸区建设

（1）中国—马尔代夫自贸区。2015年6月，中马完成自贸区联合可行性研究。9月，在中马第二次经贸联委会上，双方签署《关于启动中马自贸谈判的谅解备忘录》，宣布启动谈判，并于11月举行了首轮谈判。

（2）中国—斐济自贸区。2015年7月，在斐济总理访华期间，双方正式签署《关于开展中国和斐济自贸协定联合可行性研究谅解备忘录》，宣布启动中斐自贸区联合可研。11月中斐自贸区联合可研第一次工作组会议在斐济举行，双方就可研提纲和责任分工等进行了磋商。

（3）中国—格鲁吉亚自贸区。2015年3月，中格双方正式启动中格自贸区可行性研究。双方组织有关部门和学术机构组成联合工作组，密切配合推进工作。8月，联合工作组完成可行性研究，结论积极。12月，双方签署《关于启动中格自由贸易协定谈判的谅解备忘录》，宣布启动谈判。

我国还积极推进中国—海合会自贸区、中国—斯里兰卡自贸区、中国—摩尔多瓦自贸区和中国—巴基斯坦自贸区第二阶段降税谈判，推动《亚太贸易协定》第四轮关税减让谈判，启动中国—新加坡自贸协定升级谈判等。

二、自贸协定实施成效显著

（1）自贸区促进了我国与自贸伙伴双边贸易的

扩大。随着有关自贸协定的进一步实施，关税将不断降低或取消，自贸协定进一步促进我国与有关国家和地区贸易、投资和经济合作的发展。2015 年，按美元统计，中国进出口总额同比下降 7.9%，而对已生效实施的 22 个自贸伙伴进出口额仅同比下降 5.6%，比平均降幅低 2.3 个百分点，与自贸伙伴的贸易额已占中国外贸总额的 38.4%。随着更多自贸区的建成，自贸区对于我国对外贸易的促进作用必将进一步得到发挥。

（2）自贸区提升了企业的国际竞争力。自贸区建成后，我国和自贸伙伴国之间的市场准入条件将进一步改善，贸易和投资环境也将更加规范、透明。一方面，自贸区的优惠安排可以使企业获得更大的外部市场，创造更多贸易投资机会；另一方面，在全球价值链日益紧密的条件下，自贸区零关税将降低相关企业的生产成本，提高生产效率，提升了国际竞争力。例如，中韩自贸协定实施后，中国在钢铁制品、电子、机械产品等领域，可以进一步提升产业竞争力，巩固和提升在全球价值链中的地位。

（3）自贸区增加了消费者的实际利益。通过自由贸易互通有无，消费者可以更低的价格购买世界各地更多更丰富的商品，提高消费水平和生活质量。例如，随着中韩自贸区的实施，中国消费者能够以更加优惠的价格，享用到韩国的电饭锅、微波炉、日用化工品等时尚产品和韩国特色食品，韩国消费者也能够更加实惠地买到中国的果蔬、服装鞋帽等产品。

下一步，我们将在坚决维护多边贸易体制、深入参与多哈回合谈判的同时，积极参与区域经济合作，除了积极推进现有的自贸区谈判，还要争取与更多国家发展更高水平、更加全面的自贸关系，不断提高贸易、投资自由化水平，进一步扩大自贸区的领域和范围，逐步构筑起立足周边、辐射“一带一路”、面向全球的高标准自由贸易区网络。

（商务部国际司）

● 投资政策与管理措施

中国利用外资情况

2015年国际环境极为复杂严峻，世界经济增速为六年来最低，国际贸易增速更低，大宗商品价格深度下跌，国际金融市场震荡加剧，对我国经济造成直接冲击和影响。通过进一步扩大对外开放，加快推进各项改革措施，我国吸收外资规模总体稳定，利用外资质量进一步提升。2015年，全国实际使用外资1355.8亿美元，同比增长5.5%。其中非金融领域新设立外商投资企业26 575家，同比增长11.8%；实际使用外资1262.7亿美元，同比增长5.6%。非金融领域中，以并购方式设立外商投资企业1466家，同比增长14.4%；实际使用外资178亿美元，同比增长137.1%。截至2015年12月底，非金融领域累计设立外商投资企业836 404家，实际使用外资16 423.2亿美元。

一、各领域吸收外商直接投资情况

在实际使用外资金额（非金融领域，下同）中，农、林、牧、渔业占0.9%，制造业占31.3%，服务业占67.6%。

（一）农、林、牧渔业吸收外资简况

农、林、牧、渔业新设立外商投资企业471家，同比下降20.3%。实际使用外资11.1亿美元，同比下降14.6%，占全国比重由上年的1.1%进一步降至0.9%。其中，农业实际使用外资7.1亿美元；林业实际使用外资1.2亿美元，同比增长33.2%。

（二）制造业吸收外资简况

制造业新设立外商投资企业4507家，同比下降13%；实际使用外资395.4亿美元，同比下降1%，占全国比重下降至31.3%。其中，交通运输设备制造业实际使用外资37.1亿美元，同比下降2.9%；通用设备制造业实际使用外资28.5亿美元，同比下降2.5%；化学原料及化学制品制造业实际使用外资26.3亿美元，同比下降17.1%。上述三个行业占制造业吸收外商直接投资总量的23.2%。

（三）服务业吸收外资简况

服务业新设立外商投资企业21 563家，同比增长20%；实际使用外资853.7亿美元，同比增长9.8%，占全国总量的比重上升至67.6%。其中，金融服务业实际使用外资149.7亿美元，同比增长248.1%，占服务业实际使用外资的17.5%。其他服务业领域吸收外资较多的行业中，房地产业实际使用外资289.9亿美元，同比下降16.3%；分销服务业实际使用外资105.3亿美元，同比增长36.5%；运输服务业实际使用外资41.8亿美元，同比下降6.2%；能源、材料和机械电子设备批发业实际使用外资39.8亿美元，同比增长13%；零售业实际使用外资38.9亿美元，同比增长212.4%；计算机应用服务业实际使用外资37.5亿美元，同比增长48.1%。（参见附表1）

二、主要国别（地区）对华直接投资简况

2015年实际投入外资金额排名前十位的国家/地区依次为：香港（926.7亿美元）、新加坡（69.7亿美元）、中国台湾（44.1亿美元）、韩国（40.4亿美元）、日本（32.1亿美元）、美国（25.9亿美元）、德国（15.6亿美元）、法国（12.2亿美元）、英国（10.8亿美元）、澳门（8.9亿美元），前十位国家（地区）实际投入外资金额合计

1186.4 亿美元，占全国实际使用外资的 94.0%。其中，新加坡和法国对华投资增长较快，同比分别增长 17.5%和 71.8%。（参见附表 2，上述国家/地区对中国的投资数据包括这些国家/地区通过英属维尔京、开曼群岛、萨摩亚、毛里求斯和巴巴多斯等自由港对中国的投资）

三、各区域吸收外商直接投资情况

2015 年，东部地区实际使用外资 1058.7 亿美元，同比增长 8.1%；中部地区实际使用外资 104.4 亿美元，同比下降 3.8%；西部地区实际使用外资 99.6 亿美元，同比下降 7.6%。2015 年，东、中、西部地区占全国吸收外资总量的比重分别为 83.8%、8.3%和 7.9%，其中东部地区所占比重比去年提高了 1.9 个百分点。（参见附表 3）

四、外商投资企业主要经济指标

2015 年，外商投资企业进出口总额 18 346 亿美元，同比下降 7.5%，占全国进出口总值的 46.3%，其中出口 10 047 亿美元，同比下降 6.5%，占全国出口总值的 44.1%；进口 8299 亿美元，同比下降 8.7%，占全国进口总值的 49.3%。规模以上外商投资工业企业实现利润总额 15 726.1 亿元，下降 1.5%，低于全国平均降幅 0.8 个百分点。外商投资企业缴纳税收 24 817.2 亿元，下降 0.4%，占全国税收收入的比重为 18.2%。

五、2015 年中国出台的主要外资政策和管理措施

（一）推进外商投资管理体制改革

一是在上海、广东、天津、福建 4 个自由贸易试验区试点实施外商投资准入前国民待遇加负面清单管理模式，将不涉及国家规定实施准入特别管理措施的外商投资企业的设立及变更由审批改为备案管理，发布《自由贸易试验区外商投资备案管理办法（试行）》。二是在广东省对港澳基本实现服务贸易自由化，对符合条件的港澳服务提供者在广东省投资对其开放的服务贸易领域，其公司的设立及变更实行备案管理，发布《港澳服务提供者在广东省投资备案管理办法（试行）》。三是推动修改“外资三法”，起草《外国投资法（征求意见稿）》并向社会公开征求意见。

（二）继续推动各领域扩大开放

一是修订发布新的《外商投资产业指导目录》，大幅减少限制类领域，积极放宽外资准入。二是制定发布统一适用于 4 个自由贸易试验区的外商投资负面清单，负面清单特别管理措施从 139 项减少至 122 项。三是在北京市开展服务业扩大开放综合试点，率先推动科学技术服务等六大重点领域扩大开放。

（三）推进区域协调发展

一是实施国家级经济技术开发区创新发展工程，在国家级经济技术开发区推广上海自贸试验区可复制可推广改革试点经验，推动国家级经济技术开发区共建跨区域合作联盟。二是积极推动实施京津冀市场一体化工程和长江经济带商务引领工程。三是加快沿边开放步伐，积极推动出台沿边重点地区开发开放若干政策措施。四是推进“一带一路”建设，与周边国家共商、共建经济合作区，2015 年 8 月 13 日与老挝签署《中老磨憨—磨丁经济合作区建设共同总体方案》。

附表 1　　2015 年外商直接投资分行业简况　　单位：亿美元

	新设企业数			实际使用外资金额		
行　业	个　数	同比（%）	比重（%）	金　额	同比（%）	比重（%）
总　计	26 575	11.76	100	1 262.67	5.61	100
农林牧渔业	471	−20.3	1.77	11.11	−14.56	0.88
采矿业	34	−2.86	0.13	2.43	−56.79	0.19
制造业	4 507	−12.96	16.96	395.43	−0.99	31.32
服务业	21 563	19.97	81.14	853.7	9.79	67.61

附表2　　**2015年对华投资前10位资金来源地简况**　　单位：亿美元

国别/地区	企业数		实际使用外资金额	
	本年数	同比（%）	本年数	同比（%）
香港	13 511	7.8	926.7	8.1
新加坡	767	−0.4	69.7	17.5
中国台湾	3 244	124.1	44.1	−14.8
韩国	1 959	25.6	40.4	1.7
日本	644	−1.7	32.1	−25.8
美国	1 286	5.2	25.9	−3.0
德国	425	10.7	15.6	−24.9
法国	208	30.8	12.2	71.8
英国	410	11.1	10.8	−20.3
澳门	570	49.6	8.9	52.2

附表3　　**2015年外商直接投资分区域简况**　　单位：亿美元

区　域	新设企业数			实际使用外资金额		
	个　数	同比（%）	比重（%）	金　额	同比（%）	比重（%）
全国总计	26 575	11.8	100.0	1 262.7	5.6	100.0
东部地区	23 502	14.8	88.4	1 058.7	8.1	83.8
中部地区	1 872	−15.2	7.0	104.4	−3.8	8.3
西部地区	1 201	8.8	4.5	99.6	−7.6	7.9

（商务部外国投资管理司）

中国外汇管理制度

一、深入依法行政，外汇管理简政放权取得新成效

一是深入规范行政审批行为。印发《外汇管理行政审批管理规定》，制定外汇管理行政审批服务指南和审查工作细则，规范办理流程。积极推进精简行政审批环节和审批材料。二是推进外汇管理依法行政。加强外汇管理法规顶层设计，配合相关部门研究修订《中华人民共和国外汇管理条例》，构建外汇管理法规新框架。全年废止失效法规 85 件。三是以国家外汇管理局政府网站为主要平台，围绕外汇形势变化和外汇管理各项改革工作，积极开展改革宣传和解读工作。充分利用国家外汇管理局政务微博和政务微信，扩大外汇管理新闻宣传辐射面，及时回应社会关切，主动引导预期，提高与市场的沟通能力。

二、推进外汇管理改革，促进贸易投资便利化能力得到新提升

一是打造跨国公司外汇资金集中运营管理改革“升级版”。简化外汇收支手续，扩大参与企业范围，为企业节约大量资金成本。二是支付机构跨境外汇支付业务试点推广全国，支持了跨境电子商务发展。三是改进个人本外币兑换特许业务管理，提高本外币兑换业务便利化。四是继续推进自贸区外汇管理先行先试。在上海及天津、广东、福建自贸区开展外债资金意愿结汇等便利化举措，为改革积累可复制、可推广经验。

三、便利跨境投融资交易，人民币资本项目可兑换取得新突破

一是开展外债宏观审慎管理试点，并推广至全国。在北京中关村等三个特殊经济区域开展试点，扩大外债资金用途，支持“大众创业、万众创新”，随后配合人民银行，在全国范围推广宏观审慎跨境融资政策。二是直接投资基本实现可兑换。取消外汇年检和境外再投资备案，外商投资企业资本金意愿结汇推广全国。三是便利跨境证券投资。进一步简化合格境外机构投资者（QFII）额度管理，放宽汇入期限制。四是正式实施内地与香港基金互认政策。发布内地与香港“基金互认”指引，在实行净汇入/净汇出各等值 3000 亿元的总额度控制基础上，不再对单个机构或产品设置额度限制。五是明确境外央行类机构可直接投资我国银行间外汇市场和债券市场。

四、大力发展外汇市场，人民币汇率市场化形成机制建设呈现新亮点

一是丰富交易机制。在银行间外汇市场推出以双边授信为基础、自动匹配的标准化外汇掉期交易功能，增加市场流动性。二是扩大清算服务。在银行间外汇市场推出外汇代理清算业务，降低参与机构交易成本。三是完善银行结售汇头寸管理。扩大全国性和做市商银行结售汇综合头寸上下限，满足银行管理汇率风险和外汇市场流动性的需要。

五、完善跨境资金流动监管，防范跨境资本流动风险能力迈上新台阶

一是按照国际标准开展国际收支统计工作。按照《国际收支和国际投资头寸手册》（第六版）（BMP6）要求编制和发布国际收支平衡表和国际投资头寸表，采纳国际货币基金组织（IMF）数据公布特殊标准（SDDS）。正式加入国际货币基金组织的协调证券投资调查（CPIS）和国际清算银行（BIS）的国际银行统计（IBS）。二是改进统计方法，完善统计申报和核查制度，提高国际收支统计的科学化和透明度。完善跨境资金流动监测与分析系统，为日常监测分析提供技术支撑。三是妥善处理“放”、“管”关系，满足有真实贸易投资背景的外汇需求的同时，加强外汇收支真实性审核。四是严厉打击各类外汇违规违法活动。2015 年共查处各类外汇违规案件 2000 余起，联合公安机关等破获地下钱庄及非法买卖外汇案件 60 余起。

六、服务国家整体战略需要，外汇储备经营管理迈出新步伐

一是优化货币资产摆布，强化投资经营能力建设，确保外汇储备资产安全、流动和保值增值。二是加强外汇储备流动性监测与管理，坚守风险管理底线，始终把风险防范放在投资和管理工作的中心。三是认真贯彻落实国家战略部署，完成向国家开发银行、中国进出口银行的注资工作；组建中拉产能合作投资基金和中非产能合作基金；深化多双边投融资合作，优化委托贷款平台，服务好国家“一带一路”、国际产能和装备制造合作等重大战略。

（国家外汇管理局综合司）

国企国资改革发展基本情况

2015年是金融危机以来稳增长形势最严峻、情况最复杂、任务最艰巨的一年。各级国资委、中央企业和地方国有企业坚决贯彻落实党中央、国务院决策部署，积极应对复杂多变的国内外形势，凝心聚力抓发展，坚持不懈促改革，始终不渝强党建，保持了国有经济整体平稳运行，为国民经济持续健康发展做出了积极贡献。

一、着力稳增长、促改革、调结构，国有企业改革发展稳步推进

（一）千方百计稳增长，经济实现平稳运行

按照中央坚持稳中求进工作总基调，主动适应经济发展新常态的部署要求，中央企业和各地国有企业结合实际，采取强管理、挖潜力、抓投资、防风险等一系列有力措施促发展、稳增长。中央企业普遍建立“一把手”挂帅的稳增长领导小组，将稳增长责任落实到人，任务分解到月，加强督促指导，严格考核奖惩。国有企业特别是中央企业着力创新业务模式，调整优化营销策略，加强与重点客户合作，努力提升市场占有率；综合运用股票市场、产权市场和债券市场，多渠道为发展筹集资金；持续加大成本费用管控力度，大力清理“两金”占用，压缩销售费用和各项非生产性支出，降本节支取得明显成效。狠抓困难企业扭亏脱困和亏损子企业专项治理，扭亏增盈工作取得积极进展。

2015年，全国国资委系统监管企业实现营业收入41.6万亿元，利润总额2.1万亿元；中央企业实现营业收入22.9万亿元，利润1.2万亿元。2015年，全国国资委系统监管企业实际上交税费总额（含中央企业上交的专项收益）3.2万亿元，占全国财政收入的21%，比上年增长5.2%；中央企业上交税费总额2.1万亿元，比上年增长4%。2015年年末，全国国资委系统监管企业国有资本总量合计27.8万亿元，比上年增长6.2%，扣除客观增减因素后，2015年全国国资委系统监管企业平均国有资本保值增值率为104%；中央企业国有资本总量10.9万亿元，比上年增长5.8%，平均国有资本保值增值率为105.9%。2016年美国《财富》杂志公布的世界500强企业中，共有69家全国国资委系统监管企业上榜。

（二）坚定不移深化改革，各项试点有序推进

按照党中央、国务院统一部署和安排，各级国资委和国有企业积极稳妥、规范有序推进各项改革。2015年9月《关于深化国有企业改革的指导意见》向社会公布，标志着新时期深化国有企业改革工作全面启动。“1＋N”文件制定取得重要进展，关于改革和完善国有资产管理体制、国有企业发展混合所有制经济、国有企业功能界定与分类等9个配套文件已出台。中国节能环保集团公司、中国建筑材料集团有限公司、中国医药集团总公司和新兴际华集团有限公司围绕中长期发展决策权、经理层成员选聘权、业绩考核权、薪酬管理权、职工工资分配管理权和重大财务事项管理权等6项职权，分别开展落实董事会职权试点相关工作，取得了初步成效。中国医药集团总公司、中国建筑材料集团有限公司2家企业稳妥推进发展混合所有制经济试点，探索建立混合所有制企业有效制衡、平等保护的公司法人治理结构，建立职业经理人制度、市场化的劳动用工制度和激励约束机制，取得了积极成效。作为改组组建国有资本投资公司的第一批试点企业，中粮集团有限公司、国家开发投资公司开展了业务结构优化、总部机构调整、管控模式重塑、资本专业化运作等改革工作，取得了阶段性成效。各地结合实际也开展了一系列试点工作，积累了有益经验。

（三）大力推进转型升级，企业核心竞争力不断提升

企业重组和资源整合力度进一步加大，中国电力投资集团公司与国家核电技术有限公司、中国北方机车车辆工业集团公司与中国南车集团公司等6组12家中央企业实施兼并重组，产业协同效应进一步增强；电信铁塔资源深化共建共享，初步形成以“共享竞合”为核心的铁塔模式。产业升级步伐进一步加快，国有企业大力推动传统产业升级改

造，积极发展战略性新兴产业，新的竞争优势逐步形成；加大对长期亏损企业和低效无效资产的处置力度，加快淘汰落后产能，资源更多向优势领域和优势企业集中。创新能力进一步提升，中央企业持续加强自主创新，持续加大科技投入，大力推进大众创业万众创新；牵头组建141个技术创新战略联盟，发起和参与179支创新发展基金，构建107个创业创新平台，组建青年创新工作室等各类青年创新团队5445个，创造直接经济效益8.13亿元；专利申请和授权量快速增长，取得了一批具有自主知识产权和国际先进水平的重大创新成果。国际化经营水平进一步提高，中央企业积极参与“一带一路”建设和国际产能合作，不断拓宽境外经营覆盖区域，创新走出去方式，提升全球配置资源能力和风险管控能力，境外业务逐步由能源、矿产资源开发拓展到高铁、核电、特高压等领域。

二、完善国资监管体制，监管的针对性有效性进一步提升

（一）简政放权力度进一步加大

国务院国资委全面梳理工作职能，围绕管好国有资本布局、规范国有资本运作、提高国有资本回报、维护国有资本安全，深入研究出资人审批事项清单；全面清理规章规范性文件，共宣布废止和失效33件。各地积极探索建立出资人监管权力清单和责任清单，取消或下放了一批监管事项。

（二）监管方式进一步转变

国务院国资委完善业绩考核，健全激励约束机制，推动业绩考核与财务预算、工资总额预算管理紧密衔接。加强出资人财务监督，启动向中央企业委派总会计师的试点工作。加强产权管理，不断优化产权管理手段，进一步发挥市场在资源配置中的决定性作用；更好运用出资人配置手段，降低国有资本重组整合成本。以问题和风险为导向，持续推动监事会转型调整，进一步增强监督的针对性和有效性，全年累计揭示企业存在的各类问题、风险和线索4000余项；切实加强企业国有资产监督协同，共享监督成果。一些地方探索实施分类监管、分类考核和差异化薪酬分配。

（三）经营性国有资产集中统一监管进一步推进

许多地方党委、政府制定专门文件，积极推进将党政机关、事业单位所属企业的国有资本纳入集中统一监管体系，出资人监管全覆盖稳步推进。

三、全面从严加强党的建设，国有企业党组织政治优势进一步发挥

（一）“三严三实”专题教育取得积极成效

按照中央统一部署，国有企业突出问题导向，贯彻从严要求，坚持专题教育与中心工作相结合，领导有力、组织有序，广大党员干部遵规守纪、廉洁自律的意识不断增强，工作作风和精神面貌有了新的转变。

（二）党建工作责任制进一步落实

严格落实从严管党治党责任，认真履行“一岗双责”。开展基层党组织书记抓党建述职评议考核试点，加强基层党组织书记示范培训，基层党建工作进一步夯实。

（三）领导班子建设进一步加强

坚持党管干部原则与董事会依法选择经营管理者、经营管理者依法行使用人权相结合，积极开展中央企业高管公开遴选，选人用人渠道不断拓宽，班子结构持续优化。加强日常监督管理和综合考核评价，完善廉洁从业“背书”制度，领导班子整体功能不断增强。

（四）党风廉政建设和反腐败工作进一步强化

严明政治纪律和政治规矩，国有企业领导人员纪律意识、廉洁从业意识进一步增强。持之以恒贯彻落实中央八项规定精神，坚决纠正“四风”。加强国有企业巡视工作，认真抓好巡视整改，强化巡视成果运用，整改取得积极成效。深化国有企业纪律检查体制改革，反腐倡廉的体制机制进一步完善。

（国务院国资委研究局）

对外投资合作发展情况及相关政策措施

2015年，商务部围绕深化改革、创新制度、完善服务、营造环境、保护权益等重点，积极推进“一带一路”建设，稳步开展国际产能合作，有效实施“中非工业化伙伴行动计划”、“建营一体化”、“境外经贸合作区创新工程”等重要专项工作，不断完善各项政策措施，推动我国对外投资合作继续保持良好发展态势。对外直接投资继续保持两位数高速增长，超额完成全年10%的增长目标，境外经贸合作区建设、基础设施合作、对外承包工程亮点纷呈，大型项目显著增加，有效地促进了国内经济转型升级和对外双边务实合作互利共赢。

一、2015年我国对外投资合作发展的基本情况和主要特点

（一）对外投资创历史新高，13年连增来之不易

2015年，我国对外非金融类直接投资创下1180.2亿美元的历史最高值，同比增长14.7%，实现对外直接投资连续13年增长，年均增幅高达33.6%，年末对外直接投资存量首次超过万亿美元大关。我国企业对外直接投资主要分布在中国香港、开曼群岛、美国、新加坡、英属维尔京群岛、荷兰、澳大利亚等，对前10位国家地区投资累计达到1016.3亿美元，占到全年对外非金融类直接投资的86.1%。对北美、拉美、东盟等地区投资增长较快，其中对美国投资额83.9亿美元，同比增长60.1%。2015年，我国企业共实施海外并购项目593个，累计交易金额401亿美元，基本涉及国民经济的所有行业。其中，中国化工橡胶有限公司以46亿欧元收购意大利倍耐力集团公司约60%股份，是2015年我国企业最大的海外投资并购项目。地方企业对外直接投资快速增长，达到783.6亿美元，占同期全国对外直接投资额的66.4%，同比增长73.7%。

（二）对外承包工程迈上新台阶，特许经营类项目亮点突出

2015年，我国对外承包工程新签合同额2100.7亿美元，同比增长9.5%；完成营业额1540.7亿美元，同比增长8.2%。从对外承包工程的发展阶段看，年度新签合同额上千亿美元大约经历了近30年的时间（2008年达到1045.6亿美元），而跨入2000亿美元仅用了7年的时间。对大洋洲、北美、欧洲等地区合同额增速保持高速增长，新签合同额上亿美元项目比上年增加69个。此外，随着对外承包工程业务规模的不断扩大，模式创新越发重要。近年来，企业积极承揽特许经营类对外承包工程项目（包括BOT、BOO、PPP等），2015年我国企业新签和在建（包括运营）的特许经营类项目30个，涉及合同金额超过100亿美元。

（三）与“一带一路”沿线国家投资合作进展顺利，国际产能合作快速发展

2015年，我国企业共对“一带一路”相关的49个国家进行了直接投资，投资额合计148.2亿美元，同比增长18.2%；我国企业在“一带一路”相关的60个国家承揽对外承包工程项目3987个，新签合同额926.4亿美元，占同期我国对外承包工程新签合同额的44%。同期，交通运输、电力、通讯等优势产业对外直接投资累计约116.6亿美元，同比增长80.2%；装备制造业对外直接投资70.4亿美元，同比增长154.2%。高铁、核电等高端装备出口和建设项目取得历史性突破。

（四）境外经贸合作区建设不断加快，投资聚集效应日益显现

我国企业通过建设境外经贸合作区，实现集群式规模化“走出去”，带动关联产业企业“抱团出海”。截至2015年12月底，我国企业正在推进建设的境外经贸合作区共计75个，其中一半以上是与产能合作密切相关的加工制造类园区，建区企业累计投资181.8亿美元，入区企业1154家，累计总产值419.7亿美元，上缴东道国税费14.1亿美元。

（五）对外劳务合作业务稳步发展，主要集中在亚非地区

2015年，我国对外劳务合作派出各类人员53万人，较去年同期减少3.2万人。年末在外各类劳

务人员 102.7 万人，较去年同期增加 2.1 万人。2015 年年末，中国在外劳务人员分布的主要国家（地区）为：日本、中国澳门、新加坡、阿尔及利亚、中国香港、安哥拉等。

二、我国对外投资合作发展面临的总体形势和有利机遇

2015 年，世界经济在深度调整中曲折复苏，新一轮科技革命和产业革命蓄势待发，国际产业重组和资源优化配置加快，各国与中国开展经贸合作意愿加强，对与中国开展投资合作寄予厚望，加之中国企业加大力度转型升级，“走出去”步伐不断加快，对外投资合作发展处于重要的战略机遇期。

一是“一带一路”倡议促进全球区域性经贸合作深化发展。我国提出的“一带一路”倡议得到越来越多国家的认同和响应，积极与我进行战略对接和政策对接，中外双方加强投资合作的意愿不断增强。2015 年，我国企业对“一带一路”沿线国家直接投资和对外承包工程快速增长。

二是国际产能合作显著增强各国间经济产业发展互补性。随着我国产业竞争力水平日趋提高、发展中国家工业化进程加快对基础设施投资需求旺盛以及发达国家再工业化，中国经济与世界各国经济的融合更加紧密，中国资金、技术和设备越来越多地进入国际市场，中国产业优势进一步显现，2015 年我国与有关国家在产能领域的投资合作增幅强劲。

三是“走出去”加快推进国内企业转型升级。我国内经济产业结构调整和发展方式转变步伐加快，供给侧结构性改革不断推进。企业“走出去”进行全球布局、提质增效的愿望强烈，纷纷扩大国际化经营，通过开展各种形式的对外投资合作积极实现转型升级。目前，我国对外投资已从传统的在境外设立贸易公司发展到积极融入全球创新网络，在境外建立研发中心或通过并购等方式开展高新技术和先进制造业投资；对外承包工程已从最初的土建施工向工程总承包、项目融资、设计咨询、运营维护管理等高附加值领域拓展，这些都成为推动对外投资合作快速发展的新动能。

三、2015 年商务部在对外投资合作领域开展的主要工作和制定出台的相关措施

2015 年，商务部会同有关部门，进一步发挥相关支持政策的效用，持续改进“走出去”企业的营商环境。深入推进境外投资便利化，完善以备案为主的管理模式。积极搭建对外投资合作平台，与有关国家签署相关协议。务实推进重大项目，积极与有关国家在工业化、境外经贸合作区、基础设施和互联互通建设等领域开展合作。加大投融资支持力度，安排落实优惠性质信贷、出口信用保险等政策支持。完善“走出去”公共服务平台，为企业提供全方位服务。强化境外风险防范，维护中国海外权益。

（一）深化管理体制改革

落实中央深化经济体制改革的决定，继续推进境外投资管理体制改革，进一步简政放权、推进便利化。印发《关于境外投资备案实行无纸化管理和简化境外投资注销手续的通知》，进一步便利企业办理境外投资备案和注销手续；指导安徽、四川等 11 省将对外劳务合作经营资格审批权进一步下放至地市级商务主管部门，将《外派劳务培训合格证》印制工作下放至省级商务主管部门负责。加强事中事后监管，印发《关于驻外经商机构为企业办理对外承包工程项目投标（议标）核准意见的暂行规定》；印发《关于继续做好对外劳务合作管理有关工作的通知》《关于规范对外承包工程外派人员管理的通知》。印发《境外经贸合作区考核办法》《境外经贸合作区服务指南范本》等规范性文件，加大对合作区建设的支持。规范企业经营行为，印发《商务部关于新形势下做好境外中资企业商（协）会工作的通知》，指导在有关国家建立境外中资企业商会；发布《关于进一步做好对外投资合作环境保护工作的通知》。

（二）推进国际产能和装备制造合作

会同有关部门起草上报并由国务院印发了《关于推进国际产能和装备制造合作的指导意见》，确定了钢铁、有色金属、建材、铁路、电力、化工、轻纺、汽车、通信、工程机械、航空航天、船舶和海洋工程 12 个重点行业和领域，并会同有关部门研究制订务实举措。重点推进领域及重点国别地区的产能合作。推动东北三省和河北省等地区开展装备制造和国际产能合作。加强产业国别布局研究，启动《“十三五”国际产能合作规划》编制工作。加大政策支持力度，深入推动土耳其东西高铁、匈塞铁路等重大标志性项目。

（三）大力推进创新工程

积极推进“中非工业化伙伴”行动计划，设计中非合作论坛约翰内斯堡峰会第六届部长级会议经贸举措。稳步推进“建营一体化”工程，指导有关行业商协会组织企业建立“海外项目运营技术服务联盟”，引导企业加强海外项目的运营管理。加快境外经贸合作区建设，协助做好招商推介工作，重点推动埃塞俄比亚东方工业园、中白工业园等合作区建设。稳步实施周边及跨国跨区域互联互通建设，协调推进缅甸皎漂经济特区、中老铁路、中泰铁路等重点项目，与非盟合作开展非洲跨国跨区域基础设施合作。

（四）强化政府公共服务

加强对企业开展对外投资合作的国别环境指导，更新发布涉及171个国家（地区）《对外投资合作国别（地区）指南（2015年版）》、发布《中国对外投资合作发展报告2015》《2014年度中国对外直接投资统计公报》《国别投资经营便利化状况报告2015》，汇编《“走出去”典型案例》《国别投资经营障碍报告汇编2014》。发布《2014年中国对外直接投资统计公报》，完善对外投资合作信息服务系统，搭建“走出去”公共服务平台，为企业提供政策信息、在线办事等“一站式”服务。做好投资促进和政策宣介，在中非合作论坛期间举办第五届中非企业家大会，利用中国—东盟博览会、中国—东北亚博览会等平台引导企业开展国际产能合作，通过主流媒体加大“走出去”新闻宣传。

（五）加强境外风险防控和权益保障

完善多双边机制建设，与有关国家商签投资促进、基础设施建设、境外经贸合作区等方面的政府间协议，为“走出去”企业和人员提供政府层面的保障和服务。积极参与国际贸易投资规则制定，加快推进自贸区全球布局，为企业营造良好外部环境。加强国别风险评估和安全预警，2015年共发布境外安全风险预警和提示33期。加强境外中资企业安全管理，开展境外投资合作安全生产大检查。参与处置也门撤侨、马里恐怖袭击等重大境外突发和安全事件。会同有关部门妥善处置在安哥拉等国重大劳务纠纷事件。

（商务部合作司）

中国行政管理体制

行政管理体制是指行政管理主体和各主体之间制度化的关系模式。据此，行政管理体制的构成要素主要有二：一是行政管理主体（政府）的架构，二是由制度规制的不同行政管理主体之间的关系。自现行宪法颁布以来，为了适应改革开放和经济社会的发展变化，中国不断推进行政管理体制改革，逐步形成了符合国情和市场经济发展需要的行政管理体制，为中国现代化建设和中国梦的实现提供了有力的体制保障。

一、中国政府的构架

在中国，政府系统是国家权力机关的执行系统，是行使行政权力、管理行政事务的国家机关。中国政府系统的构架在纵向上由不同层级的政府组成，在横向上由不同分工的政府部门组成。

（一）政府的纵向层级和横向部门

1. 政府的纵向层级

政府的纵向层级与行政区域密切相关。根据《宪法》第三十一条的规定，中国的行政区域全国分为省、自治区、直辖市；省、自治区分为自治州、县、自治县、市；县、自治县分为乡、民族乡、镇；直辖市和较大的市分为区、县；自治州分为县、自治县、市。自治区、自治州、自治县都是民族自治地方。国家在必要时，设立特别行政区。参见表1。

表1　2015年全国行政区划统计表（截至2015年12月31日）

省级		地级		县级		乡级	
合计	行政区划单位	合计	行政区划单位	合计	行政区划单位	合计	行政区划单位
34	4直辖市 23省 5自治区 2特别行政区	334	291地级市 10地区 30自治州 3盟	2 850	921市辖区 361县级市 1397县 117自治县 49旗 3自治旗 1特区 1林区	39 788	1区公所 20 515镇 10 173乡 151苏木 991民族乡 7957街道
北京市				16	16市辖区	331	143镇 33乡 5民族乡 150街道
天津市				16	15市辖区 1县	244	121镇 5乡 1民族乡 117街道
河北省		11	11地级市	170	42市辖区 20县级市 102县 6自治县	2 251	1区公所 1067镇 840乡 50民族乡 293街道

续 表

省级		地级		县级		乡级	
合计	行政区划单位	合计	行政区划单位	合计	行政区划单位	合计	行政区划单位
山西省		11	11 地级市	119	23 市辖区 11 县级市 85 县	1 398	564 镇 632 乡 202 街道
内蒙古自治区		12	9 地级市 3 盟	102	22 市辖区 11 县级市 17 县 49 旗 3 自治旗	1 010	496 镇 257 乡 18 民族乡 239 街道
辽宁省		14	14 地级市	100	57 市辖区 16 县级市 19 县 8 自治县	1 532	648 镇 157 乡 56 民族乡 671 街道
吉林省		9	8 地级市 1 自治州	60	21 市辖区 20 县级市 16 县 3 自治县	901	429 镇 154 乡 28 民族乡 290 街道
黑龙江省		13	12 地级市 1 地区	128	65 市辖区 18 县级市 44 县 1 自治县	1 234	512 镇 322 乡 52 民族乡 348 街道
上海市				16	15 市辖区 1 县	213	107 镇 2 乡 104 街道
江苏省		13	13 地级市	97	55 市辖区 21 县级市 21 县	1 281	767 镇 71 乡 1 民族乡 442 街道
浙江省		11	11 地级市	90	36 市辖区 20 县级市 33 县 1 自治县	1 350	641 镇 251 乡 14 民族乡 444 街道
安徽省		16	16 地级市	105	44 市辖区 6 县级市 55 县	1 494	946 镇 294 乡 9 民族乡 245 街道
福建省		9	9 地级市	85	28 市辖区 13 县级市 44 县	1 105	633 镇 275 乡 19 民族乡 178 街道

续　表

省　级		地　级		县　级		乡　级	
合计	行政区划单位	合计	行政区划单位	合计	行政区划单位	合计	行政区划单位
	江西省	11	11 地级市	100	22 市辖区 10 县级市 68 县	1 552	820 镇 574 乡 8 民族乡 150 街道
	山东省	17	17 地级市	137	51 市辖区 28 县级市 58 县	1 826	1115 镇 75 乡 636 街道
	河南省	17	17 地级市	158	51 市辖区 21 县级市 86 县	2 433	1105 镇 691 乡 12 民族乡 625 街道
	湖北省	13	12 地级市 1 自治州	103	39 市辖区 24 县级市 37 县 2 自治县 1 林区	1 233	761 镇 158 乡 10 民族乡 304 街道
	湖南省	14	13 地级市 1 自治州	122	35 市辖区 16 县级市 64 县 7 自治县	1 911	1119 镇 334 乡 83 民族乡 375 街道
	广东省	21	21 地级市	119	62 市辖区 20 县级市 34 县 3 自治县	1 584	1128 镇 4 乡 7 民族乡 445 街道
	广西壮族自治区	14	14 地级市	110	37 市辖区 8 县级市 53 县 12 自治县	1 251	773 镇 291 乡 59 民族乡 128 街道
	海南省	4	4 地级市	23	8 市辖区 5 县级市 4 县 6 自治县	218	175 镇 21 乡 22 街道
	重庆市			38	23 市辖区 11 县 4 自治县	1 025	617 镇 181 乡 14 民族乡 213 街道
	四川省	21	18 地级市 3 自治州	183	50 市辖区 16 县级市 113 县 4 自治县	4 635	2032 镇 2173 乡 98 民族乡 332 街道

续 表

省级		地级		县级		乡级	
合计	行政区划单位	合计	行政区划单位	合计	行政区划单位	合计	行政区划单位
贵州省		9	6 地级市 3 自治州	88	14 市辖区 7 县级市 55 县 11 自治县 1 特区	1 370	796 镇 207 乡 194 民族乡 173 街道
云南省		16	8 地级市 8 自治州	129	14 市辖区 14 县级市 72 县 29 自治县	1 389	681 镇 405 乡 140 民族乡 163 街道
西藏自治区		7	4 地级市 3 地区	74	4 市辖区 70 县	694	140 镇 535 乡 9 民族乡 10 街道
陕西省		10	10 地级市	107	28 市辖区 3 县级市 76 县	1 291	989 镇 23 乡 279 街道
甘肃省		14	12 地级市 2 自治州	86	17 市辖区 4 县级市 58 县 7 自治县	1 351	628 镇 566 乡 34 民族乡 123 街道
青海省		8	2 地级市 6 自治州	43	6 市辖区 3 县级市 27 县 7 自治县	399	140 镇 197 乡 28 民族乡 34 街道
宁夏回族自治区		5	5 地级市	22	9 市辖区 2 县级市 11 县	236	102 镇 90 乡 44 街道
新疆维吾尔自治区		14	3 地级市 6 地区 5 自治州	104	12 市辖区 24 县级市 62 县 6 自治县	1 047	1 区公所 320 镇 506 乡 42 民族乡 178 街道
香港特别行政区							
澳门特别行政区							
台湾省							

注：香港特别行政区、澳门特别行政区、台湾省的行政区划资料暂缺。

资料来源：中华人民共和国民政部编：《中华人民共和国乡镇行政区划简册 2016》，中国统计出版社 2016，第 3～5 页。

与行政区域划分相适应，从中央到地方，中国政府在纵向上分为五级政府和四级政府两种情况。

第一种情况：省（自治区）分为五级政府。在设自治州的地方，政府在纵向上分为中央政府、省（自治区）政府、自治州政府、县（不设区的市）政府、乡（镇）政府；在设“设区的市”[①] 的地方，政府在纵向上分为中央政府、省（自治区）政府、市政府、区（县、不设区的市）政府、乡（镇）政府。第二种情况：直辖市分为四级政府，即中央政府、直辖市政府、区（县）政府、乡（镇）政府。

2. 政府的横向部门

除乡（镇）政府外，中国各级政府根据经济社会发展的需要，适应社会主义市场经济体制的要求，按照精简、统一、效能的原则设置政府部门，分工管理政治、经济、文化、社会等各项行政事务。根据政府部门在行政系统中的地位，可以将政府的横向部门划分为中央政府部门和地方政府部门。

（二）中央政府和地方政府

1. 中央政府

根据现行宪法的规定，国务院是最高国家权力机关的执行机关，是最高国家行政机关，对外是中国政府，对内是中央政府，统一领导所属部门和全国地方各级政府，一切国家行政机关都必须服从国务院的决定和命令。

（1）国务院的组成和职权

国务院由总理、副总理、国务委员、各部部长、各委员会主任、审计长、秘书长组成。总理根据国家主席提名，由全国人大决定；副总理、国务委员、各部部长、各委员会主任、审计长、秘书长根据总理提名，由全国人大决定。在全国人大闭会期间，根据总理提名，由全国人大常委会决定部长、委员会主任、审计长和秘书长的任免。国务院总理领导国务院工作，副总理、国务委员协助总理工作，国务院秘书长在总理领导下，处理国务院日常工作，领导国务院办公厅。国务院的任期与全国人大任期相同，均为五年。总理、副总理、国务委员连续任职不得超过两届。国务院行使《宪法》第八十九条规定的职权。

（2）国务院的工作制度

国务院的工作制度主要有总理负责制和会议制。

总理负责制。国务院总理领导国务院工作，对国务院工作负全部责任。国务院总理有权：①召集和主持国务院全体会议和常务会议；②签署国务院发布的决定、命令、行政法规；③签署向全国人大或者全国人大常委会提出的议案，例如国务院各部、各委员会的设立、撤销或者合并的议案；④签署任免人员等。国务院实行总理负责制是由国务院的性质和职能决定的。国务院的性质是最高国家行政机关，职能是执行最高国家权力机关的决定，权力集中有利于高效、及时、果断地处理各种纷繁复杂的行政事务和突发事件。总理负责制符合现代社会对中央政府高效行政的要求。

会议制。国务院会议分为国务院全体会议和国务院常务会议。国务院全体会议由国务院全体成员组成；国务院常务会议由总理、副总理、国务委员、秘书长组成。根据《国务院组织法》第四条的规定，国务院工作中的重大问题必须经国务院常务会议或者国务院全体会议讨论决定。

（3）国务院的机构类别与设置

根据《国务院行政机构设置和编制管理条例》《国务院关于机构设置的通知》（国发〔2013〕14号），中国国务院机构分为以下八类。参见图1。

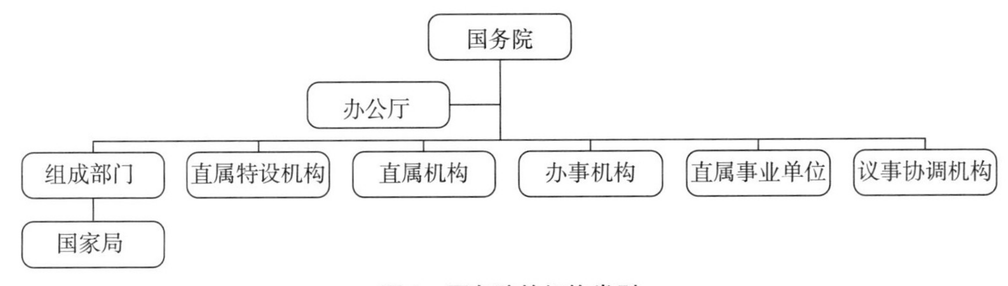

图1　国务院的机构类别

---

① 根据《立法法》第七十二条的规定，在我国，设区的市包括四种城市，即省（自治区）政府所在地的市、经济特区所在地的市、国务院批准的较大的市和其他设区的市（地级市）。

目前，国务院机构设置的具体情况是：国务院办公厅（1个）、国务院组成部门（25个）、国务院直属特设机构（1个）、国务院直属机构（16个）、国务院办事机构（4个）、国务院直属事业单位（13个）、国务院部委管理的国家局（16个）、国务院议事协调机构（28个，其中单设的办事机构3个）。参见表2。

表2 国务院的机构设置

机构类型	机 构 名 称
办公机构	国务院办公厅
国务院组成部门	01. 外交部；02. 国防部；03. 国家发展和改革委员会；04. 教育部；05. 科技部；06. 工业和信息化部；07. 公安部；08. 国家安全部；09. 民族事务委员会；10. 监察部；11. 民政部；12. 司法部；13. 财政部；14. 人力资源和社会保障部；15. 国土资源部；16. 环境保护部；17. 住房和城乡建设部；18. 交通运输部；19. 水利部；20. 农业部；21. 商务部；22. 文化部；23. 国家卫生和计划生育委员会；24. 中国人民银行；25. 审计署
国务院直属特设机构	国有资产监督管理委员会
国务院直属机构	01. 海关总署；02. 税务总局；03. 工商行政管理总局；04. 质量监督检验检疫总局；05. 新闻出版广电总局；06. 体育总局；07. 安全生产监督管理总局；08. 食品药品监督管理总局；09. 统计局；10. 林业局；11. 知识产权局；12. 旅游局；13. 宗教事务局；14. 参事室；15. 机关事务管理局；16. 预防腐败局
国务院办事机构	01. 国务院侨务办公室；02. 国务院港澳事务办公室；03. 国务院法制办公室；04. 国务院研究室
国务院直属事业单位	01. 新华通讯社；02. 中国科学院；03. 中国社会科学院；04. 中国工程院；05. 国务院发展研究中心；06. 国家行政学院；07. 中国地震局；08. 中国气象局；09. 中国银行业监督管理委员会；10. 中国证券监督管理委员会；11. 中国保险监督管理委员会；12. 全国社会保障基金理事会；13. 国家自然科学基金委员会
国务院部委管理的国家局	01. 国家信访局（国务院办公厅）；02. 国家粮食局（国家发展和改革委员会）；03. 国家能源局（国家发展和改革委员会）；04. 国家国防科技工业局（工业和信息化部）；05. 国家烟草专卖局（工业和信息化部）；06. 国家外国专家局（人力资源和社会保障部）；07. 国家公务员局（人力资源和社会保障部）；08. 国家海洋局（国土资源部）；09. 国家测绘地理信息局（国土资源部）；10. 国家铁路局（交通运输部）；11. 中国民用航空局（交通运输部）；12. 国家邮政局（交通运输部）；13. 国家文物局（文化部）；14. 国家中医药管理局（国家卫生和计划生育委员会）；15. 国家外汇管理局（中国人民银行）；16. 国家煤矿安全监察局（国家安全生产监督管理总局）
国务院议事协调机构	01. 国家国防动员委员会；02. 国家边海防委员会；03. 国务院中央军委空中交通管制委员会；04. 全国爱国卫生运动委员会；05. 全国绿化委员会；06. 国务院学位委员会；07. 国家防汛抗旱总指挥部；08. 国务院妇女儿童工作委员会；09. 全国拥军优属拥政爱民工作领导小组；10. 国务院残疾人工作委员会；11. 国务院扶贫开发领导小组（单设办事机构）；12. 国务院关税税则委员会；13. 国家减灾委员会；14. 国家科技教育领导小组；15. 国务院军队转业干部安置工作小组；16. 国家禁毒委员会；17. 全国老龄工作委员会；18. 国务院西部地区开发领导小组；19. 国务院振兴东北地区等老工业基地领导小组；20. 国务院抗震救灾指挥部；21. 国家信息化领导小组；22. 国家应对气候变化及节能减排工作领导小组；23. 国家能源委员会；24. 国务院安全生产委员会；25. 国务院防治艾滋病工作委员会；26. 国家森林防火指挥部；27. 国务院三峡工程建设委员会（单设办事机构）；28. 国务院南水北调工程建设委员会（单设办事机构）

注：

* 监察部与中共中央纪律检查委员会机关合署办公，机构列入国务院序列，编制列入中共中央直属机构。

* 国家预防腐败局列入国务院直属机构序列，在监察部加挂牌子。国家新闻出版广电总局加挂国家版权局牌子。

* 国务院台湾事务办公室与中共中央台湾工作办公室、国务院新闻办公室与中共中央对外宣传办公室、国务院防范和处理邪教问题办公室与中央防范和处理邪教问题领导小组办公室，一个机构两块牌子，列入中共中央直属机构序列。国家档案局与中央档案馆，一个机构两块牌子，列入中共中央直属机关的下属机构。

* 国家保密局与中央保密委员会办公室、国家密码管理局与中央密码工作领导小组办公室，一个机构两块牌子，列入中共中央直属机关的下属机构。

* 工业和信息化部对外保留国家航天局、国家原子能机构牌子。教育部对外保留国家语言文字工作委员会牌子。环境保护部对外保留国家核安全局牌子。

* 国务院纠正行业不正之风办公室保留名义，工作由监察部承担。

2. 地方政府

中国的地方政府包括：省、自治区、直辖市、自治州、设区的市、县、自治县、不设区的市、市辖区、乡、镇政府。根据《宪法》第一百零五条、《地方各级人民代表大会和地方各级人民政府组织法》第五十四、五十五条的规定，地方各级政府是地方各级国家权力机关的执行机关，是地方各级国家行政机关，对本级人大和上一级行政机关负责并报告工作；县级以上地方各级政府在本级人大闭会期间，对本级人大常委会负责并报告工作。

（1）地方政府的组成和职权

根据《地方各级人民代表大会和地方各级人民政府组织法》第五十六条的规定，省、自治区、直辖市、自治州、设区的市的政府分别由省长、副省长，自治区主席、副主席，市长、副市长，州长、副州长和秘书长、厅长、局长、委员会主任等组成。县、自治县、不设区的市、市辖区的政府分别由县长、副县长，市长、副市长，区长、副区长和局长、科长等组成。乡、民族乡、镇的政府只设乡长、副乡长、镇长、副镇长，不设职能部门。县级以上地方政府行使《地方各级人民代表大会和地方各级人民政府组织法》第五十九条规定的职权；乡（镇）政府行使《地方各级人民代表大会和地方各级人民政府组织法》第六十一条规定的职权。

（2）地方政府的工作制度

与国务院工作制度相同，地方政府实行行政首长负责制和会议制。

地方政府的行政首长负责制是指省长、自治区主席、直辖市市长、自治州州长、设区的市市长、县长、区长、乡长、镇长负责制。行政首长主持地方各级政府的工作，对上级政府和本级人民代表大会负责。实行首长负责制是由行政工作的性质和行政管理的客观需要决定的。行政首长负责制的突出特点是行政首长享有重大事项的决定权，但行政首长运用此项权力必须依法依规，依民主集中制的原则，同时也必须遵守相应的程序，在充分论证、听取意见、集体讨论的基础上做出决定。

县级以上地方政府的会议分为全体会议和常务会议。全体会议由本级政府的全体成员组成；省、自治区、直辖市、自治州、设区的市政府常务会议，分别由省长、副省长，自治区主席、副主席，市长、副市长，州长、副州长和秘书长组成。县、自治县、不设区的市、市辖区政府常务会议，分别由县长、副县长，市长、副市长，区长、副区长组成。省长、自治区主席、市长、州长、县长、区长召集和主持本级政府全体会议和常务会议。政府工作中的重大问题，须经政府常务会议或者全体会议讨论决定。

（3）地方政府部门的设置

县级以上地方政府根据工作需要和精干原则，设立必要的工作部门，负责本行政区域某一方面的行政事务。省级政府部门一般称为厅、委、办、局；设区的市政府部门一般称为委、办、局；县级政府工作机构一般称为局。乡（镇）政府不设政府部门，一般设几个综合办公室，规模较小的乡政府设若干助理员，例如民政助理员、司法助理员等。

改革开放前，受计划经济体制的制约，中国地方政府部门的设置与中央政府部门的设置保持一致。这种上下同构的政府结构便于上对下的控制、指挥和政令下达，但容易忽略地方特色。改革开放后，经过多轮次的政府机构改革，尤其是市场经济体制的建立，中国地方政府部门的设置有了一定的自主权，地方可以根据本行政区域的具体情况和实际需要因地制宜设置政府部门。例如，在资源型城市或者少数民族地方，适当设置资源利用与管理、民族发展等部门，不拘泥于中央政府部门设置的框架。一般而言，省级政府部门的设置与中央政府部门的设置基本对应，而省以下的州、市、县政府部门的设置较为灵活，可以不与中央或者省级政府部门的设置保持一致。

（4）地方政府的派出机关

按照《地方各级人民代表大会和地方各级人民政府组织法》第六十八条的规定，省、自治区政府在必要时，经国务院批准，可以设立若干派出机关。县、自治县政府在必要时，经省、自治区、直辖市政府批准，可以设立若干区公所，作为其派出机关。市辖区、不设区的市政府，经上一级政府批准，可以设立若干街道办事处，作为其派出机关。这些政府派出机关虽然不是一级政府，但却拥有行政主体资格，能够以自己的名义做出行政行为，并独立承担法律责任，可以成为行政复议的被申请人、行政诉讼的被告和行政赔偿义务人，因而可以被视为中国地方政府的一个管理层级。

二、中国政府和政府部门的领导体制

（一）政府的领导体制

中国是实行单一制国家结构形式的国家，中国政府系统实行中央政府统一领导、地方政府服从中央政府、地方下一级政府服从上一级政府的领导体制。《宪法》第八十九条第四项规定：国务院“统一领导全国地方各级国家行政机关的工作，规定中央和省、自治区、直辖市的国家行政机关的职权的具体划分”；《地方各级人民代表大会和地方各级人民政府组织法》第五十五条规定：“地方各级人民政府对本级人民代表大会和上一级国家行政机关负责并报告工作。……全国地方各级人民政府都是国务院统一领导下的国家行政机关，都服从国务院”。具体到县级以上地方政府，既要接受上级政府的领导，同时也要领导下级政府，对此《宪法》第一百零八条规定：“县级以上的地方各级人民政府领导所属各工作部门和下级人民政府的工作，有权改变或者撤销所属各工作部门和下级人民政府的不适当的决定”。

（二）政府部门的领导体制

中央政府部门直接受国务院领导，地方政府部门少数实行“垂直领导”,[①] 大多数实行“条块结合”的双重领导体制，即大多数地方政府部门既受本级政府的统一领导，也受上一级主管部门的领导和业务指导。对此《地方各级人民代表大会和地方各级人民政府组织法》第六十六条规定：“省、自治区、直辖市的人民政府的各工作部门受人民政府统一领导，并且依照法律或者行政法规的规定受国务院主管部门的业务指导或者领导。自治州、县、自治县、市、市辖区的人民政府的各工作部门受人民政府统一领导，并且依照法律或者行政法规的规定受上级人民政府主管部门的业务指导或者领导”。

三、入世对中国行政管理体制的影响

2015 年是中国入世 15 周年，入世和市场经济体制的逐步确立，对中国行政管理体制各方面产生了深刻影响。这些影响主要表现在：

（一）政府职能转变

2013 年，十二届全国人大一次会议审议通过了《国务院机构改革和职能转变方案》，标志着新一轮行政体制改革拉开序幕。与以往改革方案不同，此方案将“机构改革”和“职能转变”并列，凸显了政府职能转变的重要性。行政体制改革是一项系统改革，比较而言，政府机构改革是表层改革，政府职能转变是更具根本性的改革。此方案确定了政府职能转变的各项要求，包括减少行政许可和审批事项、减少专项转移支付和收费、减少部门职责交叉和分散、改革工商登记制度、改革社会组织管理制度、改善和加强宏观管理、加强基础性制度建设、加强依法行政等。尽管这些要求提法各异，但目的单一，即政府要“管好”。从一国行政管理的角度看，政府要管好三件事：一是管好自己，二是管好市场，三是管好社会。但是，无论政府管什么，都必须首先转变职能。例如，从习惯管别人转变到习惯管自己；从事无巨细的行政审批转变到放松规制；从收揽权力转变到下放权力；从对社会发号施令转变到鼓励社会自治；从事事亲力亲为转变到高瞻远瞩的“掌舵”。总之，政府管理的旧习惯、旧范式都需要转变。没有科学合理的政府职能体系,[②] 也就没有政府管理科学化水平的提高。

（二）政府机构改革

中国入世后，先后在 2003 年、2008 年、2013 年进行了三次政府机构改革。2003 年政府机构改革是在入世大背景下进行的，改革重点是深化国有资产管理体制改革，完善宏观调控体系，健全金融监管体制，继续推进流通体制改革，加强食品安全和安全生产监管体制建设。2008 年政府机构改革，“大部制”是改革关键词之一。大部制改革主要针对政府机构重叠、职责交叉、政出多门、权限冲突等弊端，通过这一改革，将那些职能相近、业务趋同的事项相对集中，由一个部门统一管理，以降低行政成本，提高管理效能。经过这轮改革，在中央政府层面，交通运输部、工业和信息化部、人力资

---

① 在中国，实行垂直领导的政府部门主要有海关、金融、国税、外汇管理、国家安全机关等部门。有些政府部门实行省以下垂直管理，例如土地、工商、质监、食品药品监督等部门。

② 中国共产党十八届三中全会审议通过的《中共中央关于全面深化改革若干重大问题的决定》，将市场经济体制下的政府职能定位为：宏观调控、市场监管、社会管理、公共服务和环境保护。

源和社会保障部等部门初具大部制雏形。2013年政府机构改革，重点围绕转变职能和理顺职责关系，稳步推进大部门制改革，实行铁路政企分开，加强卫生和计划生育、食品药品、新闻出版和广播电影电视、海洋、能源管理机构。当代中国，政府机构的动态调整已经成为一种行政规律，目的是根据政府职能设计政府组织系统，使政府机构的设立、调整，与政府职能的新变化和市场经济的新发展相适应。经过多轮政府机构改革，中国政府机构在数量、名称、法律地位、职责权限、内设机构、人员编制等方面都有了很大变化。

（三）政府内外关系调整

政府行政要处理好内外关系，以保证政府系统运行顺畅。这些关系包括上级政府和下级政府、上级政府部门和下级政府部门、本级政府和政府部门、本级政府各部门、不同行政区域政府、政府和政党、政府和其他公权力机关、政府和社会、政府和企业之间的关系等。入世后，中国政府在调整内外关系，尤其是调整政企关系方面做了许多尝试。2003年，以实行政企分离为目标的深化国有资产管理体制改革被列为国务院机构改革的重点任务；2013年，国务院机构改革实行了铁路部门的政企分开；2015年，国务院印发《关于改革和完善国有资产管理体制的若干意见》（国发［2015］63号），提出“实现政企分开、政资分开、所有权与经营权分离，依法理顺政府与国有企业的出资关系。切实转变政府职能，依法确立国有企业的市场主体地位，建立健全现代企业制度。坚持政府公共管理职能与国有资产出资人职能分开，确保国有企业依法自主经营，激发企业活力、创新力和内生动力”。

（四）法治政府建设

以2004年国务院发布《全面推进依法行政实施纲要》为标志，法治政府建设成为中国各级政府建设的核心目标。从2004年到2015年，中国有关法治政府建设的大政方针呈现出四个特点：第一，法治政府建设的大政方针是一贯的、明确的，法治政府建设受到党和国家的一贯重视；第二，法治政府建设既有全面推进，也有重点推进，市县政府是法治政府建设的重点；第三，法治政府建设的目标（标准）越来越清晰，法治政府即“职能科学、权责法定、执法严明、公开公正、廉洁高效、守法诚信”的政府；第四，法治政府建设的措施越来越具体，《法治政府建设实施纲要（2015—2020年）》每提出一项任务都规定了完成任务的具体措施，使法治政府建设工作更可操作。

（五）政府行政方法和技术的改进

行政方法和技术是政府推行政务、管理事务、实现行政目标的工具。改革开放尤其是入世后，行政方法和技术经历了从单一到多样、从直接到间接、从刚性到柔性的转变过程，日益受到各级政府的重视，“大数据”在国家治理中的应用就是典型案例。以2015年国务院《促进大数据发展行动纲要》（国发［2015］50号）的发布为标志，大数据在中国已进入到国家战略的高度，成为提升政府治理能力的新途径。对于政府治理，“大数据应用能够揭示传统技术方式难以展现的关联关系，推动政府数据开放共享，促进社会事业数据融合和资源整合，将极大提升政府整体数据分析能力，为有效处理复杂社会问题提供新的手段。建立‘用数据说话、用数据决策、用数据管理、用数据创新’的管理机制，实现基于数据的科学决策，将推动政府管理理念和社会治理模式进步，加快建设与社会主义市场经济体制和中国特色社会主义事业发展相适应的法治政府、创新政府、廉洁政府和服务型政府，逐步实现政府治理能力现代化”。可以预见，随着政府大数据资源共享平台的构建、公共数据资源的进一步开放，以大数据为代表的行政新技术将在提升政府治理能力方面发挥重要作用。

（中国政法大学教授　郎佩娟

中国政法大学在读硕士研究生　梁　璐）

●产业开放与管理措施

中国农业对外开放情况

一、中国农产品贸易环境变化情况

2015 年，全球经济低迷抑制了农产品需求的增长，能源及化肥等投入品价格下跌降低了农业生产成本，因而尽管大宗农产品价格在 2012—2014 年期间连续三年下跌，但市场供过于求的格局仍未改变。据联合国粮农组织（FAO）预测，2015/2016 年度，全球谷物总产量 25.25 亿吨，比上年下降 1.4%。使用量 25.23 亿吨，比上年增长 0.7%。出口量 3.68 亿吨，比上年下降 2%。谷物期末库存 6.36 亿吨，与上年持平。库存消费比 24.7%，比上年下降 0.5 个百分点，但仍处历史高位。

表 1　　2013—2015 年世界谷物生产、消费、库存和贸易情况　　单位：百万吨，%

年份		2013/2014	2014/2015	2015/2016	2015/2016 年度比上年度增长	年份		2013/2014	2014/2015	2015/2016	2015/2016 年度比上年度增长
生产	谷物	2 519.2	2 560.4	2 524.6	−1.4	出口	谷物	361.2	375.9	368.3	−2.0
	小麦	710.8	729.1	733.0	0.5		小麦	156.3	155.4	151.5	−2.5
	大米	494.5	494.7	491.4	−0.7		大米	45.5	45.1	45.3	0.5
	粗粮	1 313.9	1 336.6	1 300.2	−2.7		粗粮	159.4	175.4	171.5	−2.2
消费	谷物	2 429.6	2 505.2	2 523.0	0.7	期末库存	谷物	585.7	636.5	636.2	0.0
	小麦	692.2	711.1	723.6	1.8		小麦	182.6	199.9	205.1	2.6
	大米	483.1	492.8	498.3	1.1		大米	171.7	172.8	167.2	−3.2
	粗粮	1 254.3	1 301.4	1 301.1	0.0		粗粮	231.4	263.8	263.8	0.0

数据来源：联合国粮农组织谷物供求概况，2016 年 3 月。

根据世界银行发布的数据，2015 年，国际农产品价格与上年相比下跌了 13%，食物价格下跌了 15.4%，跌幅比上年分别高出 9.6 和 8.3 个百分点。分类看，谷物价格下跌了 14.5%，油料油脂价格下跌了 21.8%，工业原料农产品价格下跌了 9.5%。能源价格大幅下跌 45.1%，化肥价格下跌了 5.1%。

年内主要农产品价格呈不同幅度下跌。美国 1 号硬粒红小麦海湾离岸价由 1 月份的每吨 248 美元持续下滑到 9 月份的 173 美元，11 月份小幅反弹到 177 美元，12 月份继续回升到 189 美元。美国 2 号黄玉米海湾离岸价 1 月份至 5 月份由 175 美元波动下滑到 166 美元，7 月份急剧上升到 180 美元，随后再度回落，12 月份降至 164 美元。泰国 5%碎米率大米曼谷离岸价由 1 月份的 420 美元下跌到 12 月份的 363 美元，其间仅 7 月份出现短暂反弹。美国大豆鹿特丹港到岸价波动下滑，1 月份处于年内最高的 424 美元，9 月份和 11 月份降至年内最低的368美元，12月份为372美元。荷兰豆油出厂价也波动下滑，年内最高为1月份的802美元，最低为11月份的726美元，12月份反弹到761美元。棉花价格年内波动上涨。反映国际棉花市场现货价格水平的棉价指数指标Cotlook A远东指数价格1月份每吨1485美元，5月份上涨到年内最高的1607美元，随后下滑到9月份的1515美元，11月份反弹到1526美元，12月份继续反弹到1552美元。国际食糖价格呈V形变化，最高为1月份的每吨338美元，5月份降至294美元，6月份降到275美元，8月份再度下跌到年内最低的254美元，12月份回升到323美元。牛肉价格波动下降，由1月份的每吨5100美元降至12月份的3735美元。鸡肉价格相对稳定，1月份为2515美元，6月份升到年内最高的2557美元，12月份降至年内最低的每吨2493美元。

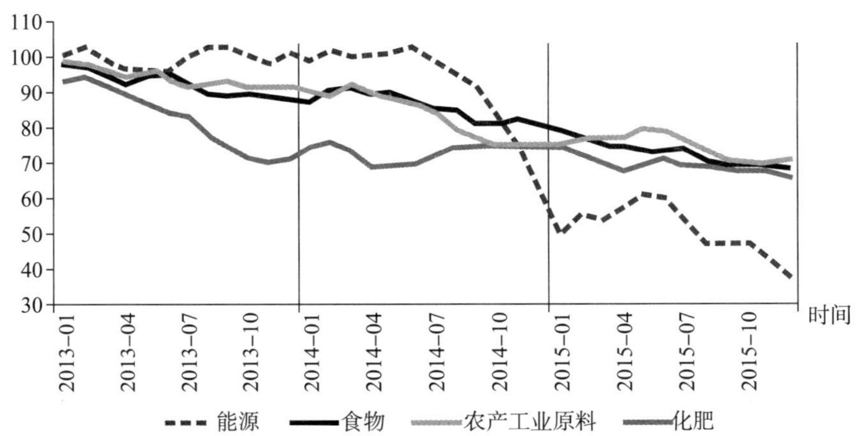

图1 2013—2015年国际市场初级产品价格指数变化

数据来源：世界银行（2016）；价格指数以2012年为100。

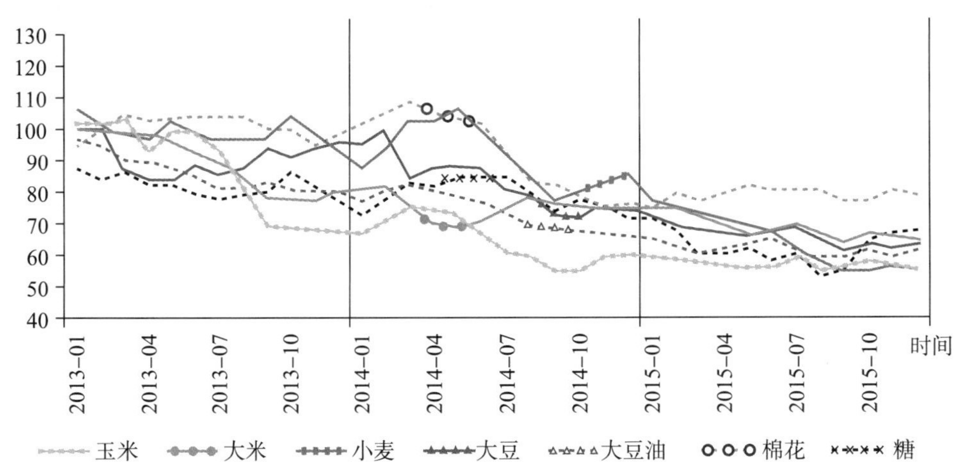

图2 2013—2015年国际市场主要农产品价格指数变化

数据来源：世界银行；各商品的价格指数均以2012年平均价格为100。

（一）中国农业和农村经济

2015年，中国农业特别是粮食生产面临着国际市场农产品价格大幅下跌、国内劳动成本稳定上升、资源环境压力加大等严峻挑战，中国政府采取积极措施全面深化农村改革，加快推进农业现代化，农业生产和农村社会经济发展继续保持了良好势头，农业综合生产能力得到进一步提高。

全国农业生产继续保持增长势头。全年粮食总产量62 144万吨，比上年增加1441万吨，增产2.4%。谷物产量57 225万吨，比上年增产2.7%。其中，稻谷产量20 825.5万吨，增产0.8%；小麦产量13 018.5万吨，增产3.2%；玉米产量

22 463.2万吨，增产4.2%。经济作物中，棉花产量560.3万吨，减产9.3%；油料产量3537万吨，增产0.8%；糖料产量12 500万吨，减产6.5%；茶叶产量224.9万吨，增产7.3%。肉类总产量8625万吨，下降0.9%。其中猪肉产量5486.5万吨，下降3.3%；牛肉产量700.1万吨，增长1.6%；羊肉产量440.8万吨，增长3%；禽肉产量1826万吨，增长4.3%。禽蛋产量2999.2万吨，增长3.6%。牛奶产量3754.7万吨，增长0.8%。水产品产量6699.6万吨，增长3.7%。

尽管非农部门增长放缓对农村劳动力转移就业产生不利影响，但农村劳动力非农就业仍继续增加，全国农民工总量27 747万人，比上年增长1.3%。其中外出农民工16 884万人，增长0.4%；本地农民工10 863万人，增长2.7%。全国农民工人均月收入3072元，比上年增长7.2%。受益于农业生产增长和非农就业收入增加，农村居民收入继续较快提高，生活水平持续改善。农村居民人均可支配收入11 422元，扣除价格因素实际增长7.5%。农村居民人均消费支出9223元，扣除价格因素实际增长8.6%。按照每人每年2300元（2010年不变价）的农村扶贫标准计算，2015年农村贫困人口5575万人，比上年减少1442万人。

（二）中国农业贸易政策环境

1. 继续深化农业政策改革

2015年，中国政府继续加强对农业的支持，推进农业现代化和农村改革。据国家统计局数据，年内农林牧渔业投资（不含农户）19 061亿元，比上年增长30.8%。

国务院发布“关于加大改革创新力度加快农业现代化建设的若干意见”“关于加快转变农业发展方式的意见”和“深化农村改革综合性实施方案”，就今后农业发展和农村改革做出部署。

经国务院同意，安徽、山东、湖南、四川和浙江五省先行启动调整完善2004年以来实施的三项农业补贴政策试点以强化对粮食适度规模经营的支持，重点扶持种粮大户、家庭农场、农民合作社以及农业社会化服务组织等新型经营主体。

国家发展与改革委员会等部门决定，2015年在主产区继续实行稻谷和小麦最低收购价政策，价格保持在2014年水平；在东北地区继续实行玉米临时收储政策，收购价格下调。

2. 加强农业对外开放与国内农业发展改革的协调

国务院“关于加快转变农业发展方式的意见”和“深化农村改革综合性实施方案”就发展农产品贸易和加强农业国际合作提出了一系列指导意见和工作任务要求，涉及的主要方面有：完善农业对外开放战略布局，统筹农产品进出口，加快形成农业对外贸易与国内农业发展相互促进的政策体系，实现补充国内市场需求、促进结构调整、保护国内产业和农民利益的有机统一；加大对农产品出口支持力度，巩固农产品出口传统优势，培育新的竞争优势，扩大特色和高附加值农产品出口；健全农产品进口调控机制，完善重要农产品国营贸易和关税配额管理，把握好进口规模、节奏，合理有效利用国际市场，优化国内农业结构，缓解资源环境压力；优化重要农产品进口的全球布局，推进进口来源多元化，加快形成互利共赢的稳定经贸关系；健全贸易救济和产业损害补偿机制；强化边境管理，深入开展综合治理，打击农产品走私；统筹制定和实施农业对外合作规划；加强与“一带一路”沿线国家和地区及周边国家和地区的农业投资、贸易、科技以及动植物检疫合作；加快构建全球重要农产品监测、预警和分析体系，建设基础数据平台，建立中长期预测模型和分级预警与响应机制。

二、中国农产品贸易情况

（一）进出口规模和贸易收支平衡

2015年，中国农业贸易发展面临多种复杂因素。出口方面，国际市场价格大幅下跌、主要出口市场经济不景气、国内生产成本继续提高是主要不利因素，自贸区建设稳步推进、人民币对美元汇率由升值逆转为贬值则是有利因素。进口方面，国内经济增长放缓和政府推进过剩农产品去库存使国内需求增长受到抑制，国际市场价格大幅下跌则提高了进口产品价格竞争力。在此背景下，年内农产品进口和出口额双下滑，出口额706.8亿美元，比上年下降1.8%；进口额1168.8亿美元，比上年下降4.6%；农产品贸易逆差462亿美元，比上年减少43.8亿美元。农产品出口额大体呈现前半年下降、后半年增长的态势，与上年相比增幅较为稳定，仅2月份和3月份变化幅度较大；农产品进口额则波动起伏，其中前5个月比上年同期降幅较大。

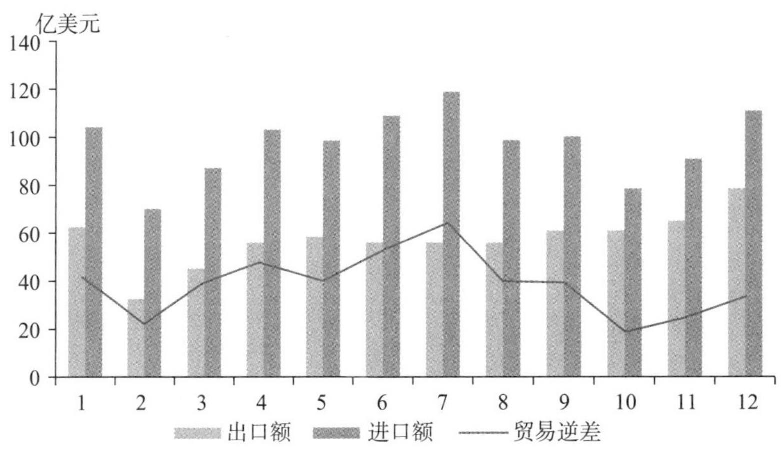

图3　2015年中国农产品对外贸易月度变化情况

数据来源：中国海关数据库。

（二）商品结构

农产品出口额居前五位的产品依次为水产品、蔬菜、水果、畜产品和饮品类；进口额居前五位的产品依次为油籽、畜产品、谷物、水产品和植物油。

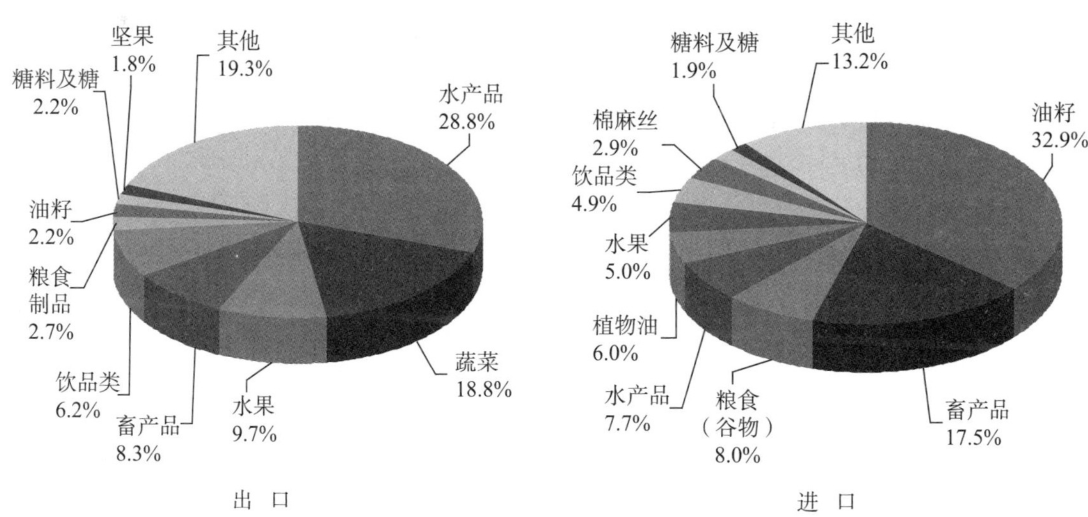

图4　2015年中国农产品进出口结构

数据来源：中国海关数据库。

谷物贸易在国际市场价格显著下跌和国内市场价格受政策支持而居高不下的背景下呈现出口量显著下滑和进口量大幅增长的局面。全年出口53.3万吨，比上年下降30.8%；进口3271.5万吨，比上年增长67.6%，为历史最高；贸易逆差89.6亿美元，在大类中排油籽和畜产品之后，居第三位。各类谷物品种出口量均下降，降幅幅度为15.9%～44.6%。小麦产品进口量基本持平，大麦产品和高粱产品进口量均超过1000万吨，增幅分别达98.3%和85.3%。年内还大量进口了谷物替代品玉米酒糟（DDGs）和木薯，进口量分别为682.1万吨和937.6万吨，分别比上年增长26%和8.4%。

食用油籽产品贸易在国际市场油籽价格显著下跌的背景下呈现出口下降和进口增加的局面。出口84.2万吨，比上年下降3.5%；进口8757.1万吨，比上年增长13%；贸易逆差369.2亿美元，比上年减少61.6亿美元。食用植物油出口和进口数量分别增长1.2%和6.6%，贸易逆差下降。

棉花在国内实施目标价格的政策后国内外价格

基本接轨，进口激励削弱。在国内市场仍面临去库存压力的背景下，进口量下降到175.9万吨，比上年减少34.1%；进口额27.2亿美元，比上年减少47.2%。替代性产品棉纱进口增长，进口量234.5万吨，增长16.7%。

糖价进口受国际市场显著下跌影响而优势凸显，进口量增至484.6万吨，比上年增长39%；进口额17.7亿美元，比上年增长18.7%。

园艺产品中，蔬菜、水果和坚果出口均实现逆势增长。蔬菜类产品出口132.7亿美元，比上年增长6.2%；进口5.4亿美元，比上年增长5%；贸易顺差127.3亿美元，在农产品大类商品贸易中跃居首位。水果类产品出口68.9亿美元，比上年增长11.5%；进口58.7亿美元，比上年增长14.7%。坚果类产品出口12.7亿美元，比上年增长2.8%；进口7.2亿美元，比上年增长38.7%。

畜产品出口58.9亿美元，比上年下降14%；进口204.5亿美元，比上年下降7.8%；畜产品贸易逆差145.6亿美元，比上年减少5%，在农产品大类商品贸易中居第二位。肉类产品中，猪肉和牛肉进口大幅增长，羊肉进口大幅下滑。奶粉进口73.4万吨，下降30.3%。

水产品出口203.3亿美元，比上年下降6.3%；进口89.8亿美元，比上年下降2.2%；水产品贸易顺差113.5亿美元，比上年减少9.3%，顺差额在农产品大类商品贸易中由上年的居首位下滑至第二位。

（三）进出口市场结构

中国对各大洲农产品出口均呈下降局面。对亚洲出口455.6亿美元，比上年下降0.2%；对欧洲出口103.7亿美元，比上年下降8.2%；对北美洲出口90.7亿美元，比上年下降1.2%；对非洲出口27.7亿美元，比上年下降3.1%；对南美洲出口15.9亿美元，比上年下降3.2%；对大洋洲出口13.1亿美元，比上年下降1.2%。

从各大洲农产品进口多为下降局面。从南美洲进口311.3亿美元，比上年下降2.6%，仍是中国农产品第一大进口来源地；从北美洲进口302.8亿美元，比上年下降12.6%；亚洲仍是中国农产品第三大进口来源地，进口额223.9亿美元，比上年下降4.4%；从欧洲进口175.2亿美元，比上年增长23%，是进口额比上年增长的唯一大洲；从大洋洲进口125.5亿美元，比上年下降16.5%；从非洲进口30.1亿美元，比上年下降6.9%。

中国农产品贸易对亚洲继续保持顺差，对其他地区均为逆差，其中对南美洲和北美洲逆差最多，分别为295.3亿美元和212.3亿美元。

表2　**2015年中国农产品贸易区域分布**　单位：亿美元，%

区域	贸易额				比上年增长		所占比重	
	进出口	出口额	进口额	差额	出口	进口	出口	进口
合计	1 875.6	706.8	1168.8	−462.0	−15.8	−20.1	100.0	100.0
亚　洲	679.5	455.6	223.9	231.7	−0.2	−4.4	64.5	19.2
欧　洲	279.0	103.7	175.2	−71.5	−8.2	23.0	14.7	15.0
北美洲	393.5	90.7	302.8	−212.1	−1.2	−12.6	12.8	25.9
非　洲	57.8	27.7	30.1	−2.4	−3.1	−6.9	3.9	2.6
南美洲	327.2	15.9	311.3	−295.3	−3.2	−2.6	2.3	26.6
大洋洲	138.6	13.1	125.5	−112.4	−1.2	−16.5	1.9	10.7

数据来源：中国海关数据库。

从国别（地区）贸易看，前五大出口市场依序为日本、中国香港、美国、韩国和泰国，合计占农产品出口总额的49.2%。前五大进口来源地依序为美国、巴西、澳大利亚、加拿大和阿根廷，合计占农产品进口总额的53.9%。中国对日本、中国香港、韩国、中国台湾和菲律宾的贸易顺差处于前五位，净出口额分别为95.3亿美元、86.5亿美元、34.9亿美元、13.5亿美元和9.6亿美元；对巴西、美国、澳大利亚、阿根廷和新西兰的农产品贸易逆差处于前五位，净进口额分别为192.9亿美元、173亿美元、70.9亿美元、50.5亿美元和42.4亿美元。

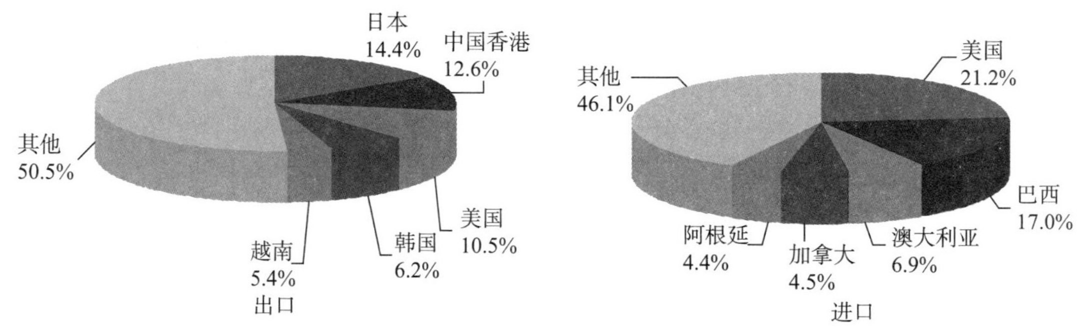

图 5 2015 年中国农产品出口市场和进口来源地结构

数据来源：中国海关数据库。

与自由贸易区伙伴之间的双边农产品贸易整体继续保持发展势头。对东盟间的双向农产品贸易呈现比上年出口增长和进口下降的格局，其中出口额 147.8 亿美元，比上年增长 8.9%，进口额 162.1 亿美元，比上年下降 1.5%，中方逆差 14.3 亿美元。从贸易结构看，中国对东盟出口以蔬菜、温带水果、水产品等劳动密集型农产品为主，三大类产品分别占对东盟农产品出口额的 26.3%、21.2% 和 18.8%；进口以植物油（棕榈油为主）、热带水果和薯类为主，三大类产品分别占自东盟农产品进口额的 27.5%、18%和 13.1%。中国与智利农产品贸易额 22.3 亿美元，比上年增长 15.5%，其中中方自智利进口农产品 19.4 亿美元，比上年增长 14.8%，向智利出口农产品 2.9 亿美元，比上年增长 20.8%，中方农产品贸易逆差扩大为 16.5 亿美元；中国进口的水产品和水果分别占自智利进口农产品额的 51%和 22.5%。中国与巴基斯坦农产品贸易额 7.4 亿美元，其中中方自巴基斯坦进口农产品 4.2 亿美元，向巴基斯坦出口农产品 3.2 亿美元，中方农产品逆差 9800 万美元；主要出口产品蔬菜占中方对巴基斯坦农产品出口额的 43.7%。中国与新西兰双边农产品贸易额 46.1 亿美元，其中中方自新西兰进口农产品 44.3 亿美元，主要是畜产品、水产品和水果，其中乳制品尤其是奶粉 46.2 万吨，中方向新西兰出口农产品 1.8 亿美元，中方农产品贸易逆差 42.4 亿美元。中国与秘鲁双边农产品贸易额 15.1 亿美元，其中中方向秘鲁出口农产品 7579.1 万美元，自秘鲁进口农产品 14.3 亿美元，其中水产品占自秘鲁进口农产品总额 81.7%（主要是饲用鱼粉），中方农产品贸易逆差 13.6 亿美元。中国与哥斯达黎加双边农产品贸易额 1.4 亿美元，其中中方向哥斯达黎加出口农产品 5995.3 万美元，比上年增长 63%；自哥斯达黎加进口农产品 7841.4 万美元，比上年增加 3.8 倍，其中畜产品（主要是动物生皮）占 88.7%，中方农产品贸易逆差 1846.1 万美元。中国与冰岛双边农产品贸易额 5430.7 万美元，比上年增长 8.1%，其中中方向冰岛出口农产品 92.2 万美元，比上年下降 71%；自冰岛进口农产品 5338.5 万美元，比上年增长 13.9%，其中水产品占自冰岛农产品进口总额 98%。中国与瑞士双边农产品贸易额 1.7 亿美元，比上年增长 6.3%，其中中方向瑞士出口农产品 3649.8 万美元，比上年增长 16.7%，以蔬菜、饮品、畜产品、饼粕为主；自瑞士进口农产品 1.38 亿美元，比上年增长 6.2%，以畜产品、饮品、粮食制品和精油为主，进口额分别占自瑞士进口农产品额的 37%、24.9%、4%和 3.9%。中方农产品贸易逆差 1 亿美元。内地对中国香港和中国澳门农产品出口额分别比上年增长 2.2%和 3.4%，对中国台湾农产品出口则比上年下降 6%。

（四）贸易方式

2015 年，农产品一般贸易出口额 578 亿美元，占农产品出口总额 81.8%；进料加工贸易出口额 75.5 亿美元，占农产品出口额的 10.7%。农产品一般贸易进口额 956.2 亿美元，占农产品进口总额的 81.8%。保税区仓储转口货物 86.2 亿美元，占农产品进口总额的 7.4%。进料加工贸易进口额 55.6 亿美元，占农产品进口总额的 4.8%。

（五）国内进出口地区结构变化

农产品出口额处于前五位的省依次为山东、广东、福建、浙江和辽宁，合计占农产品出口总额的 62.2%。出口额增长的有 7 个省（自治区、直辖市），其中云南、贵州、内蒙古和河南等省（自治区、直辖市）的增幅超过10%；四川省农产品出口额与上年持平；农产品出口额比上年下降的有23个省（自治区、直辖市），其中西藏、广西和青海省（自治区、直辖市）的降幅超过20%。

农产品进口额处于前五位的省（自治区、直辖市）依次为广东、山东、江苏、上海和天津，合计占农产品进口总额的65.5%。农产品进口额增长的有14个省（自治区、直辖市），其中青海、陕西、重庆和江西省（自治区、直辖市）的增幅超过60%；农产品进口额下降的有17个省（自治区、直辖市），其中山西、甘肃、宁夏和贵州省（自治区、直辖市）的降幅超过30%。

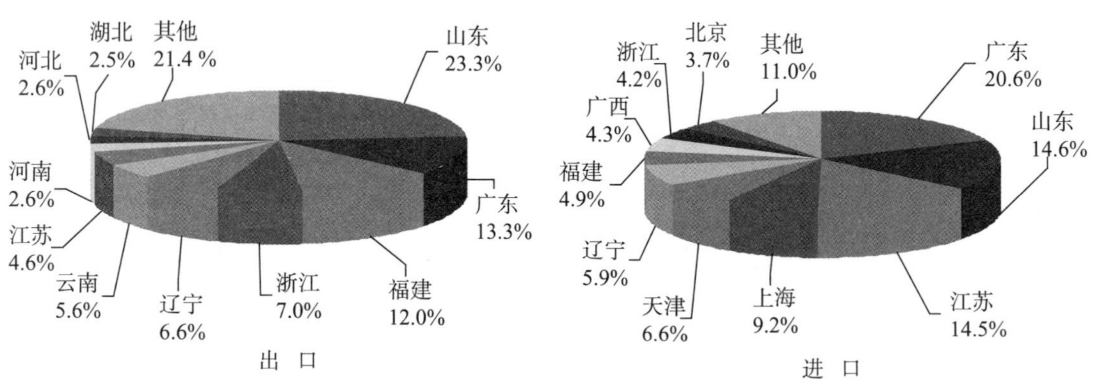

图6 2015年中国各省（自治区、直辖市）农产品进出口所占比重

数据来源：中国海关数据库。

21个省（自治区、直辖市）实现农产品贸易顺差，其中前五位的省（自治区、直辖市）及顺差额分别为：云南32亿美元，福建26.8亿美元，湖北11.1亿美元，黑龙江5.9亿美元，新疆5.1亿美元。逆差前五位的省（自治区、直辖市）及逆差额分别为：广东146.7亿美元，江苏136.1亿美元，上海93.7亿美元，天津67.5亿美元，广西39亿美元。

（六）农产品贸易地位

2015年，农产品进出口额分别占全国商品进出口额的3.1%和6.9%，其中农产品进口额占比与上年持平，农产品出口额占比比上年上升了0.6个百分点。农产品进出口额与第一产业增加值比值分别为11.9%和7.2%，与上年相比进口额上升1.1个百分点，出口额下降0.4个百分点。

三、中国参与国际粮食和农业事务情况

2015年，中国农业多边外交丰富多彩，农业日益成为中国优势的外交资源，对国际粮农事务的影响力不断增强。在联合国粮农组织（FAO）、世界动物卫生组织（OIE）、国际农业研究磋商组织（CGIAR）、亚太经合组织（APEC）、二十国集团（G20）及世界粮食计划署（WFP）等重要平台上发挥着越来越重要的作用，在几大涉农国际组织中扮演着核心成员的角色，并深入参与了世界粮食安全委员会的改革，对国际粮食安全事务享有更高知情权和话语权，在国际粮农治理体系中的地位更加突出。在区域合作和新兴经济体合作中，中国也发挥了主导作用，加大了参与国际农业标准制度制定的力度，为构建公平的农业贸易环境逐渐发挥起关键作用。

中国政府致力于解决欠发达国家粮食不安全和饥饿问题。2008年中国政府在联合国粮农组织设立了3000万美元信托基金支持联合国粮农组织在粮食安全特别计划框架之下开展农业多边“南南合作”项目，成效显著。过去几年里，粮农组织与中国已在10多个发展中国家实施了11个南南合作项目，选送了近400名专家，引进了268个作物品种，开展了237项示范活动与1300场培训，近20 000名当地农民接受了培训，65 000农民从项目中受益。

中国与联合国粮农组织及全球环境基金合作的“全球重要农业文化遗产系统的保护和适应性管理(GIAHS)”项目在提供粮食安全、农业生物多样性保护和独特的本土知识方面也取得了积极成就，中国深入参与了粮农组织全球重要农业文化遗产工

作，促进了中国及发展中国家生态文明建设与农业可持续发展。

四、中国农业利用外资情况

2015 年，中国农业紧密围绕国内现代农业产业发展需要，不断优化农业利用外资结构。结合农业结构调整方向，鼓励外资投向农业高新技术产业、新能源和节能环保产业，引导外资向中西部地区转移，鼓励外商在中西部地区发展符合环保要求的劳动密集型产业，鼓励东部地区与中西部地区以市场为导向强化农业招商引资，促进农业利用外资方式多元化，提高农业利用外资质量和水平。农业“引进来”项目的实施对引进国外先进农业技术和管理理念，促进现代农业发展，提升农业粮食安全水平等具有积极作用。

五、中国农产品贸易发展前景展望

2016 年，国际市场大宗农产品供需继续保持宽松，价格持续 2011 年以来的低迷态势。按照世界银行 2016 年 7 月发布的预测，全年农产品价格将继续呈下跌态势，但跌幅显著收窄，全部农产品价格下跌 0.8%，主要农产品价格走势不一，小麦、大麦和牛肉可能出现较大幅度下跌，糖可能出现较大幅度上涨，其余品种变化幅度较小。鉴于世界经济增长疲软，特别是新兴经济和发展中国家经济形势的恶化，全球农产品整体价格下跌已持续四年之久，农业生产者根据价格信号调整供给数量和结构，必然将进一步影响到未来的全球农产品贸易发展和贸易格局，如巴西等一些重要农产品出口国会因价格下跌和国内社会经济形势恶化而减少出口，一些重要进口国可能会因需求不振而减少进口。

中国经济即使增长放缓，但国内市场农产品需求的增长也仍将快于海外市场，预计年内农产品进口量仍将继续保持增长；进口额如何变化主要取决于全球大宗农产品的价格走势，存在继续小幅下降的可能。从国内看，国内因要素价格大幅上升而导致国内农产品市场价格居高不下，国内外农产品市场明显的价差使得中国农产品的价格竞争力在内外部市场上趋于弱化，通过农业供给侧改革扭转其态势尚需时间。从国际看，货币大幅贬值使得巴西和阿根廷等南美农产品出口大国出口的农产品价格竞争力进一步提高，有可能部分替代北美出口的大豆和食用植物油等同类商品。欧元贬值将提高欧盟农产品的价格竞争力，其对中国出口的高端农产品如优质猪肉等数量可能增加。随着相关自贸协定项下关税的削减，部分下调幅度大的农产品的进口量增幅预期会较大，自澳大利亚的进口预期将增加并可能部分替代从其他传统贸易伙伴的进口，从东盟和拉美自贸伙伴的进口预期也将增加。

中国农产品出口量实现增长的前景总体不容乐观，出口额能否增长主要取决于产品结构优化。从国内宏观环境看，政府在发展农产品贸易和农业对外合作方面将采取更加积极的措施，贸易投资便利化的举措也将惠及农业贸易。随着中国—澳大利亚和中国—韩国自贸区建设的实施，双方农产品市场开放度都将逐步提高，这既是中国农业贸易发展的机遇，也是挑战。

（农业部农业贸易促进中心　张晓婉）

中国纺织业对外开放情况

一、行业发展概况

2015 年，受到需求增长缓慢、国际竞争加剧、原料有效供给不足、综合成本上升、环保任务艰巨等因素影响，中国纺织行业①发展压力明显加大，产销增速较 2014 年进一步放缓，出口呈现负增长态势。但是，纺织行业积极推进转型升级，努力化解各种外部风险，发展形势基本正常，企业效益情况及运行质量总体平稳，多项运行指标增速好于全国工业水平。

（一）运行态势总体正常

根据国家统计局数据，2015 年，全国 3.9 万户规模以上纺织企业②工业增加值同比增长 6.3%，增速低于 2014 年 0.7 个百分点，但高于全国规模以上企业增速 0.2 个百分点。规模以上企业累计实现主营业务收入 70 713.5 亿元，同比增长 5%，增速高于全国工业 4.2 个百分点，较 2014 年放缓 1.8 个百分点；实现利润总额 3860.4 亿元，同比增长 5.4%，增速高于全国工业 7.7 个百分点，较 2014 年放缓 0.7 个百分点。全国纺织行业 500 万元以上项目固定资产投资③完成额达 11 913.2 亿元，同比增长 15%，增速高于 2014 年 1.6 个百分点，高于全国固定资产投资（不含农户）增速 5 个百分点；新开工项目数为 16 149 个，同比增长 18.3%。纺织品服装出口规模有所下滑，根据海关数据，2015 年出口总额④为 2911.5 亿美元，同比下降 4.8%，增速较 2014 年降低 9.9 个百分点。

（二）发展结构继续优化

2015 年，规模以上纺织企业销售利润率为 5.5%，较 2014 年提高 0.1 个百分点；产成品周转率为 20.7 次/年，总资产周转率为 1.6 次/年，营业、管理、财务三项费用占主营业务收入比重为 6.2%，均与 2014 年持平，经济运行质量总体平稳，成为行业发展的根本支撑。科技含量较高的产业用纺织品行业发展势头良好，全年工业增加值、利润总额同比分别增长 12.4%和 13.7%，销售利润率为 6.1%，均明显高于全行业水平，继续发挥行业新增长点作用。我国内需市场增长基本平稳，新渠道、新业态保持较快扩张趋势，全国线上服装鞋帽针纺织品零售额同比增长 9.8%，网上穿着类商品零售额同比增长 21.4%。区域布局调整有所推进，西部地区纺织企业投资实现较快增加，全年投资完成额同比增长 19.2%，占全行业比重为 9.4%，较 2014 年提高 0.4 个百分点。

（三）发展压力有所增加

2015 年，纺织行业在要素供给、市场竞争、环境约束等方面面临一系列现实问题，发展压力有所加大。一是棉花政策的后续影响依然存在，国产棉品质严重下降，进口棉受配额管制供给量有限，使得高等级棉短缺问题十分突出，棉纱进口因此大量增加，加大了国内棉纺企业竞争压力，也造成纺纱产能加快向海外转移，长期持续将破坏纺织产业链整合竞争优势。二是综合成本过高压力仍十分突出，且在国际比较中处于劣势，国内电价是越南、美国等地近 2 倍，纺织行业人均工资是越南的 2～3 倍、孟加拉的近 5 倍，纺织企业综合融资成本平均超过 6%，部分高达 10%以上，是我国纺织企业在境外投资融资成本的 3 倍以上。三是市场需求持续低迷，以常规产品为主的企业订单不足现象较为普遍，产品价格持续走低，货款回收周期延长 2 倍以上。企业为规避坏账、库存亏损、资金短缺等风

---

① 本文中纺织行业是广义概念，涵盖化学纤维制造、纺纱、织造、非织造、针织、染整、家用和产业用制成品、服装制造及纺织机械制造整个纺织产业链条。本文中来源于国家统计局的纺织行业统计数据包括国家统计局标准分类中的纺织业、化学纤维制造业、纺织服装服饰业以及机械制造业中的纺织机械制造业。

② 规模以上企业指年主营业务收入达到 2000 万元及以上的工业企业。

③ 纺织行业固定资产投资统计包括 500 万元以上的城镇和农村固定资产投资项目，但不含农户投资项目。

④ 本文中纺织品服装进出口统计数据包括中国海关商品分类第 50～63 章中的纺织纱线、织物、制成品、服装和第 94 章中的寝具。

险，接单更为谨慎，加剧了开工不足情况。

表1　　2015年纺织行业主要运行指标

指标名称	单位	2015年累计	同比（%）
主要经济指标（规模以上企业）			
主营业务收入	亿元	70 713.5	5.0
主营业务成本	亿元	62 321.3	5.0
利润总额	亿元	3 860.4	5.4
应交增值税	亿元	1 788.4	4.5
资产合计	亿元	45 266.7	4.6
主要产品产量			
化学纤维（全社会）	万吨	4 831.7	10.1
纱（全社会）	万吨	3 538.0	4.7
布（全社会）	亿米	892.6	−0.1
印染布（规模以上企业）	亿米	509.5	−3.3
无纺布（规模以上企业）	万吨	442.9	14.7
服装（规模以上企业）	亿件	308.3	2.0
固定资产投资指标（500万元以上项目）			
实际完成投资额	亿元	11 913.2	15.0
新开工项目数	个	16 149	18.3
纺织品服装贸易指标（全社会口径）			
出口总额	亿美元	2 911.5	−4.8
进口总额	亿美元	265.4	−1.0
贸易差额	亿美元	2 646.1	−5.4

数据来源：中国国家统计局、中国海关。

二、出口贸易情况

2015年，受到外需低迷、国际竞争加剧、汇率波动等因素影响，我国纺织行业出口总额持续负增长。海关统计数据显示，全年纺织品服装出口总额为2911.5亿美元，同比下降4.8%，增速较2014年放缓9.9个百分点；占全国出口总额的比重为12.8%，较2014年下降0.3个百分点。从全年走势看，上半年纺织品服装出口增长相对平稳，但下半年出口降幅整体呈现逐步加深态势，表明纺织行业出口压力突出。

表2　　我国纺织品服装出口额及占全国的比重情况

年　份	纺织品服装出口		其中：纺织品出口额（亿美元）	服装出口额（亿美元）
	出口额（亿美元）	占全国出口总额（%）		
2010年	2 120.0	13.4	825.2	1 294.8
2011年	2 541.2	13.4	1 009.0	1 532.2
2012年	2 625.6	12.8	1 024.1	1 601.5
2013年	2 920.8	13.2	1 188.6	1 782.2
2014年	3 069.6	13.1	1 191.4	1 878.2
2015年	2 911.5	12.8	1 152.6	1 758.9

数据来源：中国海关。

（一）出口呈现量价齐跌态势

2015年，我国纺织品服装出口价格同比下降1.4%，出口数量同比下降3.5%。这种量价齐跌，特别是出口数量明显减少的情况在纺织行业近年来的出口走势中较为罕见。造成纺织行业出口量价齐跌的原因：一是国际市场仍处于弱复苏周期，终端消费增长相对缓慢，出口产品量价提升缺乏市场动力。二是受到需求不足、国际油价低位带动合纤价格下降等多种因素影响，纺织原料价格总体下行，出口产品价格同步降低。三是综合成本高企，造成部分中低档纺织服装产品加工能力持续向海外转移，我国直接出口数量有所减少。

表3　我国纺织品服装出口价格、出口数量指数　上年同期=100

年　份	出口价格指数			出口数量指数		
	纺织品服装	纺织品	服装	纺织品服装	纺织品	服装
2010年	108.0	108.8	107.6	114.6	118.1	112.4
2011年	119.3	120.3	118.6	100.5	101.6	99.8
2012年	103.9	99.8	106.9	99.4	101.7	97.8
2013年	104.3	105.0	103.8	106.7	105.9	107.2
2014年	100.0	99.9	100.0	105.2	104.7	105.4
2015年	98.6	97.3	99.6	96.5	100.5	94.1

数据来源：中国纺织工业联合会统计中心根据中国海关统计数据整理。

（二）服装出口额下降较为明显

2015年，我国服装出口下降明显，出口额为1758.9亿美元，同比减少6.4%，增速较2014年放缓11.8个百分点。由于综合成本，特别是劳动力成本持续提升，我国服装出口价格并未明显降低，同比仅下降0.4%。但受成本及价格过高影响，中低档服装加工订单及产能向东南亚、南亚等低成本地区转移趋势明显，我国服装出口数量同比减少了5.9%，增速较2014年大幅放缓11.3个百分点；其中，加工工艺相对简单、附加值相对较低的针织服装出口额同比降幅达到8.9%。

纺织品2015年共出口1152.6亿美元，同比下降2.3%，增速较2014年放缓7个百分点。受高品质棉花供给短缺影响，棉制纺织品出口规模缩减较为明显，2015年出口额同比下降6.3%，降幅大于同期化纤制纺织品4.8个百分点；其中棉纱线出口额同比降幅达到19.2%，棉制床上用品出口额同比下降18.7%。

表4　2015年我国主要纺织服装产品出口情况

主要出口产品	出口额（亿美元）	同比（%）	增速比2014年增减（百分点）
纺织品服装	2 911.5	−4.8	−9.9
纺织品	1 152.6	−2.3	−7.0
棉制纺织品	255.5	−6.3	−1.4
化纤制纺织品	639.2	−1.5	−10.0
纺织纱线	102.3	−9.2	−7.9
纺织织物	371.2	0.2	−3.1
纺织制成品	679.1	−2.5	−8.9
服　装	1 758.9	−6.4	−11.8
棉制服装	626.4	−8.7	−4.9
化纤制服装	751.2	−5.3	−19.0
针织服装	838.1	−8.9	−3.9
梭织服装	784.9	−3.6	−22.9

数据来源：中国海关。

（三）对主要市场出口增速普遍放缓

主要出口市场中，美国市场增长相对较为平稳，我国对其纺织品服装出口保持增长，2015年出口额同比增长6.7%，但增速较2014年略放缓0.3个百分点。受欧元、日元大幅贬值影响，我国对欧盟和日本的纺织品服装出口下降突出，2015年出口额同比分别减少9.3%和11.6%，增速较2014年分别下降22.7和2.7个百分点。受宏观经济环境影响，新兴市场需求减速较为明显，我国对其纺织品服装出口也扭转了前几年的持续、较快增长态势，增速明显放缓。2015年，我国对东盟出口额同比下降0.8%，对非洲出口额同比仅增长4.6%，增速较2014年分别放缓了6.7和12.7个百分点。

表5 2015年我国对主要市场出口纺织品服装情况

国家和地区	出口额（亿美元）	同比（%）	增速比2014年增减（百分点）
欧　盟	541.4	−9.3	−22.7
美　国	499.9	6.7	−0.3
东　盟	363.3	−0.8	−6.7
日　本	225.5	−11.6	−2.7
非　洲	211.0	4.6	−12.7
中国香港	140.2	−15.6	0.0
韩　国	93.5	11.4	−9.6
澳大利亚	57.1	0.8	−6.3

数据来源：中国海关。

（四）参与国际竞争压力加大

近年来，由于综合成本高企，中国纺织企业参与国际竞争的压力不断加大，在主销市场所占份额连年下降。根据相关统计数据，2015年，我国在美国、欧盟、日本三大传统市场纺织品服装进口额中所占比重分别为38.6%、36.8%和64.5%，较2014年分别下降0.3、1和3个百分点，同期越南、孟加拉、印度尼西亚三国在日本纺织品服装进口总额中占比较2014年合计提高2.4个百分点，越南、印度、孟加拉三国在美国占比提高1.3个百分点。

表6 美、欧、日主要纺织品服装进口来源国所占份额情况

国　家	美　国		欧　盟		日　本	
	2015年进口额占比（%）	较2014年增减（百分点）	2015年进口额占比（%）	较2014年增减（百分点）	2015年进口额占比（%）	较2014年增减（百分点）
中　国	38.6	−0.3	36.8	−1.0	64.5	−3.0
越　南	10.1	0.8	2.9	0.3	9.5	1.4
孟加拉	5.0	0.3	12.6	1.4	2.3	0.6
印　度	6.5	0.2	7.2	−0.1	4.0	0.4
印　尼	4.6	−0.1	1.6	0.0	1.2	0.0

资料来源：美国商务部、欧盟统计局、日本海关。

三、进口贸易情况

2015年，我国纺织品服装进口延续了2014年的减少态势，进口总额为265.4亿美元，同比减少1%，降幅较2014年扩大0..4个百分点。原料价格走低拉动进口价格同比下降6.2%，是造成纺织品服装进口额减少的主要原因，进口数量同比则增加了5.6%。受纺织行业产销增长减速及国内自主配套能力提升等因素影响，纺织产业链配套产品进口

规模也继续缩减，2015 年进口额为 437.6 亿美元，同比下降 14.7%。

表 7　　我国纺织品服装进口额及占全国的比重情况

年　份	纺织品服装进口		其　中：纺织品进口额（亿美元）	服装进口额（亿美元）
	进口额（亿美元）	占全国（%）		
2010 年	203.2	1.5	178.1	25.2
2011 年	231.6	1.3	91.5	40.1
2012 年	248.0	1.4	199.8	48.2
2013 年	275.4	1.4	217.3	58.1
2014 年	273.8	1.4	204.5	69.3
2015 年	265.4	1.6	186.5	78.9

数据来源：中国海关。

表 8　　我国纺织品服装进口价格指数　　上年同期＝100

年　份	进口价格指数		
	纺织品服装	纺织品	服　　装
2010 年	109.5	109.4	110.5
2011 年	116.7	116.3	118.7
2012 年	99.5	99.3	100.4
2013 年	100.0	101.2	95.7
2014 年	95.9	99.2	84.9
2015 年	93.8	94.1	92.7

数据来源：中国纺织工业联合会统计中心根据中国海关统计数据整理。

（一）服装进口保持较快增长

2015 年，我国内需消费基本保持平稳增长，但增速较 2014 年有所放缓，全国限额以上服装鞋帽、针纺织品零售额同比增长 9.8%，增速较 2014 年下降 1.1 个百分点。但我国服装进口仍保持较快增长，2015 年进口额为 78.9 亿美元，同比增长 13.9%；其中，服装进口价格同比下降 7.3%，进口数量同比增加 22.9%。

我国服装进口较快增长的原因之一，是部分零售商将中低档服装产品加工订单由我国转移至东南亚等低成本地区，再进口至我国销售。2015 年我国从越南的服装进口额同比增加 31.1%，增速显著高于从其他国家和地区。此外，受日元大幅贬值影响，我国从日本的服装进口额同比大幅增长 77.8%，日本在我国服装进口来源国中的排位也从 2014 年第三位上升至 2015 年第一位。

（二）纺织品进口放缓明显

2015 年，受纺织行业生产减速影响，我国纺织品进口增速继续放缓，进口额为 186.5 亿美元，同比下降 6.2%，增速较 2014 年下降 0.3 个百分点。其中，纺织织物和纺织制成品进口增速放缓更为明显，进口额同比分别减少 12.7%和 10.3%，增速较 2014 年分别放缓 3.4 和 8.9 个百分点。纺织纱线进口基本保持稳定，进口额同比仅略减少 0.2%，原因主要是占纱线进口额 74%的棉纱线受国内棉花政策影响进口大幅增加。2015 年，我国共进口棉纱线 234.6 万吨，同比增长 16.6%；共计 63.7 亿美元，同比增长 2.4%。

主要进口来源地中，印度受棉纱进口需求增加影响，进口额同比增长了 13%；我国台湾地区以及日本、韩国受织物、制品需求下降的影响，进口额均呈现负增长态势。

表 9　　2015 年我国主要纺织服装产品进口情况

主要出口产品	进口额（亿美元）	同比（%）	增速比 2014 年增减（百分点）
纺织品服装	265.4	−1.0	−0.4
纺织品	186.5	−6.2	−0.3
纺织纱线	86.1	−0.2	7.6
纺织织物	39.4	−12.7	−3.4
纺织制成品	61.0	−10.3	−8.9
服　装	78.9	13.9	−5.4
针织服装	23.1	11.7	−12.4
梭织服装	36.9	3.7	−9.8
服装附件	24.7	36.1	14.8

数据来源：中国海关。

表 10　　2015 年我国纺织品服装主要进口来源地情况

纺织品				服　装			
排序	国家和地区	进口额（亿美元）	同比（%）	排序	国家	进口额（亿美元）	同比（%）
	全　　球	186.5	−6.2		全　　球	78.9	13.9
1	中国台湾	25.1	−8.9	1	日　　本	12.2	77.8
2	日　　本	22.8	−12.1	2	意 大 利	10.1	−8.7
3	印　　度	19.9	13.0	3	朝　　鲜	8.0	7.8
4	韩　　国	18.6	−12.0	4	越　　南	7.4	31.1

数据来源：中国海关。

（三）纺织原料进口额有所减少

2015 年，我国天然纤维进口大幅减少，进口量和进口额分别为 276.2 万吨和 61.2 亿美元，同比分别下降 25.7%和 28.2%。天然纤维进口下降的原因主要是：国储棉出库销售，棉花进口配额减量发放，造成棉花进口量大幅下降。全年我国共进口原棉 147.3 万吨，合计 25.6 亿美元，同比分别减少 38.6%和 47.9%。

我国化纤产量平稳增长，带动合成纤维单体进口需求有所增加，2015 年进口量同比增长 8%。但受国际原油价格低位影响，合纤单体进口价格同比降低 26.3%，带动进口额同比减少 20.4%。

（四）装备及染料进口需求减少

2015 年，我国纺织机械进口规模继续减少，进口额为 29.6 亿美元，同比下降 24.1%。其中，纺纱、织造、针织等装备进口数量和进口额均明显减少，体现了我国自主化装备配套能力提升，以及传统纺织加工环节投资需求有所下降。部分化纤装备、产业用织机以及印染后整理装备进口数量有所增加，表明企业转型升级投入需求仍然明显。

受供给量扩大影响，我国染料及助剂进口价格有所下降，进口数量及金额增速也随国内纺织行业生产减速而有所放缓。2015 年，我国染料进口额为 7.7 亿美元，同比下降 0.7%，增速较 2014 年放缓 9.7 个百分点；进口数量同比略增加 1.3%，进口价格同比下降 2.1%。助剂进口额为 25.7 亿美元，同比下降 5.8%；增速较 2014 年放缓 12.1 个百分点；进口数量和进口价格同比分别下降 3.7%和 1.9%。

表 11　　2015 年我国纺织行业进口相关产品情况①

产品名称	进口量		进口额	
	全年累计（万吨）	同比（%）	全年累计（亿美元）	同比（%）
天然纤维	276.2	－25.7	61.2	－28.2
纤维素纤维原料	2 003.3	10.8	128.2	5.8
合成纤维单体	2 198.1	8.0	185.2	－20.4
有机染料及助剂	78.7	－3.4	33.4	－4.7
纺织机械	—	—	29.6	－24.1
合　计	—	—	437.6	－14.7

数据来源：中国海关。

四、利用外资情况

2015 年，在我国纺织行业经济运行压力整体加大的情况下，港澳台投资企业和外商投资纺织企业的运行压力更为突出，各项运行指标增速明显低于全行业平均水平，且较 2014 年进一步放缓，经济总量以及资本流量、存量在纺织行业中的占比继续下降。

（一）三资企业经济运行压力加大

根据国家统计局数据，2015 年，我国规模以上纺织企业中共有港澳台和外商控股企业 5696 户，实现主营业务收入 11 507 亿元，同比仅增长 1.3%，增速较 2014 年放缓 3.5 个百分点，低于纺织全行业增速 3.7 个百分点；实现利润总额 594.7 亿元，同比增长 2.8%，增速较 2014 年放缓 0.8 个百分点，低于纺织全行业增速 2.6 个百分点。根据海关统计数据，全国三资企业纺织品服装出口额为 634.4 亿美元，同比下降 9.2%，增速低于 2014 年 7.8 个百分点，低于全国纺织品服装出口增速 4.5 个百分点。三资企业主营业务收入、利润总额和出口总额占纺织全行业的比重分别为 16.2%、15.4%和 21.8%，较 2014 年分别下降 0.6、0.5 和 1.1 个百分点。

港澳台控股企业运行情况总体略好于外商控股企业，2015 年主营业务收入同比增长 1.9%，高于外商控股企业 1.6 个百分点。但外商控股企业由于上年基数较低，利润增长速度更快，2015 年利润总额同比增长 8.5%，增速较 2014 年提高 11.9 个百分点，高于纺织全行业 3.1 个百分点。

表 12　　2015 年港澳台及外商控股纺织企业主要指标

主要经济指标（规模以上企业）							
指标名称	单位	港澳台控股			外商控股		
		累计	同比（%）	占全行业比重（%）	累计	同比（%）	占全行业比重（%）
企业户数	户	3 559	—	9.2	2 137	—	5.5
主营业务收入	亿元	7 741.8	1.9	10.9	3 765.2	0.3	5.3
利润总额	亿元	393.4	0.2	10.2	201.3	8.5	5.2
应缴增值税	亿元	199.7	3.7	11.2	90.9	0.5	5.1
资产合计	亿元	6 286.0	1.8	13.9	2 626.8	0.5	5.8

纺织品服装贸易指标（全社会口径）				
指标名称	单位	三资企业		
		累计	同比（%）	占全行业比重（%）
出口总额	亿美元	634.4	－9.2	21.8
进口总额	亿美元	157.3	－2.7	59.2
贸易差额	亿美元	477.2	－10.9	18.0

数据来源：中国国家统计局、中国海关。

① 本表格中天然纤维包括各种棉、麻、丝和毛纤维；纤维素纤维原料包括用于制造再生纤维素纤维的棉短绒、化学木浆等；合成纤维单体指用于制造合成纤维的对苯二甲酸、乙二醇、己内酰胺等单体原料。

（二）三资企业投资信心仍然低迷

2015年，受经济运行压力加大影响，港澳台及外商企业投资信心明显不足，新增投资规模进一步下降。全年，港澳台及外商企业500万元以上项目固定资产投资完成额为538.8亿元，同比仅增长1.2%，投资额占纺织全行业的比重为4.5%，较2014年降低0.6个百分点。其中，外商企业投资规模萎缩，投资额同比减少7.7%，占全行业比重较2014年降低0.5个百分点。

表13　　2015年纺织行业固定资产投资情况（按企业注册类型，500万元以上项目）

指标名称	累计（亿元）	同比（%）	占全行业比重（%）
全行业投资合计	11 913.2	15.0	100.0
其中：内资	11 304.4	15.5	94.9
港澳台投资	319.6	8.4	2.7
外商投资	219.2	−7.7	1.8
个体经营	70.1	66.6	0.6

数据来源：中国国家统计。

（三）三资实收资本占比进一步下降

受经济运行压力加大及新增投资放缓影响，港澳台及外商资本存量在我国纺织行业资本结构中的占比进一步下降。根据国家统计局年报数据，2014年①，我国规模以上纺织企业中，港澳台和外商资本为2323亿元，在全行业中占比合计为25.7%，较2013年下降2.8个百分点。其中，港澳台资本占比降幅更为突出，2014年占比为14.8%，较2013年下降2个百分点；外商资本占比为10.9%，较2013年下降0.8个百分点。

表14　　2014年我国纺织行业实收资本及其结构（规模以上企业）

实收资本类别	实收资本额（亿元）	2014年占比（%）	占比较2013年增减（百分点）
实收资本总额	9 054.1	100.0	—
其中：国家资本	204.6	2.3	−0.1
集体资本	94.6	1.0	0.0
法人资本	2 959.3	32.7	1.8
个人资本	3 460.6	38.2	1.4
港澳台资本	1 335.8	14.8	−2.0
外商资本	987.2	10.9	−0.8

数据来源：中国国家统计局。

（中国纺织工业联合会产业经济研究院　赵明霞）

① 实收资本数据来源于国家统计局年报，2015年度纺织行业统计年报尚未公布，故本部分内容使用2014年数据。表14中“占比较2013年增减（百分点）”数据根据2013年年报数据计算而来，与上年度本年鉴中使用的2013年经济普查数据略有不同。

中国汽车业对外开放情况

2015年，我国宏观经济增速放缓，国内有效需求不足，汽车商品进口同比出现自2006年以来首次下降，汽车整车进口降幅更为明显；从出口情况来看，由于国际经济增长预期放缓，一些地区政治形势波动加剧，也在很大程度上影响了汽车出口的增长。据中国汽车工业协会统计整理的海关总署汽车商品进出口数据显示，2015年，汽车商品进出口总额1573.72亿美元，同比下降13.96%。具体而言，2015年汽车商品进、出口大致呈现以下特点：

一、汽车商品进口情况分析

1. 汽车商品进口金额同比降幅超过20%，主导商品均呈快速下降

2015年，汽车商品进口结束上年快速增长，呈明显下降。累计进口金额773.26亿美元，同比下降21.58%。从全年汽车商品进口金额变化情况来看，各月进口同比降幅均达到两位数，其中2月、5月、8月和10月降幅更为明显。

在七大类汽车进口商品中，只有摩托车进口呈较快增长，累计进口金额继上年后再次超过1亿美元，同比增长超过50%。其他六大类汽车商品均呈明显下降，其中汽车整车下降更快。

从近十年汽车商品进口情况来看，2006年进口总额首次超过200亿美元，2014年接近千亿美元，创历史新高，2015年尽管下降，但十年来进口商品年均增速达到15.66%，总体呈现快速增长势头。（见图1）

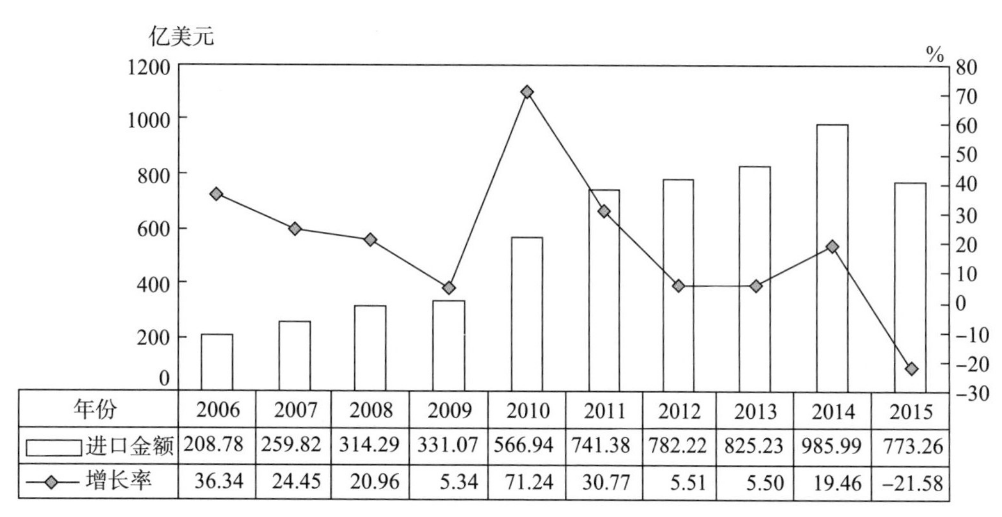

年份	2006	2007	2008	2009	2010	2011	2012	2013	2014	2015
进口金额	208.78	259.82	314.29	331.07	566.94	741.38	782.22	825.23	985.99	773.26
增长率	36.34	24.45	20.96	5.34	71.24	30.77	5.51	5.50	19.46	-21.58

图1 2006—2015年汽车商品进口金额及同比增长变化情况

2. 汽车整车进口比上年明显下降，前十国进口量继续占最大比重

2015年，受上年库存压力以及国内需求下降的影响，汽车整车进口同比呈明显下降。共进口110.19万辆，同比下降22.73%；进口金额450.88亿美元，同比下降25.98%。从各月汽车进口表现来看，1月和9月进口量同比降幅略低，其他各月降幅均超过10%，其中2月、5月和8月降幅超过30%。

2015年，在汽车主要进口品种中，三大类汽车进口品种同比均呈明显下降。其中：越野车进口47.18万辆，同比下降19.90%。在越野车细分品种中，1.0升<排量≤1.5升系列汽油车和2.5升<排量≤3.0升系列柴油越野车增速略低，其他各系列越野车品种均呈下降。轿车进口35.25万辆，同比下降24.95%。在轿车主要进口品种中，1.0升<排量≤1.5升系列汽油车进口量呈较快增长，其他各系列汽油车品种有所下降。小型客车进口

26.43 万辆，同比下降 23.20%。在小型客车细分品种中，1.5 升及以下小排量汽油车品种呈迅猛增长，2.0 升以上各系列汽油车品种呈较快下降。2015 年，上述三大类汽车品种共进口 108.86 万辆，占汽车进口总量的 98.79%。

2015 年，汽车进口量居前十位的国家依次是：日本、美国、德国、英国、韩国、墨西哥、斯洛伐克、匈牙利、葡萄牙和法国，分别进口 26.31 万辆、26.06 万辆、21.88 万辆、9.68 万辆、5.52 万辆、5.07 万辆、2.70 万辆、1.93 万辆、1.70 万辆和 1.54 万辆。与上年相比，匈牙利进口量略有增长，其他国家均呈下降，其中英国、韩国、墨西哥和斯洛伐克降幅更为明显。2015 年，我国从上述十国共进口汽车 102.39 万辆，占汽车进口总量的 92.92%。

从近十年汽车整车进口情况来看，2006 年进口量仅有 20 万辆左右，2011 年首次超过百万，此后五年整车均保持百万辆规模，十年年均增长 19.13%，高于行业增幅。（见图 2 和图 3）

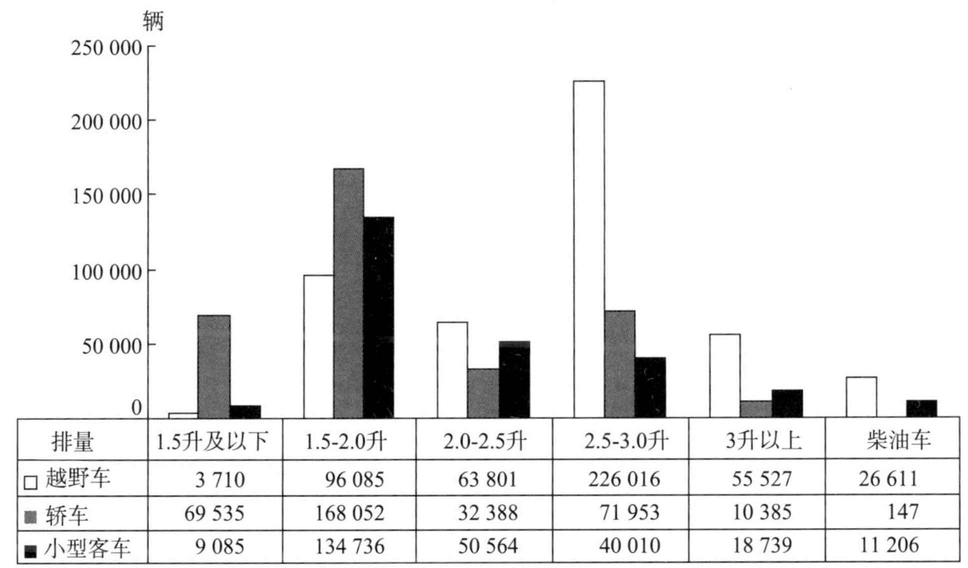

排量	1.5升及以下	1.5-2.0升	2.0-2.5升	2.5-3.0升	3升以上	柴油车
□ 越野车	3 710	96 085	63 801	226 016	55 527	26 611
■ 轿车	69 535	168 052	32 388	71 953	10 385	147
■ 小型客车	9 085	134 736	50 564	40 010	18 739	11 206

图 2　2015 年乘用车三大类品种分排量进口情况

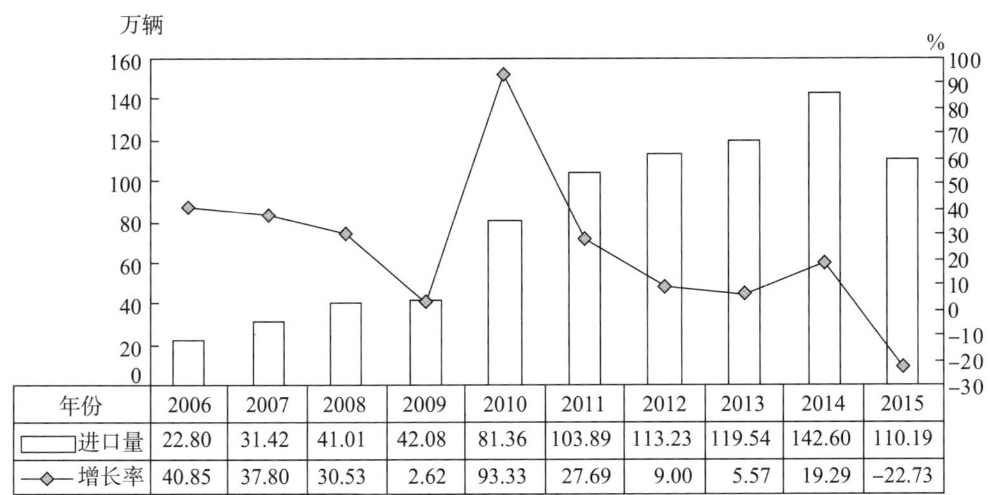

年份	2006	2007	2008	2009	2010	2011	2012	2013	2014	2015
进口量	22.80	31.42	41.01	42.08	81.36	103.89	113.23	119.54	142.60	110.19
增长率	40.85	37.80	30.53	2.62	93.33	27.69	9.00	5.57	19.29	-22.73

图 3　2006—2015 年汽车整车进口量及同比增长变化情况

3. 汽车零部件进口金额呈现下降，发动机降幅居前

2015 年，汽车零部件进口也结束上年增长，呈一定程度的下降。累计进口金额 320.65 亿美元，同比下降 14.61%。在汽车零部件主要品种中，与上年同期相比，四大类零部件品种均呈下降。其中发动机进口 68.13 万台，同比下降 15.94%，降幅比上年扩大 15 个百分点；进口金额 18.62 亿美元，同比下降 17.13%，降幅比上年扩大 11.66 个百分点。在发动机主要品种中，六大类品种进口量和金额均呈不同下降，其中所占比重最大的 1.0 升<排量≤3.0 升汽油发动机共进口 66.32 万台，同比下降 15.29%，占发动机进口总量的 97.34%；进口金额 16.95 亿美元，同比下降 15.13%，占发动机进口总额的 91.03%。

汽车零件、附件及车身进口金额 267.92 亿美元，同比下降 14.97%，在中汽协会统计的七类主要细分品种中，电控燃油喷射装置进口金额呈较快增长，其他六类品种呈一定下降，其中所占比重最大的变速箱降幅最大。

汽车、摩托车轮胎进口金额 5.88 亿美元，同比下降 16.93%，其中汽车内胎降幅略低，其他品种降幅较明显。

其他汽车相关商品进口金额 28.23 亿美元，同比下降 8.56%。

从近十年零部件进口金额变化情况来看，2006—2011 年保持较快增长，年均增速超过 18%，2012 年略有下降，2013—2014 年呈恢复性增长，2015 年降幅加大。总体而言，十年年均增速低于汽车整车。（见图 4）

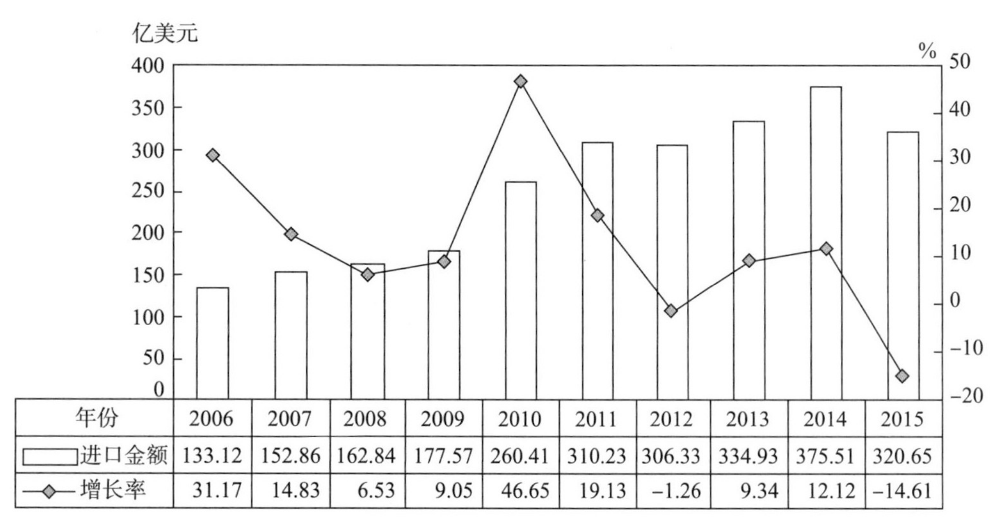

年份	2006	2007	2008	2009	2010	2011	2012	2013	2014	2015
进口金额	133.12	152.86	162.84	177.57	260.41	310.23	306.33	334.93	375.51	320.65
增长率	31.17	14.83	6.53	9.05	46.65	19.13	-1.26	9.34	12.12	-14.61

图 4　2006—2015 年汽车零部件进口金额及同比增长变化情况

4. 汽车商品主要进口来源国依然保持较高占有率，前十国进口金额占比保持 90%以上

2015 年，据海关统计，从汽车商品进口金额排名前 50 位的国家（含地区）累计进口额 773.03 亿美元，占我国汽车商品进口总额的 99.97%。其中进口金额排名前十位的国家（地区）依次是：德国、日本、美国、英国、韩国、墨西哥、斯洛伐克、匈牙利、法国和瑞典，进口额分别是 223.75 亿美元、142.71 亿美元、138.41 亿美元、68.79 亿美元、59.70 亿美元、20.18 亿美元、17.21 亿美元、11.56 亿美元、9.33 亿美元和 9.12 亿美元。与上年相比，从瑞典进口金额呈较快增长，其他国家呈一定下降，其中斯洛伐克和英国降幅更为明显。2015 年，从上述十国累计进口金额达 700.76 亿美元，占汽车商品进口总额的 90.62%。

二、汽车商品出口情况分析

1. 汽车商品出口金额呈小幅下降，顺差超过 20 亿美元

2015 年，汽车出口形势依然较为严峻。从国际形势来看，世界经济复苏势头趋缓，发达国家增长率不如预期强劲，欧洲表现更为低迷，新兴市场和发展中国家增速也在放慢，一些地区政治紧张形势有所加剧，国际市场需求总体疲弱对中国出口形

成较大冲击。另一方面，国内出口企业外贸综合成本居高不下，传统竞争优势继续削弱。受此影响，2015年汽车商品出口总体呈一定下降，累计出口金额800.46亿美元，同比下降5.06%。值得一提的是，由于同期进口降幅更大，因此出口总体结束了自2010年以来的逆差，再次出现顺差。2015年，我国汽车出口对外贸易顺差为27.20亿美元，总体仍低于2009年以前水平。

从月度汽车商品出口金额同比增长变化情况来看，2月呈快速增长，6月增速略低，其他各月均呈下降。尽管第四季度国家相继出台了一系列鼓励出口的优惠政策，但第四季度各月降幅仍然超过10%，出口严峻形势未得到有效缓解。

此外，从近十年汽车商品出口表现来看，2006—2008年出口金额增速超过20%，2009年下降较快，2010—2011年再次呈现明显增长，2012年后增速趋缓。近十年年均增速12.32%，增幅低于进口。（具体情况见图5）

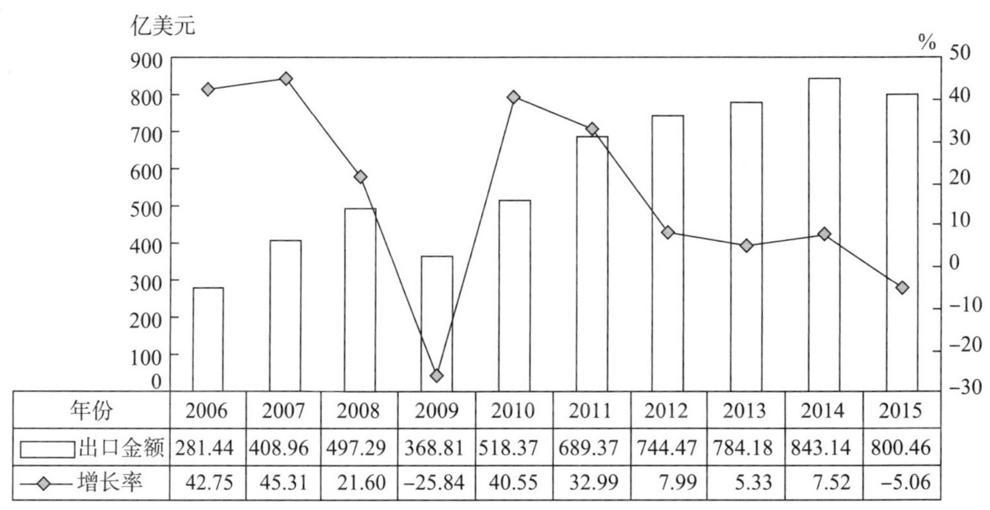

年份	2006	2007	2008	2009	2010	2011	2012	2013	2014	2015
出口金额	281.44	408.96	497.29	368.81	518.37	689.37	744.47	784.18	843.14	800.46
增长率	42.75	45.31	21.60	−25.84	40.55	32.99	7.99	5.33	7.52	−5.06

图5　2006—2015年汽车商品出口金额及同比增长变化情况

2. 汽车整车出口量降幅有所扩大，前十国出口量占比保持50%以上

2015年，在诸多不利因素影响下，汽车整车出口受到较大冲击，与上年同期相比，出口量和金额双双下降，其中数量降幅更为明显。2015年，汽车整车共出口75.55万辆，同比下降20.25%，降幅比上年扩大20.17个百分点；出口金额124.37亿美元，同比下降9.92%，结束上年增长。出口单价1.65万美元，高于上年0.19万美元。从月度汽车出口同比增长变化趋势来看，只有2月呈快速增长，其他各月均呈明显下降，其中9月后各月同比降幅超过25%。

在汽车整车出口主要品种中，与上年相比，轿车降幅有所扩大，载货车和客车均结束增长，呈较快下降。2015年，轿车共出口30.80万辆，同比下降16.97%，降幅比上年扩大4.36个百分点。在轿车细分品种中，2升及以上品种呈较快增长，共出口2.16万辆，同比增长12.21%；1.5升及以下品种依然呈现下降，共出口16.98万辆，同比下降27.42%，降幅比上年扩大5.02个百分点。载货车出口21.88万辆，同比下降26.18%。在载货车细分品种中，14吨<载重量≤20吨柴油车系列品种呈快速增长，共出口1.31万辆，同比增长63.95%；5吨以下汽油车和柴油车降幅比上年明显扩大，分别出口6.82万辆和5.65万辆，同比下降17.16%和51.76%，降幅比上年分别扩大17.08个百分点和50.39个百分点。客车共出口11.84万辆，同比下降36.81%。在客车主要品种中，小型客车（9座以下）出口量保持最大，但出口降幅明显扩大，共出口5.92万辆，同比下降40.36%，降幅比上年扩大36.73个百分点。2015年，轿车、载货车和客车等三大类整车品种共出口64.52万辆，占汽车出口总量的85.40%，比上年有所下降。

目前，整车出口目的国家仍主要集中在中东、东南亚和南美等发展中地区。出口国家方面，由于西方国家的经济制裁逐步解除，伊朗汽车市场回暖，2015 年对伊朗出口量超过 10 万辆，同比下降 5.0%，伊朗仍为中国最大的汽车出口市场；越南升为第二大出口市场，增速高达 92.8%；委内瑞拉为第三大出口市场，同比增长 26.5%。此外，由于政局不稳、经济低迷和货币贬值等负面因素造成传统出口市场需求下降，中国对埃及、阿尔及利亚、哥伦比亚、俄罗斯、乌拉圭和厄瓜多尔等传统出口国家汽车出口量均有不同程度的下滑，其中对阿尔及利亚、俄罗斯和哥伦比亚汽车出口分别同比下降 62.5%、72.1%和 33.1%。“一带一路”战略为汽车企业出口带来新机遇，2015 年对东南亚和南亚等“一带一路”沿线国家汽车出口量大幅增长。除越南外，对印度、菲律宾和斯里兰卡出口增速分别达到 413.8%、29.2%和 58.0%。

表 1　　2015 年整车（分国别）出口情况　　辆，亿美元，%

序号	国家（地区）	出口数量	同比增长	出口金额	同比增长
1	伊朗	108 437	−5.0	12.01	−6.6
2	越南	72 343	92.8	17.14	99.8
3	委内瑞拉	39 536	26.5	8.95	41.3
4	智力	39 500	−1.5	3.24	−8.5
5	埃及	38 567	−27.4	2.31	−26.7
6	哥伦比亚	31 265	−33.1	1.93	−41.5
7	阿尔及利亚	30 998	−62.5	3.03	−66.1
8	秘鲁	26 699	−2.8	2.34	−17.7
9	沙特阿拉伯	24 568	−21.0	5.91	−15.1
10	孟加拉国	24 160	12.6	0.55	102.8
11	缅甸	21 525	−5.4	4.39	29.8
12	印度	18 305	413.8	0.56	65.3
13	俄罗斯联邦	17 302	−72.1	2.02	−72.5
14	乌拉圭	14 439	−37.2	0.97	−37.1
15	菲律宾	13 810	29.2	4.18	39.6
16	厄瓜多尔	13 255	−42.3	1.07	−55.1
17	阿联酋	9 839	−33.9	2.46	−5.6
18	巴西	9 020	−35.8	0.58	−40.7
19	玻利维亚	9 011	7.4	1.04	−2.0
20	斯里兰卡	8 943	58.0	0.59	−5.8

从近十年汽车整车出口量变化来看，总体呈明显波动。2006—2008 年虽呈较快增长，但增速逐年回落。2009 年受国际金融危机影响，下降较快。2010—2012 年再次呈快速增长，但增幅依然呈逐年回落。2013 年后出口量同比再次下降。在 2012 年汽车出口量突破 100 万辆之后，并未延续增长势头，近些年面临的形势更为严峻。（见图 6）

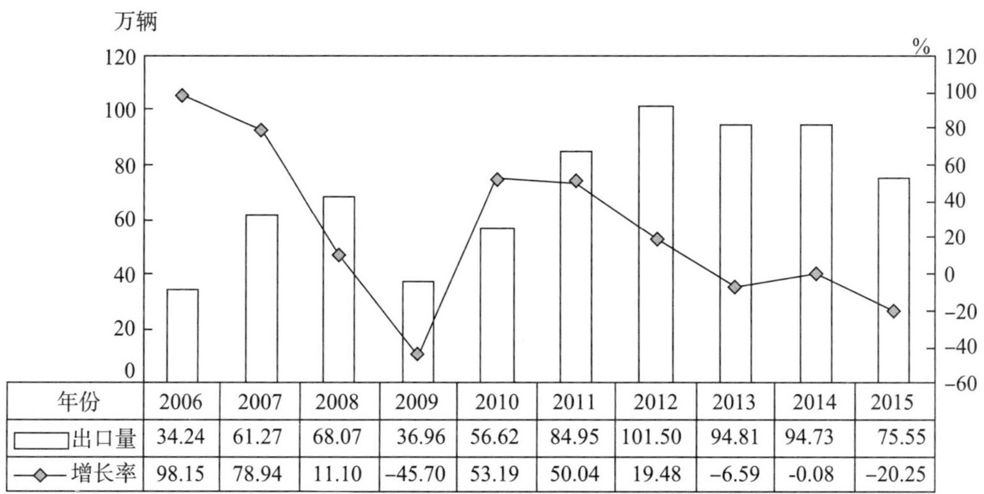

年份	2006	2007	2008	2009	2010	2011	2012	2013	2014	2015
出口量	34.24	61.27	68.07	36.96	56.62	84.95	101.50	94.81	94.73	75.55
增长率	98.15	78.94	11.10	-45.70	53.19	50.04	19.48	-6.59	-0.08	-20.25

图 6　2006—2015 年汽车整车出口量及同比增长变化情况

出口方式方面，一般贸易汽车产品出口占主体地位。整车产品中，2015 年一般贸易出口金额 97.32 亿美元，占比达到 78.3%。

整车出口以自主品牌企业为主。根据中汽协会统计的整车企业出口数据，排名前五位的出口企业分别为奇瑞汽车（8.67 万辆）、华晨汽车（8.15 万辆）、上汽集团（8.02 万辆）、北汽集团（7.95 万辆）和力帆汽车（6.11 万辆），合计占出口总量的 53.4%。除北汽集团、江淮汽车和中国重汽外，大多数汽车企业汽车出口量下滑明显，其中吉利集团、中国长安和长城汽车的降幅分别达到 54.0%、40.2%和 52.4%，奇瑞汽车、力帆汽车和东风公司的降幅均在 20.0%以上，而北汽集团和江淮汽车的增幅不到 10.0%。

3. 汽车零部件出口金额小幅下降，贸易顺差保持增长

2015 年，汽车零部件出口也结束上年增长而有所下降。累计出口金额 619.17 亿美元，同比下降 4.18%；占汽车商品出口总额的 77.35%，占有率比上年提升 0.71 个百分点；出口顺差达到 298.52 亿美元，比上年增加 27.86 亿美元。在四大类汽车零部件品种中，发动机出口金额比上年略有增长，其他三大类品种有所下降。

2015 年，发动机出口量结束增长，呈一定下降，共出口 338.68 万台，同比下降 7.52%；出口金额增幅有所减缓，共出口 17.83 亿美元，同比增长 6.12%，增幅比上年减缓 0.57 个百分点。在发动机主要品种中，1 升＜排量≤3.0 升系列汽油机品种呈较快增长，共出口 53.50 万辆，同比增长 30.52%，出口金额 9.24 亿美元，同比增长 60.19%。出口量所占比重最大的 250 毫升及以下汽油机品种有所下降，共出口 270.46 万辆，同比下降 10.84%；出口金额 3.19 亿美元，同比下降 19.98%。

汽车零件、附件及车身出口金额结束上年快速增长，略有下降，共出口 351.85 亿美元，同比下降 0.49%。在统计的七类主要细分品种中，变速箱和座椅安全带出口金额呈较快下降，驱动桥降幅略低，其他四类品种呈小幅增长。

汽车、摩托车轮胎和其他汽车相关商品出口金额分别达到 126.63 亿美元和 122.86 亿美元，同比分别下降 16.42%和 1.14%，均结束上年增长。

另据近十年汽车零部件出口金额变化情况来看，除 2009 年和 2015 年出口金额有所下降外，其他年份均呈增长，总体表现好于整车。（见图 7）

2015 年，美国仍然是中国汽车零部件出口的第一大市场，出口金额占零部件出口总额的 26.6%。但主要出口轮胎、轮毂和电子电器等低附加值配件产品，很难进入跨国公司采购体系。而高技术含量的零部件出口虽有一定的发展，但绝大部分的核心技术仍掌握在国际大型零部件生产商手中。因受当地政策和市场需求等因素影响，中国对多数国家汽车零部件的出口额呈低速增长或负增长态势。

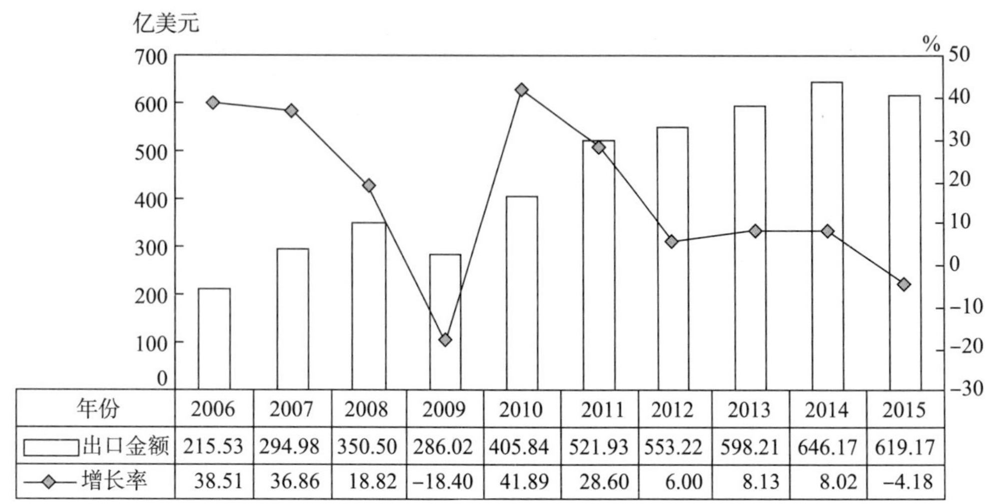

年份	2006	2007	2008	2009	2010	2011	2012	2013	2014	2015
出口金额	215.53	294.98	350.50	286.02	405.84	521.93	553.22	598.21	646.17	619.17
增长率	38.51	36.86	18.82	−18.40	41.89	28.60	6.00	8.13	8.02	-4.18

图 7　2006—2015 年汽车零部件出口金额及同比增长变化情况

表 2　2015 年汽车零部件（分国别）出口情况　亿美元，%

序号	国家（地区）	出口金额	同比增长	份额
1	美国	176.82	−3.8	26.6
2	日本	68.27	−3.4	10.3
3	韩国	33.25	2.3	5.0
4	德国	24.55	0.8	3.7
5	墨西哥	22.55	13.3	3.4
6	英国	18.54	−5.0	2.8
7	俄罗斯联邦	15.17	−38.3	2.3
8	加拿大	14.95	4.8	2.3
9	泰国	13.16	21.7	2.0
10	澳大利亚	12.63	−3.0	1.9
11	印度	12.36	2.9	1.9
12	马来西亚	11.15	−7.1	1.7
13	阿联酋	10.90	−17.0	1.6
14	巴西	10.09	−25.2	1.5
15	越南	9.96	8.5	1.5
16	伊朗	8.97	−14.4	1.4
17	荷兰	8.82	−2.8	1.3
18	意大利	8.80	−8.9	1.3
19	中国香港	8.77	−1.2	1.3
20	沙特阿拉伯	8.56	9.6	1.3

外资企业仍是汽车零部件出口主体，占比达到53.8%，同比增长 3.6%。私人企业占比达到34.7%，同比下降 0.3%。一般贸易产品出口金额超过加工贸易，占比达到 56.2%，同比提高 2.3 个百分点。

表 3　　2015 年汽车零部件（分企业类型）出口情况　　亿美元，%

企业性质	出口金额	同比增长	份额
外资企业	357.67	3.6	53.8
私人企业	230.62	−0.3	34.7
国有企业	61.14	−11.5	9.2
集体企业	14.36	−9.2	2.2
个体工商户	0.46	9.6	0.1
其他企业	0.14	4.3	0.0
合计	664.39	−3.4	100.0

4. 前十位目的国汽车商品出口金额超过 50%，美国依然稳居第一

2015 年，汽车商品出口金额排名前 50 位的国家（含地区）累计出口 711.68 亿美元，占汽车商品出口总额的 88.91%。其中：出口金额排名前十位的国家依次是：美国、日本、韩国、越南、墨西哥、德国、伊朗、英国、俄罗斯和沙特阿拉伯，出口金额分别为 170.39 亿美元、61.37 亿美元、31.85 亿美元、27.05 亿美元、25.46 亿美元、24.28 亿美元、21.02 亿美元、18.29 亿美元、16.74 亿美元和 15.46 亿美元。与上年相比，俄罗斯出口金额下降最快，美国、日本、伊朗和英国小幅下降，其他国家呈不同程度增长，其中越南增速尤为明显。2015 年，上述十个国家出口金额共 411.91 亿美元，占汽车商品出口总额的 51.46%。

三、进出口形势分析

1. 进口形势

宏观经济形势对进口汽车市场影响巨大，经济增长乏力是汽车进口量下降的主要原因。根据国家统计局数据，2015 年中国 GDP 增长 6.9%，增速创 25 年来新低；全年全国居民人均可支配收入 21 966 元，实际增长 7.4%，连续三年下降。在中国经济增速换挡和结构调整时期，消费者购车需求和信息有所下降。此外，汽车限购、股市波动、反腐深入和美元对人民币升值等因素的共同作用，也对汽车进口产生了负面影响。

2015 年，汽车零部件进口也出现下滑，但与整车进口相比降幅较小，其中对关键零部件的需求逆势增长。发动机整机、传动系统和转向系统等降幅均低于整车进口降幅；发动机增压器、电控燃油喷射装置、汽车电子电器及仪表、汽车照明及信号装置等关键零部件进口量仍出现较大幅度增长。短期内中国汽车产业对进口汽车零部件，尤其是关键零部件的需求仍保持增长。

2. 出口形势

（1）全球经济增长乏力，主要新兴市场汽车需求低迷。2015 年全球经济增长乏力，主要新兴市场汽车需求低迷，直接影响中国汽车产品出口，其中巴西和俄罗斯汽车市场销量同比分别下降 26.6%和 35.7%。根据国际货币基金组织发布的《世界经济展望报告》，2015 年全球经济增长 3.1%，新兴和发展中经济体经济增长 4.3%，未来新兴市场的复苏存在不确定性。受中东和北非等地区政局动荡、国际油价及大宗商品价格下跌等因素影响，主要出口目标国家当地货币严重贬值，影响了市场需求和产品销售。2015 年，俄罗斯以及南美主要新兴经济体货币大幅贬值，其中俄罗斯卢布、巴西雷亚尔和阿根廷比索分别较美元贬值 24%、70%和 30%。

（2）海外市场准入门槛加严、贸易限制措施频发。一方面，中国汽车产品出口主要面向发展中国家，部分国家进场采取关税和非关税措施限制汽车产品进口，一定程度上制约了中国汽车产品“走出去”。如阿尔及利亚首次规定个人用车、轻型载货车、重型载货车和大型客车须强制配备安全装置；

巴西对中国出口的载货车轮胎征收为期五年的反倾销税；印度将进口商用车关税由10%提高到20%。另一方面，欧美日等发达国家车辆排放标准技术安全法规和知识产权保护等方面的要求逐步变严，使得中国汽车产品很难进入当地市场。

（3）跨国公司加快新兴市场布局，挤占自主品牌市场份额。中国汽车产品与跨国公司产品互补的格局已经改变，跨国公司在海外市场的产品类型不断下探，并在新兴市场与中国自主品牌产品形成竞争关系。跨国公司进一步布局新兴市场，针对当地市场开发中低端车型，在当地增资扩能，设立金融公司。同时，国内合资企业也开始重新定位中国工厂，开始考虑出口业务。以通用为代表的跨国企业，目前锁定的出口市场主要集中在非洲、南美和亚太等地区，这些区域同时也是自主品牌汽车企业的主要目标市场，但合资企业拓展海外市场在品牌和渠道方面都更具优势，未来对自主品牌在海外市场的发展势必造成冲击。

（4）出口企业加快“走出去”发展步伐。国家正在积极构建开放型经济新体制，鼓励汽车企业充分利用“一带一路”、自由贸易区和国际产能合作等国家战略，加大对汽车产品、技术、标准和服务等“走出去”的支持力度。为规避出口目的国的贸易和技术壁垒，降低生产成本，越来越多的国内汽车企业开始加快海外投资建厂和服务网点建设的步伐，由产品直接出口向组装生产和本地化生产过渡。但是，出口企业海外营销和售后服务体系尚不健全，品牌形象还有待提升，国际竞争力水平有待提高。

四、2015年我国汽车行业出口贸易摩擦事件

2015年7月，美国国际贸易委员会公布对原产于中国的乘用车和轻型卡车轮胎反倾销反补贴调查损害终裁结果，裁定中国输美产品对美国内产业造成实质性损害。

近年来，我国轮胎企业成为“双反”调查重点。迄今为止已先后遭到美国、澳大利亚、巴西等10多个国家发起的“双反”调查。

面临严峻形势，我国企业一是要进一步开发国内市场。2015年中国汽车保有量为1.72亿辆，销量为2459万辆，市场需求潜力巨大。二是要提升自身技术研发水平，提高产品品质与品牌影响力。三是调整贸易布局。借力“一带一路”战略，做好全球化投资、生产、贸易布局，开发新兴市场。四是积极应对贸易摩擦。企业应做好长期应对准备，积极参与抗辩，争取有利裁决。

（中国汽车工业协会）

中国电信业对外开放情况

一、2015年行业发展基本情况

（一）电信业务总量保持快速增长，数据业务成为收入增长引擎

2015年，我国电信业务总量达23 142亿元，同比增长27.5%。固定数据及互联网业务总量2640亿元，同比增长9.5%；固定增值及其他业务总量696亿元，同比增长6.2%；移动话音业务总量6621亿元，同比下降2.3%；移动数据及互联网业务总量9926亿元，同比增长103.1%；移动增值及其他业务总量2746亿元，同比下降4.1%。2015年，全国电信业务收入累计完成11 251亿元，按可比口径测算同比增长0.8%，其中，非话业务收入达7687亿元，同比增长9.6%，在总收入中占比达到68.3%。话音业务收入同比下降14%，占总收入的比重加速下滑。移动数据及互联网业务收入保持高速增长态势，达到3102亿元，增长率高达28.1%，成为行业主要增长引擎。

（二）4G网络取得跨越式发展，基础设施共建共享改革进一步深化

2015年4G投资超过900亿元，我国已建成世界最大的4G网络，4G基站占全球4G基站数量一半以上，4G网络覆盖质量居全球前列。截至2015年年底，4G基站规模达到177.1万个，基本实现全国城市和县城的连续覆盖，以及发达乡镇、农村地区的热点覆盖。我国克服VoLTE设备兼容性、用户体验一致性、参数配置复杂性等困难，迎来VoLTE商用。2015年，中国移动在浙江、江苏等省市进行商用，中国联通、中国电信也制订了VoLTE商用计划。2015年，铁塔公司承接三家基础电信企业的铁塔建设需求，并开展存量资产清查注入等工作，标志着以提升行业整体效益为目的、以铁塔为代表的基础设施共建共享改革得到了进一步深化。铁塔公司全年承接三家基础电信企业塔类建设需求总量超过58万座，已交付近49万个，站址共享率超过70%，通过存量共享和增量共建，节约行业投资超过500亿元，节约土地资源1万多亩。

（三）宽带基础设施加速发展，网络结构和布局不断完善

传输技术和网络不断演进，骨干网全面进入100G时代。光纤宽带网络加速普及，全国新建光缆线路441万公里，光缆线路总长度达到2487万公里，同比增长21.6%。2015年，新增FTTH覆盖家庭19 003万户，光纤入户网络覆盖家庭达到4.46亿户。完成网间互联带宽扩容612G，全国互联总带宽达到3062G，网间通信质量进一步提高。基础电信企业和互联网企业积极部署CDN网络，拓展海外覆盖。IDC发展加速，布局更为合理，目前我国数据中心约260个，总设计服务器规模约800万台，数据中心能效指标PUE值下降明显。新增呼和浩特区域性国际通信业务出入口局，阿图什和塔什库尔干2个信道出入口局，哈尔滨和南通2个互联网国际数据专用通道，乌鲁木齐、呼和浩特和昆明3个国际互联网转接点，新增5个海外POP点，国际通信架构更加完善。我国海陆缆总带宽和国际业务带宽已分别达到10.8Tbps和3.7Tbps。国内通信运营、设备制造企业首次参与跨大西洋通信海缆工程建设，亚洲内部、亚欧之间的国际互联网联系进一步增强。

（四）互联网信息服务规模持续增长，应用性服务比重增大

2015年，我国网民总体规模达6.88亿，互联网普及率达到50.3%，较2014年底增长2.4%；电子商务、娱乐、出行、金融等各类互联网应用用户规模均呈上升趋势，网上支付用户规模达到4.16亿，较2014年增长46.9%，在总体网民规模中占比60.5%①。2015年第四季度，我国互联网行业一致指数为110.7，环比上升0.3个点；先行指数为107.9，环比上升0.1个点；滞后指数为109.2，与上期基本持平。2015年，我国电子商务市场交易规模达到16.2万亿元，同比增长

① 数据来源：CNNIC，《第37次中国互联网络发展状况统计报告》，2016年1月。

21.2%。其中，中小企业 B2B 运营商平台收入超过 200 亿元，同比增长 6.9%；网络购物市场交易规模达到 3.8 万亿元，同比增长 37.2%；用户规模为 4.13 亿，同比增长 14.3%；本地生活服务 O2O 市场交易规模达到 3352 亿元，同比增长 38.4%①。此外，2015 年我国民生类互联网信息服务持续升温，"互联网＋教育"和"互联网＋医疗健康"服务的投融资规模分别达到 72 亿和 100 亿②，线上和线下结合模式逐步完善。在全球性的共享经济热潮下，我国共享经济服务生态快速发展，出行类和短租类共享服务规模不断增加。截至 2015 年底，包括滴滴出行在内的智能出行平台活跃乘客规模达到 3 亿，司机规模达到 1000 万，注册用户数月均增速达到 13%③；途家、小猪短租、住百家等在线短租平台接连完成新一轮融资，用户规模和市场交易规模不断攀升。

（五）电信市场进一步开放，竞争格局进一步优化

截至 2015 年底，移动转售企业累计发展用户达 2059 万户，占我国移动电话用户数的 1.5%，2015 年以来移动转售净增用户数占全国净增移动用户数近一半，共有 7 家企业用户数超过百万。宽带接入网业务开放试点城市范围进一步扩大，已覆盖 26 个省 61 个城市。2015 年，工业和信息化部共批复 138 家（次）试点企业，民间资本累计投资超过百亿元。移动通信转售和宽带接入网业务试点的开展，极大地促进了民间资本以多种模式进入基础电信领域。自贸区进一步放开对外资准入和持股的限制。企业产权制度改革持续推进，电信企业产权构成更加灵活多样。电信市场投资主体和竞争主体进一步多元化，"基于设施"的竞争模式向"基于业务"的竞争模式转变，市场竞争格局进一步优化。

二、当前我国电信业开放情况

（一）新版电信业务分类目录发布

2015 年 12 月，工业和信息化部发布《电信业务分类目录（2015 年版）》，对电信业务的名称及分类进行了细微调整。根据新版目录，我国按照 WTO 承诺，对外资开放固定网本地通信业务、固定网国内长途通信业务、固定网国际长途电话业务、蜂窝移动通信业务、第一类和第二类数据通信业务、IP 电话业务、国内通信服务设施业务中的专线租用业务等基础电信业务，外资股比不超过 49%；开放基础电信业务中的无线寻呼业务以及增值电信业务中的信息服务业务、在线数据处理与交易处理业务、存储转发类业务、编码与规程转换业务，外资股比不超过 50%。

（二）进一步放宽电信市场外资准入限制

一是落实 CEPA 电信领域相关政策。2015 年 3 月 1 日，根据《关于内地在广东与香港基本实现服务贸易自由化的协议》（CEPA 广东协议），在 WTO 承诺及前期 CEPA 补充协议的基础上，允许港澳服务提供者在广东省设立合资企业，提供信息服务（仅限应用商店）、存储转发类业务、呼叫中心业务、国内多方通信业务、互联网接入服务（为上网用户提供互联网接入服务），港澳资本比例不设限制。

二是推进上海自贸区增值电信业务开放试点。2015 年 5 月，工业和信息化部发布《关于在中国（上海）自由贸易试验区放宽部分增值电信业务服务设施地域限制的通告》（工信部通［2015］164），在前期自贸区（28.8 平方公里）试点开放相关增值电信业务的基础上，将呼叫中心业务座席设置的地域范围由试验区放宽至上海市；将国内因特网虚拟专用网业务边缘路由器设置的地域范围由试验区放宽至上海市；同时允许网站加速服务器节点在全国范围内设置，但仅限于为自身网站提供加速，不得违规开展内容分发业务。

三是放开经营类电子商务外资股比限制。2015 年 6 月，工业和信息化部发布《关于放开在线数据处理与交易处理业务（经营类电子商务）外资股比限制的通告》（工信部通［2015］196 号），在全国范围内放开在线数据处理与交易处理业务（经营类电子商务）的外资股比限制，外资持股比例可至 100%。截至 2015 年底，在增值电信领域，共有 35 家外商投资企业获得《电信业务经营许可证》、12 家外商投资企业在上海自贸区获得试点批文。

（工业和信息化部信息通信发展司）

① 数据来源：艾瑞咨询，2016 年 1 月。

② 数据来源：中国信息通信研究院，《2016 年 ICT 深度观察》，2015 年 12 月。

③ 数据来源：滴滴研究院，《中国智能出行 2015 大数据报告》，2016 年 1 月。

中国钢铁工业对外开放情况

一、2015 年中国钢铁工业发展概况

2015 年，我国国民经济增速回落，经济结构调整优化，增长动力转换更加明显。经济增长对于钢材消费的带动作用逐步减弱，钢材消费强度下降，全年全国粗钢表观消费量下降 5.44%。虽然粗钢产量也有所下降，但是不足以抵消需求侧的下降，钢材供大于求的矛盾仍然十分突出，钢材价格持续创出新低，钢铁行业经济效益大幅下降，亏损面大幅上升。

1. 粗钢产量下降

2015 年，全国生产生铁 69 141.51 万吨，同比下降 3.45%；生产粗钢 80 382.26 万吨，同比下降 2.33%；生产钢材（含重复材）112 349.52 万吨，同比增长 0.56%；平均日产粗钢 220.23 万吨。粗钢产量自 1981 年以来首次出现年度下降。（详见图 1）

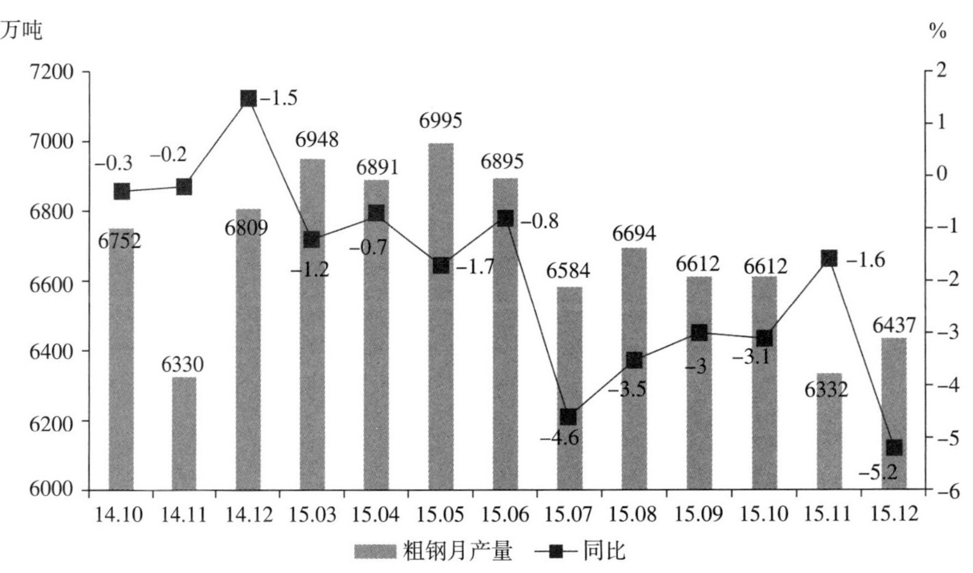

图 1 全国粗钢月产量及同比

2. 全球粗钢产量

根据世界钢铁协会统计，2015 年，全球 66 个纳入国际钢铁协会统计国家的粗钢总产量达 16.22 亿吨，同比下降 2.9%。2015 年，亚洲全年粗钢产量为 10.97 亿吨，同比下降 2.2%；欧盟粗钢产量为 1.66 亿吨，同比下降 1.8%；北美粗钢产量为 1.11 亿吨，同比下降 8.6%。（详见表 1）

表 1　**2015 年全球粗钢产量**　单位：万吨，%

	2015 年	2014 年	变化率%
欧盟（28）	16 618.5	16 930.1	－1.8
欧洲其他国家	3 402.0	3 619.9	－6.0
独联体	10 129.8	10 589.9	－4.3
北美	11 073.3	12 115.9	－8.6
南美	4 390.6	4 504.0	－2.5
非洲	1 398.8	1 424.7	－1.8
中东	2 737.1	2 803.1	－2.4
亚洲	109 689.8	112 214.1	－2.2
大洋洲	571.7	546.6	4.6
全球 66 国/地区总计	160 012.3	164 723.2	－2.9

2015 年，全球粗钢产量前 10 名的国家粗钢总产量为 13.49 亿吨，同比下降 3.0%，占全球粗钢总产量的 83.17%。其中，中国的粗钢产量为 8.04 亿吨，同比下降 2.3%，占全球粗钢总产量的 50.2%。受全球经济复苏趋缓等因素影响，10 个国家中除印度粗钢产量增长 2.9%外，其他国家粗钢产量均有所下降。（详见表 2）

表 2　　2015 年世界粗钢产量前 10 位国家情况　　单位：万吨

	2015 年	2014 年	同比（%）
中国	80 382.3	82 300.2	−2.3
日本	10 536.4	11 066.6	−4.8
印度	8 978.8	8 729.1	2.9
美国	7 891.6	8 817.4	−10.5
俄罗斯	7 111.4	7 146.1	−0.5
韩国	6 963.5	7 154.3	−2.7
德国	4 267.8	4 294.3	−0.6
巴西	3 324.5	3 389.5	−1.9
土耳其	3 151.7	3 403.5	−7.4
乌克兰	2 293.3	2 717.0	−15.6
以上合计	134 901.3	139 018.0	−3.0

3. 钢材市场竞争激烈，钢材价格持续下跌

2015 年 12 月末，中国钢铁工业协会 CSPI 中国钢材价格指数为 56.37 点，与上年同期相比下降 26.72 点，降幅 32.16%。从全年看，各月指数均低于上年同期，2015 年各月 CSPI 平均值为 66.43 点，同比下降 24.89 点，降幅为 27.26%。2015 年，长材价格下跌超过 800 元/吨，板带材及管材价格下跌超过 1000 元/吨。钢材价格的持续下跌是导致企业生产经营困难的直接原因。

4. 固定资产投资下降，化解产能过剩矛盾初见成效

2015 年，钢铁工业完成固定资产投资 4523.89 亿元，同比减少 726.23 亿元，下降 13.83%。其中炼铁投资同比增长 5.97%，炼钢投资同比下降 1.26%，矿山投资同比下降 19.2%，钢加工投资下降 16.09%。

5. 经济效益大幅下降

2015 年，中国钢铁工业协会会员钢铁企业实现销售收入 2.89 万亿元，同比下降 19.05%；实现税金 632.31 亿元，同比下降 22%；实现利润总额为亏损 645.34 亿元，上年为盈利 225.89 亿元，亏损面为 50.5%，亏损企业产量占会员企业钢产量的 46.91%。

二、2015 年中国钢铁工业对外贸易情况

1. 钢材出口大幅增长，进口保持稳定

受国内市场钢材价格持续下跌、市场竞争激烈以及国际市场需求增长等因素影响，2015 年我国钢材出口大幅增长。全年累计出口钢材 11 239.93 万吨，同比增加 1961.55 万吨，增长 19.85%，折合粗钢出口约 11 709 万吨。进口钢材 1278.29 万吨，同比减少 164.92 万吨，下降 11.43%；进口钢坯 25.60 万吨，钢锭 4.48 万吨（坯锭合计 30.08 万吨）；折合粗钢进口约 1362 万吨。钢材进出口数量趋势见图 2。

2. 进出口品种结构

2015 年，我国进口钢材仍以板材为主，全年共进口板材 1077.17 万吨，同比下降 10.83%；进口金额 97.63 亿美元，同比下降 21.14%；进口板材占我国进口钢材总量的 84.27%，总金额的 68.10%。（详见表 3）

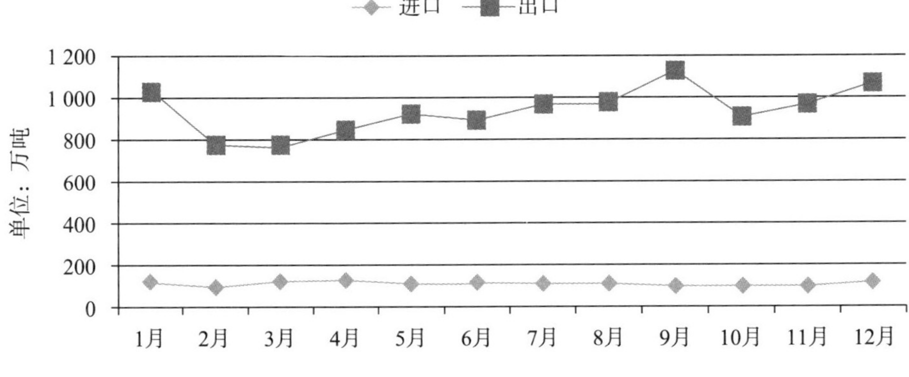

图 2　2015 年 1—12 月钢材进出口数量趋势

表 3　**2015 年钢铁产品进口品种**　单位：万吨，万美元

产品名称	2015 年累计		2014 年累计		累计同比（%）	
	数量	金额	数量	金额	数量	金额
钢材进口总量	1 278.29	1 433 533.27	1 443.21	1 791 442.48	－11.43	－19.98
其中：						
棒线材	107.41	143 634.69	120.32	172 372.46	－10.73	－16.67
角型材	32.18	28 699.52	38.08	39 942.37	－15.51	－28.15
板材	1 077.17	976 275.09	1 208.06	123 8016.05	－10.83	－21.14
管材	37.62	162 062.77	47.65	199 218.11	－21.04	－18.65
铁道用材	2.38	4 164.80	4.60	5 166.91	－48.33	－19.39
其他钢材	21.53	118 696.39	24.49	136 726.57	－12.10	－13.19

我国出口钢材以棒线材和板材为主，全年共出口棒线材 4389.08 万吨，同比增长 42.21%；出口金额 162.90 亿美元，同比增长 0.22%；出口棒线材占我国出口钢材总量的 39.05%，占总金额的 25.93%。全年共出口板材 4846.12 万吨，同比增长 10.97%；出口金额 273.83 亿美元，同比下降 16.49%；出口板材占我国出口钢材总量的 43.12%，占总金额的 43.58%。（详见表 4）

表 4　**2015 年冶金产品出口品种情况**　单位：万吨，万美元

产品名称	本年累计		上年累计		累计同比（%）	
	数量	金额	数量	金额	数量	金额
一、钢材	11 239.93	6 282 702.06	9 378.38	7 082 627.12	19.85	－11.29
1. 棒线材	4 389.08	1 629 010.36	3 086.28	1 625 408.17	42.21	0.22
其中：合金棒线材	4 346.10	1 582 530.28	3 040.32	1 561 696.64	42.95	1.33
2. 角型材	524.24	245 724.97	459.88	274 546.17	14.00	－10.50
其中：合金型材	403.75	160 612.99	384.53	201 492.15	5.00	－20.29
3. 板材	4 846.12	2 738 289.81	4 367.04	3 278 910.28	10.97	－16.49
其中：普通中、厚、特厚板（卷）	46.78	26 127.22	25.90	18 721.40	80.62	39.56
普通热轧薄板（卷）	4.68	2 894.28	4.58	3 456.58	2.12	－16.27

续 表

产品名称	本年累计		上年累计		累计同比（%）	
	数量	金额	数量	金额	数量	金额
普通冷轧薄板（卷）	481.06	216 712.24	483.52	292 365.22	−0.51	−25.88
镀层板（带）	1 138.07	683 707.63	1 018.05	772 511.70	11.79	−11.50
涂层板（带）	710.86	434 230.01	638.31	483 693.31	11.37	−10.23
电工钢（带）	40.91	43 225.28	31.36	30 021.32	30.44	43.98
不锈板（带）	178.19	317 585.61	208.70	456 608.97	−14.62	−30.45
合金板（带）	2 134.60	841 344.02	1 842.85	995 642.28	15.83	−15.50
普通窄带	18.15	13 317.53	12.12	10 737.70	49.78	24.03
4. 管材	997.86	957 349.07	1 005.78	1 140 154.22	−0.79	−16.03
其中：无缝管	454.96	497 720.99	531.44	680 973.28	−14.39	−26.91
焊管	474.21	402 719.89	407.16	398 271.92	16.47	1.12
5. 铁道用材	80.31	72 314.29	59.38	55 479.82	35.24	30.34
6. 其他钢材	402.31	640 013.55	400.02	708 128.46	0.57	−9.62

3. 进出口市场结构

2015年，进口钢材主要来自于日本、韩国、中国台湾和欧盟。从上述四个来源地共进口钢材1226.42万吨，占进口钢材总量的95.94%；进口金额130.25亿美元，占进口钢材总金额的90.86%。(详见表5)

表5　2015年中国进口钢材主要来源国/地区　单位：万吨，亿美元，美元/吨

国家/地区	本年累计			上年累计			累计同比（%）		
	数量	金额	均价	数量	金额	均价	数量	金额	均价
世界合计	1 278.29	143.35	1 121.45	1 443.21	179.14	1 241.29	−11.43	−19.98	−9.65
其中：									
日本	548.20	52.26	953.27	600.29	66.45	1 106.97	−8.68	−21.36	−13.88
韩国	399.10	35.96	901.12	457.82	44.69	976.11	−12.82	−19.52	−7.68
中国台湾	157.88	14.00	886.71	189.25	18.43	974.04	−16.58	−24.06	−8.97
欧盟28国	121.23	28.02	2 311.52	131.60	34.81	2 645.10	−7.88	−19.50	−12.61
其他	51.87	13.11	2 527.21	64.25	14.76	2 297.61	−19.27	−11.21	9.99

2015年，出口钢材11 240万吨，同比增长19.9%。全年净出口钢材折合粗钢10 338万吨。从出口区域看，对东盟及部分南亚国家出口增长；对美洲国家，包括美国、加拿大、巴西、哥伦比亚等出口下降。(详见表6、表7)

东盟依然是我国钢材出口的主要地区。2015年向东盟出口钢材3457.54万吨，同比增长31.42%，占我国钢材出口总量的30.76%。随着东盟国家经济的增长，钢材需求大幅增加，对越南、印尼、泰国、马来西亚和菲律宾的出口维持较大幅度增长。目前，越南、泰国等国人均钢材消费量不高，仍有一定增长潜力。

对南亚地区钢材出口仍维持大幅增长趋势：全年对印度、巴基斯坦和孟加拉国出口钢材910.11万吨，同比增长60.93%。但南亚地区贸易摩擦形势十分严峻：印度2015年以来两次提高钢铁产品进口关税，还对热轧产品连续发起2起保障措施调查，印度钢铁部副部长接受媒体采访时表示将对进口钢铁产品采取一系列措施，保护本国钢铁产业；巴基斯坦2015年以来已对我国钢铁产品发起4起反倾销调查。预计2016年对南亚地区出口阻力较大。

表 6　　2015 年钢材出口增量排名前 10 位国家　　单位：万吨

序号	国家/地区	2015 年出口量	2014 年出口量	增减	同比（%）
合计		11 239.93	9 378.38	1 861.55	19.85
其中：					
1	越南	1 014.77	662.72	352.05	53.12
2	土耳其	305.97	128.29	177.68	138.49
3	印度尼西亚	510.50	340.20	170.30	50.06
4	孟加拉国	178.45	39.59	138.86	350.76
5	意大利	272.69	153.52	119.17	77.62
6	巴基斯坦	255.50	146.13	109.38	74.85
7	泰国	473.06	369.13	103.93	28.15
8	印度	476.16	379.81	96.35	25.37
9	马来西亚	331.22	248.19	83.03	33.46
10	菲律宾	560.94	477.91	83.03	17.37

表 7　　2015 年钢材出口下降排名前 10 位国家和地区　　单位：万吨

序号	国家/地区	2015 年	2014 年	增减	同比（%）
合计		11 239.93	9 378.38	1 861.55	19.85
其中：					
1	美国	242.43	340.08	−97.65	−28.71
2	巴西	118.72	214.24	−95.53	−44.59
3	中国台湾	250.18	282.30	−32.11	−11.38
4	黎巴嫩	74.30	105.12	−30.81	−29.31
5	俄罗斯联邦	63.37	88.58	−25.20	−28.45
6	日本	132.77	156.63	−23.86	−15.23
7	加拿大	90.96	111.07	−20.11	−18.10
8	安哥拉	44.86	61.75	−16.89	−27.35
9	哥伦比亚	76.08	92.21	−16.13	−17.49
10	乌兹别克斯坦	24.90	38.30	−13.40	−34.98

2015 年，中东地区首次超过韩国成为我国第二大钢材出口地区。我国对中东地区出口钢材 1706.91 万吨，同比增长 35.60%。向埃及、以色列出口增幅较大，对阿联酋、沙特出口也有所增长，对黎巴嫩出口继续保持同比下降。

2015 年，美国先后对我国的耐腐蚀钢板和冷轧钢板发起双反调查。受此影响，2015 年向美国出口钢材 242.43 万吨，同比下降 28.71%。同时，受南美国家经济不景气、货币贬值等因素影响，2015 年对南美洲出口钢材 576.55 万吨，同比下降 16.07%。其中，对巴西出口钢材 118.72 万吨，同比下降 44.59%。巴西需求疲软的状况已扩展至智利、哥伦比亚和秘鲁。

三、中国钢铁工业贸易政策调整及贸易摩擦情况

近年来，全球经济进入低速增长期。受宏观经济形势影响，钢铁企业效益普遍下滑，全球大型钢铁企业停产、减产情况普遍存在，导致失业人数增加，部分国家还出现了钢铁工人示威游行。在这种

形势下，国外钢铁行业对全球钢材贸易平衡问题的关注度不断提高，对进口钢材的数量价格波动更为敏感。国外调查机关对涉及钢铁的案件也高度重视，不仅调查手段和方式不断创新，调查中违反世贸规则的情况广泛存在，应诉国外贸易救济调查案件难度增大。特别是 2015 年以来，国际舆论持续关注并指责中国钢铁产能过剩问题，钢铁贸易摩擦案件集中爆发并蔓延，部分国外钢铁业界组织采用多种手段，向所在国和地区政府施压，意图将钢铁贸易问题与我市场经济地位挂钩，钢铁贸易问题开始出现从经济层面向政治层面升级的趋势。

2015 年国外调查机关对中国钢铁产品新发起的贸易救济调查共有 37 起，其中反倾销调查 26 起，反补贴调查 5 起，保障措施调查 6 起。发起调查的国家和地区共 15 个：泰国、土耳其、马来西亚、欧盟、美国、印度、赞比亚、哥伦比亚、巴基斯坦、澳大利亚、加拿大、墨西哥、巴西、智利、越南。被调查产品涉及热轧条杆、盘条、螺纹钢、热轧板（卷）、冷轧板（卷）、不锈钢冷轧板（卷）、无缝钢管、镀层板、涂层板 9 大类产品。（详见表 8）

表 8　　2015 年钢铁产品贸易救济调查案件

序号	立案公告日期	产品名称	发起国	措施种类
1	2015.1.16	低碳盘条	泰国	AD
2	2015.1.29	热轧板（卷）	土耳其	AD
3	2015.4.28	不锈钢冷轧薄板（卷）	马来西亚	AD
4	2015.4.28	彩涂板	马来西亚	AD
5	2015.4.30	英标螺纹钢	欧盟	AD
6	2015.5.14	冷轧薄板（卷）	欧盟	AD
7	2015.5.18	无缝管	土耳其	AD+CVD
8	2015.6.3	耐腐蚀钢板	美国	AD+CVD
9	2015.7.1	螺纹钢	澳大利亚	AD+CVD
10	2015.7.3	无缝管	印度	AD
11	2015.7.10	平材钢、拖车	赞比亚	SG
12	2015.7.11	盘条	哥伦比亚	AD
13	2015.7.16	冷轧钢板	巴基斯坦	AD
14	2015.7.23	涂镀板	土耳其	AD
15	2015.8.5	连铸坯	巴基斯坦	AD
16	2015.8.11	镀锌板	巴基斯坦	AD
17	2015.8.12	14mm 以下盘条	澳大利亚	AD
18	2015.8.27	冷轧	马来西亚	AD
19	2015.8.28	管线管	加拿大	AD+CVD
20	2015.9.2	盘条	墨西哥	AD
21	2015.9.7	热轧	印度	SG
22	2015.9.10	热轧	马来西亚	SG
23	2015.9.14	无缝管	巴西	AD
24	2015.9.17	不锈钢钢管	泰国	AD
25	2015.10.6	热轧条杆	智利	SG
26	2015.10.19	盘条	巴基斯坦	AD
27		冷轧	美国	AD+CVD
28	2015.10.29	不锈钢管及管接头	欧盟	AD
29	2015.12.18	耐腐蚀钢板	墨西哥	AD
30	2015.12.18	中厚板	印度	SG
31	2015.12.21	合金条杆	巴西	AD
32	2015.12.25	合金及非合金钢坯、条杆、螺纹钢、盘条	越南	SG

各国对中国钢铁工业的关注点从贸易层面衍生至制度层面，主要表现为：从关注钢材出口衍生为关注低价出口和国家补贴；从关注出口数量衍生为关注钢铁产能过剩；从关注钢铁贸易衍生为关注我国市场经济地位。对我国钢铁贸易和钢铁工业关注点的转变，直接导致贸易救济调查形势的变化：反补贴调查蔓延趋势明显；滥用贸易救济措施的情况增加；对国有企业采用歧视性政策；贸易救济连锁效应愈发明显等。主要特点有如下三点。

（1）发起调查的区域更加广泛

由于美欧钢材需求的增长，近两年我国对美欧的钢材出口也随之增长。2014年以来，美国和欧盟对我国钢铁产品发起的贸易救济调查增加。除美欧外，南美、东盟、印度、土耳其、巴基斯坦也是对我国贸易救济调查的主要国家和地区。2015年以来，赞比亚、多米尼加等国也对我国钢铁产品发起贸易救济调查。发起贸易救济调查的区域广泛，不同地区和国家对同一产品先后采取贸易救济调查的连锁效应不断增多，缓解贸易摩擦的难度增强。

（2）采取调查的手段不断更新

在欧美，针对我国钢铁产品的调查几乎是有案必“双反”，近年出现了跟随的现象。前面提到的2014年欧亚经济委员会对我国无缝油井管的反倾销调查本来也准备进行反补贴调查，且其补贴调查起诉书中的部分内容和数据几乎全盘照抄美国的起诉书。经过商务部贸易救济局与对方的多次磋商，最终其撤销了反补贴调查申请，只发起了反倾销调查。2014年以来越来越多地出现了反倾销＋反补贴、反倾销＋保障措施、贸易救济措施＋关税、贸易救济措施＋技术壁垒等叠加措施，应对难度大幅提升。

（3）应对调查的企业差异很大

随着钢材出口企业的不断增加，很多钢厂刚开始出口就面临贸易救济措施调查，涉及的企业类型越来越多，甚至有些近两年新开始出口的企业，由于出口大量增加，刚出口就成为贸易救济措施调查的重点企业。涉及企业的基本情况差别很大，对于刚刚踏入国际市场的企业来说，了解规则尚需过程和时间。

（中国钢铁工业协会　蒋璇芳）

中国建筑业对外开放情况

一、建筑业发展情况

2015 年，建筑业认真贯彻落实党的十八大、十八届三中、四中、五中全会以及习近平总书记系列重要讲话精神，紧紧围绕深化建筑业改革发展的总体部署，以提升建筑业企业竞争力为核心，以规范建筑市场秩序和保障工程质量安全为主线，深入推进工程质量治理两年行动，不断优化建筑市场环境，深化行政审批制度改革，促进建筑业企业转型升级。全国具有资质等级的总承包和专业承包建筑业企业完成建筑业总产值 180 757.47 亿元，比上年增长 2.3%。签订合同额 338 001.42 亿元，增长 4.5%。完成房屋建筑施工面积 1 242 569.91 万平方米，下降 0.6%；完成房屋建筑竣工面积 420 802.6 万平方米，下降 0.6%。按建筑业总产值计算的劳动生产率为 323 733 元/人，比上年增长 1.9%；共有建筑业企业 80 911 个。2015 年，全社会建筑业实现增加值 46 456 亿元，占全年国内生产总值的 6.9%，支柱产业作用依然突出。全国具有资质等级的总承包和专业承包建筑业企业从业人员 5003.4 万人，占全社会就业人员总数的 6.5%，是拉动就业的重要力量。

二、对外承包工程及对外劳务合作情况

2015 年，我国对外承包工程业务完成营业额 9596 亿元人民币（折合 1540.7 亿美元），同比增长 8.2%，新签合同额 13 084 亿元人民币（折合 2100.7 亿美元），同比增长 9.5%，带动设备材料出口 161.3 亿美元。其中 12 月当月完成营业额 239.5 亿美元，同比增长 13.5%；当月新签合同额 470.4 亿美元，同比增长 52.8%。我国对外劳务合作派出各类劳务人员 53 万人，较上年同期减少 3.2 万人，同比下降 5.7%；其中承包工程项下 25.3 万人，劳务合作项下派出 27.7 万人。12 月当月，派出各类劳务人员 5.8 万人，较上年同期减少 0.5 万人。年末在外各类劳务人员 102.7 万人，较上年同期增加 2.1 万人。

三、对外开放情况

2015 年 4 月 20 日，国务院印发《中国（福建）自由贸易试验区总体方案》（国发［2015］20 号），其中涉及建筑领域的开放措施有：

（1）建筑业服务领域开放

在自贸试验区内，允许符合条件的台资独资建筑业企业承接福建省内建筑工程项目，不受项目双方投资比例限制。允许取得大陆一级注册建筑师或一级注册结构工程师资格的台湾专业人士作为合伙人，按相应资质标准要求在自贸试验区内设立建筑工程设计事务所并提供相应服务。台湾服务提供者在自贸试验区内设立建设工程设计企业，其在台湾和大陆的业绩可共同作为个人业绩评定依据，但在台湾完成的业绩规模标准应符合大陆建设项目规模划分标准。台湾服务提供者在自贸试验区内投资设立的独资建筑业企业承揽合营建设项目时，不受建设项目的合营方投资比例限制。台湾服务提供者在自贸试验区内设立的独资物业服务企业，在申请大陆企业资质时，可将在台湾和大陆承接的物业建筑面积共同作为评定依据。

（2）工程技术服务领域开放

允许台湾服务提供者在自贸试验区内设立的建设工程设计企业聘用台湾注册建筑师、注册工程师，并将其作为本企业申请建设工程设计资质的主要专业技术人员，在资质审查时不考核其专业技术职称条件，只考核其学历、从事工程设计实践年限、在台湾的注册资格、工程设计业绩及信誉。台湾服务提供者在自贸试验区内设立的建设工程设计企业中，出任主要技术人员且持有台湾方面身份证明文件的自然人，不受每人每年在大陆累计居住时间应当不少于 6 个月的限制。台湾服务提供者在自贸试验区内设立的建筑业企业可以聘用台湾专业技术人员作为企业经理，但须具有相应的从事工程管理工作的经历；可以聘用台湾建筑业专业人员作为工程技术和经济管理人员，但须满足相应的技术职称要求。台湾服务提供者在自贸试验区内投资设立的建筑业企业申报资质应按大陆有关规定办理；取

得建筑业企业资质后，可依规定在大陆参加工程投标。台湾服务提供者在自贸试验区内设立的建筑业企业中，出任工程技术人员和经济管理人员且持有台湾方面身份证明文件的自然人，不受每人每年在大陆累计居住时间应当不少于3个月的限制。允许台湾建筑、规划等服务机构执业人员，持台湾相关机构颁发的证书，经批准在自贸试验区内开展业务。允许通过考试取得大陆注册结构工程师、注册土木工程师（港口与航道）、注册公用设备工程师、注册电气工程师资格的台湾专业人士在自贸试验区内执业，不受在台湾注册执业与否的限制，按照大陆有关规定作为福建省内工程设计企业申报企业资质时所要求的注册执业人员予以认定。

四、重要法规及规范性文件

（1）印发《关于印发建设工程设计合同示范文本的通知》（建市〔2015〕44号），发布修订后的《建设工程设计合同示范文本（房屋建筑工程）》（GF-2015-0209）和《建设工程设计合同示范文本（专业建设工程）》（GF-2015-0210），自2015年7月1日起执行。新版示范文本完善了设计服务内容、工程设计进度和周期、工程设计文件交付与审查、工程设计责任保险、工程设计知识产权等内容，进一步明确了发包人、设计人的权利义务。

（2）印发《关于推动建筑市场统一开放的若干规定》（建市〔2015〕140号）。《若干规定》强调，各级住房城乡建设主管部门应当按照简政放权、方便企业、规范管理的原则，简化前置管理，强化事中事后监管，给予外地建筑企业与本地建筑企业同等待遇，实行统一的市场监管，推动建筑市场统一开放。

（3）印发《住房城乡建设部关于建筑业企业资质管理有关问题的通知》（建市〔2015〕154号）。《通知》决定，对于申请施工总承包特级资质的企业，不再考核国家级工法、专利、国家级科技进步奖项、工程建设国家或行业标准等指标；取消建筑工程施工总承包一级资质企业限承担单项合同额3000万元以上建筑工程的限制，取消特级资质企业限承担施工单项合同额3000万元以上建筑工程的限制。

（4）印发《关于推进建筑信息模型应用的指导意见》（建质函〔2015〕159号）。《指导意见》明确了推进建筑信息模型（Building Information Modeling，以下简称BIM）的基本原则和发展目标。《指导意见》要求，各级住房城乡建设主管部门要结合实际，制定BIM应用配套激励政策和措施，扶持和推进相关单位开展BIM的研发和集成应用，研究适合BIM应用的质量监管和档案管理模式。

（住房城乡建设部建筑市场监管司）

中国服务贸易发展概况

2015年，商务部深入贯彻党的十八届三中、四中、五中全会和中央经济工作会议精神，大力实施服务贸易振兴工程，积极完善服务贸易支持体系，推动我国服务贸易发展主动适应新常态，在创新中谋发展，在转型中求突破，服务贸易在稳增长、调结构、促改革、惠民生中发挥了重要作用。

一、2015年我国服务贸易规模继续保持世界第二位

服务贸易继续保持增长。2015年，我国服务进出口总额达6505亿美元，同比增长0.2%，规模继续保持世界第二位。同期，我国企业承接国际服务外包合同金额和执行金额分别为872.9亿美元和646.4亿美元，分别增长21.5%和15.6%。

服务贸易占比继续提升。2015年，我国服务进出口总额占对外贸易总额（货物和服务进出口之和）的比重为14.1%，较上年提升1个百分点；其中服务进口占20.5%，提升5.1个百分点。

服务出口结构继续优化。2015年，我国高附加值服务出口规模进一步扩大，服务出口结构继续优化。电信、计算机和信息服务出口258亿美元，同比增长28%，占服务出口总额比重提升2.6个百分点；文化和娱乐服务、知识产权使用费出口增幅分别达317.1%和59.8%，占比均比上年有所提高。

二、2015年开展的主要工作

（一）加强顶层设计，完善服务贸易支持政策

完善顶层设计，推动国务院印发《关于加快发展服务贸易的若干意见》（国发〔2015〕8号）并牵头落实。推动建立由39个部门组成的国务院服务贸易发展部际联席会议制度。完成《服务进出口管理条例》初稿。启动服务贸易“十三五”规划编制工作。完善支持政策，完成编制《服务出口重点领域指导目录》；推动扩大财政支持服务贸易的领域和范围；推动将广播影视节目制作和发行服务、技术转让服务、离岸服务外包业务等纳入出口零税率范围并配合政策落地。研究启动试点，研究制订服务贸易创新发展试点方案，研究提出试点地区名单和试点内容。

（二）聚焦重点领域，推动相关行业加快发展

大力发展服务外包产业。制订《中国服务外包示范城市扩围方案》，推动示范城市扩围工作；加大财政对服务外包发展的支持力度；形成中国国际服务外包“十三五”规划建议稿，完成编制《服务外包产业重点发展领域指导目录》；研究建立服务外包企业信用记录和信用评价体系；完善服务外包统计分析体系。

推动中华文化“走出去”。做好对外文化贸易工作联系机制工作；开展2015—2016年度国家文化出口重点企业目录和重点项目目录认定工作及2014年度文化服务出口业绩申报审核工作，落实文化服务出口支持政策；推动文化贸易税收优惠政策的落实；组织编写《开拓对外文化市场行动计划》和《对外文化贸易和投资合作主要国别（地区）指南》；发布《对外文化贸易统计体系（2015）》。

加强技术贸易促进工作。研究完善技术贸易管理体制；制订《中国禁止进口限制进口技术目录》和《中国禁止出口限制出口技术目录》修订方案；落实和完善技术贸易政策措施；举办第三届中国（上海）国际技术进出口交易会和第十一届中韩技术展示与洽谈会；完善技术贸易统计体系。

加快中医药服务贸易发展。对67个国家（地区）和国内30个省市中医药服务贸易发展情况进行专题调研，研究形成工作思路；会同中医药局开展中医药服务贸易重点项目、骨干企业（机构）和重点区域建设工作。

优化货代行业管理和服务。研究修订货代行业管理规定；指导货代协会做好人才培训和企业洽谈等服务工作；积极参与上海合作组织发展过境潜力工作组会议，促进货代行业国际合作。

（三）深化交流合作，拓展服务贸易发展空间

与印度召开服务贸易工作组会议，与中国台湾

地区建立两岸服务贸易统计合作机制，与美国、巴西及部分“一带一路”沿线国家开展双边合作磋商。举办第八届中国（香港）国际服务贸易洽谈会，指导京交会执行机构积极筹备第四届京交会。

（四）完善统计制度，夯实服务贸易工作基础

启用最新国际统计标准BPM6（《国际收支手册》第6版）开展服务贸易统计，完成新旧标准顺利过渡，服务贸易数据发布由季度调整为月度，且发布时间逐步提前。

（商务部服务贸易和商贸服务业司）

中国银行业对外开放情况

一、中资银行业金融机构海外发展

2015 年，中资银行业金融机构不断加大自身“走出去”和支持企业“走出去”的步伐。完善机构布局，构建全球化服务网络。通过银团贷款、境外发行债券等多种方式，为“走出去”企业提供资金支持。积极提供境外投资贷款、承包工程贷款、贸易融资、财务咨询等一揽子金融服务。加大人民币跨境结算步伐，提供全球化不间断的资金交易服务。截至 2015 年年底，共有 22 家中资银行在 59 个国家和地区设立了 1298 家分支机构，其中一级机构 213 家。大型商业银行在境外 57 个国家和地区设有一级机构（含代表处）171 家，比 2003 年增加 105 家。其中，在“一带一路”沿线 23 个国家设有一级机构 51 家。

海外并购是商业银行加快境外布局的重要方式。截至 2015 年年底，大型商业银行境外总资产约 1.5 万亿美元，比 2003 年增长约 7.5 倍；资本金和营运资金约 360 亿美元，比 2003 年增长约 3.1 倍；净利润约 104 亿美元，约为 2003 年的 3.3 倍。商业银行积极为客户提供量身定制的金融产品，有力支持了中资企业在海外基础设施建设、优势产能输出、能源资源合作等领域的发展。

二、外资银行业金融机构在华发展

截至 2015 年年底，15 个国家和地区的银行在华设立了 37 家外商独资银行（下设分行 306 家）、2 家合资银行（下设分行 4 家）和 1 家外商独资财务公司；26 个国家和地区的 69 家外国银行在华设立了 114 家分行；46 个国家和地区的 153 家银行在华设立了 174 家代表处。38 家外资法人银行、86 家外国银行分行获准经营人民币业务；31 家外资法人银行、31 家外国银行分行获准从事金融衍生产品交易业务；6 家外资法人银行获准发行人民币金融债；4 家外资法人银行获准开办信用卡发卡业务、1 家外资法人银行开办信用卡收单业务。外资银行在我国 27 个省份的 69 个城市设立了营业机构；形成了具有一定覆盖面和市场深度的总行、分行、支行服务网络，营业网点达 1044 家。其中，约 17%的机构网点位于东北和中西部地区。

表 1　在华外资银行业金融机构情况（截至 2015 年年底）

机构类型	外国银行	独资银行	合资银行	财务公司	合计
法人机构总行		37	2	1	40
法人机构分行		306	4		310
外国银行分行	114				114
支行	23	542	15		580
总计	137	885	21	1	1 044

截至 2015 年年底，在华外资银行资产总额 2.68 万亿元，负债总额 2.33 万亿元。其中各项贷款余额 1.13 万亿元，各项存款余额 1.44 万亿元。金融衍生品业务规模 9.42 万亿元，同比增长 16.47%。2015 年实现净利润 152.98 亿元，不良贷款率 1.15%，流动性比例 69.53%。

（中国银行业监督管理委员会政策研究局　文　竹）

中国保险业对外开放情况

保险业作为现代金融体系的三大支柱之一，是现代经济的重要领域，在我国经济社会建设中具有重要作用。目前，中国保险业已基本实现全面对外开放，是我国金融业中开放时间最早、开放力度最大、开放步伐最快的行业。自加入WTO以来，保险业一直保持了较高的增长速度，成为国民经济发展最快的行业之一。

2015年，面对错综复杂的国内外经济形势，中国保险业全面贯彻党的十八大、十八届三中、四中、五中全会、中央经济工作会议和习近平总书记系列重要讲话精神，坚持稳中求进的工作总基调，主动适应经济发展新常态，深入贯彻保险“新国十条”，持之以恒抓服务、严监管、防风险、促发展，推动行业改革创新发展不断迈上新台阶。

一、2015年我国保险业的总体发展情况

2015年是“十二五”的收官之年。保险业取得的各项成绩，不仅是一年来全行业艰苦努力的结果，也是在“十二五”期间行业改革发展的基础上取得的。“十二五”时期是我国保险业发展史上不平凡的五年，是行业发展变化最大、综合实力提升最快的时期，是改革创新全面突破、基础建设明显加强的时期，是服务能力显著增强、行业地位和影响力大幅提高的时期，也是保险监管体系升级换代、科学依法有效监管扎实推进的时期。

这五年，保险行业发展大跨越，综合实力和国际影响力全面站上新台阶。全国保费收入从2010年的1.3万亿元增长到2015年的2.4万亿元，年均增长13.4%。保险业总资产从2010年的5万亿元增长到2015年的12万亿元，成功实现翻番。行业利润从2010年的837亿元增长到2015年的2824亿元，增加了2.4倍，行业发展创近7年来新高，与国计民生密切相关的责任保险、农业保险、健康保险均快速增长。

目前，我国的保险市场规模已先后赶超德国、法国、英国，全球排名由第六位升至第三位，对国际保险市场增长的贡献度达26%，居全球首位。多边和双边国际保险监管合作深入推进，当选亚洲保险监督官论坛轮值主席，主导通过了《科伦坡宣言》，我国在国际保险监管领域的影响力和话语权日益增强。行业“引进来”和“走出去”步伐加快，支持国内保险企业在全球范围配置资产，我国保险业全球布局初见成果。

二、外资保险公司在华经营情况

自1992年保险市场以试点形式对外开放以来，我国保险业的对外开放已经经历了23年的时间。2002年加入WTO，更是进一步推动了我国保险业的对外开放，外资保险公司数量迅速增加，经营范围不断扩大，业务增长迅速。目前，虽然外资保险机构在我国保险市场的影响力还很有限，但从整体上看，其竞争力普遍较高，发展后劲足，将对我国保险市场的未来发展产生较大影响。

2015年，外资保险公司实现保费收入1164.2亿元，同比增长29.1%，占全国保费收入的4.8%，占比较上年提高0.3个百分点。外资保险公司总资产达8344.5亿元，较年初增加1697.8亿元，增长25.5%，占比为6.8%，同比上升0.3个百分点。

截至2015年年底，共有16个国家和地区的保险公司在我国设立了56家外资保险公司；外国保险机构在华设立代表处141家。

（一）外资财产保险公司经营情况

2015年，外资财产保险公司保费收入175.1亿元，市场份额为2.1%。外资财产保险公司赔款支出109.5亿元，同比增长20.1%。

在外资财产保险业务结构中，车险、企财险、责任险、货运险、农业险、意外险构成了业务的主要来源，上述六个险种占比分别为：55.2%、11.4%、10.3%、6.7%、6.2%、5.4%，合计占比为95.3%。

（二）外资人身保险公司经营情况

2015年，外资人身保险公司实现保费收入989.1亿元，市场份额为6.2%；外资人身保险公

司各类赔付指出 191 亿元，同比增长 39.5%。

在外资人身保险公司业务结构中，分红险、普通寿险、健康险、意外险构成了业务的主要来源，上述四个险种占比分别为 50.6%、29.2%、16.8%、3.2%，合计占比 99.8%。

（三）外资再保险公司

2015 年，外资再保险公司保费收入为 522.9 亿元，同比下降 46.8%，占全国再保险公司分保费收入的 44.4%；外资再保险公司分保赔付支出 405.6 亿元，同比增长 78.3%；利润总额为 4.8 亿元，同比下降 66.6%。

（四）中资保险机构在海外设立机构情况

截至 2015 年末，共有 12 家境内保险机构在境外设立了 37 家营业机构，其中包括 11 家资产管理公司。共有 4 家境内保险机构在境外设立了 7 家代表处。

三、积极参与国际规则制定，提升我国保险业的国际影响力与话语权

近年来，在国际金融危机的影响下，国际国内金融市场发生了巨大变化，对防范风险、加强监管的呼声越来越高，金融监管改革加速，行业间、国家间趋同的步伐明显加快。在银行业，巴塞尔银行监管委员会出台的《巴塞尔资本协议Ⅲ》，强化了风险管理和资本要求。为强化保险监管，国际保险监督官协会（IAIS）也启动战略调整，决定参照巴塞尔银行监管协议，建立全球统一的保险监管规则。

在此背景下，为了在国际规则制定中发出更多的中国声音、注入更多的中国元素，维护和拓展我国保险业发展的核心利益，中国保监会作为 IAIS 执委会成员不断提高参加 IAIS 规则制定的深度和广度，深度介入国际保险集团监管共同框架和全球系统重要性保险机构（G. SII）监管措施等国际保险规则的倡议、起草、研讨、出台和修订等各个环节；主动争取，尽可能多地担任各工作组或特别项目组的负责人，组织起草相关标准；积极参加各工作组会议，加强与工作组成员的交流；继续参与基础资本要求（BCR）和更高损失吸收能力要求（HLA）的修订工作，就以风险为基础的全球保险资本标准（ICS）的制订等具体问题与各成员进行充分深入的探讨。

2015 年 2 月，我国偿二代 17 项监管规则发布，保险行业进入偿二代过渡期，标志着我国保险业以风险为导向的新一代偿付能力监管体系得以确立。从 2013 年立项，2014 年全部标准建立并进行多轮压力测试，到 2015 年进入试运行过渡期，短短三年，中国的保险业监管走在了全世界的最前端，引起了国际保险业的广泛关注。

四、“一带一路”战略带来中国保险业发展的新机遇

目前，我国“一带一路”战略已进入务实推进阶段，并取得重要成果，在为我国稳定经济增长提供强大动力的同时，也给中国保险业带来了潜在的重大机遇。

一方面，“一带一路”战略扩大了保险覆盖面。“一带一路”战略辐射区涉及国别与人口数量众多，地缘政治经济关系复杂多变，在“走出去”过程中，企业要面临政治风险、战争风险、经济风险、灾害风险等，需要保险为企业开展跨境合作，提供全面的风险保障与服务支撑，这就为保险业开拓国内、国外两个市场提供了重要机遇。中国信保披露的数据显示，2015 年中国信保承保我国面向“一带一路”沿线国家的出口、投资、承包工程金额达到 1163.9 亿美元，其中承保“一带一路”战略清单项目 38 个，承保金额 232.2 亿美元，促进了我国与“一带一路”沿线国家的双边经贸往来，推动了项目所在国的经济社会发展。

随着中国保险业对外开放程度的提高，外资保险公司正加速进入中国市场，中国保险由于起步较晚，国际竞争力相对偏弱，进军国际市场的步伐较慢。而“一带一路”战略的实施，为中国保险进入国际市场提供了前所未有的良机。为了更好地为在“一带一路”战略下走出去的中资企业提供保险服务，同时开拓“一带一路”沿线国家的海外保险市场，很多国内保险集团在积极拓展“一带一路”沿线保险市场，如安邦保险集团相继收购了比利时百年保险公司 FIDEA、荷兰 VIVAT 保险公司与韩国东洋人寿；复星国际收购了葡萄牙 CSS 保险公司，抢先进入了“一带一路”沿线国家的保险市场。

另一方面，“一带一路”建设推进保险业深耕业务空间，细分市场需求，加速产品创新。“一带

一路”规划的内容包括在沿线、沿岸国家和地区实现“五通”，即政策沟通、道路联通、贸易畅通、货币流通、民心相通。随之而来的是，在基建、旅游、教育、文化、医疗、金融、农业等领域的广泛合作，标的进一步多样化，承保范围不断扩大，给保险带来广阔的业务拓展空间。对外工程险、货运险、海外投资保险、海外租赁保险、买方违约保险、境外旅意险、境外车险、中小企业贷款履约保证保险等传统险种的承保力度不断加大。

未来，随着“一带一路”建设的深入推进，多层次、多领域的跨境保险需求将渐次增长，保险产品细分趋势进一步加快，将出现更贴近企业实际的“个性化”保险产品，如跨境农业替代种植保险、跨境企财险等，将保险合作领域向纵深拓展。

五、未来展望

目前，保险业形势面临的不确定性依然很多。从国际看，世界经济仍处在国际金融危机后的深度调整期，美国经济继续稳步增长，欧洲经济正在复苏，日本经济出现好转迹象，新兴市场和发展中国家增速继续放缓，国际金融市场和大宗商品价格波动加剧，地缘政治等非经济因素影响加大。总体上看，世界经济复苏疲弱态势难有明显改观，增长仍然脆弱，可能会给我国保险业带来不利影响。

面对国内外经济金融形势复杂多变的情况，我国保险业将坚定不移地执行对外开放政策，在“新国十条”的指引下，以开放促改革，以开放促发展，全面发挥开放对改革发展的促进作用；认真履行入世承诺，维护保险业对外开放的良好形象；创新保险监管制度，切实提高国际化监管水平，依法保障保险业对外开放的政策的贯彻落实；积极参与国际保险市场的合作，建立与国际保险组织和监管机构的长效交流机制，充分利用国际市场资源，支持境内企业在境外建立服务化网络，为“走出去”战略提供服务，把我国保险业提高到一个新的水平。

外资产险公司明细表

序号	公司名称	开业时间	注册地
1	美亚财产保险有限公司	1992.09.25	北京
2	东京海上日动火灾保险（中国）有限公司	1994.07.03	上海
3	安盛天平财产保险股份有限公司	1996.11.08	上海
4	瑞再企商保险（中国）有限公司	1998.09.18	上海
5	丘博保险（中国）有限公司	2000.09.27	上海
6	三井住友海上火灾保险（中国）有限公司	2001.04.24	上海
7	三星财产保险（中国）有限公司	2001.04.24	上海
8	苏黎世财产保险（中国）有限公司	2006.05.08	北京
9	安联财产保险（中国）有限公司	2002.12.18	广州
10	利宝保险有限公司	2003.11.07	重庆
11	日本财产保险（中国）有限公司	2003.05.15	大连
12	中航安盟财产保险有限公司	2004.08.30	北京
13	劳合社保险（中国）有限公司	2007.03.09	上海
14	中意财产保险有限公司	2007.04.06	北京
15	现代财产保险（中国）有限公司	2007.02.08	北京
16	爱和谊日生同和财产保险（中国）有限公司	2007.05.17	天津
17	国泰财产保险有限责任公司	2008.08.26	上海
18	乐爱金财产保险（中国）有限公司	2009.09.18	南京
19	日本兴亚财产保险（中国）有限责任公司	2009.06.11	深圳
20	信利保险（中国）有限公司	2010.12.13	上海
21	富邦财产保险有限公司	2010.09.17	厦门
22	史带财产保险股份有限公司	1995.01.25	上海

外资寿险公司明细表

序号	公司名称	开业时间	注册地
1	中宏人寿保险有限公司	1996.11.08	上海
2	中德安联人寿保险有限公司	1998.10.20	上海
3	工银安盛人寿保险有限公司	1999.04.07	上海
4	信诚人寿保险有限公司	2000.09.18	北京
5	交银康联人寿保险有限公司	2000.06.14	上海
6	中意人寿保险有限公司	2002.01.10	北京
7	中荷人寿保险有限公司	2002.11.01	大连
8	同方全球人寿保险有限公司	2003.04.03	上海
9	中法人寿保险有限责任公司	2004.12.06	北京
10	中英人寿保险有限公司	2002.12.04	北京
11	中美联泰大都会人寿保险有限公司	2011.03.17	上海
12	北大方正人寿保险有限公司	2002.11.15	上海
13	长生人寿保险有限公司	2003.09.02	上海
14	招商信诺人寿保险有限公司	2003.07.25	深圳
15	恒安标准人寿保险有限公司	2003.11.25	天津
16	瑞泰人寿保险有限公司	2003.12.08	北京
17	陆家嘴国泰人寿保险有限责任公司	2004.12.24	上海
18	华泰人寿保险股份有限公司	2005.03.01	北京
19	中银三星人寿保险有限公司	2005.05.18	北京
20	平安健康保险股份有限公司	2005.06.13	上海
21	中新大东方人寿保险有限公司	2006.05.08	重庆
22	汇丰人寿保险有限公司	2009.06.03	上海
23	新光海航人寿保险有限责任公司	2008.09.03	北京
24	君龙人寿保险有限公司	2008.09.28	厦门
25	复星保德信人寿保险有限公司	2012.09.13	上海
26	中韩人寿保险有限公司	2012.10.29	杭州
27	德华安顾人寿保险有限公司	2013.05.29	济南
28	友邦保险有限公司	1992.09.25	5个省（市）

外资再保险公司明细表

序号	公司名称	开业时间	注册地
1	慕尼黑再保险公司北京分公司	2003.06.27	北京
2	通用再保险公司上海分公司	2004.05.25	上海
3	汉诺威再保险股份公司上海分公司	2008.03.31	上海
4	瑞士再保险公司北京分公司	2003.09.11	北京
5	法国再保险公司北京分公司	2008.02.03	北京
6	RGA 美国再保险公司上海分公司	2014.09	上海

外资保险机构驻华代表处明细表

序号	机构名称	设立时间	注册地
1	安保集团	1997.05.02	北京
2	康联保险集团	1994.01.10	北京
3	昆士兰保险集团股份有限公司	1997.07.10	广州
4	万诚保险有限公司	2003.09.08	北京
5	万诚保险有限公司	2005.10.10	上海
6	安联保险集团	1993.12.20	北京
7	通用再保险公司	2001.05.11	北京
8	慕尼黑再保险公司	1997.08.28	上海
9	安顾保险集团股份公司	2007.08.30	北京
10	安顾保险集团股份公司	2009.06.28	济南
11	安盛公司	1994.07.02/2004.09.09	北京
12	法国国家人寿保险公司	1998.01.21	北京
13	法国安盟保险公司	1994.06.28	北京
14	安盟甘寿险北京代表处	2008.12.29	北京
15	巴黎人寿保险有限公司	2003.04.16	上海
16	巴黎财产保险有限公司	2005.05.08	北京
17	科法斯信用保险公司	2003.06.16	北京
18	圣汇安保险经纪股份有限公司	2009.06.26	上海
19	兴业保险股份有限公司	2007.01.17	北京
20	中华保险公司	1998.07.22	厦门
21	乐爱金财产保险有限公司	1996.04.04	北京
22	乐爱金财产保险有限公司	2003.02.20	上海
23	三星火灾海上保险公司	1995.02.21	北京
24	三星生命保险公司	1995.02.21	北京
25	贸易保险公社	1993.08.26	北京
26	贸易保险公社	2004.09.15	上海
27	现代海上火灾保险有限公司	1997.07.18	北京
28	现代海上火灾保险有限公司	2008.11.24	上海
29	韩国教保生命保险株式会社	2003.12.24	北京
30	韩华生命保险株式会社	2003.07.25	北京
31	大韩再保险公司	1997.08.28	北京
32	东部火灾海上保险公司	2006.06.30	北京
33	兴国生命保险株式会社	2008.03.19	北京
34	首尔保证保险株式会社	2008.04.09	北京

续 表

序号	机构名称	设立时间	注册地
35	荷兰保险有限公司（Ⅱ）	1993.12.13	北京
36	全球人寿保险国际公司	1997.12.29	北京
37	富通保险国际股份有限公司	2003.02.20	上海
38	安卓信用保险公司	2009.01.07	上海
39	加拿大人寿保险公司	1998.03.17	北京
40	永明人寿保险公司	1995.03.09	北京
41	加拿大皇家银行人寿保险公司	2006.06.07	北京
42	枫信金融控股责任有限公司	2007.12.03	北京
43	美国保德信保险公司	1998.06.10	北京
44	北美洲保险公司	2001.02.09	北京
45	北美洲保险公司	2002.11.25	上海
46	大都会人寿保险公司	1994.12.06	北京
47	大陆保险集团公司	1980.11.14	北京
48	大陆保险集团公司	2000.03.02	上海
49	大西洋再保险公司	1997.10.29	上海
50	国际集团	1980.10.10	北京
51	纽约人寿国际公司	1997.07.17	北京
52	苏立文·克迪斯保险经纪人公司	2001.09.05	北京
53	信安人寿保险公司	1994.11.30	北京
54	信诺保险公司	1994.01.31	北京
55	怡安保险（集团）公司	1996.01.31	北京
56	RGA 美国再保险公司	2004.12.06	北京
57	美国在线健康保险代理公司	2005.06.09	厦门
58	美国展维住房抵押贷款保险公司	2005.06.28	北京
59	美国佳达再保险经纪有限公司	2005.10.10	北京
60	美国联合保险公司	2006.04.28	北京
61	美国联合健康保险公司	2007.01.17	北京
62	美国柏柯莱保险集团公司	2007.06.05	北京
63	美国盛博保险有限公司	2007.08.17	上海
64	美国史带公司	2007.08.30	北京
65	美国法特瑞互助保险公司	2007.12.03	北京
66	美国安泰人寿保险公司	2008.03.19	上海
67	美国国际金融保险公司	2008.09.04	北京
68	美国维朋公司	2010.05.12	北京

续　表

序号	机构名称	设立时间	注册地
69	爱和谊日生同和保险公司（总）	1986.04.12/2004.05.17	北京
70	爱和谊日生同和保险公司	2004.05.12	广州
71	日本财产日本兴亚保险公司	1998.09.18	重庆
72	第一生命保险公司	1988.06.20	北京
73	第一生命保险公司	2004.12.16	上海
74	日本东京海上日动火灾保险株式会社	1980.07.01	北京
75	日本东京海上日动火灾保险株式会社	1997.09.26	成都
76	日本明治安田生命保险公司	1995.04.20	北京
77	三井住友海上火灾保险公司（总）	1998.02.27	北京
78	三井住友海上火灾保险公司	1993.11.19	大连
79	三井住友海上火灾保险公司	1998.06.25	成都
80	三井住友海上火灾保险公司	2004.09.09	青岛
81	日本生命保险公司	1986.11.19	北京
82	住友生命保险公司	1990.12.27	北京
83	瑞士再保险股份有限公司	1996.11.05	上海
84	苏黎世保险公司	1993.07.26	北京
85	苏黎世保险公司	1996.05.03	上海
86	富邦产物保险股份有限公司	2001.01.09	北京
87	国泰人寿保险股份有限公司	2001.01.09	北京
88	国泰人寿保险股份有限公司	2002.12.04	成都
89	新光人寿保险股份有限公司	2001.01.09	北京
90	新光人寿保险股份有限公司	2004.12.16	上海
91	台湾新光产物保险股份有限公司	2004.12.16	苏州
92	台湾人寿保险股份有限公司	2002.12.04	北京
93	富邦人寿保险股份有限公司	2002.12.04	北京
94	中国人寿保险股份有限公司（台湾）	2005.07.27	北京
95	台湾产物保险股份有限公司	2006.05.09	上海
96	新安东京海上产物保险股份有限公司	2006.05.18	上海
97	华南产物保险股份有限公司	2007.06.05	深圳
98	兆丰产物保险股份有限公司	2007.08.13	上海
99	恒生保险有限公司	2000.12.28	深圳
100	闽信保险有限公司	1996.12.27	福州
101	其士保险有限公司	2001.07.02	北京
102	德安保险经纪有限公司	2008.11.03	深圳
103	香港亚洲保险有限公司	1993.02.06	深圳

续 表

序号	机构名称	设立时间	注册地
104	中国保险（集团）有限公司（中保国际控股有限公司）	1999.08.13	北京
105	中国保险（集团）有限公司（中保国际控股有限公司）	2000.12.18	上海
106	中银集团人寿保险有限公司	2003.03.25	北京
107	汇丰人寿保险（国际）有限公司	2003.03.25	广州
108	蓝十字（亚太）保险有限公司	2003.03.25	上海
109	高诚保险经纪人有限公司	2003.04.16	福州
110	中国交通保险有限公司	2004.05.09	深圳
111	德安保险经纪有限公司	2006.06.16	北京
112	领航海上保险顾问有限公司	2007.11.16	北京
113	大东方人寿保险有限公司	2006.12.11	北京
114	忠利保险有限公司	1996.06.18	北京
115	忠利保险有限公司	1997.07.04	上海
116	曼福保险集团	2005.06.28	北京
117	金光集团保险私人有限公司	2001.01.11	北京
118	保诚集团	1993.12.20	北京
119	劳合社	2000.11.03	北京
120	英国耆卫公共有限公司	2004.02.27	北京
121	麦理伦国际集团有限公司	1997.08.28	上海
122	思文够赫思特有限公司	2004.11.24	上海
123	保柏金融公众有限公司	2006.06.22	北京
124	库柏盖伊有限公司	2006.09.19	上海
125	亚瑟 J. 盖勒格英国有限公司	2008.06.20	北京
126	大新人寿保险有限公司	2006.09.12	深圳
127	博纳再保险有限责任公司	2007.08.30	北京
128	和德保险有限公司	2007.06.05	北京
129	万凯公司	2011.03.29	北京
130	台银人寿保险有限公司	2011.11.24	北京
131	凯林 XL 集团	2012.03.30	北京
132	南山人寿保险股份有限公司	2012.06.26	上海
133	香港友邦保险控股有限公司	2013.02.07	北京
134	香港友邦保险控股有限公司	2014.05.07	上海
135	中国太平保险控股有限公司	2014.04.28	北京
136	中国太平保险控股有限公司	2014.04.28	深圳
137	百慕达富卫人寿保险（百慕达）有限公司	2014.07.10	上海
138	三商美邦人寿保险有限公司	2014.12.28	北京
139	美国韬睿惠悦特拉华控股公司	2015.02.26	北京

（中国保险监督管理委员会国际部）

中国资本市场对外开放情况

2015 年，中国证监会积极推进交易所市场国际化，促进投融资跨境双向流动，推动制定自贸区支持政策，稳步扩大对港澳台开放，深化国际合作与交流，中国资本市场对外开放取得丰硕成果。

一、推进交易所市场国际化

2015 年 5 月，上交所、中国金融期货交易所（以下简称中金所）与德意志交易所集团合作在欧洲建立离岸人民币证券产品交易平台，并合资成立中欧国际交易所股份有限公司（以下简称中欧国际交易所）。2015 年 10 月，中欧国际交易所正式成立，11 月开始运行。建立中欧国际交易所是推进中国资本市场双向开放、扩大人民币跨境使用的重要探索，是境内交易所实施国际化发展战略的新尝试，也是支持"一带一路"等国家战略的重要举措。

中欧国际交易所成立初期，挂牌产品以证券现货产品为主，包括境外企业发行或境内企业境外发行的人民币债券、股票、以 A 股指数为基础的交易型开放式指数基金（ETF）产品，以及人民币计价的资产证券化产品。截至 2015 年年底，中欧国际交易所已上线 199 只产品，双边成交总金额合计为 6.32 亿元人民币。

二、促进投融资跨境双向流动

（一）支持资本市场跨境双向融资

支持境内企业境外发行上市。全面取消财务审核，提高审批效率。取消 A/H 定价限制，便利企业在 A/H 股存在估值差异时能够自主利用境外资本市场。上网公示审核要点和进度，提高审核透明度和可预期性。简化审核程序，确保平均审核时间不超过 1 个月。

2015 年，境内企业赴境外上市融资活跃，融资总额 454 亿美元（见图 1），其中，首发融资 259 亿美元，再融资 195 亿美元。经中国证监会审核的赴港上市 H 股企业占香港市场 IPO 筹资额的 80%。截至 2015 年年底，累计 233 家境内股份有限公司到境外上市，融资总额 2905 亿美元。其中，在香港交易所主板上市 207 家（含香港、纽约同时上市 10 家，香港、伦敦同时上市 4 家，香港、纽约、伦敦同时上市 1 家），在香港交易所创业板上市 24 家，在新加坡交易所上市 2 家。境外上市公司中有 89 家已发行 A 股，1 家发行 A、B 股，1 家发行 B 股。

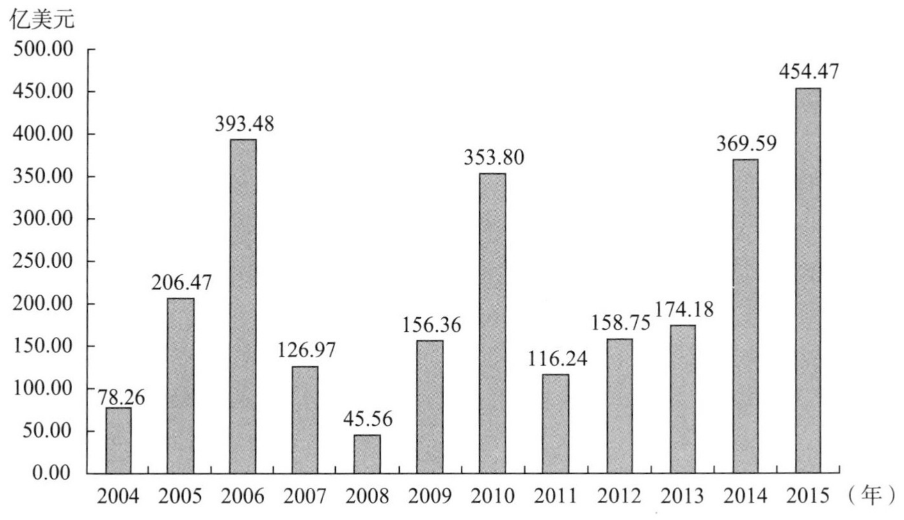

图 1　境外上市公司筹资总额

（二）推进资本市场跨境双向投资

完善 QFII 和 RQFII 制度。稳步推进合格境外机构投资者（QFII）资格审批，协调外汇局加快批准 QFII 投资额度。扩大人民币合格境外机构投资者（RQFII）试点范围至瑞士、卢森堡、智利、匈牙利、马来西亚、阿联酋和泰国等 16 个国家和地区，RQFII 额度增加至 1.21 万亿元人民币。会同人民银行、外汇局等修订 QFII、RQFII 相关办法，推动完善有关制度。简化境外机构投资者准入及资金汇出入手续，建立更加灵活的额度管理制度，便利境外长期资金投资。

启动境外企业发行人民币债试点。推动落实境外企业发行人民币试点，丰富交易所债券市场发行主体。截至 2015 年年底，共有 2 家境外企业在上海证券交易所完成非公开发行人民币公司债券，融资金额 15 亿元。

三、推动制定自贸区支持政策

2015 年 10 月，与上海市人民政府及中国人民银行等有关部委联合发布《进一步推进中国（上海）自由贸易试验区金融开放创新试点 加快上海国际金融中心建设方案》，包括：允许或扩大符合条件的机构和个人在境内外证券期货市场投资；进一步扩大人民币跨境使用，支持自贸区内企业的境外母公司或子公司在境内发行人民币债券；不断扩大金融服务业对外开放，鼓励在自贸区设立证券期货经营机构并创新发展等。

积极配合商务部研究制定广东、天津、福建自贸区总体方案。2015 年 4 月，国务院印发广东、天津、福建自贸区总体方案。

四、稳步扩大对港澳台开放

（一）深化沪港通

2015 年，沪港通试点总体运行平稳有序，为两地投资者相互买卖股票带来了便利，对于优化投资者结构，促进两地市场互联互通协同发展发挥着重要作用。截至 2015 年年底，交易金额合计 22 795.00 亿元人民币，其中，沪股通累计交易金额 16 385.76 亿元人民币，港股通累计交易金额 6409.25 亿元人民币；沪股通每日额度平均使用 6.06 亿元人民币，港股通每日额度平均使用 6.46 亿元人民币。沪股通总额度剩余 1802.85 亿元人民币，港股通总额度剩余 1417.51 亿元人民币。

（二）推动内地与香港基金产品互认

与香港证监会签署《关于内地与香港基金互认安排的监管合作备忘录》，自 2015 年 7 月 1 日起施行，进一步深化了内地与香港经济金融合作。截至 2015 年年底，共受理 17 只香港互认基金产品的注册申请，已注册首批 3 只香港互认基金。

（三）明确合资设立证券公司、投资咨询机构相关政策

根据《关于建立更紧密经贸关系的安排》（CEPA）及其补充协议，允许符合条件的港资、澳资金融机构在上海市、广东省、深圳市各设立 1 家两地合资全牌照证券公司，港资、澳资合并持股比例最高可达 51%，内地股东不限于证券公司；允许符合条件的港资、澳资金融机构在内地若干改革试验区内，各新设 1 家两地合资全牌照证券公司，内地股东不限于证券公司，港资、澳资合并持股比例不超过 49%，且取消内地单一股东须持股 49%的限制；在内地若干改革试验区内，允许港资、澳资证券公司在合资证券投资咨询公司中的持股比例达 50%以上。

积极参与《〈内地与香港关于建立更紧密经贸关系的安排〉服务贸易协议》和《〈内地与澳门关于建立更紧密经贸关系的安排〉服务贸易协议》的商签工作，以准入前国民待遇加负面清单模式扩大内地证券期货领域对港澳地区开放。

2015 年 12 月，两岸举行第三次证券及期货监管合作会议，就大陆放宽 QFII 的有关限制、给予台湾地区 RQFII 额度及放宽大陆参股台湾证券期货机构的有关限制等进行了有益沟通。截至 2015 年年底，共批准 27 家台资企业在大陆 A 股市场上市，4 家台资金融机构在大陆参股合资基金管理公司，35 家台资金融机构获批 QFII 资格，获得 QFII 投资额度合计 97.76 亿美元。

五、深化国际合作与交流

（一）加强国际监管合作

深度参与国际证监会组织（IOSCO）各项工作。2015 年，成功申请加入负责制定跨境执法国际标准的 IOSCO 多边备忘录遴选小组，参与证券化市场激励协调机制、货币市场基金监管等专题评估，以及资本市场数字化、公司治理等研究课题，

并在华举办IOSCO第三委员会工作例会。

签署双边监管合作谅解备忘录。2015年，与波兰金融监督管理局、哈萨克斯坦国家银行、阿塞拜疆国家证券委员会3家境外监管机构签署了证券期货监管合作谅解备忘录。截至2015年年底，共与58个国家（或地区）的证券期货监管机构签署了62个监管合作谅解备忘录。

积极开展跨境执法协助。组织跨境监管执法国际研讨会。完善部际会商机制，保障跨境执法协助工作的顺畅运行。积极履行多边备忘录项下的跨境执法合作义务。2015年，共收到境外协查请求130件，对外提出协查请求30件（见图2）。

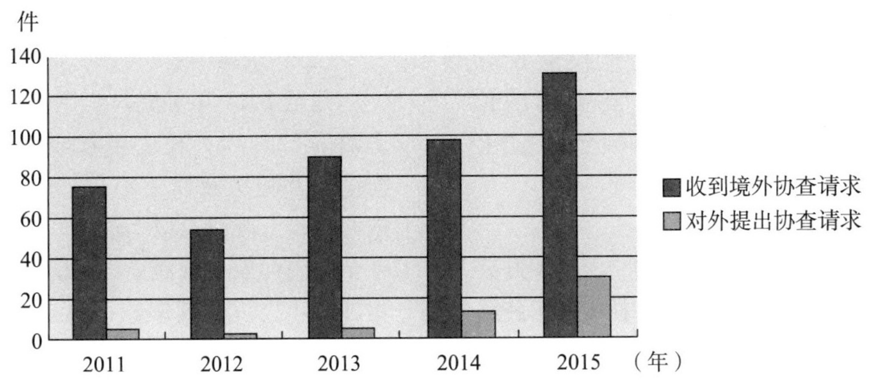

图2 历年跨境执法协助情况

推动中美审计监管合作。会同财政部与美国公众公司会计监察委员会（PCAOB）磋商，积极推进中美审计日常监管合作试点项目。

开展金融市场基础设施原则现场评估工作。组织开展《金融市场基础设施原则》（以下简称PFMI）评估工作，初步完成第一阶段评估工作。积极参加国际清算银行支付与市场基础设施委员会（CPMI）—国际证监会组织（IOSCO）政策制定工作组会议，推动完善《CPMI-IOSCO广泛市场建议》、中央对手方风险控制和计量标准。

（二）促进与国际组织的合作交流

积极参与国际金融治理与合作。继续参与在二十国集团（G20）、金融稳定理事会（FSB）、国际货币基金组织（IMF）、世界银行（WB）、世界贸易组织（WTO）、经济合作与发展组织（OECD）、亚太经合组织（APEC）、亚洲开发银行（ADB）等多边框架下的合作。积极落实G20项下资本市场相关承诺。参与FSB同行评估和影子银行年度监测。商定与OECD合作的中期愿景及行动计划等。举办APEC金融监管机构培训倡议（FRTI）“证券执法与跨境合作”培训研讨会。

推进战略对话和投资谈判。2015年，共完成19次双边和多边对话谈判工作，参与首次中德高级别财金对话，继续参与中美、中英、中法、中欧、中新等政府间双边对话机制，参加中韩、中澳、中日韩、中巴（基斯坦）自贸区和全面合作伙伴关系（RCEP）、中国—东盟自贸区升级等自贸谈判，以及中新（加坡）自贸区联委会、中新（西兰）自贸区联委会等双边合作机制，全力支持自贸区建设和拓展重点双边关系等合作。

（中国证券监督管理委员会国际部 张文修）

中国交通运输业对外开放情况

一、交通运输行业发展情况

2015 年，全国完成铁路公路水路固定资产投资 26 659 亿元，同比增长 5.5%，占全社会固定资产投资的 4.7%。其中，铁路固定资产投资 8238 亿元，公路建设投资 16 513 亿元，比上年增长 6.8%；内河及沿海建设完成投资 1457 亿元，比上年下降 0.2%。

（一）公路

2015 年年底，中国公路总里程达 457.73 万公里，比上年末增加 11.34 万公里。其中，高速公路达到 12.35 万公里，比上年末增加 1.16 万公里。公路密度继续增加，路网密度达到 47.68 公里/百平方公里，提高了 1.18 公路/百平方公里，通达水平进一步提高。

全国通公路的乡（镇）占全国乡（镇）总数的 99.99%，通公路的建制村占全国建制村总数的 99.87%。其中，通硬化路面的乡（镇）占全国乡（镇）总数的 98.62%，通硬化路面的建制村占全国建制村总数的 94.45%，比上年末分别提高 0.53 个和 2.68 个百分点。

2015 年，全国营业性客运车辆完成公路客运量 161.91 亿人、旅客周转量 10 742.66 亿人/公里，比上年分别下降 6.7%和 2.3%；全国营业性货运车辆完成货运量 315.00 亿吨、货物周转量 57 955.72 亿吨公里，比上年分别增长 1.2%和 2.0%。

（二）水路

截至 2015 年年底，全国港口拥有万吨级及以上泊位 2221 个，比上年末增加 111 个。其中，沿海港口万吨级及以上泊位 1807 个，增加 103 个；内河港口万吨级及以上泊位 414 个，增加 8 个。年末全国内河航道通航里程 12.70 万公里，比上年末增加 721 公里。其中，三级及以上航道 11 545 公里，占航道总里程的 9.1%，比上年提高 0.5 个百分点。

水路客货运输总体运行平稳。2015 年，全国完成水路客运量 2.71 亿人、旅客周转量 73.08 亿人/公里，比上年分别增长 3.0%和减少 1.7%。全国完成水路货运量 61.36 亿吨、货物周转量 91 772.45 亿吨公里，比上年分别增长 2.6%和减少 1.1%。

2015 年，全国港口完成货物吞吐量 127.50 亿吨，比上年增长 2.4%。其中，完成外贸货物吞吐量 36.64 亿吨，比上年增长 2.0%。全国港口完成集装箱吞吐量 2.12 亿 TEU，比上年增长 4.5%。

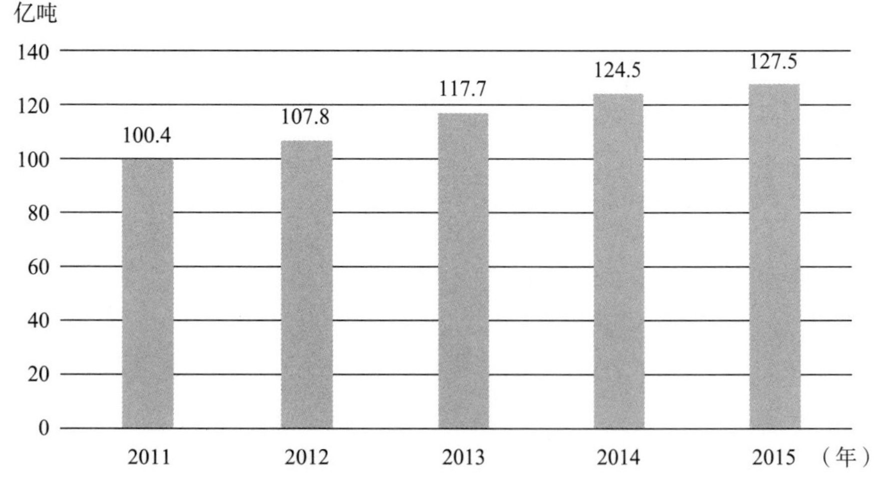

图 1　2011 年以来全国港口货物吞吐量变化

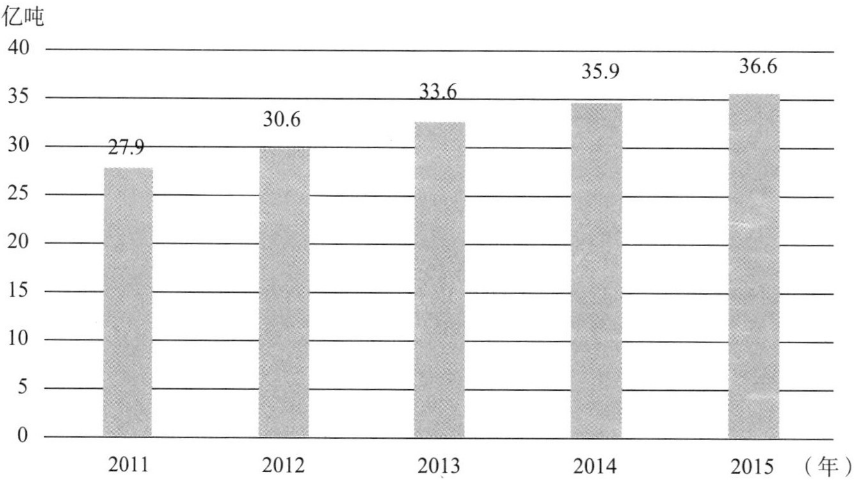

图2 2011年以来全国港口外贸货物吞吐量变化

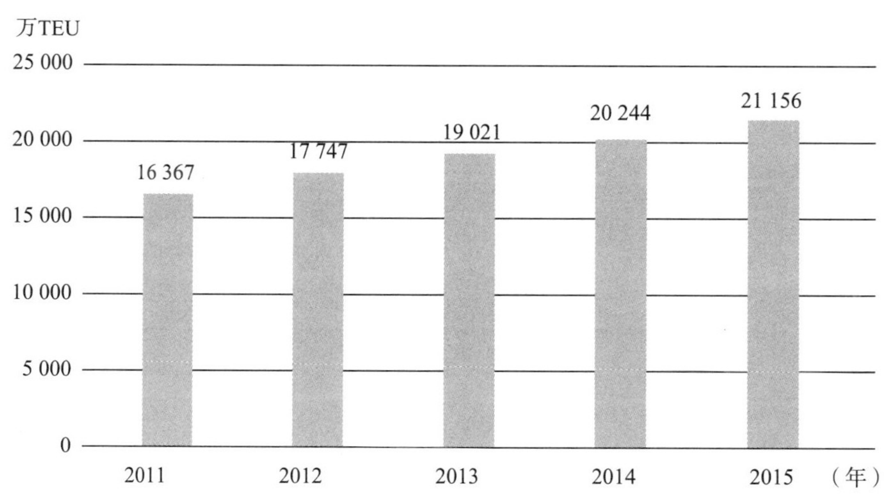

图3 2011年以来全国港口集装箱吞吐量变化

全国港口完成液体散货吞吐量10.81亿吨，比上年增长8.5%；干散货吞吐量73.61亿吨，增长1.6%；件杂货吞吐量12.42亿吨，减少0.8%；集装箱吞吐量（按重量计算）24.55亿吨，增长4.5%；滚装汽车吞吐量（按重量计算）6.11亿吨，增长0.3%。

2015年底，全国拥有水上运输船舶16.59万艘，比上年末减少3.5%；净载重量27 244.29万吨，增长5.7%；平均净载重量1642.16吨/艘，增长9.5%；集装箱箱位260.40万TEU，增长12.3%。

在集装箱箱位拥有量居世界前20位的世界集装箱班轮公司中，中国中远海运集团排名第四。

二、交通运输业最新开放情况

（一）大陆与台港澳间航运

全面落实《海峡两岸海运协议》，促进两岸“三通”海上直航可持续发展。鼓励引导两岸直航航运企业对老旧客货船舶进行运力更新和结构优化，促进规模化、专业化经营。加强两岸航运市场监管，继续实施两岸集装箱运价备案制度，加大对旅客、集装箱、危险品运输为重点的市场调控力度，促进两岸海上直航健康有序发展。

继续深化两岸交流合作，联合举办“2015年海峡两岸海上搜救学术交流会”，开展海峡两岸联合搜救演练，进一步提升有关各方应对突发灾难的能力和水平，更好地服务保障两岸海上直航发展。

落实内地与香港关于建立更紧密经贸关系安排（CEPA）有关规定，做好内地与港澳基本实现服务贸易自由化水路运输领域相关工作。进一步规范港澳航线管理，印发《关于进一步加强港澳航线运输管理工作的通知》，明确申请经营港澳航线的相关事项。

（二）海峡两岸海上直航

截至2015年年底，两岸直航的航运企业增加至133家，直航船舶327艘、298万载重吨。直航船舶中，集装箱班轮51艘、载箱量6.0万TEU；散杂货船166艘、220万载重吨；液体化学品、液化气、油品运输船合计93艘、88.8万载重吨；客船（含客滚船、客货船）24艘、总客位6800人，其中福建沿海至台湾金门、马祖、澎湖客运船舶21艘、总客位4500人。

2015年，海峡两岸进出口贸易额1885.6亿美元，比2014年下降4.9%。2015年，海峡两岸海上运输完成货运量5451万吨，同比下降0.2%，完成客运量189.4万人次，增长9.0%。其中，大陆至台湾货运量3356万吨，同比下降2.7%，客运量94.8万人次，增长9.7%；台湾至大陆货运量2095万吨，增长4.2%，客运量94.6万人次，增长8.4%。

受惠于2015年1月起大陆居民赴台湾金门、马祖、澎湖实施落地签及台湾最大免税店落户金门，海峡两岸间海上客运量继续较快增长。其中，福建沿海至台湾金门、马祖、澎湖的客运量完成174万人次，同比增长11.0%。

集装箱运输量首次负增长。2015年，两岸集装箱运输量完成224.3万TEU，同比下降0.2%，是2008年两岸直航以来出现的首次负增长。其中，中转集装箱运量完成87.8万TEU，同比下降1.1%。受两岸贸易额下降以及全球航运市场不景气的影响，两岸集装箱运输市场运价稳中有降。2015年12月30日，上海航运交易所与厦门航运交易所联合发布的台湾海峡两岸间集装箱运价指数（TWFI）为1011.92点，较2014年底下降3.9%。

普通散杂货运输量小幅下滑。2015年，两岸普通散杂货完成2061万吨，同比下降1.2%；液体化工品、液化气运输量继续保持增长，分别完成538万吨和94万吨，分别增长4.4%和7.4%。

表1　　2015年两岸海上直航运输统计

指　标	2015年	与2014年比较
贸易额（亿美元）	1 885.6	－4.9%
货运量（万吨）	5 451	－0.2%
集装箱运量（万TEU）	224	－0.2%
客运量（万人）	189.4	9.0%

（三）积极参与自由贸易实验区建设

发布《交通运输部关于在国家自由贸易试验区试点若干海运政策的公告》（以下简称《公告》），将上海自贸区航运开放政策向广东、天津、福建自贸区推广。《公告》明确：经国务院交通运输主管部门批准，外商可在自贸区设立股比不限的中外合资、合作企业，经营进出中国港口的国际船舶运输业务；其中，在上海自贸区可设立外商独资企业，在广东自贸区可设立港澳独资企业。经国务院交通运输主管部门批准，在自贸区设立的中外合资、合作企业可以经营公共国际船舶代理业务，外资股比放宽至51%；在自贸区设立的外商独资企业可以经营国际海运货物装卸、国际海运集装箱站和堆场业务。经自贸区所在地省级交通运输主管部门批准，在自贸区设立的外商独资企业可以经营国际船舶管理业务。

（四）强化行业管理

加强国际海运市场监管。印发《关于开展清理和规范海运附加费收费专项督查的通知》，对上海、宁波、广州、厦门等地进行专项督查。开展运价备案执行情况检查，对违规经营企业进行处罚和公开通报。修订出台《外商独资船务公司审批管理办法》（交通运输部令2015年第16号）。

完成中韩客货班轮运输专项治理，建立中韩客货班轮运输安全管理的长效机制。注册在中国的客货班轮公司全部建立自有安全管理体系，加大对超过20年船龄的老旧船舶检查力度，对整改后仍不能满足要求的船舶责令退出市场，加强船舶运营监管。

加快港口转型升级发展。引导推动港口拓展服务功能、多元化经营；优化港口结构和功能。加快推进港航企业实施“走出去”战略。推进集装箱铁水联运发展。依托国家集装箱海铁联运物联网应用示范工程，积极推进6条示范线路建设。

截至2015年年底，我国持有国际船舶经营许可证的公司262家，比2014年增加16家。外商在华设立独资船务公司40家，与2014年底持平；独资船务公司设立分公司253家；外商在华设立外商独资集装箱运输服务公司6家，分公司65家；在华开展班轮运输业务的中外航运企业共146家。

据中国船舶代理及无船承运人协会统计，截至2015年年底，已备案从事国际船舶代理业务的中资企业1987家；中外合资合作、台港澳合资独资的国际船舶代理企业159家；取得无船承运人经营资格的企业达6768家。

（五）简政放权深化改革

继续做好行政审批取消、下放相关工作。截至2015年年底，完成6大项2小项行政审批下放工作。规范行政审批行为，清理规范行政审批中介服务，公布保留中介服务事项清单。拟订水路运输市场准入负面清单。外资企业、中外合资经营企业、中外合作经营企业经营中华人民共和国沿海、江河、湖泊及其他通航水域水路运输审批下放至省级人民政府交通运输行业主管部门。

开展港口收费改革，更好发挥市场对资源配置的决定性作用。全面放开港口劳务性和船舶供应服务收费，自2015年1月1日起，对内外贸集装箱、散杂货装卸作业费和国际客运码头作业费等劳务性收费分别综合计收港口作业包干费，收费标准实行市场调节价。印发《交通运输部、国家发改委关于调整港口船舶使费和港口设施保安费有关问题的通知》，自2015年9月20日起，降低港口船舶使费收费和港口设施保安费的收费标准，调整港口收费结构，简化港口收费项目，减轻企业负担。

开展水上涉企收费清理。清理整顿进出口环节经营服务性收费，印发《关于全面清理和规范港口经营服务性收费的通知》；加大收费监督检查力度，配合国家发展改革委对部分港口开展进出口环节水上涉企经营性收费专项督查。

（六）对外合作

服务国家对外开放大局，不断深化海运国际交流和合作。继续开展与美国、欧盟、加拿大、韩国、俄罗斯等国家（地区）年度双边海运磋商，协调解决我们航运企业“走出去”遇到的问题，加强包括国际海运市场监管、国际海上客运和危险品运输安全内容的信息交流。组织召开中俄界河航道航行管理工作领导小组会议、中俄运输合作分委会海运河运工作组第19次会议和中俄航联委第56次例会，开展中俄界河航道航行年度联合检查。参加澜沧江—湄公河航运协调合作委员会第13次会议。

加强国际海事交流与合作，加大参与国际组织事务力度。促成国际海事组织将“北斗”卫星导航系统纳入全球无线电导航系统。积极参与极地水域航运船舶规则制定，深入参与马六甲海峡、北极等海上重要战略运输通道国际合作，维护水上运输安全和海洋权益。承办第16届亚太地区海事机构首脑会议，提高我国在地区海事事务中的影响力。继续巩固中日俄韩4国搜救机制。参加东盟地区论坛第4次救灾演习，编制“澜沧江—湄公河海事安全监管设施建设和管理项目”，成功申请中国—东盟海上合作基金。与印尼签订海上搜救合作谅解备忘录，开展中国—印尼国家海上搜救沙盘演习。

三、运输服务贸易

2015年，中国运输服务贸易进出口总额为1142亿美元，同比下降15.0%，在中国服务贸易进出口总额中的占比为15.1%。2015年，中国运输服务贸易逆差为370亿美元，比2014年的579亿美元下降了36.1%。2015年运输服务贸易逆差占中国服务贸易总逆差的20.3%，比2014年下降13个百分点，是中国服务贸易的第二大逆差行业。

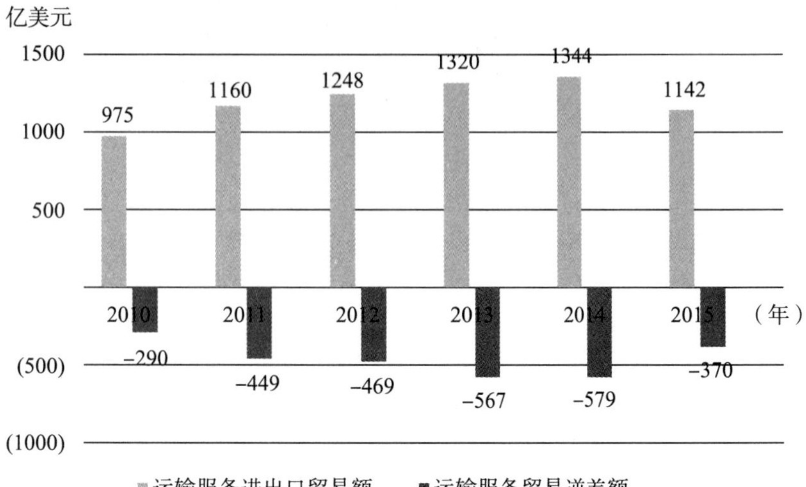

图 4 2010 年以来我国运输服务贸易额变化情况

（交通运输部规划研究院 刘长俭）

中国航空运输业对外开放情况

一、2015年中国民航业发展基本情况

2015年是“十二五”收官之年。面对新情况、新挑战，民航全行业深入贯彻党的十八大、十八届五中全会和中央经济工作会议精神，认真落实中央领导对民航发展做出的重要指示，深入推进实施民航强国战略，努力践行“发展为了人民”的理念，坚持“飞行安全、廉政安全、真情服务”三个底线，稳中求进，深化改革，各项工作取得较大成绩，民航业在经济社会发展中战略作用更加显现。

在世界经济增速放缓，国内经济下行压力较大的情况下，民航主要运输指标继续保持平稳较快增长。2015年全行业完成运输总周转量851.65亿吨公里，比上年增加103.53亿吨公里，增长13.8%，其中旅客周转量643.58亿吨公里，比上年增加83.24亿吨公里，增长15%；货邮周转量208.07亿吨公里，比上年增加20.8亿吨公里，增长10.8%。

国内航线完成运输周转量559.04亿吨公里，比上年增加51.04亿吨公里，增长10.0%，其中港澳台航线完成16.22亿吨公里，比上年增加0.05亿吨公里，增长0.3%；国际航线完成运输周转量292.61亿吨公里，比上年增长52.5亿吨公里，增长21.9%。

全行业完成旅客运输量43 618万人次，比上年增加4423万人次，增长11.3%。国内航线完成旅客运输量39 411万人次，比上年增加3371万人次，增长9.4%，其中港澳台航线完成1020万人次，比上年增加5万人次，增长1.4%；国际航线完成旅客运输量4207万人次，比上年增加1052万人次，增长33.3%。全行业完成货邮运输量629.3万吨，比上年增长5.9%。国内航线完成货邮运输量442.4万吨，比上年增长3.9%，其中港澳台航线完成22.1万吨，比上年减少1.0%；国际航线完成货邮运输量186.8万吨，比上年增长10.9%。

截至2015年年底，定期航班国内通航城市204个（不含香港、澳门、台湾）。我国航空公司国际定期航班通航55个国家的137个城市，国内航空公司定期航班从38个内地城市通航香港，从12个内地城市通航澳门，大陆航空公司从43个大陆城市通航台湾地区。

表1 2014、2015年中国运输统计数据

年 度	运输总周转量（亿吨公里）	客运量（万人）	旅客周转量（亿吨公里）	货运量（万吨）	货邮周转量（亿吨公里）
2014年	748.12	39 195	560.34	594.1	187.77
2015年	851.65	43 618	643.58	629.3	208.07
同比增长	13.8%	11.3%	15.0%	5.9%	10.8%
年 度	国际航线（条）*	国际客运量（万人）	国际货运量（万吨）	运输飞机（架）	旅客吞吐量（亿人次）
2014年	604	3 155	168.4	2 370	8.32
2015年	660	4 207	186.8	2 650	9.15
同比增长	9.2%	33.3%	10.9%	11.8%	10.0%

* 含港澳台航线。

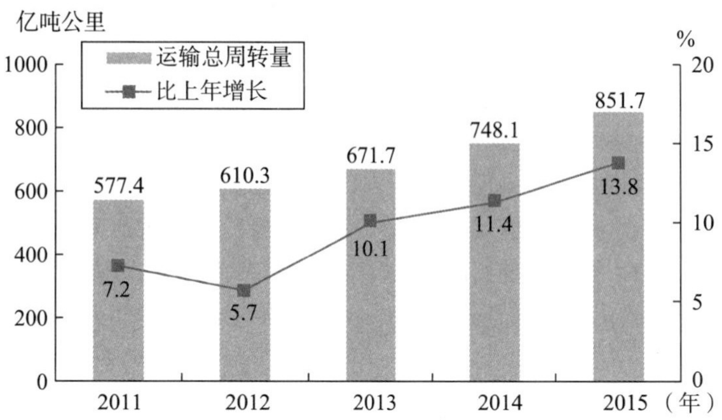

图 1 2011—2015 年民航运输总周转量

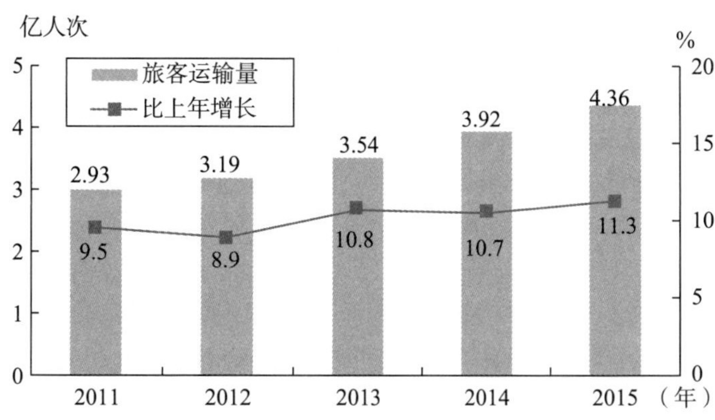

图 2 2011—2015 年民航旅客运输量

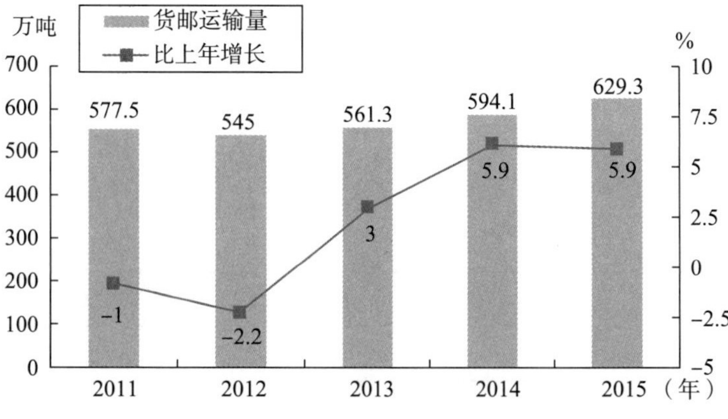

图 3 2011—2015 年民航货邮运输量

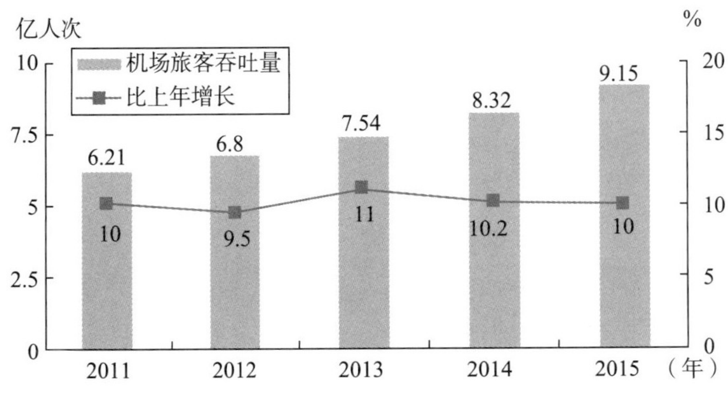

图 4　2011—2015 年民航运输机场旅客吞吐量

二、2015 年中国民航的对外开放情况

截至 2015 年年底，中国已与 118 个国家（地区）签署航空运输协定（其中 10 个协定为草签协定临时实施），比 2014 年年底增加 2 个。其中：亚洲有 43 个（含东盟），非洲有 24 个，欧洲有 36 个，美洲有 9 个，大洋洲有 5 个。

2015 年，民航着力创造条件，推动中国航空运输企业加快布局国际航线网络，更好服务“一带一路”航空运输互联互通。一方面与阿塞拜疆、哈萨克斯坦、马达加斯加、毛里求斯等“一带一路”沿线国举行了航空会谈，扩大了航权安排，便利了我国空运企业进入上述国家航空运输市场；另一方面推动我国空运企业开通了捷克、匈牙利、埃塞俄比来、肯尼亚、南非直达航线。

配合国家战略，做好自贸区谈判。全面参加中国—东盟、《区域合作伙伴关系协定》（RCEP）等 9 个自贸协定谈判工作，研究确定民航开放措施，通过民航领域与主要国家、特别是周边及“一带一路”国家相互扩大开放，服务国家经济发展战略，服务民航发展。制订民航外资负面清单，积极参与中美投资协定谈判，在保证行业安全的前提下，进一步放宽外资准入限制。

（中国民用航空局政策法规司　陈婧丹）

中国房地产业基本情况

一、房地产市场调控政策及市场运行基本情况

（一）房地产市场调控工作情况

2015 年，按照党中央、国务院决策部署，各地区、各部门分类调控，因城施策，积极化解房地产库存，促进房地产市场平稳健康发展。

住房城乡建设部会同或配合有关部门，出台了稳定房地产市场的一系列政策措施。3 月底，配合财政部、国土资源部、人民银行、银监会等有关部门降低第二套住房贷款首付款比例，实施住房及用地供应分类管理，将个人住房转让营业税征免年限由 5 年下调至 2 年，大力推行棚改和公租房货币化，用足用好住房公积金。8 月下旬，放宽外资准入房地产和外国人购房限制，降低第二套住房公积金贷款首付比例，降低中小城市住房交易手续费，允许将个人购买首套普通商品住房的贷款最低首付款比例由 30%降至 25%（北京、上海、广州、深圳市除外）。各地积极落实调控主体权责，结合当地实际，出台了促进住房消费、稳定房地产市场的综合性政策措施。

（二）房地产市场运行基本情况

2015 年房地产交易企稳回升，市场保持向好势头。市场运行表现出以下几方面特点：

一是商品房销售量保持增长。据国家统计局数据，2015 年，全国商品房销售面积 12.8 亿平方米，同比增长 6.5%；其中，住宅销售面积 11.2 亿平方米，同比增长 6.9%。商品房销售额 8.7 万亿元，同比增长 14.4%。

二是商品房待售面积有所增加。据国家统计局数据，2015 年 12 月底，全国已竣工商品房待售面积 7.19 亿平方米，同比增长 15.6%，增幅比 2014 年底回落 10.5 个百分点；其中，住宅待售面积 4.52 亿平方米，同比增长 11.2%。

三是房地产开发投资增速回落。据国家统计局数据，2015 年，全国房地产开发投资 9.6 万亿元，同比增长 1%，增幅比 2014 年回落 9.5 个百分点；其中，住宅投资 6.46 万亿元，同比增长 0.4%。房屋新开工面积 15.45 亿平方米，同比下降 14%。房地产开发企业土地购置面积 2.28 亿平方米，同比下降 31.7%。

二、房屋交易与产权管理

（一）规范房屋交易行为

印发《房屋交易与产权管理工作导则》，建立健全规则完善、职能明确、流程清晰、规范有序的房屋交易与产权管理制度。指导各地贯彻落实《商品房买卖合同示范文本》，加强房源核验和购房资格审核，严格实行购房实名制；强化交易资金监管制度，确保预售资金用于商品房项目工程建设；加强房屋交易与产权管理信息平台建设，推进与相关部门的信息共享。与国土资源部共同印发《关于做好不动产统一登记与房屋交易管理衔接的指导意见》（国土资发［2015］90 号），指导各地做好房屋交易与不动产统一登记衔接工作。

（二）积极推行商品房买卖合同网签备案制度

指导各地积极推行商品房买卖合同网签备案制度，防止“一房多卖”、虚假交易恶意骗取银行贷款等行为。指导督促地方加强网签系统建设，地级及以上城市全面实施新建商品房、二手房买卖合同网签备案制度，加快实现网签业务系统行政区域全覆盖，不断提升信息化管理水平。

（三）规范外资购房管理

会同商务部、发展改革委、人民银行、工商总局、外汇管理局印发《关于调整房地产市场外资准入和管理有关政策的通知》（建房［2015］122 号），对《关于规范房地产市场外资准入和管理的意见》（建住房［2006］171 号）相关政策进行了调整，优化和改进外商投资房地产管理，进一步规范境外机构和外国人的购房管理。

（四）培育和发展住房租赁市场

印发《关于加快培育和发展住房租赁市场的指导意见》（建房［2015］4 号），推进住房租赁信息政府服务平台建设，积极培育住房租赁经营机构，鼓励房地产企业经营租赁住房，支持从租赁市场筹

集公共租赁房房源。

（五）加强房地产中介监管

严格实行房地产经纪机构备案管理制度；取消房地产经纪人准入类职业资格，调整为水平评价类职业资格。建立健全房地产估价机构、经纪机构以及注册房地产估价师、房地产经纪人员信用档案。

三、物业管理发展基本情况

（一）推动物业管理行业持续健康发展

贯彻落实服务业发展“十二五”规划，研究拟订物业服务业“十三五”发展思路，进一步健全物业管理法规体系并抓好制度的贯彻落实，规范物业服务行为和提升物业管理质量。监督指导北京、山东等地建立健全地方性政策法规，加快物业管理法制化、规范化进程；引导支持内蒙古、宁夏等地制定促进物业管理行业发展的扶持政策；赴山东、广西等地实地调查，书面调研上海、沈阳等十余个城市相关情况，专题研究物业管理行业发展情况。

（二）开展首次全国维修资金普查

通过普查，初步了解维修资金缴存、使用、管理等基本情况。指导有关单位编制《住宅专项维修资金管理基础信息数据标准》和《住宅专项维修资金管理信息系统技术规范》。与财政部联合印发《关于进一步发挥住宅专项维修资金在老旧小区和电梯更新改造中支持作用的通知》（建办房［2015］52号），探索解决维修资金使用率低以及老旧小区、电梯更新改造资金不足问题。

（三）加强和改进物业服务市场监管

落实国务院关于取消物业管理师注册执业资格认定的要求，停止物业管理师注册工作，配合国务院法制办修改《物业管理条例》相关规定。会同研究物业管理师制度改革方向，为物业管理师由职业准入调整为水平评价做好基础性工作。配合全国人大法工委研究业主大会法人资格问题，协助中央国家机关事务管理局起草完善关于职工住宅区物业管理和供热采暖改革的配套文件，配合证监会研究制定地震巨灾保险系列文件，配合国家能源局电力司研究电动汽车充电设施建设和管理问题，配合国家工商总局调研将住宅用于企业工商注册的可行性。赴北京、重庆、郑州等地调查物业服务企业收取光纤改造进场费的情况，会同起草《关于贯彻落实〈国务院办公厅关于加快高速宽带网络建设推进网络提速降费的指导意见〉的通知》；赴天津了解“8·12”特别重大火灾爆炸事故对房屋的影响情况，并指导天津市开展受损房屋的补偿工作；赴北京、广东督查调研电梯安全工作；赴抚顺、阜新、长春、辽源等地专题调研棚改小区管理现状，对棚改小区维修、管理问题提出了初步的政策措施建议。

（四）房屋使用安全和白蚁防治

监督指导各地加强对房地产主管部门管理的直属公房的安全排查，配合开展全国老楼危楼安全排查，对湖南、福建两省老楼危楼安全排查工作进行实地督查，参与遵义、天津等地房屋倒塌事故的调查处理。赴上海、杭州等地调研旧住宅区情况，研究提出关于建立旧住宅区有机更新后的长效管理机制、将维修资金用于有机更新的意见和建议。配合研究城市二次供水问题，并就如何加强和改进二次供水工作提出建议。按照白蚁防治事业“十二五”规划纲要总体要求，部署白蚁防治重点工作，开展修订白蚁防治法规政策、标准规范和调查白蚁区域分布等基础性工作，监督检查全国白蚁防治中心重点工作完成情况和科研实验室建设情况。

四、国有土地上房屋征收基本情况

（一）贯彻落实《国有土地上房屋征收与补偿条例》

通过实地指导、召开座谈会等形式，对部分省份推进立法工作进行指导，督促地方在起草制定地方性法规规章过程中，按照上位法的有关规定和要求进行制定或修改完善，维护立法工作的严肃性和统一性。按照国务院法制办要求，研究《国有土地上房屋征收与补偿条例》（以下称《征收条例》）修订问题。

（二）起草补偿协议示范文本，规范房屋征收行为

针对一些地方房屋征收补偿协议中存在内容不全面等问题，在研究分析各地协议的基础上，起草了《国有土地上房屋征收补偿协议（示范文本）》（征求意见稿），拟在征求各方面意见建议并修改完善后，印发各地参考使用。

（三）推进征收信息公开，加强信息系统建设

根据国务院办公厅要求，结合工作实际，提出房屋征收与补偿信息公开具体落实措施和进度安

排；根据部里统一部署，督促各地按进度要求推进房屋征收与补偿信息系统建设。大部分省市都制订了工作方案，内蒙古、吉林、湖南、广东、青海等省份采取全省（自治区）统一或分级建设的方式，推动省级和城市系统建设；北京、上海、宁波、长沙、成都等城市，在补偿协议网签、安置房源与市场房源统筹管理以及信息公开等方面进行积极探索。

（四）制定工作方案，开展征收业务培训

结合棚改“三年计划”要求，围绕和服务部中心工作，研究制定《国有土地上房屋征收业务培训工作方案（2015—2017 年）》，计划用 3 年时间，对棚户区改造任务重的地方政府分管领导和房屋征收部门、房屋征收实施单位负责人及相关工作人员进行房屋征收工作指导和业务培训。在重庆举办了房屋征收管理干部培训班，对来自全国各地 300 多人进行了培训。

（五）破解征收拆迁难题，妥善处理遗留问题

加强与最高法的沟通协调，完善行政诉讼中的房屋征收强制执行司法解释，依法推进房屋征收强制执行工作。督促指导各地采取有效措施，创新工作机制，积极稳妥地处理好《征收条例》实施前已颁发拆迁许可证项目的收尾工作。对拆迁遗留项目进行逐一排查，研究提出切实可行的解决方案或通过司法途径解决。

（六）加大案件督查力度，维护群众合法权益

对部分省市拆迁安置房质量等问题进行调查；对审计署重点抽查审计的 32 个建设开发项目中涉及我部工作职责的 15 个项目责成辽宁、山东、山西、河南、重庆进行核查；参加中央信访联席办信访督查组对部分省市房屋征收拆迁信访事项进行实地督查，化解征收拆迁矛盾纠纷。

五、“十二五”期间我国房地产市场监管工作主要成就

“十二五”时期，我国房地产市场迅速发展，市场规模不断扩大，市场秩序不断规范，在改善城镇居民居住条件、促进经济社会发展等方面发挥了重要作用。

（一）房地产市场总体保持了平稳健康发展

针对房地产市场出现的突出矛盾和问题，国务院及有关部门先后出台了一系列政策措施，不断加强和改善房地产市场调控，强化分类指导，合理引导住房需求，促进了房地产市场平稳健康发展。2015 年，全国房地产开发投资 9.6 万亿元，是 2010 年的近两倍；全国商品房销售面积 12.8 亿平方米，比 2010 年增长 22.7%。

（二）城镇居民住房条件显著改善

“十二五”时期，我国住房建设能力逐步提高，累计竣工商品住房 38.7 亿平方米，支持了更多家庭解决住房问题。同时，住房质量明显提高，配套设施日趋完善，规划布局趋于合理，居住条件明显改善。

（三）有效拉动了经济社会发展

“十二五”期间，房地产业增加值占 GDP 的比重达 6%，房地产开发投资和消费有效拉动了 GDP 增长。房地产相关税收和土地出让收入成为地方政府的重要收入来源。房地产业的发展扩大了就业，开发、中介、物业企业为社会提供了上千万个就业岗位。

（住房城乡建设部房地产市场监管司）

中国新闻出版业基本情况

2015 年，新闻出版系统深入贯彻落实党的十八大和十八届三中、四中、五中全会精神以及中央各项决策部署，深入学习宣传贯彻习近平总书记系列重要讲话精神，充分发挥新闻出版在“四个全面”战略布局中的特殊作用，紧紧围绕“两个巩固”根本任务和服务经济发展新常态，坚持把社会效益放在首位，实现社会效益和经济效益相统一，抓产品固根本，抓改革增活力，抓发展促繁荣，服务党和国家工作大局的能力进一步提升，各方面工作尤其是在对外开放方面取得了新的积极的成效。

一、产业发展态势良好

坚持稳中求进的产业政策，加强改进宏观调控手段，加大财政扶持和政策引导力度，集约化战略和项目带动战略效果显著，新闻出版产业结构进一步优化，发展方式积极转变，保持了平稳发展态势。实体书店奖励扶持范围由 12 个省市扩大到 16 个省市，共投入扶持资金 9600 万元。全国新闻出版企事业单位 277 个项目进入改革发展项目库，获得近 20 亿元文化产业发展专项资金支持，中央财政 3 年累计投入 5.5 亿元支持绿色印刷项目，为企业发展提供了充足的内在动力。国家新闻出版产业基地（园区）规模继续较快增长，产业集约化水平进一步提高，其中 2 家基地（园区）营业收入超过 200 亿元。出版业规模化战略效果显著，中国出版集团、中国教育出版传媒集团、凤凰出版传媒集团、中南出版传媒集团 4 家出版集团进入全球出版业收入 50 强，全国已有 16 家出版传媒集团资产总额超过 100 亿元。发行业集中度进一步提高，前 20 名发行企业销售额占全国 30%以上，国有大型书城和知名民营书店增势显著，网上书店出版物销售额比上年增长 54.4%，民营发行企业、邮政企业总体保持平稳。第 25 届全国图书交易博览会在山西太原成功举办，展出各类图书 26.54 万种、92.88 万册，订货码洋 30.16 亿元，现场零售 1500 万元，从一个侧面展现了行业购销两旺的良好势头。印刷业结构不断优化，新的增长点、增长极、增长带正在形成，包装装潢印刷快速增长，其产值占全国印刷产值比重较上年提高了 4 个百分点，产业由东向西梯度转移实现质变，中部地区产值增量已占全国增量的三分之一，骨干企业成为集约发展的中坚力量，3000 家规模以上重点印刷企业产值占到全国的 54.2%。印刷园区在科技创新、对外加工等方面凝聚整合作用更加突出。绿色印刷推广成效显著，中国（上海）国际印刷周、绿色印刷推进会成功举办，“绿色印刷协同创新基地”“国家绿色印刷展示交流基地”成功设立，绿色印刷理念深入人心，实施领域不断拓展，标准体系日渐完善，产业链上下游形成了坚持绿色发展的基本共识和行动自觉。以“互联网＋印刷”为代表的创新融合方兴未艾，个性化按需印刷快速普及、线上线下加快融合、跨界经营已逐步成为趋势。民族网游和动漫产业发展势头强劲，国产网络游戏占有率和收入水平持续领先进口网游，在国内市场的主导地位更加巩固。中国音像与数字出版协会音乐产业促进工作委员会正式成立。中国音乐产业在 2014 年市场总规模达到 2800 多亿元的基础上，进一步形成了上下游呼应、各环节支撑的产业综合体系。

二、重大主题出版和精品出版更加繁荣

（一）全力做好习近平总书记系列重要讲话精神宣传阐释

发挥全国新闻出版系统优势，调动出版印制、发行流通、阅读服务、展览展示各环节力量，全力做好习近平总书记系列重要讲话精神重点读物出版发行服务，充分满足了党员干部、各界群众和国际社会阅读需求，创造了政治读物畅销图书市场的典范。《习近平总书记系列重要讲话读本》累计出版 1530 万册，《习近平谈治国理政》全球发行已超过 520 万册，其英、法、俄、阿、西、葡、德、日、越等外文版在 100 多个国家发行超过 50 万册，创下了改革开放以来我国国家领导人著作海外发行最高纪录，成为坚持中国道路、弘扬中国精神、凝聚中国力量和讲好中国故事、传播中国声音的重要载

体。经中央批准、由有关部门编辑的《习近平关于党风廉政建设和反腐败斗争论述摘编》《习近平关于全面依法治国论述摘编》陆续出版发行，《之江新语》《摆脱贫困》《干在实处 走在前列——推进浙江新发展的思考与实践》等著作深受读者欢迎，一批深入宣传阐释习近平总书记系列重要讲话精神的外文出版物经过翻译出版进入国外读者视野，数字出版成为积极宣传习近平总书记系列重要讲话精神的新阵地，共同推动形成了全党全国学习贯彻习近平总书记系列重要讲话精神的热潮。

（二）重大主题出版和宣传成效显著

认真做好十八届五中全会文件及辅导读物的出版发行和相关组织协调工作，当年全会文件及辅导读物总印数 535 万册、发行 434 万册。扎实做好纪念中国人民抗日战争暨世界反法西斯战争胜利 70 周年重点出版物选题策划和出版发行，遴选出《中国抗日战争史简明读本》《中国战区受降档案》《东北抗联史》《抗日战争》等 100 种重点图书和 20 种重点音像电子出版物；组织开展百首“我喜爱的抗战歌曲”推荐活动、“我最喜爱的十大抗战歌曲”全国网络投票活动；加大重点出版物宣传推介力度，开展百家书城联合展示展销，为纪念活动营造了浓厚社会氛围。围绕宣传阐释“四个全面”战略布局、深化中国特色社会主义和中国梦学习宣传教育、深化宣传阐释经济发展新常态和发展成就、弘扬和培育社会主义核心价值观等重大主题，精选推出一批思想性与可读性俱佳、富有吸引力和感染力的优秀主题图书，引导报刊拿出重要版面、开辟专版专题专栏加强宣传报道，在全社会唱响了主旋律，传播了正能量。

（三）精品出版成果丰硕

深入学习贯彻习近平总书记在文艺工作座谈会上的重要讲话精神，落实“五个一百”精品创作生产规划，召开文艺精品出版座谈会，加大精品出版资助力度，“中国文艺原创精品出版工程”首批筛选出优质项目 77 个，国家出版基金全年资助优秀出版项目 346 个，国家古籍专项经费资助古籍项目 96 个，“原动力”中国原创动漫出版扶持计划资助动漫出版项目 39 个。贯彻《关于推动网络文学健康发展的指导意见》，开展 2015 年度优秀网络文学原创作品评选推介和第十批“中国民族网络游戏出版工程”项目评选活动，一大批优秀作品受到网民热捧。“十二五”国家重点出版物出版规划已完成 2732 种，190 个项目获中国出版政府奖、“五个一工程”奖、中华优秀出版物奖等国家级奖项，219 个项目获全国性优秀出版物推荐，37 个项目获国家出版基金、国家哲学社会科学基金支持或科技重大专项。

三、对外传播能力持续增强

紧紧围绕党和国家外交工作大局，加强新闻出版“走出去”顶层设计，深入开展行业对外交流，大力推进重点工程和重大项目建设，积极拓展国际市场，进一步讲好中国故事，传播中国声音。

（一）精心组织重大外事活动

在美国举办《习近平谈治国理政》研讨推广会和“中国图书展销月”活动，在英国举办“伦敦中国图书节”活动，在南非举办《习近平谈治国理政》等中国主题图书展销周活动，在国外媒体、政要和民众中引起极大反响，为国家重大外事活动营造了良好舆论氛围。积极配合习近平总书记对巴基斯坦进行国事访问，与巴基斯坦新闻广播遗产部签署合作谅解备忘录，进一步推动了与南亚国家的文化交流合作。在加拿大、新西兰、俄罗斯等国家举办“纪念世界反法西斯战争暨抗日战争胜利 70 周年”专题书展活动，向全世界宣传了中国抗日战争的光辉历史。

（二）充分发挥“走出去”平台作用

我国成功加入国际出版商协会并成为执委会委员，在国际出版界的话语权进一步提升。成功举办第二十二届北京国际图书博览会，1000 多场出版专业交流活动、系列阅读推广活动以及作家活动精彩纷呈，达成各类版权输出与合作出版协议 2887 项，世界第二大国际书展地位更加巩固。成功举办美国书展中国主宾国活动、第 22 届白俄罗斯图书展销会中国主宾国活动；实施边疆地区企业走出去扶持计划，鼓励宁夏、广西、云南、西藏、黑龙江、吉林等边疆省份充分发挥地缘和资源优势，支持举办东盟出版论坛、中阿出版论坛、中俄出版博览会、中韩版权研讨会等区域性出版论坛、展会，支持在尼泊尔等周边国家举办感知中国图书展销会，在加强文化交流、推进版权输出、讲好中国故事、传播中国声音方面取得了突出实效。

（三）加快实施重点工程项目

明确了任务分工，提出了加快向周边国家布局、打造海外战略支点、实施重点工程的措施和目标。“丝路书香工程”有力推进，重点翻译资助项目资助530多种图书，一大批丝路国家图书互译项目、汉语教材推广项目、出版物数据库推广项目取得阶段性成果。“经典中国国际出版工程”资助项目102种，项目输出语种20个，项目结项率达到93%，一大批中国原创出版精品进入国外主流市场，刘慈欣的《三体》荣获世界科幻最高奖项雨果奖。图书版权输出普遍奖励计划启动实施，730种普遍奖励项目和230多种重点奖励项目获得支持。重点新闻出版企业海外发展扶持计划资助力度进一步加大，五洲传播出版社、中国人民大学出版社等以资本为纽带在周边国家和“一带一路”沿线国家成功建立本土化机构，89家新闻出版企业进入国家文化出口重点企业目录，较上年度增加14家。“中国图书对外推广计划”顺利开展，“渠道拓展工程”扎实推进，全球百家华文书店中国图书联展、亚马逊“中国书店”等项目效益显著，越来越多的优质中国图书通过主流渠道进入国际市场。互译出版项目成果丰硕，与俄罗斯大众传媒署签署的合作备忘录确定互译图书200种，与白俄罗斯、阿尔巴尼亚、葡萄牙签署了新的互译出版协议，一批中俄、中古、中印互译项目有序推进，中阿（阿拉伯）、中科、中白、中葡、中斯等互译机制更加完善，点对点的对外出版交流更趋深入。

（四）深入开展港澳台出版交流

积极落实两岸出版合作协议，累计向台湾39个县市101家单位赠送119 142册、共计码洋680多万元的大陆优秀图书。成功举办第五届两岸期刊研讨会暨期刊展、第十一届海峡两岸图书交易会、第八届海峡两岸文博会、第16届祖国大陆书展、第十届金门书展和北京出版集团2015精品图书台湾巡展暨两地出版文化交流等活动，两岸出版交流合作更加深入。

（五）积极开展版权国际交流合作

签署国家版权局与世界知识产权组织（WIPO）版权双边战略合作备忘录，积极参与世界贸易组织（WTO）、亚太经合组织（APEC）等对华版权事务和《保护广播组织条约》等国际条约的磋商，扎实做好应对中美商贸联委会（JCCT）和中美战略经济对话（SED）版权方面工作，认真落实中美、中英、中日、中韩版权战略合作框架下有关项目，切实深化中美、中英、中欧、中俄、中巴、中澳、中日、中韩等双边版权交流合作，及时跟踪研究国际版权发展态势，版权国际合作水平和对外应对能力大幅提升，国际版权话语权进一步加强。

（国家新闻出版广电总局办公厅）

中国文化产业及对外文化贸易发展情况

摘要：近年来，我国文化产业一直保持 20% 左右的高速增长，远高于同期 GDP 增速。在我国经济发展进入新常态的背景下，文化产业已经成为经济稳定增长和结构转型升级的重要推动力，对外文化贸易更是在讲好中国故事、改善我国对外贸易整体格局、推动中华文化更好“走出去”方面扮演着重要角色。2015 年，在国家多项利好政策护航下，我国文化产业和对外文化贸易核心领域发展势头良好，“IP”“互联网+”“一带一路”“全球化布局”等更成为其年度关键词。

关键词：2015 文化产业 文化贸易

一、政策扶持保驾护航

2015 年，国家继续出台多项文化领域利好政策，为文化产业和对外文化贸易快速发展保驾护航。值得注意的是，新的扶持政策更多地着眼于游戏、出版、影视、演艺、音乐等核心文化领域以及对外文化贸易统计、知识产权、小微文化企业等关键问题，对进一步激发文化产业和文化贸易发展活力发挥着重要作用。

2015 年 1 月，国务院正式发布了《国务院关于推广中国（上海）自由贸易试验区可复制改革试点经验的通知》，提出“允许内外资企业从事游戏游艺设备生产和销售等”。政策的出台为塑造游戏产业健康的生态环境、促进我国游戏产业的蓬勃发展起到了积极作用。

科技的不断创新和发展要求传统出版必须进行变革。4 月，为进一步提高出版业在信息化条件下的影响力传播力和竞争实力，推动出版业更好更快发展，国家新闻出版广电总局、财政部联合印发《关于推动传统出版和新兴出版融合发展的指导意见》，为推动传统出版影响力向网络空间延伸、实现传统出版和新兴出版融合发展指明了方向，阐明了路径。《指导意见》实施后，财政方面通过安排中央文化产业发展专项资金、国家出版基金等方式，分别对列入新闻出版改革发展项目库的融合发展项目和涉及出版融合发展的出版项目给予重点支持。

继 2014 年文化部、工业和信息化部、财政部联合印发《关于大力支持小微文化企业发展的实施意见》后，2015 年 5 月，文化部正式印发《2015 年扶持成长型小微文化企业工作方案》，进一步改善小微文化企业生存发展。《方案》明确表示，重点扶持的成长型小微文化企业，是指演艺业、娱乐业、动漫业、游戏业、文化旅游业、艺术品业、工艺美术业、文化会展业、创意设计业、网络文化业、数字文化服务业等行业及文博创意企业、非物质文化遗产生产性保护企业中，符合《中小企业划型标准规定》的小型和微型企业。《方案》提出从进一步完善政策支持措施、提升经营管理能力及品牌塑造营销水平、建设完善公共服务平台、鼓励金融创新、拓宽融资渠道等方面扶持小微文化企业发展。

为落实国务院《关于加快发展对外文化贸易的意见》（国发［2014］13 号）中关于加强对外文化贸易统计工作的要求，2015 年 7 月，商务部、中宣部、文化部、新闻出版广电总局、海关总署于联合发布了《对外文化贸易统计体系（2015）》。新修订的《对外文化贸易统计体系（2015）》在分类上实现了与国家统计局《文化及相关产业分类（2012）》和海关总署《商品名称及编码协调制度（2015）》的有效衔接，涵盖了更广范围的文化产品和文化服务类别，增加了基于数字、网络技术发展产生的新业态，并在文化领域对外投资统计方面实现了突破。新的统计体系不仅首次规范统一了数据统计口径，并合理借鉴了联合国教科文组织的文化统计框架，实现了国际接轨，对我国对外文化贸易发展将产生深远影响。

正版化能使唱片公司愿意投入更多资金和成本制作质量更好的唱片，推动音乐产业的良性循环。2015 年 7 月，国家版权局下发《关于责令网络音乐服务商停止未经授权传播音乐作品的通知》，要求 7 月 31 日前，无版权音乐作品全部下线。目前，“最严版权令”生效已经一年有余。这一年里，在政策强力推动下初步建立起来的音乐正版环境，让千万用户第一次明确地建立起“音乐确实是有版权的”的概念，充分通过粉丝经济促进音乐增值，数字音乐平台发展态势良好，传统音乐产业“取经”求变，带动了整个音乐产业的健康发展。

戏曲在我国具有悠久的历史、独特的魅力和深厚的群众基础，是表现和传承中华优秀传统文化的重要载体。2015 年 7 月，国务院办公厅印发了《关于支持戏曲传承发展的若干政策》，部署进一步政策支持，通过加强戏曲保护与传承、支持戏曲剧本创作、支持戏曲演出、改善戏曲生产条件、支持戏曲艺术表演团体发展、完善戏曲人才培养和保障机制、加大戏曲普及和宣传七个方面的努力，培育有利于戏曲“活起来、传下去、出精品、出名家”的良好环境，大幅提升戏曲艺术服务社会的综合能力和水平，从而振兴我国戏曲艺术。

电影产业化改革十多年以来，我国电影市场的硬件指标呈现跨越式增长，票房收入和观影人次更是节节攀高。一方面，中国电影获得巨大票房收益，也存在着票房造假等诸多乱象与矛盾；另一方面，国产电影面临的来自好莱坞等海外电影产业的竞争日益激烈。在此背景下，9 月，国务院常务会议通过《中华人民共和国电影产业促进法（草案）》并提请全国人大常委会审议。草案着眼于电影产业整体的均衡发展，强调国家政策对电影产业的扶持和引导，将电影产业发展纳入国民经济和社会发展规划，通过引导资金和给予优惠加大对电影产业的扶持力度①。草案的出台和将来的实施意味着中国电影法律法规和政策体系将进一步健全和完善，也将为我国电影行业的持续繁荣发展提供完备的法制保障。

知识产权是文化创意产业的核心资产。缺乏知识产权保护，创意主体的合法权益就得不到保护；没有收益，创意主体就不会有创意动力；没有创意动力，便不会有文化创意产业。当前，知识产权的保护力度不足已成为制约我国文化产业发展的重要瓶颈。12 月，国务院下发了《关于新形势下加快知识产权强国建设的若干意见》，明确提出推进知识产权管理体制机制改革、实行严格的知识产权保护、促进知识产权创造运用、加强重点产业知识产权海外布局和风险防控、提升知识产权对外合作水平等重要内容，对激发文化产业创新创业活力和推动对外文化贸易发展提供了必要的前提和保障。

二、重点行业分析

近年来，我国文化产业经济总量持续快速增长，占 GDP 比重稳步提升。据国家统计局最新公布数据，2015 年全国文化及相关产业增加值 27 235 亿元，比 2014 年名义增长 11%，比同期 GDP 名义增速高 4.6 个百分点，增加值占 GDP 的比重为 3.97%，达到历史新高。文化产业发展活力凸显，已成为当前经济增长的亮点之一。同时，文化产业结构调整步伐加快。2015 年，我国文化制造业增加值 11 053 亿元，比上年增长 8.4%，占 40.6%；文化批发零售业增加值 2542 亿元，增长 6.6%，占 9.3%；文化服务业增加值 13 640 亿元，增长 14.1%，占 50.1%。文化服务业的较快发展，使其占比得到提高，目前已超过一半。

2015 年，受整体经济和外贸形势的影响，我国对外文化贸易发展面临较大压力。据商务部统计，2015 年我国文化产品进出口总额为 1013 亿美元，比上年同期下降 20.5%，但已连续三年保持千亿美元规模，且我国文化产品进出口额自 2001 年以来总体呈上升趋势（见图 2）。其中文化产品出口 871.2 亿美元，进口 141.9 亿美元，贸易顺差 729.3 亿美元。文化服务出口在文化出口中的比重也在逐年提高。2015 年，我国文化服务进出口总额为 370.76 亿美元，占当年服务进出口总额的 5.2%②，保持了上升势头。

① 饶曙光：《电影产业促进法》草案推动电影产业整体均衡发展．中国经济网．2015 年 11 月 13 日，http：//www.ce.cn/culture/gd/201511/13/t20151113_7000512.shtml

② 数据来源：商务部服务贸易和商贸服务司．2015 文化贸易统计快报。

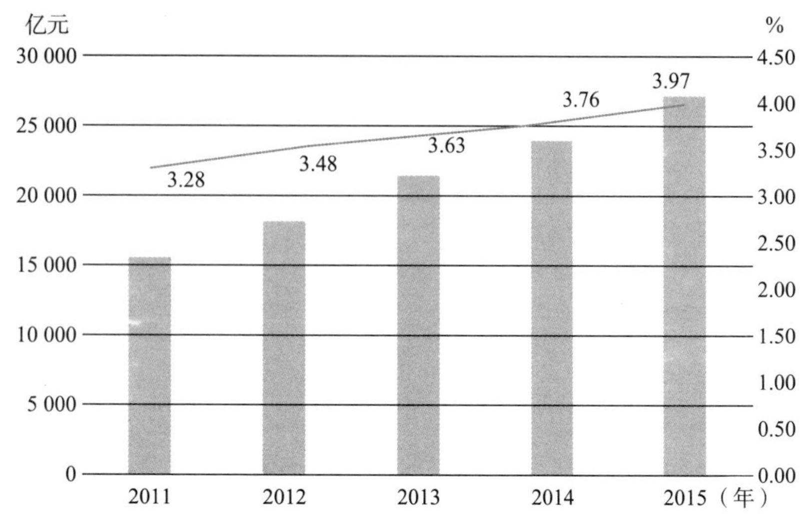

图 1　2011—2015 年中国文化及相关产业增加值及占 GDP 的比重

数据来源：根据国家统计局公布数据整理绘制。

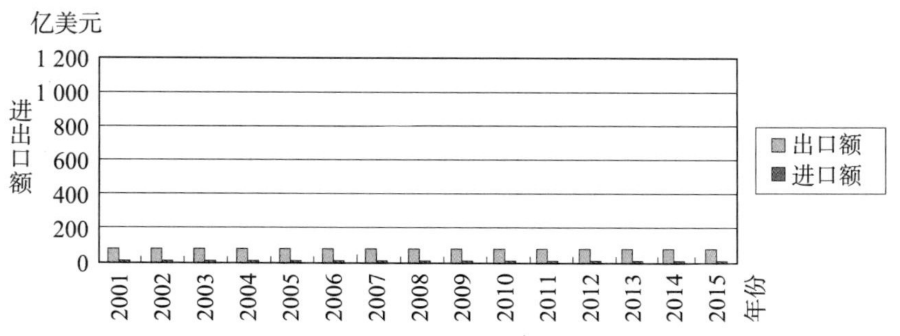

图 2　2001—2015 年中国文化产品进出口情况

数据来源：根据商务部服务贸易和商贸服务司《2015 文化贸易统计快报》整理绘制。

（一）出版行业——效益稳步提升

2015 年全国出版、印刷和发行服务实现营业收入 21 655.9 亿元，较 2014 年增加 1688.8 亿元，同比增长 8.5%。在年度单品种累计印数排名前 10 的书籍中，主题出版书籍占据半壁江山。其中，《习近平关于党风廉政建设和反腐败斗争论述摘编》超过 550 万册，《习近平谈治国理政》超过 400 万册。在各类出版收入中，数字出版继续保持高速增长，实现营业收入 4403.9 亿元，较 2014 年增加 1016.2 亿元，增长 30.0%，占全行业营业收入的 20.3%，提高 3.4 个百分点；对全行业营业收入增长贡献率达 60.2%。增长速度与增长贡献率在新闻出版各产业类别中均位居第一（见表 1 和表 2）①，成为产业发展的主要增长极。

随着中国图书质量的提升，以及借助北京国际图书博览会等大型版权交易平台，我国对外版权贸易与出版物出口平稳增长，数字出版物出口占比进一步提高。2015 年，全国共输出版权 10 471 种，较 2014 年增长 1.7%；引进版权 16 467 种，降低 1.4%；版权输出品种与引进品种比例为 1∶1.6，与上年持平（见表 3），版权贸易逆差呈逐步缩小趋势。全国累计出口图书、报纸、期刊、音像制品、电子出版物和数字出版物 10 485.6 万美元（见表 4），增长 4.4%，其中数字出版物出口 2366.9 万美元，增长 12.7%，占全部出口金额的 22.6%，提高了 1.7 个百分点。中国出版已经超越单纯的版权出口、实物出口，开始资本输出，逐渐占据了出版业全产业链。

① 出版行业数据均来自国家新闻出版广电总局《2015 年新闻出版产业分析报告》。

表1 2015年新闻出版产业结构及营业收入

产业类别	营业收入			
	金额（亿元）	增长速度（%）	比重（%）	比重变动（%）
图书出版	822.55	3.96	3.8	−0.16
期刊出版	200.99	−5.21	0.93	−0.13
报纸出版	626.15	−10.27	2.89	−0.6
音像制品出版	26.25	−10.13	0.12	−0.03
电子出版物出版	12.41	13.96	0.06	0.01
数字出版	4 403.85	30	20.34	3.37
印刷复制	12 245.52	4.3	56.55	−2.25
出版物发行	3 234.02	6.95	14.93	−0.21
出版物进出口	84.2	13.22	0.39	0.02

数据来源：国家新闻出版广电总局《2015年新闻出版产业分析报告》。

表2 2015年各产业类别的增长速度排名 单位：%

排名	产业类别	增长速度
1	数字出版	30
2	电子出版物出版	13.9
3	出版物进出口	13.22
4	出版物发行	6.95
5	印刷复制	4.3
6	图书出版	3.96
7	期刊出版	−5.21
8	音像制品出版	−10.13
9	报纸出版	−10.27

数据来源：国家新闻出版广电总局《2015年新闻出版产业分析报告》。

表3 2015年对外版权贸易总量规模 单位：种，%

总量指标	数 量	较2014年增减
引进	16 467	−1.37
输出	10 471	1.73

表4 全国出版物对外贸易情况 单位：万册（份、盒、张），万美元

类 型	指 标	累计出口	累计进口	总 额	差 额
图书、期刊、报纸	数量	2 112.45	2 811.75	4 924.2	−699.3
	金额	7 942.6	30 557.53	38 500.13	−22 614.93
音像制品、电子出版物、数字出版物	数量	11.98	11.62	23.61	0.36
	金额	2 542.97	24 207.67	26 750.64	−21 664.7
合 计	数量	2 124.43	2 823.37	4 947.81	−698.94
	金额	10 485.57	54 765.2	65 250.77	−44 279.63

说明：差额为累计出口减去累计进口之差。正号表示存在贸易顺差；负号表示存在贸易逆差。

（二）影视行业——释放增长潜力

根据美国电影协会（MPAA）发布的2015年全球电影市场数据报告，2015年全球票房383亿美元。其中北美贡献票房111亿美元，海外市场（北美之外的全球市场）票房272亿美元。全球影市发展的核心在亚太，亚太的核心在中国。国家新闻出版广电总局电影局公布数据显示，2015年中国电影总票房为440.69亿元，比2014年增长48.7%，创下“十二五”以来最高年度增幅。其中，国产影片票房271.36亿元，占总票房的61.58%，以较大优势保持了国产电影在中国电影市场的主导地位。国产影片海外销售收入27.7亿元，比2014年增长49%。

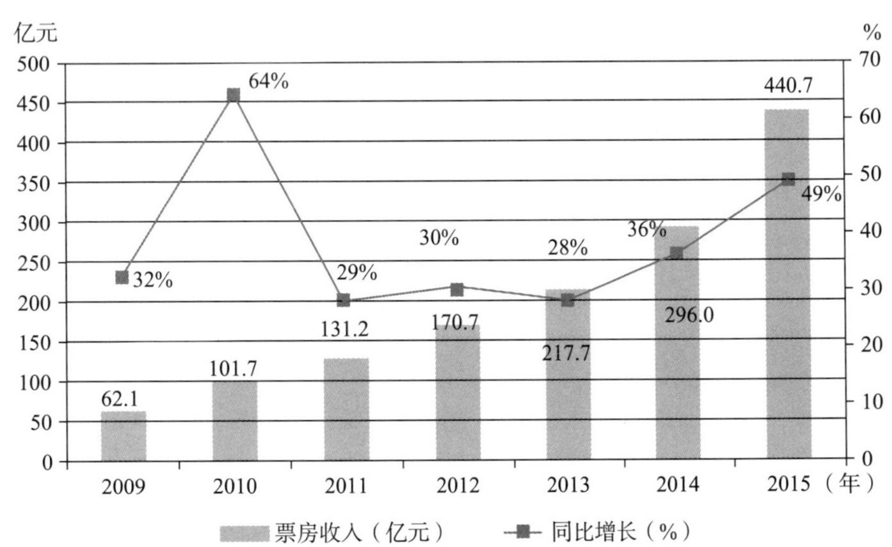

图3 2009—2015年中国电影票房收入及增长率[①]

2015年我国有395部电视剧，共计16 560集完成生产并且获准发行。[②] 产业良性发展的同时，我国电视剧海外出口也迎来小高峰。其中，《甄嬛传》登陆美国，成为国剧出海的重要标杆。国产古装剧《甄嬛传》的片方请美国团队操刀，将76集的长剧精编制作成为6集、每集90分钟的英文版电视电影，在美国收费视频网站Netflix上播出，这是中国电视剧首次在美国主流媒介平台以付费形式播出。在日本最大的收费视频网站video market上，《甄嬛传》也曾位于首页；同时，该剧曾在富士电视台的BS频道播放。优质中国电视剧也已开始风靡韩国。2015年被国内观众刷屏的《琅琊榜》在韩国热播，取得了不俗的收视成绩；此外，越南、马来西亚、新加坡、缅甸等都对中国优秀电视剧青睐有加，《步步惊心》《何以笙箫默》《陆贞传奇》等都具有较高的口碑。如在越南最大的视频网站之一Zing TV上，现代侦探悬疑爱情片《他来了，请闭眼》以点击量509万位列第三；《芈月传》点击量已经超过60万，位列第五。

（三）演艺行业——精彩亮点纷呈

2015年中国演出市场总体经济规模为446.59亿元，相较于2014年的434.32亿元，上升了2.83%。其中，演出票房收入（含分账）161.72亿元，比2014年上升9.03%。[③] 同时，在国家艺术基金的资助扶持下，文艺表演团体在创作生产、宣传推广、人才培养等方面成效显著。2015年有196部大型舞台剧、114部小型剧（节）目获得资助，18项国家艺术基金资助项目在国（境）外组织实施。

---

① 根据国家新闻出版广电总局公布数据整理。

② 国家统计局，《2015年国民经济和社会发展统计公报》。

③ 中国演出行业协会，《2015中国演出市场年度报告》。

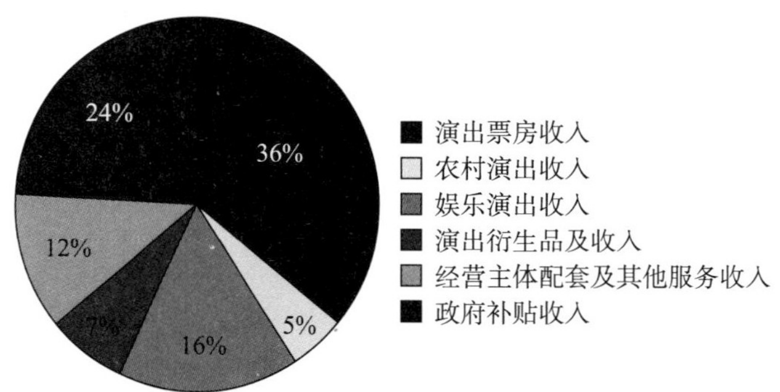

图 4　2015 年演出市场各类收入对比图

2015 年，我国演艺对外贸易领域更是亮点纷呈。上海歌舞团舞剧《朱鹮》日本巡演 64 天，在 29 个县、市演出 57 场，观众近 12 万人次；京剧程派名家张火丁领衔主演的京剧经典大戏《白蛇传》和《锁麟囊》先后在美国纽约和加拿大多伦多演出并引起轰动，在北美掀起了一场京剧热潮。2015 年法国阿维尼翁戏剧节也有 4 部中国戏剧作品亮相。中外演出项目联合制作进一步加深。上海芭蕾舞团豪华版《天鹅湖》在荷兰的 8 座城市进行了为期 36 天 26 场的大型商业巡演，获得国外演出商的认可，刷新了西方观众对中国芭蕾舞的印象。“引进来”方面，由中国国家话剧院与英国国家剧院联合出品的舞台剧《战马》中文版，自 2015 年 8 月起在北京首演 58 场后，又转战上海、广州、天津、哈尔滨演出近 190 场。截至 2016 年 5 月，该剧票房销售近 5000 万元，观众人数 20 多万。

（四）动漫网游——增幅可圈可点

2015 年，我国动画电影票房收入随着整体电影市场的快速崛起而持续攀升。全年共有 55 部动画电影上映，票房收入为 42.45 亿元，同比增长 38.87%，在总体电影票房中所占市场份额提升到 9.63%。其中，国产片票房达到 19.26 亿元，进口片票房为 23.19 亿元，占比分别为 45.38%、54.62%。两者的票房收入差距正在逐步缩小，国产片占比较 2011 年提高近 25 个百分点。① 其中《西游记之大圣归来》票房达 9.56 亿元，刷新国产动画票房纪录。与此同时，我国动漫内容产品海外版权贸易也在不断扩大，正成为文化版权贸易的新亮点和新增长点。北京天视全景文化传播有限责任公司、央视动画有限公司、灵然创智（天津）动画科技发展有限公司等 47 家动漫企业，以及 50 部国产原创漫画版权出口计划、童子山动画电影、“山猫吉咪”品牌文化产品对外出口等 15 个动漫项目分别入选商务部、中宣部、财政部、文化部、国家新闻出版广电总局共同认定的 2015—2016 年度国家文化出口重点企业和国家文化出口重点项目。

2015 年，我国网民数已达 6.7 亿人，其中网络游戏用户 3.7 亿。我国网络游戏产业更是连续 8 年以每年约 30%的速度增长，2015 年游戏行业收入达到 1330.8 亿元。其中，我国自主研发的网络游戏产品达到 945.4 亿元，占 70%以上。② 我国游戏产业出口额也在逐年上升，2015 年更是产生爆发式增长，海外出口总额达到 53.1 亿元，同比增长 72.4%（见图 5）。

电子竞技已成为全球游戏产业的吸金热点。根据国家新闻出版广电总局发布的数据，2015 年我国电子竞技份额达到 270 亿元，约占游戏产业总体规模的 19%，玩家人数已超过 1 亿。我国电子竞技迅速发展的同时，面临着研发和原创能力不足，产业链上游缺乏核心竞争力等问题。沉浸感、场景化、交互反馈是游戏行业的关键要素，这些特质与 VR（虚拟现实）技术天然契合，决定了游戏产业成为 VR 技术应用的爆发点。随着 VR 硬件逐渐普及，VR 游戏市场规模将呈现快速增长趋势，或可

① 中国新闻出版研究院，《中国动漫游戏产业年度报告（2016）》主报告摘要版。

② 文化部部长雒树刚：2015 年游戏行业收入达 1330.8 亿．中国新闻网．2016 年 01 月 08 日 http：//www.chinanews.com/cul/2016/01－08/7708461.shtml

成为未来游戏的发展引擎。但当前我国 VR 游戏市场尚处于启动期，因其较高的技术壁垒，用户规模和黏性不足，尚没有探索出有效的盈利模式。

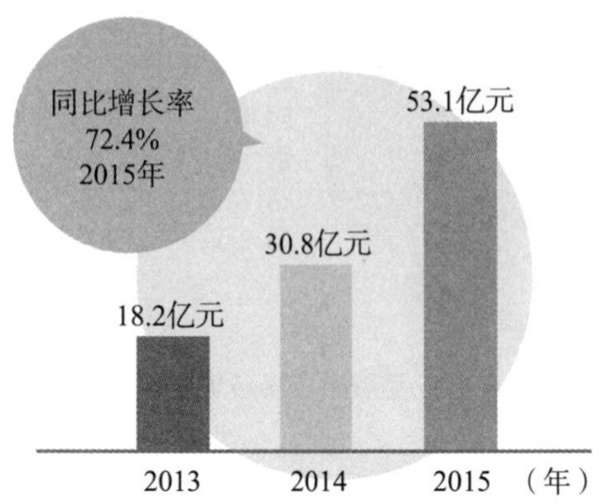

图 5　2013—2015 年中国游戏产业海外出口金额①

三、发展热点与趋势

（一）IP 成文化产业核心竞争力

IP（Intellectual Property，知识产权）之火热席卷影视圈已有两年，但它依然是 2015 年度文化产业界最热的关键词之一。IP 概念的火热源于网络文学领域的粉丝效应和口碑积累，让业内看到其潜藏的巨大商业价值。高人气的文学作品、动漫、影视作品、游戏、综艺节目等都是优质 IP。一个好的 IP 能实现图书、电影、电视、游戏、主题公园等全方位的互动娱乐运营，实现多领域、跨平台的商业拓展，从而打通文化产业全产业链，实现价值最大化。

IP 电影在热度和票房表现上都成为电影市场一股强大力量。据统计，2015 年 IP 改编电影票房 85.87 亿，占国产片总票房的 36.1%。电视剧方面，《花千骨》《盗墓笔记》《琅琊榜》《芈月传》《武媚娘传奇》《秦时明月》等 IP 改编作品更是称霸收视率、网络点击量、微博话题度等。其中，《琅琊榜》目前已累计实现 35 亿次的播放，且热销韩国等海外市场。同名小说改编的《鬼吹灯》《盗墓笔记》，同名游戏改编的《仙剑奇侠传》等热门影视、文学作品 IP 衍生舞台剧频现。以《盗墓笔记》为例，第一部总票房近 3500 万，第二部首轮演出 2000 万票房。正是基于对 IP 的全新认识，2015 年，文化产业的发展回归本源，更多地开始重视创意和版权的价值，也更潜下心来专注于内容生产。理性、深度地挖掘优质 IP 的多重价值，或可成为扭转我国对外文化贸易逆差的突破口之一。

（二）"互联网+"释放文化产业新动能

"互联网+"的本质即连接。互联网不仅颠覆了经济，也颠覆了文化产业。互联网与文化产业的深度融合，通过发挥互联网在生产要素资源配置中的优化和集成作用，激发着文化消费需求，又反过来推动了文化产品供给，从而不断变革着文化产品的生产和消费模式，形成了新的文化产业生态链。"互联网+"不仅增强了文化产业的创新力、生产力，还促进着文化价值的传播。

2015 年中国互联网演艺市场规模近 80 亿，同比增长了 48%。以腾讯视频为例，从 2014 年的 7 场演唱会到 2015 年的 55 场演唱会，从 2014 年的 300 万直播受众到 2015 年 5500 万直播受众，互联网正在给传统演艺产业带来巨大变革。动漫产品的传播也更加依赖互联网平台与渠道。目前，动漫已成为国内视频网站和阅读网站的重要板块，当当读书、网易云阅读、小米多看阅读等网络巨头相继开启了在线漫画阅读，腾讯、搜狐、爱奇艺、优酷等主流网络视频网站纷纷开设动漫频道，此外还产生了有妖气、漫客栈等在线漫画网站。"互联网+"时代，文化产品融合现象也更加明显，连接速度加快，文学、动漫、影视、游戏、音乐等形式不再孤立发展，而是更加协同、更有效率。如《花千骨》《琅琊榜》《盗墓笔记》等热门 IP 剧都同步推出手游产品，对本身价值深挖与再创造。《甄嬛传》《芈月传》《琅琊榜》等国产电视剧走出海外也正是充

① 中国音数协游戏工委、伽马数据、国际数据公司：《2015 年中国游戏产业报告》。

分利用了互联网视频平台。“互联网＋”正在为我国文化产品与服务走出国门提供新的方式与重要渠道。

（三）“一带一路”成文化贸易新热点

2015 年 3 月，国家发展改革委、外交部、商务部联合发布《推动共建丝绸之路经济带和 21 世纪海上丝绸之路的愿景与行动》，在合作重点中提出了加强与沿线各国的文化交流、积极开展文化产业合作、塑造和谐友好的文化生态的新要求。原本就承载着几千年中华文化内涵的“一带一路”战略的实施，给中华文化走向世界及文化产业的发展提供了绝佳的机遇。“一带一路”作为一项重大国家战略在提升我国对外开放水平、促进对外文化贸易方面正发挥积极作用。

目前我国官方公布的数据中，较少有直接以“一带一路”沿线国家为基础的对外文化贸易数据，但我们可以从商务部等机构发布的相关统计数据中侧面了解我国与“一带一路”沿线国家文化贸易的基本情况。分析 2015 年我国文化产品前十五位出口市场的数据情况，可以看出我国文化产品出口“一带一路”沿线国家的金额占比合计约 6%。尽管这个占比统计不够全面完整，但因“一带一路”沿线国家众多，且在全球各经济类型中分布均匀，这个数据仍具有一定参考价值。

表 5　2015 年我国文化产品前十五位出口市场

序号	国别	出口金额（亿美元）	占比（%）
1	美国	240.47	27.6
2	中国香港	224.93	25.8
3	英国	36.37	4.2
4	荷兰	35.03	4.0
5	日本	29.16	3.3
6	德国	26.29	3.0
7	新加坡	16.94	1.9
8	加拿大	15.03	1.7
9	韩国	13.52	1.6
10	澳大利亚	12.92	1.5
11	菲律宾	12.22	1.4
12	印度	11.65	1.3
13	法国	10.70	1.2
14	意大利	10.49	1.2
15	马来西亚	9.76	1.1

数据来源：商务部服务贸易和商贸服务司，2015 文化贸易统计快报。

此外，一些旨在推动“一带一路”文化贸易的项目也成效突出。如“一带一路影视桥”工程，立足于广播影视资源，引导丝绸之路重点国家的电影电视创作，以及合拍制作专题片等。实施两年多来，该项目已经推动制作了一批关于“一带一路”沿线国家的节目，探索了一系列合作模式，如影视合拍、联合采访、频道落地、技术合作等。影视合作的日渐深入，带动了“一带一路”框架下的文化贸易发展，影视及电视剧内容的海外销售以 50% 的速度在增长。①

（四）全球化布局激活文化贸易新活力

对外文化投资是促进对外文化贸易发展的有效方式之一。它能帮助企业取得海外文化市场当地文化企业等机构的经营权、控制权，利用当地资源有效对接文化需求与供给；同时以文化投资的实体机构为媒介，汇聚文化市场各方参与主体，最大限度地为本国文化产品与服务“走出去”创造适宜的市场环境，也为文化产品与服务的本土化提供更多保

① 京交会论坛聚焦“一带一路”下的文化贸易新格局．新华网．2016 年 05 月 31 日 http：//news.xinhuanet.com/fortune/2016—05/31/c_129031275.htm

障，并通过搭建渠道畅通、信息对称的文化贸易平台，进一步提升中华文化“走出去”的有效性。

2015年，中国文化企业频频布局海外。继2012年以26亿美元的金额并购美国第二大院线AMC影院公司后，万达集团继续布局大洋洲市场，通过收购HG Holdco 100%股权，将澳大利亚第二大电影院线运营商Hoyts收入囊中，获得了澳大利亚和新西兰的52家影院、424银幕，进而成为澳洲和新西兰电影院线行业主要市场参与者之一。中国复星集团联合美国德州太平洋集团（TPG Capital）对有“加拿大国宝”之称的太阳马戏团进行收购，据悉这笔交易估值约15亿美元。北京求是园公司在“一带一路”沿线国家格鲁吉亚首都第比利斯成立了格鲁吉亚文化出版社，旨在建设成为在“一带一路”国家专业权威的中国图书外文出版平台。文化企业的海外投资并购热潮，对激发我国对外文化贸易新的活力，提升其整体水平和国际竞争力起到重要推动作用。

“十三五”规划纲要提出，“十三五”期间要实现“公共文化服务体系基本建成，文化产业成为国民经济支柱性产业”的目标，表明我国在下一阶段大力推动文化产业发展的决心和信心。但我们应该清醒地认识到，我国文化产业发展迅猛的同时，仍然存在产业规模不够大、结构不尽合理、发展不均衡、资源使用效率不高、创新力不足等瓶颈的制约；我国对外文化贸易也面临着核心文化产品和服务的贸易逆差仍然偏大、市场主体竞争力较弱，高端复合型人才相对缺乏等困境。“十三五”期间，文化产业向着支柱性产业迈进，文化贸易在整体贸易中比重大幅提升等目标的实现，还需政府、行业组织、企业等多方携手，共同发力。

（北京第二外国语学院国家文化发展国际战略研究院　宋瑞雪）

中国旅游业对外开放情况

一、旅游外交实现重大突破，服务国家外交大局

2015年举办了中韩旅游年、中印旅游年、中国中东欧旅游年等一系列规格高、规模大、影响广的大型旅游外交活动。2015年5月，三千人的日本旅游交流团访华，习近平主席亲自出席并发表了重要讲话。6月，举办了中俄红色旅游研讨会和中俄红色旅游启动仪式。经习近平主席亲自确定，国家旅游局局长李金早作为习近平主席特使于7月4日赴汤加，出席了汤加国王的加冕典礼，这是旅游部门代表首次作为国家元首特使出访，既增强了我国旅游业的国际话语权，也为增进国家间关系和民间交流做出了积极贡献。9月，中国政府确定2016年将与联合国世界旅游组织共同举办首届世界旅游发展大会。11月，习近平主席宣布2016年中美双方将共办旅游年。每年近2.5亿人次的中外游客往来，已成为影响国际关系的重要力量。

二、旅游在港澳台工作中的独特作用进一步凸显

内地居民赴港澳“个人游”政策进一步优化，基本实现了内地与港澳服务贸易旅游领域自由化，拓展了以香港为母港的邮轮旅游航线，成立了促进澳门世界旅游休闲中心建设联合工作委员会，互联互通进程不断加快，粤闽港澳台旅游互动不断增强；实施了港澳台青少年赴内地（大陆）游学工程，游学工作迈入机制化标准化发展新阶段；推动落实多项惠台涉旅政策措施，赴台个人游城市增至47个，两岸游客往来更加便利，允许3家台资合资旅行社试点经营福建居民赴台游，平潭国际旅游岛屿建设稳步推进，“台车入闽”自驾游实现常态化，两岸乡村旅游合作取得新进展；开展了多次高层交流，建立并完善了工作磋商机制，确保内地与港澳、大陆与台湾双向旅游市场平稳发展，为新形势下保持港澳长期繁荣稳定和两岸关系和平发展发挥了积极作用。

三、旅游在对外开放中的作用增强

我局积极参与自贸区谈判工作，如中国—韩国、中国—澳大利亚、中国—东盟、中国—马尔代夫等自贸协定的谈判工作，积极推动旅游业整体对外开放。主动参与沪粤津闽自贸试验区改革开放，指引地方旅游部门做好相关工作，并积极推动新自贸试验区的设立。积极推动沿边地区旅游开发开放，确立了跨境旅游合作区和边境旅游发展试验区的制度框架，为沿边地区由旅游通道向旅游目的地转变奠定了政策基础。

附件：

2015年我国入出境旅游情况

一、入境旅游

——入境旅游人数13382.0万人次，比上年同期增长4.1%。其中：外国游客2598.5万人次，下降1.4%；香港同胞7944.8万人次，增长4.4%；澳门同胞2288.8万人次，增长10.9%；台湾同胞549.9万人次，增长2.5%。

——入境过夜游客人数5688.6万人次，比上年同期增长2.3%。其中：外国游客2028.6万人次，下降2.5%；香港同胞2709.0万人次，增长4.7%；澳门同胞466.6万人次，增长10.9%；台湾同胞484.4万人次，增长2.5%。

——国际旅游收入1136.5亿美元，比上年同期增长7.8%。

二、出境旅游

——我国公民出境旅游人数达到1.17亿人次，比上年同期增长9.0%。

——经旅行社组织出境旅游的总人数为4643.5万人次，增长18.6%，其中：组织出国游3231.48万人次，增长30.5%；组织港澳游1013.92万人次，下降4.3%；组织台湾游398.10万人次，增长5.1%。

——出境旅游花费1045亿美元，比上年增长16.6%。

（国家旅游局政策法规司）

● 知识产权保护

中国知识产权发展状况

2015年，国家知识产权战略深入实施，中国政府明确提出“建设知识产权强国”的新目标，知识产权综合能力进一步提高，知识产权工作与经济发展深度融合，中国知识产权事业取得新进展。

一、国家知识产权战略实施

国务院常务会议专题部署加快知识产权强国建设工作，印发实施了《国务院关于新形势下加快知识产权强国建设的若干意见》，这是继《国家知识产权战略纲要》后又一专门指导全国知识产权工作的纲领性文件。《意见》明确提出深入实施国家知识产权战略，深化知识产权重点领域改革，有效促进知识产权创造运用，实行更加严格的知识产权保护，优化知识产权公共服务，促进新技术、新产业、新业态蓬勃发展，提升产业国际化发展水平，保障和激励大众创业、万众创新，为实施创新驱动发展战略提供有力支撑。

通过深入实施《国家知识产权战略行动计划（2014—2020）》部署要求，制定实施《2015年国家知识产权战略实施推进计划》，从强化知识产权保护、促进知识产权创造运用、加强知识产权管理和服务、拓展知识产权交流合作、提高知识产权战略实施保障水平等方面推进战略实施工作。工业和信息化部、林业局、国家知识产权局等部门专门制订本系统贯彻落实行动计划的实施意见或年度计划，全国21个省（区、市）出台了落实行动计划的配套政策和实施方案。

发展改革委、财政部印发文件降低商标注册费、植物新品种保护权费、软件著作权登记费，延长专利年费减缴时限，暂停收取海关知识产权保护备案费，降低知识产权获取成本，引导企业积极申请备案保护。科技部加强重大专项知识产权管理，研究制定《科学技术研究项目知识产权管理规范》。国家知识产权局会同教育部、中科院研究制定《高等学校知识产权管理规范》《科研组织知识产权管理规范》，会同工业和信息化部实施中小企业知识产权战略推进工程。文化部组织修订全国文化文物统计制度。

二、知识产权法律法规

国务院法制办公室会同相关部门做好有关法律法规的修改工作。修改后的《促进科技成果转化法》于2015年10月1日起施行。《专利法》《著作权法》以及《专利代理条例》的修订工作按照年度立法工作计划安排有序推进。

国家知识产权局积极推进《专利法》第四次全面修改，向国务院报送《专利法修订草案（送审稿）》；全同启动《专利法实施细则》配套修改准备工作；积极配合国务院法制办公室开展《职务发明条例草案（送审稿）》立法审查；修改《专利行政执法办法》《专利代理管理办法》《用于专利程序的生物材料保藏办法》等部门规章。

国家工商行政管理总局积极推进《反不正当竞争法》修订工作。国家版权局积极推进《著作权法》第三次修改及有关法规的修订；发布《关于规范网络转载版权秩序的通知》《关于规范网盘服务版权秩序的通知》《关于明确涉外著作权合同登记工作性质的通知》等规范性文件，进一步规范版权秩序。

农业部与国家林业局协同推进《种子法》修订工作，修订后的《种子法》于2016年1月1日起施行，进一步强化侵犯植物新品种权的法律责任。并组织修订了《农产品地理标志登记申请人资格确认评定规范》《农产品地理标志登记审查准则》等规范性文件。国家林业局印发《林业植物新品种测试管理规定》，修订《林业植物新品种保护行政执法办法》，发布《中国林业遗传资源保护与可持续利用行动计划》，积极推进建立林产品地理标志保护制度。科技部形成《人类遗传资源管理条例》送审稿。环境保护部积极推进《生物遗传资源获取管理条例》立法进程，完成文本草案。

最高人民法院发布《关于修改〈最高人民法院关于审理专利纠纷案件适用法律问题的若干规定〉的决定》，明确了专利侵权损害赔偿数额计算方法选择等重大问题；发布《最高人民法院关于知识产权法院技术调查官参与诉讼活动若干问题的暂行规定》《最高人民法院关于新修订的〈中华人民共和国行政诉讼法〉实施后专利代理人能否继续代理专利行政诉讼的批复》等司法政策。

三、知识产权审批登记

国家知识产权局全年受理发明、实用新型和外观设计三种专利申请279.9万件，同比增长18.5%。其中，发明专利申请110.2万件，同比增长18.7%。全年审结专利申请208.3万件，同比增长10.3%；其中，发明专利审结55.8万件。全年授权发明专利35.9万件，同比增长54.1%。截至2015年年底，经授权并维持有效的发明专利达147.2万件，较2014年底增长23.1%；其中，国内拥有92.2万件，占62.6%，同比增长30.1%。受理依据《专利合作条约》（PCT）提出的国际申请30 548件，同比增长16.7%。全年受理复审请求12 678件，同比下降48%；受理无效宣告请求3724件，同比增长9%。全年收到集成电路布图设计登记申请2058件，予以公告并发出证书1800件。

国家工商行政管理总局全年受理商标注册申请287.6万件，同比增长25.85%。完成商标注册222.6万件，同比增长61.91%，年度注册量首次突破200万件。截至2015年年底，商标累计申请量1840.27万件，累计注册量1225.39万件，有效注册商标量1034.39万件，实现“三个超千万”。全年国内申请人马德里商标国际注册申请量2321件（一标多类）。

全年著作权登记总量达164.12万件，同比增长35.49%。其中，作品登记134.82万件，同比增长35.90%；计算机软件著作权登记29.24万件，同比增长33.63%。全年著作权质权登记606件，同比增长22.18%，涉及主债务金额28.7亿元。

农业部全年受理农业植物品种权申请2063件，同比增长16%；授予品种权1413件，同比增长70.9%。累计受理植物新品种权申请15 546件，授予品种权6258件。全年受理农产品地理标志产品申报224个，公示产品238个（含跨年度公示产品），公告颁证产品204个。累计公告颁证产品1792个。国家林业局全年受理林业植物新品种申请273件，授予品种权176件。累计受理林业植物新品种申请1788件，授予林业品种权1003件。海关总署全年受理知识产权海关保护备案申请7459件，同比增长13%。其中，核准备案5703件，同比增长15%。

四、知识产权保护

《国务院关于新形势下加快知识产权强国建设的若干意见》，明确要求实行严格的知识产权保护，加大知识产权侵权行为惩治力度和知识产权犯罪打击力度，建立健全知识产权保护预警防范机制，规制知识产权滥用行为。为此，国务院办公厅印发了《2015年全国打击侵权假冒工作要点》和《关于加强互联网领域侵权假冒行为治理的意见》。

全国打击侵权假冒工作领导小组加快知识产权保护长效机制建设，推动在27个省（区、市）建成知识产权行政执法与刑事司法衔接信息共享平台，23个省级平台与中央平台实现对接；推进侵权假冒行政处罚案件信息公开，建立信息公开统计月报与抽查制度，加强对信息公开情况的通报和考核。

国家知识产权局在全国知识产权系统组织开展电子商务领域专利执法维权“闪电”专项行动，扎实推进知识产权执法维权“护航”专项行动，持续加大展会专利执法维权力度。国家工商行政管理总局继续组织开展“红盾网剑”、保护地理标志商标专用权等专项执法行动，坚决打击重点领域、重要行业的商标侵权假冒行为和商标违法行为。国家版权局持续开展互联网侵权盗版专项治理工作，联合有关部门开展“剑网 2015”专项行动；会同有关部门建立常态化软件正版化工作督促检查机制。

文化部继续以互联网文化市场为重点，强化暗访抽查和案件督查督办，加大文化市场监管力度。农业部组织开展春季市场打假护权等系列专项整治和监管行动，保护品种权人合法权益；组织开展农产品地理标志使用专项检查，加强农产品地理标志证后监管。国家林业局组织开展全国打击侵犯林业植物新品种权专项行动。海关部署开展“清风行动”，重点打击出口环节知识产权侵权假冒违法行为。

2015 年，全国行政执法机关共查处侵权假冒违法案件 17.8 万件，公安机关侦破案件近 2.1 万件，检察机关批捕 8555 件、起诉近 1.5 万件，审判机关审结 1.5 万件。

2015 年，全国地方人民法院共新收知识产权民事一审案件 109 386 件，审结 101 324 件，同比分别增长 14.49％和 7.22％。全年共审结涉外知识产权民事一审案件 1327 件，同比下降 24.67％。全年共审结涉及知识产权的刑事一审案件 10 809 件；判决发生法律效力 12 741 人，其中有罪判决 12 732 人。在审结案件中，以侵犯知识产权犯罪判决案件 3542 件，生效判决人数 6402 人。全国检察机关全年批准逮捕涉及侵犯知识产权犯罪案件 2761 件、4772 人，起诉 4736 件、8664 人。

五、知识产权宣传

2015 年，全国打击侵权假冒工作领导小组办公室开通中国打击侵权假冒工作网英文版和 37 个地方站，中文主站发布信息 4 万多条。编撰出版《2015 中国反侵权假冒年度报告》，全面展示中国打击侵权假冒工作情况。

国家知识产权局配合《国务院关于新形势下加快知识产权强国建设的若干意见》出台，协同国新办举办例行政策吹风会，联合中国政府网、《经济日报》开展在线访谈、专家访谈。联合中宣部等 22 个部门在全国范围内组织开展知识产权宣传周活动。与世界知识产权组织共同开展中国专利奖评选活动。国家工商行政管理总局组织开展“向社会公开发布 12 件商标执法典型案例”等专项宣传，定期发布中国商标品牌排行榜、中国商标品牌发展报告。与世界知识产权组织共同开展“中国商标金奖”评选活动。国家版权局通过官方网站、微博、微信等宣传渠道，配合“剑网行动”等版权重点工作开展常态宣传。与世界知识产权组织共同开展“第四届世界知识产权组织版权金奖（中国）”评选表彰活动。

农业部举办全国（西北）玉米新品种宣传展示观摩会和植物新品种信息发布活动，发布中国农业植物新品种保护发展报告，首次举办全国农产品地理标志专展。国家林业局通过制作专门网站、出版《2014 中国林业知识产权年度报告》等普及宣传林业知识产权知识。海关总署发布 2014 年度《中国海关保护知识产权状况》和“中国海关保护知识产权典型案例”，通过在线访谈、以案说法、微电影等方式开展集中宣传。

最高人民法院召开媒体见面会和新闻通气会，发布《中国法院知识产权司法保护状况（2014）》、“2014 年中国法院 10 大知识产权案件、10 大创新性知识产权案件和 50 件典型知识产权案件”、《最高人民法院知识产权案件年度报告（2014）》《中国知识产权司法保护年鉴（2014）》。组织“知识产权司法保护重庆行”。最高人民检察院在《检察日报》、正义网等开设专栏进行重点宣传，发布“2014 年度中国检察机关保护知识产权十大典型案例”。

六、知识产权国际合作

2015 年，国家知识产权局全面推进知识产权领域国际合作，全年新签署多双边合作协议和联合声明 42 份。牵头组织协调有关部门参加 WIPO 和国际植物新品种保护联盟框架下的各类会议。推动建立 WIPO 中国办事处运行协调机制。与 WIPO 签署《关于自愿捐赠的谅解备忘录》，设立 WIPO 中国信托基金。成功举办第八届发明专利五局合作局长系列会议、中国—东盟知识产权局局长会、中日韩三局局长政策对话会、中日韩知识产权研讨会等。签署《五局合作共识》《外观设计五局合作联合声明》《中蒙俄三局合作谅解备忘录》，签署中美两局新的合作谅解备忘录等。中欧两局共同编辑出版《三十年合作伙伴》，并在两地成功举办系列活动。推动成立金砖国家知识产权协调小组。

国家工商行政管理总局派员参加马德里国际商标注册研讨会、尼斯联盟专家委员会、中美知识产权工作组会议、中欧地理标志合作协定谈判等商标领域国际会议。继续深化与美国、欧盟、韩国、法国、英国等商标机构的交流合作。国家版权局积极参与《保护广播组织条约》《保护民间文艺条约》等国际条约的磋商。签署与世界知识产权版权双边战略合作备忘录，举办“电影和版权在文化和经济中的重要性高端圆桌会”等研讨会。落实中美、中英版权合作事项，促进中英高层领导互访，共同开展版权专题研究。举办2015年中韩著作权研讨会、中韩著作权工作组会谈及中日著作权工作组会谈。

农业部派员参加国际植物新品种保护公约理事会和技术委员会系列会议。全面参与中欧、中美、中日、中韩、中瑞、世界贸易组织经贸联委会等多双边地理标志及知识产权相关磋商、研讨和交流，与众多地区和国家建立了交流合作机制。国家林业局派员参加国际植物新品种保护公约系列会议，参与中日韩自贸易区协定植物新品种保护条款谈判，参加知识产权国际合作交流状况报告会、中欧知识产权工作组会议、东亚植物新品种保护论坛等活动。

海关总署进一步加强中欧、中俄、中美海关执法合作，与欧盟海关开展风险信息交换，与美国海关签署《中美海关知识产权执法合作附录》，与俄罗斯海关制定2015—2016年重点工作计划。2015年海关部署被国际刑警组织授予“国际知识产权犯罪调查合作奖”。公安部与国际刑警组织以及美国、英国等25个国家开展案件合作与执法交流，连续3年参与国际刑警组织打击侵权假冒犯罪“真实行动”，积极参与中美、中巴、中日、中欧等多双边知识产权工作组磋商。公安部经侦局被国际刑警组织授予打击侵权假冒“杰出贡献奖”。

（国家知识产权局办公室综合信息处处长　沙开清）

中国专利制度

2015年，随着国家知识产权战略深入实施，中国专利制度进一步健全完善，专利事业发展战略全面推进，发明专利申请快速增长，专利运用能力和水平提升，专利保护力度进一步加大，各项工作取得新进展，实现“十二五”圆满结束。

一、法律法规

国务院印发实施《国务院关于新形势下加快知识产权强国建设的若干意见》，对知识产权强国建设做出重要部署，明确提出推进知识产权管理体制机制改革，实行严格的知识产权保护，促进知识产权创造运用，加强重点产业知识产权海外布局和风险防控，提升知识产权对外合作水平等主要任务。

贯彻落实《深入实施国家知识产权战略行动计划（2014—2020年）》，制定实施年度知识产权战略和专利战略推进计划。国家知识产权局牵头编制知识产权“十三五”规划，联合有关部委印发《关于进一步加强知识产权运用和保护助力创新创业的意见》，出台知识产权强省建设工作方案。

积极推进《专利法》第4次全面修改工作，广泛调研和听取意见，形成《专利法修订草案（送审稿）》，于2015年7月报送国务院。草案对《专利法》提出了全面的修改建议，涉及实质性修改33处，并新增一章“专利的实施和运用”。全面启动《专利法实施细则》配套修改准备工作，组织开展专题研究。联合科技部将《职务发明条例草案（送审稿）》上报国务院，积极配合国务院法制办的审查工作。

修改《专利行政执法办法》《专利代理管理办法》《用于专利程序的生物材料保藏办法》等部门规章。继续完善地方专利立法指导协调机制，重点指导浙江省、宁夏回族自治区地方立法。发布《全国知识产权系统地方专利立法指导协调机制工作方案》和《知识产权系统地方专利立法操作指南》。

二、申请与授权

全年受理发明、实用新型和外观设计三种专利申请279.9万件，同比增长18.5%。其中，发明专利申请110.2万件，同比增长18.7%；实用新型专利申请112.8万件，外观设计专利申请56.9万件，同比分别增长29.8%和0.8%。

国内发明专利申请（含港澳台地区，下同）为96.8万件，占总量的87.8%，同比增长20.9%。其中，职务申请77.6万件，占80.2%，同比增长19.8%；非职务申请19.2万件，占19.8%，同比增长25.5%。国内职务发明专利申请中，企业申请58.2万件，占75.0%，同比增长20.2%；高校申请13.4万件，占17.3%，同比增长19.3%；科研机构申请4.5万件，占5.8%，同比增长12.4%；机关团体申请1.5万件，占1.9%，同比增长32.2%。

全年授权发明专利35.9万件，同比增长54.1%。其中，国内发明专利授权26.3万件，占73.3%。授权实用新型专利87.6万件，同比增长23.8%。授权外观设计专利48.3万件，同比增长33.5%。

截至2015年年底，经国家知识产权局授权并维持有效的发明专利147.2万件，较2014年底增长23.1%。其中，国内92.2万件，占62.6%，增长30.1%。我国每万人口发明专利拥有量（不含港澳台）达到6.3件。

国家知识产权局作为《专利合作条约》（PCT）受理局，全年受理PCT国际申请30 548件，同比增长16.7%。自1994年起，累计受理国际申请163 113件。

全年受理复审请求12 678件，同比下降48%；复审请求结案25 756件。全年受理无效宣告请求3724件，同比增长9%；无效宣告请求结案3652件。自1985年以来，共受理无效宣告请求41 511件；截至2015年年底，无效宣告请求结案37 537件。全年当事人向北京市第一中级人民法院起诉和向北京市高级人民法院上诉的案件总计1676件。

三、专利运用

会同财政部开展以市场化方式促进知识产权运

营服务试点工作。推进全国知识产权运营公共服务平台及2个特色试点平台建设，在11个省市采取股权投资等方式支持20家知识产权运营机构优先发展，在10个省市试点设立重点产业知识产权运营基金，在4个省份试点设立知识产权质押融资风险补偿基金，初步构建起“平台＋机构＋资本＋产业”四位一体的知识产权运营体系。

深入实施专利导航试点工程，印发《产业规划类专利导航项目实施导则（暂行）》，8个实验区编制完成专利导航产业创新发展规划。出台《产业知识产权联盟建设指南》，完成56家产业知识产权联盟备案。

印发《国家知识产权局关于进一步推动知识产权金融服务工作的意见》；组织42个地区和单位开展知识产权投融资试点工作，推进深化知识产权质押融资工作，在广东等省份开展知识产权质押融资风险补偿基金试点工作；进一步扩大专利保险工作覆盖范围，深入推进专利保险试点。全年专利权质押金额560亿元，同比增长14.6%。全国有1164家企业投保专利保险，专利保险保障金额累计1.39亿元。

深化专利价值分析应用试点工作，在10个地区推动开展专利价值分析试点。推进专利价值分析指标体系标准化工作。与世界知识产权组织共同完成第十七届中国专利奖评选工作，评出金奖25项，优秀奖564项。据不完全统计，自专利实施之日起至2014年年底，25个金奖项目新增销售额1493亿元，新增利润334亿元。

四、专利保护

组织开展电子商务领域专利执法维权“闪电”专项行动，推进各地开展知识产权执法维权“护航”专项行动，展会专利执法维权力度持续加大。线上专利执法维权力度大幅增强，电商与展会领域案件办案周期大幅缩短。全年专利行政执法办案总量35 844件，同比增长46.4%。其中，办理专利纠纷案件14 607件，同比增长77.7%；查处假冒专利案件21 237件，同比增长30.6%。电子商务领域专利执法办案量7644件，同比增长155.2%；展会专利执法办案量2743件，同比增长54.1%。

深入推进专利行政执法能力提升工程。深化跨地区联合执法与协作执法机制。建立健全专利侵权判定咨询机制、专利纠纷快速调解机制。出台全国知识产权系统信用体系建设工作方案。执法目标责任制和绩效考核指标体系进一步完善。完善专利行政执法案件报送系统，专利纠纷网上办案系统、维权援助举报投诉系统上线试运行。

深化快速维权与维权援助举报投诉工作。加快知识产权快速维权中心布局，在顺德（家电）、花都（皮革皮具）、景德镇（陶瓷）批复设立3家快速维权中心。探索建立海外展会知识产权快速维权机制。扩大“12330”热线影响力，畅通知识产权保护监督渠道。

确定38家单位作为第二批知识产权保护规范化市场培育对象；起草《知识产权保护规范化市场认定管理办法（征求意见稿）》和《知识产权保护规范化市场认定标准（征求意见稿）》；开展规范化培育市场知识产权保护满意度调查。编制《2014年度知识产权保护社会满意度调查报告》和《2014年度专利保护满意度调查报告》；完成2015年度知识产权保护满意度调查工作，首次全面完成31个省（区、市）的调查数据采集。在北京、山东、广东、新疆4地开展第二批知识产权纠纷调解试点；相关试点地方共建立21家知识产权纠纷人民调解组织，成功调解案件近430件。编制发布《2014年中国知识产权保护状况》。

五、管理工作

印发《国家知识产权局关于贯彻落实〈中共中央 国务院关于深化体制机制改革 加快实施创新驱动发展战略的若干意见〉的通知》，部署3类21项需要重点落实的举措。制定《全面创新改革试验具体实施方案》工作指引，召开知识产权系统落实全面创新改革试验工作会议；制定中新广州知识城知识产权运用和保护综合改革试验区建设工作方案；加强自贸试验区知识产权工作；推动知识产权综合管理改革试点，指导有条件的省份完成综合管理改革方案。

联合财政部、人才资源和社会保障部、中华全国总工会、共青团中央印发《关于进一步加强知识产权运用和保护助力创新创业的意见》，全力助推“双创”。举办第七届中国专利周，以“强化知识产权运用保护 助力大众创业万众创新”为主题，面向企业、高校、科研院所开展各项服务，促进各类创新创业要素聚集交流对接。

与广东、广西、中国科学院开展合作会商；制定《加快推进知识产权强省建设工作方案（试行）》，召开首批知识产权强省建设试点省专家评审会；与广东省政府、新加坡知识产权局开展三方会谈；筹备召开京津冀三地人民政府关于建立“一局三地”合作会商会议。截至 2015 年年底，已与 16 个省（区、市）人民政府及 4 家中央单位建立知识产权合作会商机制。完成第一批 23 个示范城市复核，新批具备示范资格城市 11 个、试点城市 18 个，强县工程示范县（区）27 个、试点县（区）36 个，传统知识知识产权保护示范县（市、区）6 个、试点县（市、区）3 个，示范园区 7 家、试点 20 家。

会同科技部、工业和信息化部、商务部等 8 部委联合印发《关于全面推行〈企业知识产权管理规范〉国家标准的指导意见》，全面推动实施知识产权管理标准，全国已有上万家企业贯彻实施企业标准。新设认证机构 1 家；成立知识产权贯标服务联盟。截至 2015 年年底，全国共有 1239 家企业通过认证审核。

印发《国家知识产权优势企业培育工作方案》和《国家知识产权示范企业培育工作方案》，确定 58 家企业为 2015 年度国家知识产权示范企业、609 家企业为 2015 年度国家知识产权优势企业。截至 2015 年年底，共有国家知识产权示范企业 185 家，优势企业 1324 家。

完成高校和科研组织两个知识产权管理标准的送审稿。在 15 所科研组织开展贯标试点工作，协同教育部在 5 个省市 69 家高校开展标准实施试点。

成立全国知识产权管理标准化技术委员会，开展专利代理服务质量、价值评估等标准的研究和制定。组织中国代表团参加国际标准化组织 ISO/TC279 创新管理标准化技术委员会国际标准化年会。

起草《专利代理行业中长期规划（2016—2025）》，并广泛征求意见，深入论证。配合有关部门完成行政审批清理和改革工作，拟订专利代理机构设立行政审批改革方案。简化行政审批程序，完成行政审批事项服务规范。取消专利代理机构年检，建立年度报告公示制度和异常经营名录及严惩违法名单。起草《专利代理服务质量规范》。2015 年全国专利代理人资格考试报名人数为 27 861 人，共有 4777 人通过考试。新批设立专利代理机构 138 家。

六、宣传培训

配合《国务院关于新形势下加快知识产权强国建设的若干意见》的出台，协同国新办举办例行政策吹风会，联合中国政府网组织在线访谈，协调《经济日报》刊发消息和专家访谈。配合《关于全面推行〈企业知识产权管理规范〉国家标准的指导意见》的出台，组织中央主要媒体赴江苏、浙江开展主题采访活动，重点采访企业的典型案例。对全国知识产权局局长会、2014 年发明专利授权排行、五局局长会、中国专利信息年会、“知识产权走基层 服务经济万里行”等十余项重要活动开展专项报道。

国家知识产权局、中宣部等 23 个部门在全国范围内开展知识产权宣传周活动。期间，组委会成员单位共开展活动 70 余项，各地开展形式多样的宣传活动，参与报送的电台、电视台、报社、网站等媒体超过 500 家，有关原发性报道逾 4000 篇，网络转发总量数百万次，参与人数近千万。健全例行新闻发布制度，举办 5 场新闻发布会、1 场吹风会。开通政务微信公众账号。联合教育部启动开展全国中小学知识产权教育试点示范工作，评定首批全国中小学知识产权教育试点学校 30 所。

牵头落实“实施知识产权保护政策”，制定印发《关于进一步加强知识产权运用和保护助力创新创业的意见》《关于知识产权服务标准体系建设的指导意见》等政策文件 8 篇。《职务发明条例草案（送审稿）》上报国务院。落实国家专业技术人才知识更新工程，举办丝绸之路经济带和现代农业知识产权高级研修班，开展重点领域知识更新工作，共培训 5000 余名急需紧缺专业技术人才。积极开展知识产权专业人员情况调查研究和信息采集等工作，推动知识产权专业人员纳入国家职业分类大典。实施知识产权高层次人才引领计划、人才信息化工程等 9 项人才工程计划。开展第二批国家知识产权专家库专家评选工作。

继续加强培训基地建设工作，截至 2015 年年底，在全国 19 个省（区、市）批复设立国家知识产权培训基地 24 家，其中中小微企业知识产权培训基地 3 家。全国知识产权系统共举办各级各类知识产权培训 4000 余期，培训 42 万余人次。中国知识产权培训中心举办面授培训班 103 期、培训人员 1 万余人次，远程教育培训近 27 万人次。

七、信息化和文献

2015 年，中国专利电子审批系统（E 系统）、专利检索与服务系统（S 系统）实施配套项目 26 个，系统性能进一步优化。中国 PCT 申请国际阶段审查和流程管理系统（CEPCT 系统）连续服务能力进一步提升，PCT 电子申请率从年初的 30% 提高到 60%。中国外观设计智能检索系统（D 系统）上线试运行。完成 EPOQUE 系统硬件平台迁移和检索引擎版本升级。持续推进智能审查系统建设。

推进全国专利信息公共服务体系建设，完成济南、上海、重庆区域中心的设立工作，完成国家知识产权局区域专利信息服务中心设立工作，新设立青海省专利信息服务中心。专利数据服务试验系统新增 6 种日本专利数据、3 种韩国专利数据，目前该系统可以向社会公众提供包括著录项目、英文摘要、申请公布、授权公告等 29 种专利基础数据。完成广东顺德知识产权快速维权中心信息化建设。新增多国发明专利审查信息查询服务，方便公众一站式访问中、美、欧、日、韩五局受理的发明专利审查信息。升级专利检索与分析系统，扩展支持 9 种语言版本。

全年配置专利和非专利文献资源 166 种，包括专利资源 10 种和非专利资源 156 种；新增英文语种的巴西、俄罗斯、印度、澳大利亚等 9 国专利全文数据资源。首次实现同时面向审查和社会公众提供服务。继续保持与 38 个国家（地区）或组织专利文献双边交换关系，向 7 个 PCT 国际检索与初审单位提供中国专利文献。截至 2015 年年底，国家知识产权局累计拥有各类专利文献资源 450 余种，中国专利文献总量超过 1500 万件。全年出版发明、实用新型和外观设计专利公报文献共 262.25 万件，其中，发明公布 777 336 件，发明授权 333 153 件，实用新型 859 925 件，外观设计 474 079 件。

八、交流合作

2015 年，国家知识产权局全面推进知识产权国际合作，继续深化与世界知识产权组织（WIPO）、各国各地区知识产权机构的友好合作。全年新签订多双边合作协议和联合声明 42 份。牵头组织协调有关部门参加 WIPO 和国际植物新品种保护联盟（UPOV）框架下的各类会议。建立 WIPO 中国办事处运行协调机制。与 WIPO 签署《中华人民共和国国家知识产权局和世界知识产权组织关于自愿捐赠的谅解备忘录》，设立 WIPO 中国信托基金。成功举办第八届发明专利五局合作（IP5）局长系列会议，签署了《五局合作共识》。签署《外观设计五局合作联合声明》。成立金砖国家知识产权协调小组。成功主办第六届中国—东盟知识产权局局长会。成功举办第十五次中日韩三局局长政策对话会和第三届中日韩知识产权研讨会。签署中蒙俄知识产权合作协议，正式建立中蒙俄三边合作机制。

与欧洲专利局的战略合作关系进一步深化，双方共同编辑出版《三十年合作伙伴》，并在中欧两地成功举办系列活动。继续落实与欧洲内部市场协调局的战略伙伴协议，我局外观设计数据加入 OHIM Designview 数据库。中美两局局长实现首次互访，并签署两局《合作谅解备忘录》。与新加坡知识产权局签署中新政府间知识产权合作谅解备忘录实施推进计划。与马来西亚、伊朗、摩洛哥知识产权主管部门分别签署合作协议，正式建立双边合作关系。恢复与意大利知识产权局的合作关系，新开拓与马耳他、塞尔维亚等的合作关系。

附表　　2015 年度各省、自治区、直辖市发明专利受理与授权统计表

	受理量（件）	授权量（件）
北　京	88 930	35 308
天　津	28 510	4 624
河　北	11 259	3 840
山　西	5 680	2 432
内蒙古	2 254	797
辽　宁	19 332	6 569
吉　林	6 154	2 240
黑龙江	14 663	4 024
上　海	46 976	17 601
江　苏	154 608	36 015
浙　江	67 674	23 345
安　徽	68 314	11 180
福　建	17 663	5 730
江　西	5 722	1 639
山　东	93 475	16 881
河　南	21 338	5 384
湖　北	30 204	7 766
湖　南	19 499	6 776
广　东	103 941	33 477
广　西	30 815	4 017
重　庆	35 086	3 964
四　川	40 437	9 105
贵　州	7 538	1 501
云　南	6 301	2 079
西　藏	128	40
陕　西	17 322	6 812
甘　肃	5 504	1 238
青　海	2 590	207
宁　夏	4 394	442
新　疆	12 250	950
海　南	3 127	417
香　港	3 319	621
澳　门	213	17
台　湾	19 231	6 398
合　计	968 251	263 436

（国家知识产权局办公室综合信息处处长　沙开清）

中国商标保护工作

2015年，国家工商行政管理总局深化商标战略实施，优化商标注册服务，加强监管执法，营造良好品牌发展环境，商标事业发展取得新进步。

一、提升商标注册便利化水平

商标申请量继续大幅攀升，全年商标注册申请量达287.6万件，同比增长28.85%，再创历史新高，连续14年位居世界第一。商标累计申请量1840.27万件，累计注册量1225.40万件，有效注册商标量1034.39万件，实现了“三个超千万”。面对申请量快速上涨和法定审查时限的双重压力，狠抓《工商总局关于完善商标审查机制、提高审查工作效率的意见》贯彻落实，改革商标注册申请审查体制，加强商标注册管理信息化建设，提高公共服务水平，提升注册审查工作效能，着力为申请人提供高效便捷的商标注册服务。

（一）推进商标审查体制改革

将商标注册的部分程序性和服务性工作委托或外包给商标审查协作中心承担，缓解审查能力的不足；制定商标注册独任审查人员资格审查及考核办法，选拔独任审查人员，实行商标注册审查独任审查制度，将商标注册审查由一审一签制转变为独任审查制；健全审查质量监管机制，加强对委托工作的业务指导、人员培训，建立质量监管制度，强化质量抽检工作，提升审查质量；修订完善商标审查标准制度，进一步规范审查工作。

（二）加强商标注册管理信息化建设

推进面向企业和个人放开商标网上申请，优化商标注册与管理自动化三期系统，推进商标审查和评审效能信息化建设项目，开发独任审查系统软件。做好省、市、县三级行政区划商标数据统计的基础性工作，逐步推进向地方开放商标数据库工作。完善中国商标网栏目设置，加强内容更新，提升网站的服务性、时效性和实用性。

（三）提高商标公共服务水平

加强管理，严格纪律，商标注册大厅和驻中关村办事处窗口服务质量明显提高。健全服务制度，完善《电话咨询室工作规范》和网上公众留言答复规定，提升对外咨询服务质量，全年共接听咨询电话7万余个，答复网上公众留言3千余条。加强舆情收集和应对，及时回应公众期盼，全年整理上报舆情报告9期，解决公众反映集中的重点问题20余项。积极配合发改委、财政部，从2015年10月15日起将商标注册申请费由800元降至600元，每年可为申请人减轻经济负担5亿至6亿元。创新服务方式，在商标局驻中关村办事处开展商标变更续展转让实审工作，在浙江省台州市试点开展注册商标专用权质权登记申请受理工作。加强商标档案管理服务规范化建设，全年共清点接收各类商标档案181.15万份，对外接待商标档案查询751人次，完成商标档案电子化扫描2125.66万页。

二、强化商标监管执法

加大商标行政执法力度，扎实推进打击侵犯知识产权和制售假冒伪劣商品工作，积极探索长效机制建立，有力规范市场经济秩序。

（一）加强打击侵权假冒工作组织协调

切实发挥打击侵权假冒工作领导小组办公室的职能作用，积极推动全系统深入开展打击侵权假冒工作，持续保持打击侵权假冒违反行为的高压态势；推进打击侵权假冒行政处罚案件信息公开工作，提高执法的透明度和公信力。全年共立案查处侵权假冒案件5.1万件，办结4.7件、涉案金额7.4亿元。

（二）大力开展专项行动

突出工作重点，部署开展了农村和城乡结合部专项整治行动、中国制造海外形象维护“清风”行动、保护地理标志商标专用权专项行动、打击假冒伪劣日用品专项整治行动、商标代理市场秩序专项整治等一系列专项整治行动，强化日常监管，切实加大案件查办力度，有效维护了公平竞争的市场环境。

（三）突出商标专用权保护

继续以高知名度商标、涉外商标、地理标志和农产品商标为重点，围绕食品、农资、建筑材料、汽车配件等行业，依法查处商标侵权行为和商标违法使用案件，督办一批重大商标侵权案件。全年共立案查处侵犯注册商标违法案件 3.07 万件，案值 5.01 亿元，依法向司法机关移送涉嫌犯罪案件 164 件。

（四）完善商标专用权保护长效机制

有序整合全国商标行政执法数据，开发商标执法案件查询分析和信息发布系统，加快推进商标行政执法平台建设；积极参与全国打击侵权假冒工作行政执法与刑事司法衔接工作信息共享平台建设，进一步完善商标行政执法与司法衔接机制，加大侵权假冒涉嫌犯罪案件移送力度。

三、推进商标法治建设

立足新商标法实施和商事制度改革加强商标法治建设，为实施商标战略提供有力的法律保障。

（一）积极做好新商标法配套规章实施调研和非行政许可审批事项清理工作

下发《关于请报送新商标法及其实施条例实施有关情况的通知》，收集新形势下商标保护工作情况和经验，为贯彻落实新商标法、做好商标法治工作提供权威指导；组织开展非行政许可审批事项清理工作，将商标注册、特殊标志登记、特殊标志使用许可合同备案等三项由非行政许可审批事项调整为具有行政确认性质的事项，驰名商标认定由非行政许可审批事项调整为具有行政裁决性质的事项，并及时向社会公众告知调整情况，切实避免变相审批和授权审批，为行政相对人提供更好服务。

（二）主动适应社会矛盾纠纷预防化解新需要，规范做好行政诉讼和行政复议案件应诉工作

适应新商标法实施后行政复议和行政诉讼数量大幅增长的新情况，积极做好行政复议答复和诉讼应诉工作。通过主动提供有关证据材料，充分阐述商标局行政决定的合法性和合理性，做好行政复议的答辩工作；通过对具体案件的办理，加强研究和解决复议和诉讼案件中的共性问题，力求从源头上预防和减少行政争议；通过认真学习新行政诉讼法，了解新变化新要求，提高依法行政水平，做好行政应诉工作。

（三）有序推进《商标审查标准》修订工作

适应新商标法实施以来涉及商标审查的法律条款的理解及其适用的新发展，结合商标审查实践的新需求，于 2015 年 10 月初步修订完成《商标审查标准（修订版）》。

四、加强国际及港澳台交流合作

开展商标领域多边及双边交流合作活动，为我国提高商标工作国际化水平、加强对外宣传、树立保护知识产权良好形象发挥了重要作用。

（一）积极开展多边领域的交流合作

加强与世界知识产权组织（WIPO）交流合作，派员参加 WIPO 各类商标会议，提高中国在国际规则制定中的话语权和主动性；国家工商行政管理总局局长张茅、副局长刘俊臣先后会见世界知识产权组织总干事朗西斯·高锐先生和副总干事王彬颖女士；联合世界知识产权组织共同组织“中国商标金奖”评选活动。派员参加区域全面经济伙伴关系（RCEP）谈判知识产权工作组的会议，积极推进该协议下知识产权章节的谈判工作。派员参加商标五方会谈（TM5）商品和服务专家会议和 2015 年商标五方会谈年会，继续与美、日、欧、韩商标主管局开展项目合作。

（二）积极开展双边领域的交流与合作

国家工商行政管理总局商标局和美国专利商标局就两局间合作、商标网络假冒以及知识产权与竞争等议题进行交流，双方代表共同赴河北涞水考察地理标志；召开中国商标体系在欧盟的巡回研讨会，与欧盟内部市场协调局共同举办“中欧商标最佳实践研讨会”，派员参加中欧知识产权工作组（副司级）第十六次会议；与法国反仿冒委员会召开了双边地理标志、打击网络假冒的工作会谈，与法国工业产权局代表举行了第 22 次中法商标工作组会议；与英国、瑞士、泰国、新西兰、澳大利亚、丹麦、国际保护知识产权协会、海湾阿拉伯国家合作委员会、非洲知识产区组织等国家和组织加强合作与联系，派员参加了中瑞知识产权工作组会议、中巴知识产权工作组会议、中日知识产权工作组会议、中欧地理标志协定、中澳自贸区协定等多项国际谈判。

（三）积极开展与港、台地区交流与合作

与香港知识产权署派员互访，交流中国商标注册申请受理、审查流程以及马德里业务具体做法。派员赴台参加海峡两岸知识产权工作组会议；陆台双方形成了新通报机制，每月反馈台方发来协处案件追踪表的相关情况；继续执行2010年11月国家工商行政管理总局发布的《台湾地区商标注册申请人要求优先权有关事项的规定》，有效保障了台湾地区商标申请人的优先权权益。

五、深化商标战略实施

紧紧围绕提高商标注册、运用、保护和管理水平，开拓创新，扎实工作，努力提升商标服务经济社会发展水平。

（一）加大商标战略实施推进力度

将商标战略深化和发展为商标品牌战略，组建中国品牌研究院，圆满完成“中国商标金奖”评选工作。各级工商和市场监管部门高度重视商标战略实施，完善领导和工作机制，出台或改进政策法律保障措施，落实奖励扶持政策，优化培育体系建设，发挥典型示范引领作用，探索新思路新方法，形成了各级党委、政府支持的良好局面。

（二）加强商标宣传教育

利用“4·26”知识产权宣传周开展宣传活动，发布《中国商标战略年度发展报告（2014）》，在媒体开设“4·26”特刊和专栏，营造尊重和保护商标的良好氛围。开展专项宣传活动，向社会发布12件商标执法典型案例，在中国商标网开设“商标富农”专栏，开展《商标诚信代理大家谈》有奖征文活动，编写出版《商标法理解与适用》，增进公众对商标工作了解。开展法治宣传活动，组织新商标法施行一周年巡礼活动，宣传商标法律法规和各地先进工作经验，在中国商标网同步开辟活动专栏，在全系统掀起学习贯彻新商标法的高潮。

（三）加强商标培训指导

针对性地开展新商标法实施、国际注册、行政执法、地理标志等方面的培训，加强商标工作调研指导，提升商标工作人员和商标主体的商标管理能力。强化商标培育指导工作，尤其加强对重点企业商标运用和品牌培育的指导。推进“商标富农”工程，坚持地理标志注册申请“绿色通道”制度，指导农牧产品和地理标志商标培育发展，全年核准注册地理标志商标419件。积极支持企业开展商标权资本化运作，全年办理商标质权登记申请970件，同比增长40%，质押商标9463个，帮助企业融资288.5亿元。支持中国品牌走国际化发展道路，加大对国内企业商标国际注册和维权指导力度，全年国内申请人提交马德里商标国际注册申请2321件，同比增长8.5%，外国申请人指定我国的马德里商标国际注册申请24 849件，同比增长22.4%。

（四）加强商标理论研究

开展实施商标品牌战略的可行性研究，提出建设性建议。顺利完成“商标与经济发展关系”课题研究结题，取得了较好理论价值和实践意义的研究成果。

（国家工商行政管理总局商标局）

中国版权行政管理工作

2015 年，全国各级版权行政管理部门认真落实党中央、国务院关于新形势下加强版权工作有关要求，牢固树立法治思维，坚持体制机制创新，围绕中心、服务大局、开拓进取、奋发有为，各项工作取得显著成绩。

一、版权执法监管工作成效显著

（一）深入开展打击侵权盗版专项行动

一是认真开展“双打”工作。按照国务院关于打击侵犯知识产权和制售假冒伪劣商品专项行动的工作部署，国家版权局印发《2015 年全国新闻出版（版权）打击侵权假冒工作要点》，部署打击侵权假冒重点工作。2015 年“双打”工作期间，各级版权执法监管部门共立案查办案件 1177 件，移送司法机关追究刑事责任 92 件，捣毁盗版窝点 380 个，案件信息公开 368 件。并独立督办 36 起、联合督办 4 起侵犯著作权案件。二是联合开展“剑网 2015”专项行动。联合国家互联网信息办公室、工业和信息化部、公安部开展第 11 次打击网络侵权盗版“剑网 2015”专项行动，对网络音乐、网络云存储空间、智能移动终端第三方应用程序（APP）、网络广告联盟、网络转载等进行专项整治，营造健康网络版权生态。专项行动中，全国各地共查处网络侵权盗版案件 383 件，行政罚款 450 万元，移送司法机关刑事处理 59 件，涉案金额 3845 万元，关闭网站 113 家，有效震慑了网络侵权盗版行为。

（二）科学强化版权重点监管

一是继续推进国家版权监管平台建设。二期工程第一阶段通过终验，第二阶段完成初验，召开国家版权监管平台应用专题培训，版权执法监管技术支持力度进一步提升。二是规范网络转载版权秩序。印发《关于规范网络转载版权秩序的通知》，引导报刊单位和传统媒体进一步改进内部版权管理工作，鼓励报刊单位和互联网媒体开展版权合作。三是启动网络音乐服务商版权重点监管。印发《关于责令网络音乐服务商停止未经授权传播音乐作品的通知》，对 20 家主要网络音乐服务商进行重点监管，促进音乐作品的合法、有序、广泛传播。2015 年，16 家直接提供内容的网络音乐服务商主动下线未经授权的音乐作品 220 余万首，网络音乐版权秩序明显好转。四是启动网盘服务商版权重点监管。印发《关于规范网盘服务版权秩序的通知》，启动对 8 家主要网盘服务商的版权重点监管工作，指导监督其进行版权自查整改，完善版权管理制度、强化技术措施、加强用户管理。五是继续加强网络视频版权重点监管。对 20 家大中型视频网站继续进行版权重点监管，进一步完善公示、约谈、警示制度，推动权利人方与网络服务商建立版权保护合作机制，适时公布版权重点预警影视作品。全年共公布了七批共 149 件影视作品。

（三）大力健全版权执法体系

一是储备版权执法培训师资力量。开展全国版权执法培训师资选聘工作，探索从全国各级版权行政管理部门、文化市场综合执法机构中选聘师资，初步建立全国版权执法培训师资库。二是举办了 4 期版权执法培训班，对全国各地 800 余名版权执法人员进行培训，进一步提升了基层执法人员的工作能力和业务水平。

二、软件正版化工作稳步推进

（一）推进软件正版化长效机制建设

国家版权局完善中央和省级机关单位软件正版化责任人数据库，印发《关于进一步落实政府机关软件正版化工作责任的函》，指导各省（区、市）建立市、县级机关单位责任人数据库，完善软件使用管理制度，推进责任落实到人。北京、天津、内蒙古、海南、新疆等省（区、市）出台了软件正版化工作考核评议细则。

（二）开展软件正版化专项督促检查

国家版权局联合有关单位组织了 12 个检查组，对 12 个省（区、市）的 71 家省级机关和 24 家中央单位软件正版化工作进行抽查，共抽查计算机 1587 台。对检查情况进行了通报，督促各地区、各部门增强工作积极性、主动性。此外，会同国资委联合检查10家中央企业软件正版化工作。还组织了5个检查组，对各省（区、市）新闻出版企业集团软件正版化工作进行了全面检查。2015年，各省（区、市）共督查了3.35万家（次）政府机关软件正版化工作，各级政府机关共采购操作系统、办公和杀毒软件95.19万套，采购金额4.92亿元。企业软件正版化工作取得重要突破。中央企业和大中型金融机构基本实现软件正版化，全国累计27 001家企业通过检查验收实现软件正版化。2015年，中央企业和金融机构采购、升级和维护操作系统、办公和杀毒软件金额共计18.14亿元。

（三）部署软件正版化专项自查和调研

会同国资委、银监会、证监会、保监会等部门组织5个调研组，深入了解中央企业和金融机构软件正版化工作情况。指导各地区、各部门开展软件正版化工作专项自查，推进各地区、各部门软件正版化工作常态化、规范化。

（四）做好软件正版化宣传培训

会同商务部、国管局、国资委等部门，举办6期大型软件正版化工作专题培训班，培训960余人次，有效提升了各地区、各部门软件正版化工作思想认识和业务水平。组织编写了《软件正版化专刊》，策划制作了软件正版化宣传海报，并利用微博、微信等新媒体宣传软件正版化成果，增强软件正版化宣传的针对性和有效性。

三、版权社会服务水平明显提升

（一）完成我国首例作品著作权捐赠事宜

为做好原文化部部长黄镇遗属捐赠其生前创作的长征画作著作权一事，按照《著作权法》《继承法》等相关法律的规定，经多方沟通协商，协助完成该捐赠的法律手续，为今后处理此类事项积累了经验。

（二）规范版权行政管理职能

一是按照国务院行政审批制度改革及总局要求，对涉及版权的行政许可审批、简政放权、优化服务等事项进行梳理，制定了《版权管理司全面实施行政审批事项“一个窗口”受理工作方案》，合并《著作权集体管理组织及分支机构设立》对行政审批事项的受理和审查环节，实现受理大厅一站式完成。二是对著作权集体管理组织换届、年检及其业务活动进行监管和指导。积极做好音著协、音集协换届工作的业务审核工作；支持和鼓励其依法开展业务活动，规范其与权利人或使用者之间的利益关系。

（三）有序推进著作权登记工作

2015年，我国著作权登记继续保持大幅增长态势，总量达1 641 166件，比2014年增加429 853件，同比增长35.49%。其中，作品登记1 348 200件，同比增长35.90%；计算机软件著作权登记292 360件，同比增长33.63%；著作权质权登记606件，涉及主债务金额287 285万元，同比增长9.42%。

（四）扩大版权工作社会影响

充分利用网络传播优势，积极拓展版权宣传渠道，扩大版权工作社会影响。一是以“4.26知识产权宣传周”为重要平台，配合“剑网2015”等版权重点工作开展常态宣传。在中国新闻出版广电报开辟8个专版，专题展示版权行政执法、社会服务、产业发展、软件正版化等工作成果。二是充分利用新媒体平台。继续完善国家版权局官方网站，充分发挥其信息主渠道作用，全年发布信息1667条，首发信息51条。制作“剑网2015”、“4·26版权宣传周”、“第四届世界知识产权组织版权金奖”3个专题。2015年，国家版权局官网获“最具影响力政府网站”称号。“国家版权局”官方微博2015年累计发布信息260余条，粉丝达121万人，被评为政务微博十大新秀。“国家版权”官方微信累计推送150余条信息，成为版权对外宣传、政策阐释的重要阵地。“国家版权”入驻今日头条，累计发布85篇文章，阅读人次达56.5万，推荐人次超过220万。三是以开展全国大学生版权征文活动、举办版权相关热点问题媒体研修班、“第四届世界知识产权组织版权金奖（中国)”等多种方式，引导版权宣传进校园、进传媒、进社会，把握版权正确宣传导向，提高版权社会影响力。

四、版权产业持续发展壮大

（一）加强版权示范创建工作

召开全国版权社会服务工作暨版权交易经验交流会，交流经验，沟通信息，有力地促进了版权社会服务工作开展。根据《全国版权示范城市、示范单位和示范园区（基地）管理办法》，考察、批准

2家（东莞市、即墨市）创建全国版权示范城市，评选出34家全国版权示范单位、5家示范园区（基地）。不断促进版权在推动转变发展方式、提升综合竞争力等方面的引导作用。

（二）建立版权贸易基地、交易中心工作协调机制

国家版权局推动12家经国家版权局批准的国家版权交易中心（国家版权贸易基地）联合成立“国家版权交易中心联盟”，共同加强版权保护和运营，发挥各自特色，整合优势资源，互惠互利、资源共享、合作共赢，推动版权产业进一步发展。

（三）开展版权产业相关调研

一是开展2013年度版权产业对国民经济贡献的调研，并发布调研数据。调查显示，2013年中国版权产业的行业增加值为42 725.93亿元人民币，占全国GDP的7.27%，比2012年增加7051.78亿元人民币，增长率为20%。其中，核心版权产业的行业增加值为25 325.83亿元人民币，占全国GDP的4.31%，比2012年增加4727.64亿元人民币，增长率为23%。二是开展国有出版企业版权资产管理的调研工作，形成国有出版企业版权资产管理调研报告，并提出相关政策建议。

五、国际交流合作不断深入

（一）积极参与国际多边版权事务

积极参与世界知识产权组织（WIPO）、世界贸易组织（WTO）、亚太经合组织（APEC）等对华版权事务。参与《保护广播组织条约》《有关图书馆、档案馆和教育机构限制和例外国际文书》和《保护民间文艺条约》等国际条约的磋商。完成WIPO在福建德化设立版权保护优秀案例示范点调研结项工作。与WIPO合作举办4.26世界知识产权日音乐版权保护研讨会及电影和版权在文化和经济中的重要性高端圆桌会，并签署国家版权局与WIPO版权双边战略合作备忘录。参加WTO对华贸易政策审议和WTO对其他经济体贸易政策审议以及亚太经合组织（APEC）知识产权专家组会议，积极应对有关版权事务。

（二）努力拓展版权双边交流合作

积极做好中美商贸联委会（JCCT）和中美战略经济对话（SED）工作项下版权应对工作，落实中美、中英、中日、中韩版权战略合作框架下的各项活动。推进和深化中英版权合作，促进中英高层领导互访，共同开展版权专题研究。参与中欧知识产权工作组对话和相关工作，完成中欧知识产权合作项目，在华联合举行中欧版权集体管理研讨会。积极参与中日韩、区域全面经济合作框架协议（东盟10+6）、中美投资协定和中欧投资协定等自贸区谈判，完成中韩、中澳自贸协定谈判。根据中韩、中日版权合作备忘录，举办2015年中韩著作权研讨会、中韩著作权工作组会谈及中日著作权工作组会谈。推动“海峡两岸知识产权保护合作协议”的具体落实，通过两岸著作权窗口和案件协处机制，协助台方处理多起版权侵权案件，完成2015年海峡两岸著作权交流活动及著作权工作组会谈。

（三）跟踪研究国际版权发展态势

依托中南财经政法大学知识产权研究中心成立的国家版权局国际版权研究基地，了解国际版权发展情况，研究有关版权问题，为提高我国版权工作整体水平、有效应对国际知识产权谈判提供智力支持。继续组织编写《国际版权动态》，就网络广播组织的法律地位、体育赛事著作权问题以及中澳、中韩自由贸易协定版权条款、TPP版权条款等进行分析。对英国、美国、韩国、巴西、捷克、泰国等国家的版权保护状况开展了有针对性的专题研究。

（国家版权局版权管理司）

中国地理标志保护工作情况

2015年，国家工商行政管理总局按照《关于落实中共中央国务院关于加快发展现代农业进一步增强农村发展活力若干意见有关政策措施分工的通知》要求，积极运用地理标志商标保护制度，联合有关部门开展商标富农工作，强化地理标志和农产品商标保护，积极推进农民增收、农业增长、农村稳定，服务“三农”大局取得显著成绩。

一、稳步推进地理标志和农产品商标审查工作

坚持地理标志商标注册申请单独排队、提前审查的“绿色通道”制度，进一步优化地理标志商标审查流程，加快审查速度，为农业品牌建设和商标富农工作打下坚实基础。

全年核准注册地理标志集体商标、证明商标419件。截至2015年年底，已注册地理标志集体商标、证明商标达2984件。各地地理标志商标注册量均有所增加，其中超过100件的省（市）有9个，分别是：山东425件，福建272件，湖北249件，江苏215件，重庆201件，浙江190件，四川164件，云南131件，辽宁100件。外国人在我国注册的地理标志商标达到83件。农产品商标累计注册量达205.61万件。

二、不断加大地理标志和农产品商标保护力度

集中全国各级工商行政管理和市场监督管理部门力量，依法查处并曝光侵犯地理标志和农产品商标专用权案件，指导规范地理标志商标使用行为，有效遏制了地理标志和农产品商标侵权、地理标志产品专用标志滥用等违法行为，进一步提高了各地工商和市场监管部门对地理标志和农产品商标的监管执法能力，为农业品牌的发展营造了健康有序的市场竞争环境。

3月30日，国家工商总局向省级工商和市场监管部门发出《关于开展保护地理标志商标专用权专项行动的通知》，于2015年4月1日至9月30日在全国范围内开展为期半年的保护地理标志商标专用权专项行动。5月25日，根据新疆维吾尔自治区工商局提供的侵权线索，国家工商总局商标局向北京、河北、广西等13个省、自治区、直辖市工商和市场监管部门发出《关于保护“若羌红枣RUO QIANG HONG ZAO及图”地理标志注册商标专用权的通知》。截至专项行动结束，全国各级工商和市场监管部门共指导规范地理标志商标使用管理13 303次，指导规范地理标志产品专用标志使用管理9933次，立案查处侵犯地理标志商标专用权案件117件，案值111.428万元。

三、努力坚守地理标志和农产品商标宣传阵地

充分发挥原有宣传平台作用，继续开展形式多样的宣传活动，努力提高社会公众对地理标志和农产品商标的认知度，为农业品牌塑造和推广添砖加瓦。

国家工商总局商标局与《中国政协》杂志社再次合作，编辑出版了《中国政协·一带一路上的地理标志》专刊，发放到全国政协委员8个驻地、“两会”新闻中心和北京人大代表团驻地。据读者反馈，与2014年专刊相比，这次的版式更加美观，内容更加丰富，对地理标志数据统计也进行了创新；“地理标志图示”部分被众多媒体、网站和微信公众号多次转载。

国家工商总局商标局与中国个体劳动者协会联合主办、《光彩》杂志社承办的“第四届全国地理标志商标摄影大赛”，于2015年3月公布了获奖名单。历时8个月，共收到来自全国18个省、自治区、直辖市的551幅作品，经初评、终评，有19幅作品获奖，第五届全国地理标志商标摄影大赛也于2015年6月正式启动。

国家工商总局商标局官方网站“中国商标网”开辟了“商标富农”专题报道版块，下设“政策发布”“统计信息”“新闻快讯”“地方执法”“经验交流”“部委动态”六个栏目，对地理标志和农产品

商标工作的开展情况进行全方位报道。

四、深入开展地理标志和农产品商标研究指导工作

切实加大农业品牌培育力度，深入基层开展地理标志和农产品商标运用、管理工作的调研、培训和指导工作，促进各地党委政府、工商和市场监管部门、地理标志和农产品商标权利人不断提高运用特色农产品推动“三农”经济发展的认识和能力。

10 月 15 日至 16 日，国家工商总局副局长刘俊臣赴海南就地理标志商标注册保护工作进行调研，实地考察“澄迈福橙”地理标志产品基地，并听取工作汇报。

11 月 11 日至 13 日，根据《地理标志与商标保护的制度研究》课题计划，国家工商总局商标局、中华商标协会与农业部农产品质量安全监管局、国家知识产权保护协调司组成联合调研组，赴吉林就地理标志商标注册保护工作进行调研指导。通过召开座谈会和走访当地农业组织、涉农企业，听取了基层开展地理标志商标培育发展机制、推动地理标志商标品牌建设的有关情况，收集了地理标志商标使用中存在的主要问题。

12 月 3 日至 7 日，国家工商总局商标局在国家工商总局行政学院举办“加大地理标志保护力度、促进区域经济发展”高级研修班，组织来自全国各级工商和市场监管部门、法院、研究机构和涉农部门的 70 名学员，就地理标志保护案例研究、地理标志与区域经济发展问题研究、地理标志立法问题研究等课题进行研讨。

12 月 15 日，国家工商总局商标局在山东省临沂市召开部分省市地理标志和农产品商标工作经验交流会，总结 2015 年开展商标品牌富农工作的有关情况，交流运用农业品牌促进“三农”发展的有益经验，并就今后继续深入开展地理标志和农产品商标工作进行了沟通。

2015 年全年，国家工商总局商标局派员赴安徽、贵州、甘肃、内蒙古、江苏、黑龙江等地宣讲地理标志知识，并在第七期边远少数民族地区优秀基层工商干部培训班授课；完成《地理标志商标与区域经济发展研究》课题研究报告；参与商标品牌战略有关意见的制定和地理标志单独立法课题研究工作；陪同美国专利商标局联合代表团对河北“涞水麻核桃”地理标志证明商标进行考察。

五、积极参与地理标志对外交流与合作

国家工商总局继续与世界知识产权组织（以下简称“WIPO”）保持密切的交流与合作，先后派员参加了保护原产地名称及其国际注册里斯本协议新法案审议外交会议，WIPO 商标、外观设计和地理标志法律常设委员会第三十四次会议等，研究有关提案，积极参与进程，掌握动态，结合我国情况研究提出对案预案，提高我国在地理标志国际规则制定中的话语权和主动性。

6 月，国家工商总局副局长刘俊臣会见了法国反仿冒委员会主席理查德·杨先生。随后，国家工商总局商标局局长许瑞表与理查德·杨先生联合主持了双边地理标志工作会谈。

10 月，国家工商总局副局长刘俊臣参加了在匈牙利举办的世界地理标志大会。会议期间召开了中国商标体系在欧盟的巡回研讨会，国家工商总局商标局副局长吕志华就中国地理标志商标保护情况等内容向欧盟企业进行了介绍。

国家工商总局商标局还派员参加了中欧地理标志双边协定和中瑞、中格等双边自贸区谈判，开展中美、中英等地理标志双边交流活动；派员为发展中国家和非洲国家知识产权官员研修班进行地理标志注册与保护专题授课，对外表明我国的相应主张。

经过各方面的共同努力，地理标志和农产品商标品牌效应逐步显现。国家工商总局商标局商标与经济发展关系课题组发布的《地理标志商标与区域经济发展研究》显示，地理标志具有较高的富民效应，能带动区域经济发展，地理标志商标注册前后价格平均提高了 50.11%，来自地理标志的收入占到当地农民总收入的 65.94%，地理标志带动相关产业发展的产值带动比达到 1∶5.20，就业带动比达到 1∶3.34。

（国家工商行政管理总局商标局）

中国地理标志产品保护工作

一、地理标志产品保护规模稳步扩大

共批准保护171个地理标志产品，核准812家企业使用专用标志。截至2015年年底，地理标志产品保护总数达到1992个，其中，在华保护的境外地理标志产品16个；核准使用地理标志保护产品专用标志企业总数达到6385家，监管保护的产值高达一万亿元人民币。新批准的产品主要集中在茶叶、水果、酒类、粮谷类、传统食品、中药材和手工艺品等7个主要类别，产品类别覆盖了我国传统特色优势领域。

二、地理标志产品保护制度体系不断完善

以地理标志技术标准体系、质量保证体系和检测监督体系为基础的地理标志产品保护制度进一步健全，《关于推动中国—欧盟“10＋10”国际互保中方地理标志产品国际化运用的指导意见》等文件相继出台，形成了注册、使用、监管、示范、品牌评价、国际化运用等多层次、全链条的地理标志产品保护工作体系。

三、地理标志产品保护示范区建设初具规模

新验收批准国家地理标志产品保护示范区4家，批准建设的国家地理标志产品示范区总数达13家，引领了发展产业集聚，带动了一批企业提高产品质量，为当地农民致富创造了条件。

四、地理标志产品保护精准扶贫工作效果显著

通过专家技术审查、现场指导帮扶等形式，积极开展科技援疆、援藏活动；开创了省际结对帮扶合作新模式，指导四川、贵州两省结成对子，统筹推进西部地区地理标志保护；主动服务推进赣南革命老区地理标志保护，多次开展现场调研指导帮扶，推进“赣南茶油”等产品地理标志保护工作。

五、地理标志宣传方式创新发展

建设开通“中国国家地理标志保护产品网”，打造国家级专业网络宣传平台，加强地理标志保护产品宣传和成果推广，提高中国地理标志产品在国际上的知名度。组织地方政府、地方两局、质检出版社、质检报刊社共同参加，编撰和发行《中国地理标志产品大典》，通过地理标志大典向世界讲述中国质检好故事，传播中国质检好声音，向世界展现中华文化的独特魅力。

六、地理标志产品保护品牌建设开展如火如荼

为贯彻我国“十二五”规划和《质量发展纲要（2011—2020年）》关于“加强品牌建设，提升品牌价值和效应”的精神，落实《贯彻实施质量发展纲要2014年行动计划》（国办发［2014］18号）品牌建设部署，推动“中国产品”向“中国品牌”转变，开展了地理标志品牌价值评价标准起草制定、测试验证和品牌价值评价工作，推动地理标志品牌国际化，提升地理标志品牌国际影响力和竞争力。

七、地理标志产品保护国际合作开拓了新局面

起草了《境外地理标志产品在华保护办法》（送审稿），为配合我国的地理标志国际合作条约签署和履约提供独有的监管保护作用；与法国农业、食品、渔业、农村事务及土地整治部开展合作，配合国务院总理李克强访问法国，发布公告正式批准了波尔多葡萄酒在华保护，同时发布了对波尔多葡萄酒46个附属产区申请地理标志保护受理公告，受到法方的好评；组织专家组赴墨西哥对龙舌兰酒开展地理标志产地核查，这是首次对国外在华地理标志保护产品开展的产地核查。

表 1　　已批准地理标志产品保护名录

序号	产品名称	初审机构	批准公告
1	隆子黑青稞糌粑	西藏自治区质量技术监督局	2015 年第 24 号
2	泽帖尔（泽帖、泽当哔叽）	西藏自治区质量技术监督局	2015 年第 24 号
3	多玛羊肉	西藏自治区质量技术监督局	2015 年第 24 号
4	多玛羊毛	西藏自治区质量技术监督局	2015 年第 24 号
5	日土山羊绒	西藏自治区质量技术监督局	2015 年第 24 号
6	肃宁裘皮	河北省质量技术监督局	2015 年第 24 号
7	乾安红辣椒	吉林省质量技术监督局	2015 年第 24 号
8	龙头胖头鱼	黑龙江省质量技术监督局	2015 年第 24 号
9	宝清苹果（寒疆红果）	黑龙江省质量技术监督局	2015 年第 24 号
10	会昌米粉	江西省质量技术监督局	2015 年第 24 号
11	老庙牛肉	河南省质量技术监督局	2015 年第 24 号
12	平武厚朴	四川省质量技术监督局	2015 年第 24 号
13	苏稽米花糖（苏稽香油米花糖）	四川省质量技术监督局	2015 年第 24 号
14	通川灯影牛肉	四川省质量技术监督局	2015 年第 24 号
15	德昌桑葚	四川省质量技术监督局	2015 年第 24 号
16	大邑金蜜李	四川省质量技术监督局	2015 年第 24 号
17	安仁蓝莓	四川省质量技术监督局	2015 年第 24 号
18	邛崃黑猪	四川省质量技术监督局	2015 年第 24 号
19	邛崃黑茶	四川省质量技术监督局	2015 年第 24 号
20	梓潼桔梗	四川省质量技术监督局	2015 年第 24 号
21	彭山葡萄	四川省质量技术监督局	2015 年第 24 号
22	靖边土豆	陕西省质量技术监督局	2015 年第 24 号
23	华胥大银杏（华胥大杏）	陕西省质量技术监督局	2015 年第 24 号
24	蓝田白皮松	陕西省质量技术监督局	2015 年第 24 号
25	甘加藏羊	甘肃省质量技术监督局	2015 年第 24 号
26	肇东小米	黑龙江省质量技术监督局	2015 年第 44 号
27	延寿大米	黑龙江省质量技术监督局	2015 年第 44 号
28	花果山风鹅	江苏省质量技术监督局	2015 年第 44 号
29	双店百合花	江苏省质量技术监督局	2015 年第 44 号
30	大纵湖大闸蟹	江苏省质量技术监督局	2015 年第 44 号
31	兴化大闸蟹	江苏省质量技术监督局	2015 年第 44 号
32	板浦滴醋	江苏省质量技术监督局	2015 年第 44 号
33	嘉儒蛤	福建省质量技术监督局	2015 年第 44 号
34	永泰山茶油	福建省质量技术监督局	2015 年第 44 号
35	永春纸织画	福建省质量技术监督局	2015 年第 44 号
36	襄阳杜仲	湖北省质量技术监督局	2015 年第 44 号
37	东津细米	广西壮族自治区质量技术监督局	2015 年第 44 号
38	道真灰豆腐果	贵州省质量技术监督局	2015 年第 44 号
39	安顺蜡染	贵州省质量技术监督局	2015 年第 44 号
40	水城春茶	贵州省质量技术监督局	2015 年第 44 号

续　表

序号	产品名称	初审机构	批准公告
41	水城小黄姜	贵州省质量技术监督局	2015 年第 44 号
42	务川白山羊	贵州省质量技术监督局	2015 年第 44 号
43	惠水黑糯米	贵州省质量技术监督局	2015 年第 44 号
44	道真绿茶（道真硒锶茶）	贵州省质量技术监督局	2015 年第 44 号
45	墨江紫米	云南省质量技术监督局	2015 年第 44 号
46	维西百花蜜	云南省质量技术监督局	2015 年第 44 号
47	乐亭甜瓜	河北省质量技术监督局	2015 年第 74 号
48	青县羊角脆	河北省质量技术监督局	2015 年第 74 号
49	丛台酒	河北省质量技术监督局	2015 年第 74 号
50	开鲁老白干	内蒙古自治区质量技术监督局	2015 年第 74 号
51	巴达仍贵大米	内蒙古自治区质量技术监督局	2015 年第 74 号
52	朝阳绿豆	辽宁省质量技术监督局	2015 年第 74 号
53	朝阳小米	辽宁省质量技术监督局	2015 年第 74 号
54	三十家子鳞棒葱	辽宁省质量技术监督局	2015 年第 74 号
55	单县羊肉汤	山东省质量技术监督局	2015 年第 74 号
56	天坛砚（盘古砚）	河南省质量技术监督局	2015 年第 74 号
57	槐山羊板皮（槐皮）	河南省质量技术监督局	2015 年第 74 号
58	槐山羊肉	河南省质量技术监督局	2015 年第 74 号
59	天宝蜜柚	四川省质量技术监督局	2015 年第 74 号
60	宣汉牛肉	四川省质量技术监督局	2015 年第 74 号
61	镇龙山瓦灰鸡	四川省质量技术监督局	2015 年第 74 号
62	峨眉山矿泉水	四川省质量技术监督局	2015 年第 74 号
63	建昌板鸭	四川省质量技术监督局	2015 年第 74 号
64	文宫枇杷	四川省质量技术监督局	2015 年第 74 号
65	安居黄金梨	四川省质量技术监督局	2015 年第 74 号
66	昌宁红茶	云南省质量技术监督局	2015 年第 74 号
67	富平甜瓜	陕西省质量技术监督局	2015 年第 74 号
68	尧头黑瓷	陕西省质量技术监督局	2015 年第 74 号
69	靖边羊肉	陕西省质量技术监督局	2015 年第 74 号
70	波尔多（Bordeaux）	法国波尔多葡萄酒行业委员会	2015 年第 75 号
71	西山焦枣	安徽省质量技术监督局	2015 年第 96 号
72	绿杨桥封缸酒	湖北省质量技术监督局	2015 年第 96 号
73	龙窖腐乳	湖南省质量技术监督局	2015 年第 96 号
74	龙窖酱菜	湖南省质量技术监督局	2015 年第 96 号
75	祁东黄花菜	湖南省质量技术监督局	2015 年第 96 号
76	临澧杂柑	湖南省质量技术监督局	2015 年第 96 号
77	五强溪鱼	湖南省质量技术监督局	2015 年第 96 号
78	宜章红炮	湖南省质量技术监督局	2015 年第 96 号
79	芷江鸭	湖南省质量技术监督局	2015 年第 96 号

续 表

序号	产品名称	初审机构	批准公告
80	连平鹰嘴蜜桃	广东省质量技术监督局	2015 年第 96 号
81	莞香	广东省质量技术监督局	2015 年第 96 号
82	仪陇胭脂萝卜	四川省质量技术监督局	2015 年第 96 号
83	麦洼牦牛	四川省质量技术监督局	2015 年第 96 号
84	隆昌酱油	四川省质量技术监督局	2015 年第 96 号
85	赤水晒醋	贵州省质量技术监督局	2015 年第 96 号
86	梭筛桃	贵州省质量技术监督局	2015 年第 96 号
87	落别樱桃	贵州省质量技术监督局	2015 年第 96 号
88	贵定益肝草凉茶	贵州省质量技术监督局	2015 年第 96 号
89	六枝龙胆草	贵州省质量技术监督局	2015 年第 96 号
90	罗甸玉	贵州省质量技术监督局	2015 年第 96 号
91	富民杨梅	云南省质量技术监督局	2015 年第 96 号
92	大姚核桃	云南省质量技术监督局	2015 年第 96 号
93	撒坝火腿	云南省质量技术监督局	2015 年第 96 号
94	禄丰香醋	云南省质量技术监督局	2015 年第 96 号
95	广南八宝米	云南省质量技术监督局	2015 年第 96 号
96	东川面条（东川挂面）	云南省质量技术监督局	2015 年第 96 号
97	福贡云黄连	云南省质量技术监督局	2015 年第 96 号
98	三原蓼花糖	陕西省质量技术监督局	2015 年第 96 号
99	三原小磨香油	陕西省质量技术监督局	2015 年第 96 号
100	子洲黄豆	陕西省质量技术监督局	2015 年第 96 号
101	靖远黑瓜籽	甘肃省质量技术监督局	2015 年第 96 号
102	高平大黄梨	山西省质量技术监督局	2015 年第 143 号
103	东辽黑猪	吉林省质量技术监督局	2015 年第 143 号
104	天华谷尖（南阳谷尖）	安徽省质量技术监督局	2015 年第 143 号
105	宣城木榨油	安徽省质量技术监督局	2015 年第 143 号
106	始兴石斛	广东省质量技术监督局	2015 年第 143 号
107	石湾玉冰烧酒	广东省质量技术监督局	2015 年第 143 号
108	高要巴戟天	广东省质量技术监督局	2015 年第 143 号
109	罗浮山大米	广东省质量技术监督局	2015 年第 143 号
110	柏塘山茶	广东省质量技术监督局	2015 年第 143 号
111	观音阁花生	广东省质量技术监督局	2015 年第 143 号
112	汶朗蜜柚	广东省质量技术监督局	2015 年第 143 号
113	定安大米	海南省质量技术监督局	2015 年第 143 号
114	恭城月柿	广西壮族自治区质量技术监督局	2015 年第 143 号
115	东兰墨米酒	广西壮族自治区质量技术监督局	2015 年第 143 号
116	黎塘莲藕	广西壮族自治区质量技术监督局	2015 年第 143 号

续 表

序号	产品名称	初审机构	批准公告
117	西林姜晶	广西壮族自治区质量技术监督局	2015 年第 143 号
118	大英长绒棉	四川省质量技术监督局	2015 年第 143 号
119	阿勒泰大果沙棘	新疆维吾尔自治区质量技术监督局	2015 年第 143 号
120	吐鲁番葡萄酒	新疆维吾尔自治区质量技术监督局	2015 年第 143 号
121	和硕葡萄酒	新疆维吾尔自治区质量技术监督局	2015 年第 143 号
122	伊犁薰衣草精油	新疆维吾尔自治区质量技术监督局	2015 年第 143 号
123	塔城巴什拜羊	新疆维吾尔自治区质量技术监督局	2015 年第 143 号
124	达茂马铃薯	内蒙古自治区质量技术监督局	2015 年第 162 号
125	内蒙古肉苁蓉	内蒙古自治区质量技术监督局	2015 年第 162 号
126	梁山西瓜（小梁山西瓜）	辽宁省质量技术监督局	2015 年第 162 号
127	洮南香酒	吉林省质量技术监督局	2015 年第 162 号
128	海伦大米	黑龙江省质量技术监督局	2015 年第 162 号
129	海伦大豆	黑龙江省质量技术监督局	2015 年第 162 号
130	桦川大米	黑龙江省质量技术监督局	2015 年第 162 号
131	克山马铃薯（克山土豆）	黑龙江省质量技术监督局	2015 年第 162 号
132	克山大豆	黑龙江省质量技术监督局	2015 年第 162 号
133	海安桑蚕茧	江苏省质量技术监督局	2015 年第 162 号
134	霍山黄大茶	安徽省质量技术监督局	2015 年第 162 号
135	黄山白茶（徽州白茶）	安徽省质量技术监督局	2015 年第 162 号
136	怀宁贡糕	安徽省质量技术监督局	2015 年第 162 号
137	岳西桑皮纸	安徽省质量技术监督局	2015 年第 162 号
138	三潭枇杷	安徽省质量技术监督局	2015 年第 162 号
139	歙砚	安徽省质量技术监督局	2015 年第 162 号
140	徽墨	安徽省质量技术监督局	2015 年第 162 号
141	云门陈酿酒	山东省质量技术监督局	2015 年第 162 号
142	崇阳雷竹笋	湖北省质量技术监督局	2015 年第 162 号
143	观音湖绿茶	湖北省质量技术监督局	2015 年第 162 号
144	洪湖藕带	湖北省质量技术监督局	2015 年第 162 号
145	房县北柴胡	湖北省质量技术监督局	2015 年第 162 号
146	古泉清酒	湖北省质量技术监督局	2015 年第 162 号
147	武当酒	湖北省质量技术监督局	2015 年第 162 号
148	黄梅堆花酒	湖北省质量技术监督局	2015 年第 162 号
149	郧阳黑猪	湖北省质量技术监督局	2015 年第 162 号
150	融水香鸭	广西壮族自治区质量技术监督局	2015 年第 162 号
151	王家贡米	四川省质量技术监督局	2015 年第 162 号
152	合江金钗石斛	四川省质量技术监督局	2015 年第 162 号
153	红原牦牛奶	四川省质量技术监督局	2015 年第 162 号

续 表

序号	产品名称	初审机构	批准公告
154	红原牦牛奶粉	四川省质量技术监督局	2015 年第 162 号
155	黄甲麻羊	四川省质量技术监督局	2015 年第 162 号
156	蒲江丑柑	四川省质量技术监督局	2015 年第 162 号
157	威远无花果	四川省质量技术监督局	2015 年第 162 号
158	米易红糖	四川省质量技术监督局	2015 年第 162 号
159	林芝松茸	西藏自治区质量技术监督局	2015 年第 162 号
160	林芝藏香猪	西藏自治区质量技术监督局	2015 年第 162 号
161	墨脱石锅	西藏自治区质量技术监督局	2015 年第 162 号
162	米林藏鸡	西藏自治区质量技术监督局	2015 年第 162 号
163	加查核桃	西藏自治区质量技术监督局	2015 年第 162 号
164	亚东黑木耳	西藏自治区质量技术监督局	2015 年第 162 号
165	艾玛土豆	西藏自治区质量技术监督局	2015 年第 162 号
166	八宿荞麦	西藏自治区质量技术监督局	2015 年第 162 号
167	类乌齐牦牛肉	西藏自治区质量技术监督局	2015 年第 162 号
168	嘉黎牦牛（娘亚牦牛）	西藏自治区质量技术监督局	2015 年第 162 号
169	户县黄酒	陕西省质量技术监督局	2015 年第 162 号
170	热贡唐卡	青海省质量技术监督局	2015 年第 162 号
171	玛纳斯碧玉	新疆维吾尔自治区质量技术监督局	2015 年第 162 号

表 2 已核准使用专用标志企业名录

序号	省份	产品名称	企业名称	公告
1	河北省	涞水麻核桃 （野三坡麻核桃）	涞水县宝芝轩核桃种植农民专用合作社	2015 年第 23 号
2	吉林省	龙泉春酒	辽源龙泉酒业股份有限公司	2015 年第 23 号
3	浙江省	龙井茶	杭州茶都茶业有限公司	2015 年第 23 号
4	浙江省	龙井茶	浙江龙牌茶叶股份有限公司	2015 年第 23 号
5	浙江省	龙井茶	杭州清龙茶叶有限公司龙坞分公司	2015 年第 23 号
6	浙江省	龙井茶	杭州慈母桥茶叶加工厂	2015 年第 23 号
7	浙江省	龙井茶	杭州梅家坞梅源茶叶有限公司	2015 年第 23 号
8	浙江省	龙井茶	杭州御井茶文化研究发展有限公司	2015 年第 23 号
9	浙江省	龙井茶	杭州云上茶叶有限公司第一分公司	2015 年第 23 号
10	浙江省	龙井茶	杭州春云茶叶有限公司	2015 年第 23 号
11	浙江省	龙井茶	杭州周志根茶场有限公司	2015 年第 23 号
12	浙江省	龙井茶	杭州水品元茶业有限公司	2015 年第 23 号
13	浙江省	龙井茶	浙江南瑞茶叶有限公司	2015 年第 23 号
14	浙江省	径山茶	杭州余杭区径山古钟茶厂	2015 年第 23 号
15	浙江省	径山茶	杭州余杭区径山四岭名茶厂	2015 年第 23 号

续 表

序号	省份	产品名称	企业名称	公告
16	浙江省	径山茶	杭州径山五峰茶业有限公司	2015年第23号
17	浙江省	径山茶	杭州余杭区王位山茶叶园区有限公司	2015年第23号
18	浙江省	径山茶	浙江远圣茶业有限公司	2015年第23号
19	浙江省	径山茶	杭州银泉茶业有限公司	2015年第23号
20	浙江省	径山茶	杭州余杭区余杭茶业专业合作社	2015年第23号
21	浙江省	径山茶	杭州余杭区中泰乡张家山茶场	2015年第23号
22	浙江省	径山茶	杭州余杭区径山镇径山村棋盘石茶厂	2015年第23号
23	浙江省	径山茶	杭州余杭区径山凌霄峰茶厂	2015年第23号
24	浙江省	径山茶	杭州余杭径山村径山茶专业合作社	2015年第23号
25	浙江省	径山茶	杭州余杭区径山绿神茶苑	2015年第23号
26	浙江省	径山茶	杭州径山妙高茶叶有限公司	2015年第23号
27	浙江省	径山茶	杭州余杭区万明茶厂	2015年第23号
28	浙江省	径山茶	杭州余杭区径山镇化城寺茶厂	2015年第23号
29	浙江省	径山茶	杭州余杭双溪龙生茶厂	2015年第23号
30	浙江省	径山茶	杭州陆羽泉茶叶有限公司	2015年第23号
31	浙江省	径山茶	杭州余杭区径山镇羽井茶厂	2015年第23号
32	浙江省	径山茶	杭州余杭区径山名叶茶厂	2015年第23号
33	浙江省	径山茶	杭州余区径山镇青玉茶厂	2015年第23号
34	浙江省	径山茶	杭州径山绿缘茶叶开发有限公司	2015年第23号
35	浙江省	径山茶	杭州余杭山里人茶厂	2015年第23号
36	浙江省	径山茶	杭州余杭车坑坞茶厂	2015年第23号
37	浙江省	径山茶	杭州余杭区径山镇一味茶厂	2015年第23号
38	浙江省	径山茶	杭州余杭区径山镇竹林茶厂	2015年第23号
39	浙江省	径山茶	杭州新绿茶业有限公司	2015年第23号
40	浙江省	径山茶	杭州径峰茶业有限公司	2015年第23号
41	浙江省	径山茶	杭州余杭区径山镇方荣茶厂	2015年第23号
42	浙江省	径山茶	杭州余杭区径山镇吉祥寺茶厂	2015年第23号
43	浙江省	径山茶	杭州余杭区径山镇长乐小龙茶厂	2015年第23号
44	浙江省	径山茶	杭州余杭区径山镇小五山茶厂	2015年第23号
45	浙江省	径山茶	杭州余杭区新生茶厂	2015年第23号
46	浙江省	径山茶	杭州方绿茶业有限公司	2015年第23号
47	浙江省	径山茶	杭州余杭区径山镇伟朋茶厂	2015年第23号
48	浙江省	径山茶	杭州余杭区径山镇露耀茶厂	2015年第23号
49	浙江省	径山茶	杭州永宏茶业有限公司	2015年第23号
50	浙江省	径山茶	杭州径山茶业有限公司	2015年第23号
51	浙江省	径山茶	杭州大麓茶业有限公司	2015年第23号

续 表

序号	省份	产品名称	企业名称	公告
52	浙江省	径山茶	杭州余杭区径山镇径缘茶厂	2015 年第 23 号
53	浙江省	径山茶	杭州径乐茶业有限公司	2015 年第 23 号
54	浙江省	径山茶	杭州余杭区径山镇上林茶厂	2015 年第 23 号
55	浙江省	径山茶	杭州余杭兴挺茶业有限公司	2015 年第 23 号
56	浙江省	径山茶	杭州余杭区径山镇国庆茶厂	2015 年第 23 号
57	浙江省	径山茶	杭州竹海茶业有限公司	2015 年第 23 号
58	浙江省	径山茶	杭州余杭区加林茶厂	2015 年第 23 号
59	浙江省	径山茶	杭州市余杭区径山镇径迷茶厂	2015 年第 23 号
60	浙江省	径山茶	杭州余杭斜坑茶业专业合作社	2015 年第 23 号
61	浙江省	径山茶	杭州余杭区茶之源茶厂	2015 年第 23 号
62	浙江省	径山茶	杭州余杭区径山镇齐亨茶厂	2015 年第 23 号
63	浙江省	径山茶	杭州余杭绿峰茶叶有限公司	2015 年第 23 号
64	浙江省	径山茶	杭州余杭区黄湖镇云顶农庄	2015 年第 23 号
65	浙江省	径山茶	杭州三园茶业有限公司	2015 年第 23 号
66	浙江省	径山茶	杭州来缘茶业有限公司	2015 年第 23 号
67	浙江省	径山茶	杭州余杭区中泰街道越峰茶厂	2015 年第 23 号
68	浙江省	径山茶	杭州屏峰山茶厂	2015 年第 23 号
69	浙江省	径山茶	杭州华宫宴茶厂	2015 年第 23 号
70	浙江省	径山茶	杭州大明茶叶有限公司	2015 年第 23 号
71	浙江省	径山茶	杭州月池茶厂	2015 年第 23 号
72	浙江省	径山茶	杭州禹航茶业有限公司	2015 年第 23 号
73	浙江省	径山茶	杭州余杭区余杭街道古圣茶厂	2015 年第 23 号
74	浙江省	径山茶	杭州万鑫农业开发有限公司	2015 年第 23 号
75	浙江省	径山茶	杭州余杭仙宅茶叶有限公司	2015 年第 23 号
76	浙江省	径山茶	杭州娘娘山名茶开发有限公司	2015 年第 23 号
77	浙江省	径山茶	杭州余杭区径山百丈岭名茶厂	2015 年第 23 号
78	浙江省	径山茶	杭州山沟沟茶叶专业合作社	2015 年第 23 号
79	浙江省	径山茶	杭州余杭鹿山茶厂	2015 年第 23 号
80	浙江省	径山茶	杭州春竹茶叶加工厂	2015 年第 23 号
81	浙江省	径山茶	杭州径林茶业有限公司	2015 年第 23 号
82	浙江省	径山茶	杭州太公堂茶叶专业合作社	2015 年第 23 号
83	浙江省	径山茶	杭州余杭径平茶厂	2015 年第 23 号
84	福建省	莆田桂圆	福建省闽中有机食品有限公司	2015 年第 23 号
85	福建省	莆田桂圆	莆田涵江区龙桂果蔬农民专业合作社	2015 年第 23 号
86	福建省	德化白瓷	福建省太古陶瓷有限责任公司	2015 年第 23 号
87	福建省	德化白瓷	福建省德化坤恒工艺品有限公司	2015 年第 23 号

续 表

序号	省份	产品名称	企业名称	公告
88	福建省	德化白瓷	德化县琢瓷草堂瓷雕研究所	2015年第23号
89	福建省	德化白瓷	德化县三福陶瓷礼品有限公司	2015年第23号
90	福建省	德化白瓷	德化县盛唐陶瓷礼品厂	2015年第23号
91	福建省	德化白瓷	福建省德化县崇善堂陶瓷研究所	2015年第23号
92	福建省	德化白瓷	福建省德化县格瑞瓷业有限公司	2015年第23号
93	福建省	德化白瓷	福建省德化县新星陶瓷有限公司	2015年第23号
94	福建省	德化白瓷	福建省德化千禧龙陶瓷有限公司	2015年第23号
95	福建省	古田银耳	古田县森农农业开发有限公司	2015年第23号
96	福建省	古田银耳	福建珍妙食品有限公司	2015年第23号
97	福建省	古田银耳	古田县恒惠食用菌开发有限公司	2015年第23号
98	福建省	邵武碎铜茶	邵武市留仙峰茶业有限公司	2015年第23号
99	福建省	邵武碎铜茶	邵武市三丰茶厂（普通合伙）	2015年第23号
100	广东省	九江双蒸酒	广东省九江酒厂有限公司	2015年第23号
101	广东省	东陂腊味	连州市东陂俊雄腊味厂	2015年第23号
102	广东省	新会陈皮	江门市新会区葵禾柑果专业合作社	2015年第23号
103	广东省	新会陈皮	江门丽宫国际食品有限公司	2015年第23号
104	广东省	新会陈皮	江门市新会区瑞丰柑橘种植专业合作社	2015年第23号
105	广东省	新会陈皮	江门市新会区祥益陈皮有限公司	2015年第23号
106	广东省	新会陈皮	新会区会城新鸿基茶庄	2015年第23号
107	广东省	长坝沙田柚	仁化县合口味沙田柚农民专业合作社	2015年第23号
108	广东省	英德红茶	英德市铭基投资有限公司	2015年第23号
109	海南省	文昌鸡	海南传味文昌鸡产业有限公司	2015年第23号
110	广西壮族自治区	巴马香猪	巴马原种香猪农牧实业有限公司	2015年第23号
111	广西壮族自治区	坭兴陶	钦州市昱达坭兴陶艺有限公司	2015年第23号
112	广西壮族自治区	坭兴陶	广西钦州市钦州湾坭兴陶艺有限责任公司	2015年第23号
113	广西壮族自治区	坭兴陶	广西钦州市永福坭兴陶艺有限公司	2015年第23号
114	广西壮族自治区	坭兴陶	钦州市大唐坭兴陶有限公司	2015年第23号
115	广西壮族自治区	坭兴陶	钦州市壮壶坭兴开发有限公司	2015年第23号
116	广西壮族自治区	坭兴陶	钦州市三鸿陶艺厂	2015年第23号
117	广西壮族自治区	坭兴陶	钦州市钦南区中陶坭兴陶有限公司	2015年第23号
118	广西壮族自治区	坭兴陶	钦州市东方坭兴陶艺有限公司	2015年第23号
119	广西壮族自治区	坭兴陶	钦州市永和坭兴陶艺有限公司	2015年第23号
120	广西壮族自治区	坭兴陶	广西钦州市华灯陶艺有限公司	2015年第23号
121	广西壮族自治区	坭兴陶	钦州市钦南区伟德坭兴工艺设计室	2015年第23号
122	广西壮族自治区	坭兴陶	广西钦州市方圆坭兴陶艺有限公司	2015年第23号
123	广西壮族自治区	坭兴陶	广西钦州市慈鑫陶艺有限公司	2015年第23号

续 表

序号	省份	产品名称	企业名称	公告
124	四川省	广安蜜梨	四川欧阳农业集团有限公司	2015 年第 23 号
125	四川省	邛酒	四川省春源品悟酒业有限公司	2015 年第 23 号
126	四川省	邛酒	四川天高云淡酒业有限公司	2015 年第 23 号
127	四川省	隆昌豆杆	四川山乡酿造食品有限公司	2015 年第 23 号
128	四川省	隆昌土陶	四川省云贵陶瓷制品有限公司	2015 年第 23 号
129	四川省	仪陇酱瓜	四川省旺平食品有限责任公司	2015 年第 23 号
130	四川省	九寨猪苓	九寨沟县医药有限责任公司	2015 年第 23 号
131	四川省	漆碑茶	四川绿源春茶业有限公司	2015 年第 23 号
132	四川省	漆碑茶	宣汉县九顶茶叶有限公司	2015 年第 23 号
133	四川省	崇州牛尾笋	崇州市文井江国强生态种养殖专业合作社	2015 年第 23 号
134	四川省	汉源花椒油	汉源县新纪调味食品厂	2015 年第 23 号
135	四川省	汉源花椒油	四川省汉源大自然有限公司	2015 年第 23 号
136	四川省	汉源花椒油	四川省味佳食品有限公司	2015 年第 23 号
137	四川省	汉源花椒油	四川五丰黎红食品有限公司	2015 年第 23 号
138	四川省	汉源花椒油	汉源县康源调味食品厂	2015 年第 23 号
139	四川省	汉源花椒油	汉源县汉达食品厂	2015 年第 23 号
140	四川省	汉源花椒油	汉源县益可食品厂	2015 年第 23 号
141	四川省	峨眉山茶	峨眉山榜上有名茶文化传播中心	2015 年第 23 号
142	四川省	峨眉山茶	峨眉山七里坪茶业有限公司	2015 年第 23 号
143	四川省	峨眉山茶	马边永绿茶业有限公司	2015 年第 23 号
144	四川省	峨眉山茶	夹江县千里云茶业有限公司	2015 年第 23 号
145	四川省	富顺豆花蘸水	富顺县李二豆花食品有限公司	2015 年第 23 号
146	四川省	富顺豆花蘸水	富顺县黄晶美味食品有限公司	2015 年第 23 号
147	四川省	富顺豆花蘸水	富顺县雷三食品有限公司	2015 年第 23 号
148	四川省	富顺豆花蘸水	富顺县新又来白玉豆花饭店	2015 年第 23 号
149	四川省	蜀绣	郫县张传蓉蜀绣坊	2015 年第 23 号
150	四川省	蜀绣	成都桂英蜀绣工艺有限公司	2015 年第 23 号
151	四川省	蜀绣	成都锦美蜀绣文化有限公司	2015 年第 23 号
152	四川省	蜀绣	成都盛世文锦投资有限责任公司	2015 年第 23 号
153	四川省	蜀绣	成都蜀绣文化发展有限责任公司	2015 年第 23 号
154	四川省	蜀绣	成都毓锦阁蜀绣文化传播有限公司	2015 年第 23 号
155	四川省	自贡火边子牛肉	自贡市天花井食品有限公司	2015 年第 23 号
156	四川省	自贡火边子牛肉	四川自贡同兴食品有限公司	2015 年第 23 号
157	四川省	自贡火边子牛肉	四川盐帮年代食品有限公司	2015 年第 23 号
158	四川省	自贡火边子牛肉	自贡市刀刀爽食品有限公司	2015 年第 23 号
159	陕西省	靖边小米	榆林市精粮绿色食品开发有限公司	2015 年第 23 号

续　表

序号	省份	产品名称	企业名称	公告
160	陕西省	靖边小米	靖边县龙州金东香谷米贸易有限公司	2015年第23号
161	陕西省	靖边小米	靖边县龙眼商贸有限公司	2015年第23号
162	陕西省	靖边小米	靖边县沧海实业责任有限公司	2015年第23号
163	陕西省	靖边苦荞	靖边县黄土之恋农产品有限公司	2015年第23号
164	陕西省	靖边苦荞	靖边县远特沙漠泉有限公司	2015年第23号
165	陕西省	靖边苦荞	靖边县沧海实业有限责任公司	2015年第23号
166	陕西省	靖边苦荞	靖边县乔沟湾乡红盛小杂粮专业合作社	2015年第23号
167	陕西省	富平柿饼	富平县洋阳柿饼专业合作社	2015年第23号
168	甘肃省	武都花椒	陇南天泽农林产品研发有限公司	2015年第23号
169	甘肃省	武都花椒	陇南裕丰农产品开发经销有限公司	2015年第23号
170	甘肃省	武都花椒	陇南市武都区开源花椒农民专业合作社	2015年第23号
171	甘肃省	武都花椒	陇南市武都区福源花椒农民专业合作社	2015年第23号
172	新疆维吾尔自治区	阿勒泰羊	新疆富洋食品有限公司	2015年第23号
173	新疆维吾尔自治区	阿勒泰羊	阿勒泰地区铭泽肉食品有限责任公司	2015年第23号
174	辽宁省	盘锦大米	盘锦万邦精制米业有限公司	2015年第43号
175	辽宁省	盘锦大米	盘锦金社裕农米业有限公司	2015年第43号
176	辽宁省	盘锦大米	大洼县清水镇洪奎粮谷加工厂	2015年第43号
177	辽宁省	盘锦大米	大洼景会大米加工厂	2015年第43号
178	辽宁省	盘锦大米	大洼县西五双盛米业有限公司	2015年第43号
179	吉林省	吉林长白山人参	靖宇美康人参基地有限责任公司	2015年第43号
180	吉林省	吉林长白山人参	长白山皇封参业有限公司	2015年第43号
181	吉林省	吉林长白山人参	吉林省百济堂参业有限公司	2015年第43号
182	吉林省	吉林长白山“中国林蛙油”	吉林市长白加林特产开发有限公司	2015年第43号
183	吉林省	白城绿豆	吉林省德泰绿豆产业基地集团有限公司	2015年第43号
184	吉林省	梅河大米	梅河口市十八锅米业有限公司	2015年第43号
185	浙江省	安吉白茶	安吉千道湾白茶有限公司	2015年第43号
186	浙江省	安吉白茶	安吉恒盛白茶有限公司	2015年第43号
187	浙江省	三杯香茶	浙江御茗茶业有限公司	2015年第43号
188	安徽省	太平猴魁茶	黄山铜太茶业有限公司	2015年第43号
189	安徽省	五城米酒	黄山五城新徽米酒有限公司	2015年第43号
190	安徽省	五城米酒	黄山市金状元酿造有限公司	2015年第43号
191	安徽省	五城米酒	黄山将军米酒有限公司	2015年第43号
192	安徽省	霍山石斛	安徽霍山县别山本草石斛农民专业合作社	2015年第43号
193	安徽省	霍山石斛	霍山县登云石斛农民专业合作社	2015年第43号
194	安徽省	霍山石斛	安徽省霍山县农伯乐开发有限公司	2015年第43号
195	安徽省	霍山石斛	霍山县岳王石斛农民专业合作社	2015年第43号

续 表

序号	省份	产品名称	企业名称	公告
196	安徽省	霍山石斛	安徽霍山县松鹤堂中药材有限公司	2015年第43号
197	安徽省	霍山石斛	霍山县石义胜石斛农民专业合作社	2015年第43号
198	安徽省	霍山石斛	安徽中升生物科技有限公司	2015年第43号
199	安徽省	黄山毛峰茶	黄山徽百年茶业有限公司	2015年第43号
200	安徽省	宣纸	安徽恒星宣纸有限公司	2015年第43号
201	安徽省	宣纸	安徽省泾县金宣堂宣纸厂	2015年第43号
202	福建省	武夷岩茶	武夷山奇顺生态茶业有限公司	2015年第43号
203	福建省	武夷岩茶	武夷山市大岩美茗茶业有限公司	2015年第43号
204	福建省	武夷岩茶	武夷山市开门红茶业有限公司	2015年第43号
205	福建省	武夷岩茶	福建武夷山国家级自然保护区正山茶业有限公司	2015年第43号
206	福建省	武夷岩茶	武夷山市旭岭岩茶厂	2015年第43号
207	福建省	武夷岩茶	武夷山天问茶业有限公司	2015年第43号
208	福建省	武夷岩茶	武夷山市江氏一品岩茶厂	2015年第43号
209	福建省	武夷岩茶	武夷山沁岩茶业有限公司	2015年第43号
210	福建省	武夷岩茶	武夷山市玉盏留香岩茶厂	2015年第43号
211	福建省	武夷岩茶	武夷山市兴辰茶业有限公司	2015年第43号
212	福建省	武夷岩茶	武夷山岩悟茶业有限公司	2015年第43号
213	福建省	武夷岩茶	武夷山市凝韵岩茶厂	2015年第43号
214	福建省	武夷岩茶	武夷山市家忠岩茶厂	2015年第43号
215	福建省	武夷岩茶	武夷山水木岩茶业有限公司	2015年第43号
216	福建省	武夷岩茶	武夷山市桐茗茶业有限公司	2015年第43号
217	福建省	武夷岩茶	武夷山市晟曦岩茶厂	2015年第43号
218	福建省	武夷岩茶	武夷山金水岩生态茶业有限公司	2015年第43号
219	福建省	武夷岩茶	武夷山市嘉茗茶业有限责任公司	2015年第43号
220	福建省	武夷岩茶	武夷山陆廷灿茶业有限公司	2015年第43号
221	福建省	武夷岩茶	武夷山茗上缘茶业有限公司	2015年第43号
222	福建省	武夷岩茶	武夷山天工茶叶有限公司	2015年第43号
223	福建省	武夷岩茶	武夷山原住民大红袍茶业有限公司	2015年第43号
224	福建省	武夷岩茶	山石草木（武夷山）茶业有限公司	2015年第43号
225	福建省	武夷岩茶	武夷山莱福茗茶有限公司	2015年第43号
226	福建省	武夷岩茶	武夷山群洲生态茶业有限公司	2015年第43号
227	福建省	武夷岩茶	武夷山市桐源茶厂	2015年第43号
228	福建省	武夷岩茶	武夷山市东润有机茶叶有限公司	2015年第43号
229	福建省	武夷岩茶	武夷山市曲上茗岩茶厂	2015年第43号
230	福建省	武夷岩茶	武夷山市九曲韵枞茶业有限公司	2015年第43号
231	福建省	武夷红茶	福建武夷山国家级自然保护区正山茶业有限公司	2015年第43号

续 表

序号	省份	产品名称	企业名称	公告
232	福建省	武夷红茶	武夷山市红天下茶业有限公司	2015年第43号
233	福建省	武夷红茶	武夷星茶业有限公司	2015年第43号
234	福建省	武夷红茶	武夷山武夷红茶业有限公司	2015年第43号
235	福建省	武夷红茶	福建武夷山三正茶业有限公司	2015年第43号
236	福建省	武夷红茶	武夷山市桐茗茶业有限公司	2015年第43号
237	福建省	武夷红茶	山石草木（武夷山）茶业有限公司	2015年第43号
238	福建省	武夷红茶	武夷山市关坪茶业有限公司	2015年第43号
239	福建省	淮土茶油	福建省宁化县宁花科技食品有限公司	2015年第43号
240	福建省	福鼎白茶	福鼎市点头顺利茶厂	2015年第43号
241	福建省	福鼎白茶	福建省福鼎市一叶九鼎茶业有限公司	2015年第43号
242	福建省	福鼎白茶	福鼎市雅香茶业有限公司	2015年第43号
243	福建省	福鼎白茶	福建鼎顺生态农业发展有限公司	2015年第43号
244	福建省	福鼎白茶	福鼎市茗一茶业有限公司	2015年第43号
245	福建省	福鼎白茶	福鼎市闽翁茶业有限公司	2015年第43号
246	福建省	福鼎白茶	福建天然茶叶有限公司	2015年第43号
247	福建省	福鼎白茶	福鼎市沁福顺茶业专业合作社	2015年第43号
248	福建省	福鼎白茶	福鼎市南嘉印象茶业贸易有限公司	2015年第43号
249	福建省	福鼎白茶	福建太姥山名茶有限公司	2015年第43号
250	福建省	福鼎白茶	福鼎市黄氏京鼎茶业有限公司	2015年第43号
251	福建省	福鼎白茶	福建天峰茶业有限公司	2015年第43号
252	福建省	福鼎白茶	福鼎市西坑孔家茶业有限公司	2015年第43号
253	福建省	福鼎白茶	福鼎市品农茶业有限公司	2015年第43号
254	福建省	福鼎白茶	福鼎市裕颜春茶业有限公司	2015年第43号
255	福建省	福鼎白茶	福鼎市迎春茶业专业合作社	2015年第43号
256	福建省	福鼎白茶	福鼎市沁龙茶业有限公司	2015年第43号
257	福建省	福鼎白茶	福鼎市原香茶业有限公司	2015年第43号
258	福建省	福鼎白茶	福鼎市春润白茶有限公司	2015年第43号
259	福建省	福鼎白茶	福建省天鼎茶业有限公司	2015年第43号
260	福建省	福鼎白茶	福建省寸芽茶业有限公司	2015年第43号
261	福建省	福鼎白茶	宁德市鼎之润茶业有限公司	2015年第43号
262	福建省	福鼎白茶	福鼎市盛昌茶业有限公司	2015年第43号
263	福建省	福鼎白茶	福鼎日月茶业有限公司	2015年第43号
264	福建省	福鼎白茶	福鼎市湖林茶叶专业合作社	2015年第43号
265	福建省	福鼎白茶	福鼎陈源泰茶业有限公司	2015年第43号
266	山东省	威海无花果	威海紫光科技园有限公司	2015年第43号
267	山东省	威海无花果	威海经济技术开发区富涛果品农民专业合作社	2015年第43号

续 表

序号	省份	产品名称	企业名称	公告
268	湖南省	安化黑茶	湖南阿香茶果食品有限公司	2015年第43号
269	湖南省	安化黑茶	安化县云天阁茶业有限公司	2015年第43号
270	湖南省	安化黑茶	湖南安化国津茶业有限公司	2015年第43号
271	广东省	连山大米	连山壮族瑶族自治县民族食品有限公司	2015年第43号
272	广东省	连山大米	清远市金爵食品有限公司	2015年第43号
273	广东省	连山大米	连山壮族瑶族自治县太保铺前米厂	2015年第43号
274	广东省	连山大米	连山壮族瑶族自治县盛达粮食加工厂	2015年第43号
275	广东省	连山大米	连山壮族瑶族自治县兴丰米厂	2015年第43号
276	广东省	东陂腊味	连州市东陂坚豪腊味厂	2015年第43号
277	广东省	东陂腊味	连州市东陂瑞丰腊味厂	2015年第43号
278	广东省	东陂腊味	连州市东陂拓丰腊味食品厂	2015年第43号
279	广东省	东陂腊味	连州市土产公司东陂和味腊味厂	2015年第43号
280	广东省	东陂腊味	连州市东陂和香隆腊味食品有限责任公司	2015年第43号
281	广东省	凤凰单丛（枞）茶	潮州市天池凤凰茶业有限公司	2015年第43号
282	广东省	凤凰单丛（枞）茶	饶平县东坑农业生态园有限公司	2015年第43号
283	广东省	凤凰单丛（枞）茶	潮州市湘桥区天誉茶厂	2015年第43号
284	广东省	泗纶蒸笼	罗定市合生竹制品专业合作社	2015年第43号
285	四川省	蒲江猕猴桃	成都凯瑞祥农业有限公司	2015年第43号
286	四川省	蒲江猕猴桃	成都康之源农业开发有限责任公司	2015年第43号
287	四川省	蒲江猕猴桃	成都市果然农业有限公司	2015年第43号
288	四川省	蒲江猕猴桃	成都水口红农业发展有限公司	2015年第43号
289	四川省	蒲江猕猴桃	蒲江县红心猕猴桃协会	2015年第43号
290	四川省	峨眉山茶	峨眉山佛芽茶业有限公司	2015年第43号
291	四川省	邛酒	四川省文君井酒业集团有限公司	2015年第43号
292	四川省	屏山炒青茶	屏山碧馥春茶厂	2015年第43号
293	四川省	屏山炒青茶	屏山县翠鑫茶场	2015年第43号
294	四川省	屏山炒青茶	屏山县两江生态农业科技发展有限公司	2015年第43号
295	四川省	屏山炒青茶	屏山县大乘林峰茶场	2015年第43号
296	四川省	屏山炒青茶	四川省屏山县龙湖名茶有限责任公司	2015年第43号
297	四川省	屏山炒青茶	屏山县大乘镇岩门双绿茶场	2015年第43号
298	四川省	屏山炒青茶	屏山县天台山茶厂	2015年第43号
299	四川省	屏山炒青茶	屏山县仙峰茶业农民专业合作社	2015年第43号
300	四川省	屏山炒青茶	屏山县中都花茶厂	2015年第43号
301	四川省	屏山炒青茶	宜宾酒都生态茶业有限公司	2015年第43号
302	贵州省	独山盐酸菜	贵州省独山盐酸菜有限公司	2015年第43号
303	贵州省	都匀毛尖茶	贵州世纪福生态农业发展有限公司	2015年第43号

续　表

序号	省份	产品名称	企业名称	公告
304	贵州省	都匀毛尖茶	贵州山之韵绿色实业发展有限公司	2015年第43号
305	贵州省	都匀毛尖茶	贵州美福生态农业有限公司	2015年第43号
306	陕西省	灞桥樱桃	西安市灞桥区西张坡村兴火樱桃专业合作社	2015年第43号
307	甘肃省	河西走廊葡萄酒	甘肃紫轩酒业有限公司	2015年第43号
308	甘肃省	河西走廊葡萄酒	甘肃皇台酒业股份有限公司	2015年第43号
309	甘肃省	河西走廊葡萄酒	甘肃腾霖紫玉葡萄酒业有限公司	2015年第43号
310	甘肃省	河西走廊葡萄酒	甘肃祁连葡萄酒业有限责任公司	2015年第43号
311	甘肃省	河西走廊葡萄酒	甘肃莫高事业发展股份有限公司	2015年第43号
312	甘肃省	河西走廊葡萄酒	甘肃张掖国风葡萄酒业有限责任公司	2015年第43号
313	北京市	张家湾葡萄（张湾葡萄）	北京瑞正园农业科技发展有限公司	2015年第88号
314	河北省	卢龙粉丝	河北农辛食品有限公司	2015年第88号
315	河北省	大厂肥牛	大厂回族自治县京恒安肉类有限公司	2015年第88号
316	内蒙古自治区	敖汉小米	内蒙古自治区金沟农业发展有限公司	2015年第88号
317	辽宁省	雷家店薄皮核桃	建昌县雷家店正旺核桃生产专业合作社	2015年第88号
318	吉林省	吉林长白山人参	吉林韩正人参有限公司	2015年第88号
319	吉林省	吉林长白山人参	吉林紫鑫初元药业有限公司	2015年第88号
320	吉林省	梅河大米	梅河口市东莹粮米有限责任公司	2015年第88号
321	吉林省	吉林长白山中国林蛙油	吉林市雪蛤谷林蛙养殖有限公司	2015年第88号
322	吉林省	松花石、松花砚	吉林省鼎御工艺品有限公司	2015年第88号
323	吉林省	松花石、松花砚	白山市江源区云峰阁工艺品有限公司	2015年第88号
324	吉林省	松花石、松花砚	白山市江源区喜松砚雕厂	2015年第88号
325	吉林省	松花石、松花砚	白山市大自然森林资源开发有限公司	2015年第88号
326	吉林省	松花石、松花砚	白山市江源区鑫馨阁奇石馆	2015年第88号
327	吉林省	吉林长白山中国林蛙油	吉林省长白山生态食品有限公司	2015年第88号
328	吉林省	延边辣白菜	延边韩食府民俗食品有限公司	2015年第88号
329	上海市	南汇水蜜桃	上海新凤蜜露果蔬专业合作社	2015年第88号
330	上海市	崇明老毛蟹	上海光明特种水产有限公司	2015年第88号
331	上海市	崇明老毛蟹	上海福岛水产养殖专业合作社	2015年第88号
332	上海市	崇明老毛蟹	上海鸿裕蟹苗养殖专业合作社	2015年第88号
333	江苏省	镇江香（陈）醋	江苏恒顺醋业股份有限公司	2015年第88号
334	江苏省	射阳大米	益海（盐城）粮油工业有限公司	2015年第88号
335	江苏省	射阳大米	江苏省农垦米业集团淮海有限公司	2015年第88号
336	江苏省	射阳大米	射阳县宏福粮食加工厂	2015年第88号
337	江苏省	雨花茶	南京天观茶业有限公司	2015年第88号
338	江苏省	雨花茶	南京市江宁区六朝荟茶场	2015年第88号
339	江苏省	阳澄湖大闸蟹	苏州市相城区阳澄湖镇泉林大闸蟹有限公司	2015年第88号

续 表

序号	省份	产品名称	企业名称	公告
340	江苏省	阳澄湖大闸蟹	苏州市相城区阳澄湖镇澄灿蟹业有限公司	2015 年第 88 号
341	江苏省	阳澄湖大闸蟹	苏州市南国贸易有限公司	2015 年第 88 号
342	江苏省	阳澄湖大闸蟹	苏州双鹰王岛大闸蟹养殖有限公司	2015 年第 88 号
343	江苏省	阳澄湖大闸蟹	苏州澄诺蟹业有限公司	2015 年第 88 号
344	江苏省	阳澄湖大闸蟹	苏州市阳澄湖聚金水产养殖有限公司	2015 年第 88 号
345	江苏省	阳澄湖大闸蟹	苏州市相城区阳澄湖镇良仁大闸蟹养殖有限公司	2015 年第 88 号
346	江苏省	阳澄湖大闸蟹	苏州市阳澄湖绿酥斋水产养殖有限公司	2015 年第 88 号
347	江苏省	阳澄湖大闸蟹	苏州市相城区阳澄湖镇宋家蟹业有限公司	2015 年第 88 号
348	江苏省	阳澄湖大闸蟹	苏州源萃商贸有限公司	2015 年第 88 号
349	江苏省	阳澄湖大闸蟹	苏州市相城区阳澄湖镇莲花垛蟹业有限公司	2015 年第 88 号
350	江苏省	阳澄湖大闸蟹	苏州市相城区阳澄湖镇苏蟹世家 生态水产养殖有限公司	2015 年第 88 号
351	江苏省	阳澄湖大闸蟹	苏州市相城区阳澄湖镇云生蟹业有限公司	2015 年第 88 号
352	江苏省	阳澄湖大闸蟹	苏州市相城区阳澄湖镇金岛水产养殖有限公司	2015 年第 88 号
353	江苏省	阳澄湖大闸蟹	苏州市相城区阳澄湖镇蟹兴阁水产养殖有限公司	2015 年第 88 号
354	江苏省	阳澄湖大闸蟹	苏州市相城区阳澄湖镇渔越生态水产有限公司	2015 年第 88 号
355	江苏省	阳澄湖大闸蟹	苏州市相城区阳澄湖镇蟹大脚蟹业有限公司	2015 年第 88 号
356	江苏省	阳澄湖大闸蟹	苏州市相城区阳澄湖镇瀚元生态水产养殖有限公司	2015 年第 88 号
357	江苏省	阳澄湖大闸蟹	苏州阳澄湖帝一篓大闸蟹养殖有限公司	2015 年第 88 号
358	江苏省	阳澄湖大闸蟹	苏州清水湖大闸蟹有限公司	2015 年第 88 号
359	江苏省	阳澄湖大闸蟹	苏州市相城区阳澄湖镇润道蟹业有限公司	2015 年第 88 号
360	江苏省	阳澄湖大闸蟹	苏州市相城区阳澄湖镇弘毅蟹业有限公司	2015 年第 88 号
361	江苏省	阳澄湖大闸蟹	苏州阳澄湖湖霸天大闸蟹有限公司	2015 年第 88 号
362	江苏省	阳澄湖大闸蟹	苏州阳澄湖小蟹篓生态养殖专业合作社	2015 年第 88 号
363	江苏省	阳澄湖大闸蟹	苏州王氏实业有限公司	2015 年第 88 号
364	江苏省	阳澄湖大闸蟹	江苏王氏水产股份有限公司	2015 年第 88 号
365	江苏省	阳澄湖大闸蟹	常熟市玲珑蟹业有限公司	2015 年第 88 号
366	江苏省	阳澄湖大闸蟹	常熟市常昆蟹业有限公司	2015 年第 88 号
367	江苏省	阳澄湖大闸蟹	常熟市沙家浜老蟹民蟹业有限公司	2015 年第 88 号
368	江苏省	阳澄湖大闸蟹	苏州工业园区澄中霸大闸蟹养殖场	2015 年第 88 号
369	江苏省	阳澄湖大闸蟹	苏州阳澄人家蟹源坊蟹业有限公司	2015 年第 88 号
370	江苏省	阳澄湖大闸蟹	苏州工业园区丰蟹庄水产专业合作社	2015 年第 88 号
371	江苏省	阳澄湖大闸蟹	苏州工业园区水亦香水产有限公司	2015 年第 88 号
372	江苏省	阳澄湖大闸蟹	苏州工业园区唯澄蟹业有限公司	2015 年第 88 号
373	江苏省	阳澄湖大闸蟹	苏州工业园区怡阳大闸蟹有限公司	2015 年第 88 号
374	江苏省	阳澄湖大闸蟹	苏州世珍坊商贸有限公司	2015 年第 88 号

续　表

序号	省份	产品名称	企业名称	公告
375	江苏省	阳澄湖大闸蟹	苏州工业园区唯鲜水产养殖场	2015年第88号
376	江苏省	阳澄湖大闸蟹	苏州壹阳澄名农产品有限公司	2015年第88号
377	江苏省	阳澄湖大闸蟹	苏州蟹诺蟹业有限公司	2015年第88号
378	江苏省	阳澄湖大闸蟹	苏州工业园区翠之洲蟹业有限公司	2015年第88号
379	江苏省	阳澄湖大闸蟹	昆山晔伟农副产品有限公司	2015年第88号
380	江苏省	阳澄湖大闸蟹	昆山万年鲜绿色水产有限公司	2015年第88号
381	江苏省	阳澄湖大闸蟹	昆山市巴城阳澄湖比比看大闸蟹有限公司	2015年第88号
382	江苏省	阳澄湖大闸蟹	昆山市阳澄湖驸马堂大闸蟹有限公司	2015年第88号
383	江苏省	阳澄湖大闸蟹	昆山市阳澄湖御熙蟹业有限公司	2015年第88号
384	江苏省	阳澄湖大闸蟹	昆山阳澄湖巴之角水产有限公司	2015年第88号
385	江苏省	阳澄湖大闸蟹	苏州华鳌蟹业有限公司	2015年第88号
386	江苏省	阳澄湖大闸蟹	苏州市老三阳水产有限公司	2015年第88号
387	江苏省	阳澄湖大闸蟹	吴江市中皓进出口有限公司	2015年第88号
388	安徽省	女山湖大闸蟹	明光市永言水产（集团）有限公司	2015年第88号
389	安徽省	明绿御酒	安徽明光酒业有限公司	2015年第88号
390	安徽省	潘集酥瓜	淮南市亚鹏盛农生态农业科技有限责任公司	2015年第88号
391	安徽省	潘集酥瓜	淮南市许家岗蔬菜种植农民专业合作社	2015年第88号
392	安徽省	潘集酥瓜	淮南市潘集区苏园生态农业专业合作社	2015年第88号
393	安徽省	黄山毛峰茶	黄山市黟县五溪山茶厂有限公司	2015年第88号
394	安徽省	黄山毛峰茶	黄山市冠茗园茶业有限公司	2015年第88号
395	安徽省	黄山毛峰茶	黄山市芽典生态农业有限公司	2015年第88号
396	安徽省	黄山毛峰茶	黄山市黄山区虎坑茶叶有限公司	2015年第88号
397	安徽省	太平猴魁茶	黄山市黄山区虎坑茶叶有限公司	2015年第88号
398	安徽省	黄山贡菊	黄山市芽典生态农业有限公司	2015年第88号
399	安徽省	黄山贡菊	黄山市歙县峰日茶菊有限公司	2015年第88号
400	安徽省	安茶	安徽省黄山市祁门县孙义顺安茶厂	2015年第88号
401	安徽省	安茶	祁门县南香茶厂	2015年第88号
402	安徽省	安茶	安徽省祁门县江南春茶厂	2015年第88号
403	安徽省	霍山石斛	霍山淮仁堂石斛农民专业合作社	2015年第88号
404	安徽省	霍山石斛	安徽省霍山县金斛堂石斛农民专业合作社	2015年第88号
405	福建省	浦城薏米	浦城县锦潮菌业有限公司	2015年第88号
406	福建省	建莲	建宁县新农友现代生态农业有限公司	2015年第88号
407	福建省	永春佛手	泉州市永露茶业有限公司	2015年第88号
408	福建省	安溪铁观音	福建省安溪茗友茶业有限公司	2015年第88号
409	福建省	永安金线莲	永安市黄泥家有限责任公司	2015年第88号
410	福建省	福建乌龙茶	福建省永春县香橼茶叶有限公司	2015年第88号

续 表

序号	省份	产品名称	企业名称	公告
411	山东省	潍县萝卜	潍坊市寒亭区曹氏果品专业合作社	2015 年第 88 号
412	山东省	烟台海参	烟台裕生源海珍品有限公司	2015 年第 88 号
413	山东省	龙口粉丝	龙口市谦合粉丝厂	2015 年第 88 号
414	山东省	龙口粉丝	龙口市田丰源粉丝有限公司	2015 年第 88 号
415	河南省	许昌腐竹	许昌县飞航食品有限公司	2015 年第 88 号
416	河南省	许昌腐竹	许昌县华佗桥食品有限公司	2015 年第 88 号
417	河南省	许昌腐竹	许昌县金洪豆制品厂	2015 年第 88 号
418	河南省	许昌腐竹	许昌好嫂子食品有限公司河街分公司	2015 年第 88 号
419	河南省	许昌腐竹	许昌县好大哥豆制品厂（普通合伙）	2015 年第 88 号
420	河南省	许昌腐竹	许昌县德顺食品有限公司	2015 年第 88 号
421	河南省	许昌腐竹	许昌县延周豆制品有限公司	2015 年第 88 号
422	河南省	许昌腐竹	许昌县百合花豆制品厂	2015 年第 88 号
423	河南省	许昌腐竹	许昌县民高豆制品厂	2015 年第 88 号
424	河南省	许昌腐竹	许昌县富源豆制品厂	2015 年第 88 号
425	河南省	许昌腐竹	许昌县亚鑫豆制品厂	2015 年第 88 号
426	河南省	许昌腐竹	许昌县豆之香豆制品厂	2015 年第 88 号
427	河南省	许昌腐竹	许昌县圆源豆制品厂	2015 年第 88 号
428	河南省	许昌腐竹	许昌县东誉豆制品厂	2015 年第 88 号
429	河南省	许昌腐竹	许昌县振阳豆制品厂	2015 年第 88 号
430	河南省	许昌腐竹	许昌县刘爽豆制品厂	2015 年第 88 号
431	河南省	许昌腐竹	许昌县华熙豆制品厂	2015 年第 88 号
432	河南省	许昌腐竹	许昌县新月豆制品厂	2015 年第 88 号
433	河南省	许昌腐竹	许昌县双赢豆制品厂	2015 年第 88 号
434	河南省	许昌腐竹	许昌县豆豆香豆制品厂	2015 年第 88 号
435	河南省	许昌腐竹	许昌县金宇豆制品厂	2015 年第 88 号
436	河南省	许昌腐竹	许昌县平鑫豆制品厂	2015 年第 88 号
437	河南省	许昌腐竹	许昌对对豆制品有限公司	2015 年第 88 号
438	河南省	许昌腐竹	许昌魏都清鲜伟业豆制品厂	2015 年第 88 号
439	河南省	许昌腐竹	许昌豆香坊豆制品有限公司	2015 年第 88 号
440	河南省	许昌腐竹	许昌金豆豆制品有限公司八一路分公司	2015 年第 88 号
441	河南省	许昌腐竹	许昌新瑞豆制品有限公司	2015 年第 88 号
442	河南省	许昌腐竹	许昌市好满多豆制品有限公司	2015 年第 88 号
443	河南省	许昌腐竹	许昌桃园豆制品有限公司	2015 年第 88 号
444	河南省	原阳大米	原阳县黄河精华农业发展有限公司	2015 年第 88 号
445	河南省	原阳大米	原阳县硒鑫农业服务农民专业合作社	2015 年第 88 号
446	河南省	原阳大米	河南省龙誉农业科技有限公司	2015 年第 88 号

续　表

序号	省份	产品名称	企业名称	公告
447	河南省	原阳大米	原阳县春喜种植专业合作社	2015 年第 88 号
448	河南省	原阳大米	原阳县原生种植农民专业合作社	2015 年第 88 号
449	湖北省	大悟花生	恒发楚北土特产（大悟）有限公司	2015 年第 88 号
450	湖北省	大悟绿茶	湖北悟道茶业有限公司	2015 年第 88 号
451	湖北省	大悟绿茶	湖北省大悟寿眉茶叶有限公司	2015 年第 88 号
452	湖北省	大悟绿茶	湖北茗道茶业有限公司	2015 年第 88 号
453	湖北省	大悟绿茶	大悟黄龙柏园茶叶有限公司	2015 年第 88 号
454	湖北省	蕲艾	蕲春时珍本草科技有限公司	2015 年第 88 号
455	湖北省	蕲艾	蕲春赤方蕲艾制品有限公司	2015 年第 88 号
456	湖北省	蕲艾	蕲春李时珍地道中药材有限公司	2015 年第 88 号
457	广东省	信宜怀乡鸡	广东盈富农业有限公司	2015 年第 88 号
458	广东省	白蕉海鲈	珠海市祺海水产科技有限公司	2015 年第 88 号
459	广东省	白蕉海鲈	珠海大鹏鸟水产养殖专业合作社	2015 年第 88 号
460	广东省	白蕉海鲈	珠海市进才水产养殖专业合作社	2015 年第 88 号
461	广东省	英德红茶	英德市达泰茶业有限公司	2015 年第 88 号
462	广东省	阳山淮山	阳山县七拱镇新圩金丰淮山农民专业合作社	2015 年第 88 号
463	广东省	阳山淮山	阳山县七拱镇西连绿源淮山种植专业合作社	2015 年第 88 号
464	广东省	罗定稻米	罗定市青洲大米加工厂	2015 年第 88 号
465	广东省	罗定稻米	罗定市丰智昌顺科技有限公司	2015 年第 88 号
466	广东省	罗定稻米	罗定市稻香园农业发展有限公司	2015 年第 88 号
467	广西壮族自治区	梧州龟苓膏	梧州市兴隆保健食品厂（普通合伙）	2015 年第 88 号
468	广西壮族自治区	防城金花茶（叶茶、花朵茶）	东兴鑫宇实业有限公司	2015 年第 88 号
469	广西壮族自治区	黄姚豆豉	广西昭平县故乡土特产开发有限公司	2015 年第 88 号
470	广西壮族自治区	横县茉莉花茶	广西金花茶业有限公司	2015 年第 88 号
471	广西壮族自治区	横县茉莉花茶	广西壮族自治区横县郁江茶厂	2015 年第 88 号
472	广西壮族自治区	横县茉莉花茶	横县华湘茶厂	2015 年第 88 号
473	四川省	峨边竹笋	四川峨边五旺有限责任公司	2015 年第 88 号
474	四川省	峨边竹笋	四川黑竹沟集团峨边绿色食品有限公司	2015 年第 88 号
475	四川省	兴文山地乌骨鸡	兴文县鸿程农业生态科技开发有限责任公司	2015 年第 88 号
476	四川省	达县乌梅	达县宜华酒业有限公司	2015 年第 88 号
477	四川省	米城大米	达县米城庄园农产品有限公司	2015 年第 88 号
478	四川省	中国白酒金三角（川酒）	四川蒙顶酒业有限公司	2015 年第 88 号
479	四川省	渠县黄花	四川省宕府王食品有限责任公司	2015 年第 88 号
480	四川省	自贡冷吃兔	四川牧天食品有限公司	2015 年第 88 号
481	四川省	五宝花生	自贡添宝花生制品有限公司	2015 年第 88 号
482	四川省	周礼粉条	安岳县薯霸	2015 年第 88 号

续 表

序号	省份	产品名称	企业名称	公告
483	贵州省	习酒	贵州茅台酒厂（集团）习酒有限责任公司	2015 年第 88 号
484	云南省	龙陵紫皮石斛	云南品斛堂生物科技有限公司	2015 年第 88 号
485	云南省	龙陵紫皮石斛	龙陵县云河石斛开发有限责任公司	2015 年第 88 号
486	云南省	龙陵紫皮石斛	龙陵县龙斛生物科技有限公司	2015 年第 88 号
487	云南省	龙陵紫皮石斛	龙陵县富民石斛专业合作社	2015 年第 88 号
488	云南省	石屏豆腐皮	云南省石屏县花腰豆制品工贸有限公司	2015 年第 88 号
489	云南省	石屏豆腐皮	石屏县明坚豆制品有限责任公司	2015 年第 88 号
490	陕西省	泾阳茯砖茶	陕西泾阳茯砖茶工贸有限公司	2015 年第 88 号
491	陕西省	泾阳茯砖茶	陕西泾阳百富茯砖茶有限公司	2015 年第 88 号
492	陕西省	泾阳茯砖茶	陕西泾阳延寿宫茯砖茶业有限公司	2015 年第 88 号
493	陕西省	泾阳茯砖茶	陕西省泾阳县裕兴重茯砖茶业有限公司	2015 年第 88 号
494	陕西省	泾阳茯砖茶	泾阳蔓子茯茶有限公司	2015 年第 88 号
495	陕西省	泾阳茯砖茶	陕西怡泽茯茶有限公司	2015 年第 88 号
496	陕西省	泾阳茯砖茶	陕西泾阳泾砖茶业有限公司	2015 年第 88 号
497	甘肃省	兰州百合	兰州甜甜百合有限公司	2015 年第 88 号
498	青海省	青海冬虫夏草	青海雪露名贵土特产开发有限公司	2015 年第 88 号
499	河北省	蔚州贡米	张家口萝川贡米有限公司	2015 年第 109 号
500	河北省	蔚州贡米	河北蔚州贡米公司	2015 年第 109 号
501	河北省	唐山骨质瓷	唐山海格雷骨质瓷有限公司	2015 年第 109 号
502	河北省	唐山骨质瓷	隆达骨质瓷有限公司	2015 年第 109 号
503	河北省	唐山骨质瓷	唐山隆达创意陶瓷设计有限公司	2015 年第 109 号
504	河北省	唐山骨质瓷	唐山亚洲时代陶瓷有限公司	2015 年第 109 号
505	河北省	唐山骨质瓷	唐山盛梅陶瓷有限公司	2015 年第 109 号
506	河北省	唐山骨质瓷	唐山高新技术产业园区凝碧陶瓷绘画馆	2015 年第 109 号
507	河北省	唐山骨质瓷	唐山隆昌瓷业有限公司	2015 年第 109 号
508	河北省	唐山骨质瓷	唐山佳德陶瓷有限公司	2015 年第 109 号
509	河北省	唐山骨质瓷	唐山金方圆骨质瓷制造有限公司	2015 年第 109 号
510	河北省	唐山骨质瓷	唐山群力瓷业有限公司	2015 年第 109 号
511	河北省	唐山骨质瓷	唐山市恒瑞瓷业有限公司	2015 年第 109 号
512	河北省	唐山骨质瓷	唐山红玫瑰陶瓷制品有限公司	2015 年第 109 号
513	河北省	唐山骨质瓷	唐山博玉骨质瓷有限公司	2015 年第 109 号
514	河北省	唐山骨质瓷	唐山市琨窑陶瓷有限公司	2015 年第 109 号
515	河北省	唐山骨质瓷	唐山方圆陶艺有限公司	2015 年第 109 号
516	山西省	平遥牛肉	平遥时利和食品加工有限公司	2015 年第 109 号
517	山西省	平遥牛肉	平遥县冠润食品有限公司	2015 年第 109 号
518	辽宁省	铁岭榛子	辽宁铁岭榛子开发有限责任公司	2015 年第 109 号

续　表

序号	省份	产品名称	企业名称	公告
519	辽宁省	铁岭榛子	辽宁丰泽商务有限公司	2015年第109号
520	辽宁省	大连海参	大连万众海洋科技发展有限公司	2015年第109号
521	辽宁省	大连海参	大连新玉麟海洋珍品有限公司	2015年第109号
522	辽宁省	大连海参	大连锦桦食品有限公司	2015年第109号
523	辽宁省	大连海参	大连品善食品有限公司	2015年第109号
524	辽宁省	大连海参	大连力源水产有限公司	2015年第109号
525	辽宁省	大连海参	大连利明海洋生物食品有限公司	2015年第109号
526	辽宁省	大连海参	大连壹桥海参股份有限公司	2015年第109号
527	辽宁省	大连海参	大连长生岛集团有限公司	2015年第109号
528	辽宁省	大连海参	集品堂食品有限公司	2015年第109号
529	辽宁省	大连海参	獐子岛集团股份有限公司	2015年第109号
530	辽宁省	大连海参	大连水益生海洋生物科技股份有限公司	2015年第109号
531	辽宁省	大连鲍鱼	大连品善食品有限公司	2015年第109号
532	辽宁省	大连鲍鱼	大连新玉麟海洋珍品有限公司	2015年第109号
533	辽宁省	大连鲍鱼	獐子岛集团股份有限公司	2015年第109号
534	黑龙江省	克东天然苏打水	黑龙江舒达饮品有限公司	2015年第109号
535	黑龙江省	克东天然苏打水	黑龙江威湃生物科技有限公司	2015年第109号
536	黑龙江省	克东天然苏打水	黑龙江海昌生物技术有限公司	2015年第109号
537	黑龙江省	克东天然苏打水	黑龙江省水易方食品有限责任公司	2015年第109号
538	黑龙江省	克东天然苏打水	黑龙江九都宝源饮品有限公司	2015年第109号
539	黑龙江省	克东天然苏打水	黑龙江省世罕泉饮品有限责任公司	2015年第109号
540	安徽省	霍山石斛	安徽省霍山县太平畈石斛开发有限公司	2015年第109号
541	安徽省	霍山石斛	霍山五桂峡石斛有限公司	2015年第109号
542	安徽省	霍山石斛	霍山县高山山石斛有限公司	2015年第109号
543	安徽省	霍山石斛	霍山县霍仙草石斛农民专业合作社	2015年第109号
544	安徽省	霍山石斛	安徽省霍山县万善良石斛农民专业合作社	2015年第109号
545	安徽省	霍山石斛	安徽瑞之禾中药材开发有限公司	2015年第109号
546	安徽省	霍山石斛	霍山县老虎岩石斛农民专业合作社	2015年第109号
547	安徽省	霍山石斛	安徽省霍山县益寿堂中药材开发有限公司	2015年第109号
548	安徽省	砀山酥梨	安徽省砀山县宇通果业有限公司	2015年第109号
549	安徽省	砀山酥梨	砀山县双赢水果专业合作社	2015年第109号
550	安徽省	黄山毛峰茶	黄山市松萝有机茶叶开发有限公司	2015年第109号
551	安徽省	黄山毛峰茶	黄山市徽绿茶厂	2015年第109号
552	安徽省	黄山毛峰茶	黄山大谷运茶业有限责任公司	2015年第109号
553	安徽省	黄山毛峰茶	黄山市歙县茗泉茶业有限公司	2015年第109号
554	安徽省	黄山毛峰茶	黄山市徽州区丰溪茶业有限公司	2015年第109号

续 表

序号	省份	产品名称	企业名称	公告
555	安徽省	黄山毛峰茶	黄山徽谷茶业有限公司	2015 年第 109 号
556	安徽省	黄山毛峰茶	黄山古诗里生态农业科技园有限公司	2015 年第 109 号
557	安徽省	黄山毛峰茶	黄山龙合茶业有限公司	2015 年第 109 号
558	安徽省	黄山贡菊	黄山徽谷茶业有限公司	2015 年第 109 号
559	安徽省	太平猴魁茶	黄山古诗里生态农业科技园有限公司	2015 年第 109 号
560	安徽省	太平猴魁茶	黄山龙合茶业有限公司	2015 年第 109 号
561	福建省	德化白瓷	德化县吉利欣陶瓷艺术研究所	2015 年第 109 号
562	福建省	德化白瓷	德化县迪云洲陶瓷有限公司	2015 年第 109 号
563	福建省	德化白瓷	泉州市宏盛集团公司	2015 年第 109 号
564	福建省	德化白瓷	德化县飞越工贸发展有限公司	2015 年第 109 号
565	福建省	德化白瓷	德化县聚荣陶瓷厂	2015 年第 109 号
566	福建省	德化白瓷	福建省德化荣信陶瓷有限公司	2015 年第 109 号
567	福建省	德化白瓷	福建省德化县雅佳工艺品有限公司	2015 年第 109 号
568	福建省	德化白瓷	福建省德化金凤祥工艺有限公司	2015 年第 109 号
569	福建省	德化白瓷	德化县聚益瓷雕工艺厂	2015 年第 109 号
570	福建省	德化白瓷	德化县苏清河艺瓷苑	2015 年第 109 号
571	福建省	德化白瓷	福建省德化县泰威陶瓷有限公司	2015 年第 109 号
572	福建省	德化白瓷	福建省德化臻南陶瓷有限公司	2015 年第 109 号
573	福建省	德化白瓷	福建省德化县伟恒陶瓷有限公司	2015 年第 109 号
574	福建省	德化白瓷	德化县金燕陶瓷有限责任公司	2015 年第 109 号
575	福建省	德化白瓷	福建省德化县鸿意达陶瓷工艺有限公司	2015 年第 109 号
576	福建省	德化白瓷	德化县兴艺陶瓷厂	2015 年第 109 号
577	湖北省	嘉鱼鱼圆	湖北嘉安控股集团有限公司	2015 年第 109 号
578	湖北省	恩施黄牛肉	湖北省思乐牧业集团有限公司	2015 年第 109 号
579	湖北省	恩施黑猪肉	湖北省思乐牧业集团有限公司	2015 年第 109 号
580	湖南省	石门土鸡	湖南湘佳牧业股份有限公司	2015 年第 109 号
581	湖南省	雪峰蜜桔	洞口满妹子雪峰蜜桔专业合作社	2015 年第 109 号
582	湖南省	雪峰蜜桔	洞口县楚山雪峰蜜桔种植专业合作社	2015 年第 109 号
583	湖南省	安化黑茶	湖南久扬茶业有限公司	2015 年第 109 号
584	湖南省	安化黑茶	湖南利源隆茶业有限责任公司	2015 年第 109 号
585	湖南省	安化黑茶	湖南华茗金湘叶茶业有限公司	2015 年第 109 号
586	湖南省	安化黑茶	安化信奕福茶业有限公司	2015 年第 109 号
587	湖南省	安化黑茶	安化云台山八角茶业有限公司	2015 年第 109 号
588	湖南省	安化黑茶	安化县天宝仑茶业有限公司	2015 年第 109 号
589	湖南省	安化黑茶	安化友信茶厂	2015 年第 109 号
590	湖南省	安化黑茶	湖南皇园茶业有限公司安化分公司	2015 年第 109 号

续 表

序号	省份	产品名称	企业名称	公告
591	湖南省	安化黑茶	益阳冠隆誉黑茶发展有限公司	2015年第109号
592	广东省	英德红茶	英德创美农业发展有限公司	2015年第109号
593	广东省	英德红茶	英德市玉清茶厂	2015年第109号
594	广东省	新会陈皮	新会区会城葵韵东甲陈皮店	2015年第109号
595	广东省	新会陈皮	江门市新会柑之林茶业有限公司	2015年第109号
596	广东省	新会陈皮	新会区会城诚锦陈皮商行	2015年第109号
597	广东省	新会陈皮	江门市新会区柑场新韵陈皮有限公司	2015年第109号
598	广东省	新会陈皮	江门市新会区天壹陈皮有限公司	2015年第109号
599	广东省	新会陈皮	江门市新会区壹号柑种植专业合作社	2015年第109号
600	广东省	新会陈皮	新会区会城百绿堂商行	2015年第109号
601	广东省	新会陈皮	江门市新会区广云双宝陈皮茶业有限公司	2015年第109号
602	广东省	新会陈皮	江门市新会区承希商贸有限公司	2015年第109号
603	广东省	新会陈皮	江门市美合食品有限公司	2015年第109号
604	广东省	新会陈皮	江门市新会区十月果柑制品有限公司	2015年第109号
605	四川省	荥经砂器	荥经县曾氏庆红砂器有限责任公司	2015年第109号
606	四川省	荥经砂器	荥经县朱氏砂器有限公司	2015年第109号
607	四川省	荥经砂器	荥经县兴贵沙器厂	2015年第109号
608	四川省	荥经砂器	荥经县木易砂锅坊	2015年第109号
609	贵州省	惠水黑糯米酒	贵州永红酒业有限公司	2015年第109号
610	云南省	昌宁核桃	昌宁笑果果食品有限公司	2015年第109号
611	云南省	昌宁核桃	昌宁县正强嘎薄泡核桃专业合作社	2015年第109号
612	云南省	昌宁核桃	昌宁县军林泡核桃专业合作社	2015年第109号
613	云南省	昌宁核桃	昌宁县智源金果泡核桃专业合作社	2015年第109号
614	云南省	昌宁核桃	昌宁县晶壳泡核桃专业合作社	2015年第109号
615	云南省	昌宁核桃	昌宁县龙头山茶果加工厂	2015年第109号
616	云南省	昌宁核桃	昌宁县庆林核桃专业合作社	2015年第109号
617	云南省	昌宁核桃	昌宁县陶然珍品泡核桃专业合作社	2015年第109号
618	云南省	昭通天麻	彝良县小草坝野生天麻开发有限公司	2015年第109号
619	云南省	昭通天麻	彝良县山地天麻种植专业合作社	2015年第109号
620	云南省	昭通天麻	大关县森发林果中药材农民专业合作社	2015年第109号
621	云南省	昭通天麻	彝良县原生态天麻种植合作社	2015年第109号
622	西藏自治区	西藏那曲冬虫夏草	西藏那曲壹寸金实业有限公司	2015年第109号
623	陕西省	蒲城酥梨	陕西蒲城建平商贸有限公司	2015年第109号
624	甘肃省	兰州百合	兰州晓东百合加工厂	2015年第109号
625	甘肃省	兰州百合	甘肃爽口源生态科技股份有限公司	2015年第109号
626	甘肃省	兰州百合	兰州振兴百合种植专业合作社	2015年第109号

续 表

序号	省份	产品名称	企业名称	公告
627	青海省	昂思多矿泉水	青海高原特色资源开发有限责任公司	2015 年第 109 号
628	青海省	青海冬虫夏草	青海国草生物科技有限公司	2015 年第 109 号
629	青海省	青海冬虫夏草	青海蕃雅堂虫草有限公司	2015 年第 109 号
630	辽宁省	抚顺琥珀	抚顺琥珀泉艺术品有限公司	2015 年第 109 号
631	河北省	清苑熏香	河北古城香业集团股份有限公司	2015 年第 131 号
632	河北省	卢龙粉丝	河北农辛食品有限公司	2015 年第 131 号
633	山西省	平遥牛肉	平遥县晋豪食品制造有限公司	2015 年第 131 号
634	辽宁省	朝阳小米	辽宁朝阳农品农业科技发展有限公司	2015 年第 131 号
635	辽宁省	朝阳绿豆	辽宁朝阳农品农业科技发展有限公司	2015 年第 131 号
636	黑龙江省	庆安大米	黑龙江晨曦米业有限公司	2015 年第 131 号
637	黑龙江省	庆安大米	庆安县香源米业有限公司	2015 年第 131 号
638	黑龙江省	庆安大米	庆安县志峰米业有限责任公司	2015 年第 131 号
639	黑龙江省	庆安大米	庆安县丰林米业有限责任公司	2015 年第 131 号
640	黑龙江省	庆安大米	庆安鑫利达米业有限公司	2015 年第 131 号
641	黑龙江省	庆安大米	庆安双洁天然食品有限公司	2015 年第 131 号
642	黑龙江省	庆安大米	庆安县丰龙泉米业有限责任公司	2015 年第 131 号
643	黑龙江省	庆安大米	庆安县博林米业有限责任公司	2015 年第 131 号
644	黑龙江省	庆安大米	黑龙江恒洁米业有限公司	2015 年第 131 号
645	黑龙江省	庆安大米	黑龙江源升河米业集团有限公司	2015 年第 131 号
646	上海市	松江大米	上海松林工贸有限公司	2015 年第 131 号
647	江苏省	花果山风鹅	江苏花果山食品有限公司	2015 年第 131 号
648	浙江省	龙井茶	杭州白头红茶叶有限公司	2015 年第 131 号
649	浙江省	龙井茶	上海茶叶有限公司杭州分公司	2015 年第 131 号
650	浙江省	龙井茶	山西裕盛祥商贸有限公司杭州分公司	2015 年第 131 号
651	浙江省	龙井茶	杭州九里松生态茶庄有限公司	2015 年第 131 号
652	浙江省	龙井茶	吴裕泰茶业（杭州）有限公司	2015 年第 131 号
653	浙江省	金华火腿	金华市远东食品有限公司	2015 年第 131 号
654	浙江省	金华火腿	金华市香帝食品有限公司	2015 年第 131 号
655	浙江省	金华火腿	金华市婺城区永圣火腿厂	2015 年第 131 号
656	浙江省	金华火腿	金华市金宏火腿食品厂	2015 年第 131 号
657	浙江省	金华火腿	金华市金豪火腿有限公司	2015 年第 131 号
658	浙江省	金华火腿	兰溪市金苏火腿食品有限公司	2015 年第 131 号
659	浙江省	金华火腿	兰溪外贸火腿食品有限公司	2015 年第 131 号
660	浙江省	金华火腿	兰溪市乡村坊火腿厂	2015 年第 131 号
661	浙江省	金华火腿	兰溪市泰丰火腿厂	2015 年第 131 号
662	浙江省	金华火腿	兰溪市殿山火腿厂	2015 年第 131 号

续　表

序号	省份	产品名称	企业名称	公告
663	浙江省	金华火腿	兰溪市白露山火腿食品厂	2015年第131号
664	浙江省	金华火腿	永康市石柱火腿厂	2015年第131号
665	江西省	吉安天然冰片	江西林科龙脑科技有限公司	2015年第131号
666	湖北省	应城糯米	湖北龙赛湖粮油食品股份有限公司	2015年第131号
667	湖北省	应城糯米	湖北富水河米业有限责任公司	2015年第131号
668	湖北省	应城糯米	湖北瑞琪粮食有限公司	2015年第131号
669	湖北省	应城糯米	应城市超禾粮油食品有限公司	2015年第131号
670	湖北省	应城糯米	湖北豪丰米业有限公司	2015年第131号
671	湖北省	应城糯米	湖北丰江米业有限公司	2015年第131号
672	湖北省	麻城福白菊	湖北福甜农业生态发展有限公司	2015年第131号
673	湖北省	麻城福白菊	湖北金兰农业发展有限公司	2015年第131号
674	湖北省	麻城福白菊	湖北新奇益科技有限公司	2015年第131号
675	湖北省	麻城福白菊	湖北凤凰白云山药业有限公司	2015年第131号
676	湖北省	丹江口翘嘴鲌	丹江口圣源实业有限公司	2015年第131号
677	湖北省	丹江口翘嘴鲌	丹江口市博奥水产品有限责任公司	2015年第131号
678	湖北省	丹江口翘嘴鲌	丹江口市君发水产品开发有限公司	2015年第131号
679	湖北省	丹江口翘嘴鲌	丹江口市优优水产品开发有限公司	2015年第131号
680	广东省	愚公楼菠萝	徐闻县连香农产品农民专业合作社	2015年第131号
681	广东省	凤凰单丛（枞）茶	潮州市潮安区凤凰高峰茶业有限公司	2015年第131号
682	广东省	凤凰单丛（枞）茶	潮州市潮安区凤凰鑫勤号茶叶专业合作社	2015年第131号
683	广东省	凤凰单丛（枞）茶	潮州市玉树堂茶业有限公司	2015年第131号
684	广东省	罗定皱纱鱼腐	罗定市美盛食品有限公司	2015年第131号
685	海南省	文昌鸡	海南百果籽文昌鸡养殖有限公司	2015年第131号
686	海南省	文昌鸡	文昌绿康文昌鸡养殖专业合作社	2015年第131号
687	海南省	和乐蟹	海南省万宁市克莱布水产科技有限公司	2015年第131号
688	四川省	南溪豆腐干	宜宾市南溪区孝善坊食品有限公司	2015年第131号
689	四川省	安仁葡萄	大邑县韩场镇青龙葡萄种植农民专业合作社	2015年第131号
690	四川省	邛崃黑茶	成都市碧涛茶业有限公司	2015年第131号
691	四川省	雅连	洪雅县瓦屋山药业有限公司	2015年第131号
692	贵州省	赤水金钗石斛	赤水芝绿金钗石斛生态园开发有限公司	2015年第131号
693	贵州省	赤水金钗石斛	贵州省赤水市金钗石斛产业开发有限公司	2015年第131号
694	贵州省	余庆苦丁茶	余庆县凤香苑茶业有限责任公司	2015年第131号
695	贵州省	余庆苦丁茶	余庆县玉龙茶业有限公司	2015年第131号
696	贵州省	余庆苦丁茶	余庆县绿野茶叶加工厂	2015年第131号
697	贵州省	盘县火腿	贵州杨老奶食品有限公司	2015年第131号
698	陕西省	富平墨玉（属泥晶灰岩）	富平县博艺石刻工艺厂	2015年第131号

续 表

序号	省份	产品名称	企业名称	公告
699	陕西省	富平墨玉（属泥晶灰岩）	富平县万斛山劳武石材开发有限责任公司	2015 年第 131 号
700	陕西省	富平墨玉（属泥晶灰岩）	渭南市富平县祥龙墨玉石雕工艺厂	2015 年第 131 号
701	陕西省	富平墨玉（属泥晶灰岩）	富平县富嘉兴墨玉工艺厂	2015 年第 131 号
702	新疆维吾尔自治区	阿勒泰狗鱼	新疆冰川鱼股份有限责任公司	2015 年第 131 号
703	新疆维吾尔自治区	阿勒泰狗鱼	福海水产有限责任公司	2015 年第 131 号
704	河北省	蔚州贡米	河北省蔚县金穗谷物种植专业合作社	2015 年第 159 号
705	河北省	蔚州贡米	蔚县茂盛米业有限公司	2015 年第 159 号
706	内蒙古自治区	开鲁老白干	内蒙古百年酒业有限责任公司	2015 年第 159 号
707	吉林省	吉林长白山人参	吉林市临江市老林子土特产有限公司	2015 年第 159 号
708	吉林省	吉林长白山人参	吉林敖东健康科技有限公司	2015 年第 159 号
709	吉林省	吉林长白山人参	集安市清河人参交易市场有限公司	2015 年第 159 号
710	吉林省	吉林长白山人参	通化县崇参人参种植专业合作社	2015 年第 159 号
711	吉林省	吉林长白山中国林蛙油	通化县崇参人参种植专业合作社	2015 年第 159 号
712	吉林省	吉林梅花鹿鹿茸、鹿鞭	延边丰义土特产有限公司	2015 年第 159 号
713	吉林省	梅河大米	梅河口市城南龙洙粮食加工有限公司	2015 年第 159 号
714	吉林省	梅河大米	梅河口市利源米业有限责任公司	2015 年第 159 号
715	江苏省	镇江香（陈）醋	镇江市丹徒区金润酱醋酿造厂	2015 年第 159 号
716	江苏省	镇江香（陈）醋	镇江市驰香调味品有限公司	2015 年第 159 号
717	江苏省	镇江香（陈）醋	丹阳市恒泉醋业有限公司	2015 年第 159 号
718	云南省	黄岗柳编	阜南县全力工艺品有限公司	2015 年第 159 号
719	安徽省	黄岗柳编	阜南县向发工艺品有限公司	2015 年第 159 号
720	安徽省	黄岗柳编	阜南县柳祥工艺品有限公司	2015 年第 159 号
721	安徽省	黄岗柳编	阜南县宏泰工艺品有限公司	2015 年第 159 号
722	安徽省	黄岗柳编	欣园柳编工艺品有限公司	2015 年第 159 号
723	安徽省	黄岗柳编	阜南县慧宏柳木工艺品有限公司	2015 年第 159 号
724	安徽省	黄岗柳编	阜南县东奥工艺品有限公司	2015 年第 159 号
725	安徽省	黄岗柳编	阜南县天亿工艺品有限公司	2015 年第 159 号
726	安徽省	黄岗柳编	阜南县方柳工艺品有限公司	2015 年第 159 号
727	安徽省	黄岗柳编	阜南县海源工艺品有限公司	2015 年第 159 号
728	安徽省	黄岗柳编	安徽洪福工艺品有限公司	2015 年第 159 号
729	安徽省	黄岗柳编	阜南县保发工艺品有限公司	2015 年第 159 号
730	安徽省	黄岗柳编	阜南县创发工艺品有限公司	2015 年第 159 号
731	安徽省	黄岗柳编	阜南县金地柳木工艺品有限公司	2015 年第 159 号
732	安徽省	黄岗柳编	阜南县诚信工艺品有限公司	2015 年第 159 号
733	安徽省	黄岗柳编	安徽御美藤藤柳工艺品有限公司	2015 年第 159 号
734	安徽省	黄岗柳编	安徽宏润工艺品有限公司	2015 年第 159 号

续　表

序号	省份	产品名称	企业名称	公告
735	安徽省	黄岗柳编	阜南县永盛工艺品有限公司	2015年第159号
736	安徽省	黄岗柳编	阜南县运强藤柳工艺品有限公司	2015年第159号
737	安徽省	黄岗柳编	安徽美景工艺品有限公司	2015年第159号
738	安徽省	黄岗柳编	阜南县腾博工艺品有限公司	2015年第159号
739	安徽省	黄岗柳编	阜南县大喜柳编工艺品有限公司	2015年第159号
740	安徽省	黄岗柳编	阜南县明强柳编工艺品有限公司	2015年第159号
741	安徽省	黄岗柳编	阜南县黄岗利达工艺品有限公司	2015年第159号
742	安徽省	黄岗柳编	阜南县佳利工艺品有限公司	2015年第159号
743	安徽省	黄岗柳编	阜南县兴利工艺品有限公司	2015年第159号
744	安徽省	黄岗柳编	阜南县龙腾柳编工艺厂	2015年第159号
745	安徽省	黄岗柳编	阜南县艺达工艺品有限公司	2015年第159号
746	安徽省	黄岗柳编	安徽德润工艺品有限公司	2015年第159号
747	安徽省	黄岗柳编	阜南曹集镇财富工艺制品厂	2015年第159号
748	安徽省	黄岗柳编	阜南县财源工艺品有限公司	2015年第159号
749	安徽省	黄岗柳编	阜南县东方柳编工艺品有限公司	2015年第159号
750	安徽省	黄岗柳编	阜南县金威工艺品有限公司	2015年第159号
751	安徽省	黄岗柳编	安徽银柳工艺品有限公司	2015年第159号
752	安徽省	黄岗柳编	安徽港源家居工艺品有限公司	2015年第159号
753	安徽省	黄岗柳编	安徽省阜南县盛达工艺品有限公司	2015年第159号
754	安徽省	黄岗柳编	阜南县星光工艺品有限公司	2015年第159号
755	安徽省	霍山石斛	安徽省霍山县凯福堂生物科技产品有限公司	2015年第159号
756	安徽省	天柱山瓜蒌籽	有余瓜蒌开发有限责任公司	2015年第159号
757	福建省	安溪铁观音	福建八马茶业有限公司	2015年第159号
758	福建省	闽笋干	永安市农联笋干农民专业合作社	2015年第159号
759	福建省	永春老醋	永春县岵山津源酱醋厂有限公司	2015年第159号
760	福建省	郑湖水柿	沙县兴和水柿专业合作社	2015年第159号
761	福建省	郑湖水柿	沙县郑湖乡老区福利果场	2015年第159号
762	山东省	龙口粉丝	龙口市龙泰经贸有限公司	2015年第159号
763	山东省	龙口粉丝	招远市兄弟龙口粉丝有限公司	2015年第159号
764	河南省	内黄大枣	安阳市如日枣业有限公司	2015年第159号
765	河南省	原阳大米	河南迪冠农业发展有限公司	2015年第159号
766	湖南省	大悟绿茶	湖北茗道茶业有限公司	2015年第159号
767	湖南省	岳阳黄茶	湖南省君山银针茶业有限公司	2015年第159号
768	湖南省	张家界大鲵	张家界澧源生物科技有限责任公司	2015年第159号
769	湖南省	张家界大鲵	张家界竹园大鲵生物科技有限公司	2015年第159号
770	湖南省	张家界大鲵	桑植县源澧大鲵养殖有限公司	2015年第159号

续 表

序号	省份	产品名称	企业名称	公告
771	湖南省	张家界大鲵	桑植县五道水鲵源大鲵养殖专业合作社	2015年第159号
772	湖南省	张家界大鲵	张家界泉裕大鲵生物科技有限公司	2015年第159号
773	湖南省	张家界大鲵	张家界点鲵成金生态开发有限公司	2015年第159号
774	湖南省	张家界大鲵	张家界亿福恒联大鲵有限公司	2015年第159号
775	湖南省	张家界大鲵	张家界绿地生态农业发展有限公司	2015年第159号
776	湖南省	张家界大鲵	慈利县界河村大鲵养殖专业合作社	2015年第159号
777	湖北省	浏阳花炮	浏阳市吉雄鞭炮烟花制造有限公司	2015年第159号
778	广东省	莞香	东莞市尚正堂莞香发展有限公司	2015年第159号
779	广东省	吴川月饼	吴川市湛杨饼业有限公司	2015年第159号
780	海南省	兴隆咖啡	万宁隆苑咖啡有限公司	2015年第159号
781	四川省	蒲江米花糖	四川川蒲派立食品股份有限公司	2015年第159号
782	四川省	蒲江米花糖	成都蜀蒲食品有限公司	2015年第159号
783	四川省	蒲江米花糖	成都市蒲议食品有限公司	2015年第159号
784	四川省	蒲江米花糖	成都市蒲江蒲华实业有限公司	2015年第159号
785	四川省	蒲江米花糖	成都江忠食品有限公司	2015年第159号
786	四川省	汉源花椒油	汉源县怡林食品厂	2015年第159号
787	四川省	汉源花椒油	汉源县山有贡椒种植农民专业合作社	2015年第159号
788	四川省	峨眉山茶	峨眉山市钰叶坊茶业有限公司	2015年第159号
789	四川省	峨眉山茶	峨眉山市三父子茶叶有限公司	2015年第159号
790	四川省	大邑榨菜	四川邑丰食品有限公司	2015年第159号
791	四川省	邛崃黑茶	四川省文君茶业有限公司	2015年第159号
792	贵州省	大方漆器	大方县贵宝漆器工艺品有限责任公司	2015年第159号
793	贵州省	大方漆器	大方县盛丰漆器工艺厂	2015年第159号
794	贵州省	大方漆器	大方县贵妃漆器工艺品厂	2015年第159号
795	贵州省	大方漆器	大方县漆器雕刻工艺厂	2015年第159号
796	贵州省	大方漆器	大方县永发漆器工艺品有限公司	2015年第159号
797	贵州省	大方漆器	大方县玉平漆器生产经营部	2015年第159号
798	贵州省	大方漆器	大方县林星漆器工艺品加工厂	2015年第159号
799	贵州省	大方漆器	大方县高光彝风漆器工艺制品厂	2015年第159号
800	贵州省	大方漆器	大方县振勇漆器工艺品厂	2015年第159号
801	贵州省	大方漆器	大方县常兴漆器加工坊	2015年第159号
802	贵州省	大方漆器	大方县祥龙漆器工艺品厂	2015年第159号
803	贵州省	岩脚面	六枝特区岩脚大畅面业有限公司	2015年第159号
804	贵州省	岩脚面	贵州省迴龙溪绿色食品有限公司	2015年第159号
805	甘肃省	文县绿茶	文县碧口陇兴茶叶有限责任公司	2015年第159号
806	甘肃省	文县绿茶	文县碧口李子坝青岩关茶厂	2015年第159号

续　表

序号	省份	产品名称	企业名称	公告
807	甘肃省	文县绿茶	文县古雲春茶厂	2015年第159号
808	云南省	文山三七	文山景源农业发展有限公司	2015年第159号
809	云南省	文山三七	文山七麟三七科技有限公司	2015年第159号
810	云南省	文山三七	云南三七科技药业有限公司	2015年第159号
811	云南省	文山三七	麻栗坡县中润三七种植专业合作社	2015年第159号
812	云南省	普洱茶	勐海县杨聘号茶叶有限公司	2015年第159号

（国家质量监督检验检疫总局科技司　崔　婷）

第七篇　中国地方 WTO 事务（2015）

河北省WTO工作简述

入世十五年来，河北省外贸进出口总值从2000年的52.35亿美元增至2015年的514.8亿美元，年均增长16.5%；累计利用外资568.8亿美元，从2000年的10.24亿美元增至2015年的73.7亿美元，年均增长14.1%；对外直接投资累计达到70.4亿美元，从2001年的157.66万美元增至2015年的23.5亿美元，年均增长68.5%。

一、对外开放呈现出新特点

（一）民营企业成为对外贸易主力军

对外贸易主体发生了明显变化。国有企业、外商投资企业和民营企业进出口总额占河北省进出口总额的比重分别由2010年的20.9%、53.8%和25.3%转变为2015年的17.4%、27.2%和55.5%。民营企业在对外贸易中发挥着越来越重要的作用。

（二）形成全方位和多元化进出口市场格局

入世以来，河北省与世界上绝大多数国家和地区建立了贸易关系。与新兴市场贸易持续较快增长，逐渐成为我省主要出口市场。2000到2015年，我省与东盟货物贸易占中国货物贸易比重由5.8%提高到11.2%，与非洲货物贸易所占比重由2.2%提高到4.8%，对欧美等国的货物贸易比重由2000年的35.9%下降到2015年的31.2%。2015年，东盟成为我省最大的出口市场。

（三）对外投资合作增势强劲

入世十五年，省对外投资实现了从无到有的过程，尤其是在“一带一路战略”的带动下，企业“走出去”步伐明显加快。2001年对外直接投资仅157.66万美元，2015年对外直接投资规模达到23.5亿美元，同比增长51.6%。

（四）外商直接投资结构逐渐优化

服务业投资在全省实际利用外资中占比逐年提高。外商直接投资中服务业投资从2010年的9.1亿美元上升到2015年的18.1亿美元，占比从23.9%上升到29.3%。

（五）服务贸易发展势头迅猛

随着河北外贸转型升级的深入发展，服务贸易在对外贸易总额（货物和服务进出额之和）中的比重上升。2015年全省服务进出口77.50亿美元，比2010年增长了60.1%。全省服务贸易增速高出货物贸易增速24.82个百分点，服务贸易占对外贸易总额（592.3亿美元）的比重达13.08%，比2010年提升了5.48个百分点。

二、WTO规则进入普及应用阶段

截至2015年，国外对华出口产品提起的各类贸易救济调查涉及河北省的案件共有361起，涉案企业2707家，涉案金额528 512.58万美元。从贸易救济案件类别来看，全部案件中涉及反倾销调查233起、“双反”调查55起、保障措施调查31起、反规避调查21起、反补贴调查8起。贸易救济近年呈现出大案数量增多、涉案金额巨大的特点。我省积极应对，使贸易摩擦应对工作走向了机制化和常态化。

（一）针对性地开展WTO规则的培训和解读

入世以来，我们一方面在各设区市进行巡回培训，同时每年召集一到两个重点产业内的代表性企业，进行WTO规则的深入解读。到目前为止，已举办培训班十余期，共培训上千人次，通过举办培训班等形式搭建起了WTO相关规则和国际贸易摩擦咨询的交流平台。

（二）指导有关部门和企业运用WTO规则

在积极应对国外对我出口产品发起的反倾销等贸易救济措施调查的同时，也在进口产品对我相关产业造成损害或损害威胁时主动采取贸易救济措施，保护国内市场，维护产业安全。在应对国际贸易摩擦工作中，积极帮助指导相关部门和企业掌握和运用WTO相关规则。

（三）建立重点行业和重点产品预警机制

在开发建设“河北贸易救济和WTO信息网”平台、相关数据库分析系统的基础上，定期撰写并发布了河北钢铁产业、光伏产业、医药重点产品及重点异常进出口产品、河北贸易环境等预警监测报告。同时，坚持前瞻性课题研究，撰写了《高度关注国际经贸规则新动向》《光伏企业战略转型势在必行》《用足用好综合保税区政策优势全力打造沿海地区率先发展增长极》等一系列调研报告。

三、贸易政策合规工作逐步走向规范化

国务院办公厅《关于进一步加强贸易政策合规工作的通知》出台后，省商务厅及时提出了贯彻实施意见，并以河北省人民政府办公厅名义印发了相关《通知》。同时，组织了“贸易政策合规工作（华北片区）政策宣讲暨培训活动”，活动邀请商务部世贸司有关领导莅临授课，取得了较好效果。2015 年，会同有关单位，做好省级贸易政策合规审查工作，加强世贸组织规则的培训，做好对各设区市贸易政策合规工作的指导。

四、河北省加入《政府采购协定》（GPA）谈判研究应对工作持续推进

自 2007 年年底，我国加入《政府采购协定》（GPA）谈判以来，我省出价研究已进入实战阶段。2014 年在我国提交的第 5 份出价清单中，将我省作为次中央实体纳入出价范围。按照省政府部署，商务厅作为货物服务组牵头单位，提交了相关研究报告，以翔实数据全面展现了我省与 GPA 参加方之间货物贸易和服务贸易的概况及特点，分析了加入 GPA 对我省货物贸易和服务贸易的影响，为河北省提出出价清单提供了数据支撑。另外，积极参加了商务部组织的“赴美 GPA 培训研讨”，深入学习和了解 GPA 规则体系和要求。

五、结合实际多种形式宣传贯彻我国自贸区战略

（一）开展自贸区政策培训工作

每年均组织各设区市、直管县商务部门以及相关企业负责人参加自贸区政策培训会，邀请有关专家现场解读自贸区政策与贸易、投资、金融、法律等方面的内容。2015 年，结合《中韩自贸协议》内容，对韩国经贸情况进行了专门介绍，参会者反响良好。

（二）赴自贸区国家开展经贸洽谈活动

多次组织代表团赴与我国签订自贸区的国家举办“河北投资环境说明会”，达成了一批合作意向和协议。

（三）积极组团参加第十二届中国—东盟博览会

每年都组成以省领导带队，各设区市、有关企业负责人为成员的河北省代表团赴南宁参展参会，着重向与会嘉宾展示了河北的独特区位优势和发展机遇，推动和加强了河北省优势产能和优势产业与东盟国家的投资合作。

（河北省商务厅贸易救济调查和世界贸易组织处）

江苏省对外贸易和WTO事务

一、贸易及对外开放成绩

2015年，江苏货物进出口总值33 870.6亿元人民币，出口实现正增长；服务贸易超过450亿美元；实际到账外资242.7亿美元，质量效益进一步提升；对外投资中方协议额突破100亿美元；对外承包工程完成营业额87.6亿美元。贸易与对外开放方面取得了如下工作成果：

（一）外贸稳增长调结构取得新成绩

千方百计稳增长。全力以赴贯彻落实国务院、省政府关于稳定外贸增长的部署及要求，确保国家各项支持政策落地、落细、落实。积极帮助企业开拓国际市场，组织企业参加境内外重点展会，特别是新兴市场展会和“一带一路”沿线国家展会。成功举办2015年中国（昆山）品牌产品进口交易会。充分发挥出口信用保险中小外贸企业融资增信平台等作用，帮助外贸企业降本增效。

大力发展服务贸易。发挥载体优势，推进服务外包示范城市（区）及服务外包特色园区建设，培育重点企业和项目，支持服务外包、文化贸易、中医药服务等领域的重点企业做大做强。全省离岸服务外包规模连续8年保持全国第一，服务贸易占全省货物贸易、占全国服务贸易的比重实现双提升。

推进贸易创新发展。市场采购方式、跨境电商、外贸综合服务体系、贸易多元化、海外仓等外贸新型业态较快发展。提高贸易便利化水平，“三个一”通关试点在全省铺开，“三互”改革顺利推进，国际贸易“单一窗口”建设取得突破。

（二）利用外资质量和水平实现新提升

不断优化外资结构。加大专题招商力度，引导外资投向高新技术产业、先进制造业和生产性服务业。全省服务业实际利用外资占比达到46.6%，以先进制造业为主体的战略性新兴产业占全省实际外资比重达到46.8%。

推动服务业扩大开放。加快服务业对外开放，开展“服务业消除玻璃门”专项行动，全国省级层面率先出台鼓励外资进入养老服务产业发展的政策文件，继续鼓励跨国公司在江苏设立地区总部和功能性机构。

改革外商投资管理体制。在全省范围内推行“清单式审核、备案化管理”外资项目快速审批改革。扩大外资项目“单一窗口、并联审批”试点，继续推行外商投资企业年报公示制度，试行全省外商投资重点企业和重点项目工作联系和服务制度，外资管理服务水平不断提高。

（三）对外投资合作实现新跨越

提高对外投资的层次和水平。全省境外企业平均投资规模达1212万美元。并购项目活跃度明显提升，新增海外并购项目170个，中方协议投资额20.0亿美元。水利、石化、交通等对外承包工程新业态占比近三分之一。2015年省内5家企业入选ENR全球最大国际工程承包商250强排行榜。

实施“‘一带一路’商务创新引领工程”。启动企业国际化基金融资增信业务，初步建成企业国际化专家库和国际化企业培育主体库，编制印发了《“一带一路”投资合作指南》，充实完善了企业国际化信息服务平台的功能，联合相关商协会和金融机构成功举办了20多场投资促进和培训活动。2015年江苏在“一带一路”沿线国家中方协议投资额27.3亿美元。

（四）开放平台载体建设取得新突破

实施“对接上海自贸区创新工程”。全面复制推广上海自贸试验区29条改革创新措施。借鉴改革理念，积极创新政策，推广外资快速审批、下放境外投资备案权限、扩大金融业开放、创新海关特殊监管区域功能等工作走在全国前列。

推动开发区转型升级创新发展。2015年新认定9家特色产业园区、4家省级生态工业园区和7家南北共建园区，7家出口加工区升级为综合保税区。开发区产业层次不断提升，全省158家特色产业园区中，超过六成形成以战略性新兴产业为主导的产业结构。

加强对外经贸合作平台建设。埃塞东方工业园顺利通过商务部、财政部确认考核，一批省级境外产业集聚区园区化项目以及盐城中韩产业园等一批中外合作平台加快推进。精心办好新加坡—江苏合作理事会第九次会议、苏港联席会议第三次会议、澳门江苏周、第二届中国（连云港）丝绸之路国际物流博览会等活动。

二、公平贸易工作取得新进展

近年来，在商务部指导下，在各级商务部门、行业组织和相关企业的共同努力下，江苏公平贸易各项工作取得新的成绩，为全省开放型经济的健康发展营造了良好的环境。

（一）贸易摩擦应对工作迈上新台阶

1. 突出重点，抓好重大案件应对

我们充分发挥“四体联动”机制作用，妥善处理了一批金额巨大、影响广泛、情况复杂的重大案件。（1）重点案件认真对待。针对澳大利亚光伏反倾销案，动员企业积极参与全国商会抗辩、游说，主动组团赴澳交涉，为澳大利亚最终终止调查发挥了积极作用，不仅保住了全省两亿多美元的直接出口，还为省内企业进一步开拓大洋洲光伏产品市场创造了良好的环境。针对钢铁贸易摩擦，有关部门多次共同探讨解决思路和办法，积极维护企业和产业的最大利益。（2）难点案件主动出击。美对我大型洗衣机贸易救济调查，对江苏出口、税收、就业等造成重大影响。配合商务部做好约谈磋商工作，密切跟踪案件进展，指导企业积极应对。（3）不公案件奋起维权。针对美国对我钻具产品歧视性“双反”，指导江阴德玛斯特状告美国商务部至美国国际贸易法庭，要求进行司法审查，最终法庭判决德玛斯特赢得诉讼，“双反”案撤销，中国钻杆企业可重新出口美国市场，参与公平的国际竞争。

2. 风险前移，加强预警点管理

在借鉴兄弟省份预警点建设的经验基础上，积极推进预警体系建设，切实提高预警效率、效果。（1）出台管理办法。2015 年年初，制定了《江苏省进出口公平贸易预警点暂行管理办法》，对预警点实行动态管理。（2）改善预警点布局。根据贸易摩擦发展趋势和需要，不断完善预警点布局，努力构建覆盖全省重点市场、重点行业、重点产品的预警网络体系。在完善省级预警点建设的基础上，逐步推进地方培育市级预警点。（3）加强工作指导。赴预警点实地现场指导，提升预警点能力建设与工作水平，使预警点切实发挥作用，努力做到防患于未然。

3. 建章立制，完善机制建设

加强探索研究，使各种应对措施和各类人才成为有机协调的整体，保障了江苏贸易摩擦应对工作得以高效率、高质量地开展。（1）建立联合应对机制。反补贴调查涉及中小企业国际市场开拓、出口品牌、出口信用保险、土地、水电、商标专利等多项补贴内容，牵涉部门多，应对任务繁重。在省政府领导下，发挥省应对贸易摩擦联席会议制度作用，在有限时间内迅速完成了问卷填答，大大地提高了反补贴调查的应对效率。（2）构建沟通磋商机制。积极推动省内企业开展民间游说，探讨业界合作的可能性。组织磋商团赴澳大利亚、美国、欧盟等开展对话交流，促进案件向有利于我方的方面发展。通过江苏省驻外 16 个经贸代表处，有针对性地主动加强与有关国政府部门和中介机构的联系，为企业提供更为直接的服务。（3）健全政策保障机制。不断在规范贸易摩擦应对流程、建立配套政策、提供公共服务等方面寻求新的突破，部分地市搭建直面外经贸企业的“国际贸易风险防控与摩擦应对律师信息库”，编制《境外贸易救济应对工作流程》《境外贸易救济应对工作制度》，建立重点案件跟踪联系制度。

（二）贸易救济调查工作取得新成效

积极推动案件立案，促进产业发展。对影响江苏产业安全的进口产品，支持省内龙头企业搜集证据，主动提出贸易救济调查申请，及时将有关情况上报，积极争取立案调查。

跟踪评估贸易救济效果，提出完善措施的意见建议。2015 年，对省内 35 家涉案企业发放贸易救济措施效果调查问卷 50 余份，回收汇总后形成措施效果评估分析报告。并对已实施措施的产业，跟踪恢复发展情况，分析措施作用与效果，提出进一步完善的建议。

统筹考虑上下游关系，维护产业整体利益。多次商请商务部召开上下游企业意见陈述会，实地走访调研，统筹兼顾产业链上、中、下游整体利益，努力促进上下游产业协调发展。

（三）WTO 事务工作取得新进展

1. 开展贸易政策合规工作

2015 年，省政府办公厅出台《关于进一步加强贸易政策合规工作的通知》，明确省内合规职能机构和工作要求。省商务厅初步建立了合规工作规程和统筹协调机制，落实内部职责分工。部分地市建立了相应的工作机制和工作队伍。针对相关政府部门提交的政策文件，探索性地进行了贸易政策合规性审查，研提合规意见，合规工作良好起步。

2. 配合做好世贸政策评议和通报工作

对中国政府拟向 WTO 通报第三次补贴政策中涉及江苏的 20 项政策措施，及时完成核实上报任务。针对 2015 年美诉我“外贸转型升级示范基地和外贸公共服务平台措施”WTO 争端案（DS489），共对本省涉及的 7 份列明文件及所有 230 项优惠服务协议进行了修订完善或废止。

3. 配合做好跨境服务负面清单基础工作

为配合我国与澳大利亚、韩国的服务贸易谈判，按照商务部和省政府要求，40 余家省级机关部门（单位）协同，对江苏现行涉及跨境服务贸易的限制性法律法规和政策措施进行系统梳理，形成了地方跨境服务负面清单。

4. 积极提出 GPA 服务组出价例外建议

根据加入 GPA 谈判要求，我厅牵头组织成立由省发改委、财政厅及服务产业相关部门组成的应对加入 GPA 谈判服务组，研究、分析、筛选和甄别出价清单中的敏感议题和例外建议，并组织南京理工大学有关专家进行论证，最终完成了服务组例外建议的上报工作。

（江苏省商务厅）

上海市以创新改革促外经贸新发展

一、2015年全市外经贸工作回顾

（一）对外贸易规模持续上升

全年货物贸易进出口4517亿美元，在全国的占比从上年的10.8%提高到11.4%，规模再次跃居全国各城市首位。服务进出口近2000亿美元，同比增速超过12%，规模约占全国的30%，在对外贸易总额中的比重首次突破30%，达30.3%，比“十一五”末提高8.3个百分点。

（二）利用外资质量稳步提高

全年合同引进外资589亿美元，同比增长86%，对外直接投资总额573亿美元，同比增长3.7倍，规模均居全国之首，分别是2010年的3.8倍和23.7倍。实际利用外资185亿美元，同比增长1.6%，连续16年实现增长。新签对外承包工程合同额111亿美元，连续8年超过百亿美元。

（三）对外贸易增长新格局逐步形成

服务贸易成为新增长点。2015年技术进出口、离岸服务外包分别达到113亿美元和60亿美元，分别是2010年的2.9倍和3.4倍；金融、保险、文化、信息等新兴服务进出口年均也都实现了两位数增长。

一般贸易推动贸易竞争力不断提升。2015年一般贸易进出口在货物进出口中的占比达到47.4%，比2010年提高了7.2个百分点；高新技术产品出口在货物出口中的占比达到43.7%，比全国高出14.9个百分点。以技术、品牌、质量、服务为核心竞争力的贸易新优势正在加快形成。

消费品进口规模全国领先，2015年达到424亿美元，约占全国的30%，上海成为国内最大的进口消费品集散地。跨境电子商务的快速发展进一步畅通了从进口到消费的渠道，不仅有效满足了本地市场需求，还积极向长三角和全国市场辐射。

二、工作举措

（一）聚焦自贸试验区制度创新，贸易投资环境更加便利

深入实施负面清单管理模式，在扩展区域对负面清单外领域的外商投资企业实施备案管理。54项开放措施成效明显，落地项目超过1300个。国际贸易“单一窗口”1.0版上线运行，货物状态分类监管试点进一步扩大，平行进口汽车试点稳步推进。链接市场“国际版”，发布《中国（上海）自由贸易试验区大宗商品现货市场交易管理规定》，有色金属、矿产、棉花等6家大宗商品国际交易中心通过验收上线运营，第三方仓单公示平台和第三方资金清算平台建立。深化反垄断“1+3”工作机制，在申报识别、审查配合、事后监管等方面形成完整链条。成立部、市共建领导小组，在国内率先开展产业预警试点。积极打造国际化商事争议解决平台，香港国际仲裁中心在上海自贸区设立办事处，实现零的突破。加快改革措施向全市复制推广，在全市施行外资企业设立及变更审批“告知承诺+格式审批”的管理模式，省级境外投资备案权限下放浦东新区，融资租赁兼营商业保理、生产销售游艺机等开放措施在黄浦、徐汇、长宁、闸北等区落地。

（二）聚焦贸易规模和能级同步提升，贸易结构持续优化

推动成立“一带一路”贸易商联盟，与新加坡、捷克、阿联酋等沿线国家经贸部门或节点城市签署经贸合作备忘录，在贸易、金融、能源、装备制造等领域落实一批重大项目。出台外贸稳增长、促转型22条政策措施，协调各监管部门推出便利化举措近百项。对查验没有问题的企业免除吊装、移位、仓储等费用，对诚信企业CCC产品进口免办审批证明。加强平台载体建设，新增上海化工产品出口基地，新设墨西哥、智利等一批国别商品中心和中国台湾商品馆，宝玉石交易平台上线运营。制订促进跨境电子商务发展意见，出台跨境电商示范园区认定办法。跨境电子商务公共服务平台建设获得突破，成功获批国家级跨境电子商务综合试验区。出台服务贸易发展三年行动计划，推进服务贸易、服务外包示范基地、示范项目建设，形成文化、中医药等新增长点。建立主宾国机制，成功举

办第三届上交会。国家会展中心（上海）投入运营后，全年举办各类展会面积 390 万平方米，占全市 1/4 以上。亚太示范电子口岸网络运营中心成功落户，上海代表中方成为联合运营委员会主席。

（三）聚焦引进来和走出去，双向投资质量水平稳步提高

深化总部经济发展，加大准总部政策的宣传和实施力度，建立跨国公司地区总部综合服务平台，举办“创新与发展：跨国企业在上海”最佳创新实践案例评选活动。制定鼓励外资研发中心发展的若干意见，建立有利于人才、资金、技术、研发设备样品等跨境流动的政策支持体系。启动 10 项投资促进计划，出台促进国家级经济技术开发区转型升级创新发展的实施意见。加大公共服务供给，编制 16 个国别投资指南、4 个重点行业投资指南，为企业提供 4700 余人次培训，基本形成国际化、市场化、专业化、全方位的“走出去”服务体系。鼓励企业以投资、收购、承包工程等方式加快海外布局，支持私募资本与产业资本联手参与境外高新技术投资合作。制订装备走出去发展规划，本市首个装备走出去和国际产能合作示范基地在临港地区挂牌。

（四）推进公平贸易，全市外经贸发展环境进一步改善

1. 参与公平贸易案件应对

全年共应对涉及本市的贸易摩擦新立案件 45 起，涉案企业 450 余家。在案件应对上，除继续依托行业服务平台召开重点案件应诉协调会、召开“一带一路”工作站培训会外，还进一步主动加强服务，在加拿大钢管“双反”案、巴西 PVC 帆布反倾销案等案件应对中，协助企业开展海关历史数据查询、调查机关实地核查等工作，积极组织本市光伏企业参加欧盟光伏“双反”案日落复审，并指导等企业开展贸易救济新出口商复审申请，取得较好应对效果。

2. 启动知识产权海外维权服务

以案件为核心，加强维权服务，围绕具体案件开展咨询协调 6 次，并成立知识产权海外维权服务基地联盟，发展成员 300 家。2015 年 2 月，美国国际贸易委员会公布本市企业在光学反光镜 337 调查案中以申请人撤诉取得胜利，成为 2015 年 337 调查胜诉第一案。推动与美、英等驻沪领事馆建立对话机制，与英国玛丽皇后大学达成合作意向，承办中欧知识产权第二次工作会议、上交会知识产权主题论坛等活动，开展海外维权宣传培训。

3. 搭建中小企业经贸摩擦服务平台

积极发挥行业中介机构中小企业会员集中的优势，搭建中小企业经贸摩擦服务平台，形成经贸摩擦服务网站，并通过多种形式为涉案企业提供案件指导、应诉咨询等服务，帮助中小企业克服贸易摩擦应对中信息获取、应对能力等方面的先天不足，进一步提升中小企业贸易摩擦案件的应诉积极性与应诉能力。

4. 设立技术性贸易措施服务平台

联合市检验检疫局，与相关科研机构、行业组织开展合作，在受技术性贸易措施影响最大的化工行业设立技术性贸易措施服务示范点，针对美国、欧盟相关法规及其修正案等开展通报、评议工作，并对行业内企业开展能力提升培训，推进技术性贸易措施应对。

（上海市商务委员会　卢　正　丁秀峰）

浙江省 WTO 事务

2015 年，浙江省贸易救济工作紧紧围绕“拓市场、促消费、扩投资、创优势、优服务”商务中心任务，积极应对贸易摩擦，不断完善工作机制，有效运用国际规则，全力维护企业权益。

一、上下合力应对贸易摩擦案件

2015 年，浙江省共遭遇来自美国、印度、巴西、欧盟、马来西亚等 18 个国家和地区发起的贸易救济调查案件 91 起（其中原审案件 63 起），同比减少 19.47%；涉案金额 17.55 亿美元，同比增长 8.59%。尽管案件数量有所减少，但金额仍呈现出明显上升趋势，部分案件波及范围广，涉及企业多，影响重大。各级商务主管部门、预警点和企业迎难而上，同心协力，充分发挥“四体联动”机制作用，贸易摩擦案件应对成效显著。

（一）坚持斗争，发达国家案件应对有新成果

围绕欧美等发达国家和地区针对我重点行业产业发起的系列案件开展协调应对工作。在澳大利亚光伏反倾销案中，面对长达 1 年零 5 个月的非正常反复调查，各级商务部门、光伏预警点、各涉案企业协同配合，积极抗辩，主动游说，最终取得了终止反倾销调查的胜利，保住了我省上亿美元的出口市场。

（二）奋起维权，发展中国家案件应对有新突破

针对拉美、亚非等发展中国家和地区案件应对难度大的特点，加强协调，鼓励抗辩，增加企业信心、不言放弃。如面对秘鲁 3 年前对我服装及配饰产品反倾销案的不利终裁结果，协调配合企业积极参加行政复议，并由商务厅领导亲自带队前往秘鲁，代表地方政府进行游说。在各方的努力下，秘鲁最终做出撤销此案终裁的决定，使 3 年抗争取得完胜。

（三）勇于担当，案件应对能力有新提升

浙江企业在案件应对体现出不畏艰难、勇挑重担的担当意识。在巴西对华 PVC 帆布反倾销案中，我省作为主产区，上下协同快速成立了应诉协调工作组，海宁经编产业预警点积极牵头带领全国的 36 家企业开展行业无损害抗辩，最终在各方支持下，取得初裁暂不征税的有利结果。

二、始终如一坚持履行世贸组织义务

（一）加强贸易争端案件应对

针对美在 WTO 诉我“外贸示范基地及公共服务平台政策措施”争端案，按照国务院、商务部的部署，商务厅牵头联合省财政厅组织各地对近 5 年来的相关贸易政策进行梳理、汇总、整改，共对全省涉嫌的 21 项贸易政策及所有 229 项服务协议进行了修订、完善或废止工作。同时，积极配合中国政府向 WTO 开展第三次补贴政策通报，先后将 75 项政策措施向省级部门、各地市政府开展核实、确认和补充等工作。

（二）积极推动贸易政策合规工作

商务厅紧紧围绕国务院和商务部的总体部署，结合兄弟省市的经验，起草并以省政府办公厅名义出台了《关于开展贸易政策合规工作的指导意见》，为全省有序开展贸易政策合规工作打下了基础。2015 年，商务厅共为省和市 10 余件贸易政策提供了合规性审查意见。

三、双剑合璧运用贸易救济手段进行反制

今年，为适应新常态下的贸易救济工作，加强对公平贸易和产业损害工作的统筹和协调，省商务厅整合成立了贸易救济调查局。新处室的成立，将最大限度地发挥贸易救济工作对内维护产业安全及企业权益、对外调节进口及反制贸易保护行为的作用。2015 年，我省产业损害预警监测体系入库企业数（1020 家）和上报率（95%）均排全国各省市前列。同时，省商务厅积极分析各行业产业安全动态，适时开展有效反制，支持多家企业提起贸易救济申请，先后开展了 6 起贸易救济调查工作。

四、不遗余力提升预警质量

2015 年，按照《预警点管理办法》，完成了对

全省116家外贸预警点的年度确认考核工作，其中34家预警点表现突出。完成了三家预警点承办单位的变更工作，使预警工作更具专业性代表性。全面加强培训指导，开展了以案件应对、337调查、技术性贸易壁垒等为内容的11场（其中超过100人次3场）培训会，提升了相关人员的预警及案件应对能力。

五、持之以恒打造法律服务品牌

连续第6年开展“法律服务月”活动，精心筹划、制订方案、征集问题、编印手册，共组织了31名律师和专家组成法律服务团，分成6个小组，历时20多天，走进全省11个市、20多个县（市、区）及15家重点联系企业，通过培训、座谈等方式为全省近600家企业1000多人次提供了涉外法律咨询服务，并及时召开法律服务创新与拓展研讨会，探讨促进服务的长效机制和方法。

（浙江省商务厅）

厦门市WTO事务和对外开放工作

一、对外贸易及对外开放新成绩

(一)对外贸易

2015年全市实现外贸进出口总额832.9亿美元,比上年下降0.2%,其中,出口535.0亿美元,增长0.6%;进口297.9亿美元,下降1.8%。进出口、出口和进口增幅分别比全国平均水平高出7.8、3.4和12.3个百分点。

2015年厦门市外贸增幅与全国、全省对比情况表

外贸指标	厦门市	全国	全省
进出口	-0.2%	-8.0%	-4.5%
出口	0.6%	-2.8%	-0.4%
进口	-1.8%	-14.1%	-11.9%

1. 外贸逆势增长,出口结构向好

2015年外贸增幅,位列东部沿海省市和五个计划单列市第一。机电、高新技术产品,占全市出口比重分别达43%和20.2%。民营企业出口271.21亿美元,增长4.5%,拉动全市出口2.2个百分点;国有企业进口76.69亿美元,增长9.1%,拉动全市进口2.1个百分点。

2. 部分传统优势产品保持了出口增长

前50位出口商品出口额为438.79亿美元,增长2.2%,占全市出口总额的82%。传统劳动密集型产品稳步增长,服装及衣着附件增长5.6%,纺织纱线增长16.1%,石材及制品增长2.2%,家具及其零件增长2.2%,灯具、照明装置及类似品增长28.9%。

3. 主要进口来源地保持增长

美国市场增长显著。前20位进口市场完成进口261.06亿美元,增长1.3%,占全市进口总额的87.6%。得益于飞机、粮食等产品进口大幅增加的影响,我市从美国进口47.92亿美元,增加32.1%。

4. 与“海丝”沿线国家贸易快速增长

对“海丝”沿线36国出口额达140.04亿美元,比上年增长10.1%,拉动全市货物出口增长2.6个百分点;出口额占全市出口比重达26.2%。纺织服装等传统优势产品全年对“海丝”沿线国家出口达53.2亿美元,增长25%;高新技术产品全年对海丝沿线国家出口15.81亿美元,增长19.5%。

(二)招商引资

2015年全市新设立企业726家,比上年增长74.1%,合同利用外资金额41.6亿美元,增长45.9%;实际利用外资金额20.9亿美元,增长6.2%。合同利用外资与实际利用外资金额分别占全省总量的29%和27%,均居全省首位。

(三)对台贸易

2015年全市对台进出口66亿美元,比上年下降6.4%。其中出口15.5亿美元,下降0.9%;进口50.5亿美元,下降7.9%。对台贸易逆差35亿美元,下降11.0%。

厦台海运快件实现双向通航,经金门中转的厦台海运快件已形成每周5班常态化运行,并促成厦门与台北两个海快专区顺利对接。实施两岸商品快速验放模式,重点扶持的台湾水果、水产品进口继续保持迅猛增长,厦门口岸台湾水果进口量占大陆七成以上、台湾食品进口批次占大陆三分之一。全年新设台资企业361家,增长1.6倍,合同利用台资8.7亿美元,增长99.2%,实际利用台资3.7亿美元,增长61.2%。对台一般贸易额23.0亿美元,逆势增长12.1%。

(四)国际经济技术合作

2015年全市新批境外投资项目132个,比上年增长30.7%。投资总额21.9亿美元,增长109%。其中中方投资额21.4亿美元,增长112.5%;实际投资额5.8亿美元,增长3.7%。

新签对外劳务合同额1.22亿美元，比上年增长57.9%；实现对外劳务营业额1.83亿美元，增长21.8%；新派对外劳务11 097人，增长28.4%；截至2015年年底，全市累计境外投资项目778个，分布在近60个国家和地区，协议投资总额61.9亿美元，其中中方投资额52.6亿美元。

（五）口岸生产

厦门港2015年货物吞吐量2.1亿吨，比上年增长2.5%；集装箱吞吐量918.3万标箱，增长7.1%，位居全国港口第8位、全球第16位。空港旅客吞吐量2181.4万人次，增长4.6%，其中出入境旅客达271.9万人次，增长11.1%；货邮吞吐量31.1万吨，增长1.4%。2015年年末，全市海港口岸共有集装箱班轮航线234条，其中国际航线165条、内贸线47条、内支线22条。厦金“小三通”运送旅客164万人次，增长16.2%。

（六）涉外旅游

全年接待海内外游客6035.9万人次，比上年增长13.1%，旅游总收入832.4亿元，增长15.3%。其中，接待入境旅游者317.3万人次，增长18.9%；旅游创汇19.9亿美元，外汇增长10.4%。至年末，全市共有星级酒店78家，其中五星级酒店19家，旅行社230家，导游员4716名。

二、WTO、公平贸易和反垄断等工作新进展

（一）加强WTO培训，普及知识、提高素质

通过“走出去”与“请进来”相结合的方式，平均每年都举办2次以上的WTO及相关知识业务培训学习，来加强贸易合规工作，普及WTO知识。

（二）发挥厦门WTO/TBT-SPS通报咨询工作站作用

依托厦门出入境检验检疫局WTO中心，成立厦门WTO/TBT-SPS通报咨询工作站。建立厦门市商务局与国家质检总局标法中心、厦门出入境检验检疫局的三方合作机制，发行《技术性贸易措施信息参考》、举办技术性贸易措施专题培训会等，建立预警通报机制，发挥WTO/TBT-SPS咨询评议专家作用，提升工作站的咨询水平。

（三）建立WTO等工作站点机制，有效开展各项相关工作

依托厦门市有代表性的行业商协会，建立6个WTO及公平贸易工作点。以工作点为触角和抓手，从政府、商协会、企业三个层面，深入扎实地开展WTO及公平贸易工作，并建立了公平贸易工作站点考核办法、公平贸易资金申请指南等制度，形成了平时与年度考核相结合的考评机制。

（四）地方贸易政策合规工作

配合商务部做好中外投资协定、中外自贸谈判及WTO事务等的文件清理等工作。修订了《厦门市外经贸发展专项资金管理办法实施细则》，梳理清理了厦门市外贸公共服务平台优惠服务协议共5批28个项目。

（五）支持企业积极应对国外各类贸易壁垒和摩擦，协助商务部做好反垄断调查工作

1. 支持企业积极应对国外各类贸易壁垒和摩擦

2015年，组织厦门建发轻工有限公司等我市出口巴西鞋类产品主要企业参加行业协会召开的巴西鞋类反倾销日落复审应诉协调会，鼓励企业抓住机遇，积极应对。组织企业参加五矿化工商会召开的应诉协调会，并牵头协调各部门填答商务部有关美国对我PET树脂双反案反补贴调查问卷等。此外，还组织应对欧盟对华晶体硅光伏组件及关键零部件反规避调查、美国对我部分发光二极管发起的337调查、美国国际贸易委员会对我国箭头产品和相关部件发起的337调查等等共十几起贸易摩擦案件。

2. 协助商务部做好反垄断审查工作

2015年8月，召集食品行业协会、竞争企业银鹭、惠尔康集团及中绿集团13家分销终端商召开反垄断审查厦门座谈会，广泛征求意见。依据《中华人民共和国反垄断法》，可口可乐收购中绿集团旗下厦门粗粮王饮品科技有限公司100%股权案经营者集中反垄断审查工作顺利完成。

（六）做好涉及我市企业的对外贸易纠纷调解工作

如协调我市某石材出口企业与约旦商人贸易纠纷案，协调立威（香港）有限公司与恒辉（香港）实业有限公司贸易纠纷案，及协调解决澳ALL STONE公司与厦门兴佳林石业有限公司贸易纠纷案件等。

三、中国（福建）自由贸易试验区厦门片区工作新局面

（一）福建自贸试验区厦门片区设立

2014年12月31日，国务院批准设立中国（福建）自由贸易试验区。2015年3月24日，中共中央政治局会议通过中国（福建）自由贸易试验区方案；4月8日，国务院批复《中国（福建）自由贸易试验区总体方案》。中国（福建）自由贸易试验区总面积118.04平方公里，其中厦门片区为43.78平方公里。4月19日，福建省人民政府批复《中国（福建）自贸试验区厦门片区实施方案》。

厦门片区突出对台，对接“一带一路”，发展两岸新兴产业和现代服务业合作示范区、东南国际航运中心、两岸金融中心和两岸贸易中心，包括两大功能园区：两岸贸易中心核心区（19.37平方公里，涵盖象屿保税区、象屿保税物流园区），重点发展高新技术研发、信息消费、临空产业、国际贸易服务、金融服务、专业服务、邮轮经济等新兴产业和高端服务业，构建两岸经贸合作最紧密区域和面向亚太地区的区域性国际贸易中心；东南国际航运中心海沧港区（24.41平方公里，涵盖海沧保税港区），重点发展航运物流、口岸进出口、保税物流、加工增值、服务外包、大宗商品交易等现代临港产业，构建高效便捷、绿色低碳的物流网络和服务优质、功能完备的现代航运服务体系，成为亚太地区重要的集装箱枢纽港。

（二）体制改革

中国（福建）自由贸易试验区厦门片区（以下简称厦门片区）4月21日正式挂牌运作。次日，李克强总理视察厦门片区，对自贸试验区建设做出“先行先试、敢闯敢试、显现特色、活力四射”的重要指示。7月3日，厦门片区管理委员会成立。

自挂牌起至2015年年底，厦门片区出台了90个创新制度和政策举措，推出了184项创新成果。在福建省通报的39项开放措施中，厦门片区有28项；在福建省通报的126项创新举措（全国首创49项）中，厦门片区有62项创新举措，其中全国首创21项。对照世界银行全球营商环境指标体系，提出了25项任务、107项指标体系。经第三方对照世行营商环境评价体系评估，厦门营商环境排名从挂牌前的61位提升至49位。

1. 树立全国“一照一码”范本

2015年3月实行“一照一码”登记制度，将工商、税务、质监的“三证三号”合并为“一照一码”，并率先推行了国地税一窗联办、税控发票网上申领。

2. 提升贸易便利化

厦门片区国际贸易“单一窗口”被评定为自由贸易试验区“最佳实践案例”。4月21日，该平台上线运行，涵盖了货物申报、运输工具申报、金融服务、贸易许可、“关检三个一”、政府服务和对台专区七大服务功能，直接服务3700多家企业，间接服务1.5万多家企业，日单证处理量破3万票。实现了“一个窗口、一个平台、一次申报、一次办结”。

3. 打造法治化营商环境

出台了国内首个知识产权评议办法，成立国际商事仲裁院、国际商事调解中心、自贸区法庭、自贸区检察室，创新设立涉台涉企人民调解委员会，启用“一站式”法律服务与司法保障中心，加快构建与国际接轨的市场化纠纷仲裁与协调机制。

4. 完善制度建设“信用厦门”

全国首创第三方信用评级制度、商事主体信息公示共享、信用承诺、信用联合惩戒和社会共治制度等，成为全国第二个社会信用信息共享平台和人行征信系统可并行查询的地区。厦门自贸片区商事主体信用平台年报公示率达97.4%。

（三）经济发展

2015年厦门片区现代服务业营业收入1560亿元，比增28.5%；制造业工业总产值188亿元，比增11.7%；进出口总额174.78亿美元，比增4.75%；航运物流收入344亿元，比增8.2%；集装箱吞吐量883.38万标箱，比增9%；邮轮旅客吞吐量17.58万人次，比增211.4%。

1. 金融改革创新多个“第一”

首批发布27个金融创新案例，金融服务实体经济的示范带动作用进一步发挥。率先建立跨海峡人民币代理清算群，累计清算金额539亿元，清算总量约占全省4/5，大陆近1/10；启动对台跨境人民币贷款试点，业务量占全国试点城市的85%；发起设立“台商转型基金”，扶持台商在大陆品牌发展、投资创新型企业等。全国首创“税银互动”，256家小微企业获8.11亿元纳税信用贷款；率先

发展跨境双向人民币资金池业务，方便企业进行境内外资金集中调配；大力发展新兴金融业态，打造国内首个资产证券化平台，设立自贸片区股权投资基金、人保财险保障基金等，建设互联网金融街投融资平台，引进金融、类金融企业和投资公司918 家。

2. 区域性融资租赁聚集区初具规模

出台了自贸片区融资租赁业发展办法，统一内外资融资租赁企业准入标准，降低准入门槛，引导支持融资租赁、商业保理、贸易“三合一”混业经营，促进金融、贸易、服务等要素聚集。引进 19 架租赁飞机，境外融资 15 亿美元；吸引了鑫桥、马来西亚睿坤等近百家融资租赁企业入驻集聚，服务厦漳泉大都市区建设。

3. 全球航空维修重要基地加快崛起

立足厦门全国第五大空港优势，打造全球重要航空维修基地。2015 年厦门航空维修产业产值 97 亿元，占国内产值的 1/4，其中 82%为承接境外外包业务，成为国内第一、亚洲一流的“一站式”航空维修基地，也是亚太地区知名的飞机维修培训中心。

（四）对台交流合作与招商引资

厦门片区实施外商投资“准入前国民待遇＋负面清单＋备案管理”的管理模式，“联动招商”政策成效显著。年内共新增企业 7310 家，注册资本 1100 亿元，分别同比增长 4.45 倍、9.57 倍；其中，外资 412 家，合同外资 16.23 亿美元，增长 10 倍。

1. 拓展对台开放新领域

投资 1.5 亿美元的台湾佳格葵花籽油项目得益于负面清单“允许境外独资食用油脂加工项目，突破大陆方控股限制”而顺利落地。首家台资旅行社——雄狮（福建）国际旅行社运营。先行开展对台跨境人民币贷款业务，占大陆三个试点地区业务总量的 90%。放宽台湾个体工商户经营等，已有 19 家台湾居民个体工商户。

2. 共建两岸合作新平台

厦门两岸青年创业创新创客基地 6 月 16 日揭牌，10 月 15 日获国台办授牌“两岸青年创业基地”，截至 2015 年年底，该基地已进驻 69 家企业（台资 38 家）。

3. 开创两岸合作新机制

实施“源头管理、口岸验放”的两岸商品快速通关机制，厦门口岸占大陆进口台湾食品总批次的 50%以上，占进口台湾水果的 8 成。两岸共同制定厦门市“食品冷链物流”系列九项标准。与台湾关贸网建立点对点传输，率先实现厦台两地关检信息共享和数据对接。

4. 探索往来新途径

率先开展两岸海运快件业务，实现两岸快递货物一周“三进两出”的高密度航次，加强对快件企业吸引力。台车入闽自驾游常态化。为临时到闽的非户籍居民赴台团队游办理“一次有效往来台湾通行证”。

（五）对外开放

8 月，在全国自贸试验区率先开出首条“厦蓉欧”班列，实现自贸试验区与“一带一路”无缝对接。率先开出的中欧（厦蓉欧）国际货运班列已运行出口班列 17 次和进口班列 2 次，实现自贸试验区与“一带一路”的无缝连接。开通“海丝”邮轮航线和国际航班，邮轮母港接待邮轮 71 艘次、旅客吞吐量约 17.3 万人次，分别比增 238.1%和 206.5%，邮轮旅客数量占全国的 15%。

（厦门市商务局法规处　刘凤云）

内蒙古自治区外贸发展情况

一、贸易规模不断扩大，外向型经济长足发展

（一）进出口规模突破百亿美元

2015 年自治区进出口总额 127.49 亿美元，比上年的 145.53 亿美元下降 12.4%。其中，出口总额 56.54 亿美元，比上年下降 11.6%，高于全国出口平均降幅 4.4 个百分点；进口总额 70.95 亿美元，比上年下降 13.1%，低于全国进口平均降幅 1 个百分点。

（二）利用外资和经贸合作水平不断提高

2015 年，累计批准外商投资企业 52 家，同比增长 18.2%。实际利用外资 33.66 亿美元，同比下降 15.4%。外资主要来源于香港、韩国、俄罗斯、美国、马来西亚等。投资领域主要集中在采矿业、制造业、电力燃气及水业、农林牧渔业、租赁和商务服务业、非金属冶炼和住宿、餐饮业。

2015 年，全区新备案境外投资企业（机构）115 家，中方协议投资总额 17.34 亿美元（含增资项目 13 个，协议增资额 9.74 亿美元），同比增长 50.78%。中方协议投资额上千万美元的投资或增资项目 24 个（14.89 亿美元），占全区中方协议投资总额的 85.87%；其中 5000 万美元以上的投资或增资项目 7 个。全区企业境外实际投资总额 4.25 亿美元，同比增长 1 倍多。境外投资国别（地区）主要在俄罗斯、蒙古、中国香港、美国、澳大利亚、阿联酋、德国、匈牙利、帕劳共和国、委内瑞拉、韩国、加拿大、英国、比利时、赞比亚、新西兰、法国、印尼。投资领域为：矿产资源勘探开发、森林采伐、农业种植、农畜产品销售、住宿餐饮、批发零售、金融业、基础设施、肉类加工、羊毛梳洗、飞行器研发、文化艺术交流等。

二、建立完善产业安全预警体系，妥善应对贸易摩擦

（一）健全产业损害预警工作体系，积极开展产业安全预警和贸易救济

1. 完善产业安全损害预警体系

一是进一步充实完善了部分商品的全国进出口海关数据、统计局的行业效益及产销存数据。对羊肉、液态乳、无缝高温承压钢管等产品，开展了月度进口监测，编制月度监测分析。编制完成了《牛羊肉进口及对内蒙古牛羊肉产业影响的监测报告》《内蒙古乳制品行业发展情况分析》《2014 年钢铁产业预警监测报告》《2015 年行业贸易摩擦报告汇编》等进口预警分析报告。二是选取具有地区特色的重点出口行业，开展产业国际竞争力分析，完成《内蒙古自治区稀土产业国际竞争力研究课题》。三是进一步拓宽预警分析的层次和领域，研究自治区产业发展所处的贸易环境以及面临的贸易摩擦形势，编制《内蒙古对外贸易环境监测及贸易壁垒分析》（季度、年度）。根据自治区产业安全预警工作实际，加强与国家级研究机构合作，每年研究撰写《季度、年度内蒙古贸易环境风险监测报告》，分析自治区产业发展所面临的产业安全形势，通过对国际环境走势的研判、产品进出口的监测预警，为有关部门、企业提供借鉴参考。

2. 做好贸易救济企业效果跟踪

一是配合商务部完善四体联动工作机制，开展贸易救济。二是积极指导企业发起和应对双反案件调查。支持指导北方重工业集团发起原产于欧盟和美国的进口高温承压无缝钢管反倾销申请。三是做好我区企业的贸易救济措施实施效果跟踪问效工作。

（二）加强对基层及企业的培训指导，提高相关人员素质

利用商务部举办全国培训班的机会，对全区盟市、旗县商务主管部门人员、重点监测企业人员进行了业务知识培训。为 14 个盟市免费订阅了《产业安全信息参考》，加强对盟市、企业的信息咨询服务和指导。

三、提高规则意识，创建符合 WTO 规则的软环境

自治区商务厅成立了世贸组织和政策法规处，对厅内拟出台的规范性文件进行合法合规性审查，

确保出台的相关政策符合 WTO 规则。积极参加有关世贸政策审议工作，配合商务部组织有关盟市对蒙古国相关政策进行审议。

四、建立完善贸易政策合规审查机制，积极开展贸易政策合规性审查

一是明确审查主体，细化审查责任。按照国务院办公厅的文件要求，自治区政府办公厅下发了《内蒙古自治区人民政府办公厅转发国务院办公厅关于进一步加强贸易政策合规工作的通知》（内政办发［2014］114 号），贯彻落实有关贸易合规工作。对具体负责部门、工作流程和时限进行了明确。二是积极开展自治区涉及贸易政策的规范性文件的合规性审查。已对自治区党委政府办公厅拟出台的《内蒙古自治区服务业行动计划有关政策措施》《内蒙古自治区服务业三年行动计划（2015—2017 年）》，自治区政府办公厅拟出台的《内蒙古自治区关于稳定外贸增长加快培育竞争新优势的意见》《内蒙古自治区发展跨境电子商务实施意见》《内蒙古自治区关于促进加工贸易创新发展的实施意见》《内蒙古自治区人民政府关于促进二手车便利交易的实施方案》等政策文件开展合规性审查。

（内蒙古自治区商务厅）

陕西省 WTO 工作简况

一、开放型经济概况

2015 年，陕西省开放型经济建设在困难和挑战中进一步实现了跨越式发展，是我省加速从内陆省份向开放前沿转变的一年。

（一）对外贸易实现新跨越

2015 年陕西省进出口总值 305 亿美元，增长 11.5%。其中出口 147.9 亿美元，增长 6.2%；进口 157.2 亿美元，增长 17%。连续三年实现较高速增长，增速位居全国前列。全省外贸经营主体突破 1 万家，比“十一五”末的 5301 家增加近 1 倍；加工贸易占比从 35.4%提高到 57%以上；机电产品出口占比从 65.7%提高到 80%以上。全省外贸依存度从 7.9%提升到 10.4%，经济外向度低的短板得到明显改善。

（二）招商引资实现新突破

2015 年我省实际利用外资 46.2 亿美元，年均增长 20.5%，高出全国增速 15 个百分点以上。实际利用内资 5658.6 亿元，年增长 18.5%。世界 500 强企业在陕投资数量从 2010 年的 54 家 70 个项目，增加到 2015 年的 75 家 112 个项目，国内 500 强达 313 家，陕西的知名度和影响力明显提升。

（三）对外投资合作迈上新台阶

加快实施“走出去”战略，2015 年我省实现对外直接投资 6.7 亿美元，同比增长 18.1%；对外承包工程完成营业额 22.04 亿美元，同比增长 22.2%；对外劳务合作累计派出各类劳务人员 3.96 万人，收入累计 4.35 亿美元，分别是“十一五”期间的 1.8 倍和 4.6 倍。

（四）商务发展环境实现新改善

西咸新区成为国家级新区，西安综合保税区、西安高新综合保税区、西咸保税物流中心先后建成运营，汉中、榆林 2 个经开区和咸阳、榆林、安康 3 个高新区成功晋升为国家级开发区，新增渭南经开区等 11 个省级开发区。以西安高新区、西安经开区为代表的 35 个省级以上开发区，已成为全省经济转型升级创新发展的重要引擎。“西安港”获得国际国内一类港口代码，“长安号”国际货运班列实现常态化运营，与沿边、沿海口岸通关合作机制不断完善。我省外贸进出口东进西出、南下北上的“十字”大通关大通道体系基本形成。对外开放领域不断拓宽，跨境电商加快发展，市场运行和消费促进体系不断完善，商务系统简政放权、放管结合、优化服务持续推进，全省的投资、贸易和消费环境不断优化。

二、WTO 规则运用情况

（一）贸易摩擦应对情况

完成了 2015 年贸易摩擦应对相关工作。协助商务部完成了我省遭遇国外倾销甲醇和马铃薯产业受损情况的贸易救济效果跟踪评估工作；及时了解案件最新动态并传达给相关进出口企业；利用厅网站等媒体，向企业通报我国贸易摩擦的形势及动态，提高外贸企业的风险意识。

（二）稳步推进贸易政策合规工作

一是制定了贸易政策合规办法。代省政府办公厅起草了《陕西省贸易政策合规工作实施办法（试行）》，以陕西省政府办公厅名义发布执行。二是初步建立了贸易政策合规工作机制，省商务厅及时联系相关部门落实了具体工作机构和负责人。三是清理和修改了不合规的贸易政策相关文件。通报废止了 2 份不符合世贸组织补贴规定的文件，初步完成了涉及世贸组织争端案的相关应诉协调和文件清理工作等。

三、自贸区情况

2015 年陕西省复制推广了上海自贸区试点经验。积极推进投资贸易便利化和金融领域开放创新，分解了 50 项复制推广工作任务，涉及 26 个省级部门和单位。目前已有 32 项得到落实，为创建自贸试验区打下了较好基础。

（陕西省商务厅世贸处）

甘肃省WTO工作情况

入世以来，在商务部及甘肃省委省政府的领导下，商务厅紧紧围绕全省商务中心工作，大力普及、运用WTO规则，积极维护产业安全，认真做好贸易政策合规工作，努力营造公平竞争的贸易环境，提高企业应对贸易摩擦的能力。

一、提高认识，做好WTO相关工作

高度重视贸易摩擦应对工作，各级商务部门成立了领导机构和工作机构，建立产业安全工作机制，开展应对贸易摩擦，积极宣传培训，不断提升全省应对贸易摩擦及维护产业安全的能力和水平。

（一）完善工作体系，推进产业安全预警机制

1. 加强与商务部、各市州商务局及涉案企业的联络。通过文件、电话、邮件等多种方式了解本地区企业涉及贸易摩擦案件的情况和诉求，征求意见建议，形成了分工合作、信息共享，共同应对贸易摩擦的工作联络机制。

2. 做好产业安全数据直报工作。按照产业安全预警统计报表制度，组织、指导监测企业及市州商务局按时进行网上数据直报和审核，2008年至今全省直报率均在95%以上，为商务部研判全国产业形势，做好预警预判提供了数据支撑。

3. 做好产业安全数据库直报监测企业扩容工作。鼓励有一定实力和规模的代表性企业加入到直报工作中来，经梳理调整，2008年至今，共扩容企业13户，调整6户，目前甘肃省监测企业已发展到174户，涵盖40多个行业100多种产品，使我省产业安全数据库中重点监测企业队伍在调整中实现了总量扩大，结构优化，为商务部全面了解我省产业安全动态，拓展数据样本来源发挥了作用。

4. 做好直报补贴发放工作。2008年至今累计发放补贴85万左右，极大地调动了市州商务局和企业直报工作的积极性。

（二）积极应对贸易摩擦，分析我省案件特点

甘肃省企业遭遇国际贸易摩擦次数逐渐增多。从1996年至今，共发生贸易摩擦案件14件，其中申诉案件9件，应诉案件5件，分布在化工、农产品、机械机电、冶金矿产等行业。特点：一是贸易摩擦以单独提起反倾销为主。1995—2016年，我省贸易救济案件中单独反倾销案件12起，占我省贸易救济案件总数的85.7%；反倾销、反补贴“双反”调查2起，占比14.3%。1996—2001年，我省共发生贸易摩擦案件仅3起，而2002年至今发生案件11起。可见，自2001年11月我国加入WTO后，而案件发生率逐步提高；二是美国是我省发生贸易摩擦的主要国家。我省共与11个国家（地区）产生贸易救济调查，其中美国8起，位居首位，占我省案件总数57.1%，其次是欧盟5起，日本3起，韩国2起，俄罗斯、德国、马来西亚、新加坡、中国台湾、加拿大、巴西各1起；三是涉案企业主要集中在兰州市。我省贸易摩擦案件涉及7个市，兰州市涉案企业居首位，共发生6起，天水3起，白银、庆阳2起，定西、张掖、酒泉各1起；四是涉案产品以化工为主。我省涉案产品涉及12个行业，化工产品的案件居首位，共6起，机械机电3起、食品3起、农产品1起、冶金1起；五是案件裁决取得了较好的效果。在5起应诉案中，我省除了欧盟提起的硅铁反倾销案获得了29%的反倾销税（税率征收范围：15.6%～31.2%），其他应诉案件均获得了反倾销税率0的结果，在9个申诉案件中，除了对欧盟发起的葡萄酒反倾销案终止调查、对美国发起的圆锥滚子轴承反倾销案停留在立案阶段外，其余全部以对涉案国家（地区）征收反倾销税（反补贴税）结案。

（三）主动了解情况，做好省内受损产业服务

一是配合商务部做好“两反一保”案前准备工作。了解企业经营情况，摸清、反映企业在贸易摩擦中的诉求，协助涉案企业填写调查问卷、提交相关材料，介绍或协助企业联系律师事务所聘请代理律师，为有效应对贸易摩擦，维护合法权益做好积极准备。

二是做好贸易救济措施效果评估。按照商务部统一部署，多次对3市7户涉案企业进行了跟踪调查，掌握涉案企业、产业在贸易救济措施实施前后

的对比、恢复、发展和结构变化情况，总结经验教训，加强我省产业安全自身建设，及时向商务部报送在跟踪过程中发现的问题，寻求业务指导。

（四）重视培训工作，提高从业人员能力与素质

商务厅以 WTO 规则、贸易摩擦应对、产业安全数据直报培训为主要内容。2008 年建立产业安全数据直报库，至今共举办 11 期全省产业安全数据直报和贸易救济工作业务培训，分析贸易摩擦形势，就世贸规则及直报流程进行讲解，参训人员达 1376 人次。

二、积极落实，深入贯彻贸易政策合规工作

根据国务院办公厅《关于进一步加强贸易政策合规工作的通知》精神，商务厅起草并以省政府办公厅名义印发了《关于进一步做好贸易政策合规工作的通知》，先后对《甘肃省促进市场公平竞争维护市场秩序工作实施意见》《甘肃省人民政府关于促进国家级经济技术开发区转型升级创新发展的若干意见》等文件进行审核，至今我厅共审核、答复各类征求意见 132 件，有效贯彻落实了贸易政策合规工作的要求。

三、下一步工作打算

一是加强宣传，做好产业安全预警机制建设。充分利用《产业安全信息参考》《商务通报》、中国产业安全指南网等平台大力宣传 WTO 相关知识，分析国际贸易摩擦形势，提高运用贸易规则应对贸易摩擦的认识和能力，引导和鼓励有实力、有规模的代表性企业加入到产业安全数据库中，提高监测企业代表性及覆盖面，适时编制产业安全预警专刊，为从业人员预判产业形式提供信息参考。

二是强化培训，促进产业安全和贸易救济队伍建设。选择适当时机，邀请商务部有关司局举办以世贸规则、倾销与反倾销、贸易政策合规等为内容的内外贸法律知识培训班，以期达到提高数据直报实效及质量，预防和规避贸易风险的目的。

三是跟踪调研，提高贸易摩擦应对能力。及时关注产业发展动态，适时调整援助重点，建立完善贸易救济制度。定期或不定期地开展调研，详细掌握第一手资料，加强与市州商务部门、厅有关处室和企业的联系，帮助企业应对贸易争端。

四是加强联系，做好贸易政策合规审核工作。积极做好贸易政策的宣传指导，提高我厅合规性文件的质量和水平。同时，加强与商务部相关司局、省内其他部门的联系与沟通，及时了解掌握最新政策信息，共同推进贸易政策合规性审查工作。

（甘肃省商务厅）

西藏自治区外贸发展情况

2015 年，西藏自治区妥善应对了尼泊尔“4.25”地震带来的严峻考验，不断加强口岸和边贸市场等基础设施建设，持续深化国际经贸合作交流，有效促进了全区开放型经济发展。

一、对外贸易健康发展，边境贸易因灾受挫

2015 年全区外贸进出口总额达到 56.55 亿元，同比下降 59.2%。其中：出口 36.23 亿元，同比下降 71.9%；进口 20.32 亿元，同比上涨 114.4%。受尼泊尔“4.25”地震影响，中尼边境贸易因灾阻断长达半年，全年边境小额贸易进出口额 30.24 亿元，同比下降 75.2%，占进出口总额的 53.5%。边民互市贸易保持活跃，全年交易额累计实现 10.4 亿元，同比增长 25.3%。亚东乃至拉中印边贸通道交易额达 1.52 亿元，同比增长 52%，增长潜力巨大。

排除尼泊尔“4.25”地震影响，从震前进出口数据来看，我区外贸稳增长、调结构效果明显，面向南亚的沿边优势得到发挥。一季度全区一般贸易进出口额 3.49 亿元，同比增长 43.08%，占进出口总额的 15.46%；边境小额贸易进出口额 19.07 亿元，同比增长 18.42%，占进出口总额的 84.47%。

二、招商引资突出实效，对外投资进展顺利

“引进来”和“走出去”协同发力。全年共引进外商投资企业 3 家，受理外商投资企业变更事项 21 次，实际利用外资 0.7 亿美元，利用外资领域涵盖优势矿产业、宾馆餐饮、高原特色食（饮）品业、商贸服务业和融资租赁业等。值得一提的是，国际快餐业巨头肯德基在去年强势入驻拉萨。备案对外投资企业 8 家，投资金额 1.2 亿美元，项目涉及教育、交通、矿业和民间航空运输等。

三、基础设施不断完善，对外开放步伐加快

全年共投入 1.24 亿元，启动了 14 个口岸建设项目，落实 790 万元建设了阿里拉孜拉边贸市场和仲巴马永边贸市场，我区口岸和边贸基础设施条件持续改善。西藏边境贸易商会成立，与尼泊尔商协会经贸往来增多，民间经贸促进工作成效显著。拉萨经开区 B 区建设扎实有效，已进入 A、B 两区联动开发、整体发展阶段。昌都经开区筹建工作完成，2016 年可正式挂牌。完善展会展位管理办法，深入推进展览业改革，中国西藏—尼泊尔经贸洽谈会荣膺国家级重点境外展会。全年共组织区内 144 家企业参加尼泊尔第四届国际贸易博览会、第 117 届中国进出口交易会等 10 个国内外展会，现场销售产品 1571.43 万元，签订产品销售协议 2.23 亿元，出口成交 1.14 亿元。

（西藏自治区商务厅）

广东省公平贸易与地方 WTO 事务

2015 年，广东省商务厅充分运用世贸组织规则促进我省经济发展与开放型经济新体制建设，在贸易摩擦综合应对、世贸组织研究与服务等重点工作方面取得了成效。

一、公平贸易工作

（一）2015 年广东贸易摩擦形势

2015 年，广东共遭遇来自 18 个国家（地区）的各类贸易摩擦案件 75 起，涉案金额逾 20 亿美元，涉及出口金额 10 万美元以上企业 1770 多家。呈现以下几个特点：一是案件高发成为“新常态”。2015 年新立案件 44 起，是 2014 年同期的 1.26 倍。复审案件 31 起，是 2014 年同期的 3.9 倍。二是重大案件数量下降。涉及金额 1000 万美元以下的案件 53 起，占比 70%。过亿美元的重大案件仅 2 起。三是与新兴市场国家贸易摩擦加剧。新立案件中，有 24 起来自印度、巴西、阿根廷等，同比上升 60%。四是地方贸易政策成为反补贴和 WTO 争端解决的焦点。五是陶瓷类产品是贸易摩擦的重点。新立案件中，涉及陶瓷类产品 4 起，涉案金额约 4 亿美元。

（二）公平贸易工作举措

一是着力抓好重大贸易摩擦案件的应对。牵头组织召开了哥伦比亚、墨西哥、印度对华瓷砖反倾销应对辅导会、巴西对华鞋反倾销日落复审应诉辅导会等重大案件，为 200 多家涉案企业提供了应诉辅导和组织协调。及时协调解决应诉企业墨西哥领馆认证困难等，得到了商务部、中国五矿商会和涉案企业的肯定。配合商务部及时完成美国对我光伏产品、铝挤压材、非涂布纸补贴调查问卷填答、国家第三份世贸通报中涉及我省省级和地方补贴政策的梳理和美诉我外贸转型升级示范基地案中涉及我省省级及地方相关政策的清理。

二是加强国外技术性贸易措施的研究和应对。开展玩具、水产品技术性贸易壁垒应对的专题调研工作，联合广东省质监局发布《广东省技术性贸易措施年度报告》（2015）。会同广东省 TBT 中心分别在中山、阳江举办机电和食品接触材料相关制品行业的应对技术性贸易壁垒培训。加大应对美国对华罗非鱼磺胺类药残留技术贸易壁垒调查的支持力度。

三是加强知识产权风险预警和维权援助工作。协调广东省知识产权局等单位，开展促进外贸稳增长转型升级相关知识产权工作。建立知识产权涉外应对和援助机制，研究成立海外知识产权维权中心相关事宜。推动施行“广东省出口贸易专利预警分析计划”，指导地市开展专利预警工作。跟踪指导美国 337 调查等重大涉外知识产权案件。

四是加强全省公平贸易工作站建设，努力培育社会中介力量应对贸易摩擦。召开全省公平贸易工作站工作会议暨公平贸易业务宣讲会，印发《2015 年全省公平贸易工作站工作要点》，修订《2015 年广东省公平贸易工作站竞争性评审办法》，建立工作站信息联络员制度，加强业务指导。完成新一批公平贸易工作站的评审工作，全省工作站增加到 37 家。

五是积极推进产业安全数据库建设。组织推荐我省 130 多家龙头骨干企业纳入商务部数据库直报系统，进一步扩容数据库。同时对在报企业进行了调整，目前我省数据直报监测样本企业约 170 家。举办产业安全数据直报系统培训班，提升了数据直报的工作质量。

二、WTO 事务工作

（一）全面开展贸易政策合规工作，助力构建开放型经济新体制

一是建章立制。2015 年 9 月，《广东省贸易政策合规工作实施办法》（粤府函〔2015〕254 号）印发全省实施。省内其他地市也逐步制定相应的合规工作制度。二是建立覆盖面广泛的工作机制。初步建成以广东省商务厅为牵头单位，省直有关部门、各地市全面参与的联络联系制度，涵盖省发改委、经信委、科技厅等 19 家单位，各地市合规工作负责机构均为地市商务局（委）。三是开展政策

宣贯与辅导培训。举办“落实《广东省贸易政策合规工作实施办法的通知》宣贯会”和首期贸易政策合规工作辅导班，辅导省直有关部门合规工作人员和全省商务系统部分工作人员近百人，并印发了《WTO 规则与中国入世承诺知识读本》《贸易政策合规工作手册（试行）》等辅导材料。

（二）跟进多双边投资贸易协定谈判动态，开展国际贸易相关新规则研究

一是牵头办理省委改革办第五批重要改革课题之“国际贸易新规则课题研究”，完成《国际高标准投资贸易规则研究》。二是密切追踪中韩、中澳自由贸易协定谈判及其签署，及时撰写《中韩自贸区的影响和对策简析》《中澳自贸区的影响和对策简析》材料报送省委政策研究室。三是加强对 TPP 的新一轮贸易投资规则研究，更好地把握国际经济治理新规则的发展趋势，启动《跨太平洋伙伴关系协定》（TPP）的相关研究。

（三）加强世贸组织地方工作联系机制建设

主动向商务部世贸司汇报我省落实贸易政策合规工作进展情况，听取指导意见，与中国世界贸易组织研究会、中国社科院专家、兄弟省市的公平贸易工作部门进行密切交流，研讨国际规制发展新趋势，学习借鉴开展公平贸易工作的经验做法。

（四）搭建新的工作服务平台

配合贸易政策合规工作的开展，加强世贸组织事务工作网站建设，完善丰富网站内容，加强全省世贸组织事务和贸易政策合规工作信息交流与宣传。

（广东省商务厅公平贸易局、
广东省世界贸易组织事务中心）

深圳市 WTO 工作情况

2015 年，深圳市公平贸易促进署围绕深圳市委、市政府“五位一体”总体布局和“四个全面”战略布局，围绕建设现代化国际化创新型城市目标，不断开拓创新，不断加强服务能力建设，贴近产业、服务企业，有序推进各项业务工作。

一、适应国际经贸新形势，强化职能，充实工作内容，在公平贸易工作领域不断促进深圳“三化一平台”建设

2015 年 2 月，深圳市委、市政府在保留深圳市世贸组织事务中心名称的基础上，将我单位变更为深圳市公平贸易促进署，并赋予“建立我市国际贸易质量评价体系和产业及贸易安全防范体系、建设我市走出去公共服务平台、开展 337 调查研究及反垄断调查”等新职能，以落实国务院、广东省、深圳市关于促进外贸稳定增长的若干措施，深入外贸企业了解生产和进出口情况，反映企业遇到的困难，协同市财委、海关、检验检疫局等积极帮助企业扩大出口落实《中国（广东）自由贸易试验区深圳前海蛇口片区建设实施方案》关于“探索构建高标准的国际贸易规则体系和制度框架”，从研究智库和国际交流合作平台等方面不断整合优势资源，逐步探索形成高标准的国际贸易投资规则体系并加强对国际贸易新问题、新热点的跟踪研究。

2015 年我们开展了《“一带一路”沿线五国市场准入机制与深圳对策研究》等课题，力图为深圳企业与这五国进一步开展经贸往来、投资合作提供法律服务和信息支撑，并探索从政策层面加强与这些国家贸易投资合作机制建设，不断落实我市“三化一平台”（市场化、法治化、国际化和前海战略平台）建设目标。

二、开展地方经贸政策及规范性文件合规工作，积极配合商务部开展贸易政策审议和通报工作

据不完全统计，历年来我们累计完成贸易政策政府文件的审查 208 件。2015 年，我们本着严谨负责的态度，对广东省商务厅、市法制办、市科创委及市经贸信委等有关部门提交的 11 件规范性文件草案，提拟了 WTO 合规性意见，得到了商务部和省商务厅的肯定和赞扬。

积极配合商务部开展贸易政策审议和通报工作。5 月，配合商务部世贸司开展了地方贸易政策通报有关工作；6 月，配合商务部世贸司开展了世贸组织第六次对华贸易政策审议工作，就世贸组织秘书处问题单等有关内容提供了答复意见。

三、应对国际贸易摩擦，加强预警监测，力促《公平贸易研究专项资金管理办法》出台，维护公平贸易秩序

截至 2014 年，深圳共遭遇国际贸易摩擦 172 起，其中反倾销 94 起、反补贴 27 起、337 调查 39 起、特保 6 起、保障措施 6 起。2015 年，深圳市企业共遭遇贸易摩擦 10 起，其中反倾销调查案件 6 起，337 调查 3 起，保障措施 1 起。与各级商务主管部门、行业（商）协会、企业充分协作，合力做好贸易摩擦案件的应对工作。

继续做好贸易摩擦的预警监测。2015 年，本着合法合规的原则，继续大力推进贸易安全与产业损害预警系统建设。

在市财政委、市政府办公厅等支持下，《深圳市进出口公平贸易研究专项资金管理办法》在原贸易救济研究资金基础上几经修改完善后出台。

四、进一步加强合作，开展技术性贸易壁垒应对工作

深圳出口贸易额已连续 22 年居全国大中城市首位，面临国外技术性贸易壁垒的挑战尤为突出。调查显示，深圳出口企业主要遇到的贸易障碍前三项依次为：汇率、技术性贸易措施、关税。从 2010 年起，我们与深圳检验检疫局坚持每年联合开展深圳企业受国外技术性贸易措施影响程度调查，形成调查报告，上报市政府，并提出应对建议供有关部门和进出口企业参考。为了有效应对技术

性贸易壁垒，2010 年，我们与国家质检总局标法中心、深圳市市场监督管理局、深圳检验检疫局联合签署了应对技术性贸易壁垒的四方合作协议，极大地促进了对国外技术性措施的研究应对工作。近期，为落实市政府［2015］9 号文，我们将与市场监督委、深圳检验检疫局签订三方合作协议，共同应对技术性贸易壁垒，帮助企业在产品符合国际市场的标准、检测认证等方面不断提高认识和能力，降低技术性贸易壁垒风险，维护市场份额。

五、开展 WTO 事务培训，做好博士后创新实践基地相关工作

2015 年，重点开展了 WTO 前沿动态和热点问题培训，与 9 家培训机构在“一带一路”、技术性贸易壁垒、能效、知识产权和企业社会责任等方面开展了 30 场培训。与此同时，博士后创新实践基地相关工作也顺利开展，新进两名博士后并完成了开题考核评定工作。

培训、调研和课题研究是我们的基础常规工作部分。在培训和课题调研中，现场为企业提供 WTO 专业咨询服务，进一步密切了我市 WTO 联席会议工作机制。

六、借助政协委员议事厅平台，引导社会各界关注聚焦公平贸易工作

当前国际经贸格局变化和竞争突出表现在国际经贸规则领域。为引导社会各界关注聚焦国际贸易规则，遵守规则并运用规则，8 月我们以“关注公平贸易规则，促进‘一带一路’建设”为主题，积极承办了市政协委员议事厅活动。市政协主要领导亲自组织策划，会场选在市民们常去的深圳书城开放式场所，市民们积极踊跃参与。网上市民普遍评价此活动非常接地气、时效性强。

七、举办“WTO 与深圳”高级论坛和顾问委员会年会，扩大深圳的国际影响

7 月举办“第十四届‘WTO 与深圳’高级论坛及深圳市世贸组织事务中心顾问委员会 2015 第一次年会”，主题是：“多边贸易体制的前景与中国的发展——深圳进一步践行国际规则的实践与创新”。WTO 争端解决机构的法官、原驻 WTO 的三国大使、国际贸易法领域的资深学者等与会，商务部等政府部门、中国世界贸易组织研究会，华为、中检等企业，以及清华大学等研究学术机构和专业服务机构纷纷到会，落实了市领导关于把论坛办成对外开放品牌的指示精神。

11 月召开了深圳市世贸组织事务工作联席会议暨世贸组织事务中心顾问委员会 2015 第二次年会，围绕热点问题“TPP 与 WTO 的关系”、“自贸试验区构建与国际高标准对接的投资贸易规则体系探索”及“当前国际经贸局势下我市公平贸易工作重心和发展方向”等进行了研讨，并对 2015 年我市的世贸组织事务工作报告进行了审议。

（深圳市公平贸易促进署）

第八篇　WTO 学术成果

●专　　著

1. 陈安. 国际经济法学刊—第22卷 第3期. 北京：北京大学出版社，2015

［作者简介］陈安，厦门大学法学院教授，国际经济法专业博士生导师，福建省福安市人。曾任厦门大学法学院院长、国际经济法研究所所长，兼任中国国际经济法学会会长、中国国际法学会顾问等。

［内容提要］本书深入地论述了国际经济法相关领域，如国际经济法基本理论、国际贸易法、国际投资法、国际金融法等领域的法律问题，反映了相关领域的立法实践和研究成果。学刊每年出版一卷，每期4集。本期设有学术争鸣、中国自贸试验区的国际经济法问题、国际经济法基本理论和国际贸易法等栏目，对推动我国国际经济法教学与科研的发展，为我国积极参与国际经济法律实践以及我国的涉外经济立法、决策和实务操作，提供了法理依据或业务参考。

2. 程保志. 欧盟与世贸组织的交互性影响析论：法律、政策与实践. 北京：时事出版社，2015

［作者简介］程保志，男，湖北武汉人，武汉大学国际法专业博士毕业，现供职于上海国际问题研究院全球治理研究所，主要从事国际法与全球治理、极地政策与法律问题研究。

［内容提要］本书要从欧盟对外贸易关系法的角度来论述欧盟与世界贸易组织（WTO）之间的交互性影响这一复杂课题，主要就WTO法的直接效力问题、欧盟参与WTO争端解决机制的政策与实践、欧盟在共同商业政策上的调整与改革，以及中欧贸易摩擦管控的多边和双边渠道等问题展开论述，从而揭示欧盟是如何看待和运用WTO多边贸易体制来维护其重大经贸利益，并就欧盟、世贸组织和中国在全球经贸治理进程中如何展开良性互动做出展望。

3. 褚童. TRIPs协定下药品试验数据保护研究. 北京：知识产权出版社，2015

［作者简介］褚童，女，1985年出生，甘肃兰州人，法学博士，副教授。研究领域为国际公法、国际贸易法与知识产权法。

［内容提要］本书以TRIPs协定为视角，探讨了药品试验数据保护的法理基础，指出药品试验数据保护是一种自成一体的知识产权保护形式；分析了TRIPs协定确立的药品试验数据保护义务，比较了主要WTO成员履行义务的措施和经验；在明确TRIPs协定药品试验数据保护国际义务的基础上，进一步研究后TRIPs协定时期这一制度的发展趋势；介绍了我国根据所承担的国际义务建立的药品试验数据保护制度，指出完善我国现有制度的关键在于在鼓励药品创新与保护公共健康之间寻求平衡，从而使药品试验数据保护制度发挥应有的作用。

4. 范晓宇. WTO版权贸易市场准入与国内监管规则研究. 北京：法律出版社，2015

［作者简介］范晓宇，江苏扬州人，兰州大学法学本科、硕士，南京大学经济法专业法学博士。现任中国计量学院法学院副教授、硕士生导师，兼任中国法学会知识产权法研究会理事。

［内容提要］本书考察了版权贸易市场准入与国内监管规则产生的历史背景、WTO规则在版权贸易领域的适用、中美版权贸易争端以及WTO版权贸易规则在具体案例中的解释，对我国的版权贸易市场准入和内容管理制度进行了比较分析，并对完善我国版权贸易市场准入与国内监管法律制度的改革提出了具体的建议。

5. 冯寿波，孙琬钟（丛书主编).《WTO 协定》与条约解释：理论与实践. 北京：知识产权出版社，2015

［作者简介］冯寿波，江苏东海人，华东政法大学国际法学院国际法学专业博士。现任南京信息工程大学公共管理学院、气候变化与公共政策研究院副教授、硕士生导师，主要研究方向为国际（经济）法。2012 年美国宾夕法尼亚州立大学访问学者。孙琬钟，现任世界贸易组织法研究会会长。

［内容提要］学界对 WTO 法的“自足性”问题并无定论，因此 WTO 法与国际公法间的关系也并不十分清晰。WTO 案例报告中，专家依据《维也纳条约法公约》第 31、32 条规定的条约解释规则，试图来弥补、澄清、消弭《WTO 协定》中的漏洞、模糊和冲突，然而《维也纳条约法公约》第 31 条、第 32 条本身的规定也存在诸多模糊之处，因此借助 WTO 争端解决机构的裁决报告中对第 31 条、第 32 条在诸多个案中的适用及其诠释，作者试图通过对这两条的含义、价值、适用、模糊性、冲突等问题的探究，以达到明晰条约解释诸要素间的联系、区别及作用机制。条约解释问题还涉及其他许多重大的国际法基本理论问题，包括条约对第三方的效力问题、条约解释对维护国际法体系的作用等。该研究对完善我国国内条约解释制度也具有积极意义。

6. 傅东辉. 论贸易救济：WTO 反倾销反补贴规则研究 北京：中国法制出版社，2015

［作者简介］傅东辉，锦天城律师事务所北京分所主任，全国律协国际委副主任，清华大学和华东政法大学研究生导师，全国知名国际贸易法专家，先后毕业于复旦大学、华东政法学院和布鲁塞尔自由大学。

［内容提要］本书共分为十篇，从各个视角展示了贸易救济的面面观：贸易救济与贸易保护主义，多哈规则谈判，欧美双反规则，应对欧美双反经典案例，反倾销与司法审查，WTO 争端，中国的“非市场经济地位”，跨国公司在对华反倾销中的角色，欧盟贸易制度和对华贸易政策，以及中国律师在全球化中的作用。

7. 高鸿钧. 清华法治论衡：全球化时代的中国与 WTO（下）—第 20 辑. 北京：清华大学出版社，2015

［作者简介］高鸿钧，1955 年生，黑龙江人。现任清华大学法学院教授，法律全球化研究中心主任；全国外国法制史研究会理事（自 1985 年）；中国社科院法学所法学社会学研究中心主任。1997 年 2 月被中国社会科学院授予“中青年有突出贡献专家”；享受政府特殊津贴（1997 年）。

［内容提要］本书是“全球化时代的中国与 WTO”的下卷，旨在对全球化时代中国与 WTO 的关系进行系统反思和战略思考，其内容涵盖贸易、投资、航运、知识产权等诸多领域，主题涉及 WTO 的历史渊源、价值基础、治理结构、争端解决机制、经济影响、发展前景和潜在危机，以及中国在 WTO 中的角色和战略等诸多方面，具有全球性、战略性与前沿性。本书适合 WTO 及国际经济法领域的研究者和学生参考，也适合政府官员尤其是高层对外战略制定者阅读。

8. 高华. 国际贸易中的知识产权滥用及我国应对研究. 北京：法律出版社，2015

［作者简介］高华，女，法学硕士，管理学博士，华中科技大学副教授、硕士生导师。中国国际法学会理事，中国国际经济贸易法研究会理事，湖北省法学会国际法研究会理事。主要从事国际经济法和知识产权法的教学与研究工作。

［内容提要］本书以知识产权滥用的概念及标准分析为切入点，以国际贸易法和知识产权法的基本原则以及国家发展战略为论文立足点，系统深入地研究在世界经济一体化浪潮下，我国在激烈竞争的国际贸易环境中所面临的知识产权滥用这一障碍，更新和完善了我国在这一问题上迫切需要解决的国内立法、执法、管理、法律意识和战略思想等，并从国家和企业两个层面提出完善建议和具体的路径选择；同时，就如何通过区域和全球合作来协调解决这一问题也进行了研究，为构造一个自由、公平竞争、和谐发展的国际贸易环境提供了理论支撑和实践指导。

9. 黄河. 国际经济规则的政治经济学. 上海：上海人民出版社，2015

［作者简介］黄河，世界经济专业博士、理论

经济学博士后、政治学博士后。现任复旦大学国际关系与公共事务学院国际政治系副教授、中国国际经济关系学会理事，曾被国家公派留学美国乔治城大学（Georgetown University）。主要研究方向是国际政治经济学。

［**内容提要**］本书从国际政治经济学的角度剖析了国际经济活动中的基本规则，阐述了国际贸易规则、国际投资规则、大宗商品定价机制、国际金融规则等等，最后分析了国际经济规则对我国实施“一带一路”战略的意义。

10. 黄晖. 知识产权的国际保护例外研究. 北京：法律出版社，2015

［**作者简介**］黄晖，女，四川成都人，法学博士，副教授，博士后。现任教于重庆大学法学院，国际私法专业硕士研究生导师。

［**内容提要**］本书厘定了知识产权国际保护例外的基本内涵，梳理了主要的知识产权国际保护条约文本中国际保护的典型例外；深入考究保护例外的内在规律，在人本主义与促进创新这一具有张力的双重价值取向之间探寻知识产权国际保护及其例外的形成原理；针对保护例外在国际层面被滥用、错用、乱用的趋势，比较研究 WIPO 与 WTO 的两种风格迥异的管控模式；特别是对中国参与的知识产权国际保护条约进行了详细的分析，围绕外国或国际组织针对中国滥用保护例外、中国利用保护例外维护自身合法权益的具体案例进行专题分析，总结保护例外规则在外国或国际组织对华知识产权遏制战略中的地位和作用，并评析了中国被动应对与主动应用保护例外规则的经验与不足。

11. 姜作利. 中国决胜 WTO 官司的理论及诉讼技巧研究. 北京：中国法制出版社，2015

［**作者简介**］姜作利，男，1956 年 2 月出生，山东蓬莱人，山东大学法学院国际经济法教授，法学博士，博士研究生导师，还是（世界贸易组织秘书处提名的）世界贸易组织争端解决机构专家组成员（法官）、世界国际经济法学会研究员、山东省调解委员会调解员、山东济南市国际贸易法学会副会长。

［**内容提要**］WTO 争端解决机构是当今国际社会独一无二的国际贸易法院，迄今已受理了近 500 件争端案件，有效地保障了 WTO 的运行，大大促进了当今全球化时代国际贸易的发展。我国自加入 WTO 以来，积极参与争端解决活动，获取了一定的诉讼经验，一定程度上维护了自己的合法权益。遗憾的是，我国在参与争端解决活动中，败多胜少的局面始终没有大的改观，针对我国的诉诸争端解决机构的案件又逐年增多，给我国带来了前所未有的挑战。本书旨在帮助我国参诉人员通晓 WTO 法的相关法理和规则，提高其诉讼技巧，为中国决胜 WTO 官司尽绵薄之力。

12. 金中夏. 全球化向何处去：重建中的世界贸易投资规则与格局. 北京：中国金融出版社，2015

［**作者简介**］金中夏经济学博士，中国金融四十人论坛特邀成员，国务院政府特殊津贴获得者。先后毕业于北京大学和美国夏威夷大学，获得国际经济专业学士、国民经济管理专业硕士和国际金融专业博士学位。先后在中国人民银行的国际金融、货币政策和金融研究部门工作，是第二次全国金融工作会议筹备领导小组办公室成员，还曾任世界银行咨询专家、国际货币基金组织中国执董助理、人民银行驻美洲（纽约）代表处首席代表，现为人民银行金融研究所所长、研究员。

［**内容提要**］《全球化向何处去：重建中的世界贸易投资规则与格局》详细论述了世界贸易投资规则的现状和演进趋势；在此基础上，以 TPP 为例论述了世界贸易投资规则重建涉及的主要议题，并估计了其对主要国家的潜在影响；最后，对中国应对世界贸易投资规则重建的策略选择提出了自己的观点。

13. 李仲周. 中国和平崛起和多边贸易体系之演进. 北京：企业管理出版社，2015

［**作者简介**］李仲周，前世贸谈判代表，前联合国贸发会议司长。

［**内容提要**］本书从多个角度介绍了中国加入世贸组织对世界经济的影响及中国经济的崛起。中国加入 WTO，成为第三大贸易国。中国经济与世界经济相互融合的程度越来越深，利益的交织越来越密切，问题也随之增加。中国改革开放三十年，建立社会主义市场经济体系，是摸着石头过河。无论是经济实力、技术水平、管理经验都远不如那些百年的跨国公司。企业走出去也刚刚开始学步，首先

要学的是所在国的企业文化。中国仍是个发展中国家，发展仍是硬道理，要发展就要有积累，这种局面短期内是不会改变的。我们现在讲扩大内需是克服金融危机造成的国际市场萎缩的权宜之计，但在解决燃眉之急时，应该着眼于长期可持续发展，要有利于企业改革创新，预见到危机过后的发展机会，把危机变成机会。本书还对在经济发展中面临的问题进行了分析。

14. 强永昌，权家敏. 贸易摩擦与争端解决机制研究. 上海：复旦大学出版社，2015

［作者简介］二位作者分别就职于复旦大学经济学院、嘉兴学院商学院。

［内容提要］本书共六章，内容包括：争端解决机制的福利分析、争端解决机制选择的理论分析、争端解决机制选择的实证研究、中国贸易争端解决机制的选择等。

15. 师华，徐佳蓉. WTO《SPS 协定》与我国农产品应对 SPS 措施对策研究. 北京：知识产权出版社，2015

［作者简介］师华，同济大学法学院教授、博士生导师，兼任中国法学会国际经济贸易法学研究会常务理事、中国国际经济法学会理事、上海市 WTO 法研究会副会长、注册兼职律师。徐佳蓉，女，硕士，中国东方航空股份有限公司助理。2010 年同济大学法学学士，2013 年同济大学法律硕士。

［内容提要］在世界贸易组织的法律框架下，《实施卫生与植物卫生措施协定》（即《SPS 协定》）与农产品贸易息息相关。由《SPS 协定》所产生的“卫生与植物卫生措施”（SPS 措施）与国际贸易之间具有特殊的联动影响——既相互抑制又相互促进，这使得 SPS 措施从最初的保护人类和动植物的生命或健康的措施，渐渐演变成为各国政府普遍倾向于采用的技术性贸易壁垒。本书研究了《SPS 协定》与 SPS 措施的理论问题，重点研究了《SPS 协定》的“等效”条款、“风险评估”条款、“适用地区”条款以及《SPS 协定》对非政府机构的规制和 SPS 领域私人标准的规制问题。通过具体分析我国水产品、肉产品和茶叶产品出口遭遇 SPS 措施的现状，提出了这些农产品应对 SPS 措施的建议和对策，同时结合形势分析了上海自贸区检验检疫的改革新政。

16. 石士钧. 国际经济协调论：面对经济全球化的思考. 北京：中国社会科学出版社，2015

［作者简介］石士钧，男，江苏武进人。现任上海对外贸易学院国际贸易专业教授、硕士生导师。

［内容提要］本书对国际经济协调问题进行了深入系统的研究，具体研究了国际经济协调的基本理论、国际经济协调的影响因素、WTO 体制中的国际协调、中美经济协调的运作及相关方略、国际经济协调的原则等，并提出了进行国际经济协调的原则和政策建议。该书的研究填补了我国学术界在这个领域的研究空白。

17. 石良平. 经济大国的贸易安全与贸易监管. 北京：法律出版社，2015

［作者简介］石良平，经济学博士，现任上海社会科学院经济研究所所长、研究员、博士生导师，享受国务院政府特殊津贴专家。

［内容提要］主要阐述在新一轮全球经济一体化条件下，一个经济大国对外贸易的安全性（风险），以及与此相关的监管体系的重塑。

18. 孙琬钟，孔庆江. 2015—WTO 法与中国论坛年刊. 北京：国家知识产权出版社，2015

［作者简介］孙琬钟，世界贸易组织法研究会会长。他曾先后任最高人民法院民事审判庭庭长、刑事审判第二庭庭长、审判委员会委员，国务院法制局党组书记、局长，中国法学会常务副会长。他是第七、八届全国人大代表，第八届全国人大法律委员会委员，北京大学法学院兼职教授，也是中国法学会世界贸易组织法研究会的发起人之一。孔庆江，男，1965 年 12 月生，法学博士、教授，中国政法大学国际法学院院长。

［内容提要］本书是“WTO 法与中国论坛暨中国法学会世界贸易组织法研究会 2014 年年会”论文集，研究了区域贸易协定、WTO 争端解决机制、GATT 中的法律问题、贸易便利化、TRIPs、SPS、贸易救济措施，反映了该领域的重点、热点、难点问题，对我国对外贸易及相关法律制度建设有积极的参考价值。

19. 唐旗. WTO 与能源贸易——以能源安全为视角. 北京：知识产权出版社，2015

［作者简介］唐旗，女，汉族，1968 年出生于

四川省成都市；曾于武汉大学法学院先后攻读并取得法学本科、硕士、博士学位，并由国家留学基金资助前往英国谢菲尔德大学法学院访问学习一年；曾长期从事国际贸易实务、国际投资实务以及涉外法律实务工作。现为电子科技大学经济与管理学院副教授，主要从事世界贸易组织法、国际能源法、外资并购规则等方面的研究与教学工作。

［**内容提要**］本书以中国能源安全为视角，在汲取国外研究成果精华的基础上，结合能源贸易摩擦的态势，就 WTO 能源贸易问题开展深入系统的研究，旨在厘清 WTO 框架下能源贸易问题的来龙去脉以及 WTO 法视野中能源贸易的焦点法律事项，分析 WTO 能源贸易纪律的重构对中国的影响，力求为中国参与 WTO 能源纪律的构建及实现在能源新秩序建设中的话语权贡献可资借鉴的法律对策与建议，同时也为当前中国在可再生能源领域面临的贸易摩擦与争端提供应对思路。

20. 吴建功. 基于利益维度的 WTO 争端预防制度研究. 湖南：中南大学出版社，2015

［**作者简介**］吴建功，湖南涉外经济学院商学院副院长、教授、博士，美国俄克拉荷马大学经济系访问学者（2013 年 1 月至 2014 年 1 月），湖南省“十一五”和“十二五”重点建设学科“国际贸易学”学科 WTO 方向负责人。

［**内容提要**］本书首先分析了贸易争端的一些理论问题，对贸易争端形成的缘由进行了多方面的探讨；在对贸易争端及争端预防中的利益问题予以探讨的基础上，分析了 WTO 争端预防法律制度的运行原理；从 GATT/WTO 框架下的贸易政策协调制度、多边规章制度、DSM 纠偏制度等三个方面详述了 GATT/WTO 争端预防法律制度的基本框架和实践功效。本书指出，正是由于 GATT/WTO 这三部分法律制度的有机结合、相互作用，国际贸易领域中的贸易紧张关系才较 GATT 建立前大为缓和，国际贸易争端的数量才得以逐步减少。WTO 争端预防法律制度在预防国际贸易争端和摩擦、维护国际贸易秩序方面功不可没。在 GATT/WTO 制度的保驾护航下，国际贸易因此呈现出蓬勃发展的好势头。在肯定 WTO 法律制度对争端预防的贡献的同时，本书也剖析了 WTO 法律制度在预防贸易争端方面的制度性缺陷。针对这些缺陷，本书从强化制度正义、严格法律责任、规制贸易救济措施、健全政策监督机制等方面提出了改进 WTO 争端预防法律制度的一些初步设想。

21. 杨国华. WTO 中国案例评析. 北京：知识产权出版社，2015

［**作者简介**］杨国华，清华大学法学院教授，曾任商务部条约法律司副司长和中国驻美大使馆知识产权专员。1996 年毕业于北京大学法律系，获法学博士学位。在商务部工作 18 年，先后从事国际贸易法、国际投资法、国际经济合作法、国际知识产权法和 WTO 法等实务工作，其中主要负责涉及中国的 WTO 争端解决案件处理和中外知识产权交流工作。

［**内容提要**］本书内容分为三部分：第一部分个案评析，收集了 14 个经典案例；第二部分综合研究，是作者从事 WTO 争端解决的经验总结；第三部分附录，收集了作者所写的讲稿、序言及随笔等。本书所收集的大部分案例都是作者参与办理的，是作者从事 WTO 争端解决工作十多年来的工作记录。

22. 杨国华，史晓丽. 我们在 WTO 打官司：参加 WTO 听证会随笔集. 北京：知识产权出版社，2015

［**作者简介**］杨国华，同前。史晓丽，女，中国政法大学国际法学院教授，国际经济法研究所所长。

［**内容提要**］本书收录了参与 WTO 专家组和上诉机构听证会的学者、律师、官员等人的随笔，他们从各自的视角，向读者展示了在 WTO 专家组和上诉机构听证会上第一次出庭或抗辩的经历、如何准备和应对磋商程序、专家组和上诉机构采用的工作模式及其特点、专家组和上诉机构成员的人格魅力与气场、律师出庭应该采取的抗辩和应对技巧、第三方和法庭之友在争端解决程序中的地位与表现、WTO 为何没有将争端解决机构命名为“法庭”、WTO 争端解决方式与民商事案件争议解决方式的差异、WTO 案件有哪些幕后推手、启动 WTO 案件需要评估的因素、常驻日内瓦 WTO 使团外交官在前方的工作内容、WTO 业务对律师体力的考验等。他们用生动的语言轻松漫谈在 WTO 打官司的感受，以求达到以深入浅出的方式向广大

读者介绍 WTO 的目的。

23. 杨荣珍. 国外对华反补贴案例研究. 北京：对外经济贸易大学出版社，2015

［作者简介］杨荣珍，对外经济贸易大学中国 WTO 研究院教授。

［内容提要］本书共分为四章，重点是对其他国家（地区）对中国出口产品发起的反补贴调查案例逐个进行案情介绍与案例分析，具体内容如下：第一章国外对华反补贴概况，介绍和分析了全球国际反补贴调查的总体形势和特点，同时重点介绍和分析了其他国家（地区）对中国产品发起的反补贴调查案件的现状和特点；第二章美国对华反补贴案例研究，内容包括美国反补贴法的主要内容、美国对华反补贴调查共 31 个案例的个案分析、美国对华反补贴案件中认定的补贴项目的总结分析；第三章加拿大对华反补贴案例研究，内容包括加拿大反补贴法律的主要内容、加拿大对华反补贴调查共 12 个案例的个案分析；第四章其他国家（地区）对华反补贴案例研究，内容包括欧盟反补贴法律的主要内容和欧盟对华反补贴的 3 个案例分析、澳大利亚反补贴法律的主要内容和澳大利亚对华反补贴的 3 个案例分析。

24. 张书林. WTO 框架下中美补贴与反补贴之实证研究. 广州：中山大学出版社，2015

［作者简介］张书林，男，1968 年 12 月生，湖北十堰人。中南财经政法大学法学硕士毕业，现为湖北汽车工业学院马克思主义学院副教授，主要研究方向为国际贸易法。

［内容提要］本书梳理了中美在反补贴领域的 45 起反补贴调查和 11 个 WTO 诉讼，从 WTO 争端解决案例分析的视角，客观分析中美之间的补贴专向性、公共机构、双重救济、外部基准等争议焦点问题，厘清中美各自的补贴政策以及针对对方的反补贴措施存在的问题，进而提出了我国政府完善补贴政策的指导思想和应对美国反补贴措施的基本策略。

25. 张玉卿. 张玉卿 WTO 案例精选：WTO 热点问题荟萃. 北京：中国商务出版社，2015

［作者简介］张玉卿，世界华人书画家收藏家协会名誉会长，原商务部条法司司长、仲裁员、教授、律师；国际统一私法协会（UNIDROIT）理事；被 WTO 秘书处列入 WTO 争端解决专家名单。

［内容提要］本书是《张玉卿 WTO 案例精选——美国国外销售公司（FSC）案评介》（中国商务出版社 2011 年版）的姊妹篇，“FSC 案评介”一书完整系统地介绍了欧美间发生在 WTO 的 FSC 案，本书则是在 WTO 案件中遴选出其中的热点问题进行介绍与评论。议题涉及 WTO 的基石——最惠国待遇与国民待遇，WTO 产品的国籍——原产地规则，WTO 技术壁垒、IPR 以及热门话题转基因产品等。

26. 庄惠明. 多边贸易体制的理论与实践. 厦门：厦门大学出版社，2015

［作者简介］庄惠明，副教授、硕士生导师。厦门大学经济学博士，师从黄建忠教授；北京师范大学理论经济学博士后、厦门大学理论经济学博士后。现任福建商业高等专科学校经贸系主任，同时兼任福建省外经贸学会副会长、福建省服务业标准化技术委员会委员等。

［内容提要］本书主要从三个层次展开研究：一是基于经济学研究范式对多边贸易体制的理论基础、制度特征、多边贸易谈判的三大特征等进行分析；二是对多边贸易体制的实践与绩效进行考察，并从多哈发展议程视角剖析多边贸易体制的深层危机；三是在多边贸易体制框架下探讨中国参与 WTO 的绩效与应对策略。

● 学术论文

➢ 中国与世界贸易组织

1. WTO 成员减让表之服务部门的解释方法——基于中国电子支付服务案的研究. 李晓玲. 国际经贸探索. 2015

［作者简介］中国青年政治学院法学院

［内容提要］在 WTO 服务贸易争端中，系争服务是否属于成员减让表所列之某一服务部门，决定了成员是否对该服务做出了承诺。中国电子支付服务案中，专家组在 WTO 历史上首次引入“促成服务”概念，以界定服务部门的范围，并首次引入“产业资讯”以探求词语的“通常含义”，却未参考谈判基础文件。其强调适应商业现实的“目的与宗旨”解释同样值得关注。WTO 裁判机构应谨慎对待通过条约解释处理服务分类体系与商业现实之间的脱节，应由成员谈判达成对服务分类体系的新共识，以适应不断变化的商业现实。

2. 生产国际化与中国就业波动：基于贸易自由化和外包视角. 卫瑞，庄宗明. 世界经济，2015

［作者简介］厦门大学经济学院国际经济与贸易系

［内容提要］本文基于世界投入产出数据库提供的中国（进口）非竞争型投入产出表和就业数据，测算了 1995—2009 年中国总就业和分技能就业情况，并利用结构分解法着重考察了贸易自由化和外包这两个国际化因素对中国就业增长的影响。研究结果显示：1995—2009 年中国总就业和分技能就业均有较大增长，其中最终产出扩大，特别是出口扩张是就业增加的主要驱动因素，劳动投入系数降低是抑制就业增加的主要因素，外包总体上不利于中国就业增加。分产品类别来看，对于低技术含量产品生产部门，其生产国际化效应主要来自出口份额扩张。而对于中等技术含量产品生产部门，其生产国际化效应主要来自外包扩张。分劳动群体来看，低技能劳动者受生产国际化的冲击最大，中等技能劳动者受到较小冲击，高技能劳动者受到的冲击可以忽略。

3. 贸易自由化、企业成长和规模分布. 盛斌，毛其淋. 世界经济. 2015

［作者简介］南开大学经济学院国际经济研究所；跨国公司研究中心

［内容提要］本文以中国加入 WTO 所引发的大幅度关税减让为背景，使用 1998—2007 年高度细化的关税数据和工业企业大样本微观数据考察了贸易自由化对中国工业的企业成长及规模分布的影响。研究发现，最终产品关税减让对企业成长没有明显影响，而中间投入品关税减让则显著促进了企业成长，贸易自由化在总体上体现为有利于企业的规模扩张。分组检验表明贸易自由化对本土企业、非出口企业成长的影响程度分别大于外资企业与出口企业。此外，最终产品与中间投入品的关税减让分别降低和提高了企业规模分布的 Pareto 指数，贸易自由化在总体上有助于使企业的规模分布变得更加均匀。进一步的分组研究还发现，最终产品关税减让对小企业造成了较大负面冲击，而中间投入品关税减让更有利于中小企业成长。

4. 贸易自由化影响了研发创新效率吗？韩先锋，惠宁，宋文飞. 财经研究，2015

［作者简介］西北大学经济管理学院；西安交通大学经济与金融学院

［内容提要］文章基于技术创新的两阶段视角，利用 2004—2011 年中国工业行业层面的面板数据，在考虑环境规制和外商直接投资等因素的情况下，从关税减让的角度实证检验了贸易自由化对研发创新效率的影响及其行业差异。研究发现：(1) 中国

工业研发创新效率整体上处于增长态势，但存在明显的阶段性差异和行业异质性；（2）入世后，我国实施的关税减让政策是富有成效的，即关税减让显著促进了研发创新效率的提升，但其对技术开发效率的促进作用远小于对技术转化效率的促进作用；（3）关税减让对促进两阶段创新效率的提升存在一定的条件限制，关税减让水平只有小于一定的门槛值时，才会促进两阶段创新效率的提高；（4）在技术密度、环境污染程度、R&D强度、垄断程度和行业规模等不同要素约束下，关税减让对中国工业两阶段创新效率具有显著的行业异质性影响。

5. 贸易开放与区域收入空间效应——来自中国的证据. 姚鹏，孙久文. 财贸研究，2015

［作者简介］中国人民大学经济学院；中国人民大学区域与城市经济学研究所

［内容提要］贸易开放能塑造一个国家的内部经济地理么？目前对发展中国家贸易开放的空间效应的实证研究还很有限。本文试图利用中国 2010 年 324 个地级行政单元（市、州、盟）和直辖市数据来回答贸易开放对中国区域收入的影响。文章引入空间杜宾模型进行实证分析，同时引入人力资本、人均资本投入、政府扶持等控制变量，研究发现：贸易开放、人力资本不仅能够提高本区域收入水平，同时也能相应提高相邻区域的收入水平；相反，人均资本投入和政府扶持只能提高本区域人均收入水平，对相邻区域会产生负的影响。

6. 贸易开放对技能溢价的影响：理论机制与中国实证. 张明志，刘杜若，邓明. 财贸研究，2015

［作者简介］厦门大学经济学院国际经济与贸易系；厦门大学两岸关系和平发展协同创新中心；贵州民族大学商学院厦门大学经济学院财政系

［内容提要］本文利用 WIOD-SEA 数据库公布的最新数据，基于价格传导机制的理论推演，采用“委托工资回归法”就贸易开放对中国不同技能工人的工资水平及技能溢价的影响进行了“两步法”实证检验。与国内已有研究相比较，本文有三点开创性的发现：第一，以关税减让为表征的贸易开放对中国国内产品价格具有显著的负向影响作用；第二，该作用传导至劳动力市场，导致中等技能工人工资水平的提高和低技能工人工资水平的下降，从而扩大了技能溢价；第三，上述实证结论在对标准误估计偏误进行修正后仍然显著成立。

7. 贸易开放对居民消费过度敏感性的影响机制分析. 陈太明. 财贸经济，2015

［作者简介］东北财经大学经济学院

［内容提要］本文研究了贸易开放对居民消费过度敏感性的影响机制。理论分析及采用工具变量两阶段最小二乘法（TSLS）的实证研究发现，贸易开放程度对于当地居民消费过度敏感性具有倒 U 型影响，对于超过 75% 的观察点来说，贸易开放会加剧本地居民消费过度敏感性；而对于贸易开放程度更高的观察点来说，贸易开放则会降低本地居民消费过度敏感性。如果要纠正居民消费过度敏感性以提振居民消费需求进而有效扩大内需，重要的政策手段是拓展贸易开放的广度和深度：加快内陆省份开放并提升沿边省份开放以使其贸易开放程度跨过临界值，对于已跨过临界值的沿海省份则需进一步深化开放。

8. 贸易开放对发展中国家企业家精神的影响. 朱彤，刘鹏程，王小洁. 南开经济研究，2015

［作者简介］南开大学经济学院国际经济研究所、跨国公司研究中心；青岛大学经济学院；中国海洋大学管理学院、管理创新与环境战略研究中心

［内容提要］本文采用 GEM 个体调查数据，考察了贸易开放对发展中国家企业家精神的影响。研究发现，贸易开放对本国企业家精神具有显著的负向效应。区分贸易伙伴国后发现，在南北贸易中，发展中国家的出口品具有低附加值的特点，并处于产品质量阶梯中的模仿者地位，因而面向发达国家的贸易开放对本国企业家精神存在抑制效应；而在南南贸易中，发展中国家之间存在共享式外贸增长的基础和门槛较低的技术扩散效应，因而面向发展中国家的贸易开放会有效提升本国企业家精神。从影响机制来看，总体贸易开放和面向发达国家贸易开放对企业家机会和预期利润均产生了显著的负向效应，而面向发展中国家贸易开放则存在显著的正向效应。因此，发展中国家应确定适宜的贸易开放度，着力加强南南贸易空间的开拓，以抵御贸易开放对本国企业家精神所带来的竞争冲击。

9. 贸易便利化对中国经济影响分析. 杨军，黄洁，洪俊杰，董婉璐. 国际贸易问题，2015

［作者简介］对外经济贸易大学国际经济贸易

学院；中国科学院地理科学与资源研究所；中国科学院大学

［内容提要］贸易便利化成为国际贸易的谈判热点和发展趋势，本文采用全球贸易一般均衡模型（GTAP）分析了节约通关时间的贸易便利化对中国经济的影响。研究发现贸易便利化可显著促进中国经济增长和社会经济福利提高。在贸易便利化方案下，中国实际 GDP 在 2014 年将提高 0.27%，社会经济福利增长 192 亿美元；同时，中国贸易便利化可以显著提升其他国家的经济福利，其他国家的经济总福利提高约 62.09 亿美元。随着贸易便利化水平的提高，经济增长和社会经济福利将进一步显著增长。

10. WTO《政府采购协议》视角下的我国国有企业采购规制研究. 白志远，王平. 经济社会体制比较，2015

［作者简介］中国政府采购研究所办公室；中南财经政法大学财政税务学院；英国诺丁汉大学法学院

［内容提要］我国国有企业作为市场主体没有被列入《政府采购协议》（GPA）的出价清单，但是 GPA 主要成员国认为它们规模宏大、采购活动体现国家意志，正力图将它们纳入开放范围。文章通过梳理我国国有企业采购法律制度体系，分别从国家法律、部门法规及国有企业采购规制层次进行了论证，认为我国政府采购法规缺乏统一性和完整体系，而且采购实践偏重于遵守《招标投标法》及程序化管理，《政府采购法》并没有对其进行规范管理，同时财政部门作为政府采购主管部门对国有企业的管理也仅限于金融企业管理。国有企业纳入出价实体范围的趋势不可避免，它们将必须遵守 GPA 规则，相应的国际义务需要通过政府采购范畴内的国内法律来实现，所以国有企业采购必然要被纳入政府采购规制范畴。在此基础上，文章研究了构建统一的国有企业采购规制的内在激励因素。最后，从减少部门利益对国有企业采购制度改革的负面阻力的角度，提出了国有企业采购规制的前进方向。

11. 后危机时代世界经济格局的板块化及其对中国的挑战. 李稻葵，吴舒钰，石锦建，伏霖. 国际贸易，2015

［作者简介］清华大学经济管理学院；中央财经大学经济学院

［内容提要］本文提出，金融危机爆发后，政府在危机应对方面应遵循“三步走”策略：第一步在短期内政府及时干预救市；第二步在中期内通过积极的货币和财政政策提振市场信心；第三步在长期内提升金融和实体经济效益，根除危机隐患，改善监管，夯实微观经济基础。根据发达国家危机处理方式的不同，我们把当前的发达国家阵营分为积极应对、灵活创新型经济体和应对迟缓、艰难调整型经济体两大板块。再看新兴市场国家阵营，在当前能源资源价格一路下行的情况下，一些能源资源依赖国如俄罗斯、巴西等国出现了严重的贸易逆差，政府财政状况恶化，货币贬值，面临滞胀的风险。一些不依赖于能源资源出口且注重国内体制改革的国家，如印度经济却一路走强。据此，我们将新兴市场国家阵营划分为能源资源出口依赖型和改革型两大板块。我们认为，世界经济“新常态”体现在减少经济增长对能源攫取的依赖，突出改革和技术创新的要素，增强核心竞争力。在全球板块化格局下，我们需要特别注重的潜在风险包括：美元加息；欧元区短期政治风险；全球能源价格低迷可能引发的新兴市场国家区域性金融风险；地缘政治的潜在风险等。在全球经济发展模式差异性凸显，货币和经济政策不同步性加剧的情况下，本文提出以下政策建议：中国的货币政策在近期内从稳健转为积极，以应对美国加息所可能带来的全球货币收紧；利用此轮欧元的贬值周期，鼓励中国企业增加对欧元资产的配置；做好应对新兴市场国家区域性金融危机的准备；以区域合作为抓手，更加积极地参与国际规则的制订，并推动人民币的国际化。

12. 国际经济组织运作的困境与启示——一个集体委托代理模型的视角. 李新，席艳乐，余萍，刘俊. 宏观经济研究，2015

［作者简介］中南财经政法大学应用经济学博士后流动站；湖北经济学院财政与公共管理学院；中南财经政法大学工商管理学院

［内容提要］作为国际公共产品供给的重要载体，国际经济组织在诸如贸易、金融和发展等领域的国际公共产品供给方面发挥了不可替代的作用。然而现实中，国际经济组织的运作也面临着诸多批评。本文将集体委托—代理理论引入对国际经济组

织的研究，在对国际经济组织政策产出所嵌套的委托—代理关系进行分析的基础上，基于 3×1 的集体委托—代理模型，对国际经济组织运作的困境进行了深刻剖析，推出了一系列具有较强现实解释意义的命题，并提出了改进国际经济组织运作现状的一些启示。

13. WTO 20 年：未来趋势与中国贸易战略选择. 屠新泉，刘洪峰. 国际贸易，2015

［作者简介］对外经济贸易大学中国 WTO 研究院

［内容提要］自 1995 年 1 月 1 日成立以来，WTO 取得了辉煌成就，为世界贸易和经济发展做出了重要贡献。但同时 WTO 也正处于历史上最大的困境，特别是多哈回合谈判陷入僵局，WTO 制定贸易规则、降低贸易壁垒的功能几近瘫痪，极大地损害了 WTO 的权威，其前景面临严峻挑战和巨大的不确定性。中国于 2001 年加入 WTO 之后，对外贸易和经济发展经历了最好的时期，在世界经济中快速崛起，成为多边贸易体制最大的受益者之一。对于中国这样一个以制造业为主、高度融入全球经济的发展中大国来说，WTO 具有不可替代的价值，它是维护中国国际经济利益、改革全球经济治理机制、实行更加积极主动的开放战略的最佳平台。中国应当为 WTO 的发展特别是多哈回合谈判的成功结束做出更大贡献并承担更大责任，主动担当 WTO 领导者的角色。

14. 关于 WTO“协商一致”与“一揽子协定”决策原则的实证分析及其改革路径研究. 盛建明，钟楹. 河北法学，2015

［作者简介］对外经济贸易大学法学院

［内容提要］“协商一致”原则以及“一揽子协定”原则贯穿了 WTO 从谈判到创立再到当前多哈回合谈判的整个发展历史，并被视为 WTO“成员驱动”的体现和支撑。但 WTO 的实践表明，这两项决策原则的运转建立在 WTO 内部势力失衡的基础之上，且其制度目标无法在实践中实现。相反，在发展中国家崛起的当下，这两项决策原则的现实基础被打破，已成为阻碍 WTO 发展的重要因素。WTO 要成为国际贸易治理核心，对这两项决策原则的改革势在必行。但这一改革应通过渐进方式进行，既有利于争取各成员的支持，也能在改革的发展和僵局中取得平衡。

15. 多边体制 VS 区域性体制：国际贸易法治的困境与出路——写在 WTO 成立 20 周年之际. 刘敬东. 国际法研究，2015

［作者简介］中国社会科学院国际法研究所

［内容提要］当前，区域性体制的发展势头强劲，与世界贸易多边体制及其多哈回合谈判的停滞不前形成鲜明对比。区域性体制已对多边体制及其法律制度形成冲击，产生了法律规则适用冲突、管辖权竞合等问题，使得国际贸易法治发展面临困境。造成这一局面的原因是多方面的，由历史和现实因素、国际形势的变化以及多边体制法律规则自身的不足等共同作用而成。各国应当正视多边贸易体制法治进程中出现的问题，为摆脱困境寻找出路，从而推动世界贸易多边体制和国际贸易法治顺利前行。

16. 从结构性权力视角看美国霸权衰落与多哈回合困境. 屠新泉，苏骁，姚远. 现代国际关系，2015

［作者简介］对外经济贸易大学中国 WTO 研究院

［内容提要］多哈回合自 2001 年发起以来始终无法取得实质性突破，这种僵局的产生与多边贸易体制下权力格局的变化有很大关系，而这种变化的主要表现就是美国霸权的衰落。本文从苏珊·斯特兰奇的结构性权力视角出发，详细分析了多哈回合前后美国的结构性权力发生的变化，以及它对多哈回合产生的影响，进而指出美国霸权衰落后多边贸易体系权力安排的失衡是造成多哈回合困境的根本原因。

17. 世贸组织降低贸易政策不确定性. 李仲周. 对外经济实务，2015

［作者简介］本刊学术委员会

［内容提要］适逢世贸组织问世二十周年和多哈回合成败的关键时刻，世界贸易组织发表了一份署名为《贸易政策不确定性和世界贸易组织》的研究报告。报告向世界展示了世贸组织为克服贸易政策不确定性做出的积极贡献。报告借用独立研究专家的分析模型得出两个重要结论：一是成员对世贸的承诺大大降低了提升关税的概率，即便约束税率高于现行最惠国税率；二是通过世贸监督机制降低

了贸易政策的不确定性。

➢ 多边贸易体制、多哈回合与新议题

1. 国际服务贸易协定（TISA）谈判与中国路径选择. 彭德雷. 世界经济研究，2015

［作者简介］ 华东理工大学商学院国际商法教研室

［内容提要］ 由于多哈回合谈判受阻，美欧等主导的TISA谈判正密集进行。尽管TISA谈判所倡导的新模式、新规则和新框架，对中国而言无疑都是一次挑战，但中国加入TISA谈判具有现实需求，具备制度土壤和外部条件。尤其是TISA谈判在互联网、数字经济领域着手新规则的制定，反映未来趋势，必须引起重视。中国当务之急是争取中后期融入谈判中。同时，不排除中国最终被拒之于TISA谈判的大门之外的可能，为此中国还应借助WTO多边平台，要求TISA谈判方遵循透明度和包容性原则，公开谈判信息，并强化自身的自贸区战略安排。

2. 国有企业相关国际规则的新发展及中国对策. 屠新泉，徐林鹏，杨幸幸. 亚太经济，2015

［作者简介］ 对外经济贸易大学中国WTO研究院；对外经济贸易大学法学院

［内容提要］ 随着近年来中国国有企业的国际竞争力快速增长，国际化水平显著提高，针对中国国有企业的国际争议也日益凸显。现行与国有企业相关的国际规则并未限制中国国有企业的国际化进程，但是也未能在制度上提供有力保障。而近年来发达国家所主导的国际规则谈判正在更加关注国有企业议题，并将对未来中国国有企业的国际化造成深远影响。中国应当加紧相关国际规则的研究，并积极寻求参与谈判的路径，既为中国国有企业国际化创造更为公平的制度环境，同时可以此推动国有企业进一步的深化改革。

3. 美国对《服务贸易协定》谈判的主导权分析. 李伍荣，李玉文，周艳. 亚太经济，2015

［作者简介］ 湘潭大学商学院

［内容提要］ 美国对TISA涉及议题所持的立场及产生的影响是关键和主导性的。美国提出了相对于GATS而言“新的和强化的纪律”，特别是针对国有企业、数据自由流动等所谓“21世纪新议题”相关的规则；力推负面清单和贯彻延伸最惠国待遇，做出“高雄心水平”的市场准入承诺；一方面声称认同TISA多边化目标，另一方面却实际上排斥中国等新兴经济体的加入，这显然不利于多边化目标的实现。

4. 后多哈时代WTO农产品贸易规则的改革与完善——基于粮食安全的视角. 尚清，刘金艳. 国际经贸探索，2015

［作者简介］ 华中农业大学

［内容提要］ 粮食安全作为全球性议题，需要多种解决措施和途径，其中WTO农产品贸易规则的改革和完善是必要的组成部分。以发展为核心的WTO多哈回合农业谈判，从2001年开始直至最近的2014年11月28日，在农产品贸易规则改革方面取得了一些成果，一定程度上体现了对粮食安全的关注，但还是有限的。后多哈回合谈判时期急需继续推动粮食安全议程的发展，除完善农产品市场准入、国内支持和出口补贴等传统规则外，还应致力于严格约束粮食出口限制纪律、规制危及粮食安全生物燃料支持措施等新的改革举措，以更好地发挥农产品贸易规则对粮食安全的保障和促进作用。

5. 双边投资协定中的劳工保护条款研究. 汪玮敏. 国际经贸探索，2015

［作者简介］ 安徽大学法学院

［内容提要］ 劳工保护问题并不是双边投资协定的传统议题之一，然而最近双边投资协定纷纷被纳入劳工保护条款。就劳工保护投资争端而言，虽然存在仲裁实践，但劳工保护涉及公共利益，明确劳工保护投资争端的不可仲裁性更为恰当。中国在未来的缔约实践中不应一概排斥劳工保护新议题，而应选择审慎规定缔约方劳工保护义务，强调缔约方劳工事项的规制权，明确劳工保护投资争端的不可仲裁性，最终达到投资者利益和东道国权益的平衡保护。

6. 环境产品谈判现状与中国谈判策略. 屠新泉，刘斌. 国际经贸探索，2015

［作者简介］ 对外经济贸易大学WTO研究院

［内容提要］ 2001年世界贸易组织第四次部长级会议上，环境产品和服务（EGS）首次作为独立的产品和服务问题子集，被纳入谈判议程。之后，

WTO 框架下的环境产品谈判因缺乏有效定义和成员国共识的情况而停滞不前。但由于环境产品问题受到全球广泛关注，以 APEC 环境产品与服务的合作承诺为基石，达沃斯论坛诸边谈判倡议的添薪加火，再加上“后巴厘”工作计划的激烈讨论，以 APEC 清单为基础的环境产品协议谈判于 2014 年 7 月正式启动。中国环境产品出口增速加快且潜力巨大，通过产品竞争力分析可以发现，中国在 APEC 的 54 项环境产品清单中优劣势明显。在充分了解中国环境产品发展状况与竞争力的基础之上，中国应制订灵活主动的谈判策略，提升中国的谈判话语权，平衡多方利益，最终实现 WTO 框架下环境产品贸易自由化。

7. 服务贸易协定（TISA）市场开放承诺的机制创新. 李伍荣，周艳. 国际贸易，2015

［作者简介］湘潭大学商学院

［内容提要］TISA 作为诸边的单独的服务贸易协定，在谈判伊始就确立目标，要以 GATS 多边化、最优区域化承诺为基础，做出“高雄心水平”(high level of ambition) 的市场开放承诺。目前，巴基斯坦和巴拉圭尚未提出减让表，其他 21 个参与方提出的减让表也只是初始的有条件的，且只有瑞士、冰岛、挪威和欧盟做了公开，因而要对具体承诺水平做出定量分析还不可行。但是，减让表的结构和承诺的方式业已清楚地呈现，加上有的谈判参与方官方提供的相关文件等，完全可以从市场开放承诺的机制设计上进行前瞻性探究。我们发现，与多边贸易体系 GATS 相比，TISA 的确在保证高水平的具体承诺上有着重要的机制创新。

8. 从中美 BIT 谈判看自由贸易试验区负面清单管理制度的完善. 李墨丝，沈玉良. 国际贸易问题，2015

［作者简介］上海对外经贸大学国际经贸研究所；上海社会科学院世界经济研究所

［内容提要］自由贸易试验区采用负面清单管理模式，意在推进中美 BIT“准入前国民待遇和负面清单”试点。与中美 BIT 谈判的负面清单及格式文本相比，自由贸易试验区负面清单在不少方面还存在差异。本文提出完善自由贸易试验区负面清单，需要从进一步减少投资限制、扩充负面清单的架构、规范不符措施的内容、提高负面清单透明度等多个方面来落实。

9. 中日韩环境产品的贸易特点分析. 冯楠，朴英爱. 现代日本经济，2015

［作者简介］吉林大学东北亚研究院；吉林大学东北亚研究中心

［内容提要］在全球范围内低碳经济获得极大发展的背景下，环境产业作为未来经济增长的新动力而备受关注。环境产业在各国国民经济中的比重不断提高，环境产品的国际贸易规模也在迅速扩大，在国际贸易领域中的地位开始逐渐提升，环境产品的贸易自由化问题也随之被许多国家提到议事日程上来。在中日韩三国的环境产品国际贸易中，三国互为主要的贸易伙伴，在交易的产品种类方面，呈现出竞争与互补共存的局面。尽管三国间的环境产品贸易还存在着不同程度的关税与非关税壁垒，环境产品的区域内贸易比重却呈现上升的势头。为了避免环境产品贸易在实现自由化之后给中国带来的负面冲击，中国需要采取积极参与环境与贸易相关谈判和相关规则的制定以及支持环境产业发展战略等应对措施。

10. 后 TRIPs 时代知识产权法律全球化的新特点及我国的对策. 徐元. 国际贸易，2015

［作者简介］东北财经大学区域经济一体化与上海合作组织研究中心；中南财经政法大学

［内容提要］随着知识经济和经济全球化的深入发展，知识产权法律全球化已经成为当今国际社会的一个重要趋势。后 TRIPs 时代，知识产权法律全球化发展呈现出一系列新特点，对我国参与全球化进程产生了重要影响。目前，我国正通过实施“一带一路”战略深度参与全球化进程，我国企业在走出去的过程中也面临着各种知识产权风险与挑战，因此研究知识产权法律全球化发展的趋势与特征，分析我国知识产权领域面临的主要问题，并提出应对知识产权法律全球化的政策建议，不仅有利于我国企业“走出去”以及“一带一路”战略的实施，而且对我国知识产权强国建设有重要的现实意义。

11. 新一代贸易投资规则的环境标准对我国的挑战及对策. 洪俊杰，孙乾坤，石丽静. 国际贸易，2015

［作者简介］对外经济贸易大学国际经济贸易学院

［内容提要］2010 年美国启动 TPP（《跨太平

洋伙伴关系协议》）首轮谈判以实现“重返亚太”的战略目标，2013 年宣布与欧盟正式启动 TTIP（《跨大西洋贸易与投资伙伴关系协议》）谈判，试图重塑全球贸易新规则。在此背景下，世界主要发达国家正加速酝酿制订面向未来的新一代国际贸易和投资规则，其中环境因素已成为新规则考虑的核心内容。因此，通过研究贸易活动中我国环境标准在水环境、大气环境、绿色环境等方面与国际新一代贸易投资规则环境标准存在的差异，探寻发达国家在经济发展过程中控制和治理环境污染等方面的成功要素，并提出应对新规则中高标准环境要求的相应具体策略，对我国进出口贸易及经济增长均具有重要意义。

12. 国际贸易与国际劳工标准问题的历史演进及理论评析. 刘波. 现代法学，2015

［作者简介］中国青年政治学院法学院

［内容提要］国际劳工标准应否与国际贸易挂钩的争论由来已久，该问题依然是国际贸易谈判中的焦点问题之一，其实质在于发达国家意欲将国际劳工标准作为新的贸易保护手段。发达国家与发展中国家争议的理论依据是解读这一问题的关键。我国应加强国内劳动立法和执法，克服并避免此类贸易摩擦。

13.《政府采购协定》适用范围的最新修订及其影响. 张幸临. 环球法律评论，2015

［作者简介］东北财经大学法学院

［内容提要］《政府采购协定》的适用范围规定对于确定其对各参加方的涵盖范围以及确保《协定》的实施至关重要。2012 年《修订文本》不仅从形式上整合重排了原《协定》的适用范围规定，使相关条款之间的内在逻辑更为合理，还对适用范围条款的实质内容做了多方改进。具体改进包括新增“涵盖采购”及其他定义，完善附录一清单并明确《协定》适用于电子采购，明确规定不适用《协定》的五种具体情形，以及多方改进关于更改《协定》涵盖范围的规定。随着《协定》适用范围修订完成，现有《协定》参加方扩展了其附录一清单，这将增大中国扩展《协定》出价特别是将更多国有企业纳入出价清单的压力，需要积极加以应对。

14. 环境税的国际协调与 WTO 规则的完善. 王慧. 当代法学，2015

［作者简介］上海海事大学法学院

［内容提要］环境税能否发挥预期功效，一方面取决于一国独有的国情，另一方面有赖于各国进行环境税的国际协调。在现行的 WTO 规制体系下，完善边境税调整机制和贸易补贴规则是实现环境税国际协调的重要保障。只有如此，环境税的有效性才能得以实现，环境税才有望在全球予以推广。

15. WTO 新议题：动物福利. 叶波，梁咏. WTO 经济导刊，2015

［作者简介］上海对外经贸大学 WTO 研究教育学院；上海高校智库国际经贸治理与中国改革开放联合研究中心；复旦大学法学院

［内容提要］本文首先概述了国际法对动物福利问题的规范及最近发展趋势，接着结合 WTO 争端解决实践说明一般国际法与 WTO 法的互动，也就是外部法律渊源在 WTO 法律体系中的地位，并试图说明产生上述现象的原因。

➢ 区域贸易协定

1.“一带一路”沿线 FTA 现状与中国 FTA 战略. 竺彩华，韩剑夫. 亚太经济. 2015

［作者简介］外交学院国际经济学院

［内容提要］本文详细梳理了“一带一路”沿线的 FTA 现状（包括数量、内容、对象三个方面）及中国与相关经济体的 FTA 情况，并分析了中国推进“一带一路”FTA 建设进程中所面临的机遇与挑战，提出了建设“一带一路”FTA 的理想路径，即先逐步建成立足东亚、辐射“一带一路”区域、面向全球的高标准自贸区网络，最终建成“一带一路”FTA。

2. 中韩 FTA 对两岸经贸关系的影响——基于台韩产品在中国大陆市场的贸易竞争关系分析. 庄芮，李晴晴. 亚太经济，2015

［作者简介］对外经济贸易大学国际经济研究院

［内容提要］本文运用出口相似度（ESI）指数、显示性竞争优势（CA）指数及市场占有率等指标，量化分析台韩产品在中国大陆市场上的贸易竞争关系、贸易竞争强度和贸易竞争力。结果显示，台韩产品在中国大陆市场的竞争性极强，两国可贸易产品重叠度高，尤其机电产品是台韩在中国

大陆市场上竞争程度最强的产品，也是台韩同具竞争优势的产品。基于这些分析，本文探讨了中韩FTA对两岸经贸关系的影响，并对未来两岸经贸关系发展提出政策建议。

3. 金砖国家合作机制对全球经济治理体系与机制创新的影响. 王厚双，关昊，黄金宇. 亚太经济，2015

［作者简介］辽宁大学经济学院；辽宁大学国际关系学院

［内容提要］2008年全球金融危机的爆发提醒人们对全球经济失衡进行深度治理，而要对全球经济失衡进行深度治理就必须对传统的全球经济治理体系与机制进行改革和创新。金砖国家合作机制的构建，对倒逼传统的全球经济治理体系与机制的改革和创新正在发挥越来越重要的积极作用。虽然仍存在着不少影响金砖国家合作机制运行以及影响全球经济治理体系与机制改革和创新的不确定因素，但随着金砖国家合作机制的进一步深化，金砖国家合作机制将在更大范围上对全球经济治理体系和机制改革与创新产生重要影响。

4. 跨太平洋伙伴关系协定（TPP）：美日战略的分与合. 葛成. 亚太经济，2015

［作者简介］中国社会科学院亚太与全球战略研究院

［内容提要］在东亚战略格局动态变化与中国快速崛起背景下，美日战略利益的契合面十分可观。这也是为什么两国断然决定加入TPP，并将其列为本国在区域内各种经济一体化安排中优先选项的首要原因。同时，美日迟迟未能就具体条款达成妥协，反映出双方存在显著战略分歧：在战略格局、战略紧迫性、国内形势及经济利益方面，两国都存在明显差异。

5. ECFA条件下大陆西部边境地区对台经济合作的产业选择与财税支撑策略. 苏毓敏. 亚太经济. 2015

［作者简介］广西师范大学经济管理学院

［内容提要］基于ECFA效应，关于深化对两岸经济合作区域布局的影响与诉求，本文认为，在ECFA框架下借助中国大陆争取广阔的国际市场是台湾产业发展、企业生存的必经之路。为此，大陆西部边境地区是ECFA条件下台湾拓展国际市场的必然区域选择。在此认识下，本文重点论述了西部边境地区对台经济合作应选择的优势产业，相应地提出了支撑产业集群发展的财税政策体系。

6. 区域一体化进程中地缘经济区贸易网络的演进——以广西与澳门为例. 李红，聂艳明. 亚太经济，2015

［作者简介］广西大学商学院；广西大学

［内容提要］运用社会网络分析方法，以广西和澳门两地的贸易网络发展数据为案例，分析在21世纪初中国—东盟自由贸易区及内地与港澳紧密经贸安排等区域一体化合作共同推进的十余年间，处在地缘经济带的广西与澳门两地贸易网络结构演进的趋势和特点，以及对区域互联互通及“一带一路”战略等区域合作的政策含义。

7. 自由贸易协定对我国货物贸易出口规模与出口结构变动的影响. 徐春祥，郭宗旗，韩召龙. 亚太经济，2015

［作者简介］沈阳理工大学经济管理学院

［内容提要］利用1996—2012年面板数据，实证研究了自由贸易协定（FTA）对我国货物贸易出口规模与出口结构变动的影响。研究发现：自由贸易协定对扩大我国货物贸易出口规模与改善货物出口结构均具有一定影响，且这种影响会随时间的变化而变动。自由贸易协定签署初期，我国与贸易伙伴之间的贸易流量（贸易规模）出现较明显增长，之后趋于平稳；同时，自由贸易协定显著改善了我国货物贸易出口结构，但不同的自由贸易协定对不同类别货物的出口结构影响不尽相同。

8. 区域服务贸易安排中“GATS—”承诺的服务贸易影响——基于发展中经济体视角的经验研究. 周念利，林珊，周文灿. 亚太经济，2015

［作者简介］对外经济贸易大学中国WTO研究院；福建社会科学院

［内容提要］本文分别运用三个扩展的面板引力模型对缔结区域服务贸易安排，及其内含的具备“GATS—”特征的“市场准入”和“国民待遇”承诺可能对一个“典型”发展中经济体的服务出口所产生的影响展开经验研究。结果显示：对外缔结区域服务贸易安排能对发展中经济体双边服务出口产生显著的正向影响；其中内含的具有“GATS—”特征的“市场准入”和“国民待遇”承诺均不

会对发展中经济体的双边服务出口产生显著的阻碍作用。本文对该研究结论做出了合理解释，并从中挖掘出一系列有益的政策内涵。

9. 试析美欧日自贸区战略及对中国的启示. 冯维江. 亚太经济，2015

［作者简介］中国社会科学院世界经济与政治研究所

［内容提要］本文对美国、欧盟及日本的自贸区战略进行了系统梳理，指出一项完整的国家自贸区战略包括价值观、伙伴遴选标准、有利于长期竞争力的条款标准，并在此基础上对中国的自贸区战略进行了分析。本文认为，中国自贸区战略应以合作导向及削减贫困为道义基础，按照离岸一体化原则遴选潜在伙伴，同时推动基础设施有关议题成为FTA谈判的横向议题。

10. CEPA促进了香港与内地的服务贸易吗? 张应武，朱亭瑜. 国际经贸探索，2015

［作者简介］海南大学经济与管理学院；山东大学经济研究院

［内容提要］基于联合国服务贸易数据库中相关数据，分析香港服务贸易的发展特征并采用引力方程评估CEPA的服务贸易效应。研究表明，香港在全球服务贸易中占据重要地位，但仍以运输、旅游和商贸等传统服务为主；除旅游服务内地化趋势显著外，香港其他服务贸易行业更趋国际化。研究也表明，尽管CEPA在总量层面对香港服务输出的影响效果不显著，但在行业层面CEPA促进了香港对中国内地旅游和金融领域的服务输出以及保险领域的服务输入；CEPA服务贸易开放内容的差异和香港贸易转型是导致这一结果的深层原因。

11. RCEP框架下货物贸易自由化阻力及对策分析. 冯晓玲，高一鸣. 亚太经济，2015

［作者简介］大连海事大学；南开大学经济学院

［内容提要］本文依据贸易引力模型分析了RCEP框架下影响中国货物贸易的因素及程度，实证结果得出货物贸易自由化阻力因素主要包括经济发展情况、运输距离、两国人均收入水平差异、港口设施质量和自由贸易协定签署情况等，最后为中国在RCEP框架下进一步发展货物贸易提出了建议。

12. 后ECFA时代两岸关系面临的机遇与挑战. 厉力，刘奇超. 亚太经济，2015

［作者简介］上海海关学院；上海市浦东新区国家（地方）税务局；中国政法大学财税法研究中心

［内容提要］本文以ECFA签署前后四年的数据做对比分析，研究ECFA对海峡两岸贸易的实施效果，同时对ECFA未来在中韩自贸区、跨太平洋伙伴关系协议（TPP）等新的协议不断签署的国内外贸易环境下所面对的机遇与挑战进行了剖析。关于如何进一步释放自贸区的政策红利，让两岸企业从ECFA中获得长期收益，本文通过分析提出了一系列可行性建议。

13. 亚太自由贸易区（FTAAP）问题的由来及影响. 冯军，陈琛. 亚太经济，2015

［作者简介］国家海洋局国际合作司；外交部军控司

［内容提要］亚太经合组织第二十二次领导人非正式会议重要成果之一就是正式启动了亚太自贸区进程。在跨太平洋战略经济伙伴关系协定（TPP）、区域全面经济伙伴关系（RCEP）等多边自贸进程以及多个双边自贸谈判迅速发展的情况下，FTAAP在亚太区域经济合作进程中发挥的作用较为微妙。本文试图梳理FTAAP问题的背景和发展过程，分析其优势和不足，并对它的作用和影响做出初步评估。

14. 人本化对TPP谈判中国际投资仲裁机制设计的影响. 强之恒. 国际经贸探索，2015

［作者简介］厦门大学法学院

［内容提要］投资仲裁制度的设计是“跨太平洋伙伴关系协议”（TPP）谈判最引人关注的问题之一，而澳大利亚政府的声明更是将该协议的可适用性与合理性置于争议地位。尽管澳大利亚的立场确有其自身的特殊原因，但从国际法人本化的角度分析，投资仲裁机制从其缘起到发展都是以“人本”作为重要的驱动力，却也正因其在此领域内的逐渐迷失而受到质疑和挑战。以此为鉴，TPP谈判可能在未来追求投资争议解决目标与形式的多元化、在“人本化”的基础上，使得该机制更加注重东道国与投资者利益的平衡。中国在今后的谈判中，应以实现多层次和具体化的制度设计为目标，

针对不同的谈判对象设计不同的谈判策略，通过具体条款合理限制投资仲裁的适用范围，并避免平行诉讼等情形的发生，以更好地维护投资仲裁制度的合法性和可适用性。

15. 全球贸易治理模式之分析——以区域贸易协定为视角. 钟楹. 国际经贸探索，2015

［作者简介］对外经济贸易大学法学院

［内容提要］进入新世纪以来，以 WTO 为核心的多边贸易体系陷入发展低谷；而以新一代区域贸易协定为特征的区域化则一再提速，进入发展快轨。此次区域化潮流与以往区域化运动有明显差异，并被广泛视为制定下一代国际贸易规则的重要途径，从而对当前以多边贸易体系为核心的全球贸易治理模式构成挑战。然而区域化模式的全球贸易治理存在内生缺陷。要实现有效的全球贸易治理，必须要以两者互补性竞争关系为基础，搭建多边为核心、区域化为补充的治理模式。

16. TPP 与 RCEP 贸易自由化经济效果的可计算一般均衡分析. 孟猛，郑昭阳. 国际经贸探索，2015

［作者简介］天津师范大学经济学院；南开大学经济学院

［内容提要］本文运用 CGE 模型，对 TPP 和 RCEP 谈判最终三种结果对各成员国可能造成的影响进行评估。结果显示，如果 RCEP 和 TPP 均能在 2015 年达成全部商品贸易自由化，RCEP 成员国和美国都能够从贸易自由化中获得较大的收益，并且从福利变化的角度看，中日韩三国获益较大；如果 TPP 建成而 RCEP 不能建成，美国获益最大，中国将会遭受巨大的负面冲击；如果 RCEP 建成而 TPP 没有建成，RCEP 成员国的福利明显增加、GDP 快速增长，其中尤其是中日韩三国的福利水平显著提高，而美国的福利水平恶化、GDP 降低。因此，中国目前应重点推动 RCEP 的建设。

17. 中日韩自由贸易区建立的经济影响——基于局部均衡模型的分析. 杜威剑，李梦洁. 国际经贸探索，2015

［作者简介］南开大学经济学院

［内容提要］运用局部均衡模型，从 6 分位产品层面模拟不同关税策略情形下，中日韩自由贸易区建立后的贸易效应以及本国经济效应，并分析各国最优的关税策略。研究表明，自贸区建立后中国受到严重冲击的产品主要集中在工业用制成品、资本品以及能源类产品，日韩贸易转移效应显著的产品为工业品。综合考虑福利效应和贸易效应，日韩两国最优策略为直接采取零关税。对中国而言，在同期形成中日韩自贸区的情形下，直接实行零关税对于中国福利的改进是最为有利的；若在中韩或中日自贸区基础上逐步形成中日韩自贸区，中国的最优关税策略为逐步减税。

18. TPP 的投资区位效应及非 TPP 亚太国家的应对措施——基于多国自由资本模型的分析. 许培源，魏丹. 财经研究，2015

［作者简介］华侨大学经济与金融学院

［内容提要］文章以跨太平洋伙伴关系协定（TPP）为基础，结合区域全面经济伙伴关系（RCEP），引入多国自由资本模型，数值模拟了 TPP 的投资区位效应及非 TPP 亚太国家的应对措施。结果表明：（1）TPP 的形成会导致双重投资区位效应：在 TPP 内部，规模大的国家将拥有更多的工业品市场份额，成为核心国；在 TPP 外部，随着 TPP 内部贸易自由度的提高，外部国家的投资会流向 TPP 成员国，进一步放大投资区位效应。双重投资区位效应左右着亚太地区国际生产布局。（2）作为应对措施，RCEP 的提前达成将是一个不错的现实选择；若 RCEP 与 TPP 同时达成，则具有 TPP 和 RCEP 双重身份的国家获益最大。因此，中国应积极同 TPP 成员国签订双边或多边 FTA，主动参与东盟主导的 RCEP，最大限度地减少 TPP 的冲击。

19. 中国的自由贸易并非对美国的威胁. 西蒙·莱斯特，蔡云飞. 国际经贸评论，2015

［作者简介］美国卡托研究所（CATO）

［内容提要］关于《跨太平洋合作伙伴协议》（TPP）的讨论正在激烈进行，很多人说：我们需要 TPP，如果没有它，中国将面对该地区强加给自己的一套贸易规则，而那些规则将消解美国的贸易价值观。这套“文明的冲突”的说辞，与贸易协定在现实中的运行机制是相悖的。中国正在进行的谈判并不构成对美国的威胁，自由贸易的一个好处就在于其对所有参与者均有益。了解了中国贸易协定的具体内容，我们就能更清楚地认识到这一点。

20. 全球区域经济一体化发展趋势及中国的对策. 全毅. 经济学家，2015

［作者简介］福建省社会科学院；广西大学中国东盟研究院

［内容提要］随着多边贸易体制 WTO 多哈回合谈判受挫，全球经济区域化出现空前活跃，高标准、广覆盖的广域经济一体化形成潮流。特别是美国主导的 TPP、TTIP 试图重新塑造世界经济新规则，将改变世界经济格局。面对国际贸易与投资新规则以及区域集团竞争的挑战，中国应该调整立场和策略，制定一个清晰的 FTA 战略，变被动应对为主动应对。

21. TPP 对中日韩自由贸易区的可行性及建设路径的影响研究——基于 GTAP 模型的分析. 刘朋春，辛欢，陈成. 国际贸易问题，2015

［作者简介］华东师范大学金融与统计学院

［内容提要］文章基于 GTAP 模型的模拟结果，在动态博弈的理论框架下考察了可以通过何种路径促成中日韩自由贸易区，并分析了 TPP 对中日韩自由贸易区建设路径的可能影响。通过分析得出以下结果：TPP 会给中国经济带来负面影响，且此种负面影响会随 TPP 成员范围的扩大而增加；TPP 可能对中日韩 FTA 的建设路径产生影响，但并不会彻底阻碍中日韩 FTA 的成立，只是对中日韩多边自由贸易实现的可能路径带来一定限定；无论 TPP 的谈判结果如何，中日韩三国均可以通过轮轴—辐条结构的 FTA 实现多边自由贸易。

22. TPP 背景下世界高端制造业贸易格局演化研究——基于复杂网络的社团分析. 许和连，孙天阳. 国际贸易问题，2015

［作者简介］湖南大学经济贸易学院

［内容提要］本文对 TPP 背景下中国和美国在亚太地区高端制造业出口情况对比分析，并构建了1992—2013 年世界高端制造业贸易网络，利用 Blondel 算法对世界高端制造业贸易网络的社团划分及其演化进行了分析。研究表明 2009 年美国加入 TPP 以来，美国高端制造业出口占亚太经济体高端制造业进口比重显著提高，中国所占比重有所下降。世界高端制造业贸易网络社团的演化经历了“发达国家主导”、“亚太地区崛起”和“后金融危机”三个阶段，2009 年后由原欧非、亚太两个社团分裂为欧非、亚太、TPP 三个社团，TPP 社团的迅速崛起和美国的强势加入吸引东亚经济体纷纷加入，中国却被拒之门外。美国在亚太高端制造业角逐中已抢占先机，中国面临在亚太高端制造业生产网络中被边缘化的挑战。

23. 中国与 TPP 核心国农产品国际竞争力的比较. 谢汶莉，李强. 国际贸易问题，2015

［作者简介］上海财经大学国际工商管理学院；上海财经大学经济学院

［内容提要］本文基于五个国家 1961—2011 年的贸易数据，计算国际市场占有率、显示对称性比较优势指数、显示性竞争优势指数和贸易竞争指数来衡量中国与 TPP 核心国农产品国际竞争力，并实证分析了农产品国际竞争力的影响因素。研究发现，TPP 核心成员国新西兰、澳大利亚和美国农产品国际竞争力较强，而中国和日本相对较弱；不过，新西兰、美国和中国农产品国际竞争力提升较快，澳大利亚和日本下降很快。土地和劳动力生产率、土地资源条件提升了农产品国际竞争力，技术生产率和经济规模发挥了负面效应，虚拟变量 TPP 在一定程度上有助于提高农产品国际竞争力。为此，中国应提高土地和劳动力要素生产率，保护人均耕地资源，降低农业经济规模，不宜过度增大技术要素生产率，尽早参与 TPP 谈判。

24. 我国 FTA 战略的路径选择与影响因素研究——基于二元响应模型的分析. 赵金龙，王斌. 世界经济研究，2015

［作者简介］上海大学经济学院经济系

［内容提要］文章以我国的 FTA 战略为基础，依托我国 FTA 战略实施的背景、内容和特点，通过构建三要素理论模型，重点分析了我国 FTA 战略的影响因素和路径选择。结论显示：“政治战略”、“经济结构”和“地缘关系”等三类因素是影响我国 FTA 战略形成与发展的主要因素。本实证模型正确预测了我国 22 个 FTA 中的 17 个，准确率约为 77%；另外，正确预测了 86 个未结成 FTA 中的 85 个，准确率为 99%。

25. 跨大西洋贸易与投资伙伴协议（TTIP）对金砖国家经济影响分析——基于含全球价值链模块的动态 GTAP 模型. 蔡松锋，张亚雄. 世界经济研究，2015

［作者简介］国家信息中心经济预测部

［内容提要］本文利用改进后的 GTAP 模型（全球贸易分析模型）分析了跨大西洋贸易与投资伙伴协议的经济影响。在美欧众多的贸易伙伴中，金砖国家（巴西、俄罗斯、印度、中国和南非）处于全球价值链的中低端，改进后的 GTAP 模型能够在模拟中反映全球价值链背景下 TTIP（美欧自贸区）对金砖国家的影响。同时，在政策情境下文章同时考虑了美欧之间关税和非关税的削减。模拟结果显示，TTIP 有利于全球经济和贸易增长，对美欧经济复苏有较大的促进作用，大部分金砖国家的经济将受到负面影响，但 TTIP 会提高金砖国家之间的贸易量。

26. 自由贸易协定中关税减让和非关税措施承诺水平评价——基于哥伦比亚四个主要自贸协定的研究. 柴瑜，孔帅，李圣刚. 世界经济研究，2015

［作者简介］中国社会科学院拉美所；中国社会科学院研究生院

［内容提要］本文从自由贸易协定中关税减让和非关税措施两个方面对哥伦比亚分别与美国、欧盟、韩国和墨西哥签订的四个自贸协定进行了定量分析。分析发现，伙伴国经济水平越高，哥伦比亚在关税减让计划上开放度越大，甚至在集中了多数敏感商品的农业领域，哥伦比亚也做出了很大的让步；在非关税措施上，哥伦比亚与美国等发达经济体的协商合作力度越强，非关税措施的广度、深度和强制性指标越高。本文认为，中国在随后的中哥自贸区谈判中，在关税减让方面应注重对哥敏感领域如农业领域的协商；在非关税措施上应将尽可能多的、我方实施无困难的非关税措施包含在自贸协定的谈判中，避免滥用非关税措施行为的发生。

27. 中国—欧盟自贸区经济效应的前瞻性研究. 陈虹，马永健. 世界经济研究，2015

［作者简介］武汉大学经济与管理学院

［内容提要］文章在中欧贸易关系现状分析的基础上，运用可计算一般均衡模型实证研究了中国—欧盟自贸区的建立对双边经济、贸易、福利水平以及行业产出等的影响。结果表明：中国与欧盟双边贸易关系总体较为紧密，分别在劳动密集型和资本技术密集型产品出口方面具有比较优势，但双边贸易结构整体表现为竞争性；自贸区的建立将改善中欧双边的经济发展水平，刺激进出口贸易，对加快实施自贸区战略和适应经济全球化新趋势有着积极的推动作用，但它对中欧福利水平的影响并不明确，主要表现为双边居民收入得到了提升，而考虑收入效应和贸易替代效应的综合影响，福利水平却在下降；自贸区的建立将优化中欧双边国际分工格局，有助于发挥各自比较优势，即致力于生产具有比较优势的产品，增加对劣势产品的进口，而高端制造业和服务业是中国在自贸区建成以前需要密切关注的领域。

28. 日本—欧盟 EPA 对中国、日本、欧盟的影响研究——基于 GTAP-Dyn 的一般均衡分析. 黄凌云，王丽华，刘姝. 世界经济研究，2015

［作者简介］重庆大学经济与工商管理学院；重庆工业职业技术学院管理学院

［内容提要］欧盟和日本市场分别是中国第一大和第五大出口市场，日本—欧盟建立经济伙伴关系（EPA）将对中国经济造成影响。文章在计算日本和欧盟产业竞争力的基础上，将产业分为日本优势产业、欧盟优势产业、日本和欧盟都有一定竞争优势且优势相近产业以及日本和欧盟都无优势产业四类，并利用动态 GTAP 模型（GTAP-Dyn）模拟了日本—欧盟 EPA 所带来的影响。研究结果显示：日本和欧盟的宏观经济大多受到正面影响，且日本获益更多，而中国的福利水平、GDP、贸易顺差和贸易条件等宏观变量都将受到负面冲击；中国与日本、欧盟的双边贸易则出现小幅下降，且中国对日欧出口所遭受的负面冲击比进口大。

29. 中韩自贸区的经济效应研究与对策分析——基于 GTAP 模型的模拟. 刘斌，庞超然. 经济评论，2015

［作者简介］对外经济贸易大学中国 WTO 研究院；商务部国际贸易经济合作研究院对外投资研究所

［内容提要］中韩自贸区是截至目前我国对外商谈的涉及国别贸易额最大的自贸区。中韩两国之间的关税减让幅度较大，但仍存在许多敏感性产品，未来依然有很大的关税减让空间。本文基于最新的 GTAP 9 数据库进行情景模拟，研究发现中韩关税减让有利于中韩两国贸易增长、经济发展和福利提高。在考虑到 TPP 协定的情形下，我们发现 TPP 协定将削弱中韩自贸协定对两国经济的正

向效应。如果韩国先于中国加入 TPP，我国各项经济发展指标将受到冲击。鉴于此，我国应进一步扩大对外开放，积极主动参与 TPP 谈判。

30. 论 TPP 中强化著作权保护之趋向及中国应对. 张桂红，刘宇. 上海财经大学学报，2015

［作者简介］北京师范大学法学院；安徽财经大学法学院

［内容提要］在美国的推动下，跨太平洋伙伴关系协议（TPP）意图塑形为高质量和高标准的区域贸易协定。相应地，其中有关著作权的规则亦可能达到较高的保护水准。在此背景下，为进一步明晰其潜在影响以及中国的基本立场，有必要结合现有的著作权保护国际标准开展比较研究。通过新近的文本分析，可发现该协议在著作财产权、著作权保护期限、权利的限制和例外、技术措施和权利管理信息等规则中呈现出强化著作权保护的趋向。这种趋向总体上体现出“TRIPs 协定递增”的法律性质，对中国现行著作权制度或将产生较大影响。对此，中国可采取的应对策略包括：从法律层面加强相应研究，在准确自我定位的基础上合理设计本国著作权制度，积极准备有关规则衔接性方面的论证预案，并在实施自由贸易协定战略的过程中拓展著作权相关国际规则制定的话语权。

31. 自贸区仲裁规则的冷静思考. 袁发强. 上海财经大学学报，2015

［作者简介］华东政法大学国际法学院

［内容提要］《中国（上海）自由贸易试验区仲裁规则》增加了当事人意思自治的程度和仲裁庭的权限，试图与最新的国际仲裁规则保持一致，但过于“国际化”的规则却与我国《民事诉讼法》与《仲裁法》的立法难以衔接。看似创新性的开放仲裁员名册制虽然有利于扩大当事人意思自治程度，但可能会延长仲裁期限、降低仲裁效率。仲裁庭临时措施决定权、紧急仲裁庭、合并仲裁制等看起来有助于提高仲裁效率，但因未能得到立法的支撑而可能在实际运行中难以取得良好的效果，并可能降低仲裁效率、牺牲程序公正价值。仲裁第三人的权利义务不明，会影响仲裁程序的进行。国际经验的吸纳不应当是简单的条款移植，而应保证引进的可操作性。因此，有必要通过附则的形式，对该规则进行补充说明和修订。

32. 双边 FTA 是否会成为中日韩自由贸易区的“垫脚石”？——中日韩自由贸易区建设路径的 GTAP 模拟分析. 刘朋春. 现代日本经济，2015

［作者简介］华东师范大学金融与统计学院

［内容提要］在动态博弈的理论框架下，基于 GTAP 模型的模拟结果，文章考察了中日韩三国能否通过首先建立双边 FTA 从而过渡到中日韩 FTA 以及可以通过何种路径完成这一目标。结果显示：中日两国不会首先建立自由贸易区；日韩两国首先建立自由贸易区后，可以通过直接吸纳中国加入的方式形成中日韩自由贸易区，而中韩 FTA 建成后却不能通过吸纳日本的方式达成此目的。中韩自由贸易区或日韩自由贸易区首先建成的情况下，可通过轮轴—辐条的 FTA 结构，促进中日韩自由贸易区的成立，但日本作为轮轴国的情况不包含在可行路径之中。从中国的角度看，中国应首先推进中韩自由贸易区建设，并在此后根据日韩双边自由贸易区谈判情况，考虑与日本开始自由贸易区谈判。

33. 亚太自由贸易区构建路径的比较分析——兼论中国的战略选择. 刘阿明. 世界经济与政治论坛，2015

［作者简介］上海社会科学院国际关系研究所

［内容提要］构建亚太自由贸易区（FTAAP）一直被地区各国认为是推动国家间贸易和投资更加自由化和便利化、促进地区繁荣的重要战略目标。然而，对于如何实现这一目标国家间却始终存在分歧。从最初“10＋3”被确认为是重要的现实路径，到几年前亚太经合组织（APEC）高调宣称将构建亚太自由贸易区作为一项长期目标，再到跨太平洋伙伴关系（TPP）所引发的对高质量、跨地区自由贸易体系的热议，直至当前区域全面经济伙伴关系（RCEP）的勃兴，FTAAP 的构建路径多轨并存、相互交织，仍然存在相当大的不确定性。在可见的未来，一种混合型路径将是构建 FTAAP 的现实可行选择。中国应该积极推动 RCEP 谈判顺利进行，并以开放的心态观察 TPP 的进展，同时借助 APEC 的平台凝聚共识，确保国家的战略经济利益。

34. 国际经贸新规则：中国自贸区的实践与探索. 张琳. 世界经济与政治论坛，2015

［作者简介］中国社会科学院世界经济与政治研究所

［内容提要］当前全球经贸规则正处于调整期。发达经济体双边自由贸易区协定，以 TPP、TTIP 为代表的“巨型 FTA”，包括服务贸易协定（TISA）、政府采购协定（GPA）、信息技术协定（ITA）在内的 WTO 诸边谈判和 WTO 巴厘协定，共同构成了当前国际经贸新规则的框架体系。以中韩 FTA、中澳 FTA 为代表的中国新时期自贸区实践，以全面、高质量和利益平衡为目标，加速贸易投资规则的国际接轨，在服务贸易和外商投资负面清单、贸易便利化措施与政策协调，以及“横向议题”知识产权和竞争政策等方面都做出了“中国版”新规则的尝试和探索。中国正在构建切入全球贸易投资规则重建的新路径，探索适合发展中国家的国际经贸新规则。中国应当正确看待国际经贸新规则变动对我国形成的压力和挑战，积极参与新规则的发展与推进，从国际规则的被动接受者逐步成为重要参与者、制度构建者；以开放促改革，将外部压力转变为发展动力；对于具体的贸易、投资、跨领域规则条款，应当区别对待，发挥在不同治理平台下针对不同规则的设定权和话语权。

35. 从 TPP 和亚投行看中美战略博弈. 张欣，郭辰. 世界经济与政治论坛，2015

［作者简介］中国大连高级经理学院；辽宁对外经贸学院

［内容提要］作为分别由美国和中国主导的经济一体化平台，TPP 和亚投行在中美战略博弈中具有重要作用。亚投行虽然从提出倡议至今只有不到两年的时间，但发展势头迅速。与它相比，当前 TPP 的发展则遇到了障碍。究其原因，主要在于二者在原动力与立足点、利益契合度以及运行准则和机制等方面存在显著差异，由此反映出中美两国对于当前国际政治经济形势的认识以及战略思路方面的差异。本文运用博弈论分析后认为，亚投行的成立使中国目前在与美国的战略博弈中占据了一定优势，而日本成为最大的输家。尽管如此，亚投行未来的运行与发展仍将面临诸多挑战，本文就此提出了相关建议。

36.“一带一路”背景下中国—海合会自贸区谈判的重启——背景、意义及政策建议. 倪月菊. 国际贸易，2015

［作者简介］中国社会科学院世界经济与政治研究所

［内容提要］始于 2004 年 7 月的中国与海湾合作委员会（简称海合会）的自贸区谈判虽然在原产地规则、技术性贸易壁垒、经济技术合作、服务贸易等议题上取得了一定进展，但进展缓慢，且于 2009 年进入暂时中止状态。2014 年 1 月双方强调重启中国—海合会自贸区（以下简称 CGFTA）谈判符合双方的共同利益。至此，重启 CGFTA 谈判的大幕徐徐拉开。那么，CGFTA 为何在暂停 5 年后重启？其意义何在？这正是本文所要回答的问题。

37. 不能轻易说自贸区“碎片化”. 刘昌黎. 国际贸易 2015

［作者简介］东北财经大学国际经济贸易学院

［内容提要］自美国参加 TPP、整合亚太地区 FTA 以来，国内外都出现了所谓“双边自由贸易泛滥”和自贸区“碎片化”的说法。不仅如此，有人甚至还把自贸区“碎片化”说成是一种“危险”或“风险”。这些说法虽然是针对双边自由贸易的缺陷或不足而言的，但却有欠妥当，值得商榷。

➢ 争端解决

1.“超 WTO 条款”法律适用研究：基于中国“稀土案”的考察. 彭德雷. 国际经贸探索，2015

［作者简介］华东理工大学商学院

［内容提要］在 WTO 体系中存在专门适用中国的规则，主要表现为中国《加入议定书》和《工作组报告书》，在这其中又包含不少“超 WTO 条款”（WTO-plus provisions），是中国承担“超 WTO 义务”的文本体现。新近“稀土案”再次将“超 WTO 条款”与《WTO 协定》，尤其是与 GATT 例外规则的关系问题置于关注视野。立法上的不足导致目前司法裁判者对“超 WTO 条款”的适用采取区分对待，争端各方对此则各抒己见。“稀土案”的裁决表明即便裁判者内部对同一“超 WTO 条款”的适用也存在分歧，并出现“单独裁判意见”。对此适用争议，短期内试图通过顶层的立法澄清恐难实现，为此可考虑通过 WTO 决策机构“专有解释”的第三条路径，弥合对该问题的分歧。与此同时，“稀土案”及其法律适用，将为中国参与全球规则谈判和国内治

理带来诸多启示。

2. 模糊与澄清：上游补贴利益传递分析的法律依据探析——以GATT/WTO裁决为样本. 李仲平. 国际经贸探索，2015

［作者简介］广东金融学院法律系

［内容提要］利益接受者概念的提出及与补贴获得者的分裂，为逆向回溯上游补贴利益传递分析的法律依据提供了基点和场域。由于在SCM协定第五部分（反补贴措施）中不可或缺的利益传递分析，在SCM协定第三部分（可诉性补贴）中仅是判断严重侵害因果关联的考虑要素之一，并在SCM协定第二部分（禁止性补贴）中几无必要，WTO框架下实施利益传递分析的法律依据，是与SCM协定第五部分紧密相关的GATT1994第6条第3款及其派生条款。

3. 反补贴争端解决动态博弈模型与经验分析. 孙铭，杨仕辉. 亚太经济，2015

［作者简介］厦门理工学院商学院；暨南大学经济学院

［内容提要］以反补贴规则和WTO争端解决的规定与实践为基础，将反补贴申诉与争端解决博弈过程转换为8阶段的动态博弈模型。为求解博弈模型和策略选择的条件，先分析反补贴政策的贸易效应，发现反补贴具有贸易破坏效应和贸易转移效应，进而通过逆向求解法，得到了反补贴申诉方和被诉方在各个阶段选取最优策略的若干条件。通过1995—2012年315个反补贴申诉案和58个WTO反补贴争端解决案件，对模型进行经验分析，统计结果与理论分析结论一致。

4. 合作抑或惩罚：WTO可得事实规则的本原追问——基于反补贴调查的视角. 李仲平. 国际贸易问题，2015

［作者简介］广东金融学院法律系

［内容提要］WTO可得事实规则是以民事诉讼缺席审判制度为法理构建的一项中性调查工具，其本身蕴含的促进合作的价值取向，不仅强调应以自然正义的法律理念和《反倾销协议》附件2作为制约反补贴调查机关自由裁量权的正当性基础和具体依据，还暗示了被调查方在反补贴调查中遵循善意原则所应承担的责任，并以此力图实现反补贴调查机关和被调查方之间权利与义务关系的平衡。

5. 世界贸易组织争端解决机制的经济学研究新进展. 田丰. 经济学动态，2015

［作者简介］中国社会科学院世界经济与政治研究所

［内容提要］在理论上，绝大多数研究者将争端解决机制作为实施国际贸易协定时纯粹的触发战略，另外一些文献将其作为搜集成员关于遵守国际协定情况关键信息的工具，激发成员对于国际社会深切归属感的机制，在成员违反协定情况下重新启动谈判程序的工具或者上述角色的组合。“选择的歧视”问题在多边贸易摩擦研究中处于核心地位。研究者认为发展中成员在多边争端解决机制的利用上处于相对劣势，原因在于WTO争端解决机制本身不具有实施能力，多边贸易诉讼成功与否严重依赖于成员自身的实施能力。对WTO争端解决结果不满的成员往往转向区域主义，积极推动区域经济组织的成立。而区域经济组织发展对WTO成员争端解决行为最突出的影响是司法管辖权的重叠与冲突以及由此带来的法庭选择问题。

6. 试论贸易政策合规性审查的方法. 余敏友，管健. 国际贸易，2015

［作者简介］武汉大学法学院

［内容提要］本文试图通过四个步骤（即识别限制性贸易措施、限制性贸易措施的细分和定义、法律发现和法律分析）来探讨解决贸易政策合规的实体问题，进而建立贸易政策合规性评估的系统方法。

7. 反补贴中“一般基础设施”的法律判断标准探析——基于公共物品理论的视角. 李仲平. 法学家，2015

［作者简介］广东金融学院法律系

［内容提要］对《补贴与反补贴措施协议》第1.1条(a)(1)(iii)中“一般基础设施”的判断，可借助公共物品理论对基础设施进行类型化识别。具体而言，纯公共基础设施自动构成“一般基础设施”，除非政府行为限制此类基础设施的使用；私人基础设施自动丧失“一般基础设施”的资格；准公共基础设施应首先被假定构成“一般基础设施”，除非有证据表明存在准入限制。准公共基础设施应进一步区别“俱乐部基础设施”和“公共池塘基础

设施”，并在符合比例性原则和普遍使用标准时构成“一般基础设施”。中国应对美国相关反补贴调查的基本思路，应是主张土地使用权和电力均构成“公共池塘基础设施”，并分别根据普遍使用标准和比例性原则予以抗辩。

8. 最惠国待遇条款适用投资争端解决程序的表象与实质——基于条约解释的视角. 朱明新. 法商研究，2015

［作者简介］苏州大学王健法学院

［内容提要］对最惠国待遇条款是否可以适用于投资争端解决程序，投资仲裁庭的意见有分歧。对涉及最惠国待遇条款的投资仲裁案件的裁决结果和仲裁推理的实证统计分析表明：在仲裁裁决结果不一致的表象下，可能隐匿着仲裁庭推理过程的瑕疵。从条约解释视角，要求投资仲裁庭遵循1969年《维也纳条约法公约》第31条和第32条确立的条约解释规则，可以在一定程度上缓解最惠国待遇条款适用的困惑。中国已缔结了大量含有最惠国待遇条款的国际投资条约，需要在今后的缔约与修约实践中保持谨慎，并在未来投资仲裁实践中形成应对策略。

9. WTO裁决执行与否的法律机理. 贺小勇. 法学，2015

［作者简介］华东政法大学

［内容提要］WTO裁决的执行问题是衡量WTO争端解决机制是否有效运作、能否为多边贸易体系提供可靠性与可预测性的重要指标。“跨国法律进程说”从“互动”与“内化”两个因素较好地解释了WTO成员为什么执行或不执行WTO裁决的法律机理。预测WTO裁决能否最终被执行，关键要看经过“互动”后能否“内化”。WTO裁决执行与否不是简单的“快”与“慢”、“好”与“坏”、“对”与“错”的抽象价值判断，也与成员政体无关，而是WTO裁决被“内化”时间的“长”“短”问题。因此，包括中国在内的WTO成员执行WTO裁决可视“互动”与“内化”的情形而应具有一定的灵活性。

10. 论世界贸易组织与中国的市场经济地位. 朱兆敏. 法学，2015

［作者简介］上海外国语大学法学院

［内容提要］中国负有证明符合其他世界贸易组织成员方国内法上市场经济标准的举证责任，这是反倾销确定产品正常价值的临时程序规则，WTO体系中没有市场经济规则和标准，也不会因为中国承担了以上举证责任便转化为一般国际法规则。2016年以后中国不会回归市场经济地位是一个伪命题，需要正本清源。

11. 论外资并购国家安全审查中的投资者保护缺失——以三一集团诉奥巴马案为视角. 赵海乐. 现代法学，2015

［作者简介］吉林大学法学院

［内容提要］三一集团诉奥巴马案是第一起针对美国外资并购国家安全审查提起的诉讼。此案于2014年7月取得阶段性胜利，确定了国家安全审查程序问题的可诉性，且在程序正义与财产权两方面维护了三一集团的利益。然而，三一集团仍难以获得全部涉案证据材料，且国家安全审查的实体内容仍然不受司法审查，真正的救济因而难以实现。综观国际国内司法体系，国家安全审查中的投资者权益保护缺失是普遍存在的。从规则上讲，美国国内法、WTO规则均无法为外资企业提供任何指引；从救济渠道上看，美国国内司法救济与国际投资争议仲裁均无法为之提供救济，且国际社会并无意愿通过合作解决此问题。此状况的根本原因在于国家安全审查的政治内核，同时，也反映了无政府状态下国际法的固有缺陷。

12. 论世界贸易组织争端解决中“表面事实”之证明效力. 张卫彬. 政治与法律，2015

［作者简介］安徽财经大学法学院

［内容提要］在世界贸易组织争端解决机构中，无论是专家组或上诉机构，几乎在每一份报告中都提及了“表面事实”的术语。经过考察，表面事实具有受理门槛和证明标准两种不同的功能。并且，证明责任既受大陆法系影响，也吸纳了英美法系传统，体现举证责任和说服责任二元结构。世界贸易争端解决实践中对“表面事实”的内涵、功能、适用条件等认知仍存在一定的模糊和矛盾之处。基于增强世界贸易组织争端解决机制的透明性和公正性，同时使案件的审判结果更具有可预期性，以及加强各方在提交证据方面合作等诸多因素，应构造“表面事实/证据优势”二元标准作为其适用的证明标准。

13. 论国际习惯法在WTO争端解决中的适用——以预防原则为例. 曾炜. 法学评论，2015

［作者简介］贵州民族大学法学院

［内容提要］国际习惯法作为国际法最古老的渊源，在世界贸易组织争端解决中常常被援引。但争端解决机构在援引国际习惯法时往往持保守和谨慎的态度。在环境保护等与贸易相关的议题日益增多的今日，争端解决机构对于预防原则是否为国际习惯法以及其在争端解决中的适用，应做出更为积极和明确的认定。

14. 论“发展的条约解释”及其在世贸组织争端解决中的适用. 孙南翔. 环球法律评论，2015

［作者简介］西南政法大学国际法学院

［内容提要］“条约与时间”是条约解释的永恒主题。晚近以来，以技术变革为代表的客观情势迅猛发展。为实现条约的可适用性，以《维也纳条约法公约》第31条为基础，“发展的条约解释”方法使得条约的解释与适用符合解释时的客观情势。发展的条约解释包括演化解释与嗣后行为解释。在世界贸易组织争端解决实践中，发展的条约解释方法与路径已经趋于成熟。尽管客观情势变化无法直接影响条约权利与义务，但通过条约文本与客观情势变化的相关性，发展的条约解释能够使条约权利与义务有所发展。基于此，发展的条约解释方法应当纳入体系性解释方法之中。在条约的缔结与解释中，我国应明确条约权利与义务发展的可能性，多元化地利用条约解释工具化解国际争端。

15. 欧盟投资协定中的投资者—国家争端解决机制——兼论中欧双边投资协定中的相关问题. 黄世席. 环球法律评论，2015

［作者简介］山东大学法学院

［内容提要］在欧盟近年来对外谈判的贸易和投资协定中，投资者—国家争端解决机制成为一个热点问题。尽管欧盟各成员国签订的双边投资协定几乎都包括投资者—国家争端解决机制，但作为一个整体的欧盟在2009年获得制定对外投资政策的权力后，需要解决欧盟内部在这一机制上存在的分歧。目前各方争论的结果是，在投资协定中保留投资者—国家争端解决机制，同时在若干方面进行改革，包括投资争端的解决方式、提起仲裁与国内诉讼的关系、仲裁员的任命、上诉机制、透明度，以及缔约方对条约的解释。这些相关问题在制定中欧双边投资协定中的投资者—国家争端解决条款时需要加以注意。

16. WTO争端解决机制及其对国家声誉的影响研究. 韩逸畴. 环球法律评论，2015

［作者简介］清华大学法学院

［内容提要］传统观点认为，争端解决提高违反国际法的声誉成本。但声誉并不是一切国家行为的完整解释。国家建立争端解决机制可能旨在促进有效违约，而不是阻止违约。WTO争端解决机制允许国家利用救济制度作为履行的替代，从而起到定价机制的作用。通过以某种价格出售违约的选择，争端解决机制为政府履行其国际义务提供很大的灵活性，并可能因此降低它们的声誉损失。

17. 论WTO“疑难案件”的裁判进路：法律原则. 彭德雷. 华东政法大学学报，2015

［作者简介］华东理工大学商学院

［内容提要］WTO争端越来越体现为一种“法律之争”。然而法律规则的默不作声、WTO规则体系的纷繁复杂和新技术的层出不穷，都给妥善解决WTO争端带来难题，并由此出现“疑难案件”。在法哲学领域，德沃金与哈特围绕“疑难案件”展开了一场著名的论战，德沃金强调法律原则的地位并提出“法律作为一种整体性的解释概念”的经典理论，这与目前WTO争端中强调的整体性解释方法不谋而合，无疑为WTO“疑难案件”的解决打开一扇窗。以“规则”为导向的WTO法律体系不仅包括外显的规则，而且包括内含的原则；在重大“疑难案件”中缺乏法律原则的铺垫和支撑，甚至导致对法律规则的误读。而WTO中国涉诉案例中法律原则的适用也表明，裁判者对法律原则的适用态度逐渐积极。对于法律原则的研究有助于深入把握WTO法律体系，提高中国法律论证的水平。

18. 论《中国入世议定书》与WTO多边贸易协定的关系——从“中国稀土案”上诉机构报告切入. 刘瑛，杜蕾. 华东政法大学学报，2015

［作者简介］武汉大学WTO研究与咨询中心

［内容提要］“中国稀土案”的上诉机构报告显示，作为双边协定的《中国入世议定书》，因为《马拉喀什建立世界贸易组织协定》第12条和以该

第12条为依据的《中国入世议定书》第1．2条而成为《马拉喀什建立世界贸易组织协定》及其附件多边贸易协定的组成部分，从而具有了多边属性。议定书与多边贸易协定在谈判主体和过程、体系、内容等方面既有联系又有区别，《中国入世议定书》的解释在依循《维也纳条约法公约》解释规则的同时，需要更多地考虑缔约过程，并结合相应的WTO多边贸易协定规则进行解释。当议定书对某一事项有特别规定时，应当首先适用议定书，再整体适用对同一事项做了规定的多边贸易协定，而不限于该议定书条款所提及的多边贸易协定具体条款。部长级会议和总理事会可以通过决议的方式明确《中国入世议定书》与WTO多边贸易协定的法律关系和适用方法。

19．论GATT与GATS项下义务的累加性．刘子平．华东政法大学学报，2015

［**作者简介**］北京大学法学院

［**内容提要**］由于历史原因与服务业新兴业态的出现，GATT与GATS的适用范围存在交叉。在交叉领域的法律适用问题归根结底是“GATT与GATS项下的义务是否具有累加性”的问题，而对WTO争端解决实践、条约法理论以及GATT/WTO体制历史演变的分析都证明了这种累加性的存在。累加性会造成WTO法律体系的不确定性，使得重要货物的一体化贸易受到“货物”、“服务”、“服务提供者”等全方位的非歧视待遇的保护，甚至导致特定成员并未承诺开放的文化产业被迫开放，因此应对其明确规定。我国应当学会利用累加性原理以维护自身服务业的重大利益。

20．GATT一般例外条款适用的价值导向与司法逻辑．马乐．华东政法大学学报，2015

［**作者简介**］华东政法大学

［**内容提要**］贸易自由化是GATT/WTO法律体系的目的价值。一般例外条款中的健康、资源、道德等政策目标只是GATT在追求贸易自由化过程中要兼顾的社会责任。为了防止滥用一般例外条款妨碍贸易自由化，援引方必须承担证明例外成立的举证责任。争端解决机构在处理此类争议的过程中逐渐形成严格的举证责任分配规则与证明要求，同时通过多元的法律解释方法对具体例外情形和序言进行从严解释，进而形成认定例外成立的标准和原则。这种司法逻辑缘于贸易自由化目的价值的导引，归于对这一价值的强化。从涉及一般例外条款的争端解决历程来看，贸易自由化的目的价值地位从未被偏离甚或减损。检视影响贸易措施的价值取向对于能否成功援引一般例外条款更为关键。

➢ 贸易摩擦

1．美国对华发起胶合板“双反”调查的合规性分析．康宁，缪东玲．国际经贸探索，2015

［**作者简介**］北京林业大学经济管理学院

［**内容提要**］中国胶合板业发展迅速，出口量稳居世界第一，美国是中国最大的出口对象国。2012年，美国对中国产硬质装饰胶合板发起“双反”调查。尽管该案最终以无损害结案，但此前的历次审理程序中，调查机关均做出了肯定性裁决，重创了中美胶合板业，使中国胶合板出口受挫。为有利于中国今后更好地应对美国的“双反”调查，并推动美国改变不合规做法或降低错误做法的影响，本文在梳理案情、分析起因及影响的基础上，重点剖析其合规性。分析表明，从法律和事实角度而言，该案均存在诸多不合规的地方：涉嫌重复救济，税率调整和适用缺乏逻辑延续，涉案产品范围与企业被夸大，被调查补贴项目不准确，替代国的选取不对称，税率被高估。

2．技术性贸易壁垒的差异化效应：国际经验及对中国的启示．鲍晓华，朱达明．世界经济，2015

［**作者简介**］上海财经大学国际工商管理学院；上海市人民政府发展研究中心上海发展战略研究所

［**内容提要**］本文构建了非线性引力模型，并利用1995—2009年全球112个国家的技术性贸易壁垒（TBT）通报数据和双边贸易数据，对出口国遭遇TBT的差异化效应进行了经验检验。结果表明，进口国设置的TBT不仅限制了各国出口，同时该限制效应会随出口国别及时间发生动态变化。出口国遭遇TBT的差异化效应具体表现为：人均收入越高，其遭遇TBT的贸易限制效应越小，拥有越高的TBT应对能力；生产技术水平和政府管理能力的提高，可以显著降低TBT的贸易限制效应，这就使得长期内TBT对一国出口增长的贡

献可能为正。经过测算，2002—2009年TBT限制效应的降低对中国出口增长的贡献约为5%。

3. 美国对华反倾销的影响因素研究——基于负二项模型的方法，陈巧慧．国际贸易问题，2015

［作者简介］浙江台州广播电视大学

［内容提要］本文采用了1990—2013年间美国对世界各国反倾销调查的数据，运用面板负二项模型对各项影响美国对世界各国反倾销调查的宏观影响因素及其作用机理进行分析和实证研究。结果表明，在面板数据模型中，美国失业率、进口比重、贸易国吸收外商投资额、贸易国对美国的反倾销调查以及贸易国的市场经济地位因素对美国实施反倾销调查有不同的影响。本文根据多国面板模型和对华时间序列模型的回归结果，得出应对美国反倾销行为的一般性改进和针对我国具体情况的对策和建议。

4. 美国反倾销立案调查对我国上市公司影响的决定因素分析．巫强，马野青，姚志敏．国际贸易问题，2015

［作者简介］南京大学经济学院

［内容提要］本文以2001年至2012年间美国对华60起反倾销立案调查所涉及的我国475家制造业上市公司为研究对象，采用事件研究法以累积异常收益率来衡量反倾销的负面影响，并研究这种负面影响的决定因素。研究结果表明：企业规模越大，经营业绩越好，股权集中度越高，越有助于上市公司抵御美国反倾销立案调查的负面冲击；而劳动要素密集度越高，直接受到反倾销立案调查指控的上市公司遭受的负面冲击越大。与深交所的上市公司相比，上交所的上市公司遭受美国反倾销立案调查的负面影响更大。东、中、西部上市公司、不同行业上市公司受到该事件的负面影响也存在差异。

5. 中国在世界反倾销中角色地位变化的社会网络分析．周灏．国际贸易问题，2015

［作者简介］武汉纺织大学经济学院

［内容提要］本文以世界反倾销最主要的37个成员的反倾销调查数据为基础，将1995—2013年分成两个阶段，分别构建了两个阶段的37×37的邻接矩阵，采用社会网络分析方法对比分析了中国在世界反倾销中角色地位的变化。研究表明，世界对中国的反倾销明显加强，但中国通过反倾销保护自身利益的偏好也在加强；中国控制其他成员间反倾销关系的能力明显加强，同时其他成员对美国反倾销行为的模仿概率很大，但对欧盟的模仿概率明显降低；中国陷入反倾销摩擦的程度比印度更深；世界反倾销有向少数成员集中的倾向，并且中国维持在核心地带；长期以来，中国倾向于被动接受国外的反倾销，且中国所处群体的自反性不显著。为实现我国对外贸易的可持续发展，本文从经济合作、贸易均衡等方面提出了政策建议。

6. 超越WTO——区域自由贸易协定“下一代贸易议题”对贸易壁垒的影响研究．张胜满，张继栋．国际经贸探索，2015

［作者简介］中国人民大学经济学院；北京大学政府管理学院

［内容提要］基于WTO区域贸易协定信息系统的统计数据，采用双重差分方法，实证研究广泛存在于各个区域自由贸易协定（RTAs）中的“下一代贸易议题”（WTOX条款）对贸易壁垒的影响。通过研究发现：WTOX条款显著降低了服务业的等值贸易壁垒，对制造业贸易壁垒的影响则不显著；从具体条款来看，仅有竞争政策同时降低了制造业和服务业贸易壁垒，知识产权保护条款在降低服务业贸易壁垒同时，增加了制造业贸易壁垒；部分WTOX条款是制造业贸易壁垒的重要来源。通过该研究为我国各自贸园区以及区域自由贸易协定的建设提供了有意义的参考依据。

7. 卫生与植物检疫措施对中国农产品出口质量的影响．李丽玲，王曦．国际经贸探索，2015

［作者简介］中山大学岭南学院

［内容提要］本文从理论和实证上分析进口国的卫生与植物检疫（SPS）措施对出口国出口产品质量的影响。首先分别从消费者和生产者角度证明产品质量标准、产品质量与消费需求之间的关系，在此基础上建立回归模型，并采用2000—2013年中国出口日本的31种农产品的面板数据进行实证检验。研究结果表明：进口国SPS措施的实施或加强对于出口国出口产品的质量（单位价值）有显著的正影响，日本向WTO提交的SPS通报增加一个单位，中国出口的农产品单位价值平均将上升5.0%～5.8%。

8. WTO规则下的不公平贸易战——WTO成立20周年之全球反倾销案件分析及中国的策略选择. 尹继元，李淑玲. 国际经贸探索，2015

［作者简介］江苏经贸职业技术学院；对外经济贸易大学

［内容提要］文章运用WTO公布的最新数据，对1995—2014年这20年间的全球反倾销案件进行了分析，研究了美国、欧盟、印度和中国四个主要经济体的反倾销的发起和应诉情况，并重点分析了中美两国反倾销策略的博弈。研究表明，不公平的贸易战在发达国家之间、发展中国家之间以及发达国家与发展中国家之间均频繁发生；贸易保护主义现象并没有因为WTO的存在而减少，各国纷纷依据自己的法律标准发起和裁定反倾销案件；中国是遭受反倾销损害最大的国家，却很少采取针锋相对的反倾销策略，因此必须对我国传统的反倾销战略进行改革。中国应积极参与反倾销俱乐部，推动反倾销协议的改革；同时，中国政府应给予本国企业反倾销方面的援助，积极运用反倾销法律工具保护自身利益。

9. 试析美国反倾销法及其适用特点. 侯放. 政治与法律，2015

［作者简介］上海社会科学院法学研究所

［内容提要］随着我国外贸出口逐年扩大，我国的产品尤其是劳动密集型产品在国际市场上与他国产品的摩擦日趋激烈，所受到的抵制也日见明显。其中对我国产品进一步扩大出口威胁较大的因素之一，便是西方发达国家所实行的反倾销措施。这类措施的适用近年来日见频繁，值得我们高度重视。

10. 基于个人信息保护的国际贸易壁垒及其法律应对. 侯富强. 法学评论，2015

［作者简介］深圳大学经济学院

［内容提要］信息化时代的个人信息传播渠道多样、成本低廉，导致个人信息受侵害的可能性大大增加。并且，全球化的传播渠道放大了个人信息保护不力的后果，使个人信息保护问题成为全球性政策议题。由于存在历史传统、文化背景和管制模式的差异，不同国家在个人信息保护标准、强度等方面存在分歧，有可能使个人信息保护成为国际贸易非关税壁垒的新形式，滋生贸易保护主义。因此，应当加强个人信息保护的国际协调，通过国际磋商和政策协调实现个人信息保护的标准趋同。我国也应当加紧制定《个人信息保护法》，积极参与国际标准的规则制定和政策形成，同时加强企业监管，为个人信息保护提供良好的制度保证，减少国际贸易争端。

11. 传统知识保护之争中的非政府组织. 魏艳茹. 法学论坛，2015

［作者简介］广西大学法学院

［内容提要］由于世界性非政府组织对传统知识保护问题关注不够且与传统知识持有人之间存在摩擦、发展中国家非政府组织又受到数量不多、经费不足的严重制约，故在协助发展中国家推动传统知识的国际保护方面，非政府组织的潜力尚未得到充分开发。发展中国家的当务之急是：加强传统知识保护方面的议题表述模式研究，鼓励本国的土著、本土社区组建非政府组织并与国际性非政府组织展开合作，促进发展中国家非政府组织经费的“开源”与“节流”。

12. 金融危机下美国对华实施保障措施的原因及对策分析. 宏结. 法学杂志，2015

［作者简介］中国政法大学商学院

［内容提要］随着美国陷入经济衰退，贸易保护主义抬头，具有歧视性的特保措施又重新成为美国近期限制中国产品的贸易保护的手段。本文以2009年美国对华轮胎特保案为切入点，运用贸易政治经济学的方法分析了美国对华实施保障措施的原因和经济影响，并据此提出通过企业行会游说美国利益集团，以及利用WTO争端解决机制应对中美贸易摩擦的政策主张。

13. 国际贸易摩擦协调机制构建的制约因素及核心维度. 刘伟，何均林. 商业经济研究，2015

［作者简介］四川省宜宾职业技术学院；福建农林大学经济学院

［内容提要］本文首先分析了当今的贸易摩擦的种类、产生原因和协调机制，同时在整个论述过程中从摩擦产生的本质方面探讨了协调机制构建的制约因素及其核心维度。

14. 中美新能源产业贸易摩擦之经济学分析. 周聪慧. 理论界，2015

［作者简介］中国人民大学商学院

[**内容提要**] 能源产业是国民经济的基础产业，新能源成为各国抢占未来能源技术制高点的必争领域，近年来随着中国新能源产业的快速发展，出口激增威胁到其他国家市场主体的利益，引发了多起贸易摩擦，尤以美国发起的风电产品、太阳能产品“双反”案影响最大。本文详细分析了这些贸易摩擦现象及其影响，然后运用相关经济学理论进行了深入剖析。从国际贸易理论视角分析，自由贸易是符合全社会利益的选择，然而狭隘的贸易保护主义在贸易实践中颇有吸引力；从博弈论视角分析，中美新能源产业之争是一个无限博弈的过程。构建一个简化的三阶段动态博弈模型，分析得出：征收反补贴税、反倾销税不是美国的理性选择，与中方进行贸易谈判，共同削减政府补贴，遵循市场定价机制，维护公平竞争环境，通过合作渠道实现共赢方为理性选择。最后，提出促进新能源产业稳定发展的五条政策建议。

15. 美国农产品贸易双反调查及对中国的启示. 李万君，李艳军. 农业现代化研究，2015

[**作者简介**] 华中农业大学经济管理学院；华中农业大学湖北省农村发展研究中心

[**内容提要**] 出于经济和政治等多方面的考虑，美国政府倾向于采用反补贴和反倾销调查的办法限制其他国家的农产品流入其国内市场。这种双反调查具体包括采用临时措施、启动双反调查程序、征收反补贴反倾销税以及争取承诺等手段。并具有针对主要贸易伙伴、法律法规健全、调查力度大、涉案产品范围广以及反补贴与反倾销相伴随等特点。美国的双反调查在保护其国内经营主体利益、稳定物价和保障粮食安全等方面取得了良好的成效，但也导致了贸易摩擦，损害了贸易伙伴的利益。作为国际市场上重要的贸易主体以及美国主要的贸易伙伴之一，为了在农产品国际贸易中切实维护自身的正当权益，中国应重视反补贴反倾销的作用，培养新时期懂规则的人才；根据国际贸易规则，完善相关法律法规；完善双反预警系统，建立健全应诉机制；适时启动并积极应对双反调查，切实规范和深入贯彻调查程序。

16. 从政府职能角度谈国际贸易摩擦问题. 陈昌候. 合作经济与科技，2015

[**作者简介**] 浙江越秀外国语学院

[**内容提要**] 当今世界各国的经济都在不断发展，我国与其他国家的贸易来往也逐渐增多，在交易过程中，难免会出现摩擦问题。政府需要充分发挥其自身的职能，解决贸易摩擦。而在国际贸易过程中，政府职能并未得以完全的发挥，难以正确处理摩擦问题，导致我国的经济利益得不到维护。因此，必须明确政府的职能，在应对国际贸易摩擦问题中做出正确的反应。本文分析了我国政府在国际贸易摩擦中行使职能时存在的问题，并提出一些相应策略。

17. 中美汽车贸易摩擦的现状、原因及应对. 李旗明，赵凌云. 江西社会科学，2015

[**作者简介**] 中南财经政法大学经济学院

[**内容提要**] 2012年，美国开始对包括中国在内的非市场经济国家开展反补贴调查，加剧了中国汽车零部件企业遭受反补贴调查的风险。从2009年美国对华轮胎特保案到2012年中美汽车贸易纠纷案再到2014年WTO的裁决，两国汽车贸易摩擦不断升级，主要原因在于中美汽车贸易失衡、美国贸易保护主义和中美经济政治差异。从企业自身、行业协会、政府等方面应对中美汽车贸易摩擦，我国需要提高汽车出口企业研发创新能力，发挥汽车行业协会协调能力，增强政府政策导向和扶持作用，利用WTO争端解决机制等。

➢ 其他议题

1. “丝绸之路经济带”与亚欧经济互动——兼论泛北部湾与印度的经贸合作. 周忠菲. 亚太经济，2015

[**作者简介**] 上海国际问题研究院

[**内容提要**] “一带一路”战略的推进为亚欧经济合作带来机遇，也使中国沿海、内陆以及泛北部湾这样的地区，有条件按自己的方式在该战略中扮演角色。本文从区域经济发展角度，提出泛北部湾应重视与印度发展经贸关系。

2. 中国自由贸易试验区功能定位与投资规则构建. 赵东麒，桑百川. 亚太经济，2015

[**作者简介**] 对外经济贸易大学国际经济研究院

[**内容提要**] 自由贸易试验区作为中国推动国内经济改革、推向与国际新规则接轨的“试验田”，

其功能定位和制度构建尤为重要。文章通过回顾和总结中国开放环境以及国际投资规则的变迁趋势，提出自由贸易试验区的功能定位，并探讨了深化外资管理体制改革问题。

3.“一带一路”倡议中的议题区域化模式探析. 陈松川，邓世专. 亚太经济，2015

［作者简介］北京建筑大学经济管理学院

［内容提要］“一带一路”倡议的一个核心之意是“区域合作”，但是这种区域合作与既有的区域合作有着很大的不同，这就是它背后具有明显中国价值观取向的“议题区域化”模式。这种以“议题”触发区域合作进程，进而构建灵活多样的自贸区的区域化模式，对于各种复杂程度的区域具有较为广泛的适用性，为困惑于当前活力不在的欧盟、亚太区域化模式的国家和地区提供了一种新的路径选择。

4. APEC 与欧盟个人数据跨境流动规则的研究. 弓永钦，王健. 亚太经济，2015

［作者简介］对外经济贸易大学国际经济贸易学院；北京劳动保障职业学院

［内容提要］为了兼顾个人数据保护与个人数据自由流动，一些区域经济组织制定了个人数据跨境流动规则，目前具有可操作性的只有 APEC 的“跨境隐私规则”和欧盟的“约束性公司规则”。两套规则既有相同点，又在适用范围、参与方、申请程序、监管机制等方面具有不同点；各有优劣，又殊途同归，正在谋求对接和互认。我国跨境电商和跨境贸易投资企业应关注个人数据保护规则，我国政府也应积极参与国际规则的制定。

5. 中国（上海）自由贸易试验区发展评价. 荆林波，袁平红. 国际经济评论，2015

［作者简介］中国社会科学院中国社会科学评价中心；河北经贸大学；安徽财经大学商学院

［内容提要］自 2013 年 9 月 29 日成立以来，上海自贸试验区经过两年的发展，在准入前国民待遇和负面清单管理模式上进行了积极探索，并且形成了可供上海市以及全国范围可复制和推广的经验。随着中国国内、国际经济发展形势的演变，上海自贸试验区正面临多方面的挑战。为进一步推动上海自贸试验区发展，本文建议上海自贸试验区首先要加强制度创新，朝全球高标准自贸区迈进；其次要以“一带一路”战略为契机，与跨太平洋伙伴关系协定（TPP）、跨大西洋贸易与投资伙伴关系协定（TTIP）进行战略性对接；最后要服从国家发展战略，构建协作机制实现协同发展。

6.“一带一路”战略与全球经贸格局重构. 李丹，崔日明. 经济学家，2015

［作者简介］辽宁大学经济学院

［内容提要］从经济总量、贸易投资规模以及制造业和金融实力等角度衡量，中国已经成为名副其实的全球经济大国。中国及其提出的“一带一路”战略具有引领和推动全球经贸格局重构的能力，将从全球贸易投资格局、亚洲产业分工体系、全球治理模式等方面对全球经贸格局进行重构。除中国经济实力和世界影响力外，沿线国家的支持以及发展中国家和新兴经济的强大需求和供给能力是“一带一路”重构全球经贸格局的国际基础。同时，全球经贸格局的重构还需相关国家的共同推进。

7.“一带一路”国家的贸易便利化水平测算与贸易潜力研究. 孔庆峰，董虹蔚. 国际贸易问题，2015

［作者简介］山东大学经济学院

［内容提要］“一带一路”是中国新时期全方位扩大对外开放战略的重要组成部分，本文构建了一套完整的贸易便利化指标体系，对“一带一路”沿线 69 个亚欧国家的贸易便利化水平进行测算。通过拓展的引力模型，验证了贸易便利化对“一带一路”沿线国家之间贸易的促进作用大于区域经济组织、进出口国家 GDP、关税减免等。贸易潜力研究表明，“一带一路”沿线亚欧国家之间的贸易潜力巨大，贸易便利化水平的提升可以进一步扩大贸易潜力，地区之间的贸易潜力要大于同一地区国家之间的贸易潜力。“一带一路”的建设应重视贸易便利化方面的合作与创新，建立多元化合作机制，实现亚欧大陆的互联互通和共同繁荣。

8. 21 世纪“海上丝绸之路”贸易潜力及其影响因素——基于随机前沿引力模型的实证研究. 谭秀杰，周茂荣. 国际贸易问题，2015

［作者简介］武汉大学国际问题研究院；武汉大学国家领土主权与海洋权益协同创新中心；武汉大学经济与管理学院

［内容提要］共同建设 21 世纪“海上丝绸之

路”是推动我国新一轮对外开放、促进沿线国家共同发展的重大战略，国际贸易是该战略的基础和纽带。本文利用随机前沿引力模型研究了“海上丝绸之路”主要沿线国家间的贸易潜力，并采用一步法分析了影响因素。研究表明，“海上丝绸之路”的贸易效率在不断提升，中国对“海上丝绸之路”的出口仍有很大潜力。为进一步提高“海上丝绸之路”贸易效率，应加快推进自贸区谈判，降低关税和非关税壁垒，提高贸易便利化，加强海运互联互通，改善交通基础设施，并注重金融风险防范的合作。

9.“一带一路”战略下贸易便利化的经济影响——以中哈贸易为例的GTAP模型研究. 刘宇，吕郢康，全水萍. 经济评论，2015

［作者简介］中国科学院科技政策与管理科学研究所；中国农业大学经济管理学院

［内容提要］哈萨克斯坦是中亚地区综合实力最强、与中国经贸关系最密切的国家。自从共建“一带一路”的战略构想提出以来，两国的自由贸易区和便利化建设受到广泛关注，却鲜有对其经济影响的研究。本文利用GTAP模型定量测算了两国关税削减和贸易便利性提升的经济影响。研究发现，关税削减只能使中国的GDP增长0.02%，哈萨克斯坦为0.68%。然而，如果将时间成本这一贸易便利化措施纳入考虑，中国的经济增长幅度将增加9倍，达到0.17%，哈萨克斯坦的经济发展也将得到极大促进。这说明贸易便利化对经济的促进作用大于关税削减，忽视时间成本的研究将严重低估中哈贸易自由化的正面影响。从产业层面看，中国绝大多数产业的贸易和产出都将受益，只有采掘业和服务业出口小幅受损0.1%左右，采掘业产出下降0.01%；哈萨克斯坦的大部分产业也从中获益，尤其是纺织服装出口由于关税削减而得到较大扩张。

10. 析中国对美出口产品质量与美国对华反倾销起诉之间的关系. 蒋冬英，赵曙东. 世界经济与政治论坛，2015

［作者简介］南京大学经济学院

［内容提要］本文基于HS6产品分类方法，选取单位比较价格作为出口产品质量的代理变量，采用面板logit模型，分析中国对美出口产品质量与美国对华反倾销起诉之间的关系。实证结果表明，在低价竞争部门中，美国对中国产品的反倾销概率随着其质量的提升而加大。对此，本文认为，质量较高且廉价的出口产品通常具有较高的市场竞争力，因而加大了对进口国同类商品的生产和销售的压力。反倾销作为一种贸易保护手段，易成为使用国排除或减少来自国外产品质量竞争的方式，进口国企业倾向于寻求反倾销等贸易保护手段以保护国内市场。

11. 中国自由贸易试验区金融改革问题探讨. 裴长洪. 国际贸易，2015

［作者简介］中国社会科学院经济研究所

［内容提要］目前我国有两类自由贸易区：一类是双边、区域中各经济体达成贸易投资自由化协议，并按照协议相互提供优惠措施的自由贸易区(FTA)；另一类是一个经济体单方、主动地向世界各经济体提供的贸易投资自由化优惠措施(FTZ)。这里讨论的中国上海、天津、广东、福建的自由贸易试验区属于后者。

12. 中非货物贸易与投资模式亟需改变. 薛荣久. 国际贸易，2015

［作者简介］对外经济贸易大学

［内容提要］21世纪以来，中非货物贸易与对外直接投资高速发展。但贸易结构、贸易对象、贸易差额发展相当不平衡，直接投资与贸易改善关系不密切，贸易基础仍为初级产品与制成品的国际分工形式。中方应通过直接投资方式转变，推动非洲工业化，密切投资与贸易质量提高的关系，构建社会责任履行战略，加强非洲国家可持续发展能力。

13. 加快更新国际经济秩序时不我待. 陈飞翔，吕冰. 国际贸易，2015

［作者简介］上海交通大学安泰经管学院

［内容提要］随着经济全球化的日益深化，国际经济秩序已经成为一种非常重要的公共产品，对当前全球经济走势存在重大影响，是我国参与未来国际竞争中必须力争的一个战略制高点。当前国际经济秩序存在的严重弊端日益凸现，第二次世界大战后由美国主导建立的国际经济秩序越来越多地暴露出深层次的功能性缺失和结构性紊乱。全球经济格局已经发生了深刻的变化，必须也应当对现有国际经济秩序进行深层的改革更新。当前全球经济复

苏步履艰难，发达国家至今还没有真正走出金融危机的阴影，发展中国家也面临许多新的冲击，世界经济处于前所未有的不确定状态。造成当今国际经济困局的原因很多，不合理的国际经济秩序无疑是其中最重要的深层因素之一，所以积极推进国际经济秩序更新迫在眉睫。

14. 中国参与构建合理有效全球经济治理机制的战略举措. 高凌云，苏庆义. 国际贸易，2015

［**作者简介**］中国社会科学院世界经济与政治研究所

［**内容提要**］随着以大稳定为主要特征的“旧常态”的结束，全球经济进入深度调整与再平衡的“新常态”。全球经济正在经历的深刻结构性变化，亟须新型国际经济治理机制。与此同时，伴随中国从世界经济的主要参与者转变为主要领导者，中国如何变被动适应为主动推动国际经济治理机制改革，日益受到国内外的广泛关注。本文从现行全球经济治理平台、机构存在的主要问题入手，从中国经济长期发展的角度，系统总结了“中国特色”的全球经济治理观；进而提出了中国主动参与和引领全球治理改革和规则制定，在战略考量上需要重点强调的“四个明确”；最后，提出并阐释了开放型经济新体制下，中国参与全球经济治理及其机制改革的三个主要着力点及对应的具体工作。

第九篇　与 WTO 有关的法规及政策（2015）

（注：按发布时间先后排序）

商务部《自由贸易试验区外商投资备案管理办法（试行）》

为进一步扩大对外开放，推进外商投资管理制度改革，在自由贸易试验区（以下称自贸试验区）营造国际化、法治化、市场化的营商环境，经全国人大常委会授权，国务院决定在自贸试验区对外商投资实行准入前国民待遇加负面清单的管理模式。为落实改革外商投资管理模式的相关要求，规范自贸试验区外商投资备案管理工作，现公布《自由贸易试验区外商投资备案管理办法（试行）》，自发布之日起30日后实施。

中国人民银行、海关总署《黄金及黄金制品进出口管理办法》

根据《中华人民共和国中国人民银行法》《中华人民共和国海关法》和《国务院对确需保留的行政审批项目设定行政许可的决定》，中国人民银行、海关总署制定了《黄金及黄金制品进出口管理办法》，现予以发布，自2015年4月1日起施行。

商务部《外商投资产业指导目录（2015年修订）》

《外商投资产业指导目录（2015年修订）》已经国务院批准，现予以发布，自2015年4月10日起施行。2011年12月24日国家发展和改革委员会、商务部发布的《外商投资产业指导目录（2011年修订）》同时废止。

海关总署《海关总署关于修改部分规章的决定》

《海关总署关于修改部分规章的决定》已于2015年4月27日经海关总署署务会议审议通过，现予公布，自公布之日起施行。

国务院办公厅《自由贸易试验区外商投资国家安全审查试行办法》

《自由贸易试验区外商投资国家安全审查试行办法》已经国务院同意，现印发给你们，请认真贯彻执行。

国务院办公厅《自由贸易试验区外商投资准入特别管理措施（负面清单）》

《自由贸易试验区外商投资准入特别管理措施（负面清单）》已经国务院同意，现印发给你们，请认真执行。实施中的重大问题，要及时向国务院请示报告。

人力资源和社会保障部令《人力资源社会保障部关于修改部分规章的决定》

《人力资源社会保障部关于修改部分规章的决定》已经2015年4月27日人力资源社会保障部第62次部务会讨论通过，并商商务部、工商总局、银监会、证监会、保监会同意，现予公布，自公布之日起施行。

国家发展和改革委员会、财政部、住房城乡建设部、交通运输部、水利部、中国人民银行《基础设施和公用事业特许经营管理办法》

《基础设施和公用事业特许经营管理办法》业经国务院同意，现予以发布，自 2015 年 6 月 1 日起施行。

国务院《中华人民共和国食品安全法》

《中华人民共和国食品安全法》已由中华人民共和国第十二届全国人民代表大会常务委员会第十四次会议于 2015 年 4 月 24 日修订通过，现将修订后的《中华人民共和国食品安全法》公布，自 2015 年 10 月 1 日起施行。

国务院《全国人民代表大会常务委员会关于修改〈中华人民共和国港口法〉等七部法律的决定》

《全国人民代表大会常务委员会关于修改〈中华人民共和国港口法〉等七部法律的决定》已由中华人民共和国第十二届全国人民代表大会常务委员会第十四次会议于 2015 年 4 月 24 日通过，现予公布，自公布之日起施行。

商务部、国家原子能机构《核两用品及相关技术出口管制清单》

根据《中华人民共和国核两用品及相关技术出口管制条例》，现发布经修订的《核两用品及相关技术出口管制清单》，本清单自 2015 年 7 月 1 日起实施。

财政部《中小企业发展专项资金管理暂行办法》

为促进中小企业特别是小型微型企业健康发展，规范和加强中小企业发展专项资金的管理和使用，财政部制定了《中小企业发展专项资金管理暂行办法》。现印发给你们，请遵照执行。

主席令《全国人民代表大会常务委员会关于修改〈中华人民共和国促进科技成果转化法〉的决定》

《全国人民代表大会常务委员会关于修改〈中华人民共和国促进科技成果转化法〉的决定》已由中华人民共和国第十二届全国人民代表大会常务委员会第十六次会议于 2015 年 8 月 29 日通过，现予公布，自 2015 年 10 月 1 日起施行。

国家工商行政管理总局《企业经营范围登记管理规定》

《企业经营范围登记管理规定》已经国家工商行政管理总局局务会议审议通过，现予公布，自 2015 年 10 月 1 日起施行。

国家工商行政管理总局《关于废止〈外商投资广告企业管理规定〉的决定》

现公布《关于废止〈外商投资广告企业管理规定〉的决定》，自公布之日起生效。

国家新闻出版广电总局《关于修订部分规章和规范性文件的决定》

《关于修订部分规章和规范性文件的决定》经2015年8月20日局务会议审议通过，其中《设立外商投资印刷企业暂行规定》（新闻出版总署、对外贸易经济合作部令第16号）、《出版物市场管理规定》（新闻出版总署、商务部令第52号）、《外商投资电影院暂行规定》（广电总局、商务部、文化部令第21号）、《电影企业经营资格准入暂行规定》（广电总局、商务部令第43号）、《〈电影企业经营资格准入暂行规定〉的补充规定》（广电总局、商务部令第50号）经商务部同意修订，《互联网视听节目服务管理规定》（广电总局、信息产业部令第56号）经工业和信息化部同意修订。现予发布，自发布之日起施行。

商务部《2016年羊毛、毛条进口关税配额管理实施细则》

根据《农产品进口关税配额管理暂行办法》（商务部、发展改革委令2003年第4号），商务部制定了2016年羊毛、毛条进口关税配额管理实施细则，现公告。

商务部、海关总署《两用物项和技术进出口许可证管理目录》

根据《两用物项和技术进出口许可证管理办法》（商务部、海关总署令2005年第29号）和2016年《中华人民共和国进出口税则》，商务部和海关总署对《两用物项和技术进出口许可证管理目录》进行了调整，现将调整后的《两用物项和技术进出口许可证管理目录》（见附件）予以公布。

商务部《对外援助项目实施企业资格认定办法（试行）》

《对外援助项目实施企业资格认定办法（试行）》已经2015年9月14日商务部第57次部务会议审议通过，现予公布，自公布之日起施行。

商务部、海关总署《从加工贸易禁止类目录调整的商品目录》

为落实国务院决定，保持外贸稳定增长，商务部和海关总署对加工贸易禁止类商品目录进行调整，现将有关事项公告。

商务部、海关总署《加工贸易限制类商品目录》

为保持外贸稳定增长、调整进出口商品结构，现对加工贸易限制类目录进行调整，并将有关事项公告。

商务部《对外援助成套项目管理办法（试行）》

《对外援助成套项目管理办法（试行）》已经2015年12月9日商务部第61次部务会议审议通过，现予公布，自 2016 年 1 月 8 日起施行。

商务部《对外援助物资项目管理办法（试行）》

《对外援助物资项目管理办法（试行）》已经 2015 年 12 月 9 日商务部第 61 次部务会议审议通过，现予公布，自 2016 年 1 月 8 日起施行。

商务部《对外技术援助项目管理办法（试行）》

《对外技术援助项目管理办法（试行）》已经 2015 年 12 月 9 日商务部第 61 次部务会议审议通过，现予公布，自 2016 年 1 月 8 日起施行。

国家质量监督检验检疫总局、国家发展和改革委员会、商务部、海关总署《关于废止〈缺陷汽车产品召回管理规定〉的决定》

《国家质量监督检验检疫总局、国家发展和改革委员会、商务部、海关总署关于废止〈缺陷汽车产品召回管理规定〉的决定》已经 2015 年 7 月 10 日国家质量监督检验检疫总局局务会议审议通过，并经国家发展和改革委员会、商务部、海关总署同意，现予公布，自 2016 年 1 月 1 日起施行。

海关总署《中华人民共和国海关〈中华人民共和国政府和大韩民国政府自由贸易协定〉项下进出口货物原产地管理办法》

《中华人民共和国海关〈中华人民共和国政府和大韩民国政府自由贸易协定〉项下进出口货物原产地管理办法》已于 2015 年 12 月 7 日经海关总署署务会议审议通过，现予公布，自 2015 年 12 月 20 日起施行。

海关总署《中华人民共和国海关〈中华人民共和国政府和澳大利亚政府自由贸易协定〉项下进出口货物原产地管理办法》

《中华人民共和国海关〈中华人民共和国政府和澳大利亚政府自由贸易协定〉项下进出口货物原产地管理办法》已于 2015 年 12 月 7 日经海关总署署务会议审议通过，现予公布，自 2015 年 12 月 20 日起施行。

商务部《2016 年进口许可证管理货物分级发证目录》

根据《货物进口许可证管理办法》（商务部令 2004 年第 27 号）、《重点旧机电产品进口管理办法》（商务部、海关总署、质检总局令 2008 年第 5 号）和《2016 年进口许可证管理货物目录》（商务部、海关总署、质检总局公告 2015 年第 75 号），现发布《2016 年进口许可证管理货物分级发证目录》（见附件），并就有关问题公告。

商务部《2016 年出口许可证管理货物分级发证目录》

根据《货物出口许可证管理办法》（商务部令 2008 年第 11 号）和《2016 年出口许可证管理货物目录》

（商务部、海关总署公告 2015 年第 76 号），现发布《2016 年出口许可证管理货物分级发证目录》（见附件），并就有关问题公告。

商务部、海关总署、国家质量监督检验检疫总局《2016 年进口许可证管理货物目录》

依据《中华人民共和国对外贸易法》《中华人民共和国货物进出口管理条例》和《重点旧机电产品进口管理办法》，现公布《2016 年进口许可证管理货物目录》，自 2016 年 1 月 1 日起执行。商务部、海关总署、质检总局 2014 年 12 月 31 日发布的《2015 年进口许可证管理货物目录》同时废止。

第十篇　贸易统计数据

世界贸易统计

表 1

世界货物出口、产量和 GDP（1950—2015 年）　　（指数，2005 年＝100）

	总额				数量				GDP
	出口				出口				
	总计	农产品	燃料和矿产品	制成品	总计	农产品	燃料和矿产品	制成品	
1950	1	3	1	0	4	15	10	2	12
1951	1	4	1	0	4	15	11	2	13
1952	1	4	1	0	4	15	12	2	13
1953	1	4	1	0	4	16	13	2	14
1954	1	4	1	1	5	16	14	3	15
1955	1	4	1	1	5	17	15	3	16
1956	1	4	1	1	6	18	16	3	16
1957	1	4	1	1	6	19	18	3	17
1958	1	4	1	1	6	20	17	3	17
1959	1	5	1	1	7	22	18	4	18
1960	1	5	1	1	8	24	22	4	19
1961	1	5	1	1	8	25	23	4	20
1962	1	5	1	1	8	25	24	5	21
1963	2	5	1	1	9	26	25	5	22
1964	2	6	2	1	11	27	27	6	24
1965	2	6	2	1	11	28	28	6	25
1966	2	6	2	2	12	29	30	7	26
1967	2	6	2	2	13	30	33	8	27
1968	2	6	2	2	14	32	37	9	29
1969	3	7	3	2	16	34	39	10	31
1970	3	8	3	3	17	35	44	11	32
1971	3	8	3	3	18	35	45	12	34
1972	4	10	4	4	20	38	48	13	36
1973	6	14	5	5	22	38	53	15	38
1974	8	17	12	6	24	36	52	17	39
1975	8	17	11	7	22	37	46	16	39
1976	10	19	13	8	24	40	49	18	41
1977	11	22	15	9	26	41	50	19	43
1978	13	25	15	11	27	44	53	20	45
1979	16	31	22	13	28	46	56	21	47
1980	20	35	32	15	29	49	52	22	48

续 表

	总额				数量				GDP
	出口				出口				
	总计	农产品	燃料和矿产品	制成品	总计	农产品	燃料和矿产品	制成品	
1981	20	34	31	15	29	51	47	23	49
1982	18	32	27	14	28	50	44	23	49
1983	18	31	25	14	29	50	44	24	51
1984	19	33	25	16	31	52	46	26	53
1985	19	31	24	16	32	51	46	28	55
1986	21	35	18	19	33	50	50	29	57
1987	24	40	20	23	35	53	51	31	59
1988	28	45	21	27	38	55	53	34	62
1989	30	47	24	29	41	56	56	36	64
1990	34	49	28	33	42	57	59	38	66
1991	34	50	26	34	44	59	61	40	67
1992	36	53	26	37	46	62	63	41	68
1993	36	51	25	37	48	63	66	43	69
1994	41	59	26	42	52	68	70	48	71
1995	49	69	30	51	56	71	73	52	73
1996	51	71	34	53	59	74	75	55	76
1997	53	70	35	55	65	79	81	61	78
1998	52	67	28	56	68	80	83	64	80
1999	55	64	32	58	71	80	82	67	83
2000	62	65	47	64	79	83	83	76	87
2001	59	65	43	62	78	85	83	76	88
2002	62	69	44	65	81	87	86	79	90
2003	72	80	54	75	86	91	90	83	93
2004	88	92	72	91	94	94	97	93	97
2005	100	100	100	100	100	100	100	100	100
2006	116	111	128	113	109	106	104	111	104
2007	134	133	147	130	116	111	108	119	108
2008	154	158	195	143	118	113	109	122	110
2009	120	139	125	115	104	111	103	103	108
2010	146	160	167	137	119	119	109	122	112
2011	175	195	224	158	125	126	111	130	115
2012	175	194	228	157	128	129	114	133	118
2013	179	204	222	162	131	132	115	137	120
2014	180	207	209	168	135	136	116	142	123
2015	155	…	…	…	139	…	…	…	126

表 1（续表）

世界货物出口、产量和 GDP（1950—2015 年）（年度变化百分比）

	总额				数量				GDP
	出口				出口				
	总计	农产品	燃料和矿产品	制成品	总计	农产品	燃料和矿产品	制成品	
1950—1963	7.4	3.7	8.5	10.1	7.7	4.5	7.2	8.6	4.7
1964	11.8	6.9	11.8	15.0	10.9	5.4	8.8	14.9	7.2
1965	8.3	4.3	7.1	10.9	6.6	5.1	3.2	7.4	4.1
1966	9.2	4.1	9.8	10.8	7.7	3.7	6.2	10.3	6.5
1967	5.2	−0.2	5.7	7.7	5.7	2.4	10.3	4.7	3.7
1968	11.0	4.1	14.2	14.9	10.8	5.7	12.0	17.9	5.9
1969	14.2	6.9	9.2	16.5	12.2	5.4	6.0	16.5	6.7
1970	14.6	10.6	13.6	15.4	8.7	3.1	12.4	8.7	5.1
1971	11.7	7.4	11.3	13.7	7.0	2.0	1.0	9.0	4.4
1972	18.3	20.3	14.1	19.4	8.4	6.9	6.9	10.1	5.6
1973	38.4	45.5	47.4	34.1	12.1	0.9	10.2	14.2	6.9
1974	44.9	21.7	122.9	31.3	5.4	−4.5	−1.7	8.8	2.1
1975	4.3	1.0	−4.0	8.8	−7.3	1.0	−12.0	−4.0	1.4
1976	13.1	10.5	16.3	12.8	11.8	7.5	6.8	12.6	5.1
1977	13.7	13.5	10.6	14.7	4.2	3.5	2.7	5.0	4.2
1978	15.8	13.3	3.7	21.6	4.7	6.8	5.3	5.9	4.6
1979	27.0	24.4	47.0	21.3	5.2	4.8	5.9	5.0	4.0
1980	23.0	13.8	41.8	15.9	2.9	6.8	−6.3	5.9	2.9
1981	−1.2	−1.9	−3.2	−0.7	−0.3	5.0	−9.9	4.0	1.9
1982	−6.4	−7.5	−10.6	−3.6	−2.3	−2.0	−5.8	−2.1	0.4
1983	−2.1	−1.4	−8.0	0.5	2.5	0.2	−0.9	5.1	2.8
1984	5.8	5.3	−0.9	8.1	8.4	2.8	4.8	10.8	4.6
1985	−0.3	−5.7	−3.2	3.8	2.6	−1.2	−1.2	4.8	3.7
1986	9.4	11.1	−23.8	20.3	4.0	−1.7	9.1	4.1	3.3
1987	17.4	14.9	11.0	19.7	5.5	5.6	1.7	6.3	3.7
1988	13.7	13.1	0.9	16.1	8.5	2.7	5.6	9.5	4.6
1989	7.8	4.3	15.5	6.9	6.4	3.1	4.4	7.8	3.7
1990	12.9	4.7	16.2	14.4	3.8	0.7	5.7	5.5	2.8
1991	1.3	0.8	−6.2	3.3	3.5	3.3	3.3	3.6	1.4
1992	7.2	7.1	−0.9	8.0	5.3	6.0	4.3	4.7	2.1
1993	−0.2	−4.1	−3.5	0.0	4.2	1.0	3.5	4.1	1.6
1994	13.5	15.8	5.1	15.6	9.1	8.7	6.7	11.1	3.1

续 表

	总额				数量				GDP
	出口				出口				
	总计	农产品	燃料和矿产品	制成品	总计	农产品	燃料和矿产品	制成品	
1995	19.4	17.7	15.2	20.0	7.3	4.6	3.6	9.0	2.8
1996	4.5	2.5	14.2	3.5	5.0	3.9	3.9	5.3	3.3
1997	3.3	−1.3	2.7	4.6	10.0	5.9	7.1	11.0	3.7
1998	−1.4	−4.6	−20.6	2.3	4.6	1.5	2.5	4.8	2.5
1999	4.0	−3.7	15.6	3.3	4.7	1.0	−0.7	5.1	3.3
2000	12.8	0.1	45.2	10.0	10.7	3.2	1.7	13.3	4.3
2001	−4.1	0.3	−8.8	−3.8	−0.3	1.8	0.0	−0.6	1.8
2002	4.8	5.9	1.4	5.4	3.6	3.5	2.6	3.9	2.1
2003	16.6	16.9	23.2	15.7	5.4	3.9	5.6	5.9	2.9
2004	21.7	14.6	34.7	20.3	9.9	3.5	6.7	11.3	4.1
2005	14.0	8.8	38.3	10.3	6.4	6.3	3.6	7.9	3.6
2006	15.6	10.9	27.6	13.1	8.7	5.7	4.1	10.5	4.1
2007	15.7	20.0	15.4	15.2	6.5	4.9	3.4	7.7	4.0
2008	15.4	18.5	32.6	9.9	2.1	1.9	1.1	2.3	1.5
2009	−22.6	−12.1	−35.8	−19.9	−12.1	−1.8	−5.4	−15.3	−2.1
2010	21.7	15.4	33.2	19.5	14.1	7.5	5.5	18.2	4.1
2011	20.0	21.8	34.3	15.2	5.5	6.1	2.0	6.8	2.9
2012	0.2	−0.7	1.9	−0.3	2.3	1.7	2.9	2.2	2.3
2013	2.0	5.2	−2.9	3.1	2.7	2.9	0.6	2.7	2.2
2014	0.6	1.6	−5.8	3.5	2.7	2.4	1.0	3.9	2.5
2015	−13.6	…	…	…	3.0	…	…	…	2.4

表 2

2005—2015 年区域一体化协定的货物贸易

单位：十亿美元

	2005	2006	2007	2008	2009	2010	2011	2012	2013	2014	2015
出 口											
世界 a	**10 509.1**	**12 130.5**	**14 023.3**	**16 160.4**	**12 555.0**	**15 301.1**	**18 338.0**	**18 496.3**	**18 948.0**	**18 995.0**	**16 482.2**
北美洲和欧洲											
欧洲自由贸易联盟	237.8	273.5	313.2	377.9	293.3	330.9	400.6	478.5	518.9	460.8	400.0
欧盟（28）	4 082.7	4 606.1	5 366.0	5 954.9	4 613.5	5 183.9	6 092.2	5 808.6	6 074.2	6 154.7	5 387.3
北美自由贸易区	1 475.8	1 664.1	1 840.7	2 035.2	1 601.8	1 964.3	2 283.4	2 372.1	2 417.9	2 492.4	2 294.2
中、南美洲											
安第斯共同体	51.5	64.9	76.9	94.0	78.6	99.4	134.0	142.6	138.2	132.3	96.4

续 表

	2005	2006	2007	2008	2009	2010	2011	2012	2013	2014	2015
中美洲共同市场	22.5	25.1	28.2	30.6	27.1	31.9	38.2	39.8	39.7	40.6	38.5
加勒比共同体和共同市场	15.0	20.3	20.3	26.4	15.0	17.8	23.2	22.2	21.4	19.8	14.2
南方共同市场	221.2	257.4	295.6	375.3	276.8	349.1	448.6	435.9	425.3	386.9	300.6
非洲											
中部非洲经济与货币共同体	22.9	26.8	30.2	42.7	27.0	35.7	44.6	44.5	41.2	39.0	23.2
东南非共同市场	66.0	82.9	98.7	127.0	92.6	118.5	98.7	134.5	119.2	94.6	69.3
中部非洲国家经济共同体	49.6	61.6	78.0	111.3	71.7	92.0	119.1	122.7	116.5	105.9	63.9
西非国际经济共同体	67.1	78.1	87.5	111.9	83.4	114.8	155.1	155.7	146.4	137.9	84.1
南部非洲发展共同体	97.9	116.7	144.2	177.7	131.3	181.0	223.0	218.8	215.3	202.2	159.6
西非经济和货币同盟	12.7	14.2	15.0	18.5	19.3	20.7	24.0	23.8	25.9	26.1	22.9
中东和亚洲											
东盟	656.6	769.8	865.1	989.7	813.8	1 049.8	1 239.5	1 253.7	1 272.6	1 294.9	1 162.6
海湾（阿拉伯国家）合作委员会	397.6	480.7	555.0	762.5	525.9	661.7	950.0	1 061.2	1 084.1	1 022.1	649.6
南亚自由贸易区	133.0	159.3	190.4	241.3	206.8	277.6	365.3	358.1	381.6	391.3	334.2
备注：											
非洲、加勒比和太平洋国家集团	226.8	269.9	316.9	399.2	288.8	391.6	495.1	484.7	469.0	443.2	320.7
最不发达国家	82.3	103.3	128.1	167.8	127.6	162.4	202.7	205.2	212.8	205.7	154.4
WTO成员（162）	10 275.2	11 832.3	13 660.2	15 678.8	12 237.3	14 905.5	17 849.7	17 996.1	18 505.3	18 580.1	16 204.2
进　口											
世界 a	**10 870.5**	**12 461.5**	**14 330.5**	**16 572.3**	**12 781.6**	**15 510.7**	**18 503.5**	**18 704.9**	**19 011.2**	**19 104.3**	**16 725.0**
北美洲和欧洲											
欧洲自由贸易联盟	187.0	211.8	248.2	280.1	228.0	257.5	303.8	388.0	416.3	370.3	333.4
欧盟（28）	4 249.7	4 870.3	5 655.2	6 358.4	4 809.2	5 421.1	6 330.1	5 950.9	6 005.0	6 137.0	5 316.1
北美自由贸易区	2 283.4	2 540.6	2 700.8	2 906.8	2 176.7	2 682.1	3 090.7	3 193.3	3 195.8	3 304.1	3 149.6
中、南美洲											
安第斯共同体	46.4	56.5	70.7	93.6	74.3	96.7	124.3	135.6	139.5	144.6	123.0
中美洲共同市场	36.5	41.8	48.2	54.9	41.6	49.5	60.3	63.0	63.9	64.0	61.8
加勒比共同体和共同市场	20.2	23.0	26.3	31.7	23.6	24.9	30.3	30.9	30.7	30.2	26.2
南方共同市场	137.9	173.2	228.9	308.4	227.8	306.0	382.4	375.9	397.6	371.2	291.4
非洲											
中部非洲经济与货币共同体	7.9	10.5	14.2	17.4	17.3	20.0	25.6	25.7	25.5	27.5	24.2

续 表

	2005	2006	2007	2008	2009	2010	2011	2012	2013	2014	2015
东南非共同市场	65.1	76.0	93.7	119.4	114.7	134.9	140.5	172.6	173.8	183.3	165.0
中部非洲国家经济共同体	19.8	23.2	32.4	44.4	45.7	43.2	54.2	58.7	61.4	66.2	55.6
西非国际经济共同体	43.6	51.9	66.1	89.5	67.1	83.6	103.1	104.4	114.6	115.3	96.7
南部非洲发展共同体	99.7	119.6	140.4	171.3	140.6	165.2	208.7	221.8	227.6	224.2	192.6
西非经济和货币同盟	15.3	16.0	20.0	25.5	22.0	24.5	25.1	29.7	34.8	33.6	28.8
中东和亚洲											
东盟	602.7	687.7	774.9	938.8	727.0	953.5	1 154.3	1 223.2	1 245.2	1 234.2	1 090.8
海湾（阿拉伯国家）合作委员会	188.3	225.1	295.0	383.0	318.4	350.0	426.3	484.5	521.3	533.1	490.6
南亚自由贸易区	196.8	241.1	299.6	409.7	330.0	441.6	579.8	604.8	583.1	590.2	509.7
备注：											
非洲、加勒比和太平洋国家集团	216.5	260.0	309.5	388.2	314.0	369.9	455.5	477.5	498.7	500.2	439.6
最不发达国家	86.9	100.4	124.5	161.6	153.5	169.2	209.4	230.3	250.1	266.3	241.8
WTO 成员（162）	10 672.2	12 251.4	14 078.0	16 243.0	12 476.4	15 170.5	18 131.2	18 314.2	18 614.8	18 707.7	16 387.1

a 包括重要的转口及用于转口的进口。

表 3

2006—2015 年区域集团的服务贸易

单位：十亿美元

	2006	2007	2008	2009	2010	2011	2012	2013	2014	2015
出 口										
世界	**2 942.0**	**3 522.9**	**3 964.0**	**3 533.6**	**3 842.0**	**4 349.5**	**4 468.0**	**4 747.3**	**5 063.8**	**4 754.0**
北美洲和欧洲										
欧洲自由贸易联盟	103.9	124.5	140.0	127.8	137.0	150.1	157.3	165.1	170.2	152.6
欧盟（28）	…	…	…	…	1 706.3	1 924.7	1 915.9	2 074.1	2 216.0	1 998.8
北美自由贸易区	478.3	554.0	604.9	574.1	634.1	704.8	737.5	773.9	796.4	789.0
中、南美洲										
安第斯共同体	7.8	8.7	10.1	9.9	10.6	12.1	13.9	15.5	16.1	17.0
中美洲共同市场	9.2	11.2	12.1	9.8	11.3	12.5	13.8	14.7	15.5	16.6
加勒比共同体和共同市场	9.6	10.3	10.6	9.7	10.1	10.0	10.3	10.5	10.9	11.1
南方共同市场	27.8	36.6	45.2	41.5	47.3	56.3	58.2	56.9	58.2	51.9
非洲										
中部非洲经济与货币共同体	1.4	1.8	2.1	1.9	2.2	3.0	2.8	3.3	3.4	3.3
东南非共同市场	24.2	29.9	36.4	32.0	36.3	34.3	39.1	36.0	39.0	36.2
中部非洲国家经济共同体	2.0	2.6	3.2	3.4	3.6	4.5	4.2	5.3	5.6	5.7
西非国际经济共同体	6.3	6.6	7.9	7.2	8.1	8.9	10.2	9.7	8.8	13.4

续　表

	2006	2007	2008	2009	2010	2011	2012	2013	2014	2015
南部非洲发展共同体	20.1	23.8	22.9	22.3	26.0	28.8	30.9	30.1	31.5	29.4
西非经济和货币同盟	2.3	3.0	3.5	3.0	3.4	3.6	3.6	3.9	4.0	3.8
中东和亚洲										
东盟	134.2	167.7	190.9	175.5	213.9	251.8	275.6	303.7	315.7	304.4
海湾（阿拉伯国家）合作委员会	36.0	41.2	37.5	37.2	38.7	43.9	48.7	53.9	59.8	66.5
南亚自由贸易区	74.7	93.2	113.4	100.0	125.7	148.8	156.4	161.4	170.6	170.9
备忘：										
非洲、加勒比和太平洋国家集团	56.8	64.5	67.4	62.7	70.7	78.3	85.5	86.7	88.0	88.8
最不发达国家	11.3	14.2	18.2	18.5	20.8	25.8	28.3	32.4	35.6	36.0
WTO 成员（162）	2 896.2	3 467.5	3 896.5	3 467.4	3 774.6	4 284.0	4 402.2	4 664.4	4 981.2	4 678.7
进　口										
世界	**2 810.2**	**3 328.6**	**3 805.9**	**3 375.7**	**3 692.5**	**4 162.4**	**4 319.0**	**4 581.3**	**4 913.2**	**4 611.7**
北美洲和欧洲										
欧洲自由贸易联盟	82.7	100.4	113.7	104.1	116.4	133.0	141.1	151.3	157.3	140.9
欧盟（28）	…	…	…	…	1 481.2	1 635.9	1 624.1	1 752.5	1 877.8	1 716.4
北美自由贸易区	409.1	449.7	493.6	460.2	497.0	536.5	561.0	578.3	590.3	594.0
中、南美洲										
安第斯共同体	12.3	14.3	17.3	16.2	19.2	21.8	24.3	25.8	27.3	24.3
中美洲共同市场	6.0	6.7	7.1	6.2	7.1	7.7	8.4	8.9	9.4	9.8
加勒比共同体和共同市场	6.4	6.7	6.9	5.9	6.2	6.8	7.4	7.6	8.1	7.3
南方共同市场	41.4	57.3	72.1	70.5	88.1	107.2	115.0	121.8	122.6	104.0
非洲										
中部非洲经济与货币共同体	8.1	9.6	11.4	10.4	12.3	14.0	13.5	14.7	14.9	…
东南非共同市场	23.3	29.2	36.0	31.8	36.1	37.3	43.0	44.3	47.5	…
中部非洲国家经济共同体	16.2	23.5	34.4	30.9	31.5	39.8	37.2	39.0	42.6	34.7
西非国际经济共同体	19.5	24.4	33.1	26.6	31.0	35.3	36.6	36.0	38.9	35.8
南部非洲发展共同体	28.4	37.9	48.3	44.0	48.5	59.2	57.3	57.2	59.5	51.0
西非经济和货币同盟	5.0	6.1	7.2	6.8	7.5	8.1	8.2	9.4	9.5	9.1
中东和亚洲										
东盟	157.3	184.0	216.4	190.1	228.7	267.2	290.9	316.8	328.1	309.6
海湾（阿拉伯国家）合作委员会	75.0	104.3	122.1	109.6	122.6	153.3	164.6	169.0	190.6	185.0
南亚自由贸易区	71.7	84.9	104.5	92.6	129.2	142.1	147.9	145.7	149.4	146.5
备忘：										
非洲、加勒比和太平洋国家集团	74.3	92.5	116.2	102.2	117.4	136.9	138.5	138.9	144.4	128.4
最不发达国家	30.0	39.5	54.3	50.4	55.2	68.4	72.3	75.4	81.1	75.0
WTO 成员（162）	2 746.2	3 250.3	3 710.2	3 280.2	3 600.1	4 064.0	4 202.7	4 448.0	4 778.9	4 489.4

表 4

2005—2015 年世界货物出口（按地区和国家）

单位：百万美元

	2005	2006	2007	2008	2009	2010	2011	2012	2013	2014	2015
世界 a	10 509 146	12 130 534	14 023 293	16 160 364	12 554 999	15 301 115	18 338 014	18 496 283	18 948 007	18 995 039	16 482 216
北美洲	1 475 820	1 664 141	1 840 749	2 035 212	1 601 883	1 964 302	2 283 428	2 372 077	2 417 940	2 492 408	2 294 182
百慕大	49	27	27	24	29	15	13	11	12	21	20
加拿大	360 475	388 178	420 693	456 471	316 094	387 481	451 335	455 592	458 318	474 725	408 475
墨西哥	214 207	249 961	271 821	291 265	229 712	298 305	349 569	370 770	380 015	397 129	380 772
美国	901 082	1 025 967	1 148 199	1 287 442	1 056 043	1 278 495	1 482 508	1 545 703	1 579 593	1 620 532	1 504 914
中、南美洲	371 456	448 945	514 118	617 101	474 211	591 869	761 380	752 147	732 446	684 889	539 656
安提瓜和巴布达	83	74	59	65	51	46	56	63	68	55	55
阿根廷	40 351	46 546	55 779	70 018	55 672	68 187	84 051	79 982	75 963	68 335	56 752
阿鲁巴（荷兰）	4 416	4 716	5 206	5 456	1 952	265	5 180	1 389	279	259	450
巴哈马	549	694	802	956	711	702	834	984	955	859	520
巴巴多斯	359	510	524	488	379	429	475	565	457	435	483
伯利兹	319	419	416	469	381	478	604	627	609	589	545
玻利维亚	2 827	3 952	4 504	6 525	4 960	6 402	8 358	11 254	11 657	12 266	8 261
巴西	118 529	137 807	160 649	197 942	152 995	201 915	256 040	242 578	242 034	225 101	191 134
智利	41 267	58 680	67 972	64 510	55 463	71 109	81 438	77 791	76 477	75 675	63 362
哥伦比亚	21 190	24 391	29 991	37 626	32 853	39 713	56 915	60 125	58 824	54 795	35 691
哥斯达黎加	7 026	8 200	9 337	9 504	8 784	9 448	10 408	11 433	11 603	11 252	9 624
古巴	2 319	3 159	3 981	3 957	3 092	4 914	6 440	5 900	5 566	5 187	4 400
库拉索岛	—	—	—	—	—	—	928	948	705	702	510
多米尼克	42	41	37	40	33	37	29	34	35	36	37
多米尼加	6 145	6 610	7 160	6 748	5 483	6 754	8 492	9 069	9 651	9 920	9 450
厄瓜多尔	10 100	12 728	14 321	18 818	13 863	17 490	22 322	23 765	24 848	25 724	18 331
萨尔瓦多	3 418	3 706	4 015	4 641	3 866	4 499	5 308	5 339	5 491	5 273	5 485
格林纳达	28	25	33	31	29	25	31	35	38	37	30
危地马拉	5 381	6 025	6 898	7 737	7 214	8 463	10 401	9 979	10 028	10 834	10 752
圭亚那	553	588	679	795	763	880	1 129	1 416	1 375	1 167	1 100
海地	470	509	522	480	576	579	767	815	885	951	990
洪都拉斯	5 048	5 277	5 784	6 199	4 827	6 264	7 977	8 359	7 805	8 072	7 810
牙买加	1 532	1 948	2 254	2 439	1 316	1 328	1 623	1 712	1 569	1 452	1 240
荷属安的列斯	608	695	676	1 088	810	807	—	—	—	—	—
尼加拉瓜	1 654	1 932	2 186	2 531	2 391	3 251	4 133	4 686	4 794	5 126	4 839
巴拿马	7 050	8 034	8 821	9 817	10 717	10 987	14 555	16 215	14 755	13 184	11 300
巴拉圭	3 153	3 472	4 724	6 407	5 080	6 505	7 763	7 283	9 456	9 636	8 361
秘鲁	17 368	23 830	28 094	31 019	26 962	35 803	46 376	47 411	42 861	39 533	34 157
圣基茨和尼维斯	34	40	34	51	38	32	45	46	41	42	40
圣卢西亚	64	94	98	164	166	215	160	182	174	161	188
圣文森特和格林纳丁斯	40	38	48	52	49	42	38	43	49	48	45
圣马丁岛	—	—	—	—	—	—	127	131	164	132	135
苏里南	997	1 175	1 359	1 743	1 402	2 026	2 467	2 695	2 394	2 145	1 680
特立尼达和多巴哥	9 942	14 155	13 396	18 650	9 126	10 982	14 944	12 983	12 770	11 806	7 285
乌拉圭	3 422	3 989	4 518	5 942	5 405	6 724	7 912	8 709	9 067	9 133	7 675
委内瑞拉	55 716	65 578	69 980	95 021	57 603	65 745	92 811	97 340	88 753	74 714	36 700

续 表

	2005	2006	2007	2008	2009	2010	2011	2012	2013	2014	2015
欧洲	4 404 322	4 979 263	5 803 062	6 483 418	5 021 188	5 650 067	6 654 099	6 464 042	6 774 158	6 803 608	5 958 012
阿尔巴尼亚	658	798	1 078	1 355	1 091	1 545	1 951	1 968	2 332	2 431	1 930
奥地利	125 182	136 751	163 620	181 289	136 989	152 560	177 428	166 611	175 156	178 248	152 335
比利时	334 400	366 745	430 952	471 840	370 125	407 692	475 672	445 939	468 760	472 319	398 158
波斯尼亚和黑塞哥维那	2 400	3 323	4 152	5 021	3 954	4 803	5 850	5 162	5 687	5 891	5 100
保加利亚	11 739	15 064	18 518	22 362	16 318	20 630	28 208	26 686	29 579	29 285	25 690
克罗地亚	8 795	10 361	12 340	14 112	10 403	11 806	13 338	12 371	12 659	13 858	12 903
塞浦路斯	1 465	1 333	1 394	1 633	1 257	1 402	1 818	1 740	2 019	1 811	1 829
捷克	78 110	94 929	122 498	146 799	112 955	132 982	162 939	157 041	162 274	175 095	158 164
丹麦	85 121	92 558	103 171	116 923	93 984	96 440	111 864	105 469	110 107	110 887	95 293
爱沙尼亚	7 716	9 692	11 010	12 458	9 048	11 591	16 709	16 087	16 321	16 052	12 906
法罗群岛	599	651	746	852	762	839	1 008	952	1087	1 128	1 000
芬兰	65 498	77 206	90 025	96 455	62 854	69 518	79 142	73 077	74 437	74 361	59 445
法国	463 428	495 868	559 612	616 240	484 781	523 767	596 473	568 708	580 963	580 471	505 897
马其顿	2 041	2 401	3 398	3 991	2 708	3 351	4 478	4 015	4 299	4 934	4 490
德国	970 914	1 108 107	1 321 214	1 446 171	1 120 041	1 258 924	1 473 985	1 401 113	1 445 067	1 494 608	1 329 469
希腊	17 278	20 749	23 578	26 382	20 469	27 950	33 819	35 441	36 601	36 163	28 617
匈牙利	62 936	75 255	95 400	108 504	83 008	95 483	112 312	103 570	107 503	110 619	98 578
冰岛	3 091	3 453	4 783	5 382	4 057	4 604	5 347	5 064	4 998	5 053	4 745
爱尔兰	109 657	108 726	121 543	125 719	115 928	116 497	125 740	116 773	114 356	118 908	120 439
意大利	373 135	416 875	499 882	542 748	406 909	447 301	523 258	501 306	518 268	529 899	459 068
拉脱维亚	5 161	6 155	8 308	10 144	7 702	9 532	13 130	14 112	14 467	14 557	12 054
立陶宛	11 807	14 142	17 144	23 646	16 454	20 748	28 050	29 611	32 598	32 364	25 573
卢森堡	19 120	22 980	22 933	25 694	21 339	19 748	20 866	18 833	18 445	19 243	17 298
马耳他	2 399	2 796	3 437	3 481	2 857	3 586	4 386	4 250	3 637	2 930	2 576
黑山	—	556	626	617	388	437	628	469	494	441	353
荷兰	406 372	463 629	550 755	637 918	497 891	574 251	667 101	655 374	671 556	672 671	567 217
挪威	103 759	122 208	136 354	171 764	116 778	130 657	160 410	160 953	156 022	144 591	105 372
波兰	89 437	110 780	140 146	170 458	136 503	159 724	188 696	185 374	204 984	220 152	198 243
葡萄牙	38 738	44 750	52 482	57 137	44 211	49 406	59 617	58 090	62 823	63 907	55 271
罗马尼亚	27 688	32 458	40 488	49 535	40 567	49 579	63 035	57 841	65 835	69 737	60 586
塞尔维亚	—	6 428	8 825	10 972	8 345	9 795	11 779	11 229	14 613	14 845	13 355
塞尔维亚和黑山	5 065	—	—	—	—	—	—	—	—	—	—
斯洛伐克	31 889	41 862	58 516	71 142	56 082	64 664	79 830	80 612	85 750	86 460	75 584
斯洛文尼亚	19 248	23 230	30 102	34 128	26 177	29 200	34 682	32 163	34 019	35 969	31 949
西班牙	192 644	213 717	253 297	281 493	227 338	254 418	306 551	295 250	317 833	324 536	281 836
瑞典	130 962	147 793	168 817	183 327	130 781	158 549	186 963	172 345	167 550	164 362	139 889
瑞士	130 930	147 856	172 078	200 759	172 474	195 609	234 819	312 464	357 851	311 203	289 874
土耳其	73 476	85 535	107 272	132 027	102 143	113 883	134 907	152 462	151 803	157 610	143 883
英国	390 860	450 907	441 831	472 168	354 893	415 959	506 570	472 792	540 616	505 205	460 446
欧盟（28）b	4 082 707	4 606 066	5 366 012	5 954 870	4 613 534	5 183 906	6 092 183	5 808 581	6 074 182	6 154 677	5 387 310
欧盟（28）对外出口	1 305 672	1 446 904	1 691 637	1 925 494	1 525 858	1 793 930	2 163 418	2 163 939	2 305 944	2 261 191	1 984 965
独联体	343 707	430 954	520 475	702 540	450 312	589 214	785 950	799 811	780 649	735 872	500 344
亚美尼亚	974	985	1 152	1 057	710	1 011	1 334	1 380	1 479	1 547	1 487
阿塞拜疆	7 649	13 015	21 269	30 586	21 097	26 476	34 495	32 634	31 703	28 260	14 500

续 表

	2005	2006	2007	2008	2009	2010	2011	2012	2013	2014	2015
白俄罗斯	15 979	19 734	24 275	32 571	21 304	25 284	41 419	46 060	37 203	36 081	26 676
格鲁吉亚	865	936	1 232	1 495	1 134	1 677	2 189	2 376	2 910	2 861	2 204
哈萨克斯坦	27 849	38 250	47 755	71 172	43 196	59 971	84 336	86 449	84 700	79 460	45 726
吉尔吉斯共和国	672	891	1 321	1 856	1 673	1 756	1 979	1 894	2 007	1 884	1 676
摩尔多瓦	1 091	1 052	1 342	1 591	1 283	1 541	2 217	2 162	2 428	2 340	1 967
俄罗斯	243 798	303 551	354 403	471 606	303 388	400 630	522 011	529 256	523 276	497 764	340 349
塔吉克斯坦	909	1 399	1 468	1 409	1 010	1 195	1 257	1 360	1 162	977	900
土库曼斯坦	4 944	7 156	8 932	11 945	5 000	6 500	13 000	16 500	16 800	17 500	14 000
乌克兰	34 228	38 368	49 296	66 954	39 782	51 478	68 460	68 530	64 338	54 199	37 859
乌兹别克斯坦	4 749	5 617	8 029	10 298	10 735	11 695	13 254	11 210	12 643	13 000	13 000
非洲	310 977	370 710	436 512	562 212	393 483	521 371	610 678	639 670	600 484	551 337	388 245
阿尔及利亚	46 002	54 613	60 163	79 298	45 174	57 053	73 489	71 866	64 974	62 886	37 787
安哥拉	24 109	31 862	44 396	63 914	40 828	50 595	67 310	71 093	68 247	59 170	34 151
贝宁	578	736	1 047	1 282	1 225	1 282	1 410	1 443	1 982	2 563	2 032
博茨瓦纳	4 425	4 529	5 174	4 951	3 456	4 693	5 882	5 971	7 911	8 509	6 141
布基纳法索	468	588	623	693	900	1 591	2 399	2 182	2 356	2 453	2 132
布隆迪	58	58	59	57	67	101	123	134	91	132	111
佛得角	18	21	19	32	35	44	69	56	69	81	58
喀麦隆	2 861	3 576	4 230	5 241	3 552	3 878	4 517	4 274	4 514	4 926	3 760
中非共和国	128	158	178	150	120	140	190	203	116	96	90
乍得	3 081	3 352	3 666	4 169	2 800	3 600	4 800	4 800	3 900	3 900	2 900
科摩罗	12	10	14	7	15	21	26	20	21	23	…
刚果	4 745	6 078	5 635	8 325	6 100	9 400	11 851	10 275	9 028	8 977	4 650
刚果（金）	2 403	2 705	3 100	4 400	3 500	5 300	6 600	6 300	6 200	6 900	5 800
科特迪瓦	7 697	8 477	8 669	10 390	11 327	11 410	12 635	12 124	13 247	12 574	11 158
吉布提	40	55	58	69	77	85	93	118	120	129	132
埃及	12 912	16 728	19 224	26 224	23 062	26 438	30 528	29 409	28 493	26 367	19 051
赤道几内亚	7 064	8 207	10 210	15 218	9 100	10 000	13 500	15 500	14 700	12 600	6 700
厄立特里亚	11	12	13	11	11	13	430	480	337	664	500
埃塞俄比亚	903	1 043	1 277	1 602	1 618	2 330	2 875	2 891	4 077	4 469	3 825
加蓬	5 065	5 450	6 309	9 566	5 356	8 686	9 766	9 493	8 950	8 473	5 074
加纳	2 802	3 727	4 195	5 270	5 840	7 960	12 785	13 552	13 752	13 217	9 551
几内亚	853	1 033	1 203	1 342	1 050	1 471	1 433	1 928	1 701	2 007	2 071
几内亚比绍	89	74	107	128	122	127	242	131	153	166	259
肯尼亚	3 420	3 502	4 081	5 001	4 463	5 169	5 756	6 127	5 856	6 115	5 906
莱索托	651	718	830	884	734	878	1 172	972	847	826	775
利比里亚	131	158	200	242	149	222	367	460	559	587	260
利比亚	31 358	40 260	46 970	62 100	36 951	48 673	18 996	60 946	43 500	21 000	10 200
马达加斯加	855	985	1 238	1 310	1 052	1 149	1 590	1 516	1 923	2 196	2 258
马拉维	509	668	869	879	1 188	1 066	1 425	1 183	1 208	1 342	1 375
马里	1 101	1 550	1 556	2 097	1 774	1 996	2 374	2 610	2 339	2 779	2 532
毛里塔尼亚	625	1 367	1 454	1 788	1 364	2 074	2 749	2 641	2 652	1 935	1 502
毛里求斯	2 143	2 329	2 238	2 384	1 939	2 261	2 565	2 649	2 869	2 650	2 457
摩洛哥	11 190	12 744	15 340	20 345	14 054	17 771	21 654	21 446	21 972	23 826	21 886
莫桑比克	1 783	2 381	2 412	2 653	2 147	3 000	3 604	3 856	4 024	4 725	4 195

续　表

	2005	2006	2007	2008	2009	2010	2011	2012	2013	2014	2015
纳米比亚	2 070	2 647	2 922	3 141	3 146	4 026	4 407	4 389	4 629	4 620	4 082
尼日尔	489	508	663	910	1 000	1 150	1 250	1 450	1 600	1 450	1 050
尼日利亚	50 467	58 726	66 606	86 274	56 742	84 000	116 000	114 700	102 400	94 200	48 400
卢旺达	125	147	177	268	235	297	464	591	703	723	659
圣多美和普林西比	7	8	7	11	8	11	11	12	13	17	15
塞内加尔	1 578	1 594	1 674	2 170	2 017	2 161	2 542	2 532	2 666	2 814	2 532
塞舌尔	340	380	360	430	395	400	483	497	578	539	429
塞拉利昂	158	231	245	216	231	341	350	1 122	1 917	1 552	727
索马里	…	…	…	…	…	…	…	…	…	…	…
南非	51 626	58 175	69 784	80 782	61 677	91 347	108 815	99 606	95 938	91 047	81 673
苏丹	4 824	5 657	8 879	11 671	8 257	11 404	10 193	4 066	4 790	4 454	2 985
斯威士兰	1 640	1 660	1 740	1 570	1 660	1 800	1 910	1 926	1 895	1 902	1 697
坦桑尼亚	1 679	1 865	2 139	3 121	2 982	4 051	4 735	5 547	4 953	5 046	4 924
冈比亚	7	11	13	14	66	68	95	119	106	104	108
多哥	660	630	677	853	903	976	1 179	1 314	1 522	1 326	1 227
突尼斯	10 494	11 694	15 165	19 320	14 445	16 427	17 847	17 007	17 060	16 756	14 073
乌干达	813	962	1 337	1 724	1 568	1 619	2 159	2 357	2 408	2 262	2 245
赞比亚	1 810	3 770	4 617	5 099	4 312	7 200	9 001	9 365	10 594	9 688	6 961
津巴布韦	1 850	2 000	2 400	2 200	2 269	3 199	3 512	3 882	3 507	3 064	2 716
中东	541 236	659 499	766 232	1 034 138	722 224	906 815	1 267 385	1 348 514	1 346 506	1 286 906	840 573
巴林	10 242	12 200	13 634	17 316	11 874	14 971	19 650	19 768	20 927	20 520	11 200
伊朗	56 252	77 012	88 733	113 668	78 830	101 316	132 000	104 000	82 500	88 800	63 000
伊拉克	23 697	29 361	41 268	61 273	41 929	52 483	83 226	94 392	89 742	84 630	49 320
以色列	42 770	46 789	54 091	61 337	47 935	58 413	67 796	63 141	66 781	68 686	63 673
约旦	4 302	5 204	5 725	7 938	6 375	7 028	8 006	7 887	7 913	8 385	7 829
科威特	44 869	56 016	62 691	87 457	54 008	69 978	102 103	118 912	115 105	104 315	55 092
黎巴嫩	2 337	2 814	3 574	4 454	4 187	5 021	5 664	5 615	5 170	4 548	3 982
阿曼	18 692	21 585	24 692	37 719	27 651	36 601	47 092	52 138	56 429	53 221	39 244
卡塔尔	25 762	34 051	42 020	67 307	48 007	74 964	114 448	132 962	136 767	126 703	77 294
沙特阿拉伯	180 711	211 305	233 329	313 462	192 314	251 143	364 699	388 401	375 873	342 299	201 739
叙利亚	8 708	10 919	11 546	15 410	10 855	12 796	11 000	4 000	2 000	2 000	2 200
阿联酋	117 287	145 587	178 630	239 213	192 000	214 000	302 000	349 000	379 000	375 000	265 000
也门	5 608	6 654	6 299	7 584	6 259	8 100	9 700	8 300	8 300	7 800	1 000
亚洲 a	3 060 839	3 576 140	4 141 180	4 724 686	3 890 700	5 076 344	5 975 096	6 120 021	6 295 824	6 440 019	5 961 206
阿富汗	384	416	454	540	403	388	376	429	515	571	470
澳大利亚	106 097	123 437	141 358	187 257	154 331	212 634	271 733	256 675	252 981	241 238	188 445
孟加拉国	9 297	11 802	12 453	15 370	15 083	19 194	24 439	25 127	29 114	30 405	32 379
不丹	258	414	675	521	496	641	675	535	544	409	585
文莱达鲁萨兰	6 249	7 636	7 668	10 319	7 200	8 907	12 465	13 001	11 447	10 509	6 600
柬埔寨	3 092	3 692	4 088	4 708	4 196	5 143	6 704	7 838	9 248	10 860	11 960
中国	761 953	968 978	1 220 456	1 430 693	1 201 612	1 577 754	1 898 381	2 048 714	2 209 005	2 342 293	2 274 949
斐济	701	694	755	922	630	841	1 069	1 221	1 108	1 373	1 200
法属波利尼西亚	217	235	197	195	148	153	168	139	151	170	130
中国香港	292 119	322 669	349 386	370 242	329 422	400 692	455 573	492 907	535 187	524 065	510 596
国内出口	20 050	22 765	18 109	16 958	16 839	14 798	16 846	22 371	19 826	15 599	13 075

续 表

	2005	2006	2007	2008	2009	2010	2011	2012	2013	2014	2015
转口	272 069	299 904	331 276	353 284	312 583	385 894	438 727	470 537	515 361	508 466	497 521
印度	99 616	121 808	150 159	194 828	164 909	226 351	302 905	296 828	314 848	322 694	267 147
印度尼西亚	86 996	103 527	118 013	139 606	119 646	157 779	203 497	190 032	182 552	176 293	150 282
日本	594 941	646 725	714 327	781 412	580 719	769 774	823 184	798 568	715 097	690 217	624 939
基里巴斯	4	6	10	8	6	4	9	6	7	5	9
韩国	284 419	325 465	371 489	422 007	363 534	466 384	555 214	547 870	559 632	572 664	526 755
老挝	553	882	923	1 092	1 053	1 746	2 190	2 271	2 264	2 662	2 340
中国澳门	2 476	2 557	2 543	1 997	961	870	869	1 021	1 138	1 241	1 339
马来西亚	141 626	160 749	175 966	199 414	157 244	198 612	228 086	227 538	228 331	233 927	199 869
马尔代夫	162	225	228	331	169	198	346	314	331	301	240
蒙古	1 065	1 543	1 889	2 539	1 903	2 899	4 818	4 385	4 269	5 775	4 670
缅甸	3 776	4 539	6 253	6 882	6 662	8 661	9 238	8 877	11 233	11 031	5 950
尼泊尔	863	838	868	939	823	856	919	911	879	889	720
新喀里多尼亚	1 093	1 352	2 104	1 300	993	1 493	1 663	1 326	1 226	1 602	1 314
新西兰	21 730	22 409	26 943	30 580	24 933	31 396	37 669	37 305	39 445	41 622	34 359
北马里亚纳群岛	691	509	329	115	9	5	2	4	4	2	2
巴基斯坦	16 051	16 930	17 838	20 323	17 523	21 410	25 383	24 567	25 121	24 706	22 188
帕劳	13	14	11	10	6	6	6	9	7	6	5
巴布亚新几内亚	3 273	4 166	4 681	5 713	4 394	5 742	6 908	6 328	5 951	5 670	5 520
菲律宾	41 255	47 410	50 466	49 078	38 436	51 496	48 305	52 099	56 698	62 100	58 648
萨摩亚	87	65	97	72	46	70	66	76	62	50	53
新加坡	229 649	271 807	299 308	338 176	269 832	351 867	409 503	408 393	410 250	409 787	350 506
国内出口	124 546	143 176	156 038	175 702	138 064	182 726	223 913	228 161	219 114	216 297	173 834
转口	105 103	128 631	143 270	162 474	131 769	169 141	185 590	180 232	191 135	193 490	176 672
所罗门群岛	103	121	165	210	165	224	418	500	448	456	402
斯里兰卡	6 347	6 886	7 740	8 452	7 345	8 602	10 236	9380	10 208	11 298	10 470
中国台北	198 432	224 017	246 677	255 629	203 675	274 601	308 257	306 409	311 428	320 092	285 421
泰国	110 936	129 722	153 867	177 778	152 422	193 306	222 576	229 106	228 505	227 524	214 375
东帝汶	8	8	8	13	8	16	13	31	16	14	15
汤加	10	10	8	9	8	8	14	16	17	19	16
图瓦卢	0	0	0	0	0	0	0	0	0	0	0
瓦努阿图	38	49	50	57	57	49	67	55	39	63	62
越南	32 442	39 826	48 561	62 685	57 096	72 237	96 906	114 529	132 033	150 217	162 107
备忘项：											
世界 不含 a											
欧盟（28）对内出口	7 732 111	8 971 372	10 348 918	12 130 988	9 467 322	11 911 140	14 409 249	14 851 641	15 179 769	15 101 552	13 079 871
欧洲 不含											
欧盟（28）对内出口	1 627 287	1 820 101	2 128 687	2 454 042	1 933 511	2 260 091	2 725 334	2 819 401	3 005 921	2 910 121	2 555 667

a 含重要转口。

b 由于欧洲统计局对塞浦路斯、爱沙尼亚和立陶宛使用不同的统计方法，2004年前，欧盟（28）总体数据并不是由单个成员国加总而来。

注：统计总额无连续性的国家和地区集团标示为‘I’。主要在于货物贸易统计数据收集和报告的方法不同。

注意世界和亚洲数据含重复计算的因素，源于其使用一般货物贸易统计体系，该方法含转口贸易。

一些国家和地区近几年的数据由秘书处统计。

表 5

2005—2015 年世界货物进口（按地区和国家） 单位：百万美元

	2005	2006	2007	2008	2009	2010	2011	2012	2013	2014	2015
世界 a	**10 870 483**	**12 461 492**	**14 330 484**	**16 572 298**	**12 781 621**	**15 510 669**	**18 503 484**	**18 704 937**	**19 011 183**	**19 104 318**	**16 724 956**
北美洲	2 284 427	2 541 720	2 702 089	2 908 063	2 177 865	2 683 150	3 091 742	3 194 299	3 196 937	3 305 200	3 150 588
百慕大	985	1 094	1 167	1 159	1 064	972	900	900	1 012	969	900
加拿大 b	322 411	359 000	390 188	419 011	329 907	402 690	463 640	476 296	475 778	479 985	436 372
墨西哥	228 240	263 476	290 246	318 304	241 515	310 205	361 068	380 477	390 965	411 581	405 280
美国	1 732 706	1918 077	2 020 403	2 169 487	1 605 296	1 969 184	2 266 024	2 336 524	2 329 060	2 412 547	2 307 946
中、南美洲	308 822	374 046	467 798	608 591	451 766	584 680	735 618	746 358	770 058	739 347	621 837
安提瓜和巴布达	506	624	728	743	534	501	430	492	503	500	500
阿根廷	28 689	34 152	44 706	57 462	38 786	56 793	74 319	67 974	74 442	65 229	59 787
阿鲁巴（荷兰）	4 288	4 723	5 126	6 011	2 449	1 394	5 917	2 046	1 377	1 350	1 270
巴哈马	2 312	2 727	2 956	3 199	2 535	2 591	2 966	3 386	3 166	3 309	2 780
巴巴多斯	1 604	1 697	1 746	1 920	1 449	1 569	1 805	1 780	1 759	1 739	1 618
伯利兹	593	660	684	837	669	706	831	861	928	1 004	975
玻利维亚	2 431	2 916	3 586	5 081	4 545	5 590	7 927	8 578	9 338	10 519	9 602
巴西	77 628	95 838	126 645	182 377	133 677	191 537	236 964	233 398	250 556	239 152	178 798
智利	32 735	38 406	47 164	62 787	42 806	59 207	74 695	80 073	79 249	72 159	63 039
哥伦比亚	21 204	26 162	32 897	39 669	32 898	40 486	54 233	59 048	59 381	64 029	54 058
哥斯达黎加	9 824	11 548	12 952	15 372	11 395	13 570	16 220	17 591	18 014	17 186	15 503
古巴	8 084	10 258	10 886	15 373	9 619	11 496	14 243	13 869	14 773	13 114	15 000
库拉索岛	—	—	—	—	—	—	2 130	2 254	1 906	1 819	1 560
多米尼克	165	167	196	247	225	224	226	208	203	230	220
多米尼加 b	9 869	12 174	13 597	15 993	12 296	15 489	17 409	17 739	16 873	17 288	17 200
厄瓜多尔	10 287	12 114	13 893	18 852	15 090	20 591	24 438	25 477	27 146	27 726	21 518
萨尔瓦多	6 690	7 663	8 821	9 818	7 325	8 416	9 965	10 258	10 772	10 513	10 416
格林纳达	328	299	365	363	282	318	336	341	368	340	355
危地马拉	10 499	11 915	13 576	14 547	11 531	13 838	16 613	16 994	17 515	18 276	17 636
圭亚那	788	889	1 059	1 312	1 161	1 397	1 771	1 997	1 875	1 791	1 550
海地	1 454	1 619	1 682	2 315	2 124	3 146	3 020	3 170	3 403	3 733	3 400
洪都拉斯 b	6 545	7 303	8 888	10 453	7 372	8 907	11 126	11 371	10 953	11 070	11 180
牙买加	4 739	5 650	6 893	8 465	5 064	5 225	6 439	6 331	6 219	5 838	5 070
荷属安的列斯	1 950	2 209	2 549	3 079	2 607	2 622	—	—	—	—	—
尼加拉瓜 b	2 956	3 404	3 989	4 731	3 929	4 792	6 355	6 778	6 688	6 946	7 090
巴拿马	9 600	10 775	13 269	15 737	13 877	16 737	21 802	22 821	21 795	21 200	18 770
巴拉圭	3 715	4 744	5 859	9 033	6 940	10 033	12 366	11 555	12 142	12 169	10 291
秘鲁	12 502	15 312	20 368	29 953	21 814	30 030	37 747	42 545	43 670	42 346	37 850
圣基茨和尼维斯	210	250	272	325	296	270	247	226	249	268	280
圣卢西亚	486	592	614	656	520	662	697	644	620	627	570
圣文森特和格林纳丁斯	240	271	327	373	333	338	332	356	370	362	325
圣马丁岛	—	—	—	—	—	—	734	768	924	959	995
苏里南	1 050	1 013	1 044	1 304	1 390	1 398	1 638	1 994	2 174	2 012	2 030
特立尼达和多巴哥	5 694	6 484	7 663	9 591	6 955	6 480	9 511	9 065	8 871	8 386	6 495
乌拉圭	3 879	4 806	5 628	9 069	6 907	8 622	10 726	11 652	11 642	11 485	9 489
委内瑞拉	24 027	33 616	46 097	50 450	41 540	39 000	48 000	51 331	48 773	43 170	33 000

续 表

	2005	2006	2007	2008	2009	2010	2011	2012	2013	2014	2015
欧洲	4 579 875	5 252 937	6 117 235	6 895 464	5 217 038	5 904 385	6 923 232	6 620 836	6 720 446	6 798 446	5 898 820
阿尔巴尼亚	2 618	3 058	4 188	5 251	4 550	4 406	5 396	4 882	4 902	5 230	4 318
奥地利	127 327	137 212	163 037	184 293	143 063	159 009	191 417	178 513	183 277	182 006	155 235
比利时	318 700	351 635	411 558	466 307	353 364	391 177	466 943	439 128	451 677	454 632	375 267
波斯尼亚和黑塞哥维那	7 070	7 345	9 720	12 189	8 773	9 223	11 051	10 019	10 295	10 990	9 000
保加利亚	18 163	23 270	29 961	36 908	23 539	25 513	32 582	32 710	34 303	34 698	29 298
克罗地亚	18 599	21 477	25 617	30 728	21 123	20 067	22 663	20 832	22 022	22 790	20 460
塞浦路斯	6 316	6 928	8 615	10 644	7 835	8 569	8 678	7 296	6 314	6 761	5 567
捷克	76 512	93 191	118 169	142 038	105 048	126 652	152 125	141 412	144 259	154 375	140 479
丹麦	75 581	85 507	98 027	109 362	83 133	83 052	95 663	91 925	96 589	99 349	85 522
爱沙尼亚	10 238	13 449	15 677	16 026	10 140	12 287	17 459	18 085	18 459	18 301	14 510
法罗群岛	743	790	1 016	988	783	780	987	1 153	1 115	1 065	900
芬兰	58 766	69 375	81 704	91 781	60 889	68 803	84 264	76 468	77 570	76 747	60 089
法国	504 124	541 919	630 861	716 795	560 873	611 070	720 028	674 415	681 467	676 603	572 661
马其顿	3 228	3 763	5 281	6 883	5 073	5 474	7 027	6 522	6 620	7 277	6 400
德国	777 073	906 684	1 054 983	1 185 067	926 347	1 054 814	1 254 869	1 154 852	1 181 233	1 207 041	1 050 025
希腊	54 436	63 619	78 532	92 580	69 448	66 913	67 475	63 329	62 166	63 774	48 417
匈牙利	66 552	78 262	95 565	108 940	77 761	88 178	102 440	95 176	100 111	104 923	92 600
冰岛	4 979	6 137	6 738	6 205	3 604	3 920	4 841	4 772	5 020	5 375	5 295
爱尔兰	68 565	73 118	83 822	83 965	62 704	60 276	66 606	62 769	65 853	73 089	71 336
意大利	384 790	442 555	511 662	561 919	415 105	487 049	558 787	488 600	479 447	474 193	408 932
拉脱维亚	8 697	11 541	15 322	16 143	9 811	11 691	16 290	17 227	17 865	17 650	14 312
立陶宛	15 548	19 373	24 412	31 099	18 304	23 403	31 773	31 965	34 806	34 394	28 278
卢森堡	22 607	27 145	28 029	32 157	25 330	25 092	28 860	27 543	26 916	26 701	23 431
马耳他	3 681	4 307	4 801	5 300	4 478	5 062	6 293	6 598	6 142	6 818	5 772
黑山	—	1 842	2 867	3 731	2 313	2 182	2 544	2 336	2 349	2 367	2 049
荷兰	363 822	416 832	492 616	580 937	443 153	516 409	594 366	586 927	589 697	589 440	505 806
挪威	55 488	64 261	80 297	90 293	68 970	77 330	90 784	87 308	89 808	89 185	76 228
波兰	101 639	126 989	165 710	208 804	149 459	178 049	210 597	199 060	207 607	223 674	192 601
葡萄牙	63 921	70 684	82 129	94 416	71 663	77 749	82 896	72 429	75 719	78 350	66 701
罗马尼亚	40 518	51 160	70 314	84 053	54 324	62 109	76 480	70 207	73 481	77 790	69 867
塞尔维亚	—	13 172	19 164	24 331	16 047	16 735	19 862	18 925	20 543	20 609	18 173
塞尔维亚和黑山	11 635	—	—	—	—	—	—	—	—	—	—
斯洛伐克	34 649	44 986	60 616	73 912	55 650	65 026	79 842	77 398	81 735	81 953	73 509
斯洛文尼亚	20 337	24 141	31 559	37 034	26 507	30 094	35 531	32 035	33 373	33 945	29 706
西班牙	288 786	328 696	389 301	420 803	293 218	327 016	376 606	337 338	340 598	358 924	309 292
瑞典	111 697	127 547	153 226	168 503	119 876	148 946	177 026	164 436	160 609	162 217	137 625
瑞士	126 574	141 400	161 180	183 574	155 378	176 281	208 220	295 961	321 509	275 742	251 873
土耳其	116 774	139 576	170 063	201 964	140 928	185 544	240 842	236 545	251 661	242 177	207 199
英国	519 273	612 671	638 263	657 783	519 078	591 095	676 896	695 220	660 034	690 466	625 806
欧盟（28）	4 249 661	4 870 288	5 655 159	6 358 376	4 809 188	5 421 065	6 330 061	5 950 949	6 004 976	6 136 962	5 316 085
欧盟（28） 自外进口	1 472 931	1 713 400	1 982 854	2 331 558	1 723 465	2 031 090	2 401 296	2 306 307	2 236 738	2 243 476	1 913 739
独联体	215 610	279 773	378 973	500 089	333 314	415 446	541 197	571 863	571 380	506 153	344 536
亚美尼亚	1 802	2 192	3 268	4 426	3 321	3 783	4 145	4 261	4 386	4 424	3 254
阿塞拜疆	4 350	5 269	6 045	7 574	6 514	6 746	10 166	10 417	10 321	9 332	9 400

续 表

	2005	2006	2007	2008	2009	2010	2011	2012	2013	2014	2015
白俄罗斯	16 708	22 351	28 693	39 381	28 569	34 884	45 759	46 404	43 023	40 502	30 312
格鲁吉亚	2 490	3 678	5 215	6 302	4 500	5 257	7 065	8 037	8 012	8 593	7 724
哈萨克斯坦	17 353	23 677	32 756	37 889	28 409	31 107	36 906	46 358	48 806	41 296	30 186
吉尔吉斯共和国	1 102	1 931	2 789	4 072	3 040	3 223	4 261	5 374	6 070	5 735	4 070
摩尔多瓦	2 292	2 693	3 690	4 899	3 278	3 855	5 191	5 213	5 492	5 317	3 987
俄罗斯 b	125 434	164 281	223 486	291 861	191 803	248 634	323 831	335 446	341 335	308 027	194 087
塔吉克斯坦	1 330	1 723	2 455	3 273	2 570	2 657	3 206	3 778	4 151	4 297	3 400
土库曼斯坦	2 947	2 560	3 619	5 600	6 800	5 700	7 600	9 900	10 000	10 300	7 800
乌克兰	36 136	45 039	60 618	85 535	45 487	60 911	82 594	84 639	76 787	54 330	36 317
乌兹别克斯坦	3 666	4 380	6 340	9 277	9 023	8 689	10 472	12 034	12 998	14 000	14 000
非洲	256 523	302 868	374 929	481 396	411 217	478 977	566 650	615 618	635 498	648 750	559 117
阿尔及利亚	20 357	21 456	27 631	39 479	39 294	40 473	47 247	50 378	55 028	58 580	51 501
安哥拉 b	8 353	8 778	13 661	20 982	22 660	16 667	20 228	23 717	26 344	28 587	21 703
贝宁	1 018	1 228	2 037	2 289	2 064	2 054	2 129	2 339	3 010	3 823	3 028
博茨瓦纳	3 161	3 086	4 067	5 211	4 728	5 657	7 272	8 025	8 352	8 071	6 348
布基纳法索	1 260	1 319	1 678	2 018	1 870	2 048	2 406	3 129	3 823	3 136	2 647
布隆迪	269	431	319	403	402	509	752	751	811	769	755
佛得角	438	542	750	825	709	742	947	766	725	772	563
喀麦隆	2 735	3 150	4 657	5 686	4 442	5 133	6 800	6 515	6 649	7 049	6 661
中非共和国	175	203	249	300	270	300	310	323	213	381	348
乍得	950	1 350	1 800	2 000	2 000	2 400	3 300	2 800	3 000	3 100	2 200
科摩罗	99	115	138	180	210	233	277	273	284	278	232
刚果 b	1 304	2 013	2 530	3 050	2 900	4 000	5 007	5 485	6 080	7 475	7 747
刚果（金）	2 690	2 892	3 400	4 300	3 900	4 500	5 500	6 100	6 300	6 600	6 200
科特迪瓦	5 865	5 820	6 683	7 884	6 960	7 849	6 720	9 770	12 483	11 178	9 915
吉布提 b	277	336	473	574	451	374	511	564	719	803	890
埃及	22 449	27 300	37 100	48 382	44 946	52 923	58 903	69 200	59 662	71 282	65 044
赤道几内亚	1 310	2 020	2 767	3 787	5 200	5 200	6 500	6 900	5 800	5 600	4 200
厄立特里亚	490	495	510	600	590	660	950	970	1 030	1 131	1 053
埃塞俄比亚	4 095	5 207	5 809	8 277	7 668	8 602	8 896	11 913	14 899	18 991	19 063
加蓬	1 471	1 725	2 157	2 563	2 501	2 983	3 665	3 629	3 754	3 857	3 033
加纳	5 347	6 754	8 061	10 269	8 046	10 922	15 838	17 763	17 600	14 600	13 291
几内亚	820	956	1 218	1 366	1 060	1 405	2 106	2 254	2 230	2 242	1 971
几内亚比绍 b	106	127	168	199	202	196	240	182	183	214	229
肯尼亚	5 846	7 233	8 989	11 128	10 202	12 093	14 782	16 290	16 358	18 396	16 093
莱索托	1 410	1 500	1 738	1 800	1 850	2 300	2 500	2 602	2 175	2 144	1 954
利比里亚	310	467	499	813	551	710	1 044	1 005	1 150	2 100	2 237
利比亚	6 079	6 041	6 733	9 150	12 859	17 674	8 000	22 000	27 000	19 000	13 000
马达加斯加	1 706	1 804	2 635	3 781	3 199	2 584	2 905	3 094	3 260	3 227	3 173
马拉维	1 165	1 207	1 378	2 204	2 022	2 173	2 428	2 360	2 845	2 774	2 932
马里	1 544	1 820	2 185	3 339	2 486	3 428	3 352	3 524	3 807	4 009	3 167
毛里塔尼亚	1 428	1 167	1 432	1 941	1 498	1 935	2 467	3 129	3 044	2 646	2 053
毛里求斯	3 157	3 627	3 894	4 651	3 733	4 386	5 149	5 354	5 397	5 610	4 792
摩洛哥	20 790	23 980	32 010	42 366	32 881	35 381	44 272	44 872	45 190	45 832	37 514
莫桑比克	2 408	2 869	3 050	4 008	3 764	4 600	6 312	8 688	10 099	8 747	8 293

续 表

	2005	2006	2007	2008	2009	2010	2011	2012	2013	2014	2015
纳米比亚	2 577	2 884	3 520	4 340	4 980	5 570	6 593	7 256	7 143	7 883	7 426
尼日尔	943	949	1 149	1 696	2 200	2 476	2 190	1 900	2 020	2 190	1 990
尼日利亚	20 754	26 523	34 830	49 951	33 906	44 235	56 000	51 000	56 000	60 000	48 000
卢旺达	471	591	771	1 174	1 308	1 431	2 039	2 300	2 302	2 563	2 570
圣多美和普林西比	50	71	79	114	103	112	134	131	152	170	150
塞内加尔	3 498	3 671	4 871	6 528	4 713	4 782	5 909	6 434	6 659	6 557	5 675
塞舌尔	675	757	859	1 087	794	984	1 049	1 071	1 083	1 143	991
塞拉利昂	345	389	445	534	520	770	1 717	1 604	1 780	1 568	1 477
索马里	…	…	…	…	…	…	…	…	…	…	…
南非	62 304	78 715	88 450	101 640	74 054	96 835	124 430	127 154	126 359	121 965	104 620
苏丹	6 757	8 074	8 775	9 352	9 691	10 045	9 236	9 230	9 918	9 211	8 585
斯威士兰	1 890	1 910	1 840	1 580	1 780	1 960	1 950	1 848	1 693	1 690	1 432
坦桑尼亚	3 287	4 246	5 337	7 703	6 411	7 874	10 799	11 346	12 120	11 998	10 285
冈比亚	260	259	321	322	304	285	341	380	350	387	410
多哥	1 060	1 085	1 237	1 509	1 509	1 683	2 187	2 380	2 769	2 529	2 127
突尼斯	13 177	15 007	19 099	24 638	19 096	22 215	23 952	24 471	24 266	24 828	20 221
乌干达	2 054	2 557	3 493	4 526	4 247	4 664	5 631	6 044	5 818	6 074	5 780
赞比亚	2 558	3 074	4 007	5 060	3 832	5 321	7 178	8 805	10 162	9 539	8 451
津巴布韦	2 350	2 300	2 550	2 950	2 900	3 800	4 400	4 400	4 300	4 200	4 000
中东	335 424	375 848	469 613	603 448	512 323	581 379	679 446	736 505	768 948	782 320	706 574
巴林	9 393	10 515	11 488	14 980	10 100	12 260	12 730	12 830	14 360	13 910	9 700
伊朗	40 041	40 772	44 942	57 401	50 768	65 404	61 760	57 092	49 000	51 000	42 500
伊拉克	23 532	20 892	21 516	33 000	38 437	43 915	47 803	56 234	61 000	59 000	52 000
以色列	47 142	50 334	59 039	67 656	49 278	61 209	75 830	75 392	74 861	75 483	64 813
约旦	10 498	11 548	13 681	16 995	14 236	15 564	18 930	20 752	22 067	22 930	20 332
科威特	15 801	17 243	21 362	24 840	19 892	22 675	25 090	27 259	29 299	31 484	31 539
黎巴嫩	9 633	9 647	12 251	16 754	16 574	18 460	20 750	21 945	22 024	21 135	18 438
阿曼	8 971	11 039	16 025	23 137	17 936	19 973	24 019	28 636	35 577	29 305	10 100
卡塔尔	10 061	16 440	23 429	27 900	24 922	23 240	29 888	34 200	34 900	34 600	37 000
沙特阿拉伯	59 459	69 800	90 214	115 134	95 552	106 863	131 586	155 593	168 155	173 834	172 252
叙利亚	10 862	11 488	14 655	18 105	15 443	17 562	16 800	7 300	5 400	6 700	5 000
阿联酋	84 654	100 057	132 500	177 000	150 000	165 000	203 000	226 000	239 000	250 000	230 000
也门	5 378	6 074	8 511	10 546	9 185	9 255	11 260	13 273	13 305	12 940	12 900
亚洲 a	2 889 469	3 333 931	3 819 456	4 574 836	3 677 709	4 861 780	5 965 599	6 219 457	6 347 915	6 324 101	5 443 484
阿富汗	2 471	2 744	3 022	3 020	3 336	5 154	6 515	9 069	8 724	7 729	5 571
澳大利亚	125 281	139 253	165 336	200 273	165 471	201 639	243 701	260 940	242 140	236 933	208 419
孟加拉国	13 889	16 034	18 596	23 860	21 833	27 821	36 214	34 173	37 085	42 268	39 460
不丹	386	420	526	543	529	854	1 043	991	909	927	1 170
文莱达鲁萨兰	1 491	1 676	2 101	2 572	2 449	2 538	3 629	3 572	3 612	3 599	2 585
柬埔寨 b	3 927	4 771	5 439	6 508	5 830	6 791	9 300	11 350	12 800	13 500	14 400
中国	659 953	791 461	956 116	1 132 567	1 005 923	1 396 247	1 743 484	1 818 405	1 949 990	1 959 233	1 681 951
斐济	1 607	1 804	1 800	2 264	1 440	1 808	2 182	2 253	2 826	3 250	2 940
法属波利尼西亚	1 723	1 656	1 863	2 169	1 717	1 726	1 796	1 705	1 815	1 762	1 527
中国香港	300 160	335 754	370 132	392 962	352 241	441 369	510 855	553 486	621 417	600 613	559 427
留存进口	75 269	86 097	93 791	98 927	88 672	112 587	131 822	136 229	142 411	149 882	133 872

续 表

	2005	2006	2007	2008	2009	2010	2011	2012	2013	2014	2015
印度	142 870	178 410	229 370	321 032	257 202	350 233	464 462	489 694	465 397	462 910	391 977
印度尼西亚	75 725	80 650	93 101	127 538	93 786	135 663	177 436	191 691	186 629	178 179	142 695
日本	515 866	579 064	622 243	762 534	551 981	694 059	855 380	885 843	833 166	812 185	648 494
基里巴斯	74	62	70	75	67	73	92	109	97	95	100
韩国	261 238	309 383	356 846	435 275	323 085	425 212	524 413	519 585	515 584	525 514	436 499
老挝	882	1 060	1 067	1 403	1 461	2 060	2 404	3 055	3 081	4 271	3 860
中国澳门	4 514	5 236	6 045	5 880	4 751	5 629	7 927	8 982	10 140	11 396	10 603
马来西亚	114 324	130 441	146 170	156 348	123 757	164 622	187 473	196 393	205 897	208 851	175 961
马尔代夫	745	927	1 096	1 388	963	1 091	1 465	1 554	1 733	1 993	1 870
蒙古	1 184	1 486	2 117	3 616	2 131	3 278	6 598	6 738	6 358	5 237	3 797
缅甸	1 908	2 538	3 247	4 256	4 348	4 760	9 019	9 201	12 043	16 226	15 920
尼泊尔	2 283	2 492	3 122	3 590	4 384	5 133	5 774	6 066	6 571	7 561	6 380
新喀里多尼亚	1 774	2 117	2 809	3 233	2 574	3 312	3 698	3 245	3 240	3 323	2 715
新西兰	26 219	26 424	30 882	34 369	25 574	30 617	37 105	38 254	39 641	42 518	36 563
北马里亚纳群岛	591	489	300	160	70	90	90	90	100	125	129
巴基斯坦	25 357	29 825	32 590	42 329	31 668	37 807	44 012	44 105	44 647	47 434	44 219
帕劳	105	115	116	130	90	107	129	142	169	180	190
巴布亚新几内亚	1 729	2 260	2 945	3 510	3 210	3 950	4 760	5 330	6 080	4 000	3 400
菲律宾	49 487	54 078	57 996	60 420	45 878	58 468	63 693	65 350	65 705	67 719	69 920
萨摩亚	239	275	266	288	231	310	346	346	367	384	334
新加坡	200 047	238 710	263 155	319 780	245 785	310 791	365 770	379 723	373 016	366 247	296 745
留存进口	94 944	110 079	119 885	157 306	114 016	141 650	180 180	199 491	181 881	172 757	120 073
所罗门群岛	185	217	294	328	268	404	469	486	521	509	418
斯里兰卡	8 834	10 258	11 301	13 953	10 049	13 512	20 269	19 190	18 003	19 417	19 050
中国台北	182 614	202 698	219 252	240 448	174 371	251 236	281 438	277 324	278 010	281 850	237 549
泰国	118 178	128 773	139 966	179 225	133 709	182 921	228 787	249 115	250 407	227 748	202 654
东帝汶	109	101	183	269	295	246	319	664	843	858	850
汤加	121	116	143	168	145	159	193	199	198	219	205
图瓦卢	13	13	16	26	14	16	25	30	14	12	11
瓦努阿图	149	217	229	314	294	285	304	296	313	313	388
越南	36 761	45 015	62 682	80 714	69 949	84 839	106 750	113 780	132 033	147 849	166 103
备忘项：											
世界 不含 a											
欧盟（28）自内进口	8 093 754	9 304 605	10 658 179	12 545 480	9 695 897	12 120 694	14 574 719	15 060 295	15 242 945	15 210 831	13 322 611
欧洲 不含											
欧盟（28）自内进口	1 803 146	2 096 049	2 444 930	2 868 646	2 131 315	2 514 409	2 994 467	2 976 195	2 952 208	2 904 959	2 496 475

a 含重要转口。

b 进口以 f. o. b. 计。

注：统计总额无连续性的国家和地区集团标示为‘I’。主要在于货物贸易统计数据收集和报告的方法不同。
注意世界和亚洲数据含重复计算的因素，源于其使用一般货物贸易统计体系，该方法含转口贸易。
一些国家和地区近几年的数据由秘书处统计。

表 6

2006—2015 年世界商务服务出口（按地区和国家）

单位：百万美元

	2006	2007	2008	2009	2010	2011	2012	2013	2014	2015
世界 a	**2 942 000**	**3 522 900**	**3 964 000**	**3 533 600**	**3 842 000**	**4 349 500**	**4 468 000**	**4 747 300**	**5 063 800**	**4 754 000**
北美洲	479 800	555 600	606 300	575 400	635 400	706 200	738 800	775 200	797 700	790 300
百慕大	1 490	1 585	1 431	1 273	1 342	1 393	1 330	1 316	1 317	1 308
加拿大	64 883	69 289	73 471	67 075	75 297	83 665	87 765	88 722	85 181	76 292
墨西哥	15 888	17 233	17 667	14 821	15 233	15 581	16 146	20 194	21 086	22 609
美国	397 516	467 475	513 733	492 184	543 549	605 590	633 576	664 948	690 127	690 061
中、南美洲	83 420	99 156	113 706	103 213	116 144	132 624	140 766	143 967	146 807	140 030
安奎拉	122	133	122	109	113	128	127	136	141	147
安提瓜和巴布达	462	510	547	499	466	469	470	452	463	473
阿根廷	7 713	10 007	11 689	10 542	13 173	15 088	14 813	14 369	13 488	13 652
阿鲁巴（荷兰）	1 290	1 452	1 586	1 518	1 545	1 663	1 741	1 863	2 022	2 082
巴哈马	2 403	2 566	2 493	2 311	2 456	2 446	2 648	2 631	2 671	2 695
巴巴多斯	1 579	1 667	1 792	1 465	1 601	1 257	1 206	1 385	1 359	1 429
伯利兹	343	371	356	317	325	311	371	421	465	468
玻利维亚	673	676	734	702	688	927	1 105	1 197	1 329	1 528
巴西	16 978	22 615	28 822	26 245	29 273	35 331	37 393	36 482	39 047	32 989
智利	7 861	9 030	10 738	8 493	11 149	13 105	12 387	12 452	10 967	9 737
哥伦比亚	3 675	3 899	4 496	4 495	5 023	5 543	6 335	6 772	6 782	7 150
哥斯达黎加	4 015	5 584	5 765	3 913	4 719	5 492	6 292	6 737	6 890	7 676
古巴	7 201	8 588	9 252	8 444	10 546	11 149	12 760	13 027	12 663	10 551
库拉索岛	—	—	—	—	—	1 342	1 486	1 636	1 753	1 511
多米尼克	99	108	111	106	131	143	108	115	117	130
多米尼加	6 560	6 779	6 813	6 210	5 170	5 446	5 778	6 095	6 691	7 200
厄瓜多尔	965	1 118	1 357	1 245	1 375	1 490	1 694	1 911	2 218	2 217
萨尔瓦多	1 477	1 516	1 506	1 263	1 466	1 578	1 805	2 019	2 165	2 257
格林纳达	129	167	166	150	150	157	161	161	184	194
危地马拉	1 410	1 619	1 977	1 982	2 168	2 123	2 318	2 417	2 687	2 644
圭亚那	148	173	212	170	248	298	298	165	181	…
海地	140	203	373	429	402	487	493	595	643	677
洪都拉斯	1 810	1 831	2 006	1 841	2 076	2 221	2 210	2 304	2 465	2 634
牙买加	2 613	2 670	2 763	2 616	2 600	2 587	2 661	2 641	2 828	2 912
蒙特塞拉特	14	14	14	12	11	12	13	14	16	16
荷属安的列斯	1 991	2 111	2 089	2 060	1 965	—	—	—	—	—
尼加拉瓜	500	625	803	814	848	1 048	1 157	1 237	1 302	1 342
巴拿马	3 936	4 315	5 125	5 457	6 350	8 021	9 243	10 035	10 721	11 176
巴拉圭	277	425	397	451	573	650	667	772	824	794
秘鲁	2 533	3 022	3 514	3 499	3 552	4 121	4 770	5 665	5 721	6 070
圣基茨和尼维斯	172	168	155	126	129	137	137	145	156	159
圣卢西亚	342	354	362	350	368	378	389	406	444	445
圣文森特和格林纳丁斯	169	159	151	137	136	137	138	138	140	147
圣马丁岛	—	—	—	—	—	899	1 039	1 063	1 122	…

续 表

	2006	2007	2008	2009	2010	2011	2012	2013	2014	2015
苏里南	214	219	232	257	207	191	160	165	198	167
特立尼达和多巴哥	802	910	918	758	869	1 020	…	…	…	…
乌拉圭	1 361	1 804	2 241	2 283	2 654	3 607	3 567	3 447	3 311	2 967
委内瑞拉	1 445	1 748	2 028	1 944	1 617	1 621	1 806	1 849	1 562	1 456
欧洲	1 571 700	1 885 100	2 104 100	1 845 600	1 890 000	2 128 200	2 127 600	2 298 900	2 450 800	2 209 200
阿尔巴尼亚	1 623	2 083	2 674	2 589	2 536	2 776	2 384	2 242	2 455	2 208
奥地利	45 138	53 872	62 465	53 303	52 178	58 564	57 266	63 883	66 638	57 947
比利时	59 994	74 713	94 829	90 406	96 527	103 167	104 340	110 572	121 977	109 347
波斯尼亚和黑塞哥维那	1 137	1 985	2 238	1 880	1 860	1 867	1 725	1 768	1 832	1 640
保加利亚	…	8 283	9 753	8 342	8 075	8 983	8 791	9 098	8 948	7 923
克罗地亚	11 170	13 012	15 771	12 626	11 944	13 073	12 458	13 038	13 602	12 510
塞浦路斯	…	…	10 445	9 111	9 060	9 855	9 220	10 240	10 030	8 774
捷克	15 516	18 970	23 695	20 570	21 463	24 676	24 314	24 578	25 202	22 838
丹麦	52 289	62 281	73 707	56 748	61 035	66 810	66 942	70 947	72 502	60 919
爱沙尼亚	3 781	4 658	5 644	4 568	4 676	5 577	5 688	6 425	7 003	5 820
法罗群岛	175	214	252	170	191	207	200	…	…	…
芬兰	17 891	23 476	31 913	28 121	27 616	29 176	28 512	29 347	27 916	24 184
法国	164 544	195 791	223 126	192 817	201 110	235 006	233 702	255 311	274 699	239 682
马其顿	738	1 034	1 241	1 086	975	1 443	1 361	1 527	1 690	1 515
德国	175 175	205 412	236 270	217 755	220 044	245 239	242 023	261 184	272 441	247 309
希腊	35 744	43 098	50 503	37 854	37 093	39 153	34 583	37 044	40 954	30 757
匈牙利	13 471	16 947	20 351	18 427	19 301	24 056	20 488	22 498	24 359	21 412
冰岛	2 182	2 996	2 757	2 662	3 001	3 436	3 480	3 975	4 249	4 250
爱尔兰	66 114	81 357	90 431	85 172	89 922	104 716	109 507	122 703	134 651	127 713
意大利	101 047	115 102	114 703	95 994	99 779	109 065	107 065	110 628	114 116	98 553
拉脱维亚	3 004	4 336	5 327	4 355	4 004	4 788	4 803	5 140	5 064	4 442
立陶宛	3 590	4 198	5 009	4 043	4 457	5 525	6 059	7 098	7 699	6 587
卢森堡	49 794	63 261	67 674	57 095	61 979	72 197	75 473	88 528	99 455	95 111
马耳他	5 220	6 594	9 790	9 831	10 025	11 011	10 644	11 320	12 202	10 637
黑山	…	933	1 193	1 053	1 053	1 276	1 211	1 317	1 368	1 347
荷兰	…	…	…	…	159 758	173 467	166 448	177 060	194 824	178 068
挪威	31 813	37 600	42 385	35 166	41 206	40 882	46 372	48 575	49 305	40 290
波兰	22 510	31 700	38 136	31 288	35 173	41 212	41 763	44 491	48 011	43 425
葡萄牙	18 195	22 979	25 792	22 383	22 573	26 577	25 502	28 869	31 112	27 775
罗马尼亚	12 242	13 046	16 318	11 759	10 348	12 038	12 608	17 812	19 925	18 534
塞尔维亚	…	3 131	4 002	3 481	3 512	4 200	3 967	4 544	5 033	4 232
斯洛伐克	7 343	8 633	9 434	6 590	6 402	7 261	7 761	9 143	9 062	8 031
斯洛文尼亚	4 545	5 751	7 435	6 138	6 156	6 810	6 553	7 046	7 350	6 600
西班牙	…	…	…	…	…	…	121 870	125 639	132 044	117 442
瑞典	43 188	53 261	58 654	49 908	52 812	64 683	65 423	71 320	75 580	70 980
瑞士	69 899	83 939	94 885	90 012	92 796	105 784	107 407	112 501	116 629	108 013
土耳其	25 756	29 601	36 649	35 355	35 970	40 753	42 815	47 400	51 030	45 910

续 表

	2006	2007	2008	2009	2010	2011	2012	2013	2014	2015
英国	264 987	311 472	303 617	261 373	265 793	304 080	317 153	332 276	361 350	345 052
欧盟（28）	…	…	…	…	1 706 251	1 924 750	1 915 884	2 074 090	2 216 048	1 998 792
欧盟（28）对外出口	…	…	…	…	744 461	845 211	863 637	944 066	1 005 359	914 715
独联体	58 200	72 700	92 500	76 100	85 600	101 100	111 100	121 900	111 400	93 700
亚美尼亚	584	755	828	776	1 001	1 286	1 376	1 493	1 594	1 484
阿塞拜疆	867	1 380	1 576	2 020	2 397	2 934	4 681	4 106	4 269	4 423
白俄罗斯	2 657	3 522	4 553	3 683	4 761	5 573	6 276	7 466	7 853	6 620
格鲁吉亚	829	989	1 167	1 241	1 556	1 927	2 465	2 885	2 954	3 066
哈萨克斯坦	2 584	3 254	3 988	3 823	3 900	4 078	4 606	4 906	6 110	5 941
吉尔吉斯共和国	351	654	795	628	586	846	951	1 027	890	838
摩尔多瓦	517	700	950	764	745	956	982	1 098	1 093	942
俄罗斯	35 482	43 563	56 531	45 357	48 644	57 345	61 465	69 111	64 818	50 984
塔吉克斯坦	110	116	134	142	399	531	746	737	310	197
土库曼斯坦	…	…	…	…	…	…	…	…	…	…
乌克兰	11 713	14 734	18 699	14 411	17 729	20 618	21 373	21 851	14 582	12 129
乌兹别克斯坦	773	962	1 196	1 036	1 328	1 773	2 343	2 526	…	…
非洲	65 400	77 700	87 400	80 800	90 200	91 900	99 200	95 000	99 200	96 600
阿尔及利亚	2 512	2 787	3 412	2 745	3 442	3 527	3 570	3 701	3 460	3 622
安哥拉	195	311	329	623	857	732	780	1 316	1 681	1 751
贝宁	196	281	328	204	348	391	414	500	456	…
博茨瓦纳	763	836	201	841	940	1 155	1 009	1 167	1 245	1 118
布基纳法索	55	78	115	142	265	394	408	458	427	…
布隆迪	6	7	3	2	7	20	16	32	35	…
喀麦隆	900	1 239	1 355	1 141	1 240	1 809	1 543	1 888	1 866	…
佛得角	366	474	581	472	487	569	577	628	608	497
中非共和国	22	26	29	28	34	37	35	48	…	…
乍得	80	111	129	234	273	294	290	278	…	…
科摩罗	43	51	56	51	55	64	61	70	74	…
刚果	251	303	352	358	409	562	572	686	729	…
刚果（金）	219	253	451	522	291	326	225	167	163	…
科特迪瓦	815	889	987	1 010	1 026	870	846	790	797	…
吉布提	97	92	131	142	149	144	147	169	…	…
埃及	15 834	19 660	24 668	21 302	23 618	19 031	21 336	17 881	20 262	18 156
赤道几内亚	23	26	32	28	44	48	45	48	49	…
厄立特里亚	…	…	…	…	…	…	…	…	…	…
埃塞俄比亚	859	1 114	1 592	1 516	1 911	2 549	2 537	2 867	2 734	2 851
加蓬	121	138	160	142	163	266	346	385	402	…
冈比亚	92	128	118	104	131	144	151	205	…	…
加纳	1 243	1 614	1 559	1 522	1 344	1 679	3 200	2 353	1 977	5 712
几内亚	38	44	95	67	61	71	156	100	…	…
几内亚比绍	3	33	44	32	42	43	21	38	45	…
肯尼亚	1 987	2 418	2 531	2 198	3 016	3 326	3 880	4 042	4 027	3 692

续 表

	2006	2007	2008	2009	2010	2011	2012	2013	2014	2015
莱索托	35	39	45	36	42	41	37	29	28	…
利比里亚	143	156	182	142	40	365	350	321	216	223
利比亚	385	109	208	385	410	40	152	180	79	…
马达加斯加	565	846	1102	736	961	1 160	1 308	1 253	1 294	1 114
马拉维	62	70	72	75	75	81	100	106	95	98
马里	291	360	443	336	356	379	312	372	404	…
毛里塔尼亚	76	74	121	140	105	185	128	168	255	…
毛里求斯	1 663	2 194	2 530	2 225	2 656	3 215	3 364	2 734	3 119	2 654
摩洛哥	10 857	13 390	14 725	14 388	14 329	15 486	14 947	13 935	15 223	13 746
莫桑比克	364	404	489	544	245	366	792	645	725	675
纳米比亚	505	579	538	638	664	723	1 059	912	1 021	1 100
尼日尔	84	79	126	100	119	64	69	141	271	…
尼日利亚	2 057	1 097	1 834	1 760	2 619	2 314	2 067	1 916	1 495	2 742
卢旺达	171	203	351	265	259	368	359	393	325	352
圣多美和普林西比	8	6	9	10	13	18	17	36	70	67
塞内加尔	710	1 088	1 169	905	936	1 029	1 080	1 177	1 160	…
塞舌尔	410	456	464	418	440	465	672	818	825	839
塞拉利昂	40	43	59	100	56	157	176	219	202	…
索马里	…	…	…	…	…	…	…	…	…	…
南非	12 757	14 519	13 588	12 836	15 676	16 950	17 203	16 401	16 458	14 665
苏丹	246	468	382	283	212	300	861	1 019	1 414	1 397
斯威士兰	268	486	252	202	250	296	225	214	269	316
坦桑尼亚	1 467	1 836	1 966	1 795	2 001	2 256	2 753	3 142	3 376	3 665
多哥	159	197	253	265	289	464	405	437	439	…
突尼斯	4 020	4 620	5 649	5 076	5 298	4 286	4 754	4 577	4 555	3 022
乌干达	458	503	687	857	1 033	1 614	1 942	2 272	1 828	1 945
赞比亚	562	672	619	529	571	665	990	758	851	…
津巴布韦	294	250	222	262	308	363	359	…	…	…
中东	78 700	90 700	98 800	96 400	105 100	112 800	117 500	126 100	133 600	140 900
巴林	3 462	3 681	3 916	3 831	4 233	3 296	3 085	3 302	3 335	…
伊朗	5 544	6 791	7 629	7 888	8 657	8 202	8 259	8 776	9 342	9 592
伊拉克	353	839	1 249	1 730	2 199	2 159	2 657	3 092	3 873	4 961
以色列	19 020	21 372	25 009	22 516	25 356	29 426	32 884	34 463	35 358	34 452
约旦	2 850	3 436	4 353	4 197	5 221	5 250	6 030	6 026	6 597	5 760
科威特	7 495	9 104	11 362	10 891	8 429	9 503	8 250	5 594	5 684	5 676
黎巴嫩	11 657	12 748	17 620	16 895	15 972	19 621	14 484	15 051	13 725	…
阿曼	1 311	1 683	1 826	1 620	1 808	2 330	2 689	2 931	3 066	…
卡塔尔	3 484	3 129	2 276	1 943	2 826	5 580	8 851	10 294	12 775	14 103
沙特阿拉伯	13 973	16 160	9 132	9 428	10 351	11 116	10 575	11 308	11 962	13 807
叙利亚	2 649	3 561	4 145	4 583	7 040	2 434	…	…	…	…
阿联酋	6 259	7 434	8 958	9 503	11 028	12 063	15 276	20 422	22 982	26 358
也门	468	578	1 049	1 085	1 471	1 111	1 412	1 551	1 507	…
亚洲	604 700	741 900	861 300	756 200	919 600	1 076 600	1 133 000	1 186 200	1 324 300	1 283 300
阿富汗	…	…	1 129	1 752	2 060	2 687	1 391	931	1 159	799
澳大利亚	32 524	39 745	42 431	39 195	45 836	51 733	53 046	52 604	53 368	48 374

续 表

	2006	2007	2008	2009	2010	2011	2012	2013	2014	2015
孟加拉国	922	1 021	1 100	968	1 236	1 419	1 352	1 526	1 627	1 684
不丹	42	52	51	53	67	80	97	121	123	122
文莱达鲁萨兰	745	813	867	915	462	502	483	493	557	577
柬埔寨	1 272	1 396	1 495	1 746	1 917	2 603	3 054	3 354	3 713	3 775
中国	93 492	124 895	144 677	121 613	153 606	200 294	200 586	205 778	279 423	285 476
斐济	850	902	1 097	786	928	1 078	1 113	1 109	1 164	1 169
法属波利尼西亚	876	977	1 004	847	774	866	845	857	934	…
中国香港	54 384	64 383	69 841	64 602	80 468	91 232	98 425	104 656	106 566	104 152
印度	69 166	86 235	105 668	92 484	116 583	137 935	145 030	148 188	155 670	155 288
印度尼西亚	11 157	12 148	14 885	12 691	16 331	21 316	23 070	22 334	22 920	21 259
日本	107 229	119 438	138 696	118 447	131 833	137 871	133 838	132 650	158 626	157 863
基里巴斯	8	10	12	11	11	13	12	11	11	…
朝鲜	…	…	…	…	…	…	…	…	…	…
韩国	55 703	70 030	90 127	71 638	82 244	89 706	102 298	102 531	110 961	96 844
老挝	203	255	359	374	489	526	553	761	746	790
中国澳门	10 564	14 337	18 024	18 977	29 007	39 844	45 364	53 619	53 134	39 902
马来西亚	20 971	28 988	30 714	28 249	34 588	38 751	40 498	42 005	41 860	34 759
马尔代夫	549	1 572	1 633	1 538	1 804	2 098	2 173	2 586	3 020	3 040
密克罗尼西亚联邦	22	25	26	29	32	29	30	30	33	…
蒙古	483	575	517	415	483	617	959	707	573	646
缅甸	291	313	328	315	337	727	1 183	2 679	4 127	…
尼泊尔	252	340	494	600	583	775	769	968	1 078	1 139
新喀里多尼亚	296	355	389	346	409	404	387	420	413	…
新西兰	9 739	11 490	11 693	10 088	11 448	13 092	12 980	13 318	14 201	14 135
巴基斯坦	2 214	2 185	2 517	2 522	2 931	3 457	3 205	3 309	3 509	3 277
巴布亚新几内亚	305	313	318	160	279	387	433	384	177	79
菲律宾	11 064	13 502	13 055	14 084	17 770	18 866	20 425	23 321	25 483	28 153
萨摩亚	138	167	168	162	172	181	196	206	196	…
新加坡	59 013	73 995	89 421	81 593	100 575	118 649	127 475	139 955	150 449	139 335
所罗门群岛	47	51	44	55	89	108	115	123	109	95
斯里兰卡	1 604	1 755	1 981	1 874	2 454	3 062	3 773	4 657	5 574	6 366
中国台北	28 818	32 940	36 525	31 201	39 976	45 499	48 616	50 696	56 520	56 473
泰国	24 414	29 876	32 781	29 893	34 086	41 280	49 306	58 251	54 993	60 280
东帝汶	25	32	23	24	31	26	30	49	62	57
汤加	22	27	32	28	41	49	70	70	49	59
图瓦卢	2	2	3	2	3	3	4	3	…	…
瓦努阿图	140	177	225	241	271	279	295	339	320	295
越南	5 060	6 415	6 956	5 666	7 355	8 581	9 510	10 585	10 833	11 054
备忘项：										
世界 不含										
欧盟（28）对内出口	…	…	…	…	2 880 200	3 270 000	3 415 700	3 617 200	3 853 100	3 669 900
欧洲 不含										
欧盟（28）对内出口	…	…	…	…	928 200	1 048 700	1 075 300	1 168 900	1 240 100	1 125 100

表 7

2006—2015 年世界商务服务进口（按地区和国家）　　单位：百万美元

	2006	2007	2008	2009	2010	2011	2012	2013	2014	2015
世界	**2 810 200**	**3 328 600**	**3 805 900**	**3 375 700**	**3 692 500**	**4 162 400**	**4 319 000**	**4 581 300**	**4 913 200**	**4 611 700**
北美洲	410 000	450 800	494 600	461 200	498 000	537 400	561 900	579 200	591 300	594 900
百慕大	837	1 091	1 021	966	995	879	881	879	953	882
加拿大	72 185	81 383	88 317	82 024	97 239	105 957	110 621	111 547	106 721	95 405
墨西哥	23 128	24 051	25 092	22 822	22 451	26 104	26 203	28 364	30 341	29 495
美国	313 812	344 315	380 172	355 341	377 353	404 468	424 152	438 366	453 265	469 110
中、南美洲	80 861	102 253	123 734	116 446	143 001	170 961	181 636	191 879	193 563	170 450
安奎拉	91	103	102	70	54	54	55	56	57	58
安提瓜和巴布达	249	271	270	217	214	203	197	212	219	238
阿根廷	8 105	10 395	12 887	11 716	14 259	17 117	17 568	17 899	16 357	17 490
阿鲁巴（荷兰）	722	751	759	650	641	807	785	841	877	845
巴哈马	1 510	1 502	1 306	1 069	1 101	1 258	1 522	1 615	1 713	1 194
巴巴多斯	643	607	700	652	672	499	487	683	678	683
伯利兹	143	159	161	154	154	162	177	195	213	207
玻利维亚	807	880	993	990	1 125	1 625	1 895	2 302	3 007	2 352
巴西	26 183	34 700	44 396	44 075	57 813	70 984	75 832	81 053	85 916	68 921
智利	8 736	10 352	11 946	10 503	13 046	16 178	15 131	15 855	14 724	13 444
哥伦比亚	5 973	6 751	7 823	7 917	9 275	10 748	12 112	12 683	13 381	11 084
哥斯达黎加	1 535	1 723	1 776	1 483	1 832	1 792	2 054	2 100	2 182	2 618
古巴	1 258	1 325	2 079	1 673	1 923	2 462	2 406	2 306	2 074	2 125
库拉索岛	—	—	—	—	—	820	888	904	887	988
多米尼克	50	63	69	65	65	64	65	68	70	72
多米尼加	1 510	1 691	1 895	1 741	3 156	2 763	2 804	2 621	2 687	2 970
厄瓜多尔	2 271	2 487	2 950	2 574	2 941	3 046	3 090	3 401	3 423	3 118
萨尔瓦多	1 205	1 290	1 277	952	1 054	1 152	1 301	1 429	1 434	1 498
格林纳达	101	104	106	91	89	91	89	93	91	93
危地马拉	1 756	2 017	2 010	2 106	2 388	2 498	2 525	2 739	3 006	3 011
圭亚那	245	273	325	272	344	434	526	503	426	…
海地	574	491	592	633	731	755	773	780	858	766
洪都拉斯	1 027	1 058	1 213	942	1 143	1 417	1 689	1 643	1 745	1 746
牙买加	1 969	2 226	2 304	1 824	1 767	1 884	2 088	1 978	2 170	2 076
蒙特塞拉特	15	16	17	16	16	17	15	15	15	16
荷属安的列斯	750	789	866	927	911	—	—	—	—	—
尼加拉瓜	509	660	804	696	680	805	851	1 024	988	902
巴拿马	1 641	2 078	2 602	2 118	2 709	4 235	4 214	4 868	4 546	4 357
巴拉圭	365	443	569	515	700	864	906	1 048	1 085	1 071
秘鲁	3 277	4 224	5 577	4 671	5 893	6 359	7 183	7 458	7 514	7 794
圣基茨和尼维斯	96	100	121	97	107	112	113	119	125	139
圣卢西亚	182	199	209	185	200	197	183	181	174	176
圣文森特和格林纳丁斯	80	103	98	87	86	80	82	86	86	88
圣马丁岛	—	—	—	—	—	238	262	263	289	…
苏里南	251	293	367	246	237	553	611	589	800	713
特立尼达和多巴哥	311	327	271	335	371	468	…	…	…	…

续 表

	2006	2007	2008	2009	2010	2011	2012	2013	2014	2015
乌拉圭	937	1 079	1 462	1 233	1 470	1 989	2 350	3 179	3 141	2 608
委内瑞拉	5 782	10 723	12 831	12 949	13 836	16 231	18 340	18 594	16 104	13 921
欧洲	1 356 900	1 611 800	1 812 500	1 587 300	1 624 200	1 797 500	1 792 700	1 935 400	2 067 500	1 886 000
阿尔巴尼亚	1 541	1 892	2 354	2 216	1 989	2 235	1 861	1 921	2 029	1 644
奥地利	35 109	40 922	45 142	38 923	38 643	44 363	44 044	50 884	53 207	45 505
比利时	55 833	72 956	89 028	82 177	87 383	94 754	97 702	103 820	116 806	105 530
波斯尼亚和黑塞哥维那	458	487	585	631	533	549	506	498	526	483
保加利亚	…	5 785	6 691	5 577	4 568	4 966	5 286	5 474	5 597	4 927
克罗地亚	3 754	4 158	5 237	4 379	3 802	4 011	3 927	4 030	3 995	3 796
塞浦路斯	…	…	5 669	4 922	4 977	5 253	5 037	6 125	6 149	5 440
捷克	12 097	14 570	18 333	16 175	17 381	20 065	20 288	20 857	22 456	19 767
丹麦	46 975	56 426	65 992	54 182	54 448	61 266	60 866	62 321	62 109	53 526
爱沙尼亚	2 521	3 131	3 515	2 587	2 921	3 769	3 983	4 695	4 800	4 005
法罗群岛	274	359	382	343	366	394	200	…	…	…
芬兰	19 002	22 960	31 533	27 853	27 317	29 626	31 125	31 506	30 523	25 756
法国	145 260	168 222	193 844	175 159	180 898	202 017	202 228	226 193	251 769	228 159
马其顿	538	728	942	784	779	920	941	1 005	1 193	1 119
德国	223 313	257 577	286 977	248 828	262 101	294 464	292 143	324 691	329 354	289 475
希腊	17 623	21 844	26 662	21 274	19 819	19 082	15 659	16 145	16 779	12 048
匈牙利	11 953	15 602	18 328	16 780	15 800	19 148	15 583	17 196	17 644	15 592
冰岛	2 415	2 862	2 409	1 960	2 171	2 579	2 722	2 806	3 097	2 807
爱尔兰	81 807	98 720	114 654	107 516	109 690	118 795	119 615	123 550	145 054	151 566
意大利	104 426	125 564	129 596	107 711	110 950	116 482	106 426	108 415	113 659	99 260
拉脱维亚	2 026	2 791	3 295	2 385	2 301	2 751	2 739	2 806	2 774	2 506
立陶宛	2 485	3 316	4 120	2 954	2 924	3 710	4 211	5 213	5 458	4 596
卢森堡	34 377	44 098	46 072	39 594	45 526	53 491	56 615	67 386	77 029	71 997
马耳他	4 282	5 199	7 890	8 389	8 436	9 168	8 873	9 416	9 890	8 341
黑山	…	386	596	452	439	434	438	441	437	459
荷兰	…	…	…	…	135 650	149 982	142 570	151 233	172 714	157 116
挪威	31 558	41 134	47 551	36 781	44 950	47 625	52 328	56 210	56 052	45 758
波兰	19 590	24 042	30 394	24 019	30 707	33 916	33 771	34 243	36 537	32 461
葡萄牙	10 948	13 188	15 215	13 615	14 128	15 592	13 476	14 395	16 008	14 171
罗马尼亚	6 934	8 887	11 941	10 379	8 260	9 657	9 386	11 475	12 070	10 786
塞尔维亚	…	3 436	4 266	3 427	3 485	3 938	3 768	4 070	4 373	3 498
斯洛伐克	6 088	7 759	9 896	7 781	7 244	7 623	7 164	8 586	8 948	7 933
斯洛文尼亚	3 342	4 374	5 245	4 474	4 469	4 765	4 543	4 651	4 999	4 280
西班牙	…	…	…	…	…	…	63 905	62 716	68 013	64 579
瑞典	38 826	46 739	52 883	45 013	46 385	54 570	55 498	59 402	66 465	59 542
瑞士	48 686	56 397	63 734	65 316	69 235	82 805	86 012	92 261	98 136	92 378
土耳其	11 017	14 933	17 092	15 971	18 507	19 574	19 422	23 018	23 054	20 819
英国	184 817	207 493	210 460	176 637	178 485	191 445	195 675	202 225	210 230	207 704
欧盟(28)	…	…	…	…	1 481 219	1 635 868	1 624 139	1 752 544	1 877 800	1 716 384

续　表

	2006	2007	2008	2009	2010	2011	2012	2013	2014	2015
欧盟（28）自外进口 a	…	…	…	…	602 455	657 478	656 289	713 200	790 217	732 313
独联体	71 900	93 500	116 700	95 000	111 300	131 600	156 400	179 800	173 500	134 300
亚美尼亚	665	931	1 123	1 040	1 252	1 351	1 479	1 611	1 686	1 549
阿塞拜疆	2 859	3 331	3 852	3 613	3 845	5 741	7 330	8 176	10 187	8 553
白俄罗斯	1 691	2 063	2 735	2 208	3 000	3 347	4 038	5 245	5 729	4 332
格鲁吉亚	693	874	1 162	913	1 003	1 206	1 369	1 480	1 615	1 614
哈萨克斯坦	8 672	11 612	11 014	9 898	11 198	10 848	12 644	12 095	12 639	11 489
吉尔吉斯共和国	455	599	904	737	792	955	1 314	1 098	1 218	949
摩尔多瓦	461	619	794	682	678	802	877	946	968	797
俄罗斯	45 237	59 201	75 704	61 209	73 226	89 388	106 717	125 742	118 909	86 868
塔吉克斯坦	393	590	453	289	524	666	885	1 064	608	356
土库曼斯坦	…	…	…	…	…	…	…	…	…	…
乌克兰	8 623	11 104	15 831	11 125	12 189	12 759	13 994	15 538	11 702	9 787
乌兹别克斯坦	402	390	427	415	486	557	943	1 032	…	…
非洲	85 600	108 800	141 400	126 000	140 500	158 500	162 400	163 000	173 500	156 900
阿尔及利亚	4 533	6 358	10 484	11 159	11 489	12 034	10 470	10 276	11 244	10 522
安哥拉	6 860	11 997	20 451	18 210	16 028	22 415	21 151	21 269	24 230	18 783
贝宁	346	491	500	488	503	497	575	761	884	…
博茨瓦纳	571	727	402	633	824	958	727	774	681	596
布基纳法索	346	435	590	546	817	1 130	1 170	1 407	1 296	…
布隆迪	193	173	241	160	156	189	188	221	245	…
喀麦隆	1 426	1 719	2 596	1 902	1 717	1 952	2 058	2 626	2 735	…
佛得角	251	292	357	315	297	326	361	338	362	300
中非共和国	120	147	164	156	196	201	193	161	…	…
乍得	2 124	1 702	1 838	1 851	2 376	2 390	2 299	2 580	…	…
科摩罗	54	62	77	83	93	107	103	107	113	…
刚果	2 422	3 523	3 565	3 209	3 678	4 368	3 594	4 107	4 981	…
刚果（金）	763	1 443	1 856	1 692	2 497	2 633	1 944	2 309	2 678	…
科特迪瓦	2 239	2 423	2 666	2 608	2 740	2 635	2 773	3 056	3 140	…
吉布提	81	99	121	114	104	127	127	161	…	…
埃及	10 288	13 088	16 335	12 765	12 991	13 129	15 557	14 808	16 800	16 658
赤道几内亚	845	1 128	1 657	2 058	2 564	2 603	3 068	2 642	2 889	…
厄立特里亚	…	…	…	…	…	…	…	…	…	…
埃塞俄比亚	1 154	1 733	2 361	2 187	2 534	3 308	3 581	3 363	4 230	4 612
加蓬	1 207	1 426	1 599	1 253	1 805	2 507	2 303	2 536	2 524	…
冈比亚	94	87	86	83	73	68	80	78	…	…
加纳	1 442	1 812	2 038	2 366	2 444	3 126	3 838	4 371	3 833	4 948
几内亚	238	259	400	294	387	530	772	619	…	…
几内亚比绍	40	68	85	85	101	100	73	87	116	…
肯尼亚	1 252	1 499	1 716	1 653	1 890	2 003	2 287	2 206	2 698	2 523
莱索托	358	354	379	397	410	462	424	352	311	…
利比里亚	217	219	344	141	234	266	420	437	634	617

续 表

	2006	2007	2008	2009	2010	2011	2012	2013	2014	2015
利比亚	2 324	2 456	3 572	4 323	5 251	3 555	6 279	7 388	6 966	…
马达加斯加	600	1 005	1 350	1 114	1 097	1 144	1 118	1 202	1 084	991
马拉维	142	141	133	136	205	225	203	221	246	270
马里	674	776	1 024	817	1 007	1 115	1 059	1 214	1 174	…
毛里塔尼亚	387	487	732	607	638	725	968	941	848	…
毛里求斯	1 312	1 562	1 910	1 586	1 951	2 428	2 382	2 143	2 426	2 176
摩洛哥	3 562	4 527	5 612	5 301	5 660	6 713	6 578	6 418	7 693	7 039
莫桑比克	720	820	918	987	1 176	2 209	4 448	3 857	3 624	3 285
纳米比亚	420	504	578	569	723	775	718	927	1 132	1 080
尼日尔	327	369	600	736	845	868	828	978	1 038	…
尼日利亚	12 115	15 553	22 577	16 487	19 868	22 470	22 412	20 079	22 546	18 836
卢旺达	232	270	403	440	451	547	425	511	397	427
圣多美和普林西比	16	15	19	17	22	27	24	43	77	62
塞内加尔	808	1 214	1 388	1 108	1 076	1 242	1 298	1 410	1 414	…
塞舌尔	274	243	241	235	259	262	383	469	500	496
塞拉利昂	76	87	112	123	242	418	518	681	1 201	…
索马里	…	…	…	…	…	…	…	…	…	…
南非	13 803	15 890	16 552	14 980	19 158	20 430	18 438	17 599	16 625	15 111
苏丹	2 454	2 615	2 464	2 079	2 406	2 123	1 985	1 922	1 905	1 671
斯威士兰	365	495	629	540	652	867	808	676	620	516
坦桑尼亚	1 212	1 364	1 627	1 685	1 843	2 157	2 310	2 436	2 599	2 569
多哥	261	303	358	374	395	467	437	471	426	…
突尼斯	2 245	2 570	3 109	2 710	3 054	3 002	2 989	3 139	3 112	2 590
乌干达	756	958	1 234	1 377	1 774	2 413	2 459	2 739	2 709	2 738
赞比亚	488	807	805	640	849	1 052	1 290	1 770	1 596	…
津巴布韦	485	502	510	611	860	1 149	963	…	…	…
中东	122 500	160 000	189 400	175 100	192 500	224 500	235 000	242 500	266 400	257 200
巴林	1 605	1 701	2 030	1 741	1 905	1 778	1 480	1 560	1 618	1 621
伊朗	11 407	14 760	17 100	16 937	18 153	17 285	14 881	15 287	15 679	13 680
伊拉克	5 030	4 741	7 168	8 426	9 606	10 870	13 016	14 353	14 482	12 200
以色列	14 864	17 462	19 582	17 169	18 539	20 004	20 504	20 559	22 225	22 120
约旦	2 854	3 356	3 926	3 672	4 312	4 357	4 465	4 500	4 532	4 578
科威特	8 805	10 494	14 799	12 886	14 323	17 585	20 014	19 873	22 338	22 993
黎巴嫩	8 716	9 968	13 440	14 023	13 010	12 944	11 425	12 828	12 501	…
阿曼	3 896	5 095	5 878	5 484	6 364	7 724	8 767	9 808	10 228	…
卡塔尔	6 864	7 348	7 067	5 662	7 666	15 548	22 126	24 844	30 007	28 390
沙特阿拉伯	29 488	46 331	49 571	47 039	50 996	54 954	49 889	51 745	62 683	56 520
叙利亚	2 437	2 917	3 096	2 623	3 437	2 818	…	…	…	…
阿联酋	24 322	33 372	42 773	36 752	41 337	55 702	62 301	61 157	63 744	65 650
也门	1 800	1 811	2 289	2 025	2 103	2 112	2 296	2 208	2 486	…
亚洲	682 500	801 400	927 500	814 600	983 000	1 141 900	1 228 900	1 289 600	1 447 500	1 412 000
阿富汗	…	…	565	658	1 352	1 981	2 257	2 002	1 809	1 686

续　表

	2006	2007	2008	2009	2010	2011	2012	2013	2014	2015
澳大利亚	32 663	41 270	48 322	41 609	50 765	61 671	65 728	67 085	62 409	53 674
孟加拉国	2 309	2 872	3 588	3 184	4 122	4 978	5 230	6 194	7 195	8 745
不丹	61	86	118	95	135	171	188	171	184	178
文莱达鲁萨兰	1 035	1 115	1 181	1 215	1 076	1 541	2 237	2 423	1 853	1 885
柬埔寨	760	772	799	810	947	1 289	1 501	1 735	1 854	1 878
中国	100 332	128 269	155 477	145 139	181 824	246 779	280 260	329 419	450 805	466 330
斐济	530	515	622	462	444	533	562	551	547	469
法属波利尼西亚	542	602	707	698	594	556	506	488	487	…
中国香港	63 558	68 572	72 466	60 977	70 246	74 117	76 467	75 046	73 797	73 909
印度	58 041	69 757	87 238	79 628	114 037	124 198	128 955	125 189	126 710	122 225
印度尼西亚	21 342	24 325	28 219	22 892	25 971	31 157	33 639	34 425	33 076	30 222
日本	139 755	156 856	176 769	153 971	162 921	173 807	182 829	169 040	190 185	173 689
基里巴斯	30	39	43	39	44	54	57	58	44	…
朝鲜	…	…	…	…	…	…	…	…	…	…
韩国	69 598	83 889	96 940	81 646	96 546	102 043	107 794	109 161	114 741	112 345
老挝	31	38	102	130	258	325	333	523	479	554
中国澳门	3 107	4 655	5 893	5 050	7 482	10 546	11 347	11 757	10 490	10 301
马来西亚	23 421	28 475	30 060	27 257	32 400	38 083	43 131	44 973	45 161	39 814
马尔代夫	226	326	419	394	446	576	567	692	791	860
密克罗尼西亚联邦	55	55	59	83	77	76	78	77	74	…
蒙古	514	456	616	559	768	1 770	2 048	2 019	2 139	1 520
缅甸	541	629	599	593	754	1 067	1 434	2 162	2 561	…
尼泊尔	488	716	840	828	845	761	882	971	1 150	1 225
新喀里多尼亚	1 119	1 313	1 318	1 040	1 300	1 371	1 420	1 387	1 303	…
新西兰	7 997	9 519	10 370	8 602	10 135	12 021	12 291	12 513	13 015	11 523
巴基斯坦	8 177	8 562	9 366	5 966	6 551	7 408	7 634	7 241	7 751	7 378
巴布亚新几内亚	1 584	1 945	1 817	1 823	2 737	2 937	3 715	3 853	2 249	1 037
菲律宾	6 491	7 418	10 875	8 965	11 714	12 013	13 962	16 058	20 607	23 599
萨摩亚	62	62	63	66	79	77	88	87	73	…
新加坡	66 198	76 296	90 957	83 915	101 020	118 006	129 548	146 260	155 248	143 268
所罗门群岛	66	95	111	101	180	183	188	235	217	170
斯里兰卡	2 359	2 568	2 975	2 487	3 075	3 973	4 406	5 232	5 590	5 886
中国台北	31 690	34 015	34 076	28 950	36 987	41 233	41 833	41 789	45 065	46 756
泰国	32 430	37 814	45 772	36 300	44 774	51 965	52 767	54 598	52 919	50 473
东帝汶	45	52	102	292	450	710	465	331	359	357
汤加	29	35	48	44	42	62	74	87	78	70
图瓦卢	10	20	23	19	26	35	25	17	…	…
瓦努阿图	66	70	129	106	123	143	145	148	143	180
越南	5 082	7 137	7 881	8 046	9 771	11 707	12 353	13 635	14 305	15 292
备忘项：										
世界 不含										
欧盟（28）自内进口	…	…	…	…	2 813 800	3 184 000	3 351 100	3 542 000	3 825 600	3 627 600
欧洲 不含										
欧盟（28）自内进口	…	…	…	…	745 400	819 100	824 900	896 000	979 900	901 900

表 8

2010—2015 年世界货物出口量和产量增长

单位：年度变化百分比

	2010—2015	2013	2014	2015
世界货物出口	3.2	2.7	2.7	3.0
农产品	…	2.9	2.4	…
燃料和矿产品	…	0.6	1.0	…
制成品	…	2.7	3.9	…
世界 GDP	2.5	2.2	2.5	2.4

表 9

2010—2015 年世界主要地区和经济体货物贸易量增长

单位：年度变化百分比

出　口				进　口		
2010—2015	2014	2015		2010—2015	2014	2015
3.2	**2.7**	**3.0**	**世界**	**2.9**	**2.8**	**2.4**
3.7	4.1	0.8	北美洲	4.0	4.7	6.5
4.3	5.6	4.4	加拿大	2.5	2.8	0.7
5.6	6.6	4.0	墨西哥	7.4	6.9	13.3
3.2	3.1	−0.9	美国	3.7	4.7	6.5
1.6	−1.8	1.3	中、南美洲	1.5	−2.2	−5.8
2.7	2.0	3.7	欧洲	1.7	3.2	4.3
2.8	1.9	4.0	欧盟（28）	1.6	3.5	4.5
−0.3	1.9	3.4	挪威	2.0	0.8	3.4
1.6	1.2	−1.3	瑞士	−0.2	−1.2	−0.1
0.7	0.2	−0.6	独联体	−2.8	−9.6	−21.9
−1.1	−2.1	0.1	非洲	5.6	4.2	1.3
4.7	0.7	8.6	中东	4.0	2.3	−1.9
4.4	4.8	3.1	亚洲	4.0	3.3	1.8
3.7	6.0	3.3	澳大利亚	3.0	1.5	4.5
6.8	6.8	4.6	中国	4.3	4.0	−4.2
4.4	3.5	−2.1	印度	1.7	4.2	−8.9
0.0	1.5	2.2	日本	2.5	1.5	2.7
3.2	3.8	0.9	六个东亚贸易方 a	2.9	2.9	1.2

a　中国香港；马来西亚；韩国；新加坡；台、澎、金、马单独关税区（中国台北）和泰国。

表 10

2010—2015 年世界货物和服务贸易（按地区和国家）

单位：年度变化百分比

出口				进口		
2010—2015	2014	2015		2010—2015	2014	2015
			货物贸易			
1	**0**	**−14**	**世界**	**1**	**1**	**−13**
3	3	−8	北美洲	3	3	−5
3	3	−7	美国	3	4	−4
1	4	−14	加拿大	2	1	−9
−2	−6	−21	中、南美洲	1	−4	−16
−1	−7	−15	巴西	−1	−5	−25
−2	−1	−16	智利	1	−9	−13
1	0	−12	欧洲	0	1	−13
1	1	−12	欧盟（28）	0	2	−13
…	−13	−7	瑞士	…	−14	−9
−3	−6	−32	独联体	−4	−11	−32
−3	−5	−32	俄罗斯	−5	−10	−37
−5	−6	−42	哈萨克斯坦	−1	−15	−27
−6	−8	−30	非洲	3	2	−14
−2	−5	−10	南非	2	−3	−14
−10	−8	−49	尼日利亚 a	2	7	−20
−2	−4	−35	中东	4	2	−10
4	−1	−29	阿联酋 a	7	5	−8
−4	−9	−41	沙特 a	10	3	−1
3	3	−8	亚洲	2	0	−15
8	6	−3	中国	4	0	−14
−4	−3	−9	日本	−1	−3	−20
			服务贸易			
4	**7**	**−6**	**世界**	**5**	**7**	**−6**
4	3	−1	北美洲	4	2	1
5	4	0	美国 a	4	3	3
0	−4	−10	加拿大 a	0	−4	−11
4	2	−5	中、南美洲	4	1	−12
2	7	−16	巴西	4	6	−20
1	−6	1	阿根廷	4	−9	7
3	7	−10	欧洲	3	7	−9
3	7	−10	欧盟（28）a	3	7	−9
3	4	−7	瑞士	6	6	−6

续 表

出 口				进 口		
2010—2015	2014	2015		2010—2015	2014	2015
2	−9	−16	独联体	4	−4	−23
1	−6	−21	俄罗斯 a	3	−5	−27
−7	−33	−17	乌克兰	−4	−25	−16
1	4	−3	非洲	2	6	−10
−5	13	−10	埃及 a	5	13	−1
−1	0	−11	南非	−5	−6	−9
6	6	5	中东	6	10	−3
19	13	15	阿联酋	10	4	3
6	6	15	沙特	2	21	−10
…	…	−3	亚洲	8	12	−2
…	…	2	中国	21	37	3
4	20	0	日本 a	1	13	−9

a 秘书处估计。

表 11

2005—2015 年世界商业服务出口增长（按产品类别和地区） 单位：年度变化百分比

	年度	世界	北美洲	中、南美洲	欧洲	独联体	非洲	中东	亚洲
商业服务									
	2005—2010	8	8	9	6	12	9	…	12
	2014	7	3	2	7	−9	4	6	…
	2015	−6	−1	−5	−10	−16	−3	5	−3
货物相关的服务									
	2005—2010	10	12	−12	9	11	16	19	15
	2014	2	19	7	2	−22	16	15	−2
	2015	−9	8	−2	−17	−17	−14	2	−1
运输服务									
	2005—2010	7	6	8	6	12	10	9	9
	2014	3	2	−3	4	−5	3	9	4
	2015	−10	−7	−12	−13	−14	2	6	−9
旅游服务									
	2005—2010	7	5	6	4	9	8	15	13
	2014	8	3	6	4	−13	5	10	…
	2015	−5	0	3	−13	−17	−5	9	−1
其他商业服务									
	2005—2010	9	10	17	7	16	11	…	13
	2014	8	2	1	9	−7	4	−1	12
	2015	−5	−1	−8	−7	−17	−3	0	−2

表 12

1948，1953，1963，1973，1983，1993，2003 和 2015 年世界货物出口（按地区和国家）

单位：十亿美元，%

	1948	1953	1963	1973	1983	1993	2003	2015
	总　额							
世界	59	84	157	579	1 838	3 688	7 380	15 985
	份　额							
世界	100.0	100.0	100.0	100.0	100.0	100.0	100.0	100.0
北美洲	**28.1**	**24.8**	**19.9**	**17.3**	**16.8**	**17.9**	**15.8**	**14.4**
美国	21.6	14.6	14.3	12.2	11.2	12.6	9.8	9.4
加拿大	5.5	5.2	4.3	4.6	4.2	3.9	3.7	2.6
墨西哥	0.9	0.7	0.6	0.4	1.4	1.4	2.2	2.4
中、南美洲	**11.3**	**9.7**	**6.4**	**4.3**	**4.5**	**3.0**	**3.0**	**3.4**
巴西	2.0	1.8	0.9	1.1	1.2	1.0	1.0	1.2
智利	0.6	0.5	0.3	0.2	0.2	0.2	0.3	0.4
欧洲	**35.1**	**39.4**	**47.8**	**50.9**	**43.5**	**45.3**	**45.9**	**37.3**
德国 a	1.4	5.3	9.3	11.7	9.2	10.3	10.2	8.3
荷兰	2.0	3.0	3.6	4.7	3.5	3.8	4.0	3.5
法国	3.4	4.8	5.2	6.3	5.2	6.0	5.3	3.2
英国	11.3	9.0	7.8	5.1	5.0	4.9	4.1	2.9
独联体 b	—	—	—	—	—	**1.7**	**2.6**	**3.1**
非洲	**7.3**	**6.5**	**5.7**	**4.8**	**4.5**	**2.5**	**2.4**	**2.4**
南非 c	2.0	1.6	1.5	1.0	1.0	0.7	0.5	0.5
中东	**2.0**	**2.7**	**3.2**	**4.1**	**6.7**	**3.5**	**4.1**	**5.3**
亚洲	**14.0**	**13.4**	**12.5**	**14.9**	**19.1**	**26.0**	**26.1**	**34.2**
中国	0.9	1.2	1.3	1.0	1.2	2.5	5.9	14.2
日本	0.4	1.5	3.5	6.4	8.0	9.8	6.4	3.9
印度	2.2	1.3	1.0	0.5	0.5	0.6	0.8	1.7
澳大利亚和新西兰	3.7	3.2	2.4	2.1	1.4	1.4	1.2	1.4
六个东亚贸易方	3.4	3.0	2.5	3.6	5.8	9.6	9.6	9.9
备忘项：								
欧盟 d	—	—	24.5	37.0	31.3	37.3	42.4	33.7
前苏联	2.2	3.5	4.6	3.7	5.0	—	—	—
GATT/WTO 成员 e	63.4	69.6	75.0	84.1	77.0	89.0	94.3	98.3

a　联邦德国的数据参考 1948—1983 年。
b　数据受到显著影响，包括波罗的海国家和独联体 1993—2003 年的相互贸易。
c　自 1998 年，统计数据均来自南非，而不再是南部非洲关税同盟。
d　数据参考 EEC（6）1963 年，EC（9）1973 年，EC（10）1983 年，EU（12）1993 年，EU（25）2003 年和 EU（28）2013 年。
e　其成员以所提年份为准。

注：1973 年、1983 年和 1993—2003 年的出口份额受到石油价格的影响。

表 13

1948，1953，1963，1973，1983，1993，2003 和 2015 年世界货物进口（按地区和国家）

单位：十亿美元，%

	1948	1953	1963	1973	1983	1993	2003	2015
				总　额				
世界	62	85	164	594	1 883	3 805	7 696	16 299
				份　额				
世界	100.0	100.0	100.0	100.0	100.0	100.0	100.0	100.0
北美洲	**18.5**	**20.5**	**16.1**	**17.2**	**18.5**	**21.3**	**22.4**	**19.3**
美国	13.0	13.9	11.4	12.4	14.3	15.9	16.9	14.2
加拿大	4.4	5.5	3.9	4.2	3.4	3.7	3.2	2.7
墨西哥	1.0	0.9	0.8	0.6	0.7	1.8	2.3	2.5
中、南美洲	**10.4**	**8.3**	**6.0**	**4.4**	**3.9**	**3.3**	**2.5**	**3.8**
巴西	1.8	1.6	0.9	1.2	0.9	0.7	0.7	1.1
智利	0.4	0.4	0.4	0.2	0.2	0.3	0.3	0.4
欧洲	**45.3**	**43.7**	**52.0**	**53.3**	**44.1**	**44.5**	**45.0**	**36.2**
德国 a	2.2	4.5	8.0	9.2	8.1	9.0	7.9	6.4
英国	13.4	11.0	8.5	6.5	5.3	5.5	5.2	3.8
法国	5.5	4.9	5.3	6.4	5.6	5.7	5.2	3.5
荷兰	3.4	3.3	4.4	4.8	3.3	3.3	3.4	3.1
独联体 b	—	—	—	—	—	**1.5**	**1.7**	**2.1**
非洲	**8.1**	**7.0**	**5.2**	**3.9**	**4.6**	**2.6**	**2.2**	**3.4**
南非 c	2.5	1.5	1.1	0.9	0.8	0.5	0.5	0.6
中东	**1.7**	**2.2**	**2.3**	**2.7**	**6.2**	**3.3**	**2.8**	**4.3**
亚洲	**13.9**	**15.1**	**14.1**	**14.9**	**18.5**	**23.5**	**23.5**	**30.8**
中国	0.6	1.6	0.9	0.9	1.1	2.7	5.4	10.3
日本	1.1	2.8	4.1	6.5	6.7	6.4	5.0	4.0
印度	2.3	1.4	1.5	0.5	0.7	0.6	0.9	2.4
澳大利亚和新西兰	2.9	2.3	2.2	1.6	1.4	1.5	1.4	1.5
六个东亚贸易方	3.5	3.7	3.2	3.9	6.1	10.2	8.6	9.1
备忘项：								
欧盟 d	—	—	25.5	37.1	31.4	36.2	41.3	32.6
前苏联	1.9	3.3	4.3	3.6	4.3	—	—	—
GATT/WTO 成员 e	58.6	66.9	75.3	85.5	79.7	89.3	96.0	97.9

a　联邦德国的数据参考 1948—1983 年。

b　数据受到显著影响，包括波罗的海国家和独联体 1993—2003 年的相互贸易。

c　自 1998 年，统计数据均来自南非，而不再是南部非洲关税同盟。

d　数据参考 EEC（6）1963 年，EC（9）1973 年，EC（10）1983 年，EU（12）1993 年，EU（25）2003 年和 EU（28）2013 年。

e　其成员以所提年份为准。

注：1973 年、1983 年和 1993—2003 年的出口份额受到石油价格的影响。

表 14

2015 年世界货物贸易的主要进出口方

单位：十亿美元，%

排名	出口方	总额	份额	年度变化百分比	排名	进口方	总额	份额	年度变化百分比
1	中国	2 275	13.8	−3	1	美国	2 308	13.8	−4
2	美国	1 505	9.1	−7	2	中国	1 682	10.1	−14
3	德国	1 329	8.1	−11	3	德国	1 050	6.3	−13
4	日本	625	3.8	−9	4	日本	648	3.9	−20
5	荷兰	567	3.4	−16	5	英国	626	3.7	−9
6	韩国	527	3.2	−8	6	法国	573	3.4	−15
7	中国香港	511	3.1	−3	7	中国香港	559	3.3	−7
	内部出口	13	0.1	−16		留用进口	134	0.8	−11
	转口	498	3.0	−2					
8	法国	506	3.1	−13	8	荷兰	506	3.0	−14
9	英国	460	2.8	−9	9	韩国	436	2.6	−17
10	意大利	459	2.8	−13	10	加拿大 a	436	2.6	−9
11	加拿大	408	2.5	−14	11	意大利	409	2.4	−14
12	比利时	398	2.4	−16	12	墨西哥	405	2.4	−2
13	墨西哥	381	2.3	−4	13	印度	392	2.3	−15
14	新加坡	351	2.1	−14	14	比利时	375	2.2	−17
	内部出口	174	1.1	−20					
	转口	177	1.1	−9					
15	俄罗斯	340	2.1	−32	15	西班牙	309	1.8	−14
16	瑞士	290	1.8	−7	16	新加坡	297	1.8	−19
						留用进口	120	0.7	−30
17	中国台北	285	1.7	−11	17	瑞士	252	1.5	−9
18	西班牙	282	1.7	−13	18	中国台北	238	1.4	−16
19	印度	267	1.6	−17	19	阿联酋 b	230	1.4	−8
20	阿联酋 b	265	1.6	−29	20	澳大利亚	208	1.2	−12
21	泰国	214	1.3	−6	21	土耳其	207	1.2	−14
22	沙特阿拉伯 b	202	1.2	−41	22	泰国	203	1.2	−11
23	马来西亚	200	1.2	−15	23	俄罗斯 a	194	1.2	−37
24	波兰	198	1.2	−10	24	波兰	193	1.2	−14
25	巴西	191	1.2	−15	25	巴西	179	1.1	−25
26	澳大利亚	188	1.1	−22	26	马来西亚	176	1.1	−16
27	越南	162	1.0	8	27	沙特阿拉伯 b	172	1.0	−1
28	捷克	158	1.0	−10	28	越南	166	1.0	12
29	奥地利	152	0.9	−15	29	奥地利	155	0.9	−15
30	印度尼西亚	150	0.9	−15	30	印度尼西亚	143	0.9	−20
31	土耳其	144	0.9	−9	31	捷克	140	0.8	−9
32	瑞典	140	0.8	−15	32	瑞典	138	0.8	−15
33	爱尔兰	120	0.7	1	33	南非 b	105	0.6	−14
34	挪威	105	0.6	−27	34	匈牙利	93	0.6	−12

续 表

排名	出口方	总额	份额	年度变化百分比	排名	进口方	总额	份额	年度变化百分比
35	匈牙利	99	0.6	-11	35	丹麦	86	0.5	-14
36	丹麦	95	0.6	-14	36	挪威	76	0.5	-15
37	南非	82	0.5	-10	37	斯洛伐克	74	0.4	-10
38	卡塔尔	77	0.5	-39	38	爱尔兰	71	0.4	-2
39	斯洛文尼亚	76	0.5	-13	39	菲律宾 b	70	0.4	3
40	以色列 b	64	0.4	-7	40	罗马尼亚	70	0.4	-10
41	智利	63	0.4	-16	41	葡萄牙	67	0.4	-15
42	伊朗 b	63	0.4	-29	42	埃及 b	65	0.4	-9
43	罗马尼亚	61	0.4	-13	43	以色列 b	65	0.4	-14
44	荷兰	59	0.4	-20	44	智利	63	0.4	-13
45	菲律宾	59	0.4	-6	45	芬兰	60	0.4	-22
46	阿根廷	57	0.3	-17	46	阿根廷	60	0.4	-8
47	葡萄牙	55	0.3	-14	47	哥伦比亚	54	0.3	-16
48	科威特	55	0.3	-47	48	伊拉克 b	52	0.3	-12
49	伊拉克 b	49	0.3	-42	49	阿尔及利亚	52	0.3	-12
50	尼日利亚 b	48	0.3	-49	50	尼日利亚 b	48	0.3	-20
	以上总计 c	**1 5420**	**93.6**	**—**		**以上总计 c**	**1 5235**	**91.1**	**—**
	世界 c	**1 6482**	**100.0**	**-13**		**世界 c**	**1 6725**	**100.0**	**-12**

a 进口以 f.o.b. 计价。
b 秘书处估计。
c 包括转口以及为转口的进口。

表 15

2015 年世界货物贸易的主要进出口方［不包括欧盟（28）内部贸易］ 单位：十亿美元，%

排名	出口方	总额	份额	年度变化百分比	排名	进口方	总额	份额	年度变化百分比
1	中国	2 275	17.4	-3	1	美国	2 308	17.3	-4
2	EU（28）对外出口	1 985	15.2	-12	2	EU（28）从外进口	1 914	14.4	-15
3	美国	1 505	11.5	-7	3	中国	1 682	12.6	-14
4	日本	625	4.8	-9	4	日本	648	4.9	-20
5	韩国	527	4.0	-8	5	中国香港	559	4.2	-7
						留用进口	134	1.0	-11
6	中国香港	511	3.9	-3	6	韩国	436	3.3	-17
	内部出口	13	0.1	-16					
	转口	498	3.8	-2					
7	加拿大	408	3.1	-14	7	加拿大 a	436	3.3	-9
8	墨西哥	381	2.9	-4	8	墨西哥	405	3.0	-2
9	新加坡	351	2.7	-14	9	印度	392	2.9	-15
	内部出口	174	1.3	-20					
	转口	177	1.4	-9					
10	俄罗斯	340	2.6	-32	10	新加坡	297	2.2	-19
						留用进口	120	0.9	-30
11	瑞士	290	2.2	-7	11	瑞士	252	1.9	-9

续　表

排名	出口方	总额	份额	年度变化百分比	排名	进口方	总额	份额	年度变化百分比
12	中国台北	285	2.2	−11	12	中国台北	238	1.8	−16
13	印度	267	2.0	−17	13	阿联酋 b	230	1.7	−8
14	阿联酋 b	265	2.0	−29	14	澳大利亚	208	1.6	−12
15	泰国	214	1.6	−6	15	土耳其	207	1.6	−14
16	沙特阿拉伯 b	202	1.5	−41	16	泰国	203	1.5	−11
17	马来西亚	200	1.5	−15	17	俄罗斯 a	194	1.5	−37
18	巴西	191	1.5	−15	18	巴西	179	1.3	−25
19	澳大利亚	188	1.4	−22	19	马来西亚	176	1.3	−16
20	越南	162	1.2	8	20	沙特阿拉伯 b	172	1.3	−1
21	印度尼西亚	150	1.1	−15	21	越南	166	1.2	12
22	土耳其	144	1.1	−9	22	印度尼西亚	143	1.1	−20
23	挪威	105	0.8	−27	23	南非 b	105	0.8	−14
24	南非	82	0.6	−10	24	挪威	76	0.6	−15
25	卡塔尔	77	0.6	−39	25	菲律宾 b	70	0.5	3
26	以色列 b	64	0.5	−7	26	埃及 b	65	0.5	−9
27	智利	63	0.5	−16	27	以色列 b	65	0.5	−14
28	伊朗 b	63	0.5	−29	28	智利	63	0.5	−13
29	菲律宾	59	0.4	−6	29	阿根廷	60	0.4	−8
30	阿根廷	57	0.4	−17	30	哥伦比亚	54	0.4	−16
31	科威特 b c	55	0.4	−47	31	伊拉克 b	52	0.4	−12
32	伊拉克 b	49	0.4	−42	32	阿尔及利亚	52	0.4	−12
33	尼日利亚 b	48	0.4	−49	33	尼日利亚 b	48	0.4	−20
34	哈萨克斯坦	46	0.3	−42	34	巴基斯坦	44	0.3	−7
35	阿曼 b	39	0.3	−26	35	伊朗 b	43	0.3	−17
36	乌克兰	38	0.3	−30	36	孟加拉国 b	39	0.3	−7
37	阿尔及利亚	38	0.3	−40	37	秘鲁	38	0.3	−11
38	委内瑞拉 b	37	0.3	−51	38	摩洛哥	38	0.3	−18
39	哥伦比亚	36	0.3	−35	39	卡塔尔 b	37	0.3	7
40	新西兰	34	0.3	−17	40	新西兰	37	0.3	−14
41	秘鲁	34	0.3	−14	41	乌克兰	36	0.3	−33
42	安哥拉 b	34	0.3	−42	42	委内瑞拉	33	0.2	−24
43	孟加拉国	32	0.2	6	43	科威特	32	0.2	0
44	白俄罗斯	27	0.2	−26	44	白俄罗斯	30	0.2	−25
45	巴基斯坦	22	0.2	−10	45	哈萨克斯坦	30	0.2	−27
46	摩洛哥	22	0.2	−8	46	安哥拉 b	22	0.2	−24
47	埃及 b	19	0.1	−28	47	厄瓜多尔	22	0.2	−22
48	厄瓜多尔	18	0.1	−29	48	约旦	20	0.2	−11
49	阿塞拜疆 b	15	0.1	−49	49	突尼斯	20	0.2	−19
50	突尼斯 b	14	0.1	−16	50	埃塞俄比亚 c	19	0.1	0
	以上总计 c	**12 694**	**97.0**	**—**		**以上总计 c**	**12 694**	**95.3**	**—**
	世界［除 EU（28）］c	**13 080**	**100.0**	**−13**		**世界［除 EU（28）］c**	**13 323**	**100.0**	**−12**

a　进口以 f.o.b. 计价。
b　秘书处估计。
c　包括转口以及为转口的进口。

表 16

2015 年世界商业服务贸易的主要进出口方

单位：十亿美元，%

排名	出口方	总额	份额	年度变化百分比	排名	进口方	总额	份额	年度变化百分比
1	美国	690	14.5	0	1	美国	469	10.2	3
2	英国	345	7.3	−5	2	中国	466	10.1	3
3	中国	285	6.0	2	3	德国	289	6.3	−12
4	德国	247	5.2	−9	4	法国	228	4.9	−9
5	法国	240	5.0	−13	5	英国	208	4.5	−1
6	荷兰	178	3.7	−9	6	日本	174	3.8	−9
7	日本	158	3.3	0	7	荷兰	157	3.4	−9
8	印度	155	3.3	0	8	爱尔兰	152	3.3	4
9	新加坡	139	2.9	−7	9	新加坡	143	3.1	−8
10	爱尔兰	128	2.7	−5	10	印度	122	2.7	−4
11	西班牙	117	2.5	−11	11	印度	112	2.4	−2
12	比利时	109	2.3	−10	12	比利时	106	2.3	−10
13	瑞士	108	2.3	−7	13	意大利	99	2.2	−13
14	中国香港	104	2.2	−2	14	加拿大	95	2.1	−11
15	意大利	99	2.1	−14	15	瑞士	92	2.0	−6
16	韩国	97	2.0	−13	16	俄罗斯	87	1.9	−27
17	卢森堡	95	2.0	−4	17	中国香港	74	1.6	0
18	加拿大	76	1.6	−10	18	卢森堡	72	1.6	−7
19	瑞典	71	1.5	−6	19	巴西	69	1.5	−20
20	丹麦	61	1.3	−16	20	阿联酋	66	1.4	3
21	泰国	60	1.3	10	21	西班牙	65	1.4	−5
22	奥地利	58	1.2	−13	22	瑞典	60	1.3	−10
23	中国台北	56	1.2	0	23	沙特阿拉伯	57	1.2	−10
24	俄罗斯	51	1.1	−21	24	澳大利亚	54	1.2	−14
25	澳大利亚	48	1.0	−9	25	丹麦	54	1.2	−14
26	土耳其	46	1.0	−10	26	泰国	50	1.1	−5
27	波兰	43	0.9	−10	27	中国台北	47	1.0	4
28	挪威	40	0.8	−18	28	挪威	46	1.0	−18
29	中国澳门	40	0.8	−25	29	奥地利	46	1.0	−14
30	马来西亚	35	0.7	−17	30	马来西亚	40	0.9	−12
31	以色列	34	0.7	−3	31	波兰	32	0.7	−11
32	马琳	33	0.7	−16	32	印度尼西亚	30	0.7	−9
33	希腊	31	0.6	−25	33	墨西哥	29	0.6	−3
34	菲律宾	28	0.6	10	34	卡塔尔	28	0.6	−5
35	葡萄牙	28	0.6	−11	35	芬兰	26	0.6	−16
36	阿联酋	26	0.6	15	36	菲律宾	24	0.5	15
37	芬兰	24	0.5	−13	37	科威特	23	0.5	3
38	捷克	23	0.5	−9	38	以色列	22	0.5	0
39	墨西哥	23	0.5	7	39	土耳其	21	0.5	−10
40	匈牙利	21	0.5	−12	40	捷克	20	0.4	−12
	以上总计	**4 255**	**89.5**	**—**		**以上总计**	**4 055**	**87.9**	**—**
	世界	**4 755**	**100.0**	**−6**		**世界**	**4 610**	**100.0**	**−6**

表 17

2015 年世界商业服务贸易的主要进出口方［不包括欧盟（28）内部贸易］ 单位：十亿美元，%

排名	出口方	总额	份额	年度变化百分比	排名	进口方	总额	份额	年度变化百分比
1	欧盟（28）对外出口	915	24.9	−9	1	欧盟（28）从外出口	732	20.2	−7
2	美国	690	18.8	0	2	美国	469	12.9	3
3	中国	285	7.8	2	3	中国	466	12.9	3
4	日本	158	4.3	0	4	日本	174	4.8	−9
5	印度	155	4.2	0	5	新加坡	143	3.9	−8
6	新加坡	139	3.8	−7	6	印度	122	3.4	−4
7	瑞士	108	2.9	−7	7	韩国	112	3.1	−2
8	中国香港	104	2.8	−2	8	加拿大	95	2.6	−11
9	韩国	97	2.6	−13	9	瑞士	92	2.5	−6
10	加拿大	76	2.1	−10	10	俄罗斯	87	2.4	−27
11	泰国	60	1.6	10	11	中国香港	74	2.0	0
12	中国台北	56	1.5	0	12	巴西	69	1.9	−20
13	俄罗斯	51	1.4	−21	13	阿联酋	66	1.8	3
14	澳大利亚	48	1.3	−9	14	沙特阿拉伯	57	1.6	−10
15	土耳其	46	1.3	−10	15	澳大利亚	54	1.5	−14
16	挪威	40	1.1	−18	16	泰国	50	1.4	−5
17	中国澳门	40	1.1	−25	17	中国台北	47	1.3	4
18	马来西亚	35	0.9	−17	18	挪威	46	1.3	−18
19	以色列	34	0.9	−3	19	马来西亚	40	1.1	−12
20	巴西	33	0.9	−16	20	印度尼西亚	30	0.8	−9
21	菲律宾	28	0.8	10	21	墨西哥	29	0.8	−3
22	阿联酋	26	0.7	15	22	卡塔尔	28	0.8	−5
23	墨西哥	23	0.6	7	23	菲律宾	24	0.7	15
24	印度尼西亚	21	0.6	−7	24	科威特	23	0.6	3
25	埃及	18	0.5	−10	25	以色列	22	0.6	0
26	南非	15	0.4	−11	26	土耳其	21	0.6	−10
27	黎巴嫩 a	14	0.4	…	27	尼日利亚	19	0.5	−16
28	新西兰	14	0.4	0	28	安哥拉	19	0.5	−22
29	卡塔尔	14	0.4	10	29	阿根廷	17	0.5	7
30	沙特阿拉伯	14	0.4	15	30	埃及	17	0.5	−1
31	摩洛哥	14	0.4	−10	31	越南	15	0.4	7
32	阿根廷	14	0.4	1	32	南非	15	0.4	−9
33	乌克兰	12	0.3	−17	33	委内瑞拉	14	0.4	−14
34	巴拿马	11	0.3	4	34	伊朗	14	0.4	−13
35	越南	11	0.3	2	35	智利	13	0.4	−9
36	古巴	11	0.3	−17	36	黎巴嫩	13	0.4	…
37	智利	10	0.3	−11	37	伊拉克	12	0.3	−16
38	伊朗	10	0.3	3	38	新西兰	12	0.3	−11
39	哥斯达黎加	8	0.2	11	39	哈萨克斯坦	11	0.3	−9
40	多米尼加	7	0.2	8	40	哥伦比亚	11	0.3	−17
	以上总计	**3 465**	**94.5**	**—**		**以上总计**	**3 375**	**93.1**	**—**
	世界［除 EU（28）］	**3 670**	**100.0**	**−5**		**世界［除 EU（28）］**	**3 630**	**100.0**	**−5**

a 秘书处估计。

表 18

2015 年最不发达国家货物贸易进出口

单位：百万美元，%

	出口					进口				
	总额	年度变化百分比				总额	年度变化百分比			
	2015	2010—2015	2013	2014	2015	2015	2010—2015	2013	2014	2015
LDCs	**154 378**	**−1**	**4**	**−3**	**−25**	**241 754**	**7**	**9**	**6**	**−9**
石油出口方 a										
安哥拉	34 151	−8	−4	−13	−42	21 703	5	11	9	−24
赤道几内亚	6 700	−8	−5	−14	−47	4 200	−4	−16	−3	−25
缅甸	5 950	−7	27	−2	−46	15 920	27	31	35	−2
苏丹	2 985	−24	18	−7	−33	8 585	−3	7	−7	−7
乍得	2 900	−4	−19	0	−26	2 200	−2	7	3	−29
也门	1 000	−34	0	−6	−87	12 900	7	0	−3	0
不丹	585	−2	2	−25	43	1 170	7	−8	2	26
南苏丹	…	…	…	…	…	…	…	…	…	…
制成品出口方 b										
孟加拉国	32 379	11	16	4	6	39 460	7	9	14	−7
柬埔寨	11 960	18	18	17	10	14 400	16	13	5	7
马达加斯加	2 258	14	27	14	3	3 173	4	5	−1	−2
海地	990	11	9	7	4	3 400	2	7	10	−9
莱索托	775	−2	−13	−2	−6	1 954	−3	−16	−1	−9
尼泊尔	720	−3	−4	1	−19	6 380	4	8	15	−16
农产品出口方										
埃塞俄比亚	3 825	10	41	10	−14	19 063	17	25	27	0
乌干达	2 245	7	2	−6	−1	5 780	4	−4	4	−5
布基纳法索	2 132	6	8	4	−13	2 647	5	22	−18	−16
贝宁	2 032	10	37	29	−21	3 028	8	29	27	−21
马拉维	1 375	5	2	11	2	2 932	6	21	−2	6
多哥	1 227	5	16	−13	−7	2 127	5	16	−9	−16
卢旺达	659	17	19	3	−9	2 570	12	0	11	0
阿富汗	470	4	20	11	−18	5 571	2	−4	−11	−28
索马里	…	…	…	…	…	…	…	…	…	…
所罗门群岛	402	12	−10	2	−12	418	1	7	−2	−18
利比里亚	260	3	22	5	−56	2 237	26	14	83	7
几内亚比绍	259	15	17	9	56	229	3	1	17	7
布隆迪	111	2	−32	45	−16	755	8	8	−5	−2
冈比亚	108	10	−11	−2	4	410	8	−8	11	6
中非	90	−8	−43	−18	−6	348	3	−34	79	−9
瓦努阿图	62	5	−30	63	−1	388	6	6	0	24
科摩罗	…	3	5	14	3	232	0	4	−2	−17

续　表

	出口					进口				
	总额	年度变化百分比				总额	年度变化百分比			
	2015	2010—2015	2013	2014	2015	2015	2010—2015	2013	2014	2015
圣多美和普林西比	15	7	6	34	−12	150	6	16	12	−12
东帝汶	15	−2	−48	−14	8	850	28	27	2	−1
基里巴斯	9	18	15	−25	80	100	6	−11	−2	5
非燃料产品出口方										
赞比亚	6 961	−1	13	−9	−28	8 451	10	15	−6	−11
刚果（金）	5 800	2	−2	11	−16	6 200	7	3	5	−6
坦桑尼亚	4 924	4	−11	2	−2	10 285	5	7	−1	−14
莫桑比克	4 195	7	4	17	−11	8 293	13	16	−13	−5
马里	2 532	5	−10	19	−9	3 167	−2	8	5	−21
老挝	2 340	6	0	18	−12	3 860	13	1	39	−10
圭亚那	2 071	7	−12	18	3	1 971	7	−1	1	−12
毛里塔尼亚	1 502	−6	0	−27	−22	2 053	1	−3	−13	−22
尼日尔	1 050	−2	10	−9	−28	1 990	−4	6	8	−9
塞拉利昂	727	16	71	−19	−53	1 477	14	11	−12	−6
厄立特里亚	500	107	−30	97	−25	1 053	10	6	10	−7
其他										
塞内加尔	2 532	3	5	6	−10	5 675	3	3	−2	−13
吉布提	132	9	1	8	2	890	19	27	12	11
图瓦卢	0	0	0	0	0	11	−7	−53	−14	−8
备忘项：										
世界 c	**16 482 216**	**1**	**2**	**0**	**−13**	**16 724 956**	**2**	**2**	**0**	**−12**

a　不丹的数据包括其出口的电流。

b　包括出口黄金（通常归入未列名根据联合国国际贸易标准分类）和钻石（通常按联合国分类法列入制造业）。

c　包括重要的复出口和为复出口的进口。

注：2015 的数据主要为估计值。

表 19

2015 年最不发达国家商业服务出口（按类别）　　单位：百万美元，%

	总额			占商业服务份额					
	商业服务	货物相关服务		运输		旅游		其他商业服务	
	2015	2010	2015	2010	2015	2010	2015	2010	2015
最不发达国家	36 000	0.5	3.7	19.5	20.8	50.2	52.6	29.8	22.8
阿富汗	799	…	0.0	10.1	4.5	4.2	13.2	85.7	82.3
安哥拉	1 751	…	…	5.0	1.5	83.9	94.5	11.1	4.0
孟加拉国	1 684	3.0	4.6	14.2	24.2	6.6	9.4	76.2	61.8
贝宁	456	0.0	…	29.1	32.1	42.9	33.1	28.0	34.7
不丹	122	…	…	35.3	21.4	60.0	75.7	4.6	2.8
布基纳法索	427	0.2	0.4	16.5	15.1	27.3	31.6	56.1	52.9
布隆迪	35	…	…	10.2	7.6	24.2	11.9	65.6	80.6
柬埔寨	3 775	…	…	13.8	11.8	79.2	82.9	7.0	5.2

续 表

	总 额			占商业服务份额					
	商业服务	货物相关服务		运输		旅游		其他商业服务	
	2015	2010	2015	2010	2015	2010	2015	2010	2015
中非	…	…	…	…	…	…	…	…	…
乍得	…	…	…	…	…	…	…	…	…
科摩罗	74	…	…	8.1	8.8	63.3	62.6	28.6	28.6
刚果（金）	163	…	…	30.5	80.8	3.7	0.2	65.8	19.0
吉布提	…	…	…	77.2	…	12.1	…	10.7	…
赤道几内亚	49	…	…	…	…	…	…	…	…
厄立特里亚	…	…	…	…	…	…	…	…	…
埃塞俄比亚	2 851	…	…	61.6	77.2	27.3	14.4	11.1	8.4
几内亚	…	…	…	6.3	…	3.4	…	90.3	…
几内亚比绍	45	…	0.0	0.7	0.0	31.2	46.1	68.0	53.9
海地	677	…	…	…	…	95.3	90.0	4.7	10.0
基里巴斯	11	…	…	17.1	10.3	37.7	26.5	45.2	63.3
老挝	790	…	…	11.4	…	78.1	…	10.5	…
莱索托	28	…	…	8.6	6.7	55.0	62.6	36.4	30.8
利比里亚	223	…	…	55.7	30.1	31.1	41.9	13.1	28.0
马达加斯加	1 114	…	…	31.3	30.4	31.9	51.5	36.8	18.1
马拉维	98	…	…	43.5	22.1	41.3	34.2	15.2	43.7
马里	404	…	0.0	2.0	0.9	57.5	52.4	40.4	46.7
毛里塔尼亚	255	…	…	6.8	13.7	…	14.3	…	72.0
莫桑比克	675	…	…	34.6	64.7	44.1	28.6	21.3	6.7
缅甸	4 127	17.2	28.4	43.9	5.5	21.3	39.1	17.6	27.0
尼泊尔	1 139	…	…	6.8	…	59.0	47.0	34.2	…
尼日尔	271	0.0	0.0	0.7	7.1	88.5	33.1	10.8	59.9
卢旺达	352	…	…	11.4	1.8	77.8	93.4	10.8	4.9
圣多美和普林西比	67	…	…	1.3	0.5	85.5	77.4	13.2	22.1
塞内加尔	1 160	…	1.2	4.9	12.8	48.4	36.5	46.7	49.5
塞拉利昂	202	…	…	44.7	19.4	45.7	17.1	9.6	63.5
所罗门群岛	95	…	0.0	36.0	27.5	48.7	49.7	15.4	22.9
索马里	…	…	…	…	…	…	…	…	…
南苏丹	…	…	…	…	…	…	…	…	…
苏丹	1 397	…	…	2.2	21.8	38.8	67.9	59.0	10.3
坦桑尼亚	3 665	…	…	22.6	26.7	62.7	59.4	14.7	13.8
冈比亚	…	…	…	28.9	…	56.4	…	14.8	…
东帝汶	57	…	…	2.6	2.7	78.1	89.4	19.3	7.9
多哥	439	0.0	0.1	45.1	50.6	22.7	28.5	32.2	20.8
图瓦卢	…	…	…	9.1	…	73.7	…	17.2	…
乌干达	1 945	…	…	4.1	7.5	75.9	60.1	20.1	32.4
瓦努阿图	295	…	…	11.6	14.1	80.1	80.4	8.3	5.5
也门	1 507	…	…	13.0	17.1	78.9	68.1	8.0	14.8
赞比亚	851	…	…	7.8	7.2	86.1	75.4	6.0	17.4
备忘项：									
世界 c	**4 754 000**	**3.6**	**3.2**	**21.5**	**18.4**	**25.0**	**25.9**	**49.9**	**52.5**

表 20

2015 年农产品的前十大进出口方

单位：十亿美元，%

	总额	占世界出口/进口份额				年度变化百分比			
	2015	1980	1990	2000	2015	2010—2015	2013	2014	2015
出口方									
欧盟（28）	585	—	—	41.9	37.1	2	8	1	−13
欧盟（28）对外出口	158	—	—	10.0	10.0	4	8	1	−11
美国	163	17.0	14.3	13.0	10.4	3	2	4	−10
巴西	80	3.4	2.4	2.8	5.1	3	5	−3	−9
中国	73	1.5	2.4	3.0	4.6	7	6	6	−2
加拿大	63	5.0	5.4	6.3	4.0	4	4	4	−7
印度尼西亚 a	39	1.6	1.0	1.4	2.5	2	−5	3	−10
泰国	36	1.2	1.9	2.2	2.3	1	−4	−2	−8
澳大利亚	36	3.3	2.9	3.0	2.3	6	−2	3	−7
印度	35	1.0	0.8	1.1	2.2	9	7	−3	−19
阿根廷	35	1.9	1.8	2.2	2.2	0	−3	−10	−9
以上 10 方合计	**1 146**	**—**	**—**	**76.9**	**72.7**	**—**	**—**	**—**	**—**
进口方									
欧盟（28）	590	—	—	42.7	35.0	1	6	2	−13
欧盟（28）自外进口	166	—	—	13.2	9.8	2	3	2	−9
中国	160	2.1	1.8	3.3	9.5	8	6	3	−6
美国	149	8.7	9.0	11.6	8.8	5	3	7	−5
日本	74	9.6	11.5	10.4	4.4	−1	−8	−5	−10
加拿大 b	38	1.8	2.0	2.6	2.3	4	2	3	−5
韩国	33	1.5	2.2	2.2	2.0	4	1	5	−6
印度	28	0.5	0.4	0.7	1.6	9	−5	12	1
墨西哥 b	28	1.2	1.2	1.8	1.6	3	8	3	−8
俄罗斯 b	28	—	—	1.3	1.6	−5	6	−8	−33
中国香港	27	—	—	—	—	6	11	5	−6
留用进口 a	18	1.0	1.0	1.1	1.1	6	12	6	−9
以上 10 方合计	**1 154**	**—**	**—**	**77.6**	**67.9**	**—**	**—**	**—**	**—**

a 包括秘书处估计。
b 进口以 f.o.b. 计价。

表21

2015年前十大燃料和矿产品进出口方

单位：十亿美元，%

	总额	占世界出口/进口份额				年度变化百分比			
	2015	1980	1990	2000	2015	2010—2015	2013	2014	2015
出口方									
欧盟（28）	440	—	—	18.2	15.5	−3	−2	−7	−30
欧盟（28）对外出口	137	—	—	5.2	4.8	−2	−1	−9	−30
俄罗斯	195	—	—	8.1	6.9	−7	1	−7	−44
沙特阿拉伯 a	153	19.3	8.3	8.3	5.4	−7	−4	−11	−47
美国	145	3.4	4.9	3.3	5.1	2	4	3	−28
澳大利亚	108	1.3	3.5	3.1	3.8	−4	2	5	−29
加拿大	104	3.2	4.8	5.7	3.7	−3	1	−5	−35
卡塔尔 a	71	1.0	0.6	1.3	2.5	1	0	−5	−38
阿联酋 a	68	3.5	3.0	3.5	2.4	−2	2	−12	−39
挪威	66	1.9	4.0	4.9	2.3	−6	−8	−10	−34
中国	55	0.9	1.3	1.5	1.9	3	7	7	−14
以上10方合计	**1 404**	**—**	**—**	**57.7**	**49.5**	**—**	**—**	**—**	**—**
进口方									
欧盟（28）	741	—	—	33.4	27.1	−5	−4	−9	−33
欧盟（28）自外进口	438	—	—	20.7	16.0	−6	−5	−10	−36
中国	358	0.2	0.6	3.7	13.1	−1	2	−3	−32
美国	246	16.7	16.6	18.5	9.0	−10	−10	−7	−40
日本	169	14.8	15.2	10.8	6.2	−8	−7	−4	−47
韩国	130	1.4	3.1	5.2	4.7	−4	−4	−2	−39
印度	130	1.2	1.7	2.4	4.8	0	1	−3	−36
新加坡	70	1.3	2.1	2.0	2.5	−4	−5	−2	−42
中国台北	50	1.1	1.8	2.1	1.8	−6	−4	−4	−38
土耳其	50	0.7	1.1	1.3	1.8	0	−7	−6	−15
加拿大 b	42	1.8	2.1	2.0	1.5	−4	−3	−4	−31
以上10方合计	**1 986**	**—**	**—**	**81.4**	**72.5**	**—**	**—**	**—**	**—**

a 包括秘书处估计。
b 进口以 f.o.b. 计价。

表 22

2015 年制成品的前十大进出口方

单位：十亿美元，%

	总额	占世界出口/进口份额				年度变化百分比			
	2015	1980	1990	2000	2015	2010—2015	2013	2014	2015
出口方									
欧盟（28）	4 239	—	—	43.0	36.6	1	4	4	−10
欧盟（28）对外出口	1 601	—	—	14.1	13.8	2	4	1	−10
中国 a	2 153	0.8	1.9	4.7	18.6	8	8	6	−2
美国	1 126	13.0	12.1	13.8	8.7	4	2	3	−3
日本	545	11.2	11.5	9.6	4.7	−4	−12	−5	−9
韩国	470	1.4	2.5	3.3	4.1	3	4	3	−5
中国香港	437	—	—	—	—	3	4	3	−4
内部出口 b	5	1.2	1.1	0.5	0.0	−7	−6	3	−4
转口 b	432	—	—	—	—	3	4	3	−4
墨西哥 a	312	0.4	1.1	3.0	2.7	7	6	8	1
新加坡	266	0.8	1.6	2.5	2.3	1	2	1	−9
中国台北	240	1.6	2.6	3.0	2.1	0	1	0	−9
加拿大	208	2.7	3.1	3.7	1.8	2	−2	2	−2
以上 10 方合计	**9 445**	**—**	**—**	**87.0**	**81.6**	**—**	**—**	**—**	—
进口方									
欧盟（28）	3 812	—	—	43.0	32.9	0	3	5	−10
欧盟（28）自外进口	1 258	—	—	14.1	10.9	1	1	5	−4
美国	1 808	11.2	15.4	4.7	15.6	6	2	6	3
中国 a	1 084	1.1	1.7	13.8	9.4	4	7	4	−8
中国香港	465	—	—	—	—	4	4	5	−6
留用进口 b	41	1.1	0.9	3.3	0.4	12	1	22	−6
日本	372	2.3	4.1	4.1	3.2	1	−4	2	−9
加拿大 c	323	3.7	3.8	0.5	2.8	2	0	1	−6
墨西哥 a c	320	1.5	1.3	3.6	2.8	6	4	5	1
韩国	269	0.9	1.8	3.0	2.3	2	2	5	−2
新加坡	206	1.2	1.8	2.5	1.8	0	1	−2	−8
印度	187	0.5	0.5	3.0	1.6	4	−4	3	1
以上 10 方合计	**8 423**	**—**	**—**	**81.4**	**72.8**	**—**	**—**	**—**	**—**

a　包括重要的加工区的转运。
b　包括秘书处估计。
c　进口以 f. o. b. 计价。

表 23

2015 年钢铁产品的前十大进出口方

单位：十亿美元，%

	总额	占世界出口/进口份额				年度变化百分比			
	2015	1980	1990	2000	2015	2010—2015	2013	2014	2015
出口方									
欧盟（28）	139	—	—	47.1	36.3	−3	−6	0	−18
欧盟（28）对外出口	38	—	—	11.4	10.0	−3	−8	−2	−22
中国 a	64	0.3	1.2	3.1	16.7	10	2	32	−12
日本	30	20.1	11.8	10.4	7.9	−6	−11	−4	−19
韩国	23	2.2	3.4	4.7	6.1	−1	−12	9	−20
美国	16	4.2	3.3	4.4	4.2	−1	−4	0	−20
俄罗斯	15	—	—	5.0	4.0	−8	−18	19	−39
中国台北	9	0.4	0.8	3.2	2.3	−4	−3	5	−24
巴西	10	1.1	3.4	2.5	2.5	2	−19	19	−9
乌克兰	8	—	—	3.6	2.2	−12	−7	−14	−39
印度	8	0.1	0.2	0.9	2.2	−5	6	−1	−28
以上 10 方合计	**323**	**—**	**—**	**84.9**	**84.4**	**—**	**—**	**—**	**—**
进口方									
欧盟（28）	130	—	—	41.4	32.0	−3	−4	3	−18
欧盟（28）自外进口	32	—	—	7.5	7.9	−2	−2	8	−14
美国	39	10.1	9.5	12.7	9.6	5	−13	26	−21
中国 a	20	2.7	2.5	6.4	4.8	−5	−6	5	−13
韩国	16	1.2	2.9	3.5	3.8	−7	−10	10	−27
土耳其	11	0.4	1.1	1.6	2.8	3	10	−7	0
墨西哥 a b	11	2.2	1.0	2.6	2.7	6	−11	9	−3
泰国	11	0.6	2.4	1.8	2.6	−2	1	−13	−19
印度	10	1.0	1.0	0.5	2.5	1	−24	17	3
加拿大 b	10	1.6	2.0	3.5	2.3	−2	−12	11	−27
阿联酋 b	8	0.7	0.4	0.6	1.9	6	6	4	−17
以上 10 方合计	**265**	**—**	**—**	**74.5**	**65.1**	**—**	**—**	**—**	**—**

a 包括重要的加工区的转运。
b 包括秘书处估计。
c 进口以 f. o. b. 计价。

表 24

2015 年化学制品的前十大进出口方

单位：十亿美元，%

	总额	占世界出口/进口份额				年度变化百分比			
	2015	1980	1990	2000	2015	2010—2015	2013	2014	2015
出口方									
欧盟（28）	901	—	—	53.9	48.2	1	3	3	−10
欧盟（28）对外出口	349	—	—	18.6	18.7	3	3	2	−6
美国	206	14.8	13.3	13.7	11.0	2	1	2	−2
中国 a	130	0.8	1.3	2.1	6.9	8	5	12	−4
瑞士	88	4.0	4.7	3.6	4.7	4	4	7	−5
日本	63	4.7	5.3	6.0	3.4	−4	−4	−5	−13
韩国	58	0.5	0.8	2.4	3.1	4	8	1	−13
新加坡	47	0.5	1.1	1.6	2.5	3	−7	6	−11
加拿大	37	2.5	2.2	2.5	2.0	2	2	0	−4
印度	36	0.3	0.4	0.7	1.9	9	8	3	−4
中国台北	32	0.4	0.9	1.6	1.7	−2	3	−3	−16
以上 10 方合计	**1 598**	**—**	**—**	**88.0**	**85.5**	**—**	**—**	**—**	**—**
进口方									
欧盟（28）	761	—	—	44.0	39.5	1	3	4	−11
欧盟（28）自外进口	205	—	—	10.5	10.7	2	0	5	−6
美国	220	6.2	7.7	12.2	11.5	4	0	6	4
中国 a	171	2.0	2.2	4.9	8.9	3	6	1	−11
日本	64	4.1	5.0	4.2	3.3	1	−11	−2	−1
印度	47	0.0	1.0	0.8	2.4	6	0	8	−3
加拿大 b	45	2.2	2.5	3.2	2.3	2	2	1	−7
韩国	43	1.3	2.4	2.2	2.2	1	−1	1	−8
墨西哥 a，b	43	1.5	1.2	2.4	2.2	5	3	6	−6
瑞士	42	2.5	2.6	2.1	2.2	2	7	5	−13
巴西 c	38	2.4	1.1	1.6	2.0	3	7	0	−16
以上 10 方合计	**1 474**	**—**	**—**	**77.7**	**76.6**	**—**	**—**	**—**	**—**

a 包括重要的加工区的转运。
b 包括秘书处估计。
c 进口以 f.o.b. 计价。

表 25

2015 年药品的前十大进出口方

单位：十亿美元，%

	总额	占世界出口/进口份额		年度变化百分比			
	2015	2010	2015	2010—2015	2013	2014	2015
出口方							
欧盟（28）	340	66.1	63.9	2	3	5	−5
欧盟（28）对外出口	159	26.7	29.8	5	4	5	1
瑞士	65	10.6	12.2	6	6	8	−3
美国	52	9.6	9.8	3	−1	10	8
印度	14	1.5	2.6	14	13	6	6
中国 a	14	2.3	2.5	5	3	9	1
加拿大	8	1.2	1.4	6	7	29	7
新加坡	8	1.3	1.4	5	−14	4	−7
以色列	7	1.4	1.2	0	−8	2	6
日本	4	0.9	0.7	−2	−8	−9	15
巴拿马 b	4	0.6	0.7	6	−3	−16	−15
以上 10 方合计	**514**	**95.7**	**96.6**	—	—	—	—
进口方							
欧盟（28）	260	52.1	47.5	1	2	6	−8
欧盟（28）自外进口	80	13.5	14.6	2	2	9	−4
美国	90	13.9	16.4	3	−2	14	17
日本	24	3.7	4.4	3	−10	−4	15
瑞士	23	4.0	4.2	2	10	6	−9
中国 a	20	1.7	3.7	9	17	18	7
加拿大 c	13	2.6	2.3	0	−1	4	−6
俄罗斯 c	9	2.4	1.7	−2	10	−12	−31
澳大利亚 c	8	1.8	1.4	−1	−9	−9	−13
巴西 c	7	1.4	1.3	0	8	0	−12
墨西哥 a c	5	1.0	1.0	1	1	−1	−3
以上 10 方合计	**460**	**84.6**	**83.8**	—	—	—	—

a 包括重要的加工区的转运。
b 包括秘书处估计。
c 进口以 f.o.b. 计价。

表 26

2015 年办公和电信设备的前十大进出口方

单位：十亿美元，%

	总额	占世界出口/进口份额				年度变化百分比			
	2015	1980	1990	2000	2015	2010—2015	2013	2014	2015
出口方									
中国 a	591	0.1	1.0	4.5	34.0	6	10	0	−1
欧盟（28）	318	—	—	29.3	18.3	−3	−2	2	−10
欧盟（28）对外出口	85	—	—	8.7	4.9	−3	−3	−3	−12
中国香港	244	—	—	—	—	7	8	7	3
内部出口 b	0	2.0	1.6	0.4	0.0	−32	−38	7	−44
转口	244	—	—	—	—	7	8	7	3
美国	142	19.5	17.3	15.9	8.2	1	1	3	−2
新加坡	118	3.2	6.4	7.7	6.8	−1	5	−1	−6
韩国	110	2.0	4.8	6.1	6.3	3	14	7	1
中国台北	93	3.2	4.7	6.0	5.4	1	5	1	−5
墨西哥 a	63	0.1	1.5	3.5	3.6	1	−1	3	−3
日本	60	21.1	22.5	11.2	3.5	−8	−15	−7	−8
马来西亚 a	59	1.4	2.7	5.4	3.4	−3	1	4	−10
以上 10 方合计	**1 555**	**—**	**—**	**90.1**	**89.6**	**—**	**—**	**—**	**—**
进口方									
欧盟（28）	446	—	—	33.9	23.1	−3	−2	2	−7
欧盟（28）自外进口	222	—	—	14.7	11.5	−3	−2	0	−1
中国 a	385	0.6	1.3	4.4	19.9	7	13	−4	2
美国	321	15.9	21.1	21.2	16.6	2	0	3	2
中国香港	257	—	—	—	—	7	7	9	1
留用进口 b	13	1.7	1.4	1.3	0.7	4	−3	41	−24
新加坡	84	2.6	4.5	5.3	4.4	−1	4	−3	−7
日本	80	2.6	3.7	6.0	4.2	−1	0	1	−12
墨西哥 a c	64	0.9	1.5	2.9	3.3	2	6	0	0
韩国	62	1.3	2.6	3.3	3.2	5	6	12	7
中国台北	47	1.4	2.5	3.8	2.4	0	1	7	−7
马来西亚 a	41	1.6	1.9	3.2	2.1	−3	2	4	−12
以上 10 方合计	**1 542**	**—**	**—**	**85.3**	**79.8**	**—**	**—**	**—**	**—**

a　包括重要的加工区的转运。
b　包括秘书处估计。
c　进口以 f.o.b. 计价。
d　2015 年，据中国报道从中国进口的办公和电信设备金额为 912 亿美元。

表 27

2015 年汽车产品的前十大进出口方

单位：十亿美元，%

	总额	占世界出口/进口份额				年度变化百分比			
	2015	1980	1990	2000	2015	2010—2015	2013	2014	2015
出口方									
欧盟（28）	653	—	—	49.8	49.3	4	6	6	−6
欧盟（28）对外出口	229	—	—	12.2	17.3	5	6	1	−10
日本	137	19.8	20.8	15.3	10.3	−2	−8	−4	−6
美国	129	11.9	10.2	11.7	9.8	5	2	2	−6
墨西哥 a	97	0.3	1.4	5.3	7.3	12	11	11	5
韩国	71	0.1	0.7	2.6	5.4	5	3	1	−6
加拿大	62	6.9	8.9	10.5	4.7	4	−4	2	1
中国 a	49	0.0	0.1	0.3	3.7	12	7	11	−3
泰国	27	0.0	0.0	0.4	2.0	7	7	1	2
土耳其	17	0.0	0.0	0.3	1.3	4	13	4	−3
印度	11	…	0.1	0.1	0.9	8	2	16	−4
以上 10 方合计	**1 253**	**—**	**—**	**96.3**	**94.6**	**—**	**—**	**—**	**—**
进口方									
欧盟（28）	498	—	—	42.5	36.7	3	6	8	−2
欧盟（28）自外进口	72	—	—	5.6	5.3	4	1	3	8
美国	292	20.3	24.7	29.4	21.6	9	4	6	7
中国 a	73	0.6	0.6	0.7	5.4	7	5	20	−22
加拿大 b	68	8.7	7.7	8.0	5.0	3	0	−2	−4
墨西哥 a，b	45	1.8	0.3	3.5	3.3	9	2	7	4
沙特阿拉伯 b	33	2.7	0.9	0.7	2.4	16	3	0	42
澳大利亚 b	24	1.3	1.2	1.5	1.7	1	−10	−10	−4
土耳其	20	…	0.4	1.0	1.4	5	16	−6	9
日本	19	0.5	2.3	1.7	1.4	6	0	4	−9
俄罗斯 b	16	—	—	0.2	1.2	−7	−8	−21	−51
以上 10 方合计	**1 088**	**—**	**—**	**89.0**	**80.2**	**—**	**—**	**—**	**—**

a 包括重要的加工区的转运。
b 包括秘书处估计。
c 进口以 f.o.b. 计价。

表 28

2015 年纺织品的前十大进出口方

单位：十亿美元，%

	总额	占世界出口/进口份额				年度变化百分比			
	2015	1980	1990	2000	2015	2010—2015	2013	2014	2015
出口方									
中国 a	109	4.6	6.9	10.4	37.4	47	12	5	−2
欧盟（28）	64	—	—	36.7	22.1	3	4	4	−14
欧盟（28）对外出口	20	—	—	9.9	6.9	6	3	3	−14
印度	17	2.4	2.1	3.6	5.9	25	13	5	−6
美国	14	6.8	4.8	7.1	4.8	5	3	3	−3
土耳其	11	0.6	1.4	2.4	3.8	24	10	3	−13
韩国	11	4.0	5.8	8.2	3.7	−3	1	−1	−11
中国台北	10	3.2	5.9	7.7	3.3	−4	−1	0	−6
中国香港	9	—	—	—	—	−7	2	−9	−7
内部出口 b	0	1.7	2.1	0.8	0.0	−42	−13	−9	−47
转口 b	9	—	—	—	—	−6	2	−9	−6
巴基斯坦 b	8	1.6	2.6	2.9	2.9	13	7	−3	−9
日本	6	9.3	5.6	4.5	2.1	−2	−12	−7	−3
以上 10 方合计	**268**	**—**	**—**	**84.3**	**86.0**	**—**	**—**	**—**	**—**
进口方									
欧盟（28）	68	—	—	35.2	22.1	3	5	6	−18
欧盟（28）自外进口	29	—	—	9.9	9.3	12	7	9	−9
美国	30	4.5	6.2	9.8	9.6	13	4	5	5
中国 a，d	19	1.9	4.9	7.8	6.1	8	9	−6	−6
越南 b	18	…	…	0.8	5.8	67	17	13	50
孟加拉国 b	10	0.2	0.4	0.8	3.2	49	9	14	48
中国香港	9	—	—	—	—	−9	0	−10	−9
留用进口	…	3.7	3.8	0.9	…	−100	…	96	…
日本	8	3.0	3.8	3.0	2.6	11	−3	1	−8
墨西哥 a，e	7	0.2	0.9	3.6	2.1	2	3	4	2
土耳其	6	0.1	0.5	1.3	2.0	24	5	5	−13
印度尼西亚 b	6	0.4	0.7	0.8	1.8	35	4	0	−2
以上 10 方合计	**171**	**—**	**—**	**63.1**	**55.5**	**—**	**—**	**—**	**—**

a　包括重要的加工区的转运。
b　包括秘书处估计。
c　主要转口。
d　2015 年，据中国统计，自中国进口的纺织品总价值为 24 亿美元。
e　进口以 f. o. b. 计价。

表29

2015年服装的前十大进出口方

单位：十亿美元，%

	总额	占世界出口/进口份额				年度变化百分比			
	2015	1980	1990	2000	2015	2010—2015	2013	2014	2015
出口方									
中国 a	175	4.0	8.9	18.2	39.3	6	11	5	−6
欧盟（28）	112	—	—	28.7	25.2	2	8	7	−11
欧盟（28）对外出口	28	—	—	6.4	6.2	5	8	5	−13
孟加拉国 b	26	0.0	0.6	2.6	5.9	12	19	5	6
越南 b	22	…	…	0.9	4.8	16	19	14	10
中国香港	18	—	—	—	—	−5	−3	−6	−10
内部出口 b	0	11.5	8.6	5.0	0.0	−23	−16	−6	−43
转口 b	18	—	—	—	—	−5	−3	−6	−10
印度	18	1.7	2.3	3.0	4.1	10	12	14	2
土耳其	15	0.3	3.1	3.3	3.4	3	8	8	−9
印度尼西亚 b	7	0.2	1.5	2.4	1.5	0	2	0	−10
柬埔寨 b	6	…	…	0.5	1.4	16	17	17	8
美国	6	3.1	2.4	4.4	1.4	5	5	4	0
以上10方合计	**387**	**—**	**—**	**68.9**	**87.0**	**—**	**—**	**—**	**—**
进口方									
欧盟（28）	170	—	—	41.1	34.0	0	5	8	−14
欧盟（28）自外进口	96	—	—	19.6	19.2	1	2	9	−8
美国	97	16.4	24.0	33.0	19.4	3	3	2	4
日本	29	3.6	7.8	9.7	5.7	1	−1	−7	−8
中国香港	15	—	—	—	—	−2	1	−2	−8
留用进口 b	…	0.9	0.7	0.9	…	—	−12	−21	…
加拿大 c	10	1.7	2.1	1.8	2.0	4	6	1	−2
韩国	9	0.0	0.1	0.6	1.7	14	20	12	0
澳大利亚 c	7	0.8	0.6	0.9	1.3	6	3	4	1
中国 a	7	0.1	0.0	0.6	1.3	21	18	15	7
瑞士	6	3.4	3.1	1.6	1.1	1	3	4	−8
俄罗斯 c	6	—	—	0.1	1.1	−6	−2	−6	−34
以上10方合计	**338**	**—**	**—**	**90.3**	**67.8**	**—**	**—**	**—**	**—**

a 包括重要的加工区的转运。
b 包括秘书处估计。
c 进口以 f.o.b. 计价。

表 30

2015 年世界商业服务贸易（按产品类别） 单位：十亿美元，%

	总额	份额				
	2015	2005	2010	2013	2014	2015
出口						
所有商业服务	4 755	100.0	100.0	100.0	100.0	100.0
货物相关的服务	150	3.3	3.6	3.5	3.3	3.2
运输服务	875	22.4	21.5	19.9	19.2	18.4
旅游服务	1 230	26.5	25.0	25.2	25.6	25.9
其他服务	2 495	47.9	49.9	51.5	51.9	52.5
进口						
所有商业服务	4 610	100.0	100.0	100.0	100.0	100.0
货物相关的服务	100	2.6	2.1	2.3	2.1	2.1
运输服务	1 090	27.1	26.5	25.8	24.6	23.6
旅游服务	1 215	26.0	23.3	23.8	25.3	26.4
其他服务	2 210	44.3	48.1	48.1	48.0	47.9

表 31

2015 年货物相关服务贸易（按地区） 单位：十亿美元，%

	总额	份额		年度变化百分比			
	2015	2010	2015	2010—2015	2013	2014	2015
出口							
世界	**150**	**100.0**	**100.0**	**2**	**6**	**2**	**−9**
北美洲	26	11.5	16.9	10	7	19	8
中、南美洲	4	2.1	2.7	8	5	7	−2
欧洲	75	51.9	49.4	1	12	2	−17
欧盟（28）	67	47.3	44.3	1	12	2	−18
独联体	5	4.9	3.0	−8	−8	−22	−17
非洲	2	1.8	1.0	−10	−30	16	−14
中东	1	0.2	0.6	21	−20	15	2
亚洲	40	27.6	26.5	1	1	−2	−1
进口							
世界	**100**	**100.0**	**100.0**	**5**	**15**	**−1**	**−7**
北美洲	10	9.5	10.6	7	−5	0	23
中、南美洲	0	0.2	0.4	17	−38	71	−5
欧洲	51	40.7	52.2	10	43	−4	−8
欧盟（28）	47	36.6	48.1	11	46	−2	−9
独联体	2	1.5	2.2	13	14	1	−13
非洲	1	0.5	0.6	9	26	15	−4
中东	0	0.1	0.4	57	−41	37	−8
亚洲	33	47.5	33.6	−2	−9	1	−10

表 32

2015 年货物相关服务的主要进出口方

单位：十亿美元，%

	总额	占世界出口/进口份额		年度变化百分比			
	2015	2010	2015	2010—2015	2013	2014	2015
出口方							
欧盟（28）	67.4	47.3	44.3	1	12	2	−18
欧盟（28）对外出口	35.4	22.4	23.2	3	11	3	−13
美国	24.1	10.5	15.8	11	9	20	8
中国	24.0	18.2	15.8	−1	−10	−8	12
新加坡	6.8	4.6	4.5	2	19	−9	−14
瑞士	5.1	2.7	3.4	6	12	0	−1
韩国	3.2	1.7	2.1	7	6	8	1
俄罗斯	2.6	3.0	1.7	−9	5	−22	−18
马来西亚	2.5	2.0	1.6	−2	−6	5	−11
加拿大	1.6	1.0	1.1	3	−6	7	9
洪都拉斯	1.6	0.8	1.0	7	12	7	11
缅甸 a	1.3	0.0	0.8	…	445	7	…
摩洛哥	1.2	1.6	0.8	−11	−34	17	−13
乌克兰	1.2	1.3	0.8	−7	−14	−32	−21
挪威	0.9	0.5	0.6	5	41	8	−12
日本	0.9	0.4	0.6	9	32	166	−61
以上 15 方合计	**145.0**	**95.7**	**95.0**	—	—	—	—
进口方							
欧盟（28）	47.0	36.6	48.1	11	46	−2	−9
欧盟（28）自外进口	18.5	11.9	18.9	15	52	−7	−2
中国香港	11.4	24.9	11.7	−10	−16	−20	−5
美国	9.3	9.0	9.5	6	−7	0	24
韩国	8.7	9.2	8.9	4	−6	2	−2
日本	7.9	11.1	8.1	−1	−9	41	−34
瑞士	2.3	2.4	2.4	4	27	−31	14
俄罗斯	1.5	1.2	1.5	10	18	−10	−19
中国	1.5	0.1	1.5	79	−34	46	1 179
挪威	0.9	1.3	1.0	−2	6	−20	−11
加拿大	0.9	0.3	0.9	33	15	12	12
缅甸 a	0.7	…	0.7	…	…	−7	…
新加坡	0.6	0.8	0.7	0	1	6	−11
土耳其	0.4	…	0.4	…	25	24	14
印度尼西亚	0.4	0.3	0.4	10	−35	27	−25
澳大利亚	0.4	0.3	0.4	7	38	−30	−26
以上 15 方合计	**95.0**	…	**96.2**	—	—	—	—

a 秘书处估计。

表 33

2014 和 2015 年维护和保养服务的主要进出口方

单位：十亿美元，%

	总额	占世界出口/进口份额		年度变化百分比			
	2015	2010	2015	2010—2015	2013	2014	2015
出口方							
欧盟（28）	28 208	24 398	40.6	17	31	13	−14
欧盟（28）对外出口	13 340	13 149	19.2	22	31	10	−1
美国	22 389	24 123	32.2	11	9	20	8
新加坡	7 916	6 843	11.4	6	19	−9	−14
瑞士	3 887	3 790	5.6	7	16	−4	−3
日本	1 995	671	2.9	73	−34	…	−66
俄罗斯联	1 676	1 596	2.4	−2	1	−7	−5
加拿大	1 503	1 633	2.2	1	−6	7	9
挪威	1 061	936	1.5	9	41	8	−12
以色列	487	…	0.7	…	−23	25	…
马来西亚	369	336	0.5	14	18	17	−9
以上 10 方合计	**69 490**	…	**100.0**	—	—	—	—
进口方							
欧盟（28）	22 873	21 074	51.3	27	145	−5	−8
欧盟（28）自外进口	10 374	10 427	23.3	34	166	−2	1
美国	7 468	9 251	16.8	2	−7	0	24
日本	7 123	3 435	16.0	98	−19	…	−52
瑞士	1 963	2 306	4.4	1	29	−33	17
俄罗斯	1 625	1 355	3.6	22	13	−6	−17
挪威	1 064	947	2.4	1	6	−20	−11
加拿大	791	887	1.8	38	15	12	12
新加坡	713	636	1.6	3	1	6	−11
澳大利亚	488	359	1.1	17	38	−30	−26
印度尼西亚	476	359	1.1	21	−35	27	−25
以上 10 方合计	**44 585**	**40 610**	**100.0**	—	—	—	—

表 34

2015 年世界运输服务贸易（按地区）

单位：十亿美元，%

	总额	份 额		年度变化百分比			
	2015	2010	2015	2010—2015	2013	2014	2015
出口							
世界	**875**	**100.0**	**100.0**	**1**	**3**	**3**	**−10**
北美洲	98	10.3	11.1	3	3	2	−7
中、南美洲	26	3.0	3.0	1	5	−3	−12
欧洲	412	48.4	47.1	1	6	4	−13
欧盟（28）	366	43.4	41.7	0	5	4	−13

续 表

	总额	份 额		年度变化百分比			
	2015	2010	2015	2010—2015	2013	2014	2015
独联体	35	3.9	4.0	2	6	−5	−14
非洲	30	2.9	3.4	4	2	3	2
中东	36	2.8	4.1	9	7	9	6
亚洲	240	28.7	27.4	0	−3	4	−9
进口							
世界	**1 090**	**100.0**	**100.0**	**2**	**3**	**2**	**−10**
北美洲	130	10.9	11.9	4	5	4	−1
中、南美洲	45	4.6	4.2	0	0	−5	−14
欧洲	357	35.9	32.8	0	6	3	−12
欧盟（28）	327	32.7	30.0	0	6	4	−11
独联体	22	2.4	2.0	−1	4	−12	−21
非洲	64	5.7	5.9	3	1	4	−9
中东	107	7.4	9.8	8	1	4	−2
亚洲	364	33.1	33.4	2	−1	3	−11

表 35

2015 年运输服务的主要进出口方

单位：十亿美元，%

	总额	份 额		年度变化百分比			
	2015	2010	2015	2010—2015	2013	2014	2015
出口方							
欧盟（28）	365.5	43.4	41.7	0	5	4	−13
欧盟（28）对外出口	163.7	19.9	18.7	0	3	0	−13
美国	84.2	8.7	9.6	3	4	3	−6
新加坡	47.3	4.7	5.4	4	1	13	−8
中国	38.6	4.1	4.4	2	−3	2	1
日本	35.5	5.1	4.0	−3	−8	0	−10
韩国	32.7	4.7	3.7	−4	−9	1	−15
中国香港	29.8	3.6	3.4	0	−2	2	−7
挪威	17.9	2.2	2.0	0	5	5	−21
俄罗斯	16.8	1.8	1.9	3	8	−1	−18
印度	14.3	1.6	1.6	2	−3	10	−23
土耳其	14.3	1.1	1.6	9	13	10	−9
加拿大	11.9	1.5	1.4	−1	0	−4	−12
瑞士	10.9	1.3	1.2	1	5	4	−21
中国台北	10.4	1.2	1.2	1	1	10	−7
阿联酋	10.3	0.3	1.2	33	84	12	15
以上 15 方合计	**740.0**	**85.3**	**84.5**	**—**	**—**	**—**	**—**
进口方							
欧盟（28）	327.3	32.7	30.0	0	6	4	−11
欧盟（28）自外进口	142.5	14.6	13.1	0	7	2	−13

续　表

	总额	份　额		年度变化百分比			
	2015	2010	2015	2010—2015	2013	2014	2015
美国	96.9	7.6	8.9	5	7	4	3
中国	75.6	6.5	6.9	4	10	2	−21
印度	52.3	4.8	4.8	2	−6	3	−11
新加坡	44.1	3.0	4.0	8	7	20	−4
阿联酋	43.4	2.6	4.0	11	0	4	2
日本	41.0	4.7	3.8	−2	−15	−2	−11
韩国	29.6	3.1	2.7	−1	−3	6	−8
泰国	23.8	2.3	2.2	1	−1	−6	−11
加拿大	20.0	2.2	1.8	−1	−2	−4	−11
沙特阿拉伯	19.6	1.3	1.8	9	8	4	−2
中国香港	17.7	1.6	1.6	2	−1	1	−4
澳大利亚	13.2	1.4	1.2	0	−4	−9	−13
墨西哥	12.8	1.1	1.2	4	5	16	−13
俄罗斯	11.7	1.2	1.1	0	6	−12	−24
以上15方合计	**830.0**	**76.1**	**76.1**	—	—	—	—

表36

2015年世界旅游服务贸易（按地区）

单位：十亿美元，%

	总额	份　额		年度变化百分比			
	2015	2010	2015	2010—2015	2013	2014	2015
出口							
世界	**1 230**	**100.0**	**100.0**	**5**	**7**	**8**	**−5**
北美洲	212	17.2	17.2	5	7	3	0
中、南美洲	57	4.5	4.6	6	4	6	3
欧洲	422	40.9	34.3	1	8	4	−13
欧盟（28）	368	36.0	29.9	1	8	4	−13
独联体	19	1.8	1.5	2	9	−13	−17
非洲	41	4.5	3.3	−1	−7	5	−5
中东	60	4.9	4.9	5	7	10	9
亚洲	419	…	34.1	…	10	…	−1
进口							
世界	**1 215**	**100.0**	**100.0**	**7**	**8**	**14**	**−2**
北美洲	160	14.4	13.2	5	3	4	4
中、南美洲	42	4.0	3.4	4	11	2	−17
欧洲	377	42.0	31.0	1	6	6	−13
欧盟（28）	337	38.1	27.7	1	6	6	−13
独联体	48	4.1	4.0	7	22	−5	−26
非洲	26	3.0	2.1	0	0	−3	1
中东	81	7.5	6.6	5	4	17	−4
亚洲	482	25.1	39.7	17	10	35	12

表 37

2015 年旅游服务的主要进出口方

单位：十亿美元，%

	总额	份额		年度变化百分比			
	2015	2010	2015	2010—2015	2013	2014	2015
出口方							
欧盟（28）	367.7	36.0	29.9	1	8	4	−13
欧盟（28）对外出口	124.4	11.2	10.1	3	12	4	−14
美国	178.3	14.3	14.5	5	7	3	1
中国	114.1	…	9.3	…	3	…	8
泰国	44.5	2.1	3.6	17	23	−8	16
中国澳门	37.5	2.9	3.1	6	18	−2	−26
中国香港	35.9	2.3	2.9	10	18	−1	−7
澳大利亚	29.7	3.0	2.4	1	−2	2	−7
土耳其	26.6	2.4	2.2	3	10	6	−10
日本	25.5	1.4	2.1	14	4	25	35
印度	21.0	1.5	1.7	8	2	7	7
马来西亚	17.7	1.9	1.4	−1	6	5	−22
墨西哥	17.5	1.3	1.4	8	9	16	8
新加坡	16.7	1.5	1.4	3	2	0	−12
瑞士	16.2	1.5	1.3	2	4	4	−7
阿联酋	16.0	0.9	1.3	13	13	13	15
以上 15 方合计	**965.0**	…	**78.4**	—	—	—	—
进口方							
欧盟（28）	336.5	38.1	27.7	1	6	6	−13
欧盟（28）自外进口	112.6	13.2	9.3	0	5	7	−13
中国	292.2	6.4	24.0	40	26	83	25
美国	120.5	10.1	9.9	7	4	6	9
俄罗斯	34.9	3.1	2.9	6	25	−6	−31
加拿大	29.4	3.5	2.4	0	0	−4	−13
韩国	25.0	2.2	2.1	6	5	7	8
中国香港	22.9	2.0	1.9	6	6	4	4
新加坡	22.1	2.2	1.8	3	6	−1	−9
澳大利亚	21.9	2.6	1.8	−1	2	−8	−17
沙特阿拉伯	20.7	2.5	1.7	0	4	37	−14
巴西	17.4	1.9	1.4	2	14	2	−32
瑞士	16.0	1.3	1.3	7	6	6	−7
日本	15.9	3.2	1.3	−11	−22	−12	−17
挪威	15.8	1.6	1.3	3	11	2	−16
中国台北	15.5	1.1	1.3	11	16	14	11
以上 15 方合计	**1 005.0**	**81.6**	**82.7**	—	—	—	—

表 38

2015 年世界其他服务贸易（按地区）

单位：十亿美元，%

	总额	份　额		年度变化百分比			
	2015	2010	2015	2010—2015	2013	2014	2015
出口							
世界	**2 495**	**100.0**	**100.0**	**5**	**7**	**8**	**−5**
北美洲	455	19.2	18.2	4	4	2	−1
中、南美洲	53	2.4	2.1	3	−1	1	−8
欧洲	1 300	53.5	52.1	5	9	9	−7
欧盟（28）	1 198	48.8	48.0	5	9	9	−7
独联体	35	1.5	1.4	4	17	−7	−17
非洲	24	1.1	1.0	4	−3	4	−3
中东	44	1.8	1.8	5	8	−1	0
亚洲	584	20.5	23.4	8	6	12	−2
进口							
世界	**2 210**	**100.0**	**100.0**	**4**	**7**	**7**	**−6**
北美洲	294	14.6	13.3	3	3	1	−1
中、南美洲	83	3.6	3.8	5	7	4	−8
欧洲	1 100	49.6	49.8	5	8	9	−6
欧盟（28）	1 006	45.3	45.5	5	8	9	−6
独联体	62	2.9	2.8	4	14	1	−21
非洲	66	3.3	3.0	2	−1	12	−14
中东	69	3.1	3.1	5	6	11	−5
亚洲	533	22.9	24.1	6	8	6	−7

表 39

2015 年其他商业服务的主要进出口方

单位：十亿美元，%

	总额	份　额		年度变化百分比			
	2015	2010	2015	2010—2015	2013	2014	2015
出口方							
欧盟（28）	1 198.1	48.8	48.0	5	9	9	−7
欧盟（28）对外出口	591.2	23.0	23.7	6	11	9	−7
美国	403.4	16.7	16.2	5	4	4	1
印度	119.6	4.6	4.8	6	3	4	2
中国	108.7	2.5	4.4	18	9	23	−5
日本	96.0	4.0	3.8	5	2	27	−2
瑞士	75.8	3.3	3.0	3	4	4	−6
新加坡	68.5	2.2	2.7	11	18	8	−5
加拿大	46.8	2.4	1.9	1	1	−5	−11
韩国	45.7	1.6	1.8	8	6	9	−12

续 表

	总额	份　额		年度变化百分比			
	2015	2010	2015	2010—2015	2013	2014	2015
中国香港	38.2	1.5	1.5	6	4	5	6
中国台北	31.7	1.1	1.3	8	5	9	3
以色列	24.4	0.8	1.0	9	7	4	−2
俄罗斯	23.1	1.1	0.9	2	17	−9	−21
巴西	21.7	1.0	0.9	3	−4	6	−16
菲律宾	20.9	0.7	0.8	9	15	9	13
以上 15 方合计	**2 325.0**	**92.3**	**93.1**	—	—	—	—
进口方							
欧盟（28）	1 005.5	45.3	45.5	5	8	9	−6
欧盟（28）自外进口	458.7	19.0	20.8	6	9	16	−4
美国	242.5	11.8	11.0	3	2	2	1
日本	108.9	4.5	4.9	6	2	23	−4
中国	97.0	3.6	4.4	9	15	13	−19
新加坡	76.5	2.9	3.5	8	19	2	−9
瑞士	65.3	2.6	3.0	7	7	10	−2
印度	54.8	3.2	2.5	−1	1	−6	3
韩国	49.0	2.3	2.2	4	4	4	−3
加拿大	45.1	2.6	2.0	0	2	−5	−9
巴西	40.7	1.7	1.8	6	3	11	−11
俄罗斯	38.8	1.9	1.8	3	15	−3	−24
中国香港	21.9	1.0	1.0	4	3	3	2
中国台北	20.4	1.0	0.9	3	−9	5	3
泰国	19.1	0.9	0.9	3	11	−3	0
挪威	18.7	1.1	0.8	0	9	1	−20
以上 15 方合计	**1 905.0**	**86.4**	**86.3**	—	—	—	—

表 40

2014 和 2015 年世界建筑服务出口（按地区）

单位：十亿美元，%

	总　额		份　额		年度变化百分比		
	2014	2015	2010	2015	2010—2015	2014	2015
出口							
世界	**105**	**90**	**100.0**	**100.0**	**1**	**8**	**−15**
北美洲	3	2	3.7	2.5	−7	−11	−13
中、南美洲	0	0	0.1	0.1	6	292	−68
欧洲	38	30	36.5	33.5	−1	11	−21
欧盟（28）	34	27	31.1	30.3	0	14	−20
独联体	7	6	5.0	6.5	6	−13	−18
非洲	2	2	2.2	1.9	−2	0	−15
中东	3	3	2.9	3.2	3	−4	8
亚洲	53	47	49.7	52.3	2	11	−11

表 41

2014 和 2015 年建筑服务的主要进出口方

单位：百万美元，%

	总额		占 10 个经济体份额	年度变化百分比			
	2014	2015	2014	2010—2014	2013	2014	2015
出口方							
欧盟（28）	34 122	27 239	36.7	6	14	14	−20
欧盟（28）对外出口	17 750	14 062	19.1	9	21	3	−21
韩国	19 358	13 492	20.8	13	3	−5	−30
中国	15 355	16 653	16.5	1	−13	44	8
日本	11 314	10 596	12.2	2	−17	17	−6
俄罗斯	4 730	3 664	5.1	8	25	−20	−23
美国	1 971	1 917	2.1	−8	−34	−7	−3
伊朗	1 631	…	1.8	0	1	−2	…
印度	1 613	1 486	1.7	32	32	32	−8
瑞士	1 522	1 087	1.6	5	2	10	−29
土耳其	1 283	782	1.4	3	−13	7	−39
以上 10 方总计	**92 900**	…	**100.0**	—	—	—	—
进口方							
欧盟（28）	24 949	19 300	34.6	6	6	5	−23
欧盟（28）自外进口	6 591	5 762	9.1	0	−1	−10	−13
日本	10 462	8 123	14.5	7	−3	39	−22
俄罗斯	7 520	4 831	10.4	13	23	−20	−36
安哥拉	6 673	…	9.3	9	−19	32	…
中国	4 870	10 197	6.8	−1	8	25	109
沙特阿拉伯	4 279	4 952	5.9	3	33	18	16
韩国	4 070	3 000	5.6	15	44	−16	−26
阿塞拜疆	3 930	3 520	5.5	86	243	136	−10
科威特	2 686	1 887	3.7	3	−4	35	−30
马来西亚	2 662	2 722	3.7	22	7	4	2
以上 10 方总计	**72 100**	…	**100.0**	—	—	—	—

表 42

2014 和 2015 年世界建筑保险和养老服务出口（按地区）

单位：十亿美元，%

	总额		份额		年度变化百分比		
	2014	2015	2010	2015	2010—2015	2014	2015
出口							
世界	**135**	**125**	**100.0**	**100.0**	**5**	**8**	**−7**
北美洲	23	23	19.1	18.8	5	5	3
中、南美洲	2	3	1.8	2.2	10	22	13
欧洲	88	77	63.6	62.0	5	7	−12
欧盟（28）	79	68	62.7	54.9	3	6	−13
独联体	1	1	0.7	0.6	4	−16	31
非洲	1	1	1.1	1.0	3	3	1
中东	2	2	2.1	1.5	−2	−14	−5
亚洲	17	17	11.6	13.9	9	23	−1

表 43

2014 和 2015 年保险和养老服务的主要进出口方

单位：百万美元，%

	总额		占 10 个经济体份额	年度变化百分比			
	2014	2015	2014	2010—2014	2013	2014	2015
出口方							
欧盟（28）	78 621	68 367	64.1	7	9	6	−13
欧盟（28）对外出口	44 467	38 977	36.3	7	3	13	−12
美国	17 417	18 666	14.2	5	2	2	7
瑞士	7 133	6 705	5.8	7	4	5	−6
新加坡	4 709	4 605	3.8	7	15	13	−2
中国	4 574	4 976	3.7	28	20	14	9
墨西哥	3 554	3 171	2.9	18	39	27	−11
印度	2 285	1 987	1.9	6	−5	7	−13
加拿大	1 566	1 444	1.3	−5	−9	−9	−8
日本	1 559	1 576	1.3	5	…	…	1
中国香港	1 209	1 312	1.0	9	10	18	8
以上 10 方合计	**122 625**	**112 810**	**100.0**	—	—	—	—
进口方							
美国	50 096	48 330	34.4	−5	−4	−6	−4
欧盟（28）	43 717	38 590	30.0	3	9	12	−12
欧盟（28）自外进口	17 367	15 051	11.9	2	2	21	−13
中国	22 454	9 327	15.4	9	7	2	−58
印度	5 946	5 305	4.1	4	−7	0	−11
日本	5 128	4 731	3.5	−7	−9	−24	−8
新加坡	4 473	4 488	3.1	3	4	−11	0
墨西哥	4 220	4 339	2.9	13	26	−13	3
加拿大	4 102	3 713	2.8	−4	−4	−8	−9
马来西亚	2 763	2 368	1.9	6	−4	0	−14
泰国	2 703	2 356	1.9	6	−3	−9	−13
以上 10 方合计	**145 605**	**123 545**	**100.0**	—	—	—	—

表 44

2014 和 2015 年世界金融服务出口（按地区）

单位：十亿美元，%

	总额		份额		年度变化百分比		
	2014	2015	2010	2015	2010—2015	2014	2015
出口							
世界	**425**	**415**	**100.0**	**100.0**	**4**	**5**	**−2**
北美洲	95	94	23.3	22.6	4	3	−1
中、南美洲	3	2	0.9	0.5	−6	−40	−18
欧洲	256	246	61.1	59.0	4	5	−4
欧盟（28）	232	223	54.6	53.6	4	5	−4
独联体	2	2	0.5	0.4	−1	−19	−21
非洲	2	2	0.5	0.5	5	−2	9
中东	3	3	1.2	0.8	−3	12	14
亚洲	64	67	12.4	16.0	10	13	4

表 45

2014 和 2015 年金融服务的主要进出口方

单位：百万美元，%

	总 额		占 10 个经济体份额	年度变化百分比			
	2014	2015	2014	2010—2014	2013	2014	2015
出口方							
欧盟（28）	231 915	222 911	57.0	6	7	5	−4
欧盟（28）对外出口	103 732	97 178	25.5	7	8	2	−6
美国	87 290	86 286	21.4	5	10	4	−1
瑞士	22 133	20 717	5.4	−1	2	−1	−6
新加坡	20 352	20 262	5.0	14	10	11	0
中国香港	17 399	19 067	4.3	7	6	6	10
加拿大	7 702	7 706	1.9	9	5	−1	0
日本	7 235	10 173	1.8	19	−2	59	41
印度	5 645	5 331	1.4	−1	19	−11	−6
中国	4 531	2 334	1.1	36	69	42	−48
澳大利亚	3 000	2 956	0.7	35	40	19	−1
以上 10 方合计	**407 200**	**397 740**	**100.0**	—	—	—	—
进口方							
欧盟（28）	126 433	115 373	69.7	8	15	7	−9
欧盟（28）自外进口	50 536	47 941	27.9	10	21	1	−5
美国	19 503	20 134	10.8	6	11	5	3
加拿大	5 967	6 870	3.3	2	13	5	15
日本	5 274	6 002	2.9	14	12	46	14
中国	4 940	2 645	2.7	37	92	34	−46
中国香港	4 434	4 763	2.4	6	7	5	7
新加坡	4 310	4 467	2.4	14	11	19	4
印度	4 115	3 100	2.3	−12	10	−30	−25
瑞士	3 923	3 772	2.2	−6	−1	6	−4
俄罗斯	2 400	1 998	1.3	−3	22	−29	−17
以上 10 方合计	**181 300**	**169 125**	**100.0**	—	—	—	—

表 46

2014 和 2015 年世界对知识产权使用费收入 n. i. e.（按地区）

单位：十亿美元，%

	总 额		份 额		年度变化百分比		
	2014	2015	2010	2015	2010—2015	2014	2015
出口							
世界	**305**	**295**	**100.0**	**100.0**	**4**	**4**	**−3**
北美洲	135	131	45.6	44.0	3	0	−3
中、南美洲	1	1	0.3	0.4	14	−2	19
欧洲	119	113	39.5	38.0	3	5	−5
欧盟（28）	101	98	30.7	33.0	6	12	−3
独联体	1	1	0.2	0.3	10	−10	2
非洲	0	0	0.1	0.1	−1	2	−9
中东	1	1	0.2	0.3	15	8	−12
亚洲	50	50	14.1	17.0	8	15	0

表 47

2014 和 2015 年知识产权使用费的主要进出口方

单位：百万美元，%

	总额		占 10 个经济体份额	年度变化百分比			
	2014	2015	2014	2010—2014	2013	2014	2015
出口方							
美国 a	130 362	126 212	43.2	5	3	2	−3
欧盟（28）	100 522	97 977	33.3	8	9	12	−3
欧盟（28）对外出口	65 556	65 021	21.7	14	12	27	−1
日本	36 877	36 077	12.2	8	−1	17	−2
瑞士	18 111	14 366	6.0	8	8	−3	−21
韩国	5 167	6 199	1.7	13	11	19	20
加拿大	4 321	4 174	1.4	11	13	−2	−3
新加坡	3 779	3 302	1.3	40	72	19	−13
澳大利亚	894	786	0.3	−2	−6	10	−12
以色列	890	761	0.3	24	−11	17	−14
中国台北	866	1 200	0.3	17	9	−15	39
以上 10 方合计	**301 790**	**291 055**	**100.0**	—	—	—	—
进口方							
欧盟（28）	159 716	164 929	50.8	11	11	26	3
欧盟（28）自外进口	90 708	96 546	28.8	14	7	51	6
美国	42 124	39 157	13.4	7	1	8	−7
中国	22 614	22 022	7.2	15	19	8	−3
日本	20 858	16 540	6.6	3	−10	17	−21
新加坡	19 781	17 285	6.3	4	2	−10	−13
瑞士	14 034	12 330	4.5	15	6	19	−12
加拿大	11 070	9 243	3.5	3	8	−6	−17
韩国	10 546	9 831	3.4	4	14	7	−7
俄罗斯	8 021	5 634	2.5	13	10	−4	−30
巴西	5 923	5 250	1.9	16	9	30	−11
以上 10 方合计	**314 690**	**302 220**	**100.0**	—	—	—	—

表 48

2014 和 2015 年世界电信、计算机和信息服务出口（按地区）

单位：十亿美元，%

	总额		份额		年度变化百分比		
	2014	2015	2010	2015	2010—2015	2014	2015
出口							
世界	**485**	**475**	**100.0**	**100.0**	**7**	**9**	**−2**
北美洲	45	45	10.0	9.4	6	0	0
中、南美洲	9	10	2.2	2.2	7	6	12
欧洲	297	280	61.3	58.8	6	11	−6
欧盟（28）	280	262	56.3	55.0	7	12	−6
独联体	9	8	1.3	1.8	13	12	−4
非洲	6	6	1.4	1.2	3	5	−12
中东	15	15	3.0	3.1	8	8	−2
亚洲	105	112	20.7	23.6	10	8	7

表 49

2014 和 2015 年电信、计算机和信息服务的主要进出口方

单位：百万美元，%

	总 额		占 10 个经济体份额	年度变化百分比			
	2014	2015	2014	2010—2014	2013	2014	2015
出口方							
欧盟（28）	279 647	261 919	64.3	10	9	12	−6
欧盟（28）对外出口	125 209	120 769	28.8	10	10	10	−4
印度	55 666	57 661	12.8	8	8	5	4
美国	35 885	36 990	8.2	9	8	2	3
中国	20 173	24 549	4.6	18	5	18	22
瑞士	12 634	13 826	2.9	12	8	15	9
以色列	9 417	9 274	2.2	21	4	15	−2
加拿大	8 704	7 434	2.0	1	−8	−9	−15
新加坡	4 896	4 829	1.1	8	15	1	−1
俄罗斯	4 504	3 971	1.0	14	19	8	−12
菲律宾	3 472	3 461	0.8	12	11	4	0
以上 10 方合计	**435 000**	**423 915**	**100.0**	—	—	—	—
进口方							
欧盟（28）	165 342	147 626	62.9	6	11	4	−11
欧盟（28）自外进口	73 776	66 566	28.1	9	15	15	−10
美国	33 314	33 158	12.7	4	3	−1	0
瑞士	13 854	13 803	5.3	8	15	6	0
日本	11 457	11 311	4.4	26	12	80	−1
中国	10 748	11 409	4.1	27	39	41	6
新加坡	8 205	7 935	3.1	23	27	19	−3
俄罗斯	6 854	5 520	2.6	15	18	13	−19
加拿大	5 092	4 794	1.9	2	−14	1	−6
印度	4 318	3 782	1.6	5	8	15	−12
巴西	3 670	3 340	1.4	−1	10	−30	−9
以上 10 方合计	**262 855**	**242 680**	**100.0**	—	—	—	—

表 50

2014 和 2015 年电信服务的主要进出口方

单位：百万美元，%

	总 额		占 10 个经济体份额	年度变化百分比			
	2014	2015	2014	2010—2014	2013	2014	2015
出口方							
欧盟（28）	52 292	…	65.6	3	1	3	…
欧盟（28）对外出口	24 010	…	30.1	3	2	0	…
美国	13 550	12 525	17.0	6	5	−6	−8
科威特	3 064	2 710	3.8	−4	−3	−9	−12
印度	2 163	2 088	2.7	9	34	−1	−3

续 表

	总 额		占 10 个经济体份额	年度变化百分比			
	2014	2015	2014	2010—2014	2013	2014	2015
加拿大	1 921	1 641	2.4	3	−3	−10	−15
中国香港	1 775	…	2.2	17	14	11	…
俄罗斯	1 732	1 418	2.2	8	10	12	−18
日本	1 379	988	1.7	17	−5	51	−28
挪威	962	865	1.2	3	21	−1	−10
印度尼西亚	876	786	1.1	−6	−23	5	−10
以上 10 方合计	**79 715**	…	**100.0**	—	—	—	—
进口方							
欧盟（28）	44 642	…	71.6	3	0	8	…
欧盟（28）自外进口	18 140	…	29.1	4	3	6	…
美国	6 656	6 259	10.7	−4	2	−9	−6
俄罗斯	2 839	2 388	4.6	8	11	2	−16
日本	2 078	1 689	3.3	19	15	53	−19
加拿大	1 526	1 437	2.4	−1	−8	−9	−6
中国香港	1 115	…	1.8	19	8	17	…
印度	1 053	836	1.7	−1	14	−4	−21
尼日利亚	839	583	1.3	33	45	55	−31
挪威	813	697	1.3	0	−9	4	−14
印度	789	859	1.3	−3	10	−25	9
以上 10 方合计	**62 350**	…	**100.0**	—	—	—	—

表 51

2014 和 2015 年计算机服务的主要进出口方

单位：百万美元，%

	总 额		占 10 个经济体的份额	年度变化百分比			
	2014	2015	2014	2010—2014	2013	2014	2015
出口方							
欧盟（28）	214 388	…	69.6	12	10	14	…
欧盟（28）对外出口	94 352	…	30.6	12	10	13	…
印度	53 261	55 360	17.3	9	8	5	4
美国	15 310	17 377	5.0	14	10	11	14
以色列	8 534	8 404	2.8	22	3	18	−2
加拿大	5 694	4 863	1.8	−1	−7	−9	−15
菲律宾	3 121	3 163	1.0	13	13	10	1
俄罗斯	2 651	2 455	0.9	20	26	6	−7
韩国	1 880	2 348	0.6	53	58	58	25

续　表

	总　额		占10个经济体的份额	年度变化百分比			
	2014	2015	2014	2010—2014	2013	2014	2015
日本	1 652	2 060	0.5	…	…	…	25
乌克兰	1 500	1 668	0.5	39	38	16	11
以上10方合计	**307 990**	…	**100.0**	—	—	—	—
进口方							
欧盟（28）	110 709	…	68.5	7	15	1	…
欧盟（28）自外进口	51 141	…	31.7	10	20	18	…
美国	24 386	24 919	15.1	6	2	0	2
日本	8 738	8 980	5.4	…	…	…	3
俄罗斯	3 590	2 772	2.2	22	26	23	−23
巴西	3 016	2 801	1.9	−2	11	−35	−7
印度	2 882	2 563	1.8	7	8	26	−11
挪威	2 703	2 103	1.7	21	10	19	−22
加拿大	2 676	2 520	1.7	6	−19	6	−6
澳大利亚	1 880	1 455	1.2	12	14	15	−23
印度尼西亚	973	1 043	0.6	14	17	14	7
以上10方合计	**161 550**	…	**100.0**	—	—	—	—

表52

2014和2015年世界其他商业服务出口（按地区）

单位：十亿美元，%

	总　额		份　额		年度变化百分比		
	2014	2015	2010	2014	2010—2015	2014	2015
出口							
世界	**1 120**	**1 045**	**100.0**	**100.0**	**6**	**8**	**−6**
北美洲	155	157	15.3	15.0	5	5	1
中、南美洲	40	34	3.6	3.3	4	10	−13
欧洲	572	527	52.9	50.4	4	8	−8
欧盟（28）	536	494	47.6	47.2	5	10	−8
独联体	23	17	2.2	1.7	0	−10	−23
非洲	12	13	1.2	1.2	5	7	2
中东	17	17	1.8	1.6	3	−11	−1
亚洲	300	281	23.1	26.9	9	11	−6

表 53

2014 和 2015 年其他专业服务的主要进出口方

单位：百万美元，%

	总额		占 10 个经济体的份额	年度变化百分比			
	2014	2015	2014	2010—2014	2013	2014	2015
出口方							
欧盟（28）	536 441	494 240	56.5	9	10	10	−8
欧盟（28）对外出口	265 210	245 746	27.9	9	13	10	−7
美国	126 726	132 550	13.4	7	2	6	5
中国	68 895	58 403	7.3	…	12	20	−15
印度	47 305	48 614	5.0	8	−2	2	3
日本	37 288	33 717	3.9	4	11	32	−10
新加坡	36 448	33 809	3.8	17	20	8	−7
加拿大	27 843	23 952	2.9	3	4	−3	−14
中国台北	25 862	26 147	2.7	8	4	9	1
巴西	21 351	17 490	2.2	12	−6	22	−18
韩国	20 968	19 168	2.2	16	8	19	−9
以上 10 方合计	**949 125**	**888 090**	**100.0**	—	—	—	—
进口方							
欧盟（28）	519 770	489 914	56.8	7	4	7	−6
欧盟（28）自外进口	223 722	213 549	24.4	8	6	11	−5
美国	92 499	98 199	10.1	8	6	5	6
日本	58 947	60 879	6.4	12	8	21	3
中国	53 370	39 542	5.8	…	12	13	−26
新加坡	46 657	41 353	5.1	18	31	6	−11
瑞士	31 929	32 658	3.5	12	6	10	2
巴西	31 329	28 775	3.4	11	2	12	−8
韩国	30 497	29 982	3.3	6	−3	8	−2
印度	26 875	29 906	2.9	1	−7	−4	11
俄罗斯	23 152	18 459	2.5	10	14	1	−20
以上 10 方合计	**915 025**	**869 665**	**100.0**	—	—	—	—

表 54

2014 年主要经济体的其他专业服务贸易（按类别）

单位：百万美元，%

	总额	份额									
			专业的管理咨询服务			技术与贸易及其他专业服务					
	其他专业服务总额	研发服务	总计	法律、会计、管理咨询和公共关系服务	广告、市场研究、民意调查服务	总计	建筑、工程、科学和其他技术服务	废物处理和去污染，农业和矿业服务	经营租赁服务	与贸易相关的服务	其他专业服务 n. i. e.
出口方											
欧盟（28）	536 441	13.6	33.3	24.6	8.7	53.1	14.6	3.2	5.4	8.6	21.3
欧盟（28）对外出口	265 210	15.7	31.0	23.6	7.4	53.3	18.3	4.7	5.7	5.5	19.1
美国	126 726	26.2	46.9	39.2	7.8	26.9	9.7	3.0	5.9	1.0	2.0
印度	47 305	2.7	65.3	…	…	32.0	…	…	…	…	…
日本	37 288	18.3	12.1	…	…	69.7	…	…	…	…	…
新加坡	36 448	1.9	61.9	…	…	36.2	…	…	…	…	…
加拿大	27 843	17.4	40.9	37.6	3.3	41.6	25.5	…	2.2	5.4	8.5
巴西	21 351	2.5	19.3	…	…	78.3	…	…	…	…	…
韩国	20 968	3.7	10.2	7.5	2.7	86.1	12.1	1.5	3.5	17.1	51.9
瑞士	18 056	22.6	34.0	…	…	43.4	…	…	…	…	…
俄罗斯	16 736	2.7	44.7	2.9	25.8	52.6	21.0	9.3	7.8	…	14.6
菲律宾	14 473	0.4	0.3	…	…	99.3	…	…	…	…	…
挪威	13 932	2.7	16.5	…	…	80.8	…	…	…	…	…
中国香港	13 251	1.2	43.2	37.4	5.8	55.7	4.0	…	0.2	40.6	10.9
以色列	11 768	41.7	15.5	7.5	8.0	42.7	7.6	…	1.2	6.4	27.5
泰国	9 162	…	…	…	…	100.0	…	…	…	…	…
澳大利亚	7 971	8.6	53.7	45.7	8.0	37.7	18.0	2.3	2.9	7.8	6.6
阿根廷	4 328	10.9	62.4	…	…	26.7	…	…	…	…	…
黎巴嫩	2 963	0.3	31.3	…	…	68.3	…	…	…	…	…
乌克兰	2 495	17.6	29.1	…	…	53.2	…	…	…	…	…
南非	1 989	…	…	…	…	100.0	…	…	…	…	…
进口方											
欧盟（28）	519 770	15.8	32.5	21.3	11.3	51.7	9.5	1.8	4.7	12.5	23.3
欧盟（28）自外进口	223 722	18.8	28.4	18.6	9.9	52.7	8.9	2.2	4.4	13.9	23.3
美国	92 499	35.7	41.3	37.6	3.7	23.0	5.4	1.9	3.8	1.5	6.2
日本	58 947	29.8	14.9	…	…	55.2	…	…	…	…	…
新加坡	46 657	16.3	34.7	…	…	49.0	…	…	…	…	…
瑞士	31 929	29.1	49.0	…	…	21.9	…	…	…	…	…
巴西	31 329	0.3	5.7	…	…	94.0	…	…	…	…	…
韩国	30 497	9.8	18.8	8.5	10.3	71.4	4.2	0.2	4.2	8.6	54.3
印度	26 875	1.2	31.3	…	…	67.5	…	…	…	…	…
俄罗斯	23 152	0.7	25.4	2.8	9.2	73.9	24.5	19.6	18.0	…	11.8
加拿大	21 144	6.5	46.4	43.5	2.9	47.1	21.3	…	5.6	3.7	16.4
挪威	15 122	2.6	15.9	…	…	81.5	…	…	…	…	…
中国香港	11 195	1.4	33.5	28.8	4.7	65.1	3.3	…	14.8	38.8	8.1
泰国	10 842	…	…	…	…	100.0	…	…	…	…	…
安哥拉	10 532	…	1.0	…	…	99.0	…	…	…	…	…
澳大利亚	9 561	2.6	43.9	41.4	2.5	53.5	28.4	3.3	4.2	3.5	14.2
以色列	6 132	10.4	22.2	12.7	9.5	67.4	12.3	…	0.4	11.9	42.8
哈萨克斯坦	5 854	0.3	35.6	…	…	64.1	…	…	…	…	…
尼日利亚	4 826	…	…	…	…	100.0	…	…	…	…	…
阿尔及利亚	3 585	…	0.5	…	…	99.5	…	…	…	…	…
菲律宾	3 561	1.3	3.0	…	…	95.7	…	…	…	…	…

表 55

2014 和 2015 年世界个人、文化及娱乐服务出口（按地区） 单位：十亿美元，%

	总额		份额		年度变化百分比		
	2014	2015	2010	2015	2010—2015	2014	2015
出口							
世界	**45**	**40**	**100.0**	**100.0**	**4**	**1**	**−9**
北美洲	3	3	10.0	6.7	−4	−9	−7
中、南美洲	2	1	10.3	2.9	−20	−62	−27
欧洲	31	27	62.5	68.2	5	8	−11
欧盟（28）	28	24	62.4	60.9	3	1	−12
独联体	1	1	2.3	1.3	−8	−10	−46
非洲	1	1	1.0	1.4	9	1	−5
中东	1	2	1.5	3.8	24	40	9
亚洲	6	6	12.4	15.7	9	17	6

表 56

2014 和 2015 年个人、文化及娱乐服务主要进出口方 单位：百万美元，%

	总额		占 10 个经济体份额	年度变化百分比			
	2014	2015	2014	2010—2014	2013	2014	2015
出口方							
欧盟（28）	27 785	24 469	73.9	7	8	1	−12
欧盟（28）对外出口	10 677	9 049	28.4	7	5	3	−15
加拿大	2 012	1 812	5.4	−3	−10	−16	−10
土耳其	1 795	1 874	4.8	18	5	40	4
印度	1 266	1 262	3.4	7	61	3	0
韩国	922	895	2.5	24	8	26	−3
澳大利亚	882	669	2.3	6	−20	22	−24
美国 a	817	795	2.2	−5	−20	14	−3
瑞士	738	531	2.0	19	54	23	−28
俄罗斯	681	341	1.8	10	39	−12	−50
巴西	681	314	1.8	−27	−7	−75	−54
以上 10 方合计	**37 580**	**32 960**	**100.0**	—	—	—	—
进口方							
欧盟（28）	30 486	28 221	65.2	7	9	11	−7
欧盟（28）自外进口	15 478	12 966	33.1	9	11	20	−16
委内瑞拉	3 327	3 117	7.1	−1	−10	−12	−6
巴西	2 222	973	4.8	60	40	…	−56
加拿大	2 040	2 054	4.4	−1	−24	−4	1
挪威	1 657	1 331	3.5	32	0	−9	−20
俄罗斯	1 611	1 092	3.4	13	13	28	−32

续 表

	总额		占10个经济体份额	年度变化百分比			
	2014	2015	2014	2010—2014	2013	2014	2015
澳大利亚	1 563	1 527	3.3	5	−6	−4	−2
卡塔尔	1 480	1 346	3.2	…	51	−30	−9
印度	1 390	1 388	3.0	−24	34	92	0
美国 a	992	1 073	2.1	16	11	9	8
以上10方合计	**46 770**	**42 120**	**100.0**	—	—	—	—

a 美国经济分析局将影视带分销服务记录在知识产权使用费中意为别处未涵盖的（而非视听和相关服务）。

表 57

2014和2015年视听及相关服务的主要进出口方

单位：百万美元，%

	总体		占10个经济体份额	年度变化百分比			
	2014	2015	2014	2010—2014	2013	2014	2015
出口方							
欧盟（28）	16 435	…	79.7	4	19	−11	…
欧盟（28）对外出口	6 671	…	32.4	5	22	−12	…
加拿大	1 724	1 552	8.4	−3	−6	−16	−10
韩国	551	570	2.7	25	13	25	3
印度	406	364	2.0	15	66	−20	−11
日本	391	531	1.9	45	−29	291	36
巴西	265	135	1.3	…	117	…	−49
阿根廷	222	264	1.1	−9	−9	−21	19
俄罗斯	216	131	1.0	−12	−8	−25	−39
澳大利亚	214	145	1.0	14	−25	51	−32
以色列	195	…	0.9	42	7	17	…
以上10方合计	**20 620**	…	**100.0**	—	—	—	—
进口方							
欧盟（28）	17 209	…	68.8	5	3	9	…
欧盟（28）自外进口	7 432	…	29.7	7	2	20	…
加拿大	1 847	1 859	7.4	−1	−23	−3	1
澳大利亚	1 292	1 249	5.2	6	−6	−2	−3
巴西	1 274	433	5.1	49	11	…	−66
俄罗斯	846	492	3.4	0	6	−2	−42
日本	698	1 006	2.8	−1	−9	−20	44
挪威	606	477	2.4	9	9	−9	−21
阿根廷	489	489	2.0	10	6	2	0
韩国	471	313	1.9	12	32	6	−34
墨西哥	272	292	1.1	0	0	0	7
以上10方合计	**25 005**	…	**100.0**	—	—	—	—

表 58

2014 年中间品的主要进出口方

单位：十亿美元，%

	总额	占世界进出口的份额		年度变化百分比			
	2014	2010	2014	2010—2014	2012	2013	2014
出口方							
欧盟（28）	2 783	35.9	34.8	4	−6	7	0
欧盟（28）对外出口	1 029	12.8	12.9	5	−3	9	−3
中国 a	963	9.6	12.0	11	6	11	6
美国	771	10.2	9.6	4	1	0	1
日本	375	6.5	4.7	−3	−3	−10	−5
韩国	320	3.8	4.0	7	1	5	4
新加坡	226	3.1	2.8	3	0	3	1
中国台北	222	2.9	2.8	4	−3	1	8
加拿大	202	2.7	2.5	3	−2	−1	1
瑞士	177	1.4	2.2	19	79	24	−24
墨西哥 a	151	1.6	1.9	9	10	2	6
巴西	148	2.0	1.9	4	−7	2	−6
印度	140	1.7	1.7	6	−2	16	−10
澳大利亚	135	1.7	1.7	5	−7	4	−8
马来西亚	128	1.8	1.6	3	−5	−1	3
俄罗斯	113	1.2	1.4	9	19	−4	−1
以上 15 方合计	**6 853**	**86.1**	**85.7**	**5**	**−1**	**5**	**0**
进口方							
欧盟（28）	2 607	33.8	31.7	3	−10	3	3
欧盟（28）自外进口	839	11.7	10.2	1	−8	−6	4
中国 a	1 147	13.1	13.9	7	1	8	0
美国	858	9.7	10.4	7	4	0	7
日本	282	4.0	3.4	1	−5	−6	1
墨西哥 a	237	2.7	2.9	7	5	2	5
韩国	236	3.1	2.9	3	−5	0	1
印度	213	2.7	2.6	4	−4	−7	0
加拿大 b	198	2.5	2.4	4	3	−2	1
新加坡	173	2.3	2.1	3	2	2	0
瑞士	159	1.1	1.9	21	104	15	−23
中国台北	144	2.1	1.7	0	−10	−4	5
马来西亚	123	1.6	1.5	3	−2	3	2
土耳其	123	1.4	1.5	7	−3	11	−5
泰国	121	1.6	1.5	2	2	0	−11
巴西	118	1.4	1.4	6	−1	7	−4
以上 15 方合计	**6 739**	**83.1**	**81.9**	**5**	**−3**	**3**	**1**

a 包括出口加工区。
b 进口以 f. o. b. 计价。

表 59

2011—2013 年外国公司分支机构的销售——主要从事服务活动的常驻机构（FATS 内向统计）

单位：十亿美元，%

	总额			年度变化百分比			
	2011	2012	2013	2008—2013	2011	2012	2013
奥地利	52.6	50.1	53.3	1	14	−5	6
比利时	75.9	74.6	…	…	−29	−2	…
保加利亚 a	6.1	6.1	6.3	0	15	1	2
加拿大	177.5	191.9	196.5	…	14	8	2
中国 b	134.0	…	…	…	…	…	…
哥斯达黎加 b，c	…	…	2.6	…	…	…	…
克罗地亚 a	…	4.0	4.6	0	…	…	15
塞浦路斯	1.5	1.4	1.7	21	38	−10	21
捷克	44.1	40.5	38.2	…	5	−8	−6
丹麦 a	39.3	35.4	37.8	−2	7	−10	7
爱沙尼亚 a	2.9	2.8	2.9	0	15	−1	3
芬兰	20.7	20.7	…	…	17	0	…
法国	229.4	208.2	223.6	−2	3	−9	7
德国	281.8	293.7	315.6	−1	12	4	7
希腊	…	9.8	9.3	…	…	…	−5
中国香港 b，d	155.4	167.9	185.7	6	8	8	11
匈牙利	30.8	27.8	28.8	−3	15	−10	4
印度 b，e，f	8.7	…	…	…	…	…	…
爱尔兰 a	79.5	79.8	…	…	30	0	…
以色列，e	13.0	…	…	…	9	…	…
意大利 a	119.4	110.5	115.7	−2	7	−7	5
日本 b，c，f，g	85.6	172.5	143.4	…	−1	102	−17
拉脱维亚 h	4.0	4.1	4.0	2	20	3	−3
立陶宛	4.5	4.7	5.1	1	27	4	9
卢森堡 a	13.4	14.5	16.8	…	…	8	16
马耳他 a，i	1.1	1.3	…	…	…	21	…
荷兰	113.3	103.8	113.1	1	11	−8	9
新西兰 b，f	5.8	…	…	…	…	…	…
挪威 a	39.5	42.1	43.2	1	9	7	3
波兰	39.0	36.3	41.5	3	14	−7	14
葡萄牙	23.5	19.0	20.3	−7	−10	−19	7
罗马尼亚	19.3	19.5	20.8	…	…	1	7
塞尔维亚 a	3.7	3.0	3.5	…	…	−19	18

续 表

	总 额			年度变化百分比			
	2011	2012	2013	2008—2013	2011	2012	2013
斯洛伐克 j	10.6	12.7	10.0	…	…	…	−21
斯洛文尼亚 k	3.4	3.2	3.2	…	…	−7	1
西班牙	117.0	103.5	110.5	−1	5	−12	7
瑞典 a	69.1	69.9	…	…	17	1	…
泰国 b，c	35.6	29.8	10.6	…	61	−16	−65
英国 a	360.6	379.8	…	…	14	5	…
美国 b，c	761.5	751.3	800.3	−2	3	−1	7
越南 b，c	7.4	…	…	…	69	…	…
赞比亚 b，c	1.3	1.2	1.5	…	…	−4	24
备注项：							
欧盟 a	1 549.5	1 520	…	…	13	−2	…
欧盟之外 a，l	643.3	672.5	…	…	49	5	…

不包括批发和零售贸易以及维修活动。除非另有说明：

——所有或大部分的金融服务活动都被排除在外；

——包括保险活动和（或）活动辅助活动；

——所有或大部分社区、社会和个人服务活动都被排除在外。

a 金融和保险活动的保险活动和活动不包括在内。

b 包括金融服务活动。

c 包括社区、社会和个人服务活动。

d 包括其他收入。

e 输出而不是销售。

f 会计年度为参考期。

g 没有对缺失数据的估计。房地产活动没有被覆盖。

h 保险活动和行政支持活动在 2013 年被排除在外。

i 2011 年不包括住宿和食物服务。

j 2012 年之前不包括保险活动。

k 2011 年后没有保险活动。2013 年没有房地产活动。

l 是指由欧盟（28）成立并由非欧盟（27）实体控制的外国子公司的销售额。

注：鉴于此统计框架的最新发展，数据的可比性和覆盖率可能并不总是完整的。请参照元数据。

表 60

2011—2013 年常驻公司的外国分支机构的销售——主要从事服务活动的国外分支机构（外向 FATS 统计）

单位：十亿美元，%

	总 额			年度变化百分比			
	2011	2012	2013	2008—2013	2011	2012	2013
澳大利亚 a	23.3	…	…	…	…	…	…
奥地利	38.2	37.2	38.5	1	3	−3	3
比利时 b	24.5	28.0	60.8	…	5	14	117
加拿大 c	158.6	163.2	171.2	…	…	3	5
哥斯达黎加	…	0.1	…	…	…	…	

续 表

	总 额			年度变化百分比			
	2011	2012	2013	2008—2013	2011	2012	2013
塞浦路斯	3.5	3.3	2.4	−13	15	−5	−27
捷克	0.3	0.2	0.9	6	−23	−28	297
芬兰	22.7	23.1	22.8	2	−25	2	−1
法国	465.1	456.4	482.1	…	10	−2	6
德国	573.8	533.8	551.3	1	10	−7	3
希腊	4.1	4.4	4.6	…	36	8	3
匈牙利	3.3	2.5	2.5	−5	41	−24	0
以色列 b，d，e，f	3.7	…	…	…	8	…	…
意大利	188.8	184.5	190.3	3	5	−2	3
日本 g	37.9	143.4	172.3	26	−8	279	20
韩国，d，f，h	20.9	…	…	…	…	…	…
拉脱维亚	1.1	0.5	0.6	…	213	−57	28
立陶宛 i	0.6	0.4	2.7	80	174	−35	…
卢森堡 j	4.1	6.3	5.1	…	12	55	−18
马耳他 j	…	0.2	0.4	−3	…	…	48
挪威	36.7	41.3	44.1	…	25	12	7
波兰	2.9	3.5	1.7	…	22	21	−52
葡萄牙	20.2	19.0	22.8	…	11	−6	20
斯洛伐克	0.4	0.2	0.2	−16	49	−46	−20
斯洛文尼亚	1.2	1.1	1.2	…	9	−9	8
西班牙	211.4	169.2	171.1	…	28	−20	1
瑞典	68.8	74.7	72.8	−10	−25	8	−2
英国 i	699.9	781.0	719.9	…	−1	12	−8
美国	1 154.0	1 198.7	1 244.0	…	6	4	4
备注项：							
欧盟之外 k	1 296.9	1 342.6	1 351.6	…	6	4	1

不包括批发和零售贸易以及维修活动。

a 参考 2009 财政年度。只有金融和保险子公司。

b 根据母公司的活动分类。

c 部分专业、科学和技术活动除外。

d 排除金融中介活动。

e 输出。

f 部分或所有社区、社会和个人服务没有覆盖。

g 还包括超过 10%的附属公司。会计年度为参考期。不包括活跃在金融、保险和房地产领域的母公司的子公司。没有对缺失数据的估计。

h 2009 年。还包括一家韩国公司投资 10%以上的子公司。没有对缺失数据的估计。

i 分行除外。

j 包括批发和零售贸易和维修活动。

k 直至 2012 年指的是在欧盟（27）以外建立并由欧盟（28）实体控制的关联企业的销售。从 2013 年开始指欧盟（28）的销售额。

注：鉴于此统计框架的最新发展，数据的可比性和覆盖率可能并不总是完整的。请参照元数据。

表 61

2012 年美国海外子公司提供的货物和服务

单位：十亿美元，%

	总　额	占总供应的份额
海外子公司的总供应	**1 739.0**	**30.3**
给母公司	471.0	8.2
给其他当地分支机构 a	349.0	6.1
给非当地的分支机构 b	919.0	16.0
无关联公司的总供应	**3 999.0**	**69.7**
给美国的无关联机构	111.0	1.9
给非关联的本地公司 a	3 063.0	53.4
给非关联的非本地公司 b	825.0	14.4
分支机构与无关联公司的总供应	**5 738.0**	**100.0**

a　在同一个经济体内。
b　公司设在第三方国家。

表 62

2013 年由美国在国外建立的分支机构（外向 FATS 统计）和在美国的外国分支机构（内向 FATS 统计）提供的服务（按经济体）

单位：百万美元，%

在美国外提供的服务						在美国提供的服务					
	总额	份额	年度变化百分比				总额	份额	年度变化百分比		
	2013	2013	2010—2013	2012	2013		2013	2013	2010—2013	2012	2013
世界	**1 320 875**	**100.0**	**5**	**3**	**3**	**世界**	**867 683**	**100.0**	**8**	**4**	**8**
欧盟（28）	558 724	42.3	3	1	1	欧盟（28）	451 530	52.0	5	4	4
加拿大	127 589	9.7	3	1	0	日本	146 509	16.9	16	7	36
日本	71 568	5.4	1	2	−7	加拿大	84 394	9.7	6	1	3
瑞士	64 214	4.9	1	−1	6	瑞士	52 024	6.0	−2	−11	−1
新加坡	59 522	4.5	13	9	9	澳大利亚	22 865	2.6	20	15	4
以上 5 方合计	**881 617**	**66.7**	—	—	—	**以上 5 方合计**	**757 322**	**87.3**	—	—	—
澳大利亚	52 580	4.0	5	0	4	百慕大	17 602	2.0	19	26	3
墨西哥	43 393	3.3	8	8	7	韩国	16 121	1.9	16	9	16
中国	43 257	3.3	14	14	9	印度	11 850	1.4	17	11	8
巴西	39 594	3.0	10	2	3	新加坡	8 331	1.0	12	−4	−1
中国香港	33 770	2.6	3	0	3	墨西哥	7 503	0.9	19	15	13
印度	21 301	1.6	14	5	25	英属维尔京群岛	4 464	0.5	19	42	4
英属维尔京群岛	16 264	1.2	18	4	43	中国	4 437	0.5	59	222	−1
百慕大	15 065	1.1	1	17	−8	中国香港	4 214	0.5	9	−4	4
韩国	12 571	1.0	5	0	3	阿联酋	2 848	0.3	6	−7	5
智利	11 521	0.9	11	15	0	沙特阿拉伯	2 451	0.3	…	…	52
以上 15 方合计	**1 170 933**	**88.6**	—	—	—	**以上 15 方合计**	**837 143**	**96.5**	—	—	—

注：此信息是指美国拥有的附属公司向外国人提供的服务产品，以及由外国拥有的子公司提供给美国人的服务产品。这与美国在 A62 和 A63 表中所呈现的 FATS 数据不同，A62 和 A63 是指在服务行业经营的外国子公司的销售。例如，后者包括销售外国子公司的商品，其主要活动被归类为服务行业，而不是那些主要活动被归类为制造业的公司提供的服务。

表 63

2004—2014 年世界中间产品的出口（按地区和经济体）

单位：百万美元

	2004	2005	2006	2007	2008	2009	2010	2011	2012	2013	2014
世界	4 031 777	4 484 826	5 200 590	6 060 378	6 738 733	5 213 156	6 512 978	7 753 929	7 732 032	8 010 560	7 995 717
北美洲											
加拿大	142 721	158 036	175 622	193 198	199 363	139 413	176 547	206 109	201 398	199 507	201 778
墨西哥	73 650	83 025	92 810	95 240	102 411	79 252	106 075	127 228	140 162	143 156	151 179
美国	472 631	512 476	581 161	644 353	717 289	540 369	664 837	758 953	764 037	763 970	770 612
中、南美洲											
阿根廷	20 426	22 896	25 837	33 670	42 696	32 317	41 489	52 640	48 580	45 686	41 225
玻利维亚	1 091	1 138	1 731	2 128	2 919	2 824	3 498	4 581	5 411	4 939	5 656
巴西	57 657	69 007	81 059	92 382	116 028	94 829	127 797	167 830	155 387	157 925	147 957
智利	24 461	31 860	47 626	55 401	49 114	42 453	57 169	64 243	60 931	58 453	56 920
哥伦比亚	5 614	6 919	84 10	10 705	11 835	9 762	10 380	12 466	12 808	11 166	10 830
哥斯达黎加	3 185	3 859	4 282	5 180	5 413	3 474	4 776	5 646	6 386	6 346	25 741
古巴	1 657	1 539	320	1 514	1 355	909	1 136	1 674	1 201	1 271	950
多来尼加	1 694	1 878	2 130	3 159	2 440	1 591	1 909	2 856	3 041	4 137	4 650
厄瓜多尔	759	889	1 121	1 351	1 733	1 669	1 971	2 629	2 901	2 897	3 611
萨尔瓦多	664	855	1 110	1 262	1 585	1 189	1 308	1 842	1 894	1 871	1 648
危地马拉	1 354	1 881	1 708	2 870	3 430	3 175	4 066	5 298	4 957	4 774	5 070
洪都拉斯	654	747	1 196	1 479	2 146	1 551	1 934	2 478	3 329	3 335	3 079
尼加拉瓜	415	465	463	611	948	651	979	1 274	2 088	2 041	2 032
巴拿马	149	159	1 241	1 282	1 659	3 437	3 289	5 517	420	383	343
巴拉圭	1 312	1 307	1 298	2 274	3 590	2 343	3 292	4 361	3 765	5 650	5 584
秘鲁	9 812	12 813	18 730	21 949	23 905	20 822	28 060	35 719	34 911	30 881	27 057
特立尼达和多巴哥	2 232	2 403	2 817	3 965	4 893	1 630	3 664	6 966	6 854	6 273	6 130
乌拉圭	1 410	1 561	1 864	2 269	2 903	2 784	3 567	4 210	4 845	5 273	5 157
委内瑞拉	5 736	5 983	4 164	8 500	4 571	2 036	3 810	2 536	1 358	1 861	4 149
欧洲											
阿尔巴尼亚	166	205	260	389	571	344	619	759	715	777	272
奥地利	54 039	58 342	67 140	83 285	91 423	68 485	78 207	91 664	84 797	87 573	90 016
比利时	150 721	165 091	181 764	219 300	233 503	180 104	209 244	243 187	227 365	250 616	231 342
波斯尼亚和黑塞哥维那	1 016	1 599	2 276	2 724	3 108	2 085	2 719	3 403	3 175	3 355	3 542
保加利亚	4 937	5 933	8 039	9 841	11 860	8 345	10 732	15 408	13 976	15 782	15 786
克罗地亚	3 075	3 499	4091	5 275	6 054	4 465	5 058	5 878	5 560	6 079	6 372
塞浦路斯	239	243	272	336	437	389	522	711	622	570	559
捷克	38 768	44 162	52 382	66 693	78 262	57 480	67 896	85 728	81 882	86 571	92 613
丹麦	26 480	28 578	31 766	36 445	41 810	33 536	34 327	40 452	38 444	40 015	40 985

续 表

	2004	2005	2006	2007	2008	2009	2010	2011	2012	2013	2014
爱沙尼亚	3 543	4 318	4 765	5 908	6 923	4 560	5 859	7 710	7 818	8 191	7 750
芬兰	36 023	36 103	42 806	49 226	50 616	31 829	42 233	47 717	42 835	44 254	41 248
法国	186 849	194 745	217 838	252 267	275 280	207 704	233 779	268 969	249 055	254 345	251 909
德国	412 508	458 604	532 832	614 244	681 989	505 383	591 016	701 656	656 515	673 168	690 623
希腊	6 590	7 213	8 813	9 706	11 932	8 920	9 658	11 543	10 612	10 502	10 501
匈牙利	27 975	31 737	36 262	42 772	47 699	34 644	41 981	52 316	49 610	53 753	56 432
冰岛	1 017	1 010	1 233	1 808	2 728	1 965	2 459	2 806	2 595	2 611	2 546
爱尔兰	53 517	57 536	55 179	65 345	68 833	60 369	61 270	69 096	65 999	63 706	64 067
意大利	161 792	170 416	194 557	233 663	250 225	183 628	206 921	246 027	230 297	235 587	238 863
拉脱维亚	2 643	2 943	3 287	4 540	5 230	3 687	4 792	6 111	6 340	6 202	6 228
立陶宛	3 275	4 170	4 836	7 127	8 780	5 899	7 359	9 912	10 489	11 248	12 196
卢森堡	8 275	8 408	9 847	11 217	12 454	8 286	9 860	11 667	9 747	9 636	10 019
马其顿	504	611	771	976	1 215	1 956	2 079	776	1 662	2 537	2 537
马耳他	1 826	1 603	1 910	2 111	2 004	1 571	1 875	2 022	1 983	1 895	1 693
摩尔多瓦	276	346	349	496	649	435	557	952	840	1 037	1 045
荷兰	130 296	142 530	163 867	193 500	207 852	164 041	190 210	238 045	225 553	236 559	238 779
挪威	16 236	18 038	21 595	28 170	29 024	21 786	24 883	26 996	24 941	24 824	25 015
波兰	37 790	44 083	55 778	71 975	85 240	61 289	74 973	92 472	88 291	97 967	103 334
葡萄牙	18 369	19 601	23 118	27 824	29 050	21 765	25 432	30 733	29 041	30 210	30 570
罗马尼亚	11 199	13 358	16 780	22 047	27 044	19 749	25 940	33 757	32 290	36 524	39 014
塞尔维亚	0	2 688	3 941	5 327	6 528	4 362	5 688	6 921	6 203	7177	7 434
斯洛伐克	14 858	16 461	19 561	26 410	31 382	24 976	29 591	36 362	36 925	37 837	37 655
斯洛文尼亚	8 477	9 365	11 338	14 043	15 305	10 802	12 553	15 173	14 089	14 792	15 495
西班牙	77 836	83 392	94 104	113 525	122 612	93 290	109 338	135 729	125 057	132 562	134 114
瑞典	62 803	65 197	73 380	86 197	92 447	65 043	81 028	94 980	86 605	83 560	823 04
瑞士	57 156	59 577	66 546	78 336	89 637	76 278	89 044	104 364	186 565	231 867	177 341
土耳其	24 584	28 099	34 976	44 942	61 545	46 267	52 324	62 658	76 925	69 936	70 293
英国	150 837	160 446	178 290	191 004	192 154	140 461	165 787	197 022	187 179	261 787	232 064
独联体											
亚美尼亚	522	715	763	848	768	510	749	908	867	871	876
阿塞拜疆	348	459	590	537	801	394	474	675	669	637	621
白俄罗斯	5 366	5 677	6 790	8 727	12 127	7 526	9 904	14 618	15 600	12 496	13 193
格鲁吉亚	332	396	513	727	977	642	868	1 061	1 054	1 197	1 205
哈萨克斯坦	6 775	7 901	11 251	15 466	21 308	12 840	15 719	23 706	26 232	18 426	16 448
吉尔吉斯斯坦	564	445	448	543	766	675	844	1 292	912	1 097	929
俄语	51 857	61 563	75 109	93 153	105 425	67 167	80 314	99 737	119 034	113 823	112 530
塔吉克斯坦	568	702	794	958	867	673	926	871	1 015	756	645

续 表

	2004	2005	2006	2007	2008	2009	2010	2011	2012	2013	2014
乌克兰	22 746	24 802	28 978	367 75	50 787	29 291	36 973	49 154	50 238	47 897	43 165
非洲											
阿尔及利亚	752	830	1 046	1 227	1 812	938	1 200	1 692	1 740	1 765	2 276
贝宁	254	233	166	195	301	248	241	254	329	445	589
布基纳法索	346	296	331	417	427	759	1 241	2 213	2 071	2 258	2 380
喀麦隆	838	824	1 173	1 394	1 667	1 434	1 683	1 725	1 576	2 402	2 036
刚果	609	598	736	279	320	305	243	246	172	197	151
科特迪瓦	3 493	3 362	3 440	3 844	4 685	5 907	6 006	7 108	6 474	6 036	7 690
埃及	4 611	5 393	7 086	9 108	9 558	10 282	11 562	14 336	13 130	12 970	11 601
埃塞俄比亚	446	507	555	990	1 177	1 059	1 595	1 817	2 000	2 149	2 666
加蓬	576	712	734	948	934	833	1 625	1 624	1 216	1 444	1 329
加纳	1 485	2 682	3 036	3 244	3 464	4 688	5 025	8 853	10 496	8 417	8 191
肯尼亚	718	947	1 095	1 416	1 803	1 530	1 751	1 779	1 850	1 850	1 818
莱索托	43	89	122	245	124	140	136	182	175	445	541
马达加斯加	189	203	247	405	274	267	301	384	430	778	1 229
马拉维	335	366	515	718	757	988	875	1 166	994	1 009	972
毛里塔尼亚	262	382	620	767	1 024	844	412	555	1 706	1 995	1 505
毛里求斯	630	638	666	617	649	530	565	507	512	535	577
摩洛哥	4 415	5 232	6 063	7 191	12 083	6 490	10 148	12 816	11 874	11 114	12 017
莫桑比克	1 107	1 289	1 761	1 838	1 944	576	1 536	2 458	2 253	2 177	2 941
尼日尔	278	347	326	486	888	560	401	814	848	826	565
尼日利亚	1 030	1 170	434	1 812	3 563	3 639	9 411	12 898	18 116	10 194	10 061
卢旺达	76	106	104	133	211	120	179	285	299	370	390
塞内加尔	524	589	494	623	823	851	1 027	1 391	1 382	1 294	1 284
南非	26 622	30 531	34 641	42 232	48 876	34 128	51 244	71 311	62 220	60 338	55 387
苏丹	0	0	0	0	0	0	0	0	3 194	3 349	2 842
斯威士兰	994	957	1 143	944	542	462	1 312	1 247	1 561	1 728	1 706
坦桑尼亚	1 109	1 269	1 416	1 615	2 279	2 228	3 111	3 883	4 482	3 283	4 203
多哥	324	286	438	249	468	586	499	697	645	687	586
突尼斯	3 144	3 532	4 009	5 057	7 777	5 589	6 548	6 832	6 645	6 876	6 474
乌干达	394	487	573	786	1 092	908	939	1 310	1 278	1 462	1 378
赞比亚	1 461	1 675	3 615	4 361	4 903	4091	6 994	8 733	8 829	9 517	9 187
中东											
巴林	1 551	2 041	2 111	2 421	3 492	2 092	3 512	5 640	4 943	5 838	5 796
伊朗	3 179	4 937	6 503	7 747	11 008	8 104	14 047	16 888	14 893	14 026	12 512
以色列	25 928	27 693	29 381	32 181	42 807	32 341	39 697	48 086	43 526	47 922	48 731
约旦	1 660	1 741	2 106	2 243	4 122	3 089	3 521	4 398	4 159	3 960	4 169

续 表

	2004	2005	2006	2007	2008	2009	2010	2011	2012	2013	2014
科威特	1 816	2 051	2 119	2 355	3 348	3 890	5 092	5 995	6 411	4 639	4 487
黎巴嫩	982	1 017	1 349	1 653	2 117	2 124	2 403	2 809	2 855	1 977	1 595
阿曼	789	1 138	1 542	2 190	3 356	3 670	4 568	6 706	7 230	7 949	7 205
卡塔尔	2 259	1 629	2 592	3 768	1 755	4 084	1 701	2 492	14 914	5 151	454
沙特阿拉伯	11 682	15 212	17 816	21 285	20 038	15 726	28 417	38 918	41 481	43 325	51 077
叙利亚	1 086	1 203	2 593	2 766	4 231	2 471	2 692	1 761	1 009	728	384
阿联酋	12 325	16 620	18 922	25 506	37 497	34 400	44 634	56 433	85 497	85 339	75 334
也门	128	187	196	315	291	198	265	364	417	862	351
亚洲											
澳大利亚	41 588	48 157	61 365	72 858	90 537	77 017	112 872	151 339	140 914	146 462	135 261
孟加拉国	972	1 281	2 040	1 918	1 740	1 553	2 184	2 445	1 917	1 920	1 924
不丹	47	137	199	396	14	255	377	410	320	152	169
柬埔寨	699	682	768	686	1 108	2 228	1 982	1 918	2 653	2 916	4 388
中国	225 730	293 784	388 368	495 629	600 190	458 677	627 380	772 710	818 960	909 193	963 168
斐济	232	264	237	237	320	220	254	310	349	295	421
法属波利尼西亚	129	146	129	122	123	105	99	105	104	112	119
中国香港　内部出口	8 452	8 181	10 584	8 792	9 696	12 543	9 793	12 583	18 577	16 072	6 862
印度	4 0983	53 639	61 837	75 842	92 679	79 171	110 649	136 943	134 076	155 134	139 897
印度尼西亚	34 530	40 973	50 468	61 273	71 228	57 673	80 469	98 890	88 492	87 268	83 389
日本	291 509	311 236	334 612	366 646	397 616	321 557	420 433	450 837	436 897	394 556	375 382
韩国	131 596	148 064	167 259	193 393	212 502	183 938	247 531	290 724	293 165	308 481	320 424
中国澳门	522	483	509	511	349	202	50	54	77	663	152
马来西亚	71 579	76 837	87 095	98 464	91 454	90 804	115 194	132 576	125 643	124 048	127 592
蒙古	678	908	1 356	1 666	1 595	1 181	1 837	2 399	2 247	2 536	4 169
缅甸	935	1 161	1 124	1 364	1 548	1 309	2 861	2 786	2 381	3 878	15 013
尼泊尔	272	319	263	377	492	477	486	510	489	461	491
新西兰	8 277	8 590	8 972	10 716	11 296	9 108	11 138	13 484	13 408	14 169	14 227
巴基斯坦	4 893	5 565	5 874	6 269	6 965	6 177	7 663	10 564	10 129	10 201	9 555
菲律宾	26 414	27 451	32 409	32 451	31 418	23 594	24 284	25 998	32 895	38 175	41 076
新加坡	121 302	138 123	165 503	176 256	184 783	155 739	202 778	217 860	218 804	224 365	225 995
斯里兰卡	1 438	1 797	2 010	2 266	2 303	1 720	2 256	3 040	2 670	2 594	2 890
中国台北	111 139	120 734	148 544	165 582	170 731	138 987	186 826	20 9291	203 319	205 793	221 670
泰国	47 611	52 826	64 051	78 413	85 135	75 088	98 781	121 925	113 757	113 237	111 877
越南	5 277	6 439	9 278	12 257	16 699	14 797	20 813	28 708	37 392	38 855	44 248

注：包括秘书处估计。

表 64

2004—2014 年世界中间产品的进口（按地区和经济体）

单位：百万美元

	2004	2005	2006	2007	2008	2009	2010	2011	2012	2013	2014
世界	4 195 964	4 673 125	5 352 153	6 286 928	7 024 194	5 382 631	6 766 775	8 036 183	7 952 647	8 186 120	8 230 554
北美洲											
加拿大	132 753	146 848	160 277	169 066	174 059	137 383	170 419	194 251	199 447	195 903	197 676
墨西哥	125 096	136 831	155 485	157 058	178 876	140 303	182 902	209 386	220 494	225 752	237 228
美国	535 025	596 206	662 813	682 139	706 164	518 898	655 606	772 033	806 015	805 167	857 887
中、南美洲											
安提瓜和巴布达	90	106	160	184	196	136	101	84	95	97	116
阿根廷	12 222	15 284	18 225	23 492	30 244	19 874	29 211	36 781	34 532	35 537	31 820
阿鲁巴	391	239	510	544	526	341	308	413	381	282	378
巴哈马	593	756	951	962	933	831	809	941	1 101	1 054	1 165
巴巴多斯	426	484	522	534	575	452	439	497	475	484	483
伯利兹	132	140	163	173	234	204	207	212	241	258	321
玻利维亚	916	1 107	1 293	1 608	2 209	1 931	2 357	3 148	3 418	3 515	4 053
巴西	37 628	42 712	51 260	60 872	93 737	67 826	94 536	115 536	114 494	122 443	117 908
智利	9 479	11 739	13 530	16 400	20 985	14 519	19 696	24 041	25 366	25 015	23 747
哥伦比亚	9 887	11 303	13 747	16 935	20 293	15 733	19 477	24 987	25 888	25 575	27 266
哥斯达黎加	4 599	5 249	6 492	6 614	8 247	4 992	7 228	8 913	9 253	8 964	6 567
古巴	2 208	2 901	2 980	3 062	4 399	2 523	3 040	3 713	3 645	3 830	3 338
多米尼克	59	61	66	74	91	80	83	107	74	94	101
多来尼加	2 560	3 462	4 498	5 637	6 609	5 174	6 207	8 038	7 192	7 177	7 436
厄瓜多尔	3 555	4 254	4 989	5 959	8 335	6 799	8 701	11 005	11 706	12 528	12 955
萨尔瓦多	1 920	3 017	3 549	3 939	4 575	3 070	3 744	4 496	4 614	4 751	4 686
格林纳达	97	156	114	121	121	96	73	69	63	71	71
危地马拉	3 311	4 938	3 772	6 092	6 747	5 138	6 226	7 482	7415	7 635	7 780
圭亚那	241	294	310	381	442	387	454	511	588	590	556
洪都拉斯	1 465	1 723	1 965	2 367	4 858	2 170	2 458	3 173	3 032	5 029	2 927
牙买加	1 378	1 678	1 764	2 089	2 433	1 723	1 689	2 048	1 995	1 852	1 651
尼加拉瓜	772	880	891	1 206	1 342	1151	1 357	1 771	2 038	1 985	2 002
巴拿马	2 100	1 346	2 475	3 167	4 443	5 008	5 853	8 364	3 729	3 913	4 406
巴拉圭	963	1 185	1 663	2 004	2 841	2 170	3 028	3 917	3 690	4 031	4 119
秘鲁	4 718	5 801	7 031	9 038	13 441	10 220	13 867	17 472	18 337	18 096	18 666
圣基茨和尼维斯	73	81	102	106	124	111	102	102	76	79	100
圣卢西亚	132	148	193	144	159	123	122	119	125	112	164
圣文森特和格林纳丁斯	88	89	101	123	134	123	116	114	122	119	86
苏里南	281	364	382	447	572	605	538	629	679	905	672

续 表

	2004	2005	2006	2007	2008	2009	2010	2011	2012	2013	2014
特立尼达和多巴哥	1 765	2 059	2 237	2 881	3 440	2 292	2 094	2 827	2 716	2 965	2 763
乌拉圭	1 416	1 629	1 884	2 298	3 124	2 442	3 243	4 189	4 036	4 436	3 974
委内瑞拉	7 286	9 585	10 040	12 298	21 724	19 260	16 074	22 655	27 970	21 446	17 801
欧洲											
阿尔巴尼亚	980	1 142	1 339	1 720	2 180	1 996	2 008	2 284	1 925	1 986	1 141
安道尔	368	351	373	394	395	320	268	261	229	235	263
奥地利	51 088	55 261	63 408	76 554	83 926	63 205	73 478	89 793	80 892	83 602	83 836
比利时	139 359	151 233	168 795	202 803	214 904	162 600	188 981	230 214	212 577	229 364	216 411
波斯尼亚和黑塞哥维那	2 064	2 985	3 319	4 343	5 219	3 422	3 861	4 596	4 216	4 406	4 818
保加利亚	6 512	7 647	9 992	13 288	15 360	9 619	11 087	14 793	14 275	14 912	15 729
克罗地亚	6 523	7 093	8 211	9 985	11 616	8 130	7 966	8 945	7 904	8 647	8 944
塞浦路斯	1 762	1 769	1 997	2 642	3 266	2 263	2 437	2 402	1 854	1 660	1 690
捷克	37 750	42 519	53 016	67 266	77 642	56 164	69 078	84 114	77 399	79 777	85 928
丹麦	28 536	30 650	36 148	42 746	46 947	32 360	33 584	39 119	36 806	37 922	38 965
爱沙尼亚	4 439	5 082	5 925	6 645	7 211	4 384	5 898	8 353	8 393	8 486	8 588
法罗群岛	225	207	254	327	334	258	215	251	333	291	350
芬兰	23 366	26 017	31 639	38 422	39 475	23 917	29 804	35 052	30 339	30 056	30 688
法国	196 667	208 616	229 966	272 891	296 238	224 651	255 136	294 701	272 609	277 182	276 894
德国	314 181	357 533	426 980	495 994	547 138	407 750	495 667	598 222	540 615	548 954	567 067
希腊	17 905	17 956	21 142	26 144	30 157	20 921	19 357	20 635	17 301	17 278	17 381
匈牙利	33 997	34 218	40 196	49 898	54 646	39 004	46 721	53 895	47 380	51 651	55 540
冰岛	1 383	1 787	2 162	2 546	2 908	1 766	1 949	2 356	2 180	2 249	2 268
爱尔兰	28 034	29 797	32 798	35 695	33 482	22 380	21 506	24 352	24 727	25 542	27 411
意大利	156 814	164 279	193 609	231 530	241 616	167 724	214 027	250 006	209 453	211 186	216 244
拉脱维亚	3 074	3 283	4 129	5 572	5 707	3 141	4 085	5 572	5 514	5 586	5 728
立陶宛	4 895	5 658	7 002	9 378	10 424	6 148	7 516	9 997	9 785	10 746	12 168
卢森堡	7 595	7 511	8 705	9 622	10 828	7 648	8 510	11 483	9 838	9 513	9 437
马其顿	1 396	1 381	1 675	2 209	2 805	1 982	2 414	2 927	2 777	3 008	3 604
马耳他	2 054	1 966	2 290	2 368	2 292	1 625	2 130	2 302	2 122	2 176	2 007
摩尔多瓦	711	896	1 010	1 416	1 720	1 168	1 403	1 875	1 859	1 991	1 959
黑山	…	…	628	932	1 302	852	821	918	778	771	769
荷兰	112 947	121 851	143 425	171 160	189 240	140 080	163 124	211 876	194 100	202 631	201 851
挪威	22 222	25 541	30 135	38 072	41 512	30 582	32 960	39 367	37 682	37 628	38 754
波兰	47 053	52 449	65 746	83 251	102 141	73 472	88 544	106 487	95 200	103 114	110 178
葡萄牙	26 125	27 559	30 850	36 108	39 855	29 879	32 928	37 407	32 050	33 277	34 244
罗马尼亚	16 965	19 843	24 830	33 423	39 060	28 059	33 403	41 833	37 968	40 625	42 292
塞尔维亚	…	…	5 717	8 131	9 416	5 709	6 429	8 478	8 439	9 982	9 603

续 表

	2004	2005	2006	2007	2008	2009	2010	2011	2012	2013	2014
斯洛伐克	16 238	18 024	23 255	34 147	40 205	29 316	35 696	40 757	39 713	41 237	41 855
斯洛文尼亚	9 564	10 672	12 344	15 676	17 097	11 892	13 711	15 782	14 034	14 404	14 621
西班牙	114 348	119 780	139 477	172 227	181 201	121 629	133 881	154 718	133 457	139 415	148 916
瑞典	46 106	49 643	55 926	71 050	74 845	49 673	63 844	75 393	65 814	62 094	62 986
瑞士	49 681	53 097	61 338	72 885	80 383	64 697	73 713	87 926	178 992	205 523	158 721
土耳其	53 566	61 050	71 586	90 482	104 521	70 514	94 007	120 360	116 541	129 474	123 129
英国	195 161	198 266	225 012	264 108	265 535	177 082	223 861	258 109	241 543	250 999	269 849
独联体											
亚美尼亚	687	869	995	1 373	1 774	1 464	1 499	1 617	1 601	1 712	1 820
阿塞拜疆	2 004	2 319	2 512	2 930	3 699	3 229	3 641	4 980	5 051	5 968	4 822
白俄罗斯	7 264	6 330	8 256	10 353	14 443	9 075	12 816	15 176	16 193	16 209	14 162
格鲁吉亚	726	838	1 145	1 668	2 017	1 367	1 774	2 138	2 765	2 623	2 925
哈萨克斯坦	5 467	7 341	9 290	12 769	15 499	13 255	9 940	14 715	17 958	19 444	16 460
吉尔吉斯斯坦	473	411	546	818	1 093	918	920	1 307	1 678	2 014	2 721
俄语	27 360	34 740	46 028	65 531	85 942	57 723	80 854	106 570	123 882	123 853	114 262
塔吉克斯坦	400	501	698	849	1 149	985	1 153	1 407	1 473	1 633	1 857
土库曼斯坦	1 220	1 550	1 776	2 550	3 168	2 101	2 624	3 537	3 263	3 525	4 088
乌克兰	10 393	13 521	16 725	23 522	31 589	15 716	21 210	27 518	27 640	27 032	20 171
非洲											
阿尔及利亚	9 983	10 362	12 192	15 557	23 597	22 455	23 663	27 148	24 800	27 145	30 955
贝宁	316	298	327	496	569	536	636	726	731	930	835
博茨瓦纳	1 167	1 229	1 178	1 547	2 185	1 974	2 591	3 188	4 094	3 841	4 357
布基纳法索	412	459	581	612	749	735	840	932	1 145	1 645	1 304
布隆迪	67	132	158	163	173	190	210	464	573	313	255
喀麦隆	1 032	1 052	1 149	1 590	1 947	1 793	1 850	2 274	2 271	2 762	2 666
佛得角	134	149	188	236	306	228	253	328	223	228	265
中非	58	53	131	109	86	89	99	104	93	59	80
刚果	562	777	911	634	809	796	791	1 031	1 416	1 463	1 636
科特迪瓦	1 321	1 566	1 639	1 999	2 375	2 321	2 357	2 183	2 987	3 198	3 622
埃及	12 642	15 802	18 545	24 324	33 559	27 029	30 854	37 948	39 177	37 252	40 696
厄立特里亚	223	153	117	114	110	144	210	228	249	217	210
埃塞俄比亚	1 291	1 837	1 966	2 552	3 903	3 939	3 819	4 197	5 241	7 047	10 389
加蓬	408	665	773	978	1 104	1 259	1 045	1 343	1 516	1 554	1 551
冈比亚	88	95	95	109	116	110	100	115	111	117	139
加纳	1 946	2 112	2 306	2 929	3 530	2 971	3 697	5 396	5 968	5 410	6 354
几内亚	366	383	391	485	681	710	793	1 126	1 234	874	867
几内亚比绍	14	23	43	64	74	72	70	101	109	107	108

续 表

	2004	2005	2006	2007	2008	2009	2010	2011	2012	2013	2014
肯尼亚	2 096	2 412	2 881	3 769	4 677	4 491	4 990	6 402	6 451	7 040	7 640
莱索托	224	188	195	226	368	567	610	594	751	740	674
马达加斯加	829	762	883	1 197	1 960	1 850	1 303	1 274	1 203	1 258	1 639
马拉维	499	662	586	723	11 78	1 014	1 219	1 325	1 199	1 552	1 359
马里	555	657	736	906	1 516	866	1 873	1 338	1 384	1 322	1 301
毛里塔尼亚	292	319	464	530	555	589	671	992	1 277	1 169	1 167
毛里求斯	1 251	1 201	1 265	1 489	1 763	1 378	1 641	1 955	2 116	1 845	1 864
摩洛哥	9 649	10 425	11 476	16 514	21 506	15 728	17 051	22 752	21 823	22 365	23 918
莫桑比克	687	741	831	864	1 239	1 287	1 113	2 775	2 806	3 247	3727
纳米比亚	908	973	1 079	1 514	1 769	2 308	2 341	2 654	2 937	3 156	3 172
尼日尔	248	270	333	343	421	668	1 077	772	740	743	970
尼日利亚	6 924	8 753	12 065	18 206	14 807	17 654	22 712	30 008	17 052	20 149	20 756
卢旺达	141	188	324	305	527	575	680	821	895	947	1 020
圣多美和普林西比	13	15	22	27	35	33	35	48	41	42	49
塞内加尔	1 170	1 185	1 250	1 750	2 219	1 675	1 559	1 888	2 342	2 324	2 318
塞舌尔	123	151	171	191	269	218	215	232	222	243	255
塞拉利昂	163	149	147	240	225	211	312	531	589	521	460
南非	17 410	19 622	23 630	28 092	30 926	22 458	29 889	35 599	34 616	35 020	33 510
苏丹	2 262	3 918	4 395	5 088	5 166	4 387	6 628	5 172	3 089	4 061	3 699
斯威士兰	976	830	552	605	214	151	972	778	786	709	784
坦桑尼亚	1 279	1 497	1 995	2 467	3 348	2 761	3 317	4 451	4 407	4 607	5 416
多哥	243	221	942	292	343	367	400	528	769	1 020	799
突尼斯	7 745	7 644	8 708	11 498	14 688	11 093	12 804	14 029	13 058	13 689	12 467
乌干达	818	921	1 079	1 383	1 940	1 874	1 977	2 214	2 066	2 180	2 379
赞比亚	1 241	1 511	1 436	2 021	2 600	2 089	3 176	4 252	4 886	5 883	5 074
中东											
巴林	2 063	2 868	2 165	3 099	5 744	3 541	5 636	5 339	5 194	4 482	5 790
伊朗	19 323	19 477	4 731	29 586	33 250	31 181	32 409	34 678	40 401	33 589	37 333
伊拉克	3 330	4 644	5 379	5 486	7 920	9 793	12 353	15 017	16 619	19 304	16 627
以色列	23 423	24 698	25 573	29 317	31 202	21 471	28 466	34 679	32 586	32 781	33 567
约旦	3 840	4 193	4 253	5 486	6 970	5 655	6 014	6 882	7 531	8 429	8 736
科威特	3 671	5 087	7 544	9 316	10 596	5 852	7 793	8 039	8 481	11 597	12 287
黎巴嫩	3 319	3 249	3 109	4 308	5 630	5 335	6 571	7 975	7 482	7 487	7 444
阿曼	4 251	4 077	4 976	7 444	10 358	7 748	8 446	10 877	12 333	14 156	13 934
卡塔尔	2 575	5 396	8 876	12 859	15 199	10 031	12 360	7 556	11 066	12 839	14 731
沙特阿拉伯	21 939	29 447	35 038	46 120	29 341	22 022	51 013	64 174	72 734	76 793	66 540
叙利亚	4 073	5 016	5 158	6 400	9 158	9 762	9 505	9 190	4 121	3 029	3 175

续　表

	2004	2005	2006	2007	2008	2009	2010	2011	2012	2013	2014
阿联酋	28 192	35 834	41 022	58 224	87 057	63 020	72 650	94 827	131 302	135 037	126 256
也门	1 931	2 603	2 752	3 910	4 150	3 887	3 908	4 087	4 075	4 564	6 662
亚洲											
阿富汗	914	1 420	1 508	1 605	811	882	1 217	1 156	529	1 020	1 196
澳大利亚	38 105	42 941	47 380	57 073	69 125	56 886	66 466	74 277	75 322	68 902	68 203
孟加拉国	7 041	7 645	9 379	10 695	16 475	15 153	20 350	27 715	22 268	23 829	26 116
不丹	79	193	229	262	248	229	397	462	539	121	91
文莱	648	655	805	860	1 062	1 024	1 191	1 351	1 531	1 599	1 271
柬埔寨	1 300	1 520	1 854	2 184	2 697	2 305	3 078	3 588	4 160	5 785	12 948
中国	371 583	440 343	517 237	632 740	716 313	659 229	888 857	1055 805	1 063 001	1 142 917	1 147 033
斐济	528	551	573	589	750	513	592	682	694	775	942
法属波利尼西亚	413	437	412	438	572	445	465	424	431	450	439
中国香港　留用进口	18 056	18 150	21 871	24 166	21 766	22 150	29 709	30 771	33 736	51 758	31 234
印度	51 680	70 689	81 700	104 964	135 915	134 272	181 632	236 951	228 124	212 275	212 631
印度尼西亚	25 202	28 636	29 180	35 757	70 408	51 169	72 705	92 148	99 670	98 463	94 345
日本	182 336	197 550	226 130	251 994	283 519	203 378	267 574	311 282	295 747	279 138	281 896
韩国	121 611	133 761	152 633	181 548	210 006	162 431	210 469	247 020	233 742	234 235	236 160
中国澳门	1 417	1 460	1 749	1 752	1 456	905	667	784	953	2 198	1 468
马来西亚	73 377	78 067	88 381	99 664	93 816	82 136	108 778	120 232	117 379	120 451	123 341
马尔代夫	256	268	318	411	461	288	324	425	418	447	528
蒙古	410	420	511	762	855	691	911	1 672	1 791	1 905	1 697
缅甸	1 615	1 735	1 982	2 854	3 111	3 297	2 009	6 158	7 484	8 705	10 175
尼泊尔	545	501	515	781	1 035	1 995	2 665	3 131	3 113	3 587	3 835
新喀里多尼亚	470	521	582	572	834	740	879	851	832	875	902
新西兰	7 929	8 628	8 645	10 153	11 913	8 778	10 237	12 491	12 461	12 612	13 320
巴基斯坦	8 982	11 833	12 560	14 488	19 160	15 165	17 448	20 574	19 458	21 072	23 095
巴布亚新几内亚	684	656	717	979	1 219	1 340	1 653	2 670	3 181	2 304	1 998
菲律宾	34 998	36 010	38 051	39 252	36 444	28 946	35 961	28 809	36 903	35 904	36 298
萨摩亚	63	70	74	66	69	59	102	108	112	119	119
新加坡	98 448	114 957	133 081	142 224	153 400	122 948	155 461	166 865	170 765	173 685	173 143
斯里兰卡	4 554	4 941	5 307	5 687	7 247	5 180	6 463	9 532	8 842	8 581	9 037
中国台北	97 433	104 079	117 021	125 410	131 285	97 543	141 987	157 594	142 616	136 576	143 929
泰国	58 728	68 533	73 779	87 351	104 749	77 804	111 131	132 931	135 226	135 783	120 915
汤加	27	33	30	34	37	35	46	54	54	47	67
瓦努阿图	32	34	49	58	72	88	81	75	105	83	73
越南	19 455	22 377	27 996	38 229	48 024	42 281	55 508	69 629	76 817	92 842	103 306

注：包括秘书处估计。

表 65

2005—2016 年初级产品的出口价格

（指数 2005 年＝100）

	2005	2006	2007	2008	2009	2010	2011	2012	2013	2014	2015	2015				2016
												Q1	Q2	Q3	Q4	Q1
食品和饮料	100	110	127	157	136	153	182	175	175	171	144	151	146	144	136	138
食品	100	111	127	157	134	150	180	176	178	170	141	148	143	141	132	136
谷类	100	122	159	222	161	166	230	236	218	180	149	159	152	146	138	136
小麦	100	126	167	214	147	147	207	206	205	187	143	158	151	138	125	125
玉米	100	124	166	227	168	189	297	303	263	196	173	177	171	172	170	163
大米	100	106	116	243	205	181	192	202	180	148	132	141	133	130	124	128
大麦	100	123	181	211	135	167	218	251	217	154	135	139	135	135	130	126
植物油和蛋白粉	100	103	143	193	154	170	209	216	206	191	154	162	157	152	143	144
肉类	100	95	99	103	98	117	134	132	136	159	137	141	140	141	125	122
牛肉	100	97	99	102	101	128	154	158	155	189	169	182	171	174	148	142
羊肉	100	96	101	106	91	91	93	63	66	81	67	76	70	63	59	59
猪肉	100	94	94	96	82	110	132	122	128	152	100	97	106	109	89	89
家禽	100	94	106	115	116	116	118	128	141	149	155	154	156	156	154	152
海产食品	100	121	113	113	114	140	139	113	160	162	132	140	132	133	123	148
鱼类	100	125	112	119	121	151	146	117	166	163	131	137	126	129	130	159
虾类	100	105	116	91	85	98	115	97	136	160	136	151	152	145	96	107
糖	100	133	102	117	152	172	211	175	148	146	118	124	114	107	128	125
香蕉	100	118	117	146	147	153	169	171	161	162	166	169	170	165	162	178
柑橘	100	98	114	132	108	118	102	99	111	90	77	80	71	75	84	79
饮料	100	108	123	152	154	176	206	167	147	178	173	170	170	176	174	159
咖啡	100	112	129	150	132	165	231	180	147	185	154	168	156	147	144	140
可可豆	100	103	127	167	187	203	193	154	158	198	203	189	199	211	214	193
茶	100	112	98	125	145	146	160	161	123	110	157	135	148	179	168	134
农业原材料	100	109	114	113	94	124	153	133	136	139	120	129	126	114	111	110
木料	100	108	107	109	102	101	111	107	107	109	105	105	103	105	106	105
棉花	100	105	115	129	114	188	280	162	164	151	128	125	131	129	126	121
羊毛	100	104	144	138	115	153	234	215	196	178	162	155	171	164	159	167
橡胶	100	140	153	174	128	243	321	225	186	130	104	115	119	97	84	87
生皮	100	105	110	98	68	110	125	127	144	168	133	161	147	116	109	107
金属和有色金属（不含石油）	100	156	183	169	136	202	229	190	182	164	126	137	135	121	111	109
铜	100	183	194	189	141	205	240	217	199	187	150	159	165	143	133	127
铝	100	135	139	136	88	114	126	106	97	98	88	95	93	84	79	80
铁矿石	100	119	130	219	285	522	597	457	482	345	196	222	206	194	164	170
锡	100	119	196	250	184	276	353	286	302	297	218	249	211	206	204	209
镍	100	163	251	143	99	148	155	119	102	114	80	97	88	72	64	58
锌	100	237	235	137	120	157	159	141	138	157	140	151	159	134	117	122
铅	100	132	265	215	177	221	246	212	220	215	184	186	199	176	173	178
铀	100	171	355	230	167	165	201	175	138	120	132	136	132	130	129	117
以上总计	**100**	**123**	**140**	**151**	**127**	**161**	**190**	**171**	**169**	**162**	**134**	**142**	**138**	**131**	**124**	**124**
能源	100	119	132	185	117	147	201	203	196	180	99	105	115	95	82	65
天然气	100	115	117	174	110	113	154	171	165	160	107	137	102	98	91	75
原油	100	121	133	182	116	149	204	208	201	184	97	100	116	94	80	61
煤	100	104	138	266	149	206	254	202	177	149	121	130	125	120	110	108
所有初级产品	**100**	**121**	**135**	**172**	**121**	**152**	**197**	**191**	**186**	**173**	**112**	**119**	**124**	**109**	**97**	**86**

注：这些指数是美元价格的长期平均。季度数据未经过季节调整。

表 66

2005—2015 年德国、日本和美国的出口价格（按产品类别）（指数，2005 年＝100）

	2005	2006	2007	2008	2009	2010	2011	2012	2013	2014	2015
总货物											
德国	100	103	113	124	115	113	123	115	118	118	99
日本	100	98	99	106	104	108	117	114	104	99	88
美国	100	104	109	115	110	115	124	125	124	124	116
农产品											
德国	100	105	122	137	121	124	142	135	141	139	115
美国	100	104	123	147	132	139	165	174	178	176	153
燃料和矿产品											
德国	100	125	143	166	123	146	178	167	162	153	117
美国	100	121	129	149	104	130	160	152	145	142	103
制成品											
德国	100	101	111	121	114	110	118	110	114	114	97
日本	100	96	97	103	103	106	112	111	99	95	86
美国	100	102	106	110	109	113	119	119	119	118	116
钢铁产品											
德国	100	105	126	145	119	120	137	122	121	119	97
日本	100	100	114	141	105	115	132	126	114	108	91
美国	100	…	…	…	…	…	…	…	…	…	…
化学制品											
德国	100	104	116	131	122	119	131	124	127	128	106
日本	100	103	109	119	105	119	139	135	127	122	102
美国	100	105	110	119	112	118	125	125	126	124	118
机械和运输设备											
德国	100	100	108	116	110	106	112	105	108	108	93
日本	100	95	94	97	101	102	105	104	91	87	80
美国	100	100	101	102	103	104	104	106	106	106	106
办公和通信设备											
德国	100	93	90	88	81	75	74	67	67	66	56
日本	100	90	84	82	81	79	78	73	66	62	57
美国	100	94	91	88	86	82	80	80	78	76	74
汽车产品											
德国	100	102	112	120	115	112	119	112	115	115	100
日本	100	99	100	102	106	104	112	112	104	101	93
美国	100	101	102	103	103	104	105	108	109	110	109

续 表

	2005	2006	2007	2008	2009	2010	2011	2012	2013	2014	2015
纺织品											
德国	100	102	113	124	117	113	125	117	121	122	103
日本	100	99	102	109	111	117	134	136	133	130	118
美国	100	…	…	…	…	…	…	…	…	…	…
服装											
德国	100	101	111	119	114	110	118	109	114	114	97
美国	100	…	…	…	…	…	…	…	…	…	…
备注项：											
世界，单位价值指数											
总货物	100	106	116	131	115	123	140	137	136	133	112
农产品	100	105	120	140	125	134	154	150	154	153	…
燃料和矿产品	100	123	137	180	122	154	202	200	193	180	…
制成品	100	102	109	117	111	112	121	118	119	118	…

表 67

2005—2015 年德国、日本和美国的进口价格（按产品类别） （指数，2005 年＝100）

	2005	2006	2007	2008	2009	2010	2011	2012	2013	2014	2015
总货物											
德国	100	105	116	130	113	115	129	122	122	120	97
日本	100	108	115	142	117	134	158	157	147	142	110
美国	100	105	109	122	108	115	128	128	127	125	113
农产品											
德国	100	104	120	137	123	126	143	135	140	140	118
日本	100	103	119	141	123	138	165	162	153	148	134
美国	100	101	106	116	114	125	140	143	146	150	145
燃料和矿产品											
德国	100	127	142	182	127	154	201	192	185	170	112
日本	100	124	136	193	129	166	224	227	214	204	124
美国	100	119	132	173	116	145	190	187	183	175	105
制成品											
德国	100	100	109	117	108	105	112	105	107	106	91
日本	100	98	100	109	107	111	116	115	106	102	95
美国	100	101	103	107	105	107	110	112	111	110	108
钢铁产品											
德国	100	102	130	147	110	121	138	120	116	114	91
日本	100	98	124	183	140	148	165	140	124	125	104
美国	100	104	121	162	114	136	154	142	131	133	109

续　表

	2005	2006	2007	2008	2009	2010	2011	2012	2013	2014	2015
化学制品											
德国	100	106	119	134	120	121	135	126	130	129	108
日本	100	104	110	131	119	129	142	141	129	121	110
美国	100	104	112	123	114	126	138	140	137	137	129
机械和运输设备											
德国	100	98	102	106	99	95	97	90	92	91	78
日本	100	96	96	100	100	101	101	99	89	86	80
美国	100	99	100	101	100	100	101	102	101	101	99
办公和通信设备											
德国	100	91	84	78	68	63	59	54	53	52	43
日本	100	92	88	88	84	84	80	75	66	63	59
美国	100	96	92	89	85	83	80	78	77	77	75
汽车产品											
德国	100	101	111	121	116	110	117	108	111	111	94
日本	100	97	96	106	112	117	130	132	122	115	103
美国	100	100	101	104	104	104	107	109	109	109	107
纺织品											
德国	100	102	111	120	114	112	125	118	122	121	104
美国	100	…	…	…	…	…	…	…	…	…	…
服装											
德国	100	101	109	118	114	110	124	119	123	123	109
日本	100	98	98	109	118	125	140	144	133	127	121
美国 a	100	100	101	103	103	103	110	114	113	114	114

a　包括 HS 42.02 目录下的产品分类。

● 中国商务统计

表 1

1981—2015 年中国进出口总值

单位：亿美元，%

年 度	进出口	出 口	进 口	同 比		
				进出口	出 口	进 口
1981	440.2	220.1	220.2	—	—	—
1982	416.1	223.2	192.9	−5.5	1.4	−12.4
1983	436.2	222.3	213.9	4.8	−0.4	10.9
1984	535.5	261.4	274.1	22.8	17.6	28.1
1985	696.0	273.5	422.5	30.0	4.6	54.1
1986	738.5	309.4	429.0	6.1	13.1	1.5
1987	826.5	394.4	432.2	11.9	27.5	0.7
1988	1 027.8	475.2	552.7	24.4	20.5	27.9
1989	1 116.8	525.4	591.4	8.7	10.6	7.0
1990	1 154.4	620.9	533.5	3.4	18.2	−9.8
1991	1 357.0	719.1	637.9	17.6	15.8	19.6
1992	1 655.3	849.4	805.9	22.0	18.1	26.3
1993	1 957.0	917.4	1 039.6	18.2	8.0	29.0
1994	2 366.2	1 210.1	1 156.2	20.9	31.9	11.2
1995	2 808.6	1 487.8	1 320.8	18.7	23.0	14.2
1996	2 898.8	1 510.5	1 388.3	3.2	1.5	5.1
1997	3 251.6	1 827.9	1 423.7	12.2	21.0	2.5
1998	3 239.5	1 837.1	1 402.4	−0.4	0.5	−1.5
1999	3 606.3	1 949.3	1 657.0	11.3	6.1	18.2
2000	4 743.0	2 492.0	2 250.9	31.5	27.8	35.8
2001	5 096.5	2 661.0	2 435.5	7.5	6.8	8.2
2002	6 207.7	3 256.0	2 951.7	21.8	22.4	21.2
2003	8 509.9	4 382.3	4 127.6	37.1	34.6	39.8
2004	11 545.5	5 933.3	5 612.3	35.7	35.4	36.0
2005	14 219.1	7 619.5	6 599.5	23.2	28.4	17.6
2006	17 604.4	9 689.8	7 914.6	23.8	27.2	19.9
2007	21 765.7	12 204.6	9 561.2	23.6	26.0	20.8
2008	25 632.6	14 306.9	11 325.7	17.8	17.3	18.5
2009	22 072.7	12 016.6	10 056.0	−13.9	−16	−11.2
2010	29 792.6	15 779.3	13 948.3	34.7	31.3	38.7
2011	36 420.6	18 986.0	17 434.6	22.5	20.3	24.9
2012	38 667.6	20 489.3	18 178.3	6.2	7.9	4.3
2013	41 596.9	22 093.7	19 503.2	7.6	7.9	7.3
2014	43 030.4	23 427.5	19 602.9	3.4	6.1	47.7
2015	39 586.4	22 765.7	16 820.7	−8.0	−2.8	−14.1

表 2

2015 年中国进出口简要情况 单位：亿美元，%

项 目	12 月份		1～12 月累计	
	绝对值	同比	绝对值	同比
进出口总值	3 882.8	−4.1	39 586.4	−8.0
出口总值	2 241.9	−1.4	22 765.7	−2.8
进口总值	1 641.0	−7.6	16 820.7	−14.1
进出口差额	600.9	20.4	5 945.0	55.2

表 3

2015 年中国进出口主要国别/地区总值 单位：千美元

进口原产国（地）	进 出 口		出 口		进 口		累计同比（±%）		
出口最终目的国（地）	当月	1 月至当月累计	当月	1 月至当月累计	当月	1 月至当月累计	进出口	出口	进口
总值	388 284 494.10	3 958 643 944.40	224 188 635.40	2 276 574 201.00	164 095 858.70	1 682 069 743.40	−8	−2.8	−14.1
其中：中国香港	48 186 192.50	344 334 458.60	46 022 997.60	331 567 213.80	2 163 194.90	12 767 244.80	−8.3	−8.7	1.2
印度	6 430 777.70	71 636 946.90	5 184 880.40	58 254 226.50	1 245 897.40	13 382 720.40	1.5	7.4	−18.2
日本	25 471 788.40	278 664 106.50	11 939 574.70	135 677 081.30	13 532 213.70	172 987 025.30	−10.8	−9.2	−12.2
韩国	25 747 952.30	275 899 067.60	9 303 598.00	101 380 875.80	16 444 354.30	174 518 191.80	−5	1	−8.2
中国台湾	18 432 752.70	188 560 128.70	3 958 049.50	44 904 912.40	14 474 703.10	143 655 216.30	−4.9	−3	−5.5
东南亚国家联盟	45 154 386.40	472 160 234.50	26 745 298.10	277 695 937.60	18 409 088.30	19 464 296.90	−1.7	2.1	−6.6
其中：印度尼西亚	4 901 885.20	54 238 115.80	2 976 361.70	34 349 904.90	1 925 523.60	19 888 210.90	−14.6	−12.1	−18.8
马来西亚	9 225 684.30	97 359 773.30	3 842 565.30	44 059 496.20	5 383 119.00	53 300 277.20	−4.6	−4.9	−4.2
菲律宾	4 228 855.00	45 661 636.80	2 514 277.70	26 685 494.70	1 714 577.40	18 976 142.10	2.7	13.7	−9.6
新加坡	7 517 418.10	79 668 716.30	5 306 416.80	52 112 275.40	2 211 001.20	27 556 440.90	−0.1	6.5	−10.6
泰国	6 979 584.10	75 477 716.90	3 437 376.60	38 308 203.00	3 542 207.50	37 169 513.90	3.9	117	−3
越南	9 218 974.00	95 818 728.60	6 830 446.30	66 142 775.10	2 388 527.70	29 675 953.60	14.6	3.8	49.1
欧洲联盟	54 724 683.80	564 851 902.90	35 181 046.10	355 972 957.60	19 543 637.80	208 878 945.30	−8.2	−4	−14.5
其中：英国	8 240 872.40	78 538 783.80	6 349 396.60	59 602 157.10	1 891 475.80	18 936 626.80	−2.9	4.3	−20.2
德国	14 659 282.20	156 798 291.70	6 821 954.30	69 175 517.10	7 837 327.90	87 622 774.60	−11.8	−4.9	−16.6
法国	5 169 803.40	51 423 232.60	2 699 816.30	26 766 222.60	2 499 987.10	24 657 010.10	−7.8	−6.7	−8.9
意大利	4 465 445.60	44 692 847.10	2 836 635.70	27 837 854.80	1 628 810.00	16 854 992.20	−7	−3.2	−12.6
荷兰	6 411 193.10	68 270 010.10	5 580 720.60	59 477 567.90	830 472.50	8792 442.20	−8.1	−8.4	−5.9
俄罗斯联邦	6 643 136.10	68 065 148.20	3 605 549.50	34 801 391.80	3 037 586.60	33 263 756.30	−28.6	−35.2	−20
南非	5 143 373.60	46 049 097.30	1 173 089.30	15 866 965.20	3 970 284.20	30 182 132.10	−23.6	1.1	−32.3
巴西	5 580 386.90	71 597 391.10	2 056 821.60	27 430 524.00	3 523 565.40	44 166 867.10	−17.3	−21.4	−14.5
加拿大	5 184 868.40	55 694 418.50	2 598 398.00	29 442 598.80	2 586 470.40	28 251 819.70	0.9	−1.9	4.2
美国	51 115 295.70	558 385 057.80	35 268 156.70	409 648 333.70	15 847 139.00	148 736 724.10	0.6	3.4	−6.5
澳大利亚	9 852 869.30	113 979 697.80	3 693 471.30	40 336 986.90	6 159 398.00	73 642 741.90	−16.7	3	−24.6
新西兰	961 809.20	11 506 626.00	474 982.50	4 922 722.00	486 826.70	6 583 903.90	−19.2	3.9	−30.7

表 4

2015 年中国进口重点商品量值

单位：千美元

商品名称	计量单位	当月		1月至当月累计		上年同期累计		累计比上年同期（±%）	
		数量	金额	数量	金额	数量	金额	数量	金额
鲜、干水果及坚果	万吨	36.3	464 668.20	429.7	5 868 438.20	383.8	5 025 907.80	11.9	16.8
谷物及谷物粉	万吨	207.9	619 395.00	3 270.40	9 391 460.70	1 951.10	8 217 307.40	87.6	51.1
大豆	万吨	912	3 578 490.40	8 169.20	34 769 084.20	7 140.30	40 261 719.70	14.4	−13.6
食用植物油	万吨	77	523 407.70	676.5	5 010 645.10	650.2	5 931 534.20	4.1	−15.5
铁矿砂及其精矿	万吨	9 627.00	4 937 082.20	95 272.30	57 620 297.50	93 234.20	93 439 146.80	2.2	−38.3
铜矿砂及其精矿	万吨	147.7	1 858 457.90	1 328.90	19 203 685.00	1 180.70	21 463 925.40	12.6	−10.5
煤及褐煤	万吨	1 764.10	888 677.20	20 406.20	12 101 334.60	29 120.10	22 257 214.90	−29.9	−45.6
原油	万吨	3 318.60	10 506 800.80	33 550.00	134 451 221.40	30 837.50	228 288 472.10	8.8	−41.1
成品油	万吨	284.5	1 179 459.30	2 989.80	14 303 437.00	2 999.60	23 452 955.90	−0.3	−39
5-7 号燃料油	万吨	119.4	277 557.90	1 540.50	5 021 369.00	1 771.00	10 825 154.50	−13	−53.6
液化石油气及其他烃类气	万吨	347.9	1 528 061.30	3 206.70	15 221 238.80	2 721.90	18 551 041.30	17.8	−17.9
医药品	吨	12 207.80	2 140 879.50	106 063.90	20 346 298.30	112 385.30	19 095 215.20	−5.6	6.6
矿物肥料及化肥	万吨	145.8	480 532.40	1 114.20	3 922 062.30	955.1	3 346 984.60	16.7	17.2
初级形状的塑料	万吨	230.3	3 759 932.30	2 609.70	45 021 392.40	2 535.30	51 569 877.50	2.9	−12.7
天然及合成橡胶（包括胶乳）	万吨	58.7	823 932.50	471.9	7 809 793.90	409.3	8 924 474.00	15.3	−12.8
原木及锯材	万立方米	657.9	1 316 463.20	7 114.60	15 566 452.90	7 694.30	19 889 450.10	−7.4	−21.7
纸浆	万吨	171.4	1 089 347.20	1 984.00	12 754 607.70	1 796.40	12 065 923.90	10.4	5.7
纺织纱线、织物及制品	—	—	1 613 890.70	—	19 071 352.80	—	20 367 457.80	—	−6.4
钢材	万吨	118.3	1 210 942.50	1 278.20	14 334 801.20	1 443.20	17 913 739.60	−11.4	−20
未锻轧铜及铜材	万吨	53.1	2 7864 997.00	480.9	29 030 597.30	482.5	35 588 851.20	−0.3	−18.4
固体废物（废塑料、废纸、废金属）	万吨	421	1 865 997.30	4 473.40	21 975 986.30	4 455.00	27 502 007.90	0.4	−20.1
金属加工机床	台	6 279.00	773 417.80	90 910.00	8 614 866.20	106 132.00	10 818 080.80	−14.3	−20.4
自动数据处理设备及部件	万台	6 169.30	2 786 210.60	72 032.20	27 660 668.20	76 510.70	30 546 425.50	−5.9	−9.4
二极管及类似半导体器件	百万个	62 499.30	2 799 480.40	512 352.10	22 422 336.70	528 096.60	23 543 217.20	−3	−4.8
集成电路	百万个	31 401.20	24 168 787.70	313 996.00	230 003 409.70	285 351.60	217 611 798.20	10	5.7
汽车及汽车底盘	万辆	11	4 112 969.30	110	44 898 026.90	142.4	60 781 111.20	−22.8	−26.1
汽车零配件	—	—	2 760 023.90	—	27 480 736.80	—	32 155 148.80	—	−14.5
飞机及其他航空器	架	47 403.00	3 115 691.60	68 274.00	24 441 930.30	10 771.00	25 962 557.00	533.9	−5.9
液晶显示板	万个	29 253.60	3 712 479.50	292 987.70	39 729 829.00	297 834.90	43 774 507.40	−5	−9.2
* 农产品	—	—	11 010 012.60	—	115 942 365.50	—	121 557 573.30	—	−4.6
* 机电产品	—	—	81 277 240.00	—	806 487 725.10	—	854 096 100.50	—	−5.6
* 高新技术产品	—	—	56 802 551.60	—	549 406 556.80	—	551 236 262.10	—	−0.5

注：①＊ “农产品”、“机电产品” 和 “高新技术产品” 包括本表中已列名的有关商品，请数据使用者注意。
②为准确表达商品包含范围，原使用名称 “飞机” 变更为 “飞机及其他航空器”，参数范围不变。

表 5

2015 年中国出口重点商品量值

单位：千美元

商品名称	计量单位	当 月		1月至当月累计		2014 年同期累计		累计比上年同期（±%）	
		数量	金额	数量	金额	数量	金额	数量	金额
水、海产品	万吨	44	2 131 852	391	19 567 626	403	20 863 821	−3.0	−6.2
大米	吨	27 937	29 289	285 942	267 177	419 071	378 283	−31.8	−29.4
中药材及中成药	吨	16 730	155 254	184 349	1 304 365	203 216	1 526 594	−9.3	−14.6
稀土	吨	4 838	39 315	34 832	373 030	27 769	375 144	25.4	−0.6
煤及褐煤	万吨	44	39 964	533	498 750	574	695 433	−7.1	−28.3
焦炭及半焦炭	万吨	145	185 962	985	1 538 620	851	1 709 153	15.8	−10.0
原油	万吨	25	73 186	287	1 545 644	60	490 697	377.4	215.0
成品油	万吨	432	1 925 898	3 615	19 095 477	2 967	25 776 750	21.9	−25.9
矿物肥料及化肥	万吨	395	1 145 348	3 450	10 858 096	2 899	8 892 928	19.0	22.1
塑料制品	万吨	94	3 722 922	973	37 808 950	951	37 084 683	2.3	2.0
箱包及类似容器	万吨	25	2 695 420	285	28 288 518	300	27 122 137	−5.2	4.3
纺织纱线、织物及制品	—	—	9 810 173	—	109 522 617	—	112 125 296	—	−2.3
服装及衣着附件	—	—	17 139 349	—	174 327 473	—	186 274 042	—	−6.4
鞋类	万吨	42	5 234 887	447	53 547 619	488	56 248 574	−8.4	−4.8
陶瓷产品	万吨	238	2 794 426	2 526	26 155 935	2 598	21 978 517	−2.8	19.0
贵金属或包贵金属的首饰	千克	111 912	3 637 729	612 002	18 646 278	963 603	48 512 550	−36.5	−61.6
钢材	万吨	1 066	4 890 826	11 240	62 826 991	9 378	70 812 100	19.9	−11.3
未锻轧铝及铝材	万吨	43	1 148 341	476	14 152 503	434	13 380 831	9.8	5.8
手持无线电话机及其零件	—	—	16 901 820	—	158 774 501	—	146 393 625	—	8.5
集成电路	百万个	19 024	8 570 935	182 766	69 312 292	153 525	60 865 585	19.0	13.9
自动数据处理设备及其部件	万台	17 275	14 568 755	171 544	152 315 079	191 812	181 716 983	−10.6	−16.2
电动机及发电机	万台	27 754	984 454	305 519	10 575 549	297 003	10 726 437	2.9	−1.4
汽车及汽车底盘	万辆	5	1 004 728	73	11 300 370	90	12 614 102	−19.5	−10.4
汽车零配件	—	—	4 224 103	—	46 819 610	—	49 175 397	—	−4.8
船舶	艘	647	2 179 457	6 700	25 794 608	7 490	22 770 079	−10.5	13.3
液晶显示板	百万个	239	2 993 594	2 294	30 969 008	2 451	31 785 063	−6.4	−2.6
家具及其零件	—	—	5 373 340	—	52 828 721	—	52 020 825	—	1.6
灯具、照明装置及零件	—	—	3 440 989	—	35 767 898	—	31 096 530	—	15.0
玩具	—	—	1 274 102	—	15 666 274	—	14 134 788	—	10.8
* 农产品	—	—	7 763 542	—	70 179 950	—	71 333 499	—	−1.6
* 机电产品	—	—	130 638 082	—	1 311 928 270	—	1 310 757 388	—	0.1
* 高新技术产品	—	—	68 504 516	—	655 903 618	—	660 490 437	—	−0.7

注：* “农产品”、“机电产品”和“高新技术产品”包括本表中已列名的有关商品。请数据使用者注意。

表 6

2015 年中国进出口商品贸易方式总值表

单位：千美元

贸易方式	累计			累计同比（±%）		
	进出口	出口	进口	进出口	出口	进口
总值	3 958 643 944	2 276 574 201	1 682 069 743	−8.0	−2.8	−14.1
一般贸易	2 140 440 683	1 217 252 624	923 188 059	−7.4	1.2	−16.8
国家间、国际组织无偿援助和赠送的物资	507 819	492 771	15 048	−1.7	3.0	−60.8
其他捐赠物资	54 417	6 398	48 019	244.8	5.4	394.2
补偿贸易	54	54	—	−75.9	−75.9	—
来料加工装配贸易	175 666 568	84 097 457	91 569 111	−6.6	−7.2	−6.1
进料加工贸易	1 069 125 918	713 691 642	355 434 276	−12.4	−10.1	−16.7
寄售代销贸易	176	176	—	48.8	—	—
边境小额贸易	37 625 089	30 465 370	7 159 719	−20.1	−18.1	−27.5
加工贸易进口设备	634 556	—	634 556	−7.6	—	−7.6
对外承包工程出口货物	16 131 703	16 131 703	—	−1.3	−1.3	—
租赁贸易	9 306 055	265 257	9 040 798	−11.7	−19.0	−11.5
外商投资企业作为投资进口的设备、物品	6 160 907	—	6 160 907	−32.3	—	−32.3
出料加工贸易	504 951	205 185	299 766	−6.9	−12.8	−2.4
易货贸易	5 175	1 929	3 246	−16.9	−42.0	11.9
免税外汇商品	14 603	—	14 603	−26.7	—	−26.7
免税品	1 619 579	—	1 619 579	3.7	—	3.7
保税监管场所进出境货物	138 391 449	49 337 518	89 053 931	−9.6	−7.4	−10.8
海关特殊监管区域物流货物	291 584 501	109 580 427	182 004 073	−1.8	−0.7	−2.5
海关特殊监管区域进口设备其他	6 543 791	—	6 543 791	28.4	—	28.4
其他	64 325 951	55 045 690	9 280 261	63.9	51.1	230.8

注：自 2014 年起，免税品列入海关统计。

表 7

2015 年中国商品出口企业性质贸易方式总值表

单位：千美元

企业性质 贸易方式	合计	国有企业	外商投资企业				私营企业	其他
			小计	中外合作	中外合资	外商独资		
	金额/±%	金额/±%	金额/±%	金额/±%	金额/±%	金额/±%	金额/±%	金额/±%
总值	2 274 949 842	242 391 737	1 004 727 397	11 380 722	282 480 464	710 866 211	973 773 936	54 056 772
	−2.9	−5.5	−6.5	−16.6	−7.5	−5.9	2	−4.9
一般贸易	1 215 696 774	142 818 811	278 901 510	5 645 598	105 788 886	167 467 026	747 939 102	46 037 351
	1	−5.5	−3.8	−7	−7.7	−1	4.3	2.3
国家间、国际组织无偿援助和赠送的物资	492 771	429 576	3 084	—	3 084	—	37 124	22 987
	3	9.7	−43.9	—	−43.9	—	13.3	−52.7

续 表

企业性质 贸易方式	合 计	国有企业	外商投资企业				私营企业	其 他
			小 计	中外合作	中外合资	外商独资		
	金额/±%	金额/±%	金额/±%	金额/±%	金额/±%	金额/±%	金额/±%	金额/±%
补偿贸易	54	54	—	—	—	—	—	—
	−75.9	—	—	—	—	—	—	—
来料加工装配贸易	84 097 457	14 073 858	55 285 591	688 116	13 177 272	41 420 203	13 419 195	1 318 813
	−7.2	−16.5	−5.4	−76.3	−1.3	−1.8	0.1	−31.5
进料加工贸易	713 691 642	32 943 993	612 297 221	4 685 172	143 770 822	463 841 226	63 964 127	4 486 302
	−10.1	−2.9	−7.5	9.2	−7.2	−7.8	−28.5	−44.4
寄售代销贸易	176	176	—	—	—	—	—	—
	—	—	—	—	—	—	—	—
边境小额贸易	30 485 370	1 236 728	—	—	—	—	29 166 897	61 744
	−18.1	−28.3	—	—	—	—	−17.4	−67.3
对外承包工程出口货物	16 131 703	14 779 118	269 488	7 824	177 864	83 800	981 764	101 332
	−1.3	−3.4	66.4	−23.8	209.8	−11.1	30.4	−19.7
租赁贸易	265 257	102 238	16 428	—	14 676	1 751	142 205	4 386
	−19	99.2	−13.4	—	89.7	−84.4	−43.5	−19.6
出料加工贸易	205 185	43 001	147 655	—	109 723	37 931	14 529	—
	−12.8	−64.6	33.4	—	32	39.5	406.4	—
易货贸易	1 929	—	—	—	—	—	1 929	—
	−42	—	—	—	—	—	−42	—
保税监管场所进出境货物	49 245 957	18 083 016	12 371 165	343 313	8 605 090	3 422 762	17 357 947	1 433 830
	−7.6	−10.5	−12.9	−3	−16.2	−4.4	−1.1	10.2
海关特殊监管区域物流货物	109 580 464	17 354 535	45 158 227	8 862	10 701 478	34 447 887	47 034 512	33 190
	−0.7	7.9	−8.7	−15.7	−12.2	−7.5	5.2	−78.7
其他	55 068 705	523 528	276 314	1 837	130 853	143 624	53 712 945	555 917
	51.1	−17.5	−11.8	6.1	25	−30.5	51.5	1 607.5

注：①深色区域内数字为与上年同期累计比±%。

②自 2013 年起，“集体企业”不再单列，“私营企业”单独列出，“其他”范围同比相应调整。

表 8

2015 年中国商品进口企业性质贸易方式总值表

单位：千美元

企业性质 贸易方式	合 计	国有企业	外商投资企业				私营企业	其 他
			小 计	中外合作	中外合资	外商独资		
	金额/±%	金额/±%	金额/±%	金额/±%	金额/±%	金额/±%	金额/±%	金额/±%
总值	1 681 950 887	407 835 344	829 887 406	6 229 680	246 087 872	577 569 853	411 608 460	32 619 678
	−14.2	−16.9	−8.7	−28	−13.8	−6	−8	−70.8
一般贸易	923 188 009	317 233 537	338 579 737	3 624 915	118 696 271	216 258 551	246 768 539	20 606 196
	−16.8	−17.7	−9.1	−23.7	−15.3	−4.9	−10.5	−72.7
国家间、国际组织无偿援助和赠送的物资	15 048	11 534	—	—	—	—	1 408	2 105
	−60.8	−64.2	—	—	—	—	−66.2	5.4

续 表

企业性质 贸易方式	合 计	国有企业	外商投资企业				私营企业	其 他
			小 计	中外合作	中外合资	外商独资		
	金额/±%	金额/±%	金额/±%	金额/±%	金额/±%	金额/±%	金额/±%	金额/±%
其他捐赠物资	48 019	41 359	—	—	—	—	1 083	5 576
	394.2	4 125.6	—	—	—	—	27.8	−29.3
补偿贸易	—	—	—	—	—	—	—	—
	—	—	—	—	—	—	—	—
来料加工装配贸易	91 569 111	22 107 353	58 787 373	1 092 285	13 126 910	44 568 178	10 042 707	631 679
	−6.1	−15.3	1.5	−9.8	−3.1	3.3	33.7	−89.4
进料加工贸易	355 434 276	13 961 923	303 569 765	1 253 985	79 811 596	222 504 185	36 666 124	1 236 463
	−16.7	−7.7	−10.3	−28.7	−11	−10	−20.8	−95.4
寄售代销贸易	—	—	—	—	—	—	—	—
	—	—	—	—	—	—	—	—
边境小额贸易	7 159 719	813 628	—	—	—	—	6 291 256	54 835
	−27.5	−64.2	—	—	—	—	−16.3	−36
加工贸易进口设备	634 555	30 856	566 864	378	94 354	472 132	35 101	1 733
	−7.6	−19.5	−5.6	−95.7	4.7	−5.9	7.3	−88.6
租赁贸易	90 040 798	5 382 037	2 066 971	—	1 988 157	78 814	1 212 306	379 484
	−11.5	9.2	−45.8	—	−47	30.6	−17.7	20 982.5
外商投资企业作为投资进口的设备、物品	6 160 907	—	6 160 907	24 023	2 807 098	3 329 786	—	—
	−32.3	—	−32.3	67.7	−20	−40.4	—	—
出料加工贸易	299 766	69 949	212 354	—	174 590	37 763	17 646	—
	−2.4	−59	58.6	—	85.6	38.4	543.2	—
易货贸易	3 246	2	—	—	—	—	3 245	—
	11.9	−99.1	—	—	—	—	19.6	—
免税外汇商品	14 603	14 603	—	—	—	—	—	—
	−26.7	−26.7	—	—	—	—	—	—
免税品	1 619 579	1 244 140	275 438	—	321 848	53 590	—	—
	3.7	14.5	−20.9	—	13.1	−71.8	—	—
保税监管场所进出境货物	88 705 415	30 380 575	20 358 821	171 842	13 343 850	6 843 129	36 683 499	1 282 520
	−11.1	−11	−22.8	−80.2	−23.4	−15.2	−1.1	−42.2
海关特殊监管区域物流货物	182 004 073	16 244 636	91 397 198	43 370	13 796 866	77 556 962	73 094 155	1 268 085
	−2.5	−24	−2	99.9	−3.8	−1.7	3.6	−14.8
海关特殊监管区域进口设备	6 543 791	87 774	6 325 146	398	1 586 812	4 737 936	130 823	48
	28.4	921.8	29.2	−66.3	−26.1	72.4	−31.5	−86.4
其他	9 509 971	211 438	1 486 830	18 484	339 521	1 128 826	660 750	7 150 952
	238.9	−31.5	−2.8	148.7	−29.1	8.1	−25.9	9 352.1

注：①深色区域内数字为与上年同期累计比±%。
②自 2013 年起，“集体企业”不再单列，“私营企业”单独列出，“其他”范围同比相应调整。
③自 2014 年起，免税品列入海关统计。

表 9

2015 年中国月度出口和进口统计

单位：亿美元，%

出 口	当 月		1月至当月累计	
	金额	同比	金额	同比
2015.01	2 002.6	−3.3	2 002.6	−3.3
2015.02	1 691.9	48.3	3 694.1	15.0
2015.03	1 445.7	−15.0	5 139.3	4.7
2015.04	1 763.3	−6.4	6 901.6	1.6
2015.05	1 907.5	−2.5	8 808.7	0.7
2015.06	1 920.1	2.8	10 720.1	1.0
2015.07	1 951.0	−8.3	12 648.2	−0.8
2015.08	1 968.8	−5.5	14 615.2	−1.4
2015.09	2 055.6	−3.7	16 641.2	−1.9
2015.10	1 924.1	−6.9	18 564.5	−2.5
2015.11	1 972.4	−6.8	20 523.2	−3.0
2015.12	2 241.9	−1.4	22 765.7	−2.8
进 口	当 月		1月至当月累计	
	金额	同比	金额	同比
2015.01	1 402.3	−19.9	1 402.3	−19.9
2015.02	1 085.7	−20.5	2 487.6	−20.2
2015.03	1 414.9	−12.7	3 902.3	−17.6
2015.04	1 422.0	−16.2	5 323.5	−17.3
2015.05	1 312.6	−17.6	6 636.1	−17.3
2015.06	1 454.8	−6.1	8 087.6	−15.5
2015.07	1 520.7	−8.1	9 596.2	−14.6
2015.08	1 366.5	−13.8	10 960.3	−14.5
2015.09	1 452.2	−20.4	12 400.3	−15.3
2015.10	1 307.7	−18.8	13 705.2	−15.7
2015.11	1 431.4	−8.7	15 132.1	−15.1
2015.12	1 641.0	−7.6	16 820.7	−14.1

表 10

2015 年中国月度进出口总值统计

单位：亿美元，%

月 份	当 月		1月至当月累计	
	进出口	同比	进出口	同比
2015.01	3 404.8	−10.9	3 404.8	−10.9
2015.02	2 777.6	10.8	6 181.7	−2.3
2015.03	2 860.6	−13.8	9 041.7	−6.3
2015.04	3 185.3	−11.1	12 225.1	−7.6
2015.05	3 220.2	−9.3	15 444.8	−8.0
2015.06	3 374.9	−1.2	18 807.8	−6.9
2015.07	3 471.7	−8.2	22 244.5	−7.2
2015.08	3 335.3	−9.1	25 575.5	−7.5
2015.09	3 507.7	−11.4	29 041.4	−8.1
2015.10	3 231.9	−12.1	32 269.6	−8.5
2015.11	3 403.8	−7.6	35 655.3	−8.5
2015.12	3 882.8	−4.1	39 586.4	−8.0

表 11

1982—2014 年中国年度服务进出口

单位：亿美元，%

年份	中国进出口额			中国出口额			中国进口额		
	金额	同比	占世界比重	金额	同比	占世界比重	金额	同比	占世界比重
1982	44	—	0.6	25	—	0.7	19	—	0.5
1983	43	−2.3	0.6	25	0.0	0.7	18	−5.3	0.5
1984	54	25.6	0.7	28	12.0	0.8	26	44.4	0.7
1985	52	−3.7	0.7	29	3.6	0.8	23	−11.5	0.6
1986	56	7.7	0.6	36	24.1	0.8	20	−13.0	0.4
1987	65	16.1	0.6	42	16.7	0.8	23	15.0	0.4
1988	80	23.1	0.7	47	11.9	0.8	33	43.5	0.5
1989	81	1.3	0.6	45	−4.3	0.7	36	9.1	0.5
1990	98	21.0	0.6	57	26.7	0.7	41	13.9	0.5
1991	108	10.2	0.6	69	21.1	0.8	39	−4.9	0.5
1992	183	69.4	1.0	91	31.9	1.0	92	135.9	1.0
1993	226	23.5	1.2	110	20.9	1.2	116	26.1	1.2
1994	322	42.5	1.6	164	49.1	1.6	158	36.2	1.5
1995	430	33.5	1.8	184	12.2	1.6	246	55.7	2.1
1996	430	0.0	1.7	206	12.0	1.6	224	−8.9	1.8
1997	522	21.4	2.0	245	19.0	1.9	277	23.8	2.2
1998	504	−3.4	1.9	239	−2.5	1.8	265	−4.5	2.0
1999	572	13.5	2.1	262	9.6	1.9	310	17.0	2.3
2000	660	15.4	2.2	301	15.2	2.0	359	15.8	2.5
2001	719	9.0	2.4	329	9.1	2.2	390	8.8	2.6
2002	855	18.9	2.7	394	19.7	2.5	461	18.1	3.0
2003	1 013	18.5	2.8	464	17.8	2.5	549	19.0	3.1
2004	1 337	32.0	3.1	621	33.8	2.8	716	30.5	3.4
2005	1 571	17.5	3.2	739	19.1	3.0	832	16.2	3.5
2006	1 917	22.0	3.5	914	23.7	3.2	1 003	20.6	3.8
2007	2 509	30.9	3.9	1 217	33.1	3.6	1 293	28.8	4.1
2008	3 045	21.4	4.1	1 464	20.4	3.9	1 580	22.2	4.5
2009	2 867	−5.8	4.5	1 286	−12.2	3.9	1 581	0.1	5.1
2010	3 624	26.4	5.1	1 702	32.4	4.6	1 922	21.5	5.5
2011	4 191	15.6	5.2	1 821	7.0	4.4	2 370	23.3	6.1
2012	4 706	12.3	5.6	1 904	4.6	4.4	2 801	18.2	6.8
2013	5 396	14.7	6.0	2 106	10.6	4.6	3 290	17.5	7.6
2014	6 043	12.6	6.3	2 222	7.6	4.6	3 821	15.8	8.1

注：①遵循 WTO 有关服务贸易的定义，中国服务进出口数据不含政府服务。

②数据来源：WTO 国际贸易统计数据库（International Trade Statistics Database）；中国商务部、国家外汇管理局。

表 12

1997—2014 年中国服务进出口差额

单位：亿美元

年份	总计	运输服务	旅游	通信服务	建筑服务	保险服务	金融服务	计算机和信息服务	专有权利使用费和特许费	咨询	广告、宣传	电影、音像	其他商业服务
1997	−32.2	−69.9	39.4	−0.2	−6.2	−8.7	−3.0	−1.5	−4.9	−1.2	0.0	−0.3	24.3
1998	−25.9	−44.6	34.0	6.1	−5.3	−13.7	−1.4	−2.0	−3.6	−2.4	−0.5	−0.2	7.8
1999	−48.0	−54.8	32.3	4.0	−5.5	−17.2	−0.6	0.4	−7.2	−2.4	0.0	−0.3	3.2
2000	−57.1	−67.3	31.2	11.0	−3.9	−23.6	−0.2	0.9	−12.0	−2.8	0.2	−0.3	9.7
2001	−61.3	−66.9	38.8	−0.5	−0.2	−24.8	0.2	1.2	−18.3	−6.1	0.2	−0.2	15.4
2002	−67.0	−78.9	49.9	0.8	2.8	−30.4	−0.4	−4.9	−29.8	−13.5	−0.2	−0.7	38.3
2003	−84.8	−103.3	22.2	2.1	1.1	−42.5	−0.8	0.7	−34.4	−15.6	0.3	−0.4	85.9
2004	−95.5	−124.8	65.9	−0.3	1.3	−57.4	−0.4	3.8	−42.6	−15.8	1.5	−1.3	74.7
2005	−92.6	−130.2	75.4	−1.2	9.7	−66.5	−0.1	2.2	−51.6	−8.6	3.6	−0.2	75.0
2006	−89.1	−133.5	96.3	−0.3	7.0	−82.8	−7.5	12.2	−64.3	−5.6	4.9	0.2	84.3
2007	−76.0	−119.5	74.5	0.9	24.7	−97.6	−3.3	21.4	−78.5	7.2	5.8	1.6	86.8
2008	−115.6	−119.1	46.9	0.6	59.7	−113.6	−2.5	30.9	−97.5	46.1	2.6	1.6	28.9
2009	−295.1	−230.1	−40.3	−0.1	36.0	−97.1	−2.9	32.8	−106.4	52.1	3.6	−1.8	59.2
2010	−219.3	−290.5	−90.7	0.8	94.2	−140.3	−0.6	62.9	−122.1	76.8	8.4	−2.5	184.1
2011	−549.2	−448.7	−241.2	5.4	110.0	−167.2	1.0	83.4	−139.6	98.1	12.4	−2.8	140.1
2012	−897.0	−469.5	−519.5	1.4	86.3	−172.7	−0.4	106.1	−167.1	134.3	19.8	−4.3	88.6
2013	−1 184.6	−566.8	−769.2	0.3	67.7	−181.0	−5.0	94.5	−201.5	169.5	17.7	−6.4	195.5
2014	−1 599.0	−579.0	−1 078	−4.9	104.9	−179.4	−9.0	98.6	−219.7	166.0	12.0	−7.2	97.4

数据来源：中国商务部、国家外汇管理局。

表 13

1997—2014 年中国服务贸易出口（分项目）

年份		总计	运输服务	旅游	通信服务	建筑服务	保险服务	金融服务
1997	金额	245.0	29.5	120.7	2.7	5.9	1.7	0.3
	占比	100.0	12.1	49.3	1.1	2.4	0.7	0.1
1998	金额	238.8	23.0	126.0	8.2	5.9	3.8	0.3
	比上年增长	−2.5	−22.1	4.4	201.4	0.7	120.5	−1.3
	占比	100.0	9.6	52.8	3.4	2.5	1.6	0.1
1999	金额	261.6	24.2	141.0	5.9	9.9	2.0	1.1
	比上年增长	9.6	5.2	11.9	−28.0	65.8	−47.0	310.8
	占比	100.0	9.2	53.9	2.3	3.8	0.8	0.4
2000	金额	301.5	36.7	162.3	13.5	6.0	1.1	0.8
	比上年增长	15.2	51.7	15.1	128.2	−38.9	−47.1	−29.7
	占比	100.0	12.2	53.8	4.5	2.0	0.4	0.3
2001	金额	329.0	46.4	177.9	2.7	8.3	2.3	1.0
	比上年增长	9.1	26.3	9.6	−79.8	37.8	110.9	27.3
	占比	100.0	14.1	54.1	0.8	2.5	0.7	0.3
2002	金额	393.8	57.2	203.9	5.5	12.5	2.1	0.5
	比上年增长	19.7	23.4	14.6	102.9	50.1	−8.1	−48.5
	占比	100.0	14.5	51.8	1.4	3.2	0.5	0.1
2003	金额	463.7	79.1	174.1	6.4	12.9	3.1	1.5
	比上年增长	17.8	38.2	−14.6	16.1	3.5	49.7	197.9
	占比	100.0	17.0	37.5	1.4	2.8	0.7	0.3
2004	金额	620.6	120.7	257.4	4.4	14.7	3.8	0.9
	比上年增长	33.8	52.6	47.9	−31.0	13.8	21.7	−38.2
	占比	100.0	19.4	41.5	0.7	2.4	0.6	0.2
2005	金额	739.1	154.3	293.0	4.9	25.9	5.5	1.5
	比上年增长	19.1	27.8	13.8	10.2	76.7	44.3	54.6
	占比	100.0	20.9	39.6	0.7	3.5	0.7	0.2
2006	金额	914.2	210.2	339.5	7.4	27.5	5.5	1.5
	比上年增长	23.7	36.2	15.9	52.1	6.2	−0.3	−0.2
	占比	100.0	23.0	37.1	0.8	3.0	0.6	0.2
2007	金额	1 216.5	313.2	372.3	11.7	53.8	9.0	2.3
	比上年增长	33.1	49.1	9.7	59.2	95.3	64.9	59.0
	占比	100.0	25.7	30.6	1.0	4.4	0.7	0.2
2008	金额	1 464.5	384.2	408.4	15.7	103.3	13.8	3.2
	比上年增长	20.4	22.6	9.7	33.7	92.1	53.0	36.7
	占比	100.0	26.2	27.9	1.1	7.1	0.9	0.2
2009	金额	1 286.0	235.7	396.8	12.0	94.6	16.0	4.4
	比上年增长	−12.2	−38.7	−2.9	−23.7	−8.4	15.4	38.7
	占比	100.0	18.3	30.9	0.9	7.4	1.2	0.3
2010	金额	1 702.5	342.1	458.1	12.2	144.9	17.3	13.3
	比上年增长	32.4	45.2	15.5	1.8	53.2	8.2	204.6
	占比	100.0	20.1	26.9	0.7	8.5	1.0	0.8
2011	金额	1 820.9	355.7	484.6	17.3	147.2	30.2	8.5
	比上年增长	7.0	4.0	5.8	41.5	1.6	74.7	−36.2
	占比	100.0	19.5	26.6	0.9	8.1	1.7	0.5
2012	金额	1 904.4	389.1	500.3	17.9	122.5	33.3	18.9
	比上年增长	4.6	9.4	3.2	3.7	−16.8	10.3	122.5
	占比	100.0	20.4	26.3	0.9	6.4	1.7	1.0
2013	金额	2 105.9	376.5	516.6	16.7	106.6	40.0	29.2
	比上年增长	10.6	−3.2	3.3	−6.9	−13.0	20.0	54.2
	占比	100.0	17.9	24.5	0.8	5.1	1.9	1.4
2014	金额	2 222.1	383.0	569.1	18.1	154.2	45.6	46.0
	比上年增长	7.6	1.7	10.2	8.9	44.6	14.1	57.8
	占比	100.0	17.7	25.6	0.8	7.1	2.1	2.1

数据来源：中国商务部、国家外汇管理局。

单位：亿美元，%

计算机和信息服务	专有权利使用费和特许费	咨询	广告、宣传	电影、音像	其他商业服务	年　份	
0.8	0.5	3.5	2.4	0.1	76.8	金额	1997
0.3	0.2	1.4	1.0	0.0	31.3	占比	
1.3	0.6	5.2	2.1	0.2	62.1	金额	1998
59.7	14.3	49.5	−11.4	53.0	−19.1	比上年增长	
0.6	0.3	2.2	0.9	0.1	26.0	占比	
2.7	0.7	2.8	2.2	0.1	69.1	金额	1999
98.8	18.9	−45.9	4.6	−56.7	11.2	比上年增长	
1.0	0.3	1.1	0.8	0.0	26.4	占比	
3.6	0.8	3.6	2.2	0.1	70.8	金额	2000
34.1	7.8	26.9	1.3	69.8	2.5	比上年增长	
1.2	0.3	1.2	0.7	0.0	23.5	占比	
4.6	1.1	8.9	2.8	0.3	72.8	金额	2001
29.6	37.0	150.0	24.1	146.8	2.8	比上年增长	
1.4	0.3	2.7	0.8	0.1	22.1	占比	
6.4	1.3	12.8	3.7	0.3	87.6	金额	2002
38.3	20.6	44.5	34.5	6.4	20.3	比上年增长	
1.6	0.3	3.3	0.9	0.1	22.2	占比	
11.0	1.1	18.8	4.9	0.3	150.6	金额	2003
72.7	−19.5	46.7	30.4	12.7	71.8	比上年增长	
2.4	0.2	4.1	1.0	0.1	32.5	占比	
16.4	2.4	31.5	8.5	0.4	159.5	金额	2004
48.5	120.9	67.2	74.5	22.6	5.9	比上年增长	
2.6	0.4	5.1	1.4	0.1	25.7	占比	
18.4	1.6	53.2	10.8	1.3	168.8	金额	2005
12.4	−33.4	68.8	26.8	226.5	5.9	比上年增长	
2.5	0.2	7.2	1.5	0.2	22.8	占比	
29.6	2.1	78.3	14.5	1.4	196.9	金额	2006
60.7	30.2	47.2	34.3	2.3	16.6	比上年增长	
3.2	0.2	8.6	1.6	0.1	21.5	占比	
43.4	3.4	115.8	19.1	3.2	269.1	金额	2007
46.9	67.1	47.8	32.3	130.9	36.7	比上年增长	
3.6	0.3	9.5	1.6	0.3	22.1	占比	
62.5	5.7	181.4	22.0	4.2	260.1	金额	2008
43.9	66.7	56.7	15.2	32.2	−3.4	比上年增长	
4.3	0.4	12.4	1.5	0.3	17.8	占比	
65.1	4.3	186.2	23.1	1.0	246.9	金额	2009
4.2	−24.8	2.7	5.0	−76.7	−5.1	比上年增长	
5.1	0.3	14.5	1.8	0.1	19.2	占比	
92.6	8.3	227.7	28.9	1.2	355.9	金额	2010
42.1	93.4	22.3	24.8	26.4	44.1	比上年增长	
5.4	0.5	13.4	1.7	0.1	20.9	占比	
121.8	7.4	283.9	40.2	1.2	322.8	金额	2011
31.6	−10.5	24.7	39.3	−0.1	−9.3	比上年增长	
6.7	0.4	15.6	2.2	0.1	17.7	占比	
144.5	10.4	334.5	47.5	1.3	284.2	金额	2012
18.6	40.1	17.8	18.2	5.9	−12.0	比上年增长	
7.6	0.5	17.6	2.5	0.1	14.9	占比	
154.3	8.9	405.4	49.1	1.5	401.4	金额	2013
6.8	−14.8	21.2	3.3	13.2	41.2	比上年增长	
7.3	0.4	19.3	2.3	0.1	19.1	占比	
183.6	6.3	429.0	50.0	1.8	335.4	金额	2014
19.0	−29.4	5.8	1.9	22.3	−7.1	比上年增长	
8.5	0.3	19.8	2.3	0.1	15.5	占比	

表 14

1997—2014 年中国服务贸易进口（分项目）

年份		总计	运输服务	旅游	通信服务	建筑服务	保险服务	金融服务
1997	金额	277.2	99.4	81.3	2.9	12.1	10.5	3.2
	占比	100.0	35.9	29.3	1.0	4.4	3.8	1.2
1998	金额	264.7	67.6	92.1	2.1	11.2	17.6	1.6
	比上年增长	−4.5	−32.0	13.2	−28.3	−7.4	68.1	−49.7
	占比	100.0	25.6	34.8	0.8	4.2	6.6	0.6
1999	金额	309.7	79.0	108.7	1.9	15.4	19.2	1.7
	比上年增长	17.0	16.8	18.0	−7.0	37.5	9.3	2.1
	占比	100.0	25.5	35.1	0.6	5.0	6.2	0.5
2000	金额	358.6	104.0	131.1	2.4	9.9	24.7	1.0
	比上年增长	15.8	31.6	20.7	25.1	−35.4	28.6	−41.6
	占比	100.0	29.0	36.6	0.7	2.8	6.9	0.3
2001	金额	390.3	113.2	139.1	3.3	8.5	27.1	0.8
	比上年增长	8.8	8.9	6.1	34.7	−14.8	9.7	−20.6
	占比	100.0	29.0	35.6	0.8	2.2	6.9	0.2
2002	金额	460.8	136.1	154.0	4.7	9.6	32.5	0.9
	比上年增长	18.1	20.2	10.7	44.3	13.8	19.7	16.1
	占比	100.0	29.5	33.4	1.0	2.1	7.0	0.2
2003	金额	548.5	182.3	151.9	4.3	11.8	45.6	2.3
	比上年增长	19.0	33.9	−1.4	−9.1	22.8	40.6	158.8
	占比	100.0	33.2	27.7	0.8	2.2	8.3	0.4
2004	金额	716.0	245.4	191.5	4.7	13.4	61.2	1.4
	比上年增长	30.5	34.6	26.1	10.5	13.1	34.2	−40.6
	占比	100.0	34.3	26.7	0.7	1.9	8.6	0.2
2005	金额	831.7	284.5	217.6	6.0	16.2	72.0	1.6
	比上年增长	16.2	15.9	13.6	27.8	21.0	17.6	15.9
	占比	100.0	34.2	26.2	0.7	1.9	8.7	0.2
2006	金额	1 003.3	343.7	243.2	7.6	20.5	88.3	8.9
	比上年增长	20.6	20.8	11.8	26.6	26.6	22.7	456.9
	占比	100.0	34.3	24.2	0.8	2.0	8.8	0.9
2007	金额	1 292.6	432.7	297.9	10.8	29.1	106.6	5.6
	比上年增长	28.8	25.9	22.5	41.6	41.9	20.8	−37.5
	占比	100.0	33.5	23.0	0.8	2.3	8.3	0.4
2008	金额	1 580.0	503.3	361.6	15.1	43.6	127.4	5.7
	比上年增长	22.2	16.3	21.4	39.6	49.9	19.5	1.6
	占比	100.0	31.9	22.9	1.0	2.8	8.1	0.4
2009	金额	1 581.1	465.7	437.0	12.1	58.7	113.1	7.3
	比上年增长	0.1	−7.5	20.9	−19.9	34.5	−11.3	28.2
	占比	100.0	29.5	27.6	0.8	3.7	7.2	0.5
2010	金额	1 921.7	632.6	548.8	11.4	50.7	157.5	13.9
	比上年增长	21.5	35.8	25.6	−6.0	−13.6	39.3	91.2
	占比	100.0	32.9	28.6	0.6	2.6	8.2	0.7
2011	金额	2 370.0	804.4	725.9	11.9	37.3	197.4	7.5
	比上年增长	23.3	27.2	32.3	4.7	−26.5	25.3	−46.2
	占比	100.0	33.9	30.6	0.5	1.6	8.3	0.3
2012	金额	2 801.4	858.6	1 019.8	16.5	36.2	206.0	19.3
	比上年增长	18.2	6.7	40.5	38.6	−2.9	4.4	158.4
	占比	100.0	30.6	36.4	0.6	1.3	7.4	0.7
2013	金额	3 290.5	943.2	1 285.8	16.4	38.9	220.9	34.2
	比上年增长	17.5	9.9	26.1	−0.7	7.5	7.2	77.0
	占比	100.0	28.7	39.1	0.5	1.2	6.7	1.0
2014	金额	3 821.3	962.0	1 648.0	23.0	49.3	225.0	55.0
	比上年增长	15.8	2.0	28.2	40.7	26.7	1.8	61.0
	占比	100.0	25.2	43.1	0.6	1.3	5.9	1.4

单位：亿美元，%

计算机和信息服务	专有权利使用费和特许费	咨询	广告、宣传	电影、音像	其他商业服务	年份	
2.3	5.4	4.7	2.4	0.4	52.5	金额	1997
0.8	2.0	1.7	0.9	0.2	18.9	占比	
3.3	4.2	7.6	2.7	0.4	54.4	金额	1998
44.0	−22.8	62.0	9.8	−11.1	3.5	比上年增长	
1.3	1.6	2.9	1.0	0.1	20.5	占比	
2.2	7.9	5.2	2.2	0.3	65.9	金额	1999
−32.8	88.6	−30.8	−17.4	−13.0	21.2	比上年增长	
0.7	2.6	1.7	0.7	0.1	21.3	占比	
2.7	12.8	6.4	2.0	0.4	61.2	金额	2000
18.5	61.8	22.0	−7.6	10.2	−7.2	比上年增长	
0.7	3.6	1.8	0.6	0.1	17.1	占比	
3.4	19.4	15.0	2.6	0.5	57.4	金额	2001
30.1	51.3	134.8	27.5	34.2	−6.1	比上年增长	
0.9	5.0	3.8	0.7	0.1	14.7	占比	
11.3	31.1	26.3	3.9	1.0	49.3	金额	2002
228.6	60.7	75.1	52.9	91.2	−14.1	比上年增长	
2.5	6.8	5.7	0.9	0.2	10.7	占比	
10.4	35.5	34.5	4.6	0.7	64.6	金额	2003
−8.6	13.9	31.1	16.1	−27.6	31.1	比上年增长	
1.9	6.5	6.3	0.8	0.1	11.8	占比	
12.5	45.0	47.3	7.0	1.8	84.8	金额	2004
20.9	26.7	37.2	52.5	152.9	31.2	比上年增长	
1.7	6.3	6.6	1.0	0.2	11.8	占比	
16.2	53.2	61.8	7.2	1.5	93.9	金额	2005
29.5	18.3	30.6	2.4	−12.4	10.7	比上年增长	
2.0	6.4	7.4	0.9	0.2	11.3	占比	
17.4	66.3	83.9	9.6	1.2	112.6	金额	2006
7.2	24.7	35.7	33.5	−21.4	20.0	比上年增长	
1.7	6.6	8.4	1.0	0.1	11.2	占比	
22.1	81.9	108.6	13.4	1.5	182.4	金额	2007
27.0	23.5	29.4	40.0	27.0	62.0	比上年增长	
1.7	6.3	8.4	1.0	0.1	14.1	占比	
31.7	103.2	135.4	19.4	2.6	231.2	金额	2008
43.3	26.0	24.7	45.2	65.9	26.8	比上年增长	
2.0	6.5	8.6	1.2	0.2	14.6	占比	
32.3	110.7	134.2	19.5	2.8	187.7	金额	2009
2.1	7.2	−0.9	0.7	9.2	−18.8	比上年增长	
2.0	7.0	8.5	1.2	0.2	11.9	占比	
29.7	130.4	150.9	20.4	3.7	171.8	金额	2010
−8.3	17.8	12.5	4.4	33.2	−8.5	比上年增长	
1.5	6.8	7.9	1.1	0.2	8.9	占比	
38.4	147.1	185.8	27.7	4.0	182.6	金额	2011
29.6	12.8	23.1	35.9	7.8	6.3	比上年增长	
1.6	6.2	7.8	1.2	0.2	7.7	占比	
38.4	177.5	200.2	27.7	5.6	195.6	金额	2012
−0.1	20.7	7.7	−0.3	40.2	7.1	比上年增长	
1.4	6.3	7.1	1.0	0.2	7.0	占比	
59.9	210.3	235.8	31.3	7.8	205.9	金额	2013
55.9	18.5	17.8	13.3	39.8	5.3	比上年增长	
1.8	6.4	7.2	1.0	0.2	6.3	占比	
85.0	226.0	263.0	38.0	9.0	238.0	金额	2014
42.0	7.4	11.5	21.2	15.0	10.2	比上年增长	
2.2	5.9	6.9	1.0	0.2	6.2	占比	

表 15

2015 年中国对外承包工程业务完成营业额前 100 家企业

单位：万美元

序　号	企 业 名 称	完成营业额
1	华为技术有限公司	1 733 841
2	中国建筑工程总公司	872 771
3	中国水电建设集团国际工程有限公司	638 298
4	中国港湾工程有限责任公司	411 236
5	中国路桥工程有限责任公司	377 203
6	中国葛洲坝集团股份有限公司	261 947
7	中国铁建股份有限公司	223 757
8	中国机械设备工程股份有限公司	207 814
9	中国土木工程集团有限公司	205 137
10	中国石油天然气管道局	163 291
11	中国水利电力对外公司	150 764
12	中信建设有限责任公司	147 555
13	青建集团股份公司	140 575
14	中国石油集团长城钻探工程有限公司	136 324
15	中国水利水电第十四工程局有限公司	123 870
16	上海振华重工（集团）股份有限公司	121 244
17	中铁国际集团有限公司	118 931
18	中国石油工程建设公司	118 873
19	中国水利水电第八工程局有限公司	112 376
20	特变电工股份有限公司	107 528
21	中国交通建设股份有限公司	107 182
22	哈尔滨电气国际工程有限责任公司	102 863
23	中工国际工程股份有限公司	101 643
24	山东电力建设第三工程公司	100 824
25	中石化炼化工程（集团）股份有限公司	93 069
26	大庆石油管理局	92 730
27	中交第四航务工程局有限公司	86 272
28	中国石油集团东方地球物理勘探有限责任公司	85 396
29	上海电力建设有限责任公司	85 188
30	中交第一公路工程局有限公司	85 083
31	中国水利水电第十工程局有限公司	82 897
32	山东电力基本建设总公司	80 517
33	中地海外集团有限公司	79 402
34	中铁二局集团有限公司	76 590
35	中国中铁股份有限公司	76 262
36	国家电网公司	72 482
37	中国电力工程有限公司	71 883

续 表

序　号	企 业 名 称	完成营业额
38	天津水泥工业设计研究院有限公司	71 376
39	中国江西国际经济技术合作公司	71 243
40	威海国际经济技术合作股份有限公司	71 053
41	上海贝尔股份有限公司	67 769
42	中国中原对外工程有限公司	66 517
43	中交第二公路工程局有限公司	65 679
44	中国技术进出口总公司	64 767
45	中国石油集团渤海钻探工程有限公司	64 278
46	北方国际合作股份有限公司	64 267
47	中国大唐集团科技工程有限公司	63 519
48	浙江省建设投资集团有限公司	61 392
49	中国寰球工程公司	61 163
50	上海电气集团股份有限公司	61 084
51	中交第二航务工程局有限公司	58 850
52	中国石化工程建设有限公司	57 792
53	中国中材国际工程股份有限公司	57 660
54	中兴通讯股份有限公司	57 391
55	中石化中原石油工程有限公司	57 261
56	中国成达工程有限公司	56 366
57	上海建工集团股份有限公司	55 381
58	江西中煤建设集团有限公司	54 888
59	中国地质工程集团公司	54 674
60	中国有色金属建设股份有限公司	54 530
61	中国河南国际合作集团有限公司	54 126
62	中鼎国际工程有限责任公司	53 956
63	中国一冶集团有限公司	53 715
64	中国建筑第五工程局有限公司	53 146
65	江苏省建筑工程集团有限公司	51 969
66	中国电力技术装备有限公司	51 456
67	中国水利水电第五工程局有限公司	51 455
68	安徽建工集团有限公司	50 919
69	中国能源建设集团东北电力第一工程有限公司	50 635
70	中国水利水电第七工程局有限公司	50 434
71	中国江苏国际经济技术合作集团有限公司	49 787
72	新疆生产建设兵团建设工程（集团）有限责任公司	47 907
73	中国水利水电第十三工程局有限公司	47 756
74	东方电气股份有限公司	47 029
75	中石化上海工程有限公司	46 765
76	北京建工集团有限责任公司	45 481

续 表

序 号	企 业 名 称	完成营业额
77	安徽省外经建设（集团）有限公司	44 747
78	上海隧道工程股份有限公司	43 990
79	中海油田服务股份有限公司	43 366
80	中铁七局集团有限公司	43 299
81	中国十七冶集团有限公司	42 202
82	中国水利水电第十六工程局有限公司	41 664
83	江苏南通三建集团有限公司	41 605
84	沈阳远大铝业工程有限公司	41 002
85	广州江河幕墙系统工程有限公司	40 339
86	中交第一航务工程局有限公司	39 349
87	中国航空技术国际工程有限公司	38 937
88	中铁建工集团有限公司	38 775
89	中材建设有限公司	38 228
90	浙江省东阳第三建筑工程有限公司	37 669
91	中国山东对外经济技术合作集团有限公司	35 210
92	中国冶金科工集团有限公司	34 910
93	中国十五冶金建设集团有限公司	34 643
94	惠生工程（中国）有限公司	34 507
95	中国能源建设集团天津电力建设有限公司	34 137
96	中建材集团进出口公司	33 797
97	泛华建设集团有限公司	33 773
98	江苏中信建设集团有限公司	33 769
99	湖南省建筑工程集团总公司	33 700
100	中铁十局集团有限公司	33 231

表 16

2015 年中国对外承包工程业务新签合同额前 100 家企业

单位：万美元

序 号	企 业 名 称	新签合同额
1	华为技术有限公司	1 822 872
2	中国建筑工程总公司	1 767 475
3	中国铁建股份有限公司	1 683 227
4	中国水电建设集团国际工程有限公司	1 273 086
5	中国港湾工程有限责任公司	1 038 197
6	中国葛洲坝集团股份有限公司	1 014 568
7	中国土木工程集团有限公司	755 500
8	中国交通建设股份有限公司	740 520
9	中国路桥工程有限责任公司	403 220
10	中国铁建国际集团有限公司	290 035

续　表

序　号	企 业 名 称	新签合同额
11	中国机械设备工程股份有限公司	289 711
12	中铁国际集团有限公司	287 036
13	中国电力技术装备有限公司	270 892
14	中国石化工程建设有限公司	247 900
15	中国石油工程建设公司	238 597
16	山东电力工程咨询院有限公司	214 400
17	上海电力建设有限责任公司	209 963
18	山东电力建设第三工程公司	205 885
19	东方电气股份有限公司	204 698
20	上海电气输配电工程成套有限公司	189 320
21	上海振华重工（集团）股份有限公司	167 179
22	中国能源工程有限公司	166 800
23	中国石油集团长城钻探工程有限公司	162 861
24	浙江省建设投资集团有限公司	151 572
25	中信建设有限责任公司	149 728
26	中国中材国际工程股份有限公司	149 464
27	中国石油天然气管道局	142 407
28	中国建材国际工程集团有限公司	129 746
29	中国江西国际经济技术合作公司	128 203
30	哈尔滨电气国际工程有限责任公司	125 321
31	中工国际工程股份有限公司	121 886
32	中国石油集团东方地球物理勘探有限责任公司	118 739
33	北京四达时代软件技术股份有限公司	113 850
34	新疆生产建设兵团建设工程（集团）有限责任公司	110 602
35	中国水利电力对外公司	110 218
36	中国万宝工程公司	103 044
37	中交第一公路工程局有限公司	101 728
38	中国成达工程有限公司	90 566
39	大庆石油管理局	87 974
40	中国冶金科工集团有限公司	85 085
41	威海国际经济技术合作股份有限公司	84 828
42	江西中煤建设集团有限公司	84 214
43	天津水泥工业设计研究院有限公司	81 712
44	中国甘肃国际经济技术合作总公司	81 063
45	中国电建集团华东勘测设计研究院有限公司	80 878
46	江苏永鼎泰富工程有限公司	79 908
47	上海贝尔股份有限公司	78 508
48	中兴通讯股份有限公司	77 778
49	北京城建集团有限责任公司	75 875

续 表

序 号	企 业 名 称	新签合同额
50	许继集团国际工程有限公司	75 000
51	上海电气集团股份有限公司	74 836
52	中国水电工程顾问集团有限公司	74 448
53	中铁二局集团有限公司	72 495
54	中国技术进出口总公司	71 462
55	北方重工集团有限公司	70 940
56	中国机械进出口（集团）有限公司	70 112
57	山东电力基本建设总公司	69 600
58	中国地质工程集团公司	67 680
59	江西江联国际工程有限公司	65 083
60	中铁四局集团有限公司	64 811
61	中国能源建设集团东北电力第一工程有限公司	64 807
62	华山国际工程公司	64 507
63	中国电建集团昆明勘测设计研究院有限公司	63 211
64	中成进出口股份有限公司	63 100
65	中地海外集团有限公司	63 001
66	中铁七局集团有限公司	62 466
67	中铁建设集团有限公司	62 443
68	中国河南国际合作集团有限公司	62 440
69	湖南省建筑工程集团总公司	62 250
70	上海建工集团股份有限公司	62 143
71	中国能源建设集团广东省电力设计研究院有限公司	62 000
72	中材建设有限公司	61 589
73	中国石油集团渤海钻探工程有限公司	56 345
74	中石化中原石油工程有限公司	55 514
75	山东高速集团有限公司	55 078
76	海尔集团电器产业有限公司	53 455
77	青建集团股份公司	52 192
78	东方日升新能源股份有限公司	50 000
79	江苏省建筑工程集团有限公司	49 693
80	中铁建工集团有限公司	45 574
81	中石化南京工程有限公司	44 800
82	中铁一局集团有限公司	44 432
83	中海油田服务股份有限公司	43 366
84	中国十七冶集团有限公司	42 455
85	中建港务建设有限公司	42 173
86	中国电力工程有限公司	40 959
87	华中电力国际经贸有限责任公司	40 788
88	龙信建设集团有限公司	39 470

续　表

序　号	企 业 名 称	新签合同额
89	中国联合工程公司	36 822
90	安徽省外经建设（集团）有限公司	36 145
91	中国成套设备进出口（集团）总公司	36 128
92	中国二十冶集团有限公司	35 907
93	浙江省东阳第三建筑工程有限公司	35 413
94	南车青岛四方机车车辆股份有限公司	35 400
95	北方国际合作股份有限公司	35 118
96	四川宏华国际科贸有限公司	34 680
97	中国电建集团中南勘测设计研究院有限公司	34 570
98	新疆炼化建设集团有限公司	34 408
99	番禺珠江钢管有限公司	33 359
100	浪潮集团有限公司	32 992

表 17

2015 年中国外商投资企业进出口情况

单位：亿美元，%

<table>
<tr><th rowspan="2"></th><th colspan="2">全　国</th><th colspan="6">外商投资企业</th></tr>
<tr><th>金额</th><th>比上年±</th><th colspan="2">金　额</th><th colspan="2">占全国比重</th><th>比重±</th><th>比上年±</th></tr>
<tr><td>进出口总值</td><td>39 586.4</td><td>−8</td><td colspan="2">18 346</td><td colspan="2">46.30</td><td>0.2</td><td>−7.50</td></tr>
<tr><td>出口总值</td><td>22 765.7</td><td>−2.80</td><td colspan="2">10 047</td><td colspan="2">44.10</td><td>−1.8</td><td>−6.50</td></tr>
<tr><td>进口总值</td><td>16 820.7</td><td>−14.10</td><td colspan="2">8 299</td><td colspan="2">49.30</td><td>2.9</td><td>−8.70</td></tr>
<tr><td></td><td></td><td></td><td>投资进口设备</td><td>62</td><td>占三资企业进口比重</td><td>0.80</td><td>−0.3</td><td>−31.90</td></tr>
</table>

注：1～12 月贸易顺差值为 1 748 亿美元，扣除投资项下进口设备、物料，贸易净顺差值为 1 810 亿美元。

表 18

2015 年中国非金融类对外直接投资（按省市区排序）

单位：万美元

序　号	省市区名称	直接投资额
1	北京市	1 228 033
2	天津市	252 654
3	河北省	94 030
4	山西省	18 611
5	内蒙古自治区	40 447
6	辽宁省	212 204
	其中：大连市	134 920
7	吉林省	65 823
8	黑龙江省	42 388
9	上海市	2 318 288
10	江苏省	725 000
11	浙江省	710 816
	其中：宁波市	251 456
12	安徽省	206 747

续 表

序 号	省市区名称	直接投资额
13	福建省	275 743
	其中：厦门市	99 523
14	江西省	100 457
15	山东省	710 983
	其中：青岛市	127 774
16	河南省	131 284
17	湖北省	63 596
18	湖南省	112 370
19	广东省	1 226 250
	其中：深圳市	645 920
20	广西壮族自治区	45 091
21	海南省	120 119
22	重庆市	149 638
23	四川省	118 730
24	贵州省	6 539
25	云南省	94 648
26	西藏自治区	29 681
27	陕西省	62 408
28	甘肃省	12 293
29	青海省	7 826
30	宁夏回族自治区	108 859
31	新疆维吾尔自治区	61 077
32	新疆生产建设兵团	7 679

表 19

2000—2015 年两岸贸易统计

单位：亿美元，%

年 份	贸易总额		大陆对台出口额		大陆自台进口额		贸易差额
	金额	同比	金额	同比	金额	同比	
2000	305.3	30.1	50.4	27.6	254.9	30.6	−204.5
2001	323.4	5.9	50.0	−0.8	273.4	7.2	−223.4
2002	446.7	38.1	65.9	31.7	380.8	39.3	−314.9
2003	583.6	30.7	90.0	36.7	493.6	29.7	−403.6
2004	783.2	34.2	135.5	50.4	647.8	31.2	−512.3
2005	912.3	16.5	165.5	22.2	746.8	15.3	−581.3
2006	1 078.4	18.2	207.4	25.3	871.1	16.6	−663.7
2007	1 244.8	15.4	234.6	13.1	1 010.2	16.0	−775.6
2008	1 292.2	3.8	258.8	10.3	1 033.4	2.3	−774.6
2009	1 062.3	−17.8	205.1	−20.8	857.2	−17.0	−652.1
2010	1 453.7	36.9	296.8	44.8	1 156.9	35.0	−860.1
2011	1 600.3	10.1	351.1	18.3	1 249.2	7.9	−898.1
2012	1 689.6	5.6	367.8	4.8	1 321.8	5.8	−954.0
2013	1 972.8	16.7	406.4	10.5	1 566.4	18.5	−1 160.0
2014	1 983.1	0.6	462.8	13.9	1 520.3	−2.8	−1 057.5
2015	1 885.6	−4.9	449	−3	1 436.6	−5.5	−987.6

表 20

2000—2015 年台商投资大陆统计

单位：亿美元，%

年　份	项　目　数			实际使用台资		
	个数	同比	占当年总额比重	金额	同比	占当年总额比重
2000	3 108	24.4	13.9	23.0	−11.7	5.6
2001	4 214	35.6	16.1	29.8	29.8	6.4
2002	4 853	15.2	14.2	39.7	33.3	7.5
2003	4 495	−7.4	10.9	33.8	−14.9	6.3
2004	4 002	−11.0	9.2	31.2	−7.7	5.1
2005	3 907	−2.4	8.8	21.6	−31.0	3.6
2006	3 752	−4.0	9.1	21.4	−0.7	3.4
2007	3 299	−12.1	8.7	17.7	−20.4	2.4
2008	2 360	−28.5	8.6	19.0	7.0	2.1
2009	2 555	8.3	10.9	18.8	−1.0	2.1
2010	3 072	20.2	—	24.8	31.7	—
2011	2 639	−14.10	—	21.8	−11.81	—
2012	2 229	−15.5	—	28.5	20.4	3.0
2013	2 017	−9.5	—	20.9	−26.7	4.2
2014	2 318	14.9	—	20.2	−3.3	—
2015	2 962	27.8	—	15.4	−23.8	—

表 21

2000—2015 年内地与香港贸易统计

单位：亿美元，%

年　份	进　出　口		出　口		进　口	
	总额	同比	总额	同比	总额	同比
2000	539.5	23.3	445.2	20.8	94.3	36.8
2001	559.7	3.7	465.5	4.6	94.2	−0.1
2002	629.1	23.7	584.7	25.6	107.4	14.0
2003	847.1	26.3	762.9	30.5	111.2	3.7
2004	1 126.8	28.9	1 008.8	32.3	118	6.1
2005	1 367.1	21.3	1 244.8	23.4	122.3	3.6
2006	1 661.7	21.6	1 553.9	24.8	107.9	−11.8
2007	1 972.5	18.7	1 844.3	18.7	128.2	18.8
2008	2 036.7	3.3	1 907.4	3.4	129.2	0.9
2009	1 749.5	−14.1	1 662.3	−12.8	87.1	−32.6
2010	2 035.8	31.8	2 183.2	31.3	133.6	40.9
2011	2 835.2	23.0	2 680.3	22.8	155.0	26.4
2012	3 414.9	20.5	3 235.3	20.7	179.6	15.9
2013	4 010.1	17.5	3 847.9	19	162.2	−9.9
2014	3 760.9	−6.2	3 631.9	−5.5	129	−20.7
2015	3 443.4	−8.3	3 315.7	−8.7	127.7	−1.2

表22

2000—2015年香港对内地投资统计

单位：亿美元，%

年份	项目数			实际使用港资金额		
	个数	同比	占比	金额	同比	占比
2000	7 199	22	32.21	155	-6.3	38.07
2001	8 008	11.2	30.64	167.1	7.8	35.66
2002	10 845	35.4	31.74	178.6	6.88	33.86
2003	13 633	25.7	33.19	177.0	-0.9	33.08
2004	14 719	7.97	33.71	189.9	7.29	31.08
2005	14 831	0.76	33.71	179.5	5.48	24.72
2006	15 496	4.5	37.36	202.3	12.7	32.11
2007	16 208	4.6	42.8	277.0	30.0	37.1
2008	12 857	-20.7	45.7	410.4	48.1	44.4
2009	10 701	-16.8	45.7	460.8	12.3	51.2
2010	13 070	22.1	—	605.7	31.5	—
2011	13 889	6.27	—	705.0	16.4	—
2012	12 604	-9.3	—	655.6	-7.0	58.7
2013	12 014	-4.8	—	733.9	11.9	—
2014	12 169	1.3	—	812.7	10.7	—
2015	13 146	8	—	863.9	6.3	

表23

2000—2015年内地对香港承包工程统计

单位：亿美元，%

年份	项目数		新签合同额		完成营业额		年末在港人数	
	份数	同比	金额	同比	金额	同比	人数	同比
1998	116	-36.30	18.30	-7.60	19.00	24.20	497	-21.40
1999	156	34.00	27.70	51.40	19.60	3.10	924	85.90
2000	162	3.80	25.50	-8.00	20.20	3.10	1 037	12.20
2001	235	45.06	23.64	-7.25	16.99	-16.18	958	-7.62
2002	187	20.43	22.03	-6.79	21.38	25.76	907	-5.32
2003	284	51.87	23.34	5.94	26.37	23.38	850	-6.28
2004	649	128.52	17.74	-23.99	25.43	-3.58	839	-1.29
2005	209	67.80	14.46	-18.51	17.83	-29.89	991	18.12
2006	258	23.44	18.28	26.42	17.55	-18.11	1037	4.64
2007	263	1.94	16.27	-11.00	19.94	13.62	767	-26.04
2008	95	-63.88	16.1	-1.04	16.9	-15.25	375	-51.11
2009	94	-1.05	29.3	81.99	18.0	6.51	449	19.73
2010	1 632	—	35.1	—	19.0	—	21 052	——
2011	94	—	44.9	—	19.7	—	24 046	—
2012	120	—	54.0	—	27.9	—	35 098	—
2013	164	—	30.3	—	—	—	33 820	—
2014	235	—	31.2	—	37.3	—	51 540	—
2015	176	—	46.5	—	40.3	—	53 154	—

注：2010—2015年数据包括内地在香港承包工程、劳务合作合同数，年末在港劳务人数。

表 24

2000—2015 年内地与澳门贸易统计

单位：亿美元，%

年　份	进　出　口		出　口		进　口	
	金额	同比	金额	同比	金额	同比
2000	8.05	9.6	7.10	11.3	0.95	−2.0
2001	8.63	7.2	7.43	4.7	1.19	25.4
2002	10.18	18.2	8.76	18.0	1.42	19.4
2003	14.67	44.1	12.81	46.3	1.86	30.6
2004	18.28	24.7	16.11	25.9	2.16	16.3
2005	18.70	2.0	16.05	−0.8	2.65	22.5
2006	24.41	30.5	21.84	36.1	2.56	−3.4
2007	29.2	19.7	26.4	20.9	2.8	9.7
2008	29.1	−0.5	26	−1.5	3.1	9.1
2009	21	−27.9	18.5	−28.8	2.5	−19.6
2010	22.6	8.0	21.4	15.7	1.2	−49.8
2011	25.2	11.2	23.6	10.0	1.6	31.3
2012	29.9	18.6	27.1	14.9	2.8	72
2013	35.7	19.4	31.8	17.4	3.9	38.7
2014	38.2	7.1	36.1	13.4	2.1	−45.1
2015	47.8	25.1	45.9	27.4	1.9	−12.7

表 25

2000—2015 年澳门对内地投资统计

单位：亿美元，%

年　份	项　目		实际利用外资	
	个数	同比	金额	同比
2000	433	70.5	3.47	12.5
2001	458	5.8	3.21	−7.6
2002	518	13.1	4.68	45.9
2003	580	12.0	4.16	−11.1
2004	715	23.3	5.46	31.2
2005	707	−1.2	6.00	10.0
2006	868	22.8	6.00	0.41
2007	856	−1.4	6.4	−6.0
2008	435	−96.8	5.8	−9.4
2009	294	−32.4	8.1	40.1
2010	274	−6.8	6.6	−19.6
2011	283	3.28	6.8	3.84
2012	303	7.1	5.1	−25.7
2013	310	2.3	4.6	−8.9
2014	380	22.6	5.5	19.6
2015	566	48.9	8.9	60.8

表 26

1998—2015 年内地对澳门劳务合作统计

单位：亿美元，人

年份	劳务合作			承包工程		
	新签合同额	完成营业额	年末在外人数	新签合同额	完成营业额	年末在澳人数
1998	1.34	1.12	27 066	1.30	1.45	436
1999	0.73	1.31	28 260	0.55	1.18	614
2000	0.98	1.23	28 253	0.62	0.98	451
2001	1.24	1.38	36 563	0.93	0.64	241
2002	1.23	1.09	21 033	1.25	0.79	611
2003	0.90	1.18	23 590	2.13	1.70	1 024
2004	1.20	1.31	21 983	5.24	2.18	1 146
2005	2.74	1.38	27 063	5.79	3.73	219
2006	3.14	2.57	37 557	18.13	7.92	456
2007	4.04	2.63	44 510	11.03	11.72	578
2008	5.41	3.64	53 399	8.86	8.79	899
2009	1.10	3.30	47 908	2.80	5.30	2 091

	新签合同额	完成营业额	年末在澳人数
2010	15.6	14.5	48 951
2011	8.2	5.0	58 543
2012	7.5	4.7	68 216
2013	8.7	4.2	89 152
2014	19.1	7.9	114 883
2015	18.3	14.8	121 995

注：2010—2015 年数据未单列。

表 27

2015 年中国对亚洲国家（地区）贸易统计

单位：亿美元，%

	进出口		出口		进口		差额	
	金额	同比	金额	同比	金额	同比	当年	上年同期
总值	39 569	−0.8	22 749.49	−2.9	16 819.51	−14.2	5 929.98	3 822.27
亚洲	20 956.3	−7.8	11 408.50	−4.0	9 547.81	−12	1 860.69	1 032.00
亚洲司主管国别	12 041.2	−5.8	6 496.49	−1.1	5 544.75	−10.7	951.74	359.66
占总值比	30.4		28.56		32.97		16.00	
日本	2 786.5	−18.8	1 356.71	−9.23	1 429.89	−12.29	−73.16	−135.56
韩国	2 758.2	−5.1	1 012.96	0.94	1 745.18	−8.25	−732.22	−898.52
朝鲜	55.1	−14.9	29.45	−16.37	25.65		4.54	6.55
蒙古	53.5	−26.7	15.72	−29.07	37.79	−25.64	−22.07	−28.66
东北亚 4 国	5 653.4	−8.4	2 414.84	−5.51	3 238.51	−10.36	−823.67	−1 056.19

续 表

	进出口		出口		进口		差额	
	金额	同比	金额	同比	金额	同比	当年	上年同期
文莱	15.1	−22.2	14.09	−19.34	0.97	−48.78	13.12	15.57
缅甸	152.8	−38.8	96.55	3.1	56.25	−63.9	42.87	−62.33
柬埔寨	44.3	17.95	37.65	14.98	8.67	38.08	30.98	27.92
印度尼西亚	542.3	−14.7	343.42	−12.08	198.88	−18.91	144.54	145.37
老挝	27.8	−123.1	12.27	−33.3	15.54	−12.6	−3.27	0.71
马来西亚	972.9	−4.6	439.90	−4.95	533.00	−4.3	−93.10	−94.18
菲律宾	456.5	2.7	266.73	13.7	189.76	−9.57	76.97	24.76
新加坡	795.7	−0.1	520.08	6.47	275.56	−10.54	244.52	180.45
泰国	754.6	3.8	382.93	11.64	371.70	−3.14	11.24	−40.72
越南	959.7	14.7	661.24	3.8	298.42	49.9	382.82	438.05
东盟10国	4 721.6	−1.7	2 774.86	2.1	1 946.77	−6.6	828.09	634.80
东帝汶	1.1	76.5	1.06	75.57	0.01	625.95	1.05	0.60
印度	716.2	1.4	582.40	7.4	133.83	−18.35	448.57	378.47
巴基斯坦	189.3	18.2	164.50	24.17	24.77	−10.26	139.73	104.90
孟加拉国	147.1	17.2	139.01	17.96	8.06	5.78	130.95	110.23
斯里兰卡	45.6	12.9	43.05	13.49	2.59	4.03	40.46	35.45
尼泊尔	8.66	−63.4	8.34	−63.65	0.32	−50.78	8.02	22.36
马尔代夫	1.73	65.5	1.73	65.94	0.00	−52.15	1.72	1.04
不丹	0.10	−8.2	0.10	−10.49	0.00	235.08	0.10	0.11
阿富汗	3.76	−8.4	3.64	−7.4	0.12	−30.96	3.52	3.76
南亚8国	1 112.2	4.9	942.71	9.82	169.49	−16.15	773.23	656.31
伊朗	338.4	−34.7	177.91	−26.92	160.51	−41.65	17.40	−31.61
土耳其	215.7	−6.3	−186.17	−3.57	29.48	−20.57	156.69	155.95
西亚2国	554.1	−26.0	364.08	−16.59	189.99	−39.14	174.09	124.34
西亚12国	1 667.1	−22.89	839.82	−1.87	827.31	−36.67	12.51	−450.49
中国香港	3 436.0	−8.76	3 308.36	−9.03	127.67	−1.06	3 180.68	3 507.68
中国澳门	47.8	25.12	45.93	27.35	1.85	−12.73	44.07	33.94
中国台湾	1 882.1	−5.1	448.99	−3	1 433.07	−5.74	−984.08	−1 057.47
欧盟28	2 647.6	−8.2	3 558.76	−4.05	2 088.79	−14.5	1 469.97	1 266.13
美国	5 582.7	0.57	4 095.38	3.39	1 487.37	−6.47	2 608.02	2 370.71

注：①十大贸易伙伴：欧盟、美国、东盟、中国香港、日本、韩国、中国台湾、澳大利亚、巴西、印度。

②十大出口市场：美国、欧盟、中国香港、东盟、日本、韩国、德国、英国、荷兰、印度。

③十大进口来源：欧盟、东盟、韩国、美国、日本、德国、澳大利亚、巴西、瑞士、俄罗斯。

④占总值比中的“同比”为较上年同期增减百分点；亚洲司主管25个国别。

表 28

2015 年美国对中国出口主要商品构成（章）

单位：百万美元，%

HS编码	商品类别	2015 年 1～12 月	上年同期	同比	占比
章	总值	116 186	123 676	−6.1	100.0
88	航空器、航天器及其零件	15 440	13 925	10.9	13.3
85	电机、电气、音像设备及其零附件	12 767	12 019	6.2	11.0
84	核反应堆、锅炉、机械器具及零件	12 262	12 476	−1.7	10.6
12	油籽；子仁；工业或药用植物；饲料	11 095	14 937	−25.7	9.6
87	车辆及其零附件，但铁道车辆除外	10 890	13 270	−17.9	9.4
90	光学、照相、医疗等设备及零附件	7 935	7 528	5.4	6.8
39	塑料及其制品	4 920	5 072	−3.0	4.2
47	木浆等纤维状纤维素浆；废纸及纸板	3 412	3 366	1.4	2.9
29	有机化学品	2 478	2 375	4.3	2.1
10	谷物	2 432	1 767	37.7	2.1
27	矿物燃料、矿物油及其产品；沥青等	2 242	1 772	26.5	1.9
44	木及木制品；木炭	2 073	2 664	−22.2	1.8
23	食品工业的残渣及废料；配制的饲料	2 032	1 705	19.2	1.8
30	药品	2 005	1 609	24.6	1.7
38	杂项化学产品	1 900	2 148	−11.6	1.6
74	铜及其制品	1 841	2 911	−36.8	1.6
76	铝及其制品	1 639	2 116	−22.6	1.4
41	生皮（毛皮除外）及皮革	1 441	1 814	−20.6	1.2
03	鱼及其他水生无脊椎动物	1 008	1 151	−12.4	0.9
26	矿砂、矿渣及矿灰	986	1 489	−33.8	0.9
52	棉花	982	1 225	−19.9	0.9
28	无机化学品；贵金属等的化合物	961	983	−2.3	0.8
72	钢铁	901	1 023	−12.0	0.8
73	钢铁制品	765	871	−12.2	0.7
48	纸及纸板；纸浆、纸或纸板制品	747	800	−6.5	0.6
40	橡胶及其制品	677	885	−23.5	0.6
71	珠宝、贵金属及制品；仿首饰；硬币	629	1 106	−43.2	0.5
37	照相及电影用品	606	604	0.3	0.5
34	洗涤剂、润滑剂、人造蜡、塑型膏等	594	631	−5.8	0.5
32	鞣料；着色料；涂料；油灰；墨水等	407	480	−15.3	0.4
	以上合计	108 067	114 723	−5.8	93.0

表 29

2015 年美国自中国进口主要商品构成（章）

单位：百万美元，%

HS 编码	商 品 类 别	2015 年 1～12 月	上年同期	同比	占比
章	总　值	481 881	466 754	3.2	100.0
85	电机、电气、音像设备及其零附件	133 026	127 093	4.7	27.6
84	核反应堆、锅炉、机械器具及零件	103 970	105 279	−1.2	21.6
94	家具；寝具等；灯具；活动房	28 109	25 515	10.2	5.8
95	玩具、游戏或运动用品及其零附件	24 494	22 603	8.4	5.1
64	鞋靴、护腿和类似品及其零件	17 277	17 064	1.3	3.6
61	针织或钩编的服装及衣着附件	16 289	16 112	1.1	3.4
62	非针织或非钩编的服装及衣着附件	14 761	14 382	2.6	3.1
39	塑料及其制品	14 337	13 867	3.4	3.0
87	车辆及其零附件，但铁道车辆除外	12 914	11 451	12.8	2.7
90	光学、照相、医疗等设备及零附件	11 023	10 337	6.6	2.3
73	钢铁制品	10 423	9 798	6.4	2.2
42	皮革制品；旅行箱包；动物肠线制品	8 699	8 541	1.8	1.8
63	其他纺织制品；成套物品；旧纺织品	7 711	7 096	8.7	1.6
29	有机化学品	6 633	6 712	−1.2	1.4
83	贱金属杂项制品	4 746	4 336	9.5	1.0
40	橡胶及其制品	4 359	5 750	−24.2	0.9
44	木及木制品；木炭	3 989	3 711	7.5	0.8
82	贱金属器具、利口器、餐具及零件	3 653	3 503	4.3	0.8
71	珠宝、贵金属及制品；仿首饰；硬币	3 274	3 617	−9.5	0.7
96	杂项制品	3 003	2 621	14.6	0.6
48	纸及纸板；纸浆、纸或纸板制品	2 963	2 765	7.1	0.6
76	铝及其制品	2 959	2 548	16.1	0.6
70	玻璃及其制品	2 733	2 419	13.0	0.6
69	陶瓷产品	2 369	2 340	1.2	0.5
49	印刷品；手稿、打字稿及设计图纸	2 074	1 932	7.3	0.4
03	鱼及其他水生无脊椎动物	1 904	2 101	−9.4	0.4
72	钢铁	1 864	2 579	−27.7	0.4
65	头饰	1 595	1 420	12.4	0.3
67	加工羽毛及制品；人造花；人发制品	1 593	1 382	15.3	0.3
68	矿物材料的制品	1 510	1 300	16.1	0.3
	以上合计	454 254	440 175	3.2	94.3

表 30

2015 年美国对中国出口主要商品构成（类）

单位：百万美元，%

海关分类	HS 编码	商 品 类 别	2015 年 1～12 月	上年同期	同比	占比
类	章	总　值	116 186	123 676	－6.1	100.0
第 17 类	86－89	运输设备	26 420	27 317	－3.3	22.7
第 16 类	84－85	机电产品	25 029	24 495	2.2	21.5
第 2 类	06－14	植物产品	14 029	17 170	－18.3	12.1
第 6 类	28－38	化工产品	9 815	9 679	1.4	8.5
第 18 类	90－92	光学、钟表、医疗设备	7 979	7 556	5.6	6.9
第 15 类	72－83	贱金属及制品	5 968	7 858	－24.1	5.1
第 7 类	39－40	塑料、橡胶	5 596	5 957	－6.1	4.8
第 10 类	47－49	纤维素浆；纸张	4 348	4 348	0.0	3.7
第 5 类	25－27	矿产品	3 446	3 502	－1.6	3.0
第 4 类	16－24	食品、饮料、烟草	3 132	2 721	15.1	2.7
第 9 类	44－46	木及制品	2 074	2 666	－22.2	1.8
第 1 类	01－05	活动物；动物产品	1 914	2 614	－26.8	1.7
第 11 类	50－63	纺织品及原料	1 777	2 280	－22.1	1.5
第 8 类	41－43	皮革制品；箱包	1 633	1 921	－15.0	1.4
第 13 类	68－70	陶瓷；玻璃	659	664	－0.8	0.6
		其他	2 367	2 927	－19.1	2.0

表 31

2015 年美国自中国进口主要商品构成（类）

单位：百万美元，%

海关分类	HS 编码	商 品 类 别	2015 年 1～12 月	上年同期	同比	占比
类	章	总　值	481 881	466 754	3.2	100.0
第 16 类	84－85	机电产品	236 997	232 371	2.0	49.2
第 20 类	94－96	家具、玩具、杂项制品	55 607	50 739	9.6	11.5
第 11 类	50－63	纺织品及原料	42 618	41 196	3.5	8.8
第 15 类	72－83	贱金属及制品	24 869	24 237	2.6	5.2
第 12 类	64－67	鞋靴、伞等轻工产品	20 999	20 364	3.1	4.4
第 7 类	39－40	塑料、橡胶	18 696	19 618	－4.7	3.9
第 17 类	86－89	运输设备	14 547	12 850	13.2	3.0
第 6 类	28－38	化工产品	13 634	13 714	－0.6	2.8
第 18 类	90－92	光学、钟表、医疗设备	12 733	11 757	8.3	2.6
第 8 类	41－43	皮革制品；箱包	8 829	8 665	1.9	1.8
第 13 类	68－70	陶瓷；玻璃	6 612	6 059	9.1	1.4
第 10 类	47－49	纤维素浆；纸张	5 038	4 702	7.2	1.1
第 9 类	44－46	木及制品	4 342	4 035	7.6	0.9
第 14 类	71	贵金属及制品	3 274	3 617	－9.5	0.7
第 4 类	16－24	食品、饮料、烟草	2 694	2 785	－3.3	0.6
		其他	10 393	10 045	3.5	2.2

表 32

2015 年美国自中国进口的十大类商品及其国别/地区构成

单位：百万美元，%

HS84－85：机电产品			
国家和地区	金额	同比	占比
中国	236 997	2.0	36.5
墨西哥	111 472	8.1	17.2
日本	45 517	－5.8	7.0
德国	32 062	－0.1	4.9
加拿大	27 457	－5.3	4.2
韩国	26 616	－1.4	4.1

HS39－40：塑料、橡胶			
国家和地区	金额	同比	占比
中国	18 696	－4.7	25.1
加拿大	13 458	－6.3	18.1
墨西哥	6 925	4.0	9.3
日本	4 607	－1.1	6.2
德国	3 955	－2.9	5.3
韩国	3 816	4.3	5.1

HS94－96：家具、玩具、杂项制品			
国家和地区	金额	同比	占比
中国	55 607	9.6	59.9
墨西哥	12 360	8.9	13.3
加拿大	5 481	5.0	5.9
越南	4 327	23.1	4.7
中国台湾	2 199	10.2	2.4
意大利	1 239	3.9	1.3

HS86－89：运输设备			
国家和地区	金额	同比	占比
墨西哥	76 089	9.7	23.8
加拿大	64 293	－0.3	20.1
日本	51 686	2.6	16.2
德国	38 795	3.6	12.2
韩国	22 971	14.5	7.2
中国	14 547	13.2	4.6

HS50－63：纺织品及原料			
国家和地区	金额	同比	占比
中国	42 618	3.5	37.0
越南	10 879	13.4	9.5
印度	7 611	7.8	6.6
孟加拉国	5 490	11.9	4.8
墨西哥	5 365	－2.3	4.7
印度尼西亚	5 221	2.2	4.5

HS28－38：化工产品			
国家和地区	金额	同比	占比
爱尔兰	28 699	18.2	14.8
德国	21 337	－0.9	11.0
加拿大	19 258	－2.9	10.0
中国	13 634	－0.6	7.0
英国	13 207	50.9	6.8
瑞士	11 649	－1.3	6.0

HS72－83：贱金属及制品			
国家和地区	金额	同比	占比
中国	24 869	2.6	21.2
加拿大	21 756	－10.4	18.6
墨西哥	10 286	－7.9	8.8
德国	6 213	－1.9	5.3
韩国	6 124	－11.2	5.2
中国台湾	5 475	1.6	4.7

HS90－92：光学、钟表、医疗设备			
国家和地区	金额	同比	占比
中国	12 733	8.3	15.1
墨西哥	12 341	5.5	14.7
德国	9 103	－2.4	10.8
日本	7 630	－2.5	9.1
瑞士	6 139	0.3	7.3
爱尔兰	5 752	－0.2	6.8

HS64－67：鞋靴、伞等轻工产品			
国家和地区	金额	同比	占比
中国	20 999	3.1	64.3
越南	4 675	23.4	14.3
印度尼西亚	1 686	16.1	5.2
意大利	1 453	－1.9	4.5
墨西哥	580	0.9	1.8
印度	497	32.5	1.5

HS41－43：皮革制品；箱包			
国家和地区	金额	同比	占比
中国	8 829	1.9	58.4
意大利	1 311	－2.8	8.7
越南	1 126	15.8	7.4
法国	674	5.4	4.5
印度	491	7.2	3.3
墨西哥	335	7.1	2.2

表 33

2015 年欧盟（27）自中国出口主要商品构成（章）

单位：百万美元，%

HS 编码	商品类别	2015 年	上年同期	同比	占比
章	总值	187 077	217 155	−13.9	100.0
84	核反应堆、锅炉、机械器具及零件	36 269	46 571	−22.1	19.4
87	车辆及其零附件，但铁道车辆除外	31 155	45 519	−31.6	16.7
85	电机、电气、音像设备及其零附件	19 893	22 770	−12.6	10.6
90	光学、照相、医疗等设备及零附件	11 277	12 138	−7.1	6.0
71	珠宝、贵金属及制品；仿首饰；硬币	11 250	6 026	86.7	6.0
88	航空器、航天器及其零件	10 001	10 480	−4.6	5.4
30	药品	8 474	8 155	3.9	4.5
39	塑料及其制品	6 045	6 872	−12.0	3.2
74	铜及其制品	3 797	4 462	−14.9	2.0
29	有机化学品	3 603	3 923	−8.2	1.9
73	钢铁制品	2 634	3 544	−25.7	1.4
47	木浆等纤维状纤维素浆；废纸及纸板	2 243	2 285	−1.8	1.2
72	钢铁	2 204	2 899	−24.0	1.2
27	矿物燃料、矿物油及其产品；沥青等	2 169	2 843	−23.7	1.2
38	杂项化学产品	2 027	2 389	−15.1	1.1
02	肉及食用杂碎	1 999	1 327	50.7	1.1
22	饮料、酒及醋	1 903	1 727	10.2	1.0
40	橡胶及其制品	1 621	2 109	−23.2	0.9
19	谷物粉、淀粉等或乳的制品；糕饼	1 583	1 320	19.9	0.9
94	家具；寝具等；灯具；活动房	1 319	1 412	−6.6	0.7
26	矿砂、矿渣及矿灰	1 027	1 078	−4.7	0.6
04	乳；蛋；蜂蜜；其他食用动物产品	1 024	1 054	−2.8	0.6
44	木及木制品；木炭	1 023	1 206	−15.2	0.6
28	无机化学品；贵金属等的化合物	1 012	1 264	−19.9	0.5
86	铁道车辆；轨道装置；信号设备	980	1 204	−18.6	0.5
41	生皮（毛皮除外）及皮革	971	1 146	−15.3	0.5
76	铝及其制品	971	1 140	−14.8	0.5
62	非针织或非钩编的服装及衣着附件	969	984	−1.5	0.5
32	鞣料；着色料；涂料；油灰；墨水等	935	1 126	−16.9	0.5
10	谷物	908	290	212.8	0.5
	以上合计	171 286	199 262	−14.0	91.6

表 34

2015 年欧盟（27）自中国进口主要商品构成（章）

单位：百万美元，%

HS 编码	商品类别	2015 年	上年同期	同比	占比
章	总　值	387 656	399 078	−2.9	100.0
85	电机、电气、音像设备及其零附件	110 463	101 275	9.1	28.5
84	核反应堆、锅炉、机械器具及零件	77 422	84 903	−8.8	20.0
94	家具；寝具等；灯具；活动房	17 833	18 131	−1.6	4.6
62	非针织或非钩编的服装及衣着附件	17 769	19 911	−10.8	4.6
61	针织或钩编的服装及衣着附件	15 544	17 615	−11.8	4.0
95	玩具、游戏或运动用品及其零附件	15 434	15 741	−2.0	4.0
64	鞋靴、护腿和类似品及其零件	10 242	10 977	−6.7	2.6
39	塑料及其制品	9 807	10 139	−3.3	2.5
90	光学、照相、医疗等设备及零附件	9 769	9 624	1.5	2.5
29	有机化学品	9 239	9 402	−1.7	2.4
73	钢铁制品	8 874	9 452	−6.1	2.3
42	皮革制品；旅行箱包；动物肠线制品	7 566	8 149	−7.2	2.0
87	车辆及其零附件，但铁道车辆除外	6 962	6 847	1.7	1.8
72	钢铁	4 959	4 932	0.6	1.3
63	其他纺织制品；成套物品；旧纺织品	4 364	4 581	−4.7	1.1
40	橡胶及其制品	3 907	4 349	−10.2	1.0
83	贱金属杂项制品	3 684	3 812	−3.4	1.0
82	贱金属器具、利口器、餐具及零件	3 376	3 551	−4.9	0.9
76	铝及其制品	3 004	2 883	4.2	0.8
44	木及木制品；木炭	2 728	2 887	−5.5	0.7
96	杂项制品	2 581	2 644	−2.4	0.7
70	玻璃及其制品	2 351	2 538	−7.4	0.6
48	纸及纸板；纸浆、纸或纸板制品	2 281	2 335	−2.3	0.6
71	珠宝、贵金属及制品；仿首饰；硬币	2 267	2 854	−20.6	0.6
91	钟表及其零件	1 808	1 880	−3.8	0.5
69	陶瓷产品	1 738	1 884	−7.8	0.5
03	鱼及其他水生无脊椎动物	1 600	1 682	−4.9	0.4
28	无机化学品；贵金属等的化合物	1 506	1 883	−20.0	0.4
54	化学纤维长丝	1 492	1 610	−7.3	0.4
68	矿物材料的制品	1 400	1 575	−11.1	0.4
	以上合计	361 971	370 048	−2.2	93.4

表 35

2015 年欧盟（27）对中国出口主要商品构成（类）　　单位：百万美元，%

海关分类	HS 编码	商品类别	2015 年	上年同期	同比	占比
类	章	总　值	187 077	217 155	−13.9	100.0
第 16 类	84—85	机电产品	56 163	69 341	−19.0	30.0
第 17 类	86—89	运输设备	42 265	57 393	−26.4	22.6
第 6 类	28—38	化工产品	18 601	19 552	−4.9	9.9
第 15 类	72—83	贱金属及制品	11 717	14 480	−19.1	6.3
第 18 类	90—92	光学、钟表、医疗设备	11 420	12 282	−7.0	6.1
第 14 类	71	贵金属及制品	11 250	6 026	86.7	6.0
第 7 类	39—40	塑料、橡胶	7 666	8 981	−14.6	4.1
第 4 类	16—24	食品、饮料、烟草	4 369	3 997	9.3	2.3
第 1 类	01—05	活动物；动物产品	3 779	3 236	16.8	2.0
第 5 类	25—27	矿产品	3 672	4 570	−19.6	2.0
第 11 类	50—63	纺织品及原料	3 518	3 790	−7.2	1.9
第 10 类	47—49	纤维素浆；纸张	3 359	3 578	−6.1	1.8
第 8 类	41—43	皮革制品；箱包	2 417	2 516	−3.9	1.3
第 20 类	94—96	家具、玩具、杂项制品	1 758	1 840	−4.5	0.9
第 2 类	06—14	植物产品	1 439	787	82.8	0.8
		其他	3 684	4 785	−23.0	2.0

表 36

2015 年欧盟（27）自中国进口主要商品构成（类）　　单位：百万美元，%

海关分类	HS 编码	商品类别	2015 年	上年同期	同比	占比
类	章	总　值	387 656	399 078	−2.9	100.0
第 16 类	84—85	机电产品	187 886	186 177	0.9	48.5
第 11 类	50—63	纺织品及原料	43 941	48 977	−10.3	11.3
第 20 类	94—96	家具、玩具、杂项制品	35 848	36 516	−1.8	9.3
第 15 类	72—83	贱金属及制品	25 975	27 057	−4.0	6.7
第 6 类	28—38	化工产品	16 296	17 167	−5.1	4.2
第 7 类	39—40	塑料、橡胶	13 714	14 489	−5.4	3.5
第 12 类	64—67	鞋靴、伞等轻工产品	12 774	13 655	−6.5	3.3
第 18 类	90—92	光学、钟表、医疗设备	12 033	11 992	0.3	3.1
第 17 类	86—89	运输设备	8 480	9 494	−10.7	2.2
第 8 类	41—43	皮革制品；箱包	7 847	8 495	−7.6	2.0
第 13 类	68—70	陶瓷；玻璃	5 489	5 998	−8.5	1.4
第 10 类	47—49	纤维素浆；纸张	3 448	3 652	−5.6	0.9
第 9 类	44—46	木及制品	3 083	3 264	−5.5	0.8
第 2 类	06—14	植物产品	2 522	2 614	−3.5	0.7
第 1 类	01—05	活动物；动物产品	2 451	2 664	−8.0	0.6
		其他	5 868	6 865	−14.5	1.5

表 37

2015 年欧盟（27）自中国进口的十大类商品及其国别/地区构成　　单位：百万美元，%

HS84－85：机电产品				HS39－40：塑料、橡胶			
国家和地区	金额	同比	占比	国家和地区	金额	同比	占比
中国	187 886	0.9	40.7	中国	13 714	－5.4	23.0
美国	72 986	0.8	15.8	美国	10 024	－4.5	16.8
日本	29 153	－16.4	6.3	韩国	3 882	－13.2	6.5
瑞士	18 370	－12.6	4.0	土耳其	3 823	－8.0	6.4
越南	16 654	24.2	3.6	瑞士	3 809	－14.6	6.4
韩国	16 333	－10.6	3.5	日本	3 190	－15.9	5.3
HS50－63：纺织品及原料				HS64－67：鞋靴、伞等轻工产品			
国家和地区	金额	同比	占比	国家和地区	金额	同比	占比
中国	43 941	－10.3	36.0	中国	12 774	－6.5	50.2
土耳其	15 724	－13.6	12.9	越南	4 022	7.7	15.8
孟加拉国	15 628	2.7	12.8	印度尼西亚	1 816	5.5	7.1
印度	8 578	－9.6	7.0	印度	1 625	－11.6	6.4
巴基斯坦	5 061	－2.1	4.2	柬埔寨	565	19.6	2.2
越南	3 476	4.0	2.9	瑞士	488	8.7	1.9
HS94－96：家具、玩具、杂项制品				HS90－92：光学、钟表、医疗设备			
国家和地区	金额	同比	占比	国家和地区	金额	同比	占比
中国	35 848	－1.8	70.0	美国	25 642	－1.9	32.9
美国	2 353	5.0	4.6	瑞士	14 006	－3.6	18.0
越南	1 412	3.8	2.8	中国	12 033	0.3	15.4
土耳其	1 124	－3.1	2.2	日本	5 897	－11.6	7.6
中国台湾	1 042	－6.6	2.0	墨西哥	2 683	2.4	3.4
瑞士	948	－12.2	1.9	韩国	2 617	－19.3	3.4
HS72－83：贱金属及制品				HS86－89：运输设备			
国家和地区	金额	同比	占比	国家和地区	金额	同比	占比
中国	25 975	－4.0	23.1	美国	40 879	14.2	30.8
俄罗斯	10 986	－13.2	9.8	土耳其	15 133	1.3	11.4
美国	8 960	－3.6	8.0	日本	14 428	－3.2	10.9
瑞士	6 543	－10.4	5.8	韩国	12 879	－2.0	9.7
挪威	6 122	－7.8	5.5	中国	8 480	－10.7	6.4
土耳其	6 114	－11.7	5.5	南非	3 428	37.7	2.6
HS28－38：化工产品				HS41－43：皮革制品；箱包			
国家和地区	金额	同比	占比	国家和地区	金额	同比	占比
美国	57 304	4.1	31.2	中国	7 847	－7.6	44.7
瑞士	40 527	－10.6	22.1	印度	1 779	－10.6	10.1
中国	16 296	－5.1	8.9	瑞士	958	－1.4	5.5
新加坡	9 184	26.3	5.0	越南	837	12.1	4.8
日本	6 494	－9.3	3.5	巴西	643	－14.8	3.7
印度	6 469	－6.6	3.5	美国	586	－19.6	3.3

表 38

2015 年日本对中国出口主要商品构成（章）

单位：百万美元，%

HS 编码	商品类别	2015 年 1～12 月	上年同期	同比	占比
章	总值	109 286	126 459	−13.6	100.0
85	电机、电气、音像设备及其零附件	23 154	25 411	−8.9	21.2
84	核反应堆、锅炉、机械器具及零件	21 017	24 274	−13.4	19.2
90	光学、照相、医疗等设备及零附件	10 296	11 745	−12.3	9.4
87	车辆及其零附件，但铁道车辆除外	9 521	12 871	−26.0	8.7
39	塑料及其制品	6 446	7 247	−11.1	5.9
29	有机化学品	6 164	8 076	−23.7	5.6
72	钢铁	5 166	6 643	−22.2	4.7
74	铜及其制品	2 795	3 223	−13.3	2.6
38	杂项化学产品	1 501	1 665	−9.9	1.4
73	钢铁制品	1 447	1 835	−21.1	1.3
96	杂项制品	1 337	822	62.8	1.2
40	橡胶及其制品	1 049	1 324	−20.8	1.0
27	矿物燃料、矿物油及其产品；沥青等	910	1 466	−37.9	0.8
32	鞣料；着色料；涂料；油灰；墨水等	756	851	−11.2	0.7
34	洗涤剂、润滑剂、人造蜡、塑型膏等	754	785	−4.0	0.7
70	玻璃及其制品	718	913	−21.4	0.7
47	木浆等纤维状纤维素浆；废纸及纸板	715	722	−1.0	0.7
82	贱金属器具、利口器、餐具及零件	681	723	−5.9	0.6
76	铝及其制品	620	682	−9.1	0.6
54	化学纤维长丝	619	687	−9.9	0.6
37	照相及电影用品	617	643	−4.1	0.6
55	化学纤维短纤	513	643	−20.3	0.5
30	药品	481	507	−5.1	0.4
71	珠宝、贵金属及制品；仿首饰；硬币	476	531	−10.4	0.4
68	矿物材料的制品	475	504	−5.7	0.4
28	无机化学品；贵金属等的化合物	455	558	−18.5	0.4
48	纸及纸板；纸浆、纸或纸板制品	360	394	−8.8	0.3
33	精油及香膏；香料制品及化妆盥洗品	354	263	34.3	0.3
03	鱼及其他水生无脊椎动物	300	280	7.1	0.3
60	针织物及钩编织物	277	325	−14.8	0.3
	以上合计	99 973	116 615	−14.3	91.5

表 39

2015 年日本自中国进口主要商品构成（章）

单位：百万美元，%

HS 编码	商品类别	2015 年 1～12 月	上年同期	同比	占比
章	总值	160 570	181 039	−11.3	100.0
85	电机、电气、音像设备及其零附件	44 769	50 524	−11.4	27.9
84	核反应堆、锅炉、机械器具及零件	27 242	31 903	−14.6	17.0
61	针织或钩编的服装及衣着附件	9 685	11 107	−12.8	6.0
62	非针织或非钩编的服装及衣着附件	8 578	9 925	−13.6	5.3
39	塑料及其制品	4 839	5 286	−8.5	3.0
94	家具；寝具等；灯具；活动房	4 491	4 976	−9.7	2.8
90	光学、照相、医疗等设备及零附件	4 384	4 683	−6.4	2.7
95	玩具、游戏或运动用品及其零附件	4 042	5 052	−20.0	2.5
87	车辆及其零附件，但铁道车辆除外	3 916	4 308	−9.1	2.4
73	钢铁制品	3 659	3 903	−6.3	2.3
64	鞋靴、护腿和类似品及其零件	3 220	3 614	−10.9	2.0
29	有机化学品	3 200	3 270	−2.2	2.0
42	皮革制品；旅行箱包；动物肠线制品	2 683	3 018	−11.1	1.7
63	其他纺织制品；成套物品；旧纺织品	2 662	2 967	−10.3	1.7
16	肉、鱼及其他水生无脊椎动物的制品	2 350	2 670	−12.0	1.5
28	无机化学品；贵金属等的化合物	1 934	2 095	−7.6	1.2
76	铝及其制品	1 795	1 821	−1.4	1.1
44	木及木制品；木炭	1 486	1 747	−14.9	0.9
20	蔬菜、水果等或植物其他部分的制品	1 403	1 501	−6.5	0.9
07	食用蔬菜、根及块茎	1 365	1 425	−4.2	0.9
48	纸及纸板；纸浆、纸或纸板制品	1 211	1 357	−10.8	0.8
72	钢铁	1 139	1 704	−33.2	0.7
38	杂项化学产品	1 006	1 147	−12.3	0.6
03	鱼及其他水生无脊椎动物	993	1 102	−9.9	0.6
91	钟表及其零件	956	958	−0.2	0.6
68	矿物材料的制品	929	1 100	−15.6	0.6
27	矿物燃料、矿物油及其产品；沥青等	908	1 147	−20.8	0.6
96	杂项制品	812	821	−1.0	0.5
83	贱金属杂项制品	758	817	−7.1	0.5
40	橡胶及其制品	751	819	−8.4	0.5
	以上合计	147 169	166 767	−11.8	91.7

表40

2015年日本对中国出口主要商品构成（类）

单位：百万美元，%

海关分类	HS编码	商品类别	2015年1～12月	上年同期	同比	占比
类	章	总值	109 286	126 459	−13.6	100.0
第16类	84—85	机电产品	44 171	49 686	−11.1	40.4
第6类	28—38	化工产品	11 344	13 639	−16.8	10.4
第15类	72—83	贱金属及制品	11 268	13 738	−18.0	10.3
第18类	90—92	光学、钟表、医疗设备	10 532	11 985	−12.1	9.6
第17类	86—89	运输设备	9 749	13 123	−25.7	8.9
第7类	39—40	塑料、橡胶	7 494	8 572	−12.6	6.9
第11类	50—63	纺织品及原料	2 443	2 820	−13.4	2.2
第20类	94—96	家具、玩具、杂项制品	1 623	1 132	43.4	1.5
第13类	68—70	陶瓷；玻璃	1 376	1 590	−13.4	1.3
第10类	47—49	纤维素浆；纸张	1 174	1 230	−4.6	1.1
第5类	25—27	矿产品	1 095	1 666	−34.3	1.0
第14类	71	贵金属及制品	476	531	−10.4	0.4
第1类	01—05	活动物；动物产品	307	290	6.2	0.3
第4类	16—24	食品、饮料、烟草	188	115	63.8	0.2
第2类	06—14	植物产品	84	69	22.1	0.1
		其他	5 961	6 275	−5.0	5.5

表41

2015年日本自中国进口主要商品构成（类）

单位：百万美元，%

海关分类	HS编码	商品类别	2015年1～12月	上年同期	同比	占比
类	章	总值	160 570	181 039	−11.3	100.0
第16类	84—85	机电产品	72 011	82 427	−12.6	44.9
第11类	50—63	纺织品及原料	22 898	26 121	−12.3	14.3
第20类	94—96	家具、玩具、杂项制品	9 345	10 849	−13.9	5.8
第15类	72—83	贱金属及制品	8 790	9 892	−11.1	5.5
第6类	28—38	化工产品	7 789	8 237	−5.4	4.9
第7类	39—40	塑料、橡胶	5 589	6 105	−8.5	3.5
第18类	90—92	光学、钟表、医疗设备	5 467	5 784	−5.5	3.4
第4类	16—24	食品、饮料、烟草	5 033	5 615	−10.4	3.1
第17类	86—89	运输设备	4 105	4 465	−8.1	2.6
第12类	64—67	鞋靴、伞等轻工产品	4 061	4 465	−9.1	2.5
第8类	41—43	皮革制品；箱包	2 795	3 156	−11.4	1.7
第2类	06—14	植物产品	2 429	2 567	−5.4	1.5
第13类	68—70	陶瓷；玻璃	2 187	2 415	−9.4	1.4
第9类	44—46	木及制品	1 709	2 034	−16.0	1.1
第5类	25—27	矿产品	1 541	1 871	−17.6	1.0
		其他	4 821	5 035	−4.2	3.0

表 42

2015 年日本自中国进口的十大类商品及其国别/地区构成

单位：百万美元，%

HS84－85：机电产品			
国家和地区	金额	同比	占比
中国	72 011	－12.6	48.1
美国	15 757	0.5	10.5
中国台湾	13 069	－1.0	8.7
韩国	8 619	－12.9	5.8
泰国	6 961	－5.3	4.7
马来西亚	4 958	－7.7	3.3

HS39－40：塑料、橡胶			
国家和地区	金额	同比	占比
中国	5 589	－8.5	31.0
美国	2 111	－2.5	11.7
泰国	2 029	－20.6	11.3
韩国	1 471	－20.5	8.2
中国台湾	1 287	－13.6	7.1
印度尼西亚	1 270	－15.2	7.1

HS50－63：纺织品及原料			
国家和地区	金额	同比	占比
中国	22 898	－12.3	64.7
越南	3 378	7.7	9.6
印度尼西亚	1 445	0.6	4.1
意大利	901	－12.0	2.6
泰国	842	－2.9	2.4
孟加拉国	815	18.6	2.3

HS90－92：光学、钟表、医疗设备			
国家和地区	金额	同比	占比
美国	7 041	－8.3	26.0
中国	5 467	－5.5	20.2
瑞士	2 631	－0.4	9.7
德国	2 073	－12.6	7.7
爱尔兰	1 239	－16.2	4.6
泰国	870	5.5	3.2

HS94－96：家具、玩具、杂项制品			
国家和地区	金额	同比	占比
中国	9 345	－13.9	66.3
越南	923	5.6	6.6
泰国	588	－2.7	4.2
中国台湾	534	－9.1	3.8
美国	377	－3.4	2.7
马来西亚	328	－7.3	2.3

HS16－24：食品、饮料、烟草			
国家和地区	金额	同比	占比
中国	5 033	－10.4	22.3
美国	3 163	－11.7	14.0
泰国	2 939	－1.3	13.0
法国	1 301	－10.4	5.8
韩国	1 086	－9.1	4.8
瑞士	769	12.1	3.4

HS72－83：贱金属及制品			
国家和地区	金额	同比	占比
中国	8 790	－11.1	29.2
韩国	3 574	－25.2	11.9
美国	2 022	4.8	6.7
中国台湾	1 630	－13.5	5.4
泰国	1 372	－10.3	4.6
俄罗斯	1 225	－25.3	4.1

HS86－89：运输设备			
国家和地区	金额	同比	占比
美国	6 068	－4.5	23.3
德国	5 348	－23.0	20.5
中国	4 105	－8.1	15.7
韩国	1 057	5.2	4.1
泰国	1 054	－12.3	4.0
英国	981	4.4	3.8

HS28－38：化工产品			
国家和地区	金额	同比	占比
美国	9 638	－6.2	17.3
中国	7 789	－5.4	14.0
德国	5 732	－7.8	10.3
爱尔兰	5 584	303.6	10.0
法国	3 239	－12.4	5.8
瑞士	2 743	3.5	4.9

HS64－67：鞋靴、伞等轻工产品			
国家和地区	金额	同比	占比
中国	4 061	－9.1	62.2
越南	786	14.6	12.0
印度尼西亚	325	19.9	5.0
意大利	323	－16.0	4.9
柬埔寨	199	－4.6	3.1
缅甸	111	6.7	1.7

附　录

附录一：多哈回合及中国参与谈判大事记（2015）

1月23—24日	商务部王受文副部长率团出席在瑞士达沃斯举行的世贸组织小型部长会议并阐明中方立场。常驻世贸团俞建华大使参加。会议期间，王受文副部长分别与世贸组织总干事阿泽维多以及南非、印度、巴西、瑞士等多个成员的代表会见交谈。
1月26—27日	常驻世贸团俞建华大使出席世贸组织阿泽维多总干事多召集的“绿屋”磋商，各方围绕农业、非农和服务等议题进行了深入讨论。
1月29日	俞建华大使出席世贸组织总干事阿泽维多召集的全体成员代表团团长磋商，就后巴厘工作展开讨论。
2月20日	俞建华大使出席世贸组织总理事会会议，讨论多哈回合“后巴厘”工作计划制订、巴厘岛协议实施、世贸组织主要机构主席遴选等议题。
3月5日	俞建华大使出席澳大利亚常驻世贸组织大使麦考米克召集的《环境产品协定》（EGA）参加方代表团团长会议，就EGA谈判进行盘点，并就下一步谈判进行讨论。
5月5日	俞建华大使出席世贸组织总理事会会议，讨论贸易谈判委员会主席报告、巴厘岛协议实施、第十届部长级会议（MC10）后勤问题等议题。
5月6日、8日和12日	俞建华大使出席澳大利亚大使麦考米克召集的由阿泽维多总干事、农业和非农谈判机构主席与主要六方（中国、美国、欧盟、印度、巴西、日本）大使参加的小范围会谈，各方就多哈回合“后巴厘”工作计划交换了意见。
5月7日、8日和11日	俞建华大使出席阿泽维多总干事召集的主要成员大使“绿屋”会，分别就“后巴厘”工作计划的规则、服务和发展等议题举行了磋商。
5月29日	俞建华大使出席阿泽维多总干事召集的主要成员大使“绿屋”会，就“后巴厘”工作计划的最不发达国家议题举行了磋商。
6月4日	王受文副部长率团出席在法国巴黎举行的世贸组织小型部长会，各方就多哈回合“后巴厘”工作计划进行讨论，阐述中方立场。俞建华大使参加了会议。
6月5日	俞建华大使出席澳大利亚大使麦考米克在法国巴黎召集的中国、美国、欧盟、印度、巴西、日本主要六方高官会，重点就“后巴厘”工作计划农业议题进行了讨论。
6月11日	俞建华大使出席澳大利亚召集的世贸组织总干事阿泽维多与主要六方参加的大使级磋商，各方就多哈回合农业国内支持问题进行辩论。总理事会主席、农业和非农谈判主席列席会议。
7月1日	俞建华大使出席世贸组织“促贸援助”全球审议，并参与嘉宾讨论。
7月15日	俞建华大使出席世贸组织总干事阿泽维多召集的磋商，讨论《信息技术协定》（ITA）扩围谈判下一步工作。
9月4日	俞建华大使向世贸组织总干事阿泽维多递交了中国接受《贸易便利化协定》议定书的文书，中国成为第16个批准《贸易便利化协定》的世贸组织成员。
9月14日	王受文副部长在瑞士日内瓦分别会见世贸组织总干事阿泽维多，美国国际贸易谈判副代表、常驻世贸组织大使庞克，国际贸易与可持续发展中心总裁梅林德，俞建华大使参会。
9月29日	俞建华大使出席阿泽维多总干事召集的最不发达国家议题“绿屋”磋商，各方就内罗毕会议最不发达国家协议问题进行了辩论。
10月5日	商务部高虎城部长在土耳其伊斯坦布尔会见出席二十国集团（G20）贸易部长会议的肯尼亚外长阿明娜、土耳其经济部长泽伊贝科奇、印度商工部长希塔拉曼、印尼贸易部长伦邦、南非贸工部长戴维斯、世贸组织总干事阿泽维多，就多哈回合谈判等问题交换了意见。王受文副部长、俞建华大使参会。

续 表

10月5日	高虎城部长在伊斯坦布尔出席世贸组织“七方”部长会议，与会各方重点就MC10成果以及MC10之后的多哈回合走向展开了讨论。俞建华大使参会。
10月16日	国务院副总理汪洋在中南海紫光阁会见来访的世贸组织总干事阿泽维多，就世界经济、国际贸易、多边贸易体制等问题交换了意见。高虎城部长、副部长王受文、常驻世贸组织大使俞建华等陪同。
10月16日	高虎城部长与来华访问的世贸组织总干事阿泽维多举行会谈，就推动多边贸易谈判、世贸组织第十届部长级会议等交换意见，王受文副部长、俞建华大使陪同。
10月26日	俞建华大使会见总干事协调人（哥伦比亚、挪威和肯尼亚大使），阐述中方在内罗毕部长会议成果及后内罗毕工作方面的立场。
10月27日	俞建华大使召集金砖国家驻世贸组织大使工作午餐，协调金砖国家参与世贸组织多哈谈判的立场。
10月28日	俞建华大使出席澳大利亚召集的世贸组织“七方”大使级工作午餐，各方就内罗毕多哈谈判成果及后内罗毕议程设计问题进行辩论。
11月3日	俞建华大使出席阿泽维多总干事召集的全体成员代表团团长会议，通报了MC10部长宣言起草工作有关设想。
11月4日	俞建华大使出席阿泽维多总干事召集的最不发达国家“绿屋”磋商，就最不发达国家集团刚刚提交的谈判案文进行磋商。
11月5—6日	俞建华大使出席阿泽维多总干事召集的全体成员代表团团长会议，就MC10部长宣言案文进行磋商。
11月24日	俞建华大使出席农业谈判机构主席、新西兰大使维塔利斯召集的“七方”大使级磋商，就农业出口竞争问题进行讨论。
12月13日	俞建华大使在肯尼亚内罗毕出席“最不发达国家加入世贸组织中国项目第四届圆桌会议”。
12月14日	王受文副部长在肯尼亚内罗毕出席“最不发达国家加入世贸组织中国项目第四届圆桌会议”高层论坛。
12月14日	王受文副部长代表高虎城部长出席世贸组织ITA扩围谈判参加方举行的部长级磋商，各方就尽快结束ITA扩围谈判表达了立场。俞建华大使参会。
12月15日	高虎城部长率领中国代表团在肯尼亚内罗毕出席世贸组织第十届部长级会议。商务部副部长王受文、常驻世贸组织大使俞建华、农业部副部长屈冬玉、财政部部长助理邹加怡等出席会议。
12月16日	高虎城部长在世贸组织第十届部长级会议全会上发言，王受文副部长、俞建华大使等陪同参加。
12月16日	高虎城部长在内罗毕与阿泽维多总干事进行会谈，双方就ITA扩围谈判交换意见，王受文副部长、俞建华大使陪同参加。
12月16日	常驻世贸团俞建华大使代表高虎城部长在内罗毕出席金砖国家部长级会议，各方就内罗毕会议成果及多哈回合前景等问题交换了意见。
12月16日	王受文副部长在内罗毕与阿泽维多总干事进行会谈，双方就多哈回合农业谈判深入交换意见。俞建华大使参会。
12月16日	王受文副部长在内罗毕出席世贸组织第十届部长级会议代表团团长会，各方在会上就内罗毕会议成果、多哈回合谈判走向等问题进行辩论。俞建华大使参会。
12月17日	王受文副部长在内罗毕出席农业谈判议题代表团团长会，并在会上阐述中方对农业谈判最新案文的立场。俞建华大使陪同参加。
12月17日	王受文副部长在内罗毕出席阿泽维多总干事召集的主要成员（中国、美国、欧盟、印度、巴西）“绿屋”磋商。俞建华大使参会。
12月18日	农业部屈冬玉副部长在内罗毕出席棉花议题代表团团长级磋商，阐述中方对在世贸组织框架内解决棉花议题的立场。俞建华大使参会。

（商务部世界贸易组织司）

附录二：中国自贸区建设总体情况

在2001年正式加入世贸组织后，为在新时期寻求对外开放的新平台，为改革发展提供新动力，我国顺应世界区域经济一体化快速发展的新特点，积极稳妥推进自贸区建设。经过十来年发展，我国自贸区建设取得了积极进展，初步形成了周边自贸平台和全球自贸区网络。

截至2015年底，中国已签署并实施的自贸协定有14个，共涉及22个国家和地区。这些协定分别是中国与东盟、新加坡、巴基斯坦、新西兰、智利、秘鲁、哥斯达黎加的自贸协定，内地与香港、澳门的更紧密经贸关系安排，以及大陆与台湾的海峡两岸经济合作框架协议，涵盖我国外贸总额38%。同时，我国正在进行谈判的自贸协定有8个，共涉及26个国家。这些谈判分别是区域全面经济伙伴关系协定（RCEP），中国与日本、韩国、海湾合作委员会、挪威、马尔代夫、斯里兰卡、以色列、格鲁吉亚的自贸谈判。我国正在开展与巴基斯坦的自贸区第二阶段谈判以及与新加坡的自贸区升级谈判，正与哥伦比亚、摩尔多瓦、斐济、尼泊尔等国开展自贸区联合可行性研究，同时与新西兰、智利开展自贸区升级联合研究或评估，并进行亚太自贸区（FTAAP）集体战略研究。此外，我国还加入了《亚太贸易协定》（APTA）。

（商务部国际司）

附录三：WTO 年度大事记（2015）

◇ 2015 年 1 月

1 日

阿泽维多：WTO 20 年促进贸易增长

总干事阿泽维多指出 2015 年将纪念世界贸易组织成立 20 周年：“多年来，WTO 有助于促进贸易增长，解决了许多贸易争端，支持发展中国家融入贸易体系。它还提供了一个反对保护主义的堡垒，其价值在应对 2008 年危机的贸易政策中尤为明显，与以往危机之后的保护主义恐慌相比，本次危机时世界是非常平静和克制的。的确，当全球经济比以往任何时候都更加相互联系的时候，很难想象没有世界贸易组织的世界。”

16 日

阿泽维多：印度的支持对于今年的谈判尤为“关键”

2015 年 1 月 16 日，总干事阿泽维多在印度工业联合会举办的伙伴关系峰会上说：“世贸组织被认为是符合发展中国家利益的。所以我们必须在这些努力中取得成功——就像以往一样，印度的领导层将是至关重要的。”

19 日

WTO 在日内瓦总部开设高级贸易政策课程

2015 年 1 月 19 日—3 月 12 日，来自全球的 25 位官员参加了在日内瓦由 WTO 秘书处举办的为期 2 个月的高级贸易政策课程。该课程是由赞助人挪威大使 Harald Neple 以及培训和技术合作学院（ITTC）院长 Bridget Chilala 女士主持。

◇ 2015 年 2 月

5 日

WTO 成员开始制定政策落实巴厘决议中有关最不发达国家的服务豁免

2015 年 2 月 5 日，世贸组织服务贸易理事会高级别会议上，成员们讨论了一些措施，为最不发达国家的服务出口提供优惠待遇，以支持这些国家的服务贸易增长。这是落实巴厘决议支持最不发达国家的重要一步，目标是提高他们参与世界服务贸易的能力。

12 日

副总干事易小准启动伊斯坦布尔比尔吉大学 WTO 教席项目

2015 年 2 月 12 日，副总干事易小准在土耳其伊斯坦布尔比尔基大学法学院启动了世贸组织教席项目。他表示希望“世贸组织的贡献将对进一步发展学术课程、促进新的研究计划，以及将这些增强的机构能力与土耳其和本地区其他大学及研究机构联系起来发挥作用。”

17 日

阿泽维多：议员们的参与对于 WTO 工作“至关重要”

2015 年 2 月 17 日，总干事阿泽维多在世贸组织举行的世贸组织议会大会致辞中，指出：“你们所参与的工作至关重要，我们从你们那里听到了我们在这里服务的人民的声音。”他呼吁议员们继续支持世贸组织，其中包括批准《贸易便利化协定》和对发展中国家成员《与贸易有关的知识产权协定》的修订。总干事补充说，今年世贸组织将加强议会外联方案，并已计划在新加坡、毛里求斯、约旦和摩洛哥举行会议。

20 日

阿泽维多督促 WTO 成员转向结束多哈发展回合的解决方案

2015 年 2 月 20 日，阿泽维多在总理事会会议上，敦促 WTO 成员在制订结束多哈回合的工作方案时“更加专注和更加互动”。他说：“我们必须以开放和建设性的态度相互交流，我们必须准备好探索方案。”他补充说，谈判小组的主席将在未来几周继续推进这项工作。

24 日

最穷国家寻求更多的药品专利时间，成员们讨论妇女和创新

2015 年 2 月 24 日至 25 日，世贸组织成员召开知识产权理事会会议。会议上，最不发达国家提出延长保护和执行药品专利和临床数据的期限；与会代表就促进妇女在创新中的作用的政策交换了信息。

◇ 2015 年 3 月

6 日

阿塞拜疆加入谈判需要超越常规

工作组主席 Walter Lewalter 大使（德国）于 2015 年 3 月 6 日向世贸组织成员告知："我们必须超越常规，以结束阿塞拜疆加入谈判。"他赞扬阿塞拜疆为使贸易制度符合世贸组织规则所采取的步骤，并呼吁加入的政府和成员进行改革。

9 日

WTO 在日内瓦开设 TBT 协议高级培训课程

贸易和环境司与训练和技术合作研究所（ITTC）共同组织的《技术性贸易壁垒协议》高级课程将于 2015 年 3 月 9 日至 20 日在日内瓦举行。来自世界各地的 29 名与会者，参与 TBT 协议的技术或政策层面的人员参加了课程。

11 日

关于数量限制你想知道的一切

世贸组织创建了一个专门针对数量限制问题的新网页，政府对可交易商品的数量或价值进行限制的措施可能采取不同的形式（配额、禁令、自愿出口限制等），并且必须以新的程序向世贸组织通报。

16 日

WTO 和 WIPO 为政策制定者启动了知识产权高级培训课程

2015 年 3 月 16 日，为政府官员开设的知识产权高级培训课程启动，旨在提高发展中国家和经济转型国家政府发展知识产权专门知识的能力。

18 日

在食品安全、动物和植物卫生方面批准的新的 5 年援助计划

五家机构及其合作伙伴共同运营一个方案，该方案旨在帮助发展中国家达到国际食品安全和动植物卫生标准，现在已经批准了旨在进一步加强安全贸易的 2015—2019 年计划。

19 日

阿泽维多强调 WTO 向最贫穷国家提供贸易项目的承诺

2015 年 3 月 19 日，阿泽维多在加强综合框架（EIF）的"全球平台"会议的闭幕式上发言。他指出："我们可以感到自豪的是，EIF 正在变得更灵活、更有效率、更有效和更适应于最不发达国家的具体需求。"他呼吁与会者"继续共同努力，确保 EIF 的第二阶段是我们大家都想看到的主要成功案例"。

24 日

阿泽维多：区域倡议不能替代多边贸易体制

2015 年 3 月 24 日，阿泽维多在拉脱维亚里加斯德哥尔摩经济学院的讲座中指出，双边和区域贸易协定一直在"快速增长"，但是"有许多大问题只能通过世贸组织的多边背景得以解决"。他援引"巴厘《贸易便利化协定》"为例，说：世界贸易面临的大面积挑战是"全球问题需要全球解决"。

鼓励各成员接受世贸组织的《贸易便利化协定》

世贸组织成员于 3 月 24 日报告了目前正在努力正式接受新的《贸易便利化协定》（TFA），许多国家肯定希望在今年 12 月在内罗毕举行的世贸组织第十届部长级会议上看到协议生效。

30 日

成员结束对三个区域贸易协定的口头审议

2015 年 3 月 30 日，区域贸易协定委员会完成了对涵盖商品和服务的三项区域贸易协定的口头审议。

◇ **2015 年 4 月**

1 日

塞舌尔成为第 161 位世贸组织成员

2015 年 3 月 24 日，塞舌尔共和国的国民议会一致通过了《塞舌尔共和国加入世界贸易组织议定书》。3 月 25 日，总统詹姆斯·米歇尔（James Michel）在塞舌尔维多利亚马埃岛的部长内阁全体会议上，签署了加入议定书的文件，确认了加入世贸组织的成员资格。米歇尔总统将这一文件交给了世贸组织加入司的负责人，由他代表世贸组织总干事罗伯托·阿泽维多接受了这一文件。

8 日

阿泽维多：二十年来 WTO 已经取得了巨大成就，但还“可以做得更多”

2015 年 4 月 8 日，在摩洛哥马拉喀什举行的世贸组织成立二十周年的非洲贸易部长会议上，总干事阿泽维多说：“我们需要做更多的工作来帮助发展中国家，特别是在非洲，以贸易作为成长与发展的手段……我们需要加快谈判工作。”他补充说，今年世贸组织面临的主要挑战和里程碑的积极成果将成为纪念二十周年的最佳途径。

13 日

在巴巴多斯的布里奇顿召开区域贸易政策课程

来自加勒比地区的 21 名与会者于 2015 年 4 月 13 日至 6 月 5 日期间参加了世贸组织为加勒比国家举办的为期两个月的区域贸易政策课程（RTPC）。该课程在位于巴巴多斯布里奇顿的西印度群岛大学举行，该大学与 Shridath Ramphal 贸易、法律、政策和服务中心合作。

14 日

成员们支持关于“规则”在巴厘后工作计划中所起作用的会议

2015 年 4 月 14 日，世贸组织成员同意由谈判小组主席 Wayne McCook（牙买加）主席提出的建议，即世贸组织秘书处在 5 月 4 日上午举行关于规则谈判的信息通报。这将是在谈判小组讨论后巴厘工作计划中所设想的规则的一个单独的“开放式”讨论。

17 日

世贸组织和粮农组织宣布加强贸易和粮食安全合作

2015 年 4 月 17 日，总干事罗伯托·阿泽维多在日内瓦会见了联合国粮食及农业组织（粮农组织）总干事何塞·格拉齐亚诺·达席尔瓦（José Graziano da Silva），双方一致同意加强在贸易和粮食安全问题上的合作努力。

21 日

副总干事 Agah：促贸援助审议可促进《贸易便利化协定》的实施

2015 年 4 月 21 日，WTO 副总干事 Yonov Frederick Agah 在伊斯兰发展银行集团举行的第五次全球贸易援助审查会议上做开幕致辞，他提出要重点关注发展中国家的贸易便利化问题，并强调了即将进行的审查的重要性。

WTO 在吉尔吉斯共和国设立了新的信息咨询中心

2015 年 4 月 21 日，世贸组织在吉尔吉斯共和国比什凯克经济部开设了新的咨询中心。该中心由经济部长萨里耶夫（Temir Sariev）负责，他表示：“咨询中心将为政府代表、私营部门、学术界和公众提供有关世贸组织活动的信息，并将作为一个学习中心。”

27 日

WTO 开始征集 2015 公共论坛的提案

2015 年公共论坛将于 9 月 30 日—10 月 2 日在 WTO 总部举办。论坛主题为“贸易工作”。邀请有意在论坛组织会议的与会者于 2015 年 6 月 1 日前提交提案。

WTO 欢迎塞舌尔成为其第 161 位成员

2015 年 4 月 26 日，塞舌尔成为世贸组织第 161 位成员，其与世贸组织成员谈判达成加入协定的时间长达 20 年。总干事阿泽维多说：“我很高兴，也很欢迎塞舌尔共和国成为世贸组织第 161 个成员。这对塞舌尔的经济是好消息，因此对塞舌尔人民是一个好消息。这对世贸组织也是极大促进，我们将加倍努力以完成多哈回合谈判。”

28 日

世贸组织和环境署加强有关贸易和环境问题的对话

2015 年 4 月 28 日，世贸组织总部举行其成立二十周年的贸易和环境主题活动，总干事罗伯托·阿泽维多和联合国环境规划署执行主任阿奇姆·施泰纳（Achim Steiner）先生出席了会议。

◇ **2015 年 5 月**

5 日

阿泽维多发布第十届 WTO 部长级会议标志

2015 年 5 月 5 日，总干事阿泽维多在总理事会会议上发布了第十届世贸组织部长级会议的标志，指出该标志是由肯尼亚政府在内罗毕同时启动的。他表示希望“每当我们看到这个标志时，都会提醒我们非洲和世界各地的很多人，他们指望我们提供实质性的成果”。

23 日

阿泽维多告诫亚太经合组织的部长们，在 7 月的最后期限即将到来之际，要对工作方案采取现实的态度

2015 年 5 月 23 日，总干事阿泽维多警告称，APEC 贸易部长可能对完成多哈发展议程所需的强制性工作计划抱有希望。他说，实现目标的精确程度将取决于成员自己。这是只有成员才能回答的问题。而且，在我们之前，我们为我们面前的重大、棘手的问题找到了概念性解决方案，最终产品将会更好。让我们清楚地知道，赌注确实很高。巴厘岛给了我们新的生命，但它只是沿着路走出的一步，而不是终点。

27 日

WTO 为新的《贸易便利化协定》提供专门的网站

世贸组织已经启动了一个新的网站，它将成为 WOT 成员、捐赠者和其他寻求信息的新贸易便利化协定基金（TFAF）的焦点。

◇ **2015 年 6 月**

1 日

WTO 延长了 2015 年公共论坛的建议收集时限

WTO 将为 2015 年公共论坛提供建议的时限延长至 2015 年 6 月 19 日。2015 年公共论坛将于 9 月 30 日至 10 月 2 日召开。论坛的主题是“贸易工作”。

贸易便利化协定基金吸引“大力支持”

总干事阿泽维多在 6 月 1 日与大使们的会议上向世贸组织成员详细提供了更新的世贸组织贸易便利化协定基金的内容。他还欢迎英国和挪威最近宣布的新资金，以及奥地利已经提供的新资金。

高级贸易政策课程在日内瓦开课

2015 年 6 月 1 日至 7 月 23 日，来自世界各地的 26 名政府官员参加为期两个月的高级贸易政策课程（ATPC）。该课程是世界贸易组织“渐进学习计划”中最高水平的培训（第 3 级），该课程由加拿大的赞助人、加拿大常驻世贸组织代表 Jonathan T. Fried 和培训与技术合作研究所（ITTC）主任布里吉特·奇拉拉（Bridget Chilala）女士联合主持结课仪式。

2 日

WTO 为学生举办最后一轮争端解决竞赛

来自世界各地的法律专业人士于 6 月 2 日至 7 日在日内瓦齐聚，参加由欧盟法律学生联合会（ELSA）举办的模拟 WTO 法庭比赛的最后一轮比赛，终轮比赛得到世贸组织及其法律部门的支持。印度加尔各答的西孟加拉邦国立大学的法学院被评为获奖队伍。

11 日

主席欢迎《贸易便利化协定》下的新通报

66 个发展中国家和最不发达国家的成员已经向世贸组织提交了关于新《贸易便利化协定》（TFA）的条款的通报，通报内容是他们打算在该协定生效后实施的相关措施。

14 日

WTO 欢迎 Merci Geneve 开放日到访的约 3000 名访客

2015 年 6 月 14 日周日 Merci Geneve 开放日，世贸组织工作人员和世贸组织成员欢迎大约 3000 名参观者到访。作为世贸组织 20 周年纪念活动的一部分，该活动为世贸组织感谢日内瓦及其人民在

过去20年里慷慨地接纳该组织。

15日

WTO报告G20贸易限制“轻微减速”，但要求继续保持警惕

世贸组织关于二十国集团贸易措施的第十三次贸易监测报告于6月15日发布，显示20国集团经济体采用新的贸易限制措施略有减少，每月适用平均数量比2013年以来任何时候都低。报告还强调，目前还不清楚这种减速是否会持续下去，要求二十国集团领导人继续保持警惕，加强决心，消除现有的贸易限制。

黑山批准了世贸组织《政府采购协定》修订草案

黑山已经批准了世贸组织修订的《政府采购协议》（GPA），并将从下个月开始的新的市场准入机会和其他条款中受益。黑山的世贸组织大使佐里卡·马里奇-吉尔吉耶奇（Zorica Marić-Djordjevic）在6月15日向世贸组织总干事罗伯托·阿泽维多提交了该国的加入书。

16日

WTO在黎巴嫩开设新的咨询中心

2015年6月16日，世贸组织在黎巴嫩贝鲁特经济贸易部开设了新的世贸组织信息咨询中心。该中心由经济贸易部长Alain Hakim负责。他说：“中心将提高对世贸组织问题的认识，将更加容易了解世贸组织成员和加入国家的贸易信息和统计数据。我呼吁所有涉及经贸问题的官员和学术界利用这一资源。”

世贸组织更新了喀麦隆的咨询中心

2015年6月16日，世贸组织在喀麦隆雅温得贸易部对咨询中心进行了更新，并举办了为期四天的国家讲习班以及通报研讨会。世贸组织专家为政府官员提供了关于使用世贸组织在线资源的培训，包括世贸组织网站和数据库，并就通报程序提供指导。

18日

WTO宣布第五次全球贸易援助审议大会议程

2015年6月18日，WTO宣布第五次全球贸易援助审议大会的议程，此次大会将于2015年6月30日至7月2日召开。大会的议题是“为包容性增长和可持续发展降低贸易成本”。这次的审议将将侧重于贸易成本如何影响发展中国家的竞争力及其与区域和全球价值链的链接能力。

19日

秘书处发布关于成员数量限制的报告

根据世贸组织秘书处的报告，27名成员向WTO通报了进出口总量的731个数量限制（QR），其中大部分限制采取进出口禁令和非自动许可证程序的形式。

22日

WTO开通2015年度公共论坛网上注册

将于9月30日至10月2日在世贸组织日内瓦总部举行的2015年度公共论坛的在线注册现已开放。今年的论坛主题为“贸易工作”，将审议世贸组织20年全球贸易合作对世界经济实力和稳定所做出的贡献。

WTO—CITES共同出版物标志着双方可持续发展20年的合作

2015年6月22日，WTO和CITES在设在日内瓦的世贸组织总部由世贸组织总干事RobertoAzevêdo与CITES秘书长约翰·斯科朗（John E. Scanlon）共同发布了《濒危物种贸易公约与WTO：促进可持续发展合作》。新出版物说，世贸组织与《濒危野生动植物物种国际贸易公约》（CITES）之间的关系是全球贸易和环境政策如何相互支持和成功合作、实现共同目标的一个主要例子。

26日

阿泽维多：ITC是多边贸易体制的重要合作伙伴

2015年6月26日，总干事阿泽维多在向国际贸易中心（ITC）联合咨询小组致辞时表示，世贸组织与ITC和联合国贸易与发展会议“有责任确保贸易继续发挥其在发展议程中的充分作用，并继续以非常具体和实际的方式改善世界各地人民的生活。”

29 日

全球贸易援助审议于 6 月 30 日启动

2015 年 6 月 30 日，世贸组织总部第五次全球贸易援助审议正在进行。为期三天的活动将汇集来自世界各地的 1000 多名与会者，审议为减少贸易成本而采取的行动，以便发展中国家，特别是最不发达国家，可以更有效地参与全球贸易。

◇ **2015 年 7 月**

1 日

阿泽维多：欢迎推出新的 EIF 来支持最不发达国家

2015 年 7 月 1 日，世贸组织发布加强综合框架（EIF）的新阶段，即最不发达国家的贸易计划，新的标语为“最不发达国家的贸易发展”。第二期将于 2016 年至 2022 年期间推出，因为挪威承诺捐赠 1.5 亿挪威克朗（1900 万美元）以支持 EIF 的工作，帮助最贫穷国家实现可持续发展。

2 日

WCP 援助贸易方面事件

在第五届贸易援助全球审议会议期间，技术合作研究所（ITTC）和经济研究统计司（ERSD）于 2015 年 7 月 1 日共同举办研讨会。本次活动的主要目的是为世贸组织主席进行的研究，使主席熟悉贸易援助倡议和贸易便利化进程，促进决策者与学者之间的互动。

3 日

贸易的复杂性越来越高，推动良好数据的需求

全球贸易的复杂性日益增加，体现在全球价值链的崛起，正在推动对更好的贸易数据的需求。在 7 月 3 日的“贸易数据日”，世贸组织副总干事易小准强调良好的决策数据的重要性。

13 日

阿泽维多呼吁联合国发展融资峰会在贸易融资方面“缩小差距”

2015 年 7 月 13 日，世贸组织总干事阿泽维多在亚的斯亚贝巴举行的第三次发展筹资国际会议的开幕式上介绍了提供贸易融资方面存在的主要差距，特别是在非洲和亚洲，这可能对增长和发展产生重大影响。他呼吁发展伙伴继续共同努力，弥合这些差距。

新西兰批准了修订的《政府采购协议》

新西兰批准了世贸组织修订的《政府采购协议》（GPA），并将从下个月开始的新的市场准入机会和其他条款中受益。并于 7 月 13 日向世贸组织秘书处提交了该国的加入书。

15 日

WTO 为内罗毕部长级会议开放非政府组织认证

世贸组织已经开放了希望参加将于 2015 年 12 月 15 日至 18 日在肯尼亚内罗毕举行的第十次部长级会议的非政府组织的认证程序。

17 日

世贸组织秘书处与世界卫生组织和世界知识产权组织合作召开为期五天的贸易和公共卫生讲习班

世贸组织秘书处与世界卫生组织（WHO）及世界知识产权组织（WIPO）秘书处密切合作，于 2015 年 10 月 26 日至 30 日在日内瓦召开为期五天的贸易和公共卫生讲习班。讲习班是一系列知识产权与公众年度研讨会的组成部分，自 2005 年以来世贸组织秘书处组织的健康以 2014 年 11 月 24 日至 28 日在世贸组织举行的第一届贸易和公共卫生讲习班。

20 日

WTO 贸易政策分析课程正在日内瓦开展

世贸组织第二个贸易政策分析专题课程正在 2015 年 7 月 20 日至 28 日在世界贸易组织驻日内瓦总部举行，由来自世界各地的 29 名参加者参加。

23 日

2015 年世贸组织年度报告现已作为应用程序（APP）提供

世贸组织已经发布了其 2015 年度报告作为下载到您的平板电脑的应用程序。该应用程序包含年度报告的全文以及互动功能，如照片画廊、视频、音频和互动地图。

24 日

WTO 成员达成了 1.3 万亿美元的 IT 贸易协议

2015 年 7 月 24 日，世贸组织代表信息技术产品主要出口国的成员达成一致，同意消除 200 多种此类信息技术产品的关税。

29 日

阿泽维多为非居民成员和观察员开放了第 30 届“日内瓦周”

2015 年 7 月 29 日，阿泽维多总干事为世贸组织成员和在日内瓦没有常驻代表团的观察员开启了为期一周的“日内瓦周”活动。他向与会者介绍了近期世贸组织的发展情况，特别是关于消除 201 个信息技术产品的关税和总理事会关于哈萨克斯坦入世的绿灯协议。他说，发展将是 12 月部长级会议的关键问题。

30 日

WTO 更新其统计数据库（含 2014 年修订数据）

2015 年 7 月 30 日，世贸组织更新了其统计数据库，其数据库现已包括 2014 年关于全球出口和进口货物以及商业服务贸易的修订数据。数据可按国家和地区使用。有关商品贸易的更广泛数据将在 9 月 1 日之前提供，进一步细分。

◇ 2015 年 8 月

20 日

2015 年公共论坛将举行 90 场会议

在世贸组织日内瓦总部举行的 2015 年世贸组织公共论坛，时间定于 9 月 30 日至 10 月 2 日，届时将共举办 90 次会议。作为“贸易工作”主题，论坛将重点讨论贸易如何运作，为什么进行，以及为谁进行贸易。这些会议将由包括世贸组织成员、企业、非政府组织、学术界、律师事务所和国际组织在内的广泛参与者组织。

31 日

世界卫生组织、世界知识产权组织和世贸组织共同反思二十年来 TRIPs 和公共卫生方面的经验教训

世界卫生组织（WHO）、世界知识产权组织（WIPO）和世贸组织在其发起三方合作计划的织 5 年后，将举办题为“公共卫生、知识产权与 TRIPs 20 周年：创新与药品准入；历史教训与展望未来”的研讨会，研讨将于 2015 年 10 月 28 日在日内瓦举行。

◇ 2015 年 9 月

8 日

经济研讨会在南非西北大学举行

根据世贸组织主席 Wilma Viviers 教授的倡议，2015 年 9 月 8 日至 11 日在南非波切夫斯特鲁姆的西北大学举办了讲习班。

10 日

WTO 宣布 2015 年青年经济学家学术论文奖获胜者

WTO 宣布 2015 年青年经济学家学术论文奖获胜者为 Christoph Boehm，Aaron Flaaen 和 Nitya Pandalai-Nayar。他们的合作论文为“输入联系和震荡传播：2011 年（日本）东北地震的企业层级证据”，评选专家组赞扬了所提交论文的高质量。三人共享 5000 瑞士法郎的奖金。

11 日

上海大学联合主办的“WTO 与健康”会议

2015 年 9 月 11 日，在中国上海召开了“世贸组织健康：中医药法律与政策”会议。会议由上海国际经济贸易大学（SUIBE，世贸组织教席项目成员）和布鲁塞尔自由大学共同主办。由上海市全球贸易经济管理中心和 SUIBE 世贸组织研究与教育学院共同承办。

21 日

第十届部长级会议的媒体认证现已开放

希望参加 2015 年 12 月 15 日至 18 日在内罗毕（肯尼亚）举行的世贸组织第十届部长级会议的媒体成员现在可以申请认证。接收申请的截止日期为 2015 年 12 月 1 日。

阿泽维多：世贸组织和贸发会议联合支持发展

2015 年 9 月 21 日，总干事阿泽维多在贸发会议（UNCTAD）贸易和发展理事会发表的演讲中

说，世贸组织和贸发会议将“发展成为我们所有工作的核心”统一起来。“我们致力于加强我们组织之间的伙伴关系，我们要确保贸易和发展是携手并进的”。

25 日

公共论坛计划现已推出

9 月 30 日至 10 月 2 日，世贸组织 2015 年公共论坛将在世贸组织总部举行，为“贸易工作”主题提供一个讨论平台。包括 88 场会议的会议主题及演讲嘉宾等信息的具体议程已经在 WTO 网站上发布。

28 日

阿泽维多：如果世贸组织不存在，就必须被发明出来

2015 年 9 月 28 日，在日内瓦研究生院开设的学术年会上，总干事阿泽维多表示：多边贸易体制自 WTO 成立以来已经走了很长的路，“但是，过去二十年来该制度的成就不能保证未来的成功。”他补充说，世贸组织成员必须表现出坚定的承诺，确保“世贸组织将继续成为全球经济治理的重要支柱”。

30 日

阿泽维多：WTO 的加入工作是本组织的成功案例

2015 年 9 月 30 日的公众论坛第 1 天，WTO 发布了名为《加入世界贸易组织和多边主义：案例研究和 WTO 20 年的经验教训》的新出版物。总干事阿泽维多强调，自世贸组织 20 年前成立以来，已有 33 个经济体加入世贸组织，占世贸组织成员总数约 20%。

公共论坛第一天：全体辩论突出表明合作才能使贸易更具包容性

所有小组成员在 9 月 30 日举行的世贸组织 2015 年公共论坛全体辩论中同意，需要更多的合作来确保贸易的利益。在开幕式全体辩论中强调了各国政府间多边合作的需要，同时在下午就商业贸易工作的辩论中强调了公私部门对话的重要性。

◇ **2015 年 10 月**

1 日

WTO 20 年，谈判代表反思知识产权与贸易的突破性谈判

2015 年 10 月 1 日公共论坛第二天，总干事阿泽维多发布了题为“制定 TRIPs 协定：乌拉圭回合谈判的个人见解”的新出版物。他强调，WTO 的《与贸易有关的知识产权协定》（TRIPs）将知识产权实务和综合纪律纳入多边贸易体系，并对世界各国的知识产权制度——发展中经济体发生的重大变化——带来了深入的影响。

公共论坛第二天：讨论贸易便利化和知识产权

《贸易便利化协定》的批准和《与贸易有关的知识产权协定》（TRIPs）提供的企业法律保障的重要性是今年公共论坛上讨论的两个重要议题。

7 日

非政府组织还有 10 天时间注册内罗毕部长级会议

为希望参加世贸组织肯尼亚内罗毕第十届部长级会议的非政府组织的登记将于 2015 年 10 月 16 日关闭。

约旦大学组织了关于贸易便利化的会议

世贸组织教席计划第五届“阿拉伯区域贸易便利化”会议由约旦大学及其商学院于 2015 年 10 月 7 日在安曼举办。会议由商学院的 De Zu'bi AL-Zu'bi 博士、世贸组织教席 Taleb Awad Warrad 博士、约旦大学校长 Ekhleif Tarawneh 博士和 WTO 首席统计学家 Hubert Escaith 博士主持。

12 日

世贸组织和贸发会议签署关于加强贸易和发展合作的宣言

2015 年 10 月 12 日，联合国贸发会议（UNCTAD）秘书长穆赫希·基图伊（Mukhisa Kituyi）和世贸组织总干事阿泽维多在世贸组织驻日内瓦总部签署了关于在贸易和发展领域加强合作的联合声明。

26 日

全面迅速执行《贸易便利化协定》可以带来很大的红利

世贸组织 2015 年 10 月 26 日在日内瓦发布《世界贸易报告》，该报告第一次基于对最终协议文本的全面分析，对《贸易便利化协定》（TFA）的实施所带来的潜在影响进行了详细研究，该协定的实施有可能将全球商品出口每年增加高达 1 万亿美元。重要的是，报告还发现，发展中国家将从《贸易便利化协定》（TFA）获益匪浅，占据一半以上的收益。

29 日

WTO 出版其年度贸易和关税数据

2015 年 10 月 29 日，世贸组织在线发布新版的主要统计出版物：《国际贸易统计》《贸易概况》《世界关税概况》和《服务贸易概况》。这四份出版物提供了有关世界贸易最新的详细数据。

◇ 2015 年 11 月

2 日

WTO 教席计划年会正在进行中

2015 年 11 月 2 日，世贸组织与学术机构之间的伙伴关系年度会议开始，盘点了该方案的成果。本次会议由副总干事易小准主持，未来将召开更多的合作活动和合作项目，并启动整个发展中国家的区域项目。2010 年开始实施的“教席计划”，现在有 21 个参与机构，旨在加强发展中国家学者和学生对多边贸易体制的了解和理解。

WTO 报告揭示 G20 国家的贸易限制措施总量继续增加

2015 年 11 月 2 日，WTO 发布了关于二十国集团（G20）贸易措施的第十四次贸易监测报告。该报告显示，G20 国家新的贸易限制措施的应用比上一个报告期稳定。虽然报告显示，G20 国家在引入新的贸易限制方面相对克制，但措施的储备继续增加。由于全球经济前景不明朗，对国际贸易继续造成负面影响，报告呼吁二十国集团领导人履行保护措施，不再实施新的保护主义措施，并撤回现有的贸易限制措施。

世贸组织和粮农组织合作开展贸易和食品安全

2015 年 11 月 2 日，世贸组织的领导人和联合国粮食及农业组织（FAO）宣布就贸易和食品安全问题展开合作协议。WTO 总干事阿泽维多和粮农组织总干事何塞·格拉西亚诺·达·席尔瓦（José Graziano da Silva）在粮农组织罗马总部达成了协议，即两个组织将研究卫生和植物检疫标准以及食品安全如何促进贸易和发展。

9 日

阿泽维多向约翰·杰克逊教授致敬

总干事罗伯托·阿泽维多今天向密歇根大学和乔治城大学法律中心（Georgetown University Law Centre）的法学教授约翰·杰克逊（George Jackson）致敬，他是全球贸易体制的伟大知识建筑师之一。杰克逊教授于 2015 年 11 月 7 日逝世，享年 83 岁。

10 日

WTO 争端案件达到 500 起

WTO 成立二十周年之际，WTO 收到的贸易争端解决案件已经多达 500 起，这具有里程碑的意义。总干事阿泽维多表示：“这表明，各成员对世贸组织的争端解决机制信心十足，他们认为这是一个公平、有用和高效的解决贸易问题的机制。”

11 日

WTO 开设服务贸易高级课程

2015 年 11 月 9 日至 13 日，世贸组织开设服务贸易高级课程，来自世界各地的 30 名与会者参与了课程。

19 日

世贸组织教席项目在阿根廷举办贸易和环境讲习班

11 月 19 日至 21 日，世贸组织拉丁美洲社会科学院（FLACSO）主持人在阿根廷组织了一次国际贸易与环境讲习班。研讨会是该机构气候变化经济与法律研究生学位课程的一部分。

25 日

重新任命上诉机构的两名成员

2015 年 11 月 25 日的会议上，争端解决机构同意重新任命印度的Ujal Singh Bathia先生和美国的Thomas Graham先生担任上诉机构法官，任期四年，自2015年12月11日起。

◇ **2015年12月**

9日

WTO报告：贸易限制措施并没有加速，而是取消障碍的步伐缓慢

根据总干事阿泽维多关于贸易相关事态发展的年度报告，WTO成员在引入新的贸易限制措施方面继续受到限制，并在2014年10月至2015年10月期间采取了创纪录的贸易便利化措施。然而，贸易政策审议机构（TPRB）在12月9日会议上讨论的报告引起了对自2008年以来记录的贸易限制措施库存增加的担忧。

14日

捐助者在部长级会议前确认对EIF第二阶段的坚定支持

增强综合框架（EIF）第二阶段的15个捐助国认捐了9000万美元，该框架致力于帮助最不发达国家（LDC）将贸易作为经济增长和减贫的手段。2015年12月14日，世贸组织部长级会议前，在内罗毕举行的认捐会议上，这些捐助国确认了这一支持。EIF的第二阶段将于2016年1月1日开始。

15日

WTO成员敦促内罗毕会议年成为多边外交成功的一年

2015年12月15日，在内罗毕举行的世贸组织第十届部长级会议开幕式上，世贸组织成员敦促，通过实施一系列有利于世界最贫穷区域和促进全球经济增长的贸易协定，使今年成为多边外交成功的一年。

16日

WTO成员签署了1.3万亿美元的《信息技术产品协议》

2015年12月16日，代表信息技术产品主要出口国的世贸组织成员在世贸组织内罗毕第十届部长级会议上商定了执行一项具有里程碑意义的协议的时间表，以消除每年价值超过1.3万亿美元的201个IT产品的关税。

肯雅塔总统恭贺利比里亚的入世获得WTO成员部长的批准

2015年12月16日，在内罗毕举行的世贸组织第十届部长级会议上，肯尼亚总统肯雅塔在一个特别的仪式上恭贺利比里亚的入世获得世贸组织成员部长们的正式批准。利比里亚总统埃伦·约翰逊·瑟利夫（Ellen Johnson Sirleaf）表示，利比里亚“加入世贸组织标志着我们历史上的另一个转折点”，这是实现利比里亚人民“增长和发展愿意”的重要一步。

17日

第十届部长级会议上部长们批准阿富汗的成员资格

2015年12月17日，在内罗毕举行的世贸组织第十次部长级会议（MC10）举行的特别仪式上部长们正式批准了阿富汗加入世贸组织的条件。阿富汗第一副行政长官穆罕默德·汗·拉赫马尼（Mohammad Khan Rahmani）表示，这是阿富汗的历史性的一天，是国家经济政治改革之路的重要里程碑。

19日

世贸组织成员为非洲和世界提供了“历史性”内罗毕一揽子计划

世贸组织成员于2015年12月19日在内罗毕通过了一系列贸易举措的历史性协议，结束了第十次部长级会议。“内罗毕计划”赞扬了肯尼亚的会议主持人，通过这些承诺，该组织最贫穷的成员将特别受益。

22日

学术刊物说明了二十年来WIPO与WTO合作的演变

2015年12月22日，世贸组织与世界知识产权组织（WIPO）缔结合作协定二十周年。这也是最新版本的一系列联合出版物—世界知识产权组织——世贸组织论坛论文的发布日期。

附录四：《世界贸易报告 2015》内容摘要

A. 引言

贸易便利化对于降低贸易成本而言意义重大。目前尽管运输成本急剧下降、信息与通信技术日益完善，许多国家的贸易壁垒也有所减少，但贸易成本仍旧维持在较高水平。

在当今互连互通的全球经济中，为简化、加速和协调贸易流程，进一步实现贸易自由化所做的努力，将促使国际贸易扩张，帮助各国融入日益全球化的生产体系，而不是被孤立在国际贸易的边缘地带。《世界贸易报告 2015》阐明了《贸易便利化协定》（TFA）的重要性、实施该协定带来的经济影响，以及 WTO 如何帮助各国实现贸易便利化带来的最大收益。

《贸易便利化协定》蕴含大幅降低贸易成本的巨大潜力，促进国际贸易和与生产的相应增长。

在全球金融危机爆发近七年之后，全球经济复苏动力依然不足，国际贸易也经历同样的低迷。贸易降速是否源于结构性问题而非单纯的周期性因素成为广泛讨论的议题。《世界贸易报告 2013》指出了未来贸易变革的主要因素，认为贸易成本是这些因素之一（其他因素包括人口、资本积累、自然资源和技术）。这些因素的基础性作用意味着实质性降低贸易成本不仅可以减少全球经济增长阻力，还能拓展全球经济的未来发展路径。

虽然情况如此，但正如 2013 年报告指出的，多种因素导致贸易流量产生变化。技术进步、资本积累和劳动力变动等因素，将比关税或贸易成本变动等因素对贸易流量产生更大的影响。尽管这项研究评估了《贸易便利化协定》对贸易成本变动的潜在影响，我们也需要注意其他因素同样会影响贸易流量，这一影响也可能由于其他因素而放大或抵消。

国际组织和学术文献中对贸易便利化的定义有较大差异，但总体上可以从两个维度定义。从狭义来讲，贸易便利化仅包括边境行政程序的优化。而从广义角度理解，贸易便利化还包括边境后措施的变动。一些关于贸易便利化的定义并没有超出对软基础设施的投资，而其他定义则更多包含了硬件基础设施的投资。

WTO 成员从未对贸易便利化进行正式定义，这既是因为各方很难就此达成共识，也是因为希望将来的工作不会因定义导致偏差。基于 2004 年 8 月通过的谈判授权，协定改善并澄清了 GATT 第 5 条、第 8 条和第 10 条，并引入了海关合作条款，旨在进一步加快包括途中物品在内的货物转移、放行和清关过程。

B. 不同情况下的贸易便利化

WTO 关于贸易便利化的工作经历了多个阶段，从最初相当有限的授权到开展雄心勃勃的谈判，最终通过了一项新的多边协定。

随着全球化生产网络遍及世界，各国越来越认识到需要在贸易便利化方面制定全球规则。长期以来，一些国际论坛经常开展有关贸易便利化改革的讨论，而贸易便利化的多边属性促使 WTO 完成了紧锣密鼓的谈判，最终出台了《贸易便利化协定》。

《贸易便利化协定》的一些条款力图通过明确现实需求，改善和澄清 GATT 的相关框架。其他条款与 GATT 存在更加广泛的专题链接，还有一部分条款采纳了 WTO 其他协定的举措。

《贸易便利化协定》中的特定规则包括：信息的发布和有效性（条款 1）；新颁布或修订的法律和规则生效前的评论机会（条款 2）；预先裁定（条款 3）；上诉程序（条款 4）；非歧视和透明度（条款 5）；费用问题（条款 6）；货物放行与报关

（条款 7）；边境代理合作（条款 8）；货物流转（条款 9）；进口/出口/过境手续（条款 10）；自由过境（条款 11）和海关合作（条款 12）。

为便于实施，《贸易便利化协定》采用创新方式为发展中成员和最不发达国家提供特殊和差别待遇。

《贸易便利化协定》引入了一套分类体系，允许各个发展中成员和最不发达国家自行决定何时实施各自的条款以及需要什么样的能力建设支持。

A 类条款要求发展中成员和最不发达国家在《贸易便利化协定》生效时，明确表示将在协定生效时履行义务（最不发达国家可有一年过渡期）。B 类条款允许发展中成员和最不发达国家在协定生效一定时期后履行义务。C 类条款允许发展中成员和最不发达成员在协定生效一定时期后履行义务，“并需要通过援助和能力建设支持条款来获得实施能力”。

《贸易便利化协定》还具有额外的灵活度，包括发展中成员和最不发达国家有权将 B 类措施转为 C 类措施，《贸易便利化协定》建立了实施理念的新基础，允许各成员根据各自特殊情况决定实施进程。

随着《贸易便利化协定》谈判的结束，各成员的工作重心转移到协定的批准和实施方面。

各成员通过了《贸易便利化协定》生效的一个路线图。第一个里程碑是代表们完成对巴厘岛文本的法律审查并通过了修改议定书，为各国着手国内批准进程扫清道路。一些成员已经完成国内批准，使《贸易便利化协定》更加接近三分之二 WTO 成员批准这一法律生效门槛。

贸易便利化既是 WTO 议程，同样还存在于许多区域贸易协定（RTAs）之中。

如果将 RTAs 中的贸易便利化条款与《贸易便利化协定》相比较，我们会有许多重要的发现。前者通常只涵盖部分《贸易便利化协定》内容，对贸易便利化的定义更加广泛，因此可能涉及《贸易便利化协定》没有包括的领域。而《贸易便利化协定》中具有的、但往往不包括在 RTAs 中的一个非常重要的内容是特殊和差别待遇以及技术援助。在具体条款方面，RTAs 之间也存有许多显著差异，主要表现为条款的实质覆盖范围和承诺的强度及水平。此外，RTAs 中的一些贸易便利化条款可能存在潜在的歧视性效果，虽然鲜有证据表明存在实际的歧视。

总而言之，如上事实表明《贸易便利化协定》一旦实施，将会使贸易便利化基本原则扩展至许多国家，并涵盖许多未加入 RTAs 的国家。在 RTAs 已经覆盖的国家和区域，《贸易便利化协定》并不仅仅是对 RTAs 原则的替代。

RTAs 中普遍缺少特殊和差别待遇以及技术援助条款，加上其薄弱的实施体系，更突显了《贸易便利化协定》注重实施而对贸易便利化产生的影响。

《贸易便利化协定》将通过制定贸易便利化措施的共同标准、减少从属于多个 RTAs 的成员重复管控等来提高实施效率，并减少现存的歧视现象，加强区域和多边层面的互补性。RTAs 中的贸易便利化纪律雄心水平更好、更有针对性，将继续作为《贸易便利化协定》的补充。

诸多国际组织在贸易便利化领域表现活跃，与 WTO 的作用形成互补。

世界银行凭借其在能力建设方面的经验，通过对发展中成员提供融资、收集数据和开发与贸易便利化相关的指标及分析工具来支持《贸易便利化协定》的实施。世界海关组织（WCO）已经开发出多个贸易便利化工具，并对相关进程提出建议，向发展中成员和最不发达国家提供能力建设。联合国贸发会议（UNCTAD）的一项重要贡献是开发并传播了广为使用的海关数据与管理自动化系统（ASYCUDA），以加速海关通关进程。此外，许多其他组织，例如经济合作与发展组织（OECD）通过开发贸易便利化指标并分享研究成果，为增强海关措施的技术知识做出了贡献。

C. 贸易便利化的理论和衡量标准

国际贸易现有模型可以用来更好地理解《贸易便利化协定》的贸易和经济影响。

贸易便利化旨在削减贸易成本。这一成本包括除生产成本之外，最终消费者从生产者中获得一项商品的所有成本。尽管贸易模型有所不同，削减贸易成本对经济效益带来的益处的结论却大同小异。

用于理解贸易便利化效用的最简单的框架是“冰山”模型。这一模型将贸易成本对进口商和出口商造成的商品货值减损比喻为冰山在洋面漂移过程中的融化。低效的贸易流程使进口商为贸易品支付更高价格的同时，出口商却只能获得较低的价格。与关税相比，低效的贸易流程会对经济产生更大的影响，因为就关税而言，进口商所支付的价格与出口商获得的收益之差最终有一部分成为政府的税赋。

如果一国可改善其贸易流程使贸易成本降为零，此价格楔就会消失。由此，进口商能够从更低的货物价格中获利，同时出口商亦可获益于更高的贸易品价格。贸易便利化通过改善各方的贸易条件，增进了进口国与出口国的福利，创造出双赢的局面。

“冰山”模型的分析可扩展到涉及生产、市场以及经济之间复杂关系的更加一般性的问题中。

贸易领域的李嘉图理论和赫克歇尔—俄林理论分别认为，生产力和生产要素禀赋之间的差别为各国在具有比较优势的领域生产和出口产品提供了基础。两个模型均认为，贸易便利化扩展了各国专业化和贸易的范围，赫克歇尔—俄林模型进一步认为，贸易便利化能够提高劳动力资源充裕的发展中成员劳动者的实际收入。

克鲁格曼提出的“新贸易理论”指出，高额的贸易成本会导致贸易缩减，并且会使制造业生产集中于发达国家。这在一定意义上诠释了制造业的规模效应论，即平均生产成本随着产量增加而下降的理论。“新贸易理论”认为，不愿过度依赖农业或自然资源部门的发展中小国将对实施贸易便利化改革怀有浓厚兴趣，因为更低的贸易成本在增加发展中成员对制成品的需求的同时，降低了制造业对大规模市场的依附程度。

贸易理论的最新研究将企业异质性和全球价值链引入进来。“新新贸易理论”意图解释为何仅有一部分大型生产企业能够进入出口市场，而其他企业只能在国内销售产品。在该理论中，贸易便利化会同时降低可变贸易成本（随贸易规模变动而变化的贸易成本）和固定贸易成本（进入出口市场前必须发生的贸易成本），例如降低一国学习贸易流程的成本。这不但使现有出口商赢得更大的出口市场份额，而且使那些比现有出口商生产率水平更低的企业开始能够进入出口市场。

供应链模型认为，用以生产复杂最终产品的零件产自许多不同的国家。这样的全球生产组织方式导致贸易成本增加，并在价值链上不断累积，因此低效的边境程序对贸易产生了很大的阻碍效果。反之，贸易便利化对价值链贸易的积极影响会放大，同时将加强具备比较优势的国家在相关生产阶段的专业化水平。

受惠于贸易便利化带来的广泛利益，每个国家应有着手自身改革的动力。《贸易便利化协定》纳入多边将比单方面实施带来更多收益。

《贸易便利化协定》为贸易程序的改善提供了更强的法律稳定性，能够通过共同的途径，协调世界各地的海关程序，增加贸易便利化收益。该协定将能力建设支持的供给和需求相挂钩，富裕成员将为发展中成员和最不发达成员实施《贸易便利化协定》提供援助和能力建设支持。此外，协定还通过一个有效的实施机制将各国的贸易便利化承诺整合为制度，以帮助各国政府解决信用问题。

各国际组织和学术文献对贸易便利化给出了不同的定义，从而开发了一系列的贸易便利化指标。

根据最近的统计，十多个贸易便利化指标已经被开发，说明了该问题的重要性和复杂性。这些指标包括世界银行的经商和物流绩效指数（LPI），世界经济论坛的促进贸易指数（ETI）以及 OECD 的贸易便利化指标（TFIs）。

经商成本指标可以量化商业监管以及对公司财产权保护（尤其是中小型国内企业）的影响，包括与标准化的进口和出口活动相关的成本（采用“跨境贸易”指标）。LPI 指标量化了各国的物流友好度，将其根据海关、基础设施、装运的方便性、物流服务质量、货物追踪和及时性进行排名。ETI 指标评估各国利用现有机构、政策、基础设施和服务促进货物跨境流动的便捷程度。

OECD 的 TFIs 指标基于 WTO 的《贸易便利化协定》构建，使大部分 TFI 都能够对应《贸易便利化协定》条款。由此，TFIs 指标非常适用于分析实施 WTO《贸易便利化协定》的贸易和经济影响，也是此报告中用于分析这些影响的首选指标。

D.《贸易便利化协定》的收益估计

当前贸易成本很高，在低收入经济体更是如此。

发展中成员的贸易成本相当于对国际贸易征收219%的从价税。即便在高收入国家中，同样的商品也相当于134%从价税的贸易成本。

对贸易成本进行总体估计忽略了不同部门和区域间的巨大差异，事实上，《贸易便利化协定》的实施将对某些生产部门和区域产生更大的贸易影响。

在加速货物跨境的报关流程方面，贸易便利化会有力地推动易腐农产品贸易，同样的影响也可能适用于中间品贸易。中间品在全球价值链中具有重要的地位，其交付周期和交货的可预见性变得十分重要。

据估计，《贸易便利化协定》全面实施能够将WTO成员的贸易成本平均降低14.3%。

贸易成本削减的范围将会在9.6%至23.1%之间。预计在完全实施《贸易便利化协定》的情况下，非洲国家和最不发达国家平均贸易成本降幅最大（超过16%），其中制造品贸易成本削减18%，农产品贸易成本缩减10.4%。

《贸易便利化协定》若全面实施，还能将进口时间缩短超过一天半（较现在平均水平减少47%），将出口时间缩短接近两天（较现在平均水平减少91%）。

在削减出口的变动成本和固定成本方面，贸易便利化会增加已经参与国际贸易的企业的出口额，同时促使新企业从事出口。此外，若完全并快速实施《贸易便利化协定》，贸易和产出收益将会更大。

两个用于估计贸易便利化改革带给贸易影响的最普遍的经济方法是引力模型和可计算一般均衡（CGE）模型。本报告运用这两种方法进行估计以保证结果的一致性，并对实施《贸易便利化协定》的收益提出互补性的观点。

通过CGE模型模拟得出的结果，预计《贸易便利化协定》将会使每年的出口额增加7500亿至超过10000亿美元。而引力模型的结果显示，完全实施《贸易便利化协定》可能会使全球出口额增加18000亿至36000亿美元。在两种情况下，完全并快速实施《贸易便利化协定》都将使出口额获得更大增长。

由于贸易成本是全球贸易的形成因素之一，实施《贸易便利化协定》不仅会极大地促进当前全球经济，还能够提升其发展的轨迹，推动其未来发展。在2015年到2030年间，实施《贸易便利化协定》能够使全球出口每年额外增长2.7%，全球GDP每年额外增长0.5%以上。

发展中成员将从全面快速实施《贸易便利化协定》中获取最多的收益。

发展中成员出口预计每年增加1700亿至7300亿美元。根据CGE模拟，2015年至2030年间，全面快速实施《贸易便利化协定》能够使发展中成员经济每年额外增长0.9%，出口每年额外增长3.5%。

从引力模型估计，最不发达国家向现有市场的传统出口产品量将增长13%至36%。此外，贸易便利化改革还将为发展中成员特别是最不发达国家带来显著的出口多元化收益。出口多元化帮助发展中成员和最不发达国家免于受到在特定部门或目标市场的负面贸易冲击。最不发达国家全面实施《贸易便利化协定》可能会使其向特定出口市场的出口产品量增长36%。相同情况下，每种产品出口的目的地数量将增长近60%。

贸易便利化对时令商品贸易非常重要。

对于成功管理全球价值链、易腐农产品贸易以及有赖于快速时尚周期的纺织服装贸易而言，交货的及时性和可预见性至关重要。贸易便利化促进了这些商品的贸易，因为其减少了出口所需时间，增强了交货时间的可预见性。

越来越多的证据表明，贸易便利化促进了中小企业在贸易中的参与度。

烦琐的贸易流程、海关和贸易监管经常被看作是阻碍中小企业参与出口的主要障碍。这是因为大型企业尤其是跨国公司在驾驭复杂监管环境方面的能力更强。有证据表明，出口时间越长，大型企业对出口的控制度也越强。

通过减少出口时间的延误，《贸易便利化协定》能够促进中小企业参与出口。本报告采用世界银行在近130个发展中成员的企业调查数据表明，当出口时间得以缩减时，微型、中小型企业比大型企业更加愿意出口并且增加出口份额。

贫穷者会从贸易便利化中获益良多。

不仅低收入国家能够比高收入国家在改善贸易便利化中获益更多，贸易便利化还能在一国之内起到重新分配的效果，改善穷人的状况。通过减少延误和交货的不确定性，贸易便利化改革使出口易腐产品的当地贫困农民从中获益。此外，贸易便利化简化了监管程序，为小型、业余和女性贸易者带来更多收益，因为这些群体往往没有必要的能力或资源来满足复杂的文件要求。

贸易便利化的其他好处还包括：吸引更多的外国直接投资、更多的政府财政收入以及腐败现象的减少。

在小型经济体中，贸易便利化不仅使贸易增加，还会增加外国直接投资（FDI）的流入量。一份涵盖 10 年（2004—2013）141 个国家数据的实证分析表明，贸易便利化和 FDI 流入量之间存在正向的显著的数量关联性。

贸易便利化改革通过增加贸易流量刺激政府财政收入，从而扩大了税基，提升了各个层次进口的征税效率，加强了对海关欺诈和腐败行为的监测。

信息通信技术和海关管理自动化的广泛应用是促进贸易和获得更多收入的最为有效的工具。

在边境地区徇私舞弊的动机越强，完成贸易流程所需的时间就越长。贸易便利化旨在缩短这些程序的时间，这为减少与贸易相关的腐败现象的发生提供了重要保障。

E．实施《贸易便利化协定》的挑战

通过对 WTO 成员的调查显示，发展中经济体和最不发达国家将贸易便利化置于优先议程。然而，他们同样关注《贸易便利化协定》的收益和成本的不确定性。援助国及相关机构期望增加对贸易便利化的援助，但同时担心受援国可能缺少政治意愿。

在一项关于贸易援助的问卷调查中，将近 65%的发展中经济体和 77%的内陆发展中成员在 12 个选项中，将贸易便利化排在援助优先顺序的前三位。就具体措施而言，发展中成员最为有限的改革领域是单一窗口、边境机构合作等领域。而当被问到《贸易便利化协定》将会如何影响其贸易成本时，几乎近半的发展中成员回应说“不确定”或是“无法估计”。

大多数发展中成员（55%）和最不发达国家（将近 60%）将“边境机构合作”视为《贸易便利化协定》条款中最难实施的一项。就协定整体而言，低收入国家和非洲国家实施难度最大。另一方面，发达经济体则认为，政治意愿的缺乏将是实施《贸易便利化协定》的最主要障碍。

关于实施贸易便利化改革的成本的有效信息还相当有限。

实施贸易便利化的成本难以量化，主要有两个原因。首先，贸易便利化改革很难不与更广泛的政策目标产生关联而独立实施，例如海关现代化。其次，不同的贸易便利化措施类型的改革成本千差万别。主要的成本类型包括：①诊断成本；②监管成本；③制度成本；④培训成本；⑤设备和基础设施成本；⑥意识提升成本；⑦政治成本；⑧运作成本。

考虑到数据的缺陷性，本报告收集了已经开展的贸易便利化改革的统计数据，这有助于理解实施《贸易便利化协定》成本的特性和大小。

既有的贸易便利化成本数据表明，初始成本的大小取决于贸易便利化的具体措施。不同国家之间某一特定贸易便利化措施的初始成本，也会因贸易便利化的初始状态、需求和优先度，以及追求层次的不同而存在明显差异。

人力资本和培训成本经常被视为实施贸易便利化措施最为重要的因素，因为贸易便利化改革主要是改变边境机构的行为和运作。

与透明度以及货物放行和清关相关的贸易便利化措施的实施成本通常低于与边境机构合作的手续相关的措施实施成本，因为后者可能涵盖对信息技术、基础设施以及设备的投资。

尽管信息与通信技术（ICT）、设备以及基础设施不是大部分贸易便利化措施实施的先决条件，它们有可能是贸易便利化改革中成本最高的部分。然而，需要着重指出的一点是，许多情况下，ICT 投资会对贸易便利化以外带来影响，例如通过防止腐败和走私来加强监管实施，增强海关运行效率以及增加税收。

总体而言，贸易便利化改革比边境措施的成本要小，例如海关现代化以及对交通基础设施的升级，包括公路、铁路和港口现代化。

《贸易便利化协定》中的特殊和差别待遇允许发展中成员和最不发达国家根据自身能力实施《贸易便利化协定》。

这与允许发展中成员通常根据其规模较小、资源严重短缺和市场失灵等情况来做出贸易承诺的经济思维相一致。

发展中成员和最不发达国家需要通过能力建设、改进贸易流程以增加经济收益。而发达国家则有意愿提供相关的能力建设，因为世界各地更快、更有效率的贸易流程将使贸易大国最终受益。

贸易便利化协定基金（TFAF）不仅为援助国满足发展中成员和最不发达国家能力建设需求发挥重要作用，同时也是传播贸易流程国际最佳实践的机制。尽管各国都能独自制定贸易流程，但各国采取通用方法将有效降低国际贸易的时间和成本。

贸易便利化协定基金的特殊功能包括：

支持最不发达国家和发展中成员评估其具体需求，并确认潜在的发展伙伴，去帮助他们实现这些需求；

通过供需双方建立与贸易便利化相关的技术支持的信息分享平台，确保援助国和受援国之间的信息流动保持最佳状态；

宣传实施贸易便利化措施的最优实践；

为寻找实施援助的资源提供支持，包括正式要求总干事作为确保特定项目实施基金的协调者；

为某些情况下的项目准备提供补助，这些情况包括当某一成员认定了一个潜在的援助者但无法开展该援助者所关注的项目，并且不能从其他来源获得支持项目申请准备所需的资金；以及在不能从其他来源获得资助的情况下，提供与实施《贸易便利化协定》条款相关的项目实施补助。这些补助仅限于“软基础设施”项目，例如通过咨询服务、境内研讨或官员培训而进行的海关法现代化。

经验证据显示，尽管资金的获得和持续供应十分重要，但这些并不是确保贸易便利化措施积极结果的充分条件。其他相互影响的因素在成功实施贸易便利化改革上也扮演了重要角色。

最高层坚定的政治意愿和对贸易便利化进程的承诺通常被认为是任何贸易便利化改革中最重要的成功因素。政治意愿往往是大多数其他成功要素所依赖的首要因素。

除国家所有制以外，其他关键的成功要素包括：各部门和边境管理机构的合作与协调、私人部门的参与，以及包括技术援助在内的充足的人力和物力资源。

贸易便利化方案得以成功的另一个重要因素是改革的正确顺序。夯实基础、各方广泛参与、通过广泛的培训活动和追加投资来进行内部能力建设，这些都需要充足的时间。另外，某些贸易便利化措施的实施成本大小可能取决于它们的实施顺序、速度和步伐。在此前提下，实施过程的透明度和监督以及所遇到的困难同样会对贸易便利化改革的成功带来影响。

对《贸易便利化协定》实施情况的监督应包括经济监督和产出评价。

WTO 的核心功能之一是监督 WTO 协定的实施情况。在《贸易便利化协定》框架下，将会建立一个贸易便利化委员会来审查协定生效后四年内的运转及实施情况，而后定期继续审查。WTO 秘书处可以通过收集经济数据，评估经济产出来补充完成对 WTO 成员的监督工作。

即使是贫穷国家的政府也能够将多边承诺转为国内法规和惯例，但高效完成这一工作的行政能力可能还不足，因此会在预期和实际结果之间产生差异。经济监督将快速识别阻碍发展中成员和最不发达国家获得实施能力的问题并找到解决办法。此外，经济评估能够向各成员更好地描述《贸易便利化协定》在降低贸易成本和增加贸易方面如何发挥作用。

更多的数据特别是实施成本数据，更好的指标和分析工具是有效评估《贸易便利化协定》经济影响的必备要素。国际组织和区域发展银行需要集聚资源和经验，以使现有的指标、数据和分析工具得以完善，并在必要时开发新的内容以有效监督和评估《贸易便利化协定》的实施。

附录五：WTO成员一览表、WTO观察员一览表

WTO成员一览表

（截至2016年7月31日）

序 号	中文名称（简称）	英文名称（简称）	加入时间
1	阿富汗	Afghanistan	2016－07－29
2	阿尔巴尼亚	Albania	2000－09－08
3	安哥拉	Angola	1996－11－23
4	安提瓜和巴布达	Antigua and Barbuda	1995－01－01
5	阿根廷	Argentina	1995－01－01
6	亚美尼亚	Armenia	2003－02－05
7	澳大利亚	Australia	1995－01－01
8	奥地利	Austria	1995－01－01
9	巴林	Bahrain	1995－01－01
10	孟加拉国	Bangladesh	1995－01－01
11	巴巴多斯	Barbados	1995－01－01
12	比利时	Belgium	1995－01－01
13	伯利兹	Belize	1995－01－01
14	贝宁	Benin	1996－02－22
15	玻利维亚	Bolivia	1995－09－12
16	博茨瓦纳	Botswana	1995－05－31
17	巴西	Brazil	1995－01－01
18	文莱	Brunei Darussalam	1995－01－01
19	保加利亚	Bulgaria	1996－12－01
20	布基纳法索	Burkina Faso	1995－06－03
21	布隆迪	Burundi	1995－07－23
22	柬埔寨	Cambodia	2004－10－13
23	喀麦隆	Cameroon	1995－12－13
24	加拿大	Canada	1995－01－01
25	佛得角	Cape Verde	2008－07－23
26	中非	Central African Republic	1995－05－31
27	乍得	Chad	1996－10－19
28	智利	Chile	1995－01－01
29	中国	China	2001－12－11
30	中国台北	Chinese Taipei	2002－01－01

续 表

序 号	中文名称（简称）	英文名称（简称）	加入时间
31	哥伦比亚	Colombia	1995—04—30
32	刚果（布）	Congo	1997—03—27
33	哥斯达黎加	Costa Rica	1995—01—01
34	科特迪瓦	Côte d'Ivoire	1995—01—01
35	克罗地亚	Croatia	2000—11—30
36	古巴	Cuba	1995—04—20
37	塞浦路斯	Cyprus	1995—07—30
38	捷克	Czech Republic	1995—01—01
39	刚果（金）	Democratic Republic of the Congo	1997—01—01
40	丹麦	Denmark	1995—01—01
41	吉布提	Djibouti	1995—05—31
42	多米尼克	Dominica	1995—01—01
43	多米尼加	Dominican Republic	1995—03—09
44	厄瓜多尔	Ecuador	1996—01—21
45	埃及	Egypt	1995—06—30
46	萨尔瓦多	El Salvador	1995—05—07
47	爱沙尼亚	Estonia	1999—11—13
48	欧盟（前欧共体）	European Community	1995—01—01
49	斐济	Fiji	1996—01—14
50	芬兰	Finland	1995—01—01
51	法国	France	1995—01—01
52	加蓬	Gabon	1995—01—01
53	冈比亚	The Gambia	1996—10—23
54	格鲁吉亚	Georgia	2000—06—14
55	德国	Germany	1995—01—01
56	加纳	Ghana	1995—01—01
57	希腊	Greece	1995—01—01
58	格林纳达	Grenada	1996—02—22
59	危地马拉	Guatemala	1995—07—21
60	几内亚	Guinea	1995—10—25
61	几内亚比绍	Guinea-Bissau	1995—05—31
62	圭亚那	Guyana	1995—01—01
63	海地	Haiti	1996—01—30
64	洪都拉斯	Honduras	1995—01—01
65	中国香港	Hong Kong，China	1995—01—01
66	匈牙利	Hungary	1995—01—01
67	冰岛	Iceland	1995—01—01

续 表

序 号	中文名称（简称）	英文名称（简称）	加入时间
68	印度	India	1995—01—01
69	印度尼西亚	Indonesia	1995—01—01
70	爱尔兰	Ireland	1995—01—01
71	以色列	Israel	1995—04—21
72	意大利	Italy	1995—01—01
73	牙买加	Jamaica	1995—03—09
74	日本	Japan	1995—01—01
75	约旦	Jordan	2000—04—11
76	哈萨克斯坦	Kazakhstan	2015—11—30
77	肯尼亚	Kenya	1995—01—01
78	韩国	Korea，Republic of	1995—01—01
79	科威特	Kuwait	1995—01—01
80	吉尔吉斯斯坦	Kyrgyz Republic	1998—12—20
81	老挝	Lao People's Democratic Republic	2013—02—02
82	拉脱维亚	Latvia	1999—02—10
83	莱索托	Lesotho	1995—05—31
84	利比里亚	Liberia，Republic of	2016—07—14
85	列支敦士登	Liechtenstein	1995—09—01
86	立陶宛	Lithuania	2001—05—31
87	卢森堡	Luxembourg	1995—01—01
88	中国澳门	Macau，China	1995—01—01
89	马达加斯加	Madagascar	1995—11—17
90	马拉维	Malawi	1995—05—31
91	马来西亚	Malaysia	1995—01—01
92	马尔代夫	Maldives	1995—05—31
93	马里	Mali	1995—05—31
94	马耳他	Malta	1995—01—01
95	毛里塔尼亚	Mauritania	1995—05—31
96	毛里求斯	Mauritius	1995—01—01
97	墨西哥	Mexico	1995—01—01
98	摩尔多瓦	Moldova	2001—07—26
99	蒙古	Mongolia	1997—01—29
100	黑山	Montenegro	2012—4—29
101	摩洛哥	Morocco	1995—01—01
102	莫桑比克	Mozambique	1995—08—26
103	缅甸	Myanmar	1995—01—01

续　表

序　号	中文名称（简称）	英文名称（简称）	加入时间
104	纳米比亚	Namibia	1995—01—01
105	尼泊尔	Nepal	2004—04—23
106	荷兰	Netherlands	1995—01—01
107	新西兰	New Zealand	1995—01—01
108	尼加拉瓜	Nicaragua	1995—09—03
109	尼日尔	Niger	1996—12—13
110	尼日利亚	Nigeria	1995—01—01
111	挪威	Norway	1995—01—01
112	阿曼	Oman，Sultanate of	2000—11—09
113	巴基斯坦	Pakistan	1995—01—01
114	巴拿马	Panama	1997—09—06
115	巴布亚新几内亚	Papua New Guinea	1996—06—09
116	巴拉圭	Paraguay	1995—01—01
117	秘鲁	Peru	1995—01—01
118	菲律宾	Philippines	1995—01—01
119	波兰	Poland	1995—07—01
120	葡萄牙	Portugal	1995—01—01
121	卡塔尔	Qatar	1996—01—13
122	罗马尼亚	Romania	1995—01—01
123	俄罗斯	Russian Federation	2012—08—22
124	卢旺达	Rwanda	1996—05—22
125	圣基茨和尼维斯	Saint Kitts and Nevis	1996—02—21
126	圣卢西亚	Saint Lucia	1995—01—01
127	圣文森特和格林纳丁斯	Saint Vincent and the Grenadines	1995—01—01
128	萨摩亚	Samoa	2012—05—10
129	沙特阿拉伯	Saudi Arabia	2005—12—11
130	塞内加尔	Senegal	1995—01—01
131	塞舌尔	Seychelles	2015—04—26
132	塞拉利昂	Sierra Leone	1995—07—23
133	新加坡	Singapore	1995—01—01
134	斯洛伐克	Slovakia Republic	1995—01—01
135	斯洛文尼亚	Slovenia	1995—07—30
136	所罗门群岛	Solomon Islands	1996—07—26
137	南非	South Africa	1995—01—01
138	西班牙	Spain	1995—01—01
139	斯里兰卡	Sri Lanka	1995—01—01

续 表

序 号	中文名称（简称）	英文名称（简称）	加入时间
140	苏里南	Suriname	1995—01—01
141	斯威士兰	Swaziland	1995—01—01
142	瑞典	Sweden	1995—01—01
143	瑞士	Switzerland	1995—07—01
144	塔吉克斯坦	Tajikistan	2013—03—02
145	坦桑尼亚	Tanzania	1995—01—01
146	泰国	Thailand	1995—01—01
147	马其顿	The former Yugoslav Republic of Macedonia	2003—04—04
148	多哥	Togo	1995—05—31
149	汤加	Tonga	2007—07—27
150	特立尼达和多巴哥	Trinidad and Tobago	1995—03—01
151	突尼斯	Tunisia	1995—03—29
152	土耳其	Turkey	1995—03—26
153	乌干达	Uganda	1995—01—01
154	乌克兰	Ukraine	2008—05—16
155	阿联酋	United Arab Emirates	1996—04—10
156	英国	United Kingdom	1995—01—01
157	美国	United States	1995—01—01
158	乌拉圭	Uruguay	1995—01—01
159	瓦努阿图	Vanuatu	2012—08—24
160	委内瑞拉	Venezuela，Bolivarian Republic of	1995—01—01
161	越南	Viet Nam	2007—01—11
162	也门	Yemen	2014—06—26
163	赞比亚	Zambia	1995—01—01
164	津巴布韦	Zimbabwe	1995—03—05

WTO 政府观察员一览表

（截至 2016 年 7 月 31 日）

序　号	中　文　名　称	英　文　名　称
1	阿尔及利亚	Algeria
2	安道尔	Andorra
3	阿塞拜疆	Azerbaijan
4	巴哈马群岛	Bahamas
5	白俄罗斯	Belarus
6	不丹	Bhutan
7	波斯尼亚和黑塞哥维那	Bosnia and Herzegovina
8	科摩罗	Comoros
9	赤道几内亚	Equatorial Guinea
10	埃塞俄比亚	Ethiopia
11	梵蒂冈	Holy See (Vatican)
12	伊朗	Iran
13	伊拉克	Iraq
14	黎巴嫩共和国	Lebanese Republic
15	利比亚	Libya
16	圣多美和普林西比	Sao Tone and Principe
17	塞尔维亚	Serbia
18	苏丹	Sudan
19	叙利亚	Syrian Arab Republic
20	乌兹别克斯坦	Uzbekistan

注：除了梵蒂冈之外，其他所有观察员必须在其成为观察员后五年内开始其加入 WTO 的谈判。

附录六：中国世界贸易组织研究会年度大事记（2015）

1月

13日　我会派员出席在清华大学法学院由中国商务部、国务院法制办、美国商务部共同主办的“第19届中美法律交流研讨会”。

14日　孙振宇会长应邀参加中国国际贸易学会举办的“2015年中美经贸关系展望”及“油价下跌对世界经济影响”小型专家研讨会并发言。

16日 我会与对外经济贸易大学共同举办“全球价值链跃升”工程研讨会暨外经贸咨询顾问委员会2015年第一次例会。我会名誉会长、海峡两岸关系协会会长陈德铭、对外经贸大学校长施建军出席例会并讲话，孙振宇会长主持会议。

23日　上午孙振宇会长会见韩国前驻世界贸易组织大使郑义溶、韩国驻华使馆公使朴银夏。

23日　下午孙振宇会长会见新任美国驻华使馆经济处公使衔参赞费德玮（Jonathan Fritz）、使馆贸易代表办公室公参郭嘉明（James Green）等人。

27日　王成安副会长会见强生公司中国政府事务及政策副总监丁旭炜。

29日　中国世界贸易组织研究会非洲专业委员会、中非工业合作发展论坛共同举办“WTO中国与非洲贸易投资研讨会”。王成安副会长出席并致辞。

2月

1日　中国世界贸易组织研究会、首都金融服务商会、中华文化贸易促进会共同举办“2015中国金融文化贸易论坛暨国粹贺新春，共筑中国梦，金融文化年会”。孙振宇会长出席并致辞。副会长兼秘书长陈鹏、副会长王成安出席。

2日　孙振宇会长应邀出席印度大使举行的欢迎印度外长访华招待会。

3日　孙振宇会长会见施耐德电器（中国）有限公司事务总监裴金林、中海国际咨询有限公司执行董事秦阳。副会长兼秘书长陈鹏、副会长王成安、竞委会顾问江山陪同会见。

9日　我会竞委会举办中国竞争政策与法律年会（2014/2015年）暨《中国竞争法律与政策研究报告（2014年）》发布会。孙振宇会长、对外经济贸易大学副校长赵忠秀、中国法学会世界贸易组织法研究会会长孙琬钟出席并致辞，竞委会主席俞晓松主持开幕仪式，国务院反垄断委员会专家咨询组组长张穹、商务部反垄断局局长尚明、发改委价格监督检查与反垄断局局长许昆林出席并讲话，国务院反垄断委员会专家咨询组副组长、对外经济贸易大学教授黄勇做主旨报告。

10日　王成安副会长会见中国国际商会喻敏处长。副秘书长兼办公室主任宫和平参加会见。

12日　孙振宇会长会见巴西淡水河谷矿产品（中国）有限公司北京代表处首席代表爱杰龙先生。然后会见印度驻世界贸易组织前大使吉加大·达斯古朴塔（Jayant Dasgupta）一行。副会长王成安、高级顾问吴家煌参加会见。

3月

2日　孙振宇会长应邀出席新西兰驻华大使麦康年（John Mckinnon）为欢迎新西兰贸易部长Tim Groser访华举行的午宴。

6日　孙振宇会长会见贵州省政府张汉林副秘书长一行。

9日　孙振宇会长会见印度商工部部长助理、首席谈判代表迪帕克（Deepak）一行五人。

15日　我会竞争政策与法律专业委员会与中国反侵权假冒联盟、中国国际贸易学会、厦门大学知识产权研究所、阿里巴巴集团在北京共同举办“推动中国商业秘密保护工作研讨会”。竞委会执行主席兼秘书长王成安出席并代表主办方致辞。

26日　我会名誉会长、海峡两岸关系协会会长陈德铭会见来我会访问的世界贸易组织前总干事帕斯卡·拉米（Pascal Lamy）先生，并与他进行座谈，孙振宇会长主持座谈会。

26日　我会竞争政策与法律专业委员会召开工作会议。竞委会主席俞晓松主持会议并做总结发言，王成安执行主席做2014年竞委会工作报告，副主席石静霞做总结发言。

27日 《世界贸易组织报告2013》印刷出版。

31日 我会主办的“世界贸易组织工作产业通气会2015年第一次会议暨外经贸咨询顾问委员会2015年第二次例会”在对外经济贸易大学举行，孙振宇会长主持会议。时任商务部部长助理王受文出席并讲话。商务部世贸司谈判副专员李毅红通报了《贸易便利化协定》和多哈回合非农产品市场准入谈判的情况。来自商务部、中国世界贸易组织研究会外顾委、部分地方商务局、商协会、科研院校、企业和媒体的120多人出席了会议。

4月

9日 孙振宇会长会见加拿大驻WTO大使弗里德（Jonathan Fried）和驻华大使赵朴（Guy Saint-Jonathan）、商务参赞庄君迪（Jodi Robinson）。

10日 孙振宇会长应邀出席在对外经济贸易大学举行的“重返多边贸易合作对话”专家圆桌会并做主旨演讲。对外经济贸易大学赵忠秀副校长主持会议。

20日 孙振宇会长会见我国常驻联合国粮农机构代表、农业部前副部长牛盾，副代表、农业部国际合作司前副司长谢建民和农业部农业贸易促进中心主任倪洪兴。

23日 孙振宇会长出席“2015年厦门国际投资贸易洽谈会北京推介会”并做主旨演讲。副会长兼秘书长陈鹏、副会长王成安陪同出席推介会。

25日 我会召开“境外投资项目交易结构、融资方案、法律合同与外汇风险说明会”，王成安副会长出席并讲话。

27日 我会竞争政策与法律专业委员会举办“我国反垄断执法案例分析专题研讨会”。竞委会主席俞晓松出席会议并致辞，王成安执行主席兼秘书长主持会议。国家发展与改革委员会价格监督与反垄断局副巡视员卢延纯出席会议并介绍执法“高通”案例。国务院反垄断执法委员会咨询专家王晓晔教授、北京大学法学院盛杰民教授、国务院反垄断执法委员会咨询专家吴汉洪教授和中国社会科学院法学所崔书锋博士后分别发言。

28日 《中国世界贸易组织年鉴（2014）》出版发行。

5月

7日 孙振宇会长会见深圳世贸组织事务中心曾建中副主任一行。清华大学法学院杨国华教授、我会副会长兼秘书长陈鹏、副会长王成安参加会见。

12日 “2015国际投资贸易洽谈会·首届新兴产业投融资大会暨中国婚庆产业文创园投资洽谈会”推介会在北京举行。我会副会长兼秘书长陈鹏、厦门市会议展览事务局副局长邱国跃出席并致辞。

20日 我会主办的“‘一带一路’战略与矿企社会责任——外经贸咨询顾问委员会2015年第三次例会”在京举行，孙振宇会长主持会议。

21日 孙振宇会长会见美国贸易代表办公室副贸易代表罗伯特·何礼曼（Robert Holleyman）大使、代理助理贸易代表温岚霆（Timothy Wineland）、美国驻华使馆公使衔贸易参赞郭嘉明（Tames Green）。副会长王成安、副秘书长兼办公室主任宫和平陪同会见。

6月

3日 孙振宇会长会见深圳世贸组织事务中心曾建中副主任一行。

4日 孙振宇会长出席我会与对外经济贸易大学联合主办的系列沙龙之首站“国际金融秩序与亚投行——对外投资与企业社会责任系列沙龙”并致辞。美国乔治·梅森大学政策、政府与国际事务学院教授、计算公共政策实验室联合主任Hilton Root，经济学人集团企业关系总监Robert Koepp，我会副会长、商务部国际贸易经济合作研究院前院长霍建国，对外经济贸易大学国际经济伦理研究中心主任刘宝成等出席。

9日 孙振宇会长应邀出席菲律宾驻华使馆招待会。

10日 上午我会和对外经济贸易大学共同主办的“世界贸易组织二十年研讨会”在北京召开。会前，参会嘉宾参观了“世界贸易组织二十年”图片展。孙振宇会长主持研讨会开幕式，对外经济贸易大学校长施建军，原外经贸部副部长、中国复关谈判代表团首任团长沈觉人，原外经贸部副部长、中国复关谈判代表团第二任团长佟志广，原外经贸部副部长、中国复关/入世谈判代表团第三任团长谷永江，中国商业联合会会长、商务部前副部长张志刚到会致辞。主题演讲环节由王成安副会长主持。国务院发展研究中心副主任隆国强，上海世界贸易组织事务咨询中心理事长兼总裁王新奎和商务部世界贸易组织司谈判专员赵宏做演讲。参加会议的还有我会高级顾问、原国家经贸委副主任、中国国际贸易促进会前会长俞晓松，中央人民政府驻香港联络办公室前副主任郭莉，原国务院法制局局长、中国法学会 WTO 法研究会会长孙琬钟，世界贸易组织上诉机构主席、大法官张月娇。最后是中国世界贸易组织研究会第三届理事会第四次会议，我会副会长兼秘书长陈鹏向理事会做工作报告。

10 日　下午陈鹏副会长兼秘书长与联合国采购促进会会长王粤一同会见湖南 WTO 事务中心陈昌荣秘书长。

18 日　下午我会高级顾问、竞委会主席俞晓松应邀出席中蒙跨境经济合作区联合工作组会议，王成安副会长、宫和平副秘书长兼办公室主任陪同参加。

19 日　王受文副部长在我会呈送的“中国世界贸易组织研究会三届四次理事会工作报告”上批示：世贸研究会服务大局，活动丰富，务实求效，受到学术界、实务界的欢迎。希望继续发挥自身优势，贯彻“三严三实”要求，为政府部门、业界和学术界提供更好的服务。

19 日　下午陈鹏副会长兼秘书长、王成安副会长会见经纬集团北京公司经理胡延庆。

21 日　孙振宇会长应邀出席中国法学会世界贸易组织法研究会换届大会暨 2015 年年会。

23 日　孙振宇会长出席由我会与对外经济贸易大学联合主办的系列沙龙之第二站“中国采掘业海外投资透明度与风险管理研讨会——对外投资与企业社会责任系列沙龙”并致辞。副会长王成安出席并发言。

29 日　我会竞争政策与法律专业委员会与对外经济贸易大学法学院共同举办“国际贸易中的反垄断问题”学术研讨会。竞委会主席俞晓松出席并致辞，执行主席兼秘书长王成安做总结，对外经贸大学法学院院长石静霞主持会议。

7 月

1 日　孙振宇会长会见日本使馆经济部公使林祯二、日本驻世界贸易组织前大使大岛正太郎、日本国际经济研究所所长大辻纯夫。我会高级顾问、海关总署关税司前司长吴家煌，我会常务理事、对外经济贸易大学中国 WTO 研究院副院长屠新泉参加会见。

2 日　孙振宇会长应邀参加清华大学举办的“WTO 二十周年纪念会”欢迎晚宴。

3—4 日　孙振宇会长应邀出席清华大学举办的“WTO 二十周年纪念会”。纪念会以多边贸易体制、争端解决与发展中国家为主题。孙振宇会长在首场全体会议上发表了题为“从 1995 年到后巴厘：过去、现在和将来”的演讲。他强调指出，各国高层的政治意愿、贸易官员的深入沟通、商界和智库的积极参与是继续推进 WTO 谈判的三个必要条件。WTO 副总干事布吕德勒（Karl-Ernst Brauner)、商务部副部长王受文、清华大学校长邱勇出席开幕式并致辞。WTO 上诉机构大法官、清华大学法学院教授张月姣主持论坛开幕式。

4 日下午，纪念会圆满结束。孙振宇会长与 WTO 副总干事布吕德勒、南非常驻 WTO 大使 Faizel Ismail 先生、WTO 上诉机构成员 Ujal Singh Bhatia 先生分别进行总结性发言。我会王成安副会长也应邀出席了 3 日上午的会议。

6 日　孙振宇会长应邀出席由深圳市政府主办，市经济贸易和信息化委员会与市公平贸易促进署（深圳市 WTO 事务中心）承办的第十四届“WTO 与深圳”高级论坛及深圳市 WTO 事务中心顾问委员会 2015 第一次年会。深圳市副市长陈彪出席会议并致辞。会议主题为“多边贸易体制的前景与中国的发展”。孙振宇会长主持了当日高端论坛的全体会议，并在专题“WTO 争端解决机制现状和改革前景——深圳现代化、国际化法治体系的建设”上发言。王成安副会长就专题“金砖国家间经贸务实合作—深圳企业的国际化经营”发言，并接受了深圳电视台的采访。

9 日　孙振宇会长会见全球矿企发展基金会首席运营官 Hélène de Villiers-Piaget 女士。副会长王成安、副秘书长兼办公室主任宫和平、研究部副主任杨凤鸣也一同参加会见。

13 日　我会竞争政策与法律专业委员会（PC-

CPL）与中国政法大学国际反垄断与投资研究中心（CIIAI）在中国政法大学共同举办“移动互联网行业不正当竞争与反垄断问题研讨会”。我会竞争政策与法律专业委员会主席俞晓松出席并做会议总结，我会副会长、竞争政策与法律专业委员会执行主席兼秘书长王成安致辞，中国国际反垄断与投资研究中心执行主任祁欢主持会议。会上，我会竞争政策与法律专业委员会（PCCPL）和中国政法大学国际反垄断与投资研究中心（CIIAI）签署合作协议。

20日　我会与美中国际投资和贸易联盟共同主办的“中国企业海外投资机遇与挑战”推介会在京举行。推介会主题为“介绍美欧俄日七国投资环境，促进中国企业海外投资兴业”，孙振宇会长主持会议，美中国际投资和贸易联盟林友信董事长致开幕词。

21日　陈鹏副会长兼秘书长、王成安副会长、宫和平副秘书长兼办公室主任与深圳市物流与供应链管理协会秘书长郑艳玲会谈。

24日　上午孙振宇会长会见厦门会展局王琼文局长。

24日　下午孙振宇会长到中国食品土畜进出口商会讲课。

27日　我会竞争政策与法律专业委员会举办“中国反垄断新规解析专题研讨会”，竞委会主席俞晓松和执行主席兼秘书长王成安分别主持了会议。国家工商总局反垄断与反不正当竞争法执法局副处长宋玥、对外经贸大学法学院黄勇教授、北京大学法学院盛杰民教授、中国社会科学院法学所博士后崔书峰和中国青年政治学院韩伟博士先后发言。

30日　副会长兼秘书长陈鹏与北京睿库贸易安全及便利化研究中心主任江小平代表各自单位共同签署了《关于筹建中国世界贸易组织研究会贸易便利化专业委员会的谅解备忘录》。

8月

1—2日　我会对外经济合作咨询中心举办“海外项目财税金融支持政策、融资方式和案例分析说明会”。

5日　陈鹏副会长兼秘书长、王成安副会长会见广东省公平贸易局余金富局长一行。

14日　孙振宇会长会见巴西淡水河谷矿产品（中国）有限公司首席代表爱杰龙先生（AJ Nichols）。王成安副会长、宫和平副秘书长兼办公室主任陪同参加会见。

19日　我会竞争政策与法律专业委员会与山东省威海市文登区经济合作局共同在威海市文登区举办“一带一路”企业座谈会，主题为“中国企业‘走出去’的历史机遇与挑战——解读‘一带一路’战略，促进企业对外投资兴业”。竞委会主席俞晓松、执行主席兼秘书长王成安出席座谈会。

20日　我会竞争政策与法律专业委员会与山东省青岛海洋技师学院共同在青岛市举办“一带一路”企业座谈会，主题为“中国企业‘走出去’的历史机遇与挑战——解读‘一带一路’战略，促进企业对外投资兴业”。竞委会主席俞晓松、执行主席兼秘书长王成安出席座谈会。

25日　孙振宇会长会见来访的日本伊藤忠商事株式会社董事、日本驻世界贸易组织前大使藤崎一郎先生。副会长王成安和伊藤忠商事株式会社中国经营企划事业部部长助理石津顕太郎先生陪同会见。

31日　我会主办的“世贸组织谈判前景——外经贸咨询顾问委员会2015年第四次例会”在对外经济贸易大学举行，孙振宇会长主持会议。世界贸易组织副总干事易小准做报告，并就世贸组织谈判前景进行了交流。

9月

8日　孙振宇会长、陈鹏副会长兼秘书长、王成安副会长出席2015国际投资论坛暨厦门国际投资贸易洽谈会。在此期间，我会与厦门市会议展览事务局于9日共同举办“2015国际投资专家委员会投资沙龙”。孙振宇会长主持投资沙龙。陈鹏副会长兼秘书长、王成安副会长以及来自发改委、工信部、商务部、国资委、社科院、国开行、南开大学、对外经济贸易大学、中国投资协会等政府部门、学术机构、商协学会的专家以及企业界代表等20余人出席了此次投资沙龙。

15—20日　霍建国副会长随国务院新闻办公室中国智库代表团成员赴美国参加“中国智库美国行”活动。

19日　孙振宇会长应邀出席中国国际贸易学会“当前难民潮问题对欧盟经济及中欧经贸关系影

响”小型研讨会并发言。

24 日 孙振宇会长会见深圳市公平贸易促进署曾建中副署长一行。陈鹏副会长兼秘书长、王成安副会长参加会见。

24 日 孙振宇会长应邀出席中欧协会举办的“2015 年北京进口汽车博览会”颁奖晚会，王成安副会长、宫和平副秘书长兼办公室主任陪同出席。

10 月

10 日 孙振宇会长应邀出席广东省商务厅在广州举办的“广东省贸易政策合规工作实施办法”宣贯会，并做主题演讲。

15 日 孙振宇会长应邀出席中国太平洋经济合作全国委员会主办的“亚太自贸区：2020 年后的亚太经济一体化方向”国际研讨会，并发表演讲。

16 日 我会召开“关于 TPP 影响与对策研讨会——中国世界贸易组织研究会外经贸咨询顾问委员会 2015 年第五次例会”。孙振宇会长主持会议，国家发改委对外经济研究所主任张建平，外顾委委员、商务部政研室前副主任张国庆，我会副会长、对外经济贸易大学教授薛荣久，商务部世贸司谈判副专员李毅红在会上发言。国务院参事、质检总局原副局长葛志荣做了评论性发言。

17 日 我会对外经济合作咨询中心举办“国家‘一带一路’战略与中国企业‘走出去’发展机遇说明会”。王成安副会长出席并讲话，副秘书长兼办公室主任宫和平参加会议。

29 日 副会长王成安应邀参加商务部国际贸易经济合作研究院举办的“促进中非产能合作非洲需求调研及对策研究”专题座谈会。

31 日 我会与对外经贸大学中国企业“走出去”协调创新中心共同主办“协同创新 共享繁荣——对外投资与企业社会责任系列沙龙之风险管理”研讨会。孙振宇会长出席并发言。

11 月

5 日 我会终身荣誉顾问、原外经贸部副部长、中国复关谈判代表团首任团长沈觉人应邀赴深圳出席深圳市 WTO 事务工作联席会议暨世贸组织事务中心顾问委员会 2015 年第二次年会并致辞。副会长兼秘书长陈鹏一同出席。

6 日 孙振宇会长应邀到部世贸司授课，介绍谈判历史，传授谈判经验。

7—8 日 我会终身荣誉顾问、原外经贸部副部长、中国复关/入世谈判代表团第三任团长谷永江应邀出席河南省商务厅、科技厅主办，我会协办的“第三届郑州服务外包创新大会”并发表讲话。陈鹏副会长兼秘书长一同出席。

9—10 日 我会作为支持单位的由中非工业合作发展论坛组委会主办，我会非洲专业委员会协办的“第四届中非工业合作发展论坛”在北京举行。副会长王成安出席论坛并致辞。

10 日 陈鹏副会长兼秘书长应邀出席对外经济贸易大学桑百川院长为组长出版的《中国外商投资发展报告（2015）》发布会暨学术研讨会并在会上发言。

11 日 我会与对外经济贸易大学共同主办“2015 中国贸易论坛暨第十四届 WTO 与中国学术年会”。孙振宇会长出席并主持年会。

13 日 我会终身荣誉顾问、原外经贸部副部长、中国复关/入世谈判代表团第三任团长谷永江应邀到部世贸司介绍谈判历史，传授谈判经验。

18 日 国际商报社与我会共同主办“回顾十年立法路 创新直销大未来”直销立法十周年纪念大会。孙振宇会长应邀出席并讲话。陈鹏副会长兼秘书长、副秘书长兼办公室主任宫和平一同出席。

20 日 我会终身荣誉顾问、原外经贸部副部长、中国复关谈判代表团第二任团长佟志广应邀到部世贸司介绍谈判历史，传授谈判经验。

26 日 我会召开“中国世界贸易组织研究会外经贸咨询顾问委员会 2015 年第六次例会”，会议议题为：（1）多边、区域服务贸易谈判进展与我们的政策立场。（2）进一步开放国内服务业市场，促进自贸区建设的政策建议。孙振宇会长主持会议。国家发改委对外经济研究所国际经济综合研究室主任王海峰，商务部国际贸易经济合作研究院副院长李钢，对外经济贸易大学国际经济贸易学院副教授樊瑛做主旨发言。

30 日 孙振宇会长会见厦门会展局王琼文局长、杨少菁副局长一行，陈鹏副会长兼秘书长、王成安副会长参加会见。

12 月

4 日 我会竞争政策与法律专业委员会主办，

政法大学反垄断和投资研究中心协办的“反垄断法在互联网和知识产权中的适用”研讨会在京举行。竞委会主席俞晓松代表主办方致开幕词，副会长、竞委会执行主席王成安出席。

8—9 日　王成安副会长，竞委会副秘书长岑兆其、胡铁应邀出席我部第六次全国商务法律工作会议。

10 日　国际投资专家委员会主任委员、孙振宇会长出席并主持国际投资专家委员会北京沙龙。陈鹏副会长兼秘书长、王成安副会长一同出席。

15 日　上午我会与对外经济贸易大学就《世界贸易组织与中国》(Journal of WTO and China)杂志合作办刊事宜签署《校会合作办刊的合作备忘录》。孙振宇会长出席并致辞，对外经济贸易大学林桂军副校长致辞并与陈鹏副会长兼秘书长分别代表双方在备忘录上签字。林桂军副校长还向孙振宇会长颁发了顾问聘任证书。

15 日　我会召开年终工作总结会。

15 日　下午孙振宇会长会见《加勒比国际关系外交》杂志执行编辑、西印度群岛大学高级讲师 Matthew L. Bishop 和武汉大学经济外交研究中心执行主任、政治与公共管理学院国际关系学系副教授张晓通。副秘书长兼办公室主任宫和平一同参加会见。

24 日　王受文副部长在我会呈送的“我会 2015 年工作总结和 2016 年工作思路”上批示：世贸组织研究会立足本职，开展了丰富的通气、研讨、涉外交流、专业培训活动，成效显著，既为服务商务大局，又为自身发展做出了贡献。希望明年在“三严三实”基础上，继续发挥优势，取得更好工作成绩。

25 日　我会召开外顾委第七次例会，邀请我国驻世界贸易组织大使俞建华介绍内罗毕 WTO 第十届部长级会议情况。孙振宇会长主持例会。

附录七：对外经济贸易大学年度大事记（2015）

一、贯彻十八届五中全会精神　从严治党、从严治校

校党委深入贯彻落实十八届五中全会精神，多途径、多层次组织学习贯彻《中国共产党廉洁自律准则》（简称《准则》）和《中国共产党纪律处分条例》（简称《条例》）精神，制定落实《关于开展落实“三严三实”全面从严治党自查自纠工作方案》，深入开展落实中央“八项规定”回头看活动，对全体党员领导干部公务接待、公款使用、公务用车、办公用房，科研经费使用、个人事项申报、兼职取酬、公务出国、廉洁自律等方面进行全面梳理和清查，对违规违纪问题及时进行问责处理，加强党风廉政建设专题教育，编印学习《准则》和《条例》材料，开设学习党纪党规专题网站等，在全校范围内开展校领导“上讲台、讲党课”活动，取得了明显成效。

二、编制学校“十三五”规划　推进全面深化综合改革

学校制定了《对外经济贸易大学“十三五”规划编制工作方案》，提出了以“创新驱动战略”为龙头的发展战略构想，召开“十三五”规划编制工作部署会议，通过召开党委常委务虚会、中层领导干部培训会、“十三五”规划的各项专题推进会、座谈会等完成了“十三五”规划的编制工作。

三、启动创新创业教育改革　出台2015版人才培养方案

学校深入贯彻落实国务院办公厅《关于深化高等学校创新创业教育改革的实施意见》精神，成立创新创业教育工作领导小组，出台《对外经济贸易大学深化创新创业教育改革的实施方案》，从完善人才培养质量标准、创新人才培养机制、健全创新创业教育课程体系等九个方面，细化创新创业教育改革的落地措施。

推出2015级本科生培养新方案，优化课程知识结构，搭建新型本科人才培养体系：拓展了通识通修课程，强化数学文化素养，精炼学科基础课程，转换调整学习方式。推出“职业发展与创新创业课程”模块，为创业学生建立“求索创客”空间、“求索创客”俱乐部、“创客沙龙”等，把“大众创业、万众创新”融入人才培养全过程。

四、生源质量继续领先　“双高”就业再次实现

对外经济贸易大学（简称贸大）在全国录取分数继续保持领先地位，录取分数全线上扬，部分省市分数再创新高。在北京地区高校中，贸大文科排名第五，理科排名第六。学校被授予“北京市2014—2015年度招生工作先进集体”和“北京市2015年高考工作特殊贡献奖”。研究生录取总规模超过2000人，其中来自“211工程”或“985工程”高校的生源占近60%。

2015年贸大本硕毕业生共3605人，本科生就业率为98.66%，研究生就业率为99.18%、实现了充分就业和高质量就业。毕业生出国（境）比例达到32.19%，国内深造比例23.72%，均创历史新高。数据显示，2015年招收贸大毕业生最多的十家用人单位分别为四大会计师事务所、四大国有银行和招商银行、华为集团等。

五、科学研究成果创历史最好成绩　国家自然科学基金立项再创新高

截至2015年12月20日，我校全年共获各类纵向课题106项。其中，国家社会科学基金项目14项（含重大项目1项，重点项目2项）；国家自然科学基金项目35项，创历史新高；国家软科学研究计划2项；教育部人文社会科学各类研究项目18项；北京市各类科研项目37项（含重点项目3项）。2015年度我校共获各级各类科研课题经费近4000万元。据不完全统计，2015年学校产出各类科研成果1720项，发表各类论文1498篇。其中，被SSCI收录86篇、SCI收录47篇，各类研究报告80余篇。国家社科基金《成果要报》采纳数位

居全国第二（全年共9篇被采用），占全国采纳数量的9.4%。获得第七届教育部高校科学研究优秀成果奖（人文社会科学）9项，其中一等奖1项，二等奖3项，三等奖5项，获奖质量再创历史新高；2位教授担任商务部第二届商务部经贸政策咨询委员会委员。

六、格鲁吉亚总理来访　第九所孔子学院落户澳大利亚

学校国际化特色日益彰显。9月11日，格鲁吉亚总理伊拉克利·加里巴什维利（Irakli Garibashvili）率团来访，并发表主题演讲，施建军校长代表学校授予其对外经济贸易大学荣誉教授。

11月，我校与澳大利亚维多利亚大学共建的商务孔子学院正式揭牌成立。这是我校的第九所孔子学院，也是澳大利亚第一所商务孔子学院。目前我校的9所孔子学院分别位于俄罗斯、英国、希腊、美国、巴西、墨西哥、日本、马拉维和澳大利亚。9所孔子学院影响力持续扩大。学校再次荣获国家汉办颁发的“孔子学院先进中方合作机构”称号；我校承办的巴西FAAP商务孔子学院获国家汉办颁发的“优秀孔子学院”称号。

七、师生赛场多次获奖　文理科发力捷报频传

9月，由我校选派的国际商学院陈德球、法学院杨贝和国际经济贸易学院马湘君三位青年教师，在倍受关注的北京高校第九届青年教师教学基本功比赛文史组73名选手中脱颖而出，陈德球、杨贝分获一等奖，马湘君获二等奖，学校获最佳组织奖，创下我校历次参赛的最好成绩。

10月，贸大张智斐同学领衔的团队在首届中国“互联网+”大学生创新创业大赛“掘金三板”项目中荣获金奖，这是所有金奖项目中唯一的金融类创业项目，也是获得金奖的高校中唯一一所财经类院校。11月，第十四届“挑战杯”全国大学生课外学术科技作品竞赛落幕，我校代表团荣获全国一等奖一项、三等奖三项；12月，第十三届贸仲杯国际商事仲裁模拟仲裁庭辩论赛举行，我校代表队首次荣获冠军。

在数学类竞赛中的全国数学建模竞赛有71队（213人）获奖，美国数学建模有98队（294人）获奖，全国数学竞赛、在创业类竞赛中的招商基金营销实践大赛、北京市大学生创业设计竞赛、全国大学生电子商务“创新、创业、创意”挑战赛和人文法律类多项竞赛中，我校选手分别取得了好成绩。在北京市大学生英语竞赛、外语小语种竞赛和人文知识竞赛中，我校选手也取得了骄人成绩。

八、校友多年热心捐款　办学水平持续增长

对外经济贸易大学校友总会迎来20岁生日；二十年来，校友们无偿回馈母校的善款接近1.5亿元人民币，设立奖（助）学金30余项，有500多名校友回校做学业导师、创业导师，近万名在校学生受到校友的资助或学业、实习、就业指导与帮助。

学校财务状况持续向好，留学生综合楼主体封顶，综合体育馆投入使用，求索楼拆除重建工作启动，教学设备仪器更新，后勤节能监管平台建设及信息化建设持续推进，附中附小正式挂牌，留学生创业中心成立，学校整体办学实力和服务保障水平进一步增强。

学校坚持“平安校园”创建工作，2014年接受了北京市“平安校园”达标验收专家组的检查验收，2015年获得“平安校园”示范校荣誉称号。

附录八：北京市国际服务贸易事务中心年度大事记（2015）

北京市国际服务贸易事务中心是隶属于北京市商务委员会的全额拨款事业单位，主要负责京交会的总体策划、筹办、招商招展、展览展示、会议论坛、宣传推介等相关会务工作，承担京交会主办方、协办方和支持单位的联络协调工作，承担“京交会”相关数据的统计汇总、分析上报工作。同时，还为政府部门及企事业单位提供服务贸易及WTO事务相关的政策研究和信息咨询服务，为本市进出口企业提供国际贸易信息服务，负责收集、分析、报送国际经济与贸易相关信息。

根据中央外办关于机制性大型涉外展会举办周期的指示精神以及国发〔2015〕8号文有关要求，2015年作为京交会的轮空年，北京市国际服务贸易事务中心重点围绕京交会品牌维护、提高筹办水平、夯实发展基础三方面开展了相关筹备工作；同时完成了举办2015中国（北京）电子商务大会、2015北京台湾名品博览会等其他相关工作。

一、有序推进第四届京交会筹办工作

京交会是经国务院批准，由国家商务部和北京市政府共同主办的国际展会，也是世界上第一个专门为服务贸易搭建的国际交流平台。京交会是国家级、国际性、综合型的服务贸易交易平台，世界贸易组织、联合国贸易和发展会议、经济合作与发展组织是其永久支持机构。京交会涵盖商业服务、通讯服务、销售服务、教育服务等世界贸易组织界定的服务贸易全部12类领域。

第四届京交会于2016年5月28日至6月1日举办。为此，2015年北京市国际服务贸易事务中心开展了方案策划、宣传推介、招商招展、展览会务等相关筹备工作。

（1）精心策划总体方案。积极开展服务业、服务贸易发展趋势和会展业发展态势研究，特别是对国内外同类服务贸易展会进行专项研究，开展服务贸易重点领域及拓展策略研究工作，为做好两年一届京交会筹备工作提供了扎实的理论支撑和经验总结。在广泛征询参会各方、第三方评估机构意见和建议以及充分调研的基础上，经过多次讨论修订，形成了第四届京交会总体方案（草案）。

（2）深入拓展国际合作。继续深化与三大永久支持机构的合作。努力促成组委会与世贸组织合办第四届京交会全球服务贸易峰会及其系列活动；经合组织与中国服贸协会商谈合办论坛事宜，初步确定经合组织副秘书长出席第四届京交会；联合国贸发会议拟作为世界贸易网点联盟主办的国际创意经济（北京）论坛和地标大会的支持单位。同时，积极拓展与其他国际组织的合作，国际贸易中心、世界贸易网点联盟、世界贸易中心协会已同意从第四届起作为京交会国际合作机构。与世界知识产权组织等其他国际组织沟通联系，努力将其发展为京交会国际合作机构。

（3）积极开展国际招商。赴德国、瑞士、法国、俄罗斯、印度、港澳等地开展了京交会推介活动；拜会了德国、瑞典等32家驻华使馆及美中商协会、英中贸易协会等12家商协会；举办了美国商协会、驻华使馆及在京外国商协会专场推介活动，取得了良好效果。截至2015年底，共有英国、荷兰、日本、韩国等27个国家和地区初步确认参展参会，其中有13个全球服务贸易30强国家、9个“一带一路”沿线国家和地区。澳大利亚、法国、新加坡等12个国家和地区初步确定举办主题日及专场推介活动。

（4）务实开展境内招商。赴中国—东盟博览会、东北亚博览会、中阿博览会等国内重点展会推介招商；召开第四届京交会省区市工作会，初步确定省区市展位，部署组团工作方案、主宾省申办、示范案例征集、供需对接等工作。

（5）创新推进宣传推广。制作完成京交会多语种宣传推介片；设计印制多版本宣传资料、展板及电子海报，以满足不同推介需求；着眼新媒体传播优势，通过微博、微信、Facebook、Twitter同步推送京交会最新信息，全年共推送近200条原创信息，公众关注度持续增长；完成京交会倒计时300天、200天、组委会专访等多项集中宣传工作；以客商需求为导向，开展了京交会官方网站改版和内容更新工作，开发京交会手机 APP 平台。

(6) 精细推进展览会务工作。规划完成展场布局方案，基本确定会议场地分配方案；初步完成京交会票证管理方案；完成京交会注册系统改造工作并开启注册系统。择优选择 28 家境内外机构承办相关专题活动。收到国际组织、承办机构举办 95 场活动方案。组织召开 2 次承办机构工作会，就承办方案落实、招商招展、项目报送及注册等工作进行了部署和督促。

(7) 探索开展品牌推广。通过招投标方式，确定 3 家机构作为第四届京交会赞助招募和广告招商代理商；制定第四届京交会赞助回馈通用条款，并与 6 家赞助商初步达成一致意见；印制发放市场开发手册；整合品牌运营资源，有效衔接市场开发供需信息。

二、举办 2015 中国（北京）电子商务大会

10 月 12 日至 10 月 14 日，由北京市商务委员会主办，北京电子商务协会、北京市国际服务贸易事务中心承办的“2015 中国（北京）电子商务大会”在北京国家会议中心成功举办。在市商务委的统一部署下，北京市国际服务贸易事务中心完成了主论坛筹办、会议接待、现场展示、会议注册、安全保卫、宣传报道等工作，确保大会取得圆满成功。

大会以“互联网＋跨界融合”为主题，突出高端化、专业化和品牌化，展示国内外最新“互联网＋”创新成果，电子商务的新产品、新服务和新模式，搭建企业沟通交流、学习借鉴和项目合作的平台。大会设立一个主论坛、五个分论坛，同时设计了 5000 平米展览区域，展会面积、参展企业数量规模和覆盖领域均是历次大会之最。

三、举办 2015 北京台湾名品博览会

11 月 12 日至 11 月 15 日，由北京市商务委员会、北京市人民政府台湾事务办公室和台湾贸易中心共同承办的“2015 北京台湾名品博览会”在全国农业展览馆新馆成功举办。北京市国际服务贸易事务中心完成了会期管理、安全保卫等相关工作，确保大会取得了圆满成功。

此次博览会展出面积 13000 平方米，精选了 261 家参展商，以“乐活”、“环保”、“健康医疗”为主题，展示台湾产品与服务。展会 4 天客流量达 11 万人次，达成采购意向近 12 亿元人民币。

四、其他工作情况

完成市商务委委托的《北京市加入 GPA 服务例外出价方案及意见》课题研究工作。继续收集 2015 年《北京志・外经贸志》的主要涉及资料，整理充实了资料长编，形成 500 万字文稿；完成了外贸、外资、口岸及综合保税区、对外经贸交流活动、机构与管理这 5 篇的初稿编纂工作。

附录九：上海 WTO 事务咨询中心年度大事记（2015）

3 月 27 日，王新奎总裁接待美国国务卿政策计划高级顾问 Ziad Haider 来访，就地区经济融合话题交换了意见。

6 月 10 日，王新奎总裁、姚为群研究员赴北京参加“庆祝世界贸易组织成立 20 周年大会”暨中国世界贸易组织研究会第三届理事会第四次会议。

7 月 6 日，上海 WTO 事务咨询中心举办 WTO 二十周年论坛暨“WTO 争端解决机制：现状和未来”研讨会。世界贸易组织副总干事、多位 WTO 上诉机构争端解决“大法官”就 WTO 争端解决机制的现状和未来与上海的学者、业界举行了研讨。

7 月 12 日至 18 日，梅盛军、伍穗龙参加美国哥伦比亚大学可持续投资中心投资仲裁培训，全面深入地讨论了投资协定谈判及仲裁中所涉及的实质性及程序性问题。

8 月 19 日至 23 日，王新奎总裁、梁庆副总裁、王悦晏主任、谈茜、陈靓赴台湾参加“WTO 二十周年：回顾与展望”国际研讨会，王新奎总裁做了题为“WTO 与全球贸易投资规则重构”的主旨演讲，并与参会嘉宾就“WTO 的未来：如何从区域整合重回多边体系”等问题，展开热烈讨论。

11 月 2 日至 4 日，2015 年中国国际工业博览会论坛暨上海 WTO 事务咨询中心顾问委员会年会在上海举行。年会主题为“APEC 全球价值链贸易增加值核算研讨会暨经济学国际名家全球价值链讲演会”，议题分别为：（1）政策视角下全球价值链演进过程中新兴经济体的作用；（2）供给使用表在国民核算体系和增加值贸易数据库编制中的作用；（3）美国和中国编制供给使用表的最新经验；（4）企业异质性对估算增加值贸易和编制扩展供给使用表的影响；（5）中国与美国编制基于企业异质型扩展供给使用表的最新经验；（6）按进口用途海关统计的经验；（7）APEC 成员经济体官方统计的可用性评估；（8）基于 APEC 增加值贸易数据库的建设需求组建技术工作组和编制可行的工作计划；（9）技术团队工作网站的建设和运用。本次会议有助于了解全球价值链在未来世界经济和国民经济中的作用，了解全球价值链增加值贸易核算的方法和技术，推动由中国和美国共同牵头的 APEC 全球价值链增加值贸易核算按计划高质量地进行。

11 月 30 日，世界银行解决投资争端国际中心（ICSID）秘书长 Meg Kinnear 来访，上海 WTO 事务咨询中心举办“ICSID 成立 50 周年暨高标准国际投资规则研讨会”。

12 月 11 日，上海 WTO 事务咨询中心与中国法学会世界贸易组织法研究会共同举办“中国入世迈入十五年暨 John H. Jackson 教授学术纪念研讨会”。

附录十：深圳市公平贸易促进署年度大事记（2015）

2015年2月10日，深圳市委、市政府将深圳市世贸组织事务中心更名为深圳市公平贸易促进署，保留深圳市世贸组织事务中心名称，并赋予了“建立国际贸易质量评价体系和产业及贸易安全防范体系、建设走出去公共服务平台、开展337调查研究及反垄断调查”等新的工作职能。

2015年6月上旬，《深圳市进出口公平贸易研究专项资金管理办法》出台。

2015年6月，为2014年美国53英寸集装箱双反调查案，深圳市公平贸易促进署联合我市相关部门，迅速向涉案企业提供法律咨询服务和应对建议，组织填写调查问卷及时上报商务部。经过各方积极努力，该案取得了无损害结案的结果。

2015年7月6日，第十四届“WTO与深圳”高级论坛及深圳市世贸组织事务中心顾问委员会2015第一次年会隆重召开。会议的主题是：“多边贸易体制的前景与中国的发展——深圳进一步践行国际规则的实践与创新”。

2015年8月16日，受市政协委托，深圳市公平贸易促进署承办了以“关注公平贸易规则，促进‘一带一路’建设”为主题的市政协委员议事厅活动。

2015年11月5日，深圳市世贸组织事务工作联席会议暨世贸组织事务中心顾问委员会召开2015第二次年会。

對外經濟貿易大學

University of International Business and Economics

对外经济贸易大学是教育部直属的全国重点大学，国家“211工程”首批重点建设高校，坐落在首都北京朝阳区。学校校园规划精致，环境优雅，是中国社会主义经济建设事业人才培养和科学研究的重要基地之一。

学校前身为高级商业干部学校，创建于1951年，受中央贸易部和教育部双重领导。1952年，中央贸易部撤销，学校划归对外贸易部，受对外贸易部和教育部双重领导。1953年，学校更名为北京对外贸易专科学校，由教育部委托对外贸易部领导。1954年，中国人民大学贸易系对外贸易专业并入北京对外贸易专科学校，以北京对外贸易专科学校为基础成立北京对外贸易学院。1984年，学校更名为对外经济贸易大学。2000年6月，原中国金融学院与原对外经济贸易大学合并成立新的对外经济贸易大学，划归教育部直属。2010年12月，教育部与商务部正式签署协议，共建对外经济贸易大学。学校现任党委书记蒋庆哲，校长王稼琼。

历经几代师生员工的艰苦创业和努力奋斗，对外经济贸易大学已经发展成为一所拥有经、管、法、文、理等门类，以国际经济与贸易、法学（国际经济法）、金融学、工商管理、外语（商务外语）等优势专业为学科特色的多科性财经外语类大学。目前，学校下设研究生院及17个学院，并设有思政部、体育部和文化艺术教学部；拥有国家级重点学科2个，国家级人文社会科学重点研究基地1个，教育部战略研究（培育）基地1个、教育战略与规划研究中心1个，北京市重点学科7个，北京市哲学社会科学研究基地1个，博士后流动站4个，一级学科博士点5个，一级学科硕士点8个，专业硕士学位授权点12个，本科专业46个。

学校现有教职工1600余人，其中专任教师1000余人，学校还聘请一定数量的兼职教师及外国专家。这是一处群英荟萃之地，老教授中名家耀眼，中青年教师里新秀辈出。大批获得政府特殊津贴、受聘担任政府学术机构成员的专家学者工作在教学科研第一线；大部分中青年教师在国外留学或进修过，教学科研水平高，许多人被评为省部级学科带头人和骨干教师，入选国家优秀人才培养工程。

学校现有在校学生1.6万余人，其中本科生8300余人，研究生4900余人，来华留学学历生2500余人。学校培养的学生一直以专业知识和技能扎实、外语娴熟、思维活跃、实践能力强而受到社会的普遍欢迎，毕业生遍布全国各地的外贸、金融、三资等行业领域及国家机关、中国驻外商务机构，为我国经济与社会发展，尤其是经贸事业的发展发挥着重要的作用。

学校的学术研究在我国对外经贸科研领域占有重要地位，设有110余个研究单位，其中，中国世界贸易组织研究院是全国唯一的研究世界贸易组织的国家级人文社科重点研究基地。学校图书馆文献总量180余万册（件）。学校主办并公开发行多种学术刊物，其中，《国际贸易问题》《国际商务——对外经济贸易大学学报》《日语学习与研究》《Journal of WTO and China》（WTO与中国）等享有较高的学术地位。学校出版社每年出书百余种，在高校中享有较高声誉。学校也是国家培训高级经济管理干部的基地之一，设有政府委托或与外国合办的多个高级在职培训机构。

学校于1989年11月在国内率先成立了校董会。李岚清为首任校董会主席，荣毅仁、霍英东等任名誉主席，吴仪为第二任校董会主席。石广生、刘鸿儒、陈元为第三任校董会荣誉主席。校董会的建立，对于学校的建设发展发挥了重要作用。

学校在发展过程中受到海内外广泛关注和支持：政府机构、企业家、财团、大公司等纷纷向学校捐资设立基金或奖学金，许多国际著名的跨国企业成为学校的赞助团体。目前，社会力量在学校设立的奖学金、奖教金等20余项，院系级基金则更多。学校与美、英、法、德、日、俄、意、澳等40余个国家和地区的200余所著名大学和研究机构建立合作交流关系，不断开展的对外交流与合作，使对外经济贸易大学面向世界办学的特色更加鲜明。

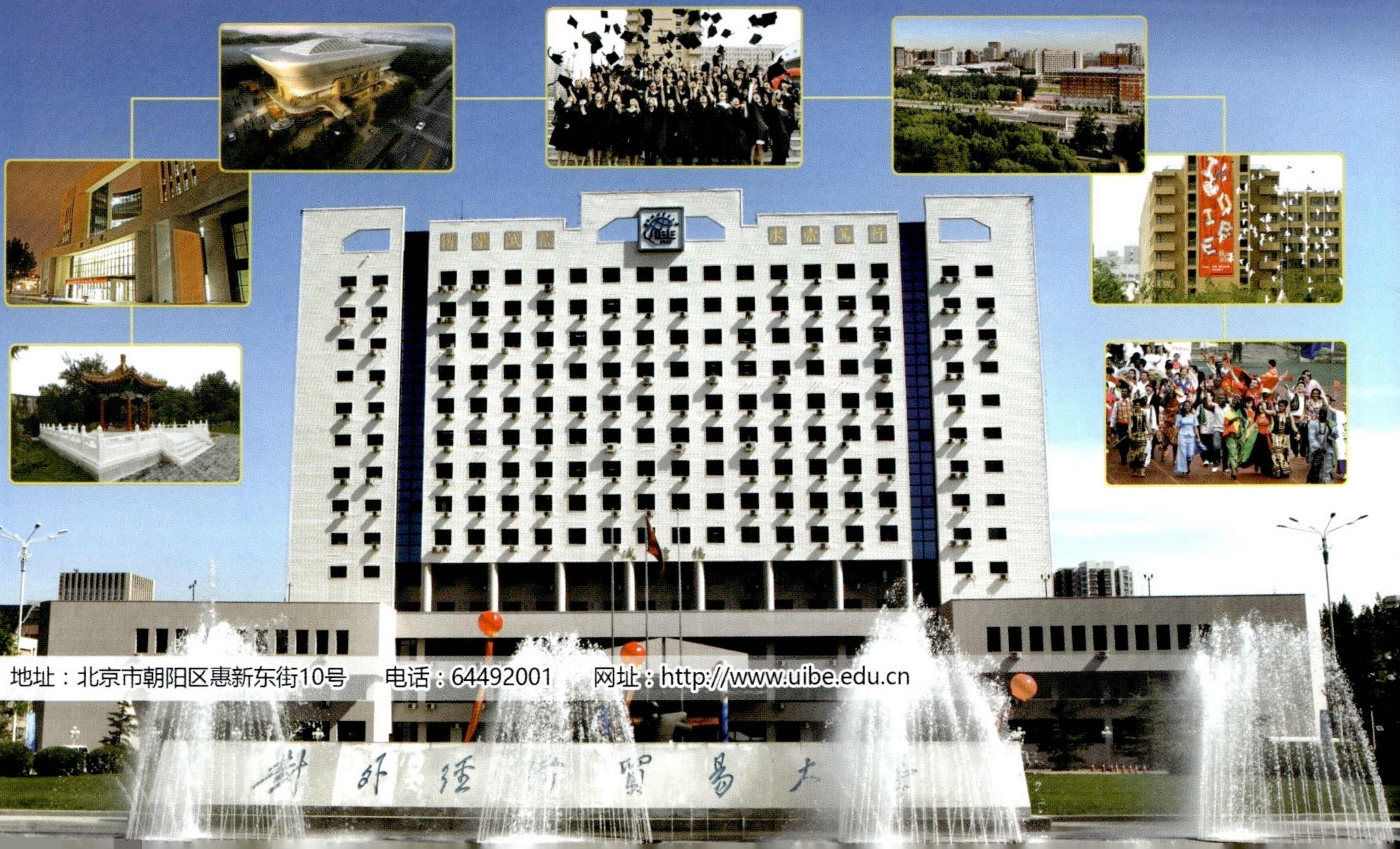

中国世界贸易组织研究会
CWTO
China Society for World Trade Organization Studies

名誉会长
Honorary Chairman

徐匡迪
Xu Kuangdi

陈德铭
Chen Deming

终身荣誉顾问
Lifelong Honorary Advisors

沈觉人
Shen Jueren

佟志广
Tong Zhiguang

谷永江
Gu Yongjiang

龙永图
Long Yongtu

会长
Chairman

孙振宇
Sun Zhenyu

副会长
Vice Chairmen

廖晓淇
Liao Xiaoqi

王成安
Wang Chengan

王新奎
Wang Xinkui

施建军
Shi Jianjun

陈 鹏
Chen Peng

薛荣久
Xue Rongjiu

霍建国
Huo Jianguo

中国世界贸易组织研究会是中华人民共和国商务部直属管理的从事世贸组织（WTO）及相关经济和贸易问题研究的全国性社团组织。由全国长期致力于世贸组织相关事务的政府官员、权威专家学者和机构自愿组成，是国内进行世贸组织有关事务研究、咨询、培训、编辑、出版、国际交流与合作的权威机构之一。

China Society for World Trade Organization Studies (CWTO) is the sole nation-wide non-governmental organization of studying WTO and relevant economic and trade issues based in Beijing,China. Formed voluntarily by government officials, experts, scholars, and institutions all over the country engaged in WTO-related affairs, CWTO is one of the authoritative institutions in the country carrying out research, consulting, training, compilation, publication, international exchange and cooperation activities in connection with WTO.

国务院前副总理李岚清会见中国世界贸易组织研究会领导。（左起：廖晓淇、俞晓松、佟志广、李岚清、谷永江、徐秉金、刘光溪）

Former Vice Premier Li Lanqing met with CWTO leaders. (From left: Liao Xiaoqi, Yu Xiaosong, Tong Zhiguang, Li Lanqing, Gu Yongjiang, Xu Bingjin, Liu Guangxi)

2009年3月20日，徐匡迪院士、陈德铭部长出席中国世界贸易组织研究会第二届理事会第三次会议并发表重要讲话。（左起：郑志海、孙振宇、俞晓松、徐匡迪、陈德铭、谷永江、易小准、徐秉金、吴家煌、刘光溪）

On March 20, 2009, Academician Xu Kuangdi and Minister Chen Deming attended and gave speech at the third session of the Second CWTO Council Meeting. (From left: Zheng Zhihai, Sun Zhenyu, Yu Xiaosong, Xu Kuangdi, Chen Deming, Gu Yongjiang, Yi Xiaozhun, Xu Bingjin, Wu Jiahuang and Liu Guangxi)

宗旨：服务国家，面向企业，依托智库院校，开展国际合作。

Our mission

To serve the country, support enterprises, rely on think tanks and universities and carry out international cooperation.

主要职能

- 研究世界贸易组织相关理论和实际问题；
- 组织国内外学术成果、工作经验和信息交流；
- 向我国政府部门、企业提供培训、咨询和法律服务；
- 国内外信息采编，编辑出版书籍、报刊、音像资料，宣传普及世界贸易组织知识；
- 促进我国与包括广大发展中国家在内的所有世贸组织成员的自由、公平贸易和经济技术合作；
- 推动我国企业参与国际竞争；
- 促进和推动我国与其他国家和地区包括自贸区在内的区域性经济合作；
- 协助我国政府部门在完善多边贸易体制进程中发挥积极和建设性作用。

Main functions

- Study WTO-related theories and practical issues;
- Organize domestic and international exchanges of academic research, work experiences and information;
- Provide relevant training, consultancy and legal services to China's government agencies, industries and enterprises;
- Collect information, edit and publish books, newspapers, audio and video materials, and periodicals to popularize WTO knowledge;
- Promote free-and-fair trade, and economic and technological cooperation between China and other WTO members, including developing countries;
- Encourage Chinese enterprises to participate in global competition;
- Enhance regional economic cooperation between China and other economies including FTAs;
- Assist the Chinese government to play an active and constructive role in improving the world trading system.

2013年9月30日，我会主办的“两岸经贸问题研讨会”在对外经贸大学召开。我会名誉会长、海峡两岸关系协会会长陈德铭和有关专家学者及商务部相关司局参加了本次研讨会。会议由孙振宇会长主持。

On September 30, 2013, a seminar on “Economic Issues Across the Taiwan Straits” was held in UIBE. Mr. Chen Deming, Honorary Chairman of CWTO and President of ARATS attended the seminar with scholars and relevant officials from Ministry of Commerce. The seminar was presided over by Mr. Sun Zhenyu, Chairman of CWTO.

2013年8月23日，世界贸易组织副总干事易小准视察我会并座谈。（左起：王琴华、王成安、薛荣久、易小准、孙振宇、陈鹏、霍建国、吴家煌、林桂军）

On August 23, 2013, Deputy Director-general of WTO Yi Xiaozhun visited CWTO. (From left: Wang Qinhua, Wang Chengan, Xue Rongjiu, Yi Xiaozhun, Sun Zhenyu, Chen Peng, Huo Jianguo, Wu Jiahuang, Lin Guijun)

2013年12月20日，我国驻世界贸易组织大使俞建华莅临我会并合影。

On December 20, 2013, Ambassador of China to WTO YU Jianhua visited CWTO.

地 址：对外经济贸易大学逸夫科研楼608 朝阳区惠新东街10号　邮编：100029
Add： Suite 608, Yifu Research Bldg., No. 10, Huixin Dongjie, Chaoyang District, Beijing 100029, China
电话（Tel）：64493232　传 真(Fax)：84255122
Email：cwto2015@126.com

中国(北京)国际服务贸易交易会
CHINA BEIJING INTERNATIONAL FAIR FOR TRADE IN SERVICES

由商务部和北京市政府共同主办的中国（北京）国际服务贸易交易会（简称京交会），是全球首个专注于服务贸易的国家级、国际性、综合型展示交易平台。自2012年首届京交会起，共有来自154个国家和地区的39.1万客商参展参会，展览洽谈总面积约18万平方米，举行论坛会议及主题活动411场，全国各省区市、全球服务贸易前20强国家和地区均连续三届参展参会，累计实现意向成交额2206.3亿美元。经过三届的培育发展，京交会已成为国家地区、行业组织，以及服务贸易企业间凝聚共识、发现商机、共享成长的国际盛会。

2015年1月，国务院《关于加快发展服务贸易的若干意见》（国发[2015]8号）指出，要“积极培育服务贸易交流合作平台，形成以中国（北京）国际服务贸易交易会为龙头、以各类专业性展会论坛为支撑的服务贸易会展格局”，这无疑为强化京交会的领军作用，促进服务业、服务贸易发展指明了方向。

第四届京交会定于2016年5月28日至6月1日在北京国家会议中心举办。“权威发布”使行业新知尽在掌握，“主题展示”让服务品牌全景呈现，“行业论坛”聚业界精英交流碰撞，“洽谈交易”助海外拓展恰逢其时……新一届京交会，必将在深化服务贸易的产业融合及国际合作方面，带给企业全新的收获与丰硕的成果。

京交会诚挚期待您的加入！

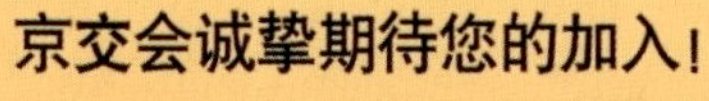

上海WTO事务咨询中心
Shanghai WTO Affairs Consultation Center

理事长兼总裁
王新奎
Council Chairman & President
Mr. Wang Xinkui

上海WTO事务咨询中心是上海市人民政府主办的非营利性WTO事务专业咨询服务机构和国际交流沟通平台，建于中国加入世界贸易组织前夕的2000年10月。

上海WTO事务咨询中心设理事会，理事会成员由上海地区与WTO事务相关的主要政府部门的代表组成。

上海WTO事务咨询中心设顾问委员会，顾问委员会成员由经中华人民共和国国务院批准的国外WTO事务资深专家和经上海市人民政府批准的国内WTO事务权威人士组成。

上海WTO事务咨询中心业务团队成员的知识结构覆盖经济学、政治学、法学、管理学、系统工程、信息工程等专业领域，并具有从事WTO事务研究和咨询工作的长期经验。经中华人民共和国人力资源和社会保障部批准，中心设有以全球多边贸易体制为主要研究方向的博士后科研工作站。

作为WTO事务的专业咨询服务机构和国际交流沟通平台，上海WTO事务咨询中心向政府、企业和社会公众提供下列与WTO事务相关咨询服务：

1 与WTO有关的各类贸易谈判与磋商的数据分析或决策咨询服务；
2 与WTO争端解决有关的法律、法规和其他措施的合规性咨询服务；
3 针对各主要贸易伙伴的贸易环境和贸易壁垒调查服务；
4 按具体产品的反倾销、反补贴和保障措施的预警及监控服务；
5 反映贸易政策、贸易流量和产业产出相关关系的贸易运行监控服务；
6 与全球多边贸易体制有关的各国中长期宏观贸易政策趋势的研究服务；
7 通过电子网络发布或纸质文献资料查讯的WTO信息服务；
8 与WTO 事务有关的专题和热点培训服务；

The Shanghai WTO Affairs Consultation Center (SCC/WTO), funded by the Shanghai Municipal Government and established in October 2000 just prior to China's accession to the World Trade Organization, is a nonprofit think tank dedicated to professional consulting services and international exchanges on WTO affairs.

The SCC/WTO Board of Trustees consists of representatives from Shanghai's leading government departments related to WTO affairs.

The SCC/WTO also has a high-level Advisory Committee with members from home (accredited by the Shanghai Municipal Government) and abroad (accredited by China's State Council).

The SCC/WTO boasts a strong contingent of experienced researchers and veteran consultants in WTO affairs with expertise in multidisciplinary and interdisciplinary areas such as economics, political science, law, public administration, systems engineering, and information engineering. Upon approval from China's Ministry of Human Resources and Social Security, the SCC/WTO runs a postdoctoral program with a research focus on the global multilateral trading system.

As a professional institute specializing in WTO affairs consultancy and communication, the SCC/WTO provides the government, business, academia, and public with a broad range of services:

1 Statistical analysis and policy advice on trade negotiations under WTO;
2 Compliance consulting on laws, regulations and other measures related to the settlement of disputes under WTO;
3 Survey of trade environment and trade barriers in China's major trading partners;
4 Early-warning and monitoring of anti-dumping, countervailing, and safeguard measures against selected products;
5 Tracking and monitoring trade operations based on the interrelationship between trade policies, trade flows and industrial output;
6 Identifying trends in medium- and long-term macroeconomic policies of WTO members within the framework of multilateral trading system;
7 Distributing WTO-related information in print and electronic formats;
8 Training programs on hot topics and current issues related to WTO affairs.

地址：上海市古北路620号院内WTO中心办公楼
邮编：200336
电话：021-62591080

WTO Building,620, Gu Bei Road, Shanghai, China
Zip: 200336
Tel: 86-21-62591080

深圳市公平贸易促进署
（深圳市世贸组织事务中心）

深圳市公平贸易促进署（深圳市世贸组织事务中心）是深圳市政府设立的统筹协调深圳市地方WTO事务和公平贸易工作的专门机构。深圳市世贸组织事务中心成立于2002年12月。2003年12月加挂“深圳市贸易壁垒申诉与调查服务中心”牌子。2015年2月，深圳市世贸组织事务中心（深圳市贸易壁垒申诉与调查服务中心）更名为深圳市公平贸易促进署（深圳市世贸组织事务中心）。该机构自成立以来，秉承贴近产业，服务企业的宗旨，遵循高起点、高水平、高标准、高质量的原则，创造性地开展地方WTO事务和公平贸易工作，致力于为政府和企业提供WTO事务专业服务；致力于维护公平贸易秩序；致力于保障深圳的产业安全；致力于推进深圳国际化城市建设。

其主要职责为：

（一）负责对我市草拟的与WTO有关的法规、规章草案和规范性文件提出合规性意见；负责我市有关贸易和投资地方性法规、规章和政策的通报工作，以及WTO其他成员方制定的法律、法规、贸易和技术政策的通报咨询工作；

（二）统筹协调我市进出口公平贸易及世界贸易组织事务的具体工作，协调上级进出口公平贸易、WTO事务主管部门的地方对口联络工作；

（三）负责组织我市有关WTO政策和议题的研究；负责我市与进出口公平贸易、WTO有关的信息收集、分析研究工作；

（四）协助企业开展贸易壁垒申诉，组织开展贸易壁垒调查相关工作；

（五）组织协调、开展我市贸易摩擦和争端的应对工作以及贸易救济措施的启动和运用工作；

（六）承担我市与国际贸易有关的产业损害调查工作及进出口与产业损害预警系统的建设；

（七）组织协调、开展我市与国际贸易有关的知识产权纠纷的应对工作；

（八）协助促进和改善我市贸易环境，参与推动我市外贸结构调整与转型升级的组织协调工作；

（九）推动建立“337调查”服务体系，开展“337调查”研究工作；

（十）协助企业开展在国外的反垄断应诉工作，配合有关部门在我市开展经营者集中案件的调查工作；

（十一）研究建立我市国际贸易质量评价体系、产业及贸易安全防范体系，建设WTO规则的公共服务平台，为企业走出去提供国际贸易法律、WTO规则的咨询服务；

（十二）制定与国际贸易和投资相关规则、技术性贸易措施和贸易领域的知识产权宣传计划并组织实施。

署领导及内设部门及联系方式

署　长：高 瞻

电话:0755-88102089

副署长：曾建中

电话:0755-88101586

网址：http://www.szwto.gov.cn/

综　合　部：电 话:0755-88120520　传 真：0755-88102090

外贸服务部：电话:0755-88102106

贸易救济部：电话:0755-88125124

世贸规则部：电 话:0755-88120521　传 真：0755-88100714

研究培训中心：电 话:0755-88125525　传 真：0755-88102890

武漢大學WTO学院

简介

武汉大学WTO学院是武汉大学直属学院之一，是按照国际国内开放办学的模式和高效管理机制运行的新型学院。学院旨在以实现学生的国际就业为目标，提供高质量的教学计划和培养方案，使学生在学习的基础上，树立敢于面向国际职业市场的观念，提高就业竞争能力。

学院与多个国家的多所名校建立了联合培养机制，为高中毕业生开创了更新更好的就读机会，学生因此改变了自己的人生轨迹，拥有更好的学习机会、更大的发展空间、更高的就业层次。学院教学以严谨著称，学生管理以严格闻名，教学成效异常显著，学院因此获得了国外高校的高度肯定，吸引了多所世界名校前来我院寻求合作。

国内第二学位教育项目

武汉大学WTO双学位实验班至今已成功举办7届，是面向武汉地区十八所普通高校在校大学生开发的双学位教育（学生在大一时申请）。WTO双学位班将“培养具有国际交流能力的法律、经济、管理学的综合性人才”作为武汉大学特色人才培养目标之一；强调学生在继续学习原本科专业的同时，不转学籍参加本班学习，学生可以用原专业的学位或武大授予的学位进行就业、深造和申请出国，真正使学生获得综合优势。

网　　址：www.whuwto.com

地　　址：武汉大学桂园WTO学院

电　　话：027－68753872

　　　　　027－68754413

传　　真：027－68754690

第十八届中国国际投资贸易洽谈会
THE 18TH CHINA INTERNATIONAL FAIR FOR INVESTMENT & TRADE
CIFIT
开馆式
OPENING CEREMONY
CIFIT

厦门国际会议展览中心
XIAMEN INTERNATIONAL CONFERENCE & EXHIBITION CENTER

浙江达缘供应链管理有限公司

-- 全国首家进口生鲜全程可追溯供应链

浙江达缘供应链管理有限公司成立于 2007 年，是一家专注于食品、药品供应链的进口贸易服务商。董事长孙震先生是中国第三方医药物流企业杭州邦达物流的创始人，曾荣获首届中国物流行业劳动模范、浙江省十大年度经济人物、中日韩青年新锐六大社会贡献奖。在医疗行业，他率先以第三方物流的理念将医药物流剥离细分出来，在全国 800 余座城市建立了门到门的专业配送网，形成了可覆盖 5 万余个医疗卫生终端的物流网络。达缘公司多次被评为“质量效益型先进企业”，“中国最具影响力品牌物流企业”。

近几年，有关食品安全的案例触目惊心，政府开始高度重视食品安全问题。达缘公司经过反复研究讨论，决定依托自身从事药品冷链物流的经验和资源优势，在全球范围内积极寻找绿色环保、价廉物美的健康食品来直供国内。公司现已取得相关进口食品的许可证和批文，与英国、法国、德国、意大利、澳大利亚、新西兰、加拿大、阿根廷、乌拉圭等十几个国家的食品生产供应商建立了长期战略合作关系。

商业核心

达缘是一家专业经营肉类、水产品、乳制品和新鲜果蔬等产品的跨境电子商务保税分包平台的企业。

达缘以食品安全（特别是进口生鲜安全）为出发点，以进口食品市场规范问题为己任，以政府支持、企业创新方式为导向，实现了进口生鲜小包装的全程溯源和全程品控。其使用的小包装溯源码可以主动有效地帮助市场监管部门解决进口生鲜流通环节良莠不分、走私现象屡禁不止的问题。由于有源可查、有据可寻，我们让每一位消费者的每一次消费都安心可享。

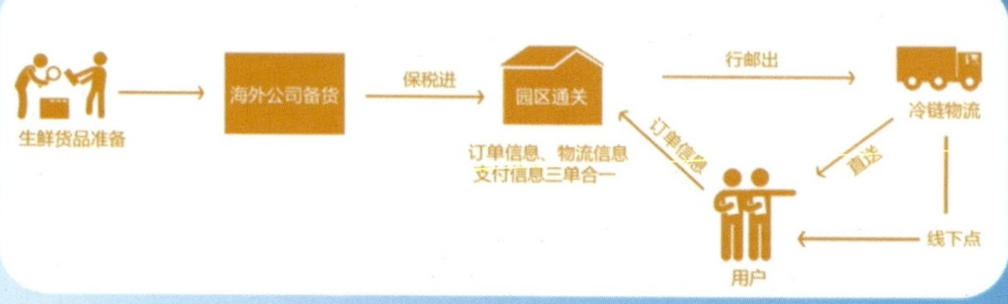

隆力奇

隆力奇是一家在日化保健产业内多元化发展的大型企业集团，富有创新性的国际化的生物科技公司，始创于1986年。隆力奇总部位于长三角腹地城市苏州，占地面积近3000亩，是目前中国规模和技术力量领先的日化产品、养生保健品的研究、开发和产销基地。其产业涉及：化妆品、保健品、洗涤用品、医疗健康器械、木器、房地产、金融等领域。

隆力奇已在海外30多个国家和地区成立了分公司，产品远销全球60多个国家和地区，隆力奇商标在世界138个国家和地区注册。公司拥有员工近万名，其中大学生、研究生、博士生和专家占比超过35%。三十多年来，隆力奇健康、稳定地发展成为日化和养生保健行业的全球知名品牌。

作为中国日化行业的领先企业，隆力奇在全球成立了八大研发机构，从事开发生产并提供可靠、安全、易用的技术产品及优质、专业的服务，帮助全球客户和合作伙伴共获成功。

隆力奇打造了包括一产有机农业、二产4.0工厂、三产旅游会展在内的养生风情小镇，同时拟在国内外复制10个特色小镇。

隆力奇在产业发展、两化融合和小城镇建设上高速推进，坚定“三个无私”、“四个统一”和“靠天敬人”的企业文化，对国家负责、对社会负责、对消费者负责，对员工负责，并不断完善这一“利己利他”的行动，以此来蓄纳隆力奇发展的原动力。

守正而华 日新以润

——不断跨越的华润集团

七十多年前，一间仅有 3 名职员的小商号“ 联和行 ”在香港悄然成立。这个小商号以贸易立本，后转型实业，快速发展，如今已成为蜚声海内外的多元化企业——华润集团。

1948 年 8 月，联和行改组更名为华润公司。1952 年起华润一直是中国进出口贸易在港澳及东南亚的总代理 ,1983 年改组成立华润（集团）有限公司，2003 年归国资委直接监管，被列为国有重点骨干企业。

在各个历史时期，华润都承担过重要使命 , 为新中国的建立发展和香港的繁荣稳定做出了特殊贡献。在综合性贸易公司时期，华润以扩大对香港出口、为内地进口重要物资、保证香港市场供应为核心工作，积极出口创汇，引进先进贸易方式，有力支援了国内的社会主义建设。改革开放时期，华润积极布局海外贸易网络，大力发展实业投资，推动企业上市，发挥了中资窗口企业的作用，并成功转型为以实业为核心的多元化控股企业集团。2000 年以来，华润布局内地市场，在与大众生活息息相关的领域开展大规模并购整合，聚焦主业而形成了目前的产业格局，为国有企业跨越式发展探出了一条新路。

目前，华润的主营业务集中于消费品（包括零售、啤酒、食品、饮料）、电力、地产、水泥、燃气、医药、金融领域。华润集团下设七大战略业务单元、15 家一级利润中心，实体企业近 2000 家，员工 50 万人。2015 年集团实现销售收入 4729.2 亿元人民币，利润总额 440.3 亿元人民币，资产总额 9994.8 亿元人民币，在全球五百强企业排名中跃居第 115 位。华润集团在香港拥有 5 家上市公司，在内地间接控股 5 家上市公司，其旗下华润电力、华润置地位列香港恒生指数成份股，华润燃气、华润水泥位列香港恒生综合指数成份股和中资企业指数成份股。华润零售、华润啤酒、华润燃气经营规模居全国前列；华润电力、华润水泥的运营效率在行业中名列前茅；华润置地是中国内地最具实力的综合地产开发商之一；雪花啤酒、怡宝水、万家超市、万象城等则是享誉全国的著名品牌。

傅育宁董事长在华润大学授课

华润以“ 做实、做强、做大、做好、做长 ”（5M）为发展理念，积极倡导“ 诚实守信、业绩导向、以人为本、创新发展 ”的价值观，尊重人文精神，鼓励不断创新。近年来，华润在并购整合、利用资本市场等方面积累了丰富的经验，在战略管理、风险管控、领导力发展、价值创造型总部建设等方面建立了具有自身特色的管控模式。

华润万家旗下精品超市 Ole’

华润医疗集团所属武钢总医院的医生在会诊

在重视价值创造的同时，华润积极履行社会责任，努力回报社会。华润每年对教育、赈灾、扶贫等慈善公益事业捐赠价值过亿元，纳税总额过百亿。在 2015 年中国社会科学院“ 中国企业社会责任前沿论坛 ”公布的社会责任百强中，华润被评为“ 卓越企业奖 ”。华润积极发挥多元化企业资源优势，探索新型城镇化和新农村建设，在广西百色、河北西柏坡、湖南韶山、福建古田、贵州遵义、安徽金寨等地捐建华润希望小镇，在宁夏海原、江西广昌等地开展定点扶贫工作，通过环境改造、产业帮扶和组织重塑，使昔日贫穷落后的山区，初步转变成欣欣向荣的社会主义新农村，引起了社会各界的广泛关注。

华润在宁夏海原帮扶农户开展肉牛养殖

展望未来，华润将秉承“ 引领商业进步、共创美好生活 ”的庄严使命，依托实业和资本的“ 双擎 ”，借助全球化、互联网 + 的“ 两翼 ”，为股东创造效益、为社会创造价值、为员工创造成长空间，向着“ 大众信赖和喜爱的全球化企业 ”的宏伟愿景奋力前行。

常熟经济技术开发区

常熟经济技术开发区成立于1992年8月，1993年11月成为省级开发区，2010年11月升级为国家经济技术开发区。

常熟经济技术开发区紧紧抓住“沿江开发”这一战略机遇，依托濒江临港和“二路一桥”（苏嘉杭高速、沿江高速、苏通长江大桥）的交通区位优势，开发建设以沿江工业区、常熟出口加工区为核心的工业板块及综合配套服务沿江发展的滨江新市区。

目前开发区已有来自二十多个国家和地区的外资企业近600家，外资总投资达288亿美元，注册外资121亿美元。由世界500强企业投资的项目有57个，其中投资额超亿美元项目38个，超百亿美元的特大型项目5个。2016年，实现地区生产总值828.2亿元，同比增长1.67%。完成财政总收入145.7亿元，同比增长6.04%。实现工业总产值2603亿元，同比增长0.04%。实现进出口总额115.6亿美元。汽车及零部件产业快速发展，实现产值173亿元，同比增长154%。

经济转型成效显著。近年来，围绕汽车及零部件、装备制造、新能源、创新创意、现代物流五大产业招商引资，先后引进了观致汽车、奇瑞捷豹路虎汽车等一大批项目。依托港区优势和出口加工区拓展保税物流功能的有利条件，形成了重大装备制造产业园、国际物流园等，未来将建设成为华东地区重要的汽车生产基地。

科技创新全面发展。着力推进“常熟科创园”建设，引进海内外人才创新创业项目150多个，涉及高端装备制造、医疗器械及生物医药、节能环保新能源新材料、新一代信息技术等。南京理工大学、北京理工大学、浙江大学、香港浸会大学、中国人民大学、北京电影学院等9家大学研究院（所）全部正式运行。目前，区内已有6人列入国家“千人计划”。2012年12月常熟科创园管理服务中心被认定为国家科技企业孵化器。

传统产业不断提升。电力能源、高档造纸、精细化工、特殊钢铁和汽车零部件五大传统产业在提档升级、延伸产业链、扩大市场占有率等方面取得突破。现拥有夏普办公设备、芬欧汇川纸业、诺华制药三大世界500强研发中心。开发区已建设成为高档文化用纸和氟化物生产基地，华东地区重要的火力发电、子午线轮胎生产、钢铁加工及钢材进出口基地。

滨江新城日趋完善。围绕形成高质量的公共服务、高集聚度的商务商贸、高品质的生态人居和文化休闲，着力推进各类城市功能项目的开发建设，累计完成基础设施建设投资17亿元，将逐步实现城市基本功能配套到位，一座现代化、国际化、生态化的滨江新城正在加速崛起。

港口物流发展迅猛。区内国家一类对外开放口岸常熟港已建成20个码头59个泊位，其中万吨级泊位24个，与全球53个国家和地区的265个国际口岸实现通航通商，逐步形成了钢材、纸浆、木材及化工品等特色货种。目前区内已有大新华港务、德邦物流、普江仓储等物流贸易企业431家，总注册资本45亿元。

越南龙江工业园

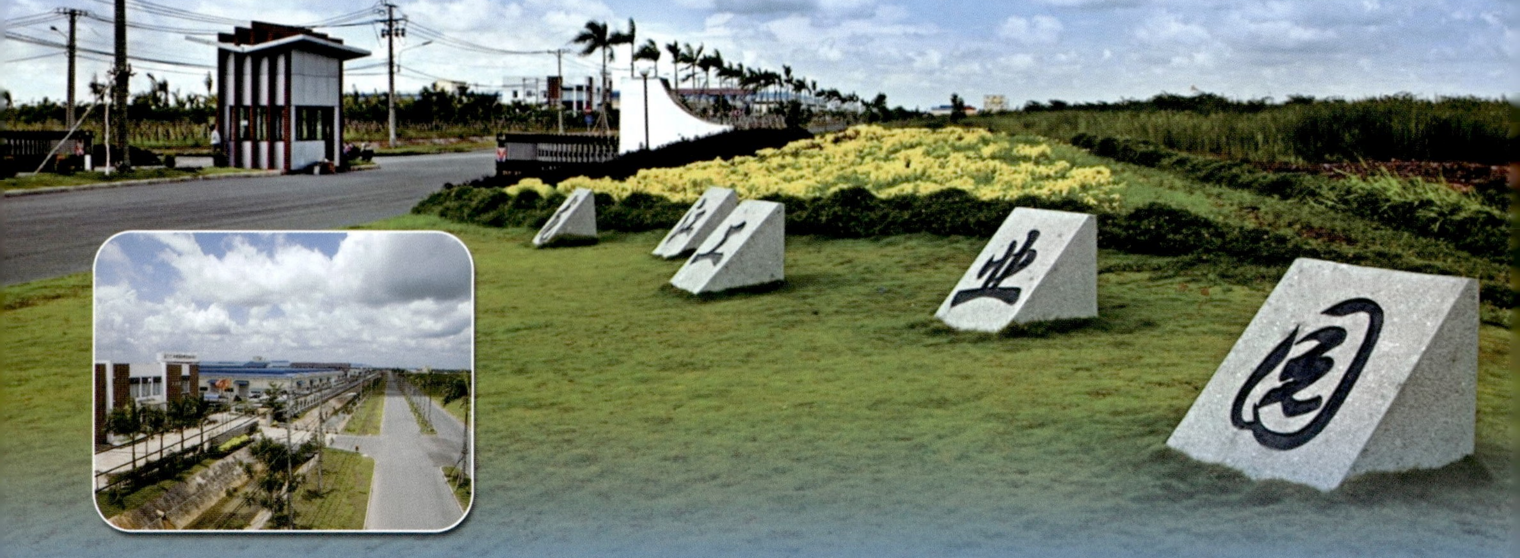

越南龙江工业园项目是由浙江前江投资管理有限责任公司投资兴建的综合性工业园。2007年6月越南总理阮晋勇亲自批准园区投资许可；2007年11月中标成为中国第二批境外经济贸易合作区；2011年9月正式通过考核，成为中国境外经贸合作区。

龙江工业园占地600公顷（包括540公顷工业区和60公顷住宅服务区），总投资1.05亿美元。园区位于越南西南部的前江省新福县新立第一社，紧邻忠良高速公路，距胡志明市40公里，距新山一国际机场、西贡港国际集装箱码头50公里。园区所依托的胡志明市是传统的国际货物运输港口城市，海运通达全球，十分便利。胡志明市还是中国—东盟2小时经济圈空运中心，到广州、香港、新加坡、曼谷、吉隆坡、雅加达、金边等中国—东盟国家的航班都在2小时左右。

龙江工业园为综合产业工业园，产业规划为：电子、电气、机械、木制品、轻工业、建材、生物制药业、农林产品加工、橡胶、纸业、新材料、人造纤维等。园区建成以后可吸纳100～200家企业入园，可吸引约5～10万当地劳动力，提供45亿美元年产值，预计每年增加出口额36亿美元，将有效带动当地经济跨越式发展。其计划吸收的中资企业占总入园企业的60～70%，是中国企业在越南投资的良好平台，有利于中越两国经贸关系的加强与发展。

越南政府给予园区目前最优惠的税收政策，以帮助吸引企业入园投资。入园企业自有营业收入之年起享有15年的所得税优惠期，优惠税率为10%（目前越南企业所得税为25%），并且自盈利之年起，前4年免税、后9年税率减半。该政策是目前越南最优惠的税收政策。此外，构成企业固定资产的设备免进口税、免产品出口税。自企业开始投产之日起，生产所用的原材料、物资、零部件进口可免5年进口税。入园企业可根据自身情况来决定成立普通企业或加工出口企业，对于加工出口企业，免除原材料进出口税及增值税。

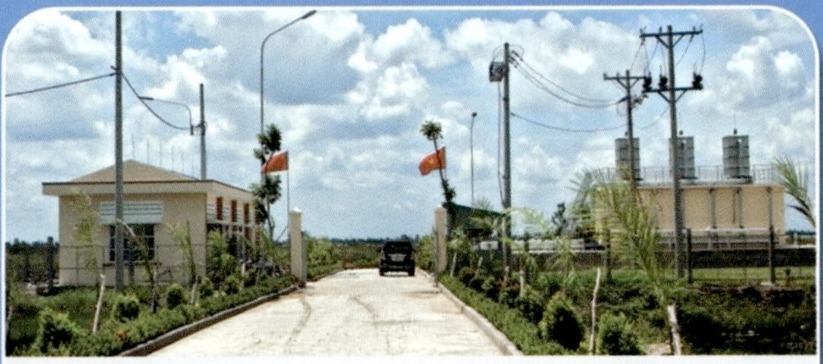

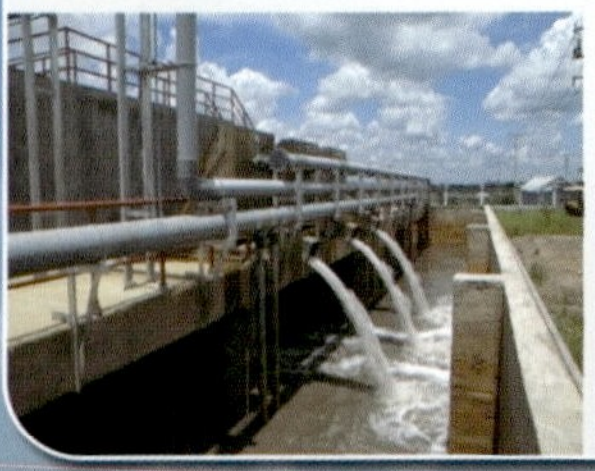

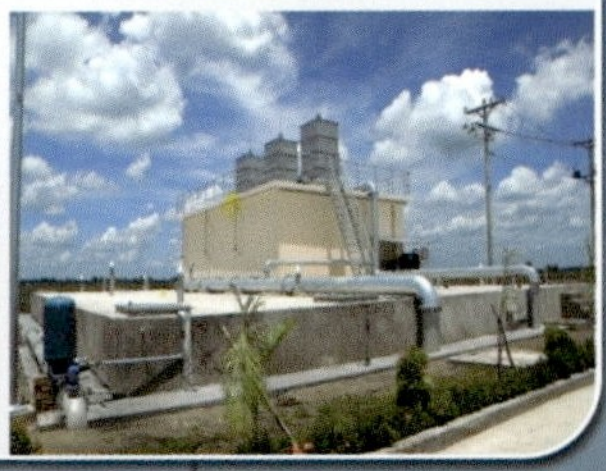

园区自2008年5月开始建设，目前建设范围超过200公顷，已完成了第一期建设。主要建设工程包括园区土地平整、道路建设、给排水管网建设、污水处理站建设、供水站建设、供电系统建设、绿化及临时码头建设等。园区可为入园企业提供正常生产所需的配套设施，包括供水、供电、污水处理、固体垃圾处理、物流等。

目前园区共引入企业38家，已完成总招商任务的85%。有26家已取得投资执照，18家已经投产，5家正在进行厂房建设，还有12家正在办理投资执照。入园企业总投资额将达13亿美元，完全达产后年产值将超过30亿美元。

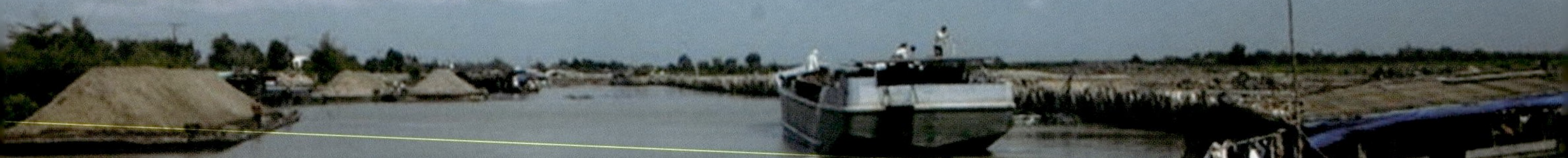

前江投资管理有限责任公司　电话：+8657788825980　网址：www.ljip.vn
金东先生：kingeast777@163.com　手机：+8618066291878
廖洪志先生：liaohzhi@163.com　手机：+8618066292112

青岛市商务局

青岛海关自贸协定通关专用窗口

青岛率先建立国家自贸区战略地方经贸合作推进工作机制

依托区位与资源优势，青岛主动作为、砥砺争先，在国家支持下率先建立国家自贸区战略（FTA）地方经贸合作推进工作机制，成为全国首个也是唯一开展该项工作的试点城市。2016年1月21日青岛市政府印发并实施了《青岛市实施自由贸易区战略建立地方经贸合作推进机制工作方案》，同时成立了由商务、海关、商检等部门及各辖区政府为成员的联席会议，负责推进落实各项工作目标和工作任务，加快推进政策知识培训、实施效果评价、对外谈判数据调研、复制推广创新研究和交流合作活动“五大基地”建设。

2016年1月22日青岛举办中澳自贸协定解读研讨会

借力地方经贸合作推进机制，青岛积极贯彻实施国家自贸区战略，不断加强同自贸区国家和地区的经贸合作关系，对外开放水平显著提升。2016年，青岛与22个自贸区国家和地区的经贸关系再上新台阶，全年进出口总额实现214.4亿美元，占全市进出口总额的32.5%；吸引自贸区国家和地区投资新设项目529个，到账外资338.7亿元，占全市到账外资的73.3%；在19个自贸区国家和地区投资605个项目，投资额达71.8亿美元，占全市对外投资总额的33.5%。2016年，青岛共对韩国、东盟、澳大利亚、智利、巴基斯坦五大自贸区主要贸易伙伴签发原产地证书金额达58.17亿美元，享受关税优惠3.22亿美元，自贸协定利用率从年初的36%跃升至年底的59%。

2016年1月22日青岛举办国家自贸区（FTA）战略与地方经贸合作发展研讨会

肇庆国家高新技术产业开发区

Zhaoqing National High-Tech Industry Development Zone

肇庆高新区总工会企业职工技能竞赛获奖选手合影留念

肇庆国家高新技术产业开发区作为广东省吸收外资重点工业园区、广东省山区吸收外资示范区，广东省首批示范性产业转移园，享有地市一级经济管理和相关行政审批权限，所在地大旺，总面积98平方公里。

2015年4月26日，宝龙汽车项目启动

开发区位于珠三角中心区的西部、肇庆市最东端，属广佛半小时经济生活圈，到广州白云机场仅40多分钟车程。铁路、公路、高速公路、城际轨道、水路交通可谓四通八达。

近年来，开发区实现了超常规跨越式发展。2015年全区实现GDP 215.27亿元，工业总产值822.15亿元，地方公共财政预算收入13.3亿元。开发区吸引了一大批国内外知名企业落户，目前已投产企业有260多家，初步形成了金属新材料、电子信息、生物医药、先进装备制造四大主导产业。

优美的园区环境

下阶段，开发区将按照现代科技工业城的发展定位，全力以赴谋招商、聚精会神抓工业，大力发展四大主导产业，努力开创“二次创业”新辉煌，引领全市新型工业化。

Zhaoqing National High-Tech Industry Development Zone has three titles: the key foreign investment-attracting industrial zone, the foreign investment-attracting demonstration zone of mountainous area, the first industrial-transfer demonstration zone. It enjoys prefecture level economical management right, and prefecture level administrative approval. It lies in Dawang district, with a planning construction area of 98 square kilometers.

肇庆高新区大旺城际轨道站

Zhaoqing National High-tech industry development Zone located in the west of the Pearl River Delta's centre, east of Zhaoqing city. It lies within the "economy and life half hour circle of Guangzhou and Foshan", it taks only 40-minutes' to drive from Dawang to Guangzhou Baiyun Airport. There are railways, highways, intercity railways, and waterway transportation leading in all directions.

In recent years, the economy of this area has grown by leaps and bounds extraordinarily. In 2015, the GDP of this region was 21.53 billion Yuan, the industrial output was 82.32 billion Yuan, and the public budget revenue was 1.33 billion Yuan. With more than 260 enterprises in production now, it attracts a large number of well-known domestic and foreign enterprises and enjoys four leading industries—the new metal materials, electronic information, biomedicine and advanced equipment manufacturing.

肇庆高新区唯品会华南区运营总部

In accordance with the development orientation of modern science and technology industrial city, the people in the district will go all out to seek investment, focus on industry production, make efforts on developing the four leading industries, strive for creating "Second Startup" and hold the lead in Zhaoqing's new industrialization.

2015年1月23日，高新区举行优秀企业表彰大会

德阳经济技术开发区
Deyang Economic & Technological Development Zone

德阳经济技术开发区成立于1992年8月，2010年6月升级为国家经济技术开发区。经济区位于德阳市区的东南部，南接成都，北临绵阳，居成德绵发展带之中心，是成都经济圈重要的增长极。区内八横八纵路网交织，京昆高速、旌江快速、宝成复线、城际客运、108国道纵贯南北，成都五环路横跨东西，邻近成都机场和绵阳机场，驱车50分钟即可抵达。

德阳经济技术开发区是首批“国家新型工业化（装备制造业）示范基地”和联合国“清洁技术与新能源装备制造业国际示范城市”挂牌园区。德阳经济技术开发区立足于“工业立区、科技兴区、统筹强区”的发展宗旨，致力于发展“新能源、新装备、新材料”产业和现代服务业，是中国西部新型工业化示范区、高新技术成果产业化基地和最具投资价值的开发区之一。

中国二重自主研发制造的世界最大的八万吨模锻压机

燃机转子吊装

Founded in August 1992, Deyang Economic and Technological Development Zone (DETDZ) was ratified as a state-level economic and technological development zone in June 2010. Located in the southeast of Deyang, DETDZ is close to Chengdu in south and Mianyang in north and in the center of the Deyang-Mianyang Economic Belt, becoming an important growth source of the Chengdu Economic Circle. There is the network interweaved with eight vertical and eight horizontal roads, Beijing-Kunming Expressway, Jingjiang Fast Track, Baoji-Chengdu Multiple Tracks, intercity passenger train and National Road 108 go cross from north to south, and the Fifth Ring Road of Chengdu stretches over from east to west . It is only 50 min drive from here to Chengdu airport and Mianyang airport.

The DETDZ has the honor of being among the first-batch “national demonstration base of new industrialization (equipment manufacturing)” and honor of industrial park in an International Demonstration City of Clean-Tech & New Energy Equipment Manufacturing Industry awarded by the United Nations. With the tent of “Seeking development via industry and technology and becoming strong in development planning”, DETDZ is focusing on developing such industries as new energy, new equipment, new equipment, new materials and modern services. It is a pilot zone in West China for new type of industrialization, a base for commercialization of high-tech achievements and also one of the development zones with the most attractive investment value.

德阳经济技术开发区 Deyang Economic & Technological Development Zone

地址：中国四川德阳市珠江东路99号 Add：No.99 Zhujing East Road,Deyany,Sichuan,China

电话（Tel.）：0838-2902311 传真（Fax.）：0838-2900269

潍坊滨海经济技术开发区

Weifang Binhai Economic-Technological Development Area

潍坊滨海经济技术开发区成立于1995年8月，2010年4月升级为国家经济技术开发区。开发区先后被确定为“国家科技兴贸创新基地”、“国家生态工业示范园区”、“国家职业教育创新发展试验区”、“全国科技兴海示范区”和“山东科学发展园区、循环经济示范区”。

开发区位于山东半岛北部，渤海湾南岸，在环渤海经济圈的咽喉地带，是连接长三角与京津地区的重要节点，也是省会都市圈的出海口、济青一体化的支撑点、对接东北亚的保税港、海洋产业群的聚集地，其地缘优势十分明显。区内的潍坊港为国家一类开放口岸及地区性重要港口。2014年底，鲁辽陆海联运滚装甩挂运输大通道实现首航，潍坊至营口这条渤海湾的“黄金水道”正式贯通，首开中国海上绿色货滚甩挂运输通道。

开发区陆域面积677平方公里，海域面积510平方公里。其中海岸线长69公里，浅海滩涂20多万亩，集约用海面积100多平方公里，可直接开发利用的工矿存量用地近500多平方公里。办理土地手续方便快捷，发展空间非常广阔。

目前，已有海化集团、潍柴大机、瑞驰汽车、海王化工、新和成药业等一大批骨干企业投产达效，盐化油化一体化、新能源汽车、机器人、高档游艇、中速机、港口建设等1000多个大项目正在建设。下一步，将重点建设港口经济区、海洋科技大学园、海洋动力机械装备产业园、绿色化工产业园、中外产业园、旅游度假区、中央商务区七大片区，加快形成产值过万亿的蓝色高端产业体系。

Established in August 1995, Weifang Binhai Economic-Technological Development Area (BEDA) had become a national economic and technological development area in April 2010. BEDA has been continuously accredited as National Innovation Base for Rejuvenating Trade through Science and Technology, National Demonstration Eco-Industry Park, National Vocational Education Innovation Zone, National Demonstration Zone Invigorating the Sea by Science and Technology and Scientific Development Park and Circular Economy Demonstration zone in Shandong Province.

BEDA is located in the northern part of Shandong Peninsula. It has obvious geography advantages, such as the throat of Bohai Economy Circle, the important connecting place of Yangtze River Delta and Beijing-Tianjin Region, the estuary of the provincial Capital City Circle, the supporting point of Jinan-Qingdao Integration, the boned port connecting with Northeast Asia and the gathering place of marine industrial groups. Weifang harbor, a national first class open port and regional important harbor with all berths opening tothe world. The start-up of the Lu-Liao land and the marine joint "Drop and Pull" Transport Project, which is cooperated by the Ministry of Transport, Shandong Province and Liaoning Province, would make Weifang harbor a 100 million harbor.

Covering a land area of 677 square kilometers and the sea area of 510 square kilometers, the coastline of BEDA stretches a distance of 69 kilometers with more than 200,000 Mu offshore lands. BEDA possesses a large state-owned land for industrial use with an area of nearly 500 square kilometers. The land can be transacted conveniently which would guarantee the setting down of the projects and provide broad development space for the enterprises in the area.

Currently, there are more than 100 backbone enterprises, including Haihua, Weichai Heavy Machine, Rainchst, Haiwang, Xinhecheng Pharmacy, etc, putting into application and making benefits. And there are many big projects under construction, like petrochemical salinization integration, new energy automobiles, robots, high-end yachts, medium-speed engines, port construction and so on. In the next step, BEDA will strive to break through the seven industrial areas, such as Port Economic Zone, University Park of Marine Science and Technology, Marine Mechanical Equipment Industrial Park, Green Chemical Industry Park, Chinese and Foreign Industrial Park, Tourism Zone and the Central Business District, so as to accelerate shaping the bule high-end industrial system with value more than 1 billion RMB.